LAROUSSE

Diccionario

mini

English-Spanish
Español-Inglés

LAROUSSE

Para esta edición/For this edition

JOAQUÍN BLASCO   JOSÉ A. GÁLVEZ

SHARON J. HUNTER   JANICE MCNEILLIE

Para las ediciones anteriores/For previous editions

JOAQUÍN BLASCO   JOSÉ A. GÁLVEZ   DILERI BORUNDA JOHNSTON

CALLUM BRINES   ISABEL BROSA SÁBADA   ANA CARBALLO VARELA

MALIHE FORGHANI-NOWBARI   LESLEY KINGSLEY   WENDY LEE

ANA CRISTINA LLOMPART LUCAS   SINDA LÓPEZ

ZOE PETERSEN   ELENA PARSONS   CARMEN ZAMANILLO

© Larousse, 2014

ISBN 978-84-16124-39-8
Depósito legal: B-17822-2014
3E11
LAROUSSE EDITORIAL, S.L., Mallorca, 45, 08029 Barcelona

Abreviaturas/Abbreviations

preposición	prep	preposition
español de Puerto Rico	PRico	Porto Rican Spanish
pronombre	pron	pronoun
pasado, pretérito	pt	past tense
marca registrada	®	registered trademark
religión	RELIG	religion
español del Río de la Plata	RP	Rio de la Plata Spanish
sustantivo	s	noun
	sb	somebody
educación	SCH	school, education
separable	sep	separable
singular	sg	singular
	sthg	something
sujeto	suj/subj	subject
superlativo	superl	superlative
tecnología	TECN/TECH	technology
televisión	TV	television
transportes	TRANS(P)	transport
inglés británico	UK	British English
español de Uruguay	Urug	Uruguayan Spanish
inglés americano	US	American English
verbo	v/vb	verb
español de Venezuela	Ven	Venezuelan Spanish
verbo intransitivo	vi	intransitive verb
verbo impersonal	v impers	impersonal verb
verbo pronominal	vpr	pronominal verb
verbo transitivo	vt	transitive verb
vulgar	vulg	vulgar
equivalente cultural	≃	cultural equivalent

Abreviaturas/Abbreviations

exclamación	excl	exclamation
sustantivo femenino	f	feminine noun
familiar	fam	informal
figurado	fig	figurative
finanzas	FIN	finance
formal, culto	fml	formal
generalmente	gen	generally
gramática	GRAM(M)	grammar
español de Guatemala	Guat	Guatemalan Spanish
familiar	inf	informal
informática	INFORM	computing, IT
inseparable	insep	inseparable
interjección	interj	exclamation
invariable	inv	invariable
derecho, jurídico	JUR	juridical, legal
sustantivo masculino	m	masculine noun
matemáticas	MAT(H)	mathematics
medicina	MED	medicine
español de México	Méx	Mexican Spanish
militar	MIL	military
música	MÚS/MUS	music
náutica, marítimo	NÁUT/NAUT	nautical
español de Nicaragua	Nic	Nicaraguan Spanish
número	núm/num	numeral
	o.s.	oneself
español de Panamá	Pan	Panaman Spanish
español de Perú	Perú	Peruvian Spanish .
plural	pl	plural
política	POL(IT)	politics
participio pasado	pp	past participle

Abreviaturas/Abbreviations

abreviatura	abrev/abbr	abbreviation
adjetivo	adj	adjective
adverbio	adv	adverb
español de América	Amér	Latin American Spanish
anatomía	ANAT	anatomy
español de los Andes	Andes	Andean Spanish
español de Argentina	Arg	Argentinian Spanish
artículo	art	article
automóviles	AUT(OM)	automobile, cars
auxiliar	aux	ausiliary
español de Bolivia	Bol	Bolivian Spanish
español de Centroamérica	CAm	Central American Spanish
español del Caribe	Carib	Caribbean Spanish
español de Chile	Chile	Chilean Spanish
español de Colombia	Col	Colombian Spanish
comercio	COM(M)	commerce, business
comparativo	compar	comparative
informática	COMPUT	computing, IT
conjunción	conj	conjunction
continuo	cont	continuous
español de Costa Rica	CRica	Costa Rican Spanish
español del Cono Sur	CSur	Cono Sur Spanish
español de Cuba	Cuba	Cuban Spanish
cocina	CULIN	culinary, cooking
deportes	DEP	sport
derecho	DER	juridical, legal
despectivo	despec	pejorative
economía	ECON	economics
educación	EDUC	school, education

La colección Mini se ha desarrollado para hacer frente tanto a las necesidades del viajero como a las del principiante.

Con sus más de 30.000 palabras y más de 40.000 traducciones, este diccionario incluye no sólo vocabulario general sino también lenguaje utilizado en situaciones de todos los días.

El diccionario utiliza indicadores de sentido claros para guiar al lector hacia la traducción correcta. Se ha puesto especial hincapié en muchas palabras básicas, ofreciendo ejemplos de uso útiles, presentados de una forma especialmente accesible.

A lo largo de todo el diccionario se facilitan notas culturales e información práctica que ofrecen una interesante visión de la vida en otro país.

EL EDITOR

The Mini series was developed to meet the needs of both the traveller and the beginner.

With over 30,000 words and phrases and 40,000 translations, this dictionary provides not only general vocabulary but also the language used in everyday life.

Clear sense markers are provided to guide the reader to the correct translation, while special emphasis has been placed on many basic words, with helpful examples of usage and a particularly user-friendly layout.

Cultural notes and practical information can be found throughout which allow an interesting insight into life in another country.

THE PUBLISHER

ÍNDICE

Informaciones generales
Diccionario Inglés-Español
Verbos ingleses
Verbos españoles
Guía de conversación
Guía práctica
Diccionario Español-Inglés

CONTENTS

General information
English-Spanish Dictionary
English Verbs
Spanish verbs
Conversation guide
Numbers, weights and measures,
currency, time
Spanish-English Dictionary

LAROUSSE

Diccionario

mini

English-Spanish
Español-Inglés

LAROUSSE

	inglés	español	explicación
æ	pat/bag/mad		*a* con posición bucal para *e*
ɑː	barn/car/laugh		*a* muy alargada
ai	buy/light/aisle	aire	
aʊ	now/shout/town	aula	
b	bottle/bib	vaca/bomba	
d	dog/did	dar	
ʤ	jig/fridge		sonido entre la *y* inicial y la *ch*
e	pet		como la *e* de *elefante* pero más corta
ə	mother/suppose		*e* con posición bucal para *o*
ɜː	burn/learn/bird		*e* larga con posición bucal entre *o* y *e*
ei	bay/late/great	reina	
eə	pair/bear/share		*ea* pronunciado muy brevemente
f	fib/physical	fui/fama	
g	gag/great	gato	
h	how/perhaps		*h* aspirada
ɪ	pit/big/rid		*i* breve, a medio camino entre *e* e *i*
iː	bean/weed		*i* muy alargada
ɪə	peer/fierce/idea	hielo	

	inglés	español	explicación
j	you/spaniel	yo/lluvia	
k	come/kitchen	casa/que	
l	little/help	ala/luz	
m	metal/comb	madre/cama	
n	night/dinner	no/pena	
ŋ	song/finger	banca	
ɒ	dog/sorry		*o* abierto
ɔː	lawn		*o* cerrada y alargada
ɔi	boy/foil	soy	
əʊ	no/road/blow		*ou* como en *COU*
p	pop/people	campo/papá	
r	right/carry		sonido entre *r* y *rr*
s	seal/peace	solo/paso	
ʃ	sheep/machine	show	
ʒ	usual/measure		como *y* o *ll* en el Río de la Plata
t	train/tip	toro/pato	
tʃ	chain/wretched	chico/ocho	
θ	think/fifth	zapato	
ð	this/with	cada/pardo	
ʊ	put/full		*u* breve
uː	loop/moon		*u* muy alargada
ʌ	cut/sun		*a* breve y cerrada
ʊə	poor/sure/tour		

	inglés	español	explicación
v	**vine/livid**		como *v* de *vida* en el pasado
w	**w**et/**w**hy/t**w**in	**a**gua/h**ue**so	
z	**z**ip/hi**s**	**andinismo**	

	Spanish	English	comment
a	pata		similar to the *a* sound in *father*, but more central
ai	aire/caiga	buy/light	
au	causa/aula	now/shout	
b	boca	bib	
β	cabo		*b* pronounced without quite closing the lips
θ	cera/paz	think/fifth	
tʃ	ocho/chispa	chain/wretched	
d	donde/caldo	dog/did	
ð	cada	this/with	
e	leche		similar to the *e* sound in *met*
ei	ley/peine	bay/late	
eu	Europa/deuda		the sound *e* in *met* followed by *oo* in *fool*
f	fácil	fib/physical	
g	grande/guerra	gag/great	
ɡ	águila		like a *w* pronounced trying to say *g*
i	silla		like the *ea* sound in *meat*, but much shorter
j	hierba/miedo	you/spaniel	
k	que/cosa	come/kitchen	
l	ala/luz	little/help	
m	madre/cama	metal/comb	
n	no/pena	night/dinner	

	Spanish	English	comment
ñ	caña	onion	
ŋ	banco	sung	
oi	soy	boy	
o	solo	off/on	
p	papá/campo	pop/people	
ɾ	caro		a rolled r sound
r	carro		a much longer rolled r sound
s	solo/paso	seal/peace	
t	toro/pato	train/tip	
u	luto		like the *oo* sound in *soon*, but much shorter
w	agua/hueso	wet/twin	
x	gemir/jamón		like an *h*, pronounced at the back of the throat
ʎ	llave/collar	yellow	
z	resguardar	zip/his	

La ordenación alfabética en español

En este diccionario se ha seguido la ordenación alfabética internacional. Esto significa que las entradas con *ch* aparecerán después de *cg* y no al final de *c*; del mismo modo las entradas con *ll* vendrán después de *lk* y no al final de *l*. Adviértase, sin embargo, que la letra *ñ* sí se considera letra aparte y sigue a la *n*.

Spanish alphabetical order

The dictionary follows international alphabetical order. Thus entries with *ch* appear after *cg* and not at the end of *c*. Similarly, entries with *ll* appear after *lk* and not at the end of *l*. Note however that *ñ* is treated as a separate letter and follows *n*.

Los compuestos en inglés

En inglés se llama compuesto a una locución sustantiva de significado único pero formada por más de una palabra; p. ej. *point of view, kiss of life, virtual reality*. Uno de los rangos distintivos de este diccionario es la inclusión de estos compuestos con entrada propria y en riguroso orden alfabético. De esta forma *blood test* vendrá después de *blood shot*, el cual sigue a *blood pressure*.

English compounds

A compound is a word or expression which has a single meaning but is made up of more than one word, e.g. *point of view, kiss of life, virtual reality*. It is a feature of this dictionary that English compounds appear in the A–Z list in strict alphabetical order. The compound *blood test* will therefore come after *blood shot* which itself follows *blood pressure*.

Nombres de marcas

Los nombres de marca aparecen señalados en este diccionario con el símbolo ®. Sin embargo, ni este símbolo ni su ausencia son representativos de la situación legal de la marca.

Registered trademarks

Words considered to be trademarks have been designated in this dictionary by the symbol ®. However, neither the presence nor the absence of such designation should be regarded as affecting the legal status of any trademark.

ENGLISH-SPANISH

INGLÉS-ESPAÑOL

a A

a [stressed eɪ, unstressed ə] art **1.** (referring to indefinite thing, person) un (una) ● **a friend** un amigo ● **a table** una mesa ● **an apple** una manzana ● **to be a doctor** ser médico **2.** (instead of the number one) un(una) ● **a hundred and twenty pounds** ciento veinte libras ● **a month ago** hace un mes ● **a thousand** mil ● **four and a half** cuatro y medio **3.** (in prices, ratios) por ● **they're £2 a kilo** están a dos libras el kilo ● **three times a year** tres veces al año

AA [eɪeɪ] n **1.** (UK) (abbr of Automobile Association) asociación británica del automóvil, ≃ RACE m **2.** (abbr of Alcoholics Anonymous) AA mpl

AAA [eɪeɪeɪ] n (US) (abbr of American Automobile Association) ≃ RACE m

aback [əˈbæk] adv ● **to be taken aback** quedarse atónito(ta)

abandon [əˈbændən] vt abandonar

abattoir [ˈæbətwɑːʳ] n (UK) matadero m

abbey [ˈæbɪ] n abadía f

abbreviation [əˌbriːvɪˈeɪʃn] n abreviatura f

abdomen [ˈæbdəmən] n abdomen m

abide [əˈbaɪd] vt ● **I can't abide him** no le aguanto ◆ **abide by** vt insep (rule, law) acatar

ability [əˈbɪlətɪ] n **1.** (capability) capacidad f, facultad f **2.** (skill) dotes fpl

able [ˈeɪbl] adj capaz, competente ● **to be able to do sthg** poder hacer algo

abnormal [æbˈnɔːml] adj anormal

aboard [əˈbɔːd] ◇ adv a bordo ◇ prep **1.** (ship, plane) a bordo de **2.** (train, bus) en

abolish [əˈbɒlɪʃ] vt abolir

aborigine [ˌæbəˈrɪdʒənɪ] n aborigen mf de Australia

abort [əˈbɔːt] vt abortar

abortion [əˈbɔːʃn] n aborto m ● **to have an abortion** abortar

about [əˈbaʊt] ◇ adv **1.** (approximately) más o menos ● **about 50** unos cincuenta ● **at about six o'clock** a eso de las seis **2.** (referring to place) por ahí ● **to walk about** pasearse **3.** (on the point of) ● **to be about to do sthg** estar a punto de hacer algo ● **it's about to rain** va a empezar a llover ◇ prep **1.** (concerning) acerca de ● **a book about Scotland** un libro sobre Escocia ● **what's it about?** ¿de qué (se) trata? ● **what about a drink?** ¿qué tal si tomamos algo? **2.** (referring to place) ● **there are lots of hotels about the town** hay muchos hoteles por toda la ciudad

above [əˈbʌv] ◇ prep por encima de ◇ adv (higher) arriba ● **children aged ten and above** niños mayores de diez años ● **the room above** la habitación de arriba ● **above all** sobre todo

abroad [əˈbrɔːd] adv **1.** (be, live, work) en el extranjero **2.** (go, move) al extranjero

abrupt [əˈbrʌpt] adj repentino(na)

ABS [eɪbiːˈes] n (abbr of anti-lock braking system) ABS m (anti-lock braking system)

abscess ['æbses] *n* absceso *m*

absence ['æbsəns] *n* ausencia *f*

absent ['æbsənt] *adj* ausente

absent-minded [-'maɪndɪd] *adj* despistado(da)

absolute ['æbsəluːt] *adj* absoluto(ta)

absolutely ◇ *adv* ['æbsəluːtlɪ] *(completely)* absolutamente ◇ *excl* [,æbsə'luːtlɪ] ¡por supuesto!

absorb [əb'sɔːb] *vt (liquid)* absorber

absorbed [əb'sɔːbd] *adj* ● **to be absorbed in a book** estar absorto(ta) en un libro

absorbent [əb'sɔːbənt] *adj* absorbente

abstain [əb'steɪn] *vi* ● **to abstain (from)** abstenerse (de)

absurd [əb'sɜːd] *adj* absurdo(da)

ABTA ['æbtə] *n (abbr of Association of British Travel Agents)* asociación británica de agencias de viajes

abuse ◇ *n* [ə'bjuːs] **1.** *(insults)* insultos *mpl* **2.** *(wrong use, maltreatment)* abuso *m* ◇ *vt* [ə'bjuːz] **1.** *(insult)* insultar **2.** *(use wrongly)* abusar de **3.** *(maltreat)* maltratar

abusive [ə'bjuːsɪv] *adj* insultante

AC [eɪ'siː] *(abbr of alternating current)* CA

academic [,ækə'demɪk] ◇ *adj (educational)* académico(ca) ◇ *n* profesor *m* universitario, profesora universitaria *f*

academy [ə'kædəmɪ] *n* academia *f*

accelerate [ək'seləreɪt] *vi* acelerar

accelerator [ək'seləreɪtə^r] *n* acelerador *m*

accent ['æksent] *n* acento *m*

accept [ək'sept] *vt* **1.** aceptar **2.** *(blame, responsibility)* admitir

acceptable [ək'septəbl] *adj* aceptable

access ['ækses] *n* acceso *m*

accessible [ək'sesəbl] *adj* accesible

accessories [ək'sesəriz] *npl* **1.** *(extras)* accesorios *mpl* **2.** *(fashion items)* complementos *mpl*

accident ['æksɪdənt] *n* **1.** accidente *m* **2.** *(by chance)* por casualidad ● **by accident** sin querer

accidental [,æksɪ'dentl] *adj* accidental

accident insurance *n* seguro *m* contra accidentes

accident-prone *adj* propenso(sa) a los accidentes

acclimatize [ə'klaɪmətaɪz] *vi* aclimatarse

accommodate [ə'kɒmədeɪt] *vt* alojar

accommodation [ə,kɒmə'deɪ∫n] *n* alojamiento *m*

accommodations [ə,kɒmə'deɪ∫nz] *npl (US)* = accommodation

accompany [ə'kʌmpənɪ] *vt* acompañar

accomplish [ə'kʌmplɪ∫] *vt* conseguir, lograr

accord [ə'kɔːd] *n* ● **of one's own accord** por propia voluntad

accordance [ə'kɔːdəns] *n* ● **in accordance with** conforme a

according to [ə'kɔːdɪŋ-] *prep* según

account [ə'kaʊnt] *n* **1.** *(at bank, shop)* cuenta *f* **2.** *(spoken report)* relato *m* ● **to take into account** tener en cuenta ● **on no account** bajo ningún pretexto ● **on account of** debido a ◆ **account for** *vt insep* **1.** *(explain)* justificar **2.** *(constitute)* representar

accountant [ə'kaʊntənt] *n* contable *mf (Esp)*, contador *mf (Amér)*

account number n número m de cuenta

accumulate [ə'kju:mjʊleɪt] vt acumular

accurate ['ækjʊrət] adj 1. *(description, report)* veraz 2. *(work, measurement, figure)* exacto(ta)

accuse [ə'kju:z] vt ● to accuse sb of murder acusar a alguien de asesinato

accused [ə'kju:zd] n ● the accused el acusado m, la acusada f

ace [eɪs] n as m

ache [eɪk] ◇ n dolor m ◇ vi ● my leg aches me duele la pierna

achieve [ə'tʃi:v] vt conseguir

acid ['æsɪd] ◇ adj ácido(da) ◇ n ácido m

acid rain n lluvia f ácida

acknowledge [ək'nɒlɪdʒ] vt 1. *(accept)* reconocer 2. *(letter)* acusar recibo de

acne ['æknɪ] n acné m

acorn ['eɪkɔ:n] n bellota f

acoustic [ə'ku:stɪk] adj acústico(ca)

acquaintance [ə'kweɪntəns] n *(person)* conocido m, -da f

acquire [ə'kwaɪə] vt adquirir

acre ['eɪkə] n acre m

acrobat ['ækrəbæt] n acróbata mf

across [ə'krɒs] ◇ prep 1. *(to, on other side of)* al otro lado de 2. *(from one side to the other of)* de un lado a otro ◇ adv *(to other side)* al otro lado ● it's ten miles across tiene diez millas de ancho ● we walked across the road cruzamos la calle ● across from en frente de

acrylic [ə'krɪlɪk] n acrílico m

act [ækt] ◇ vi 1. actuar 2. *(behave)* comportarse ◇ n 1. *(action)* acto m, acción f 2. POL ley f 3. *(of play)* acto 4. *(performance)* número m ● to act as *(serve as)* hacer de

action ['ækʃn] n acción f ● to take action tomar medidas ● to put a plan into action poner un plan en marcha ● out of action *(machine)* averiado; *(person)* fuera de combate

action movie n película f de acción

active ['æktɪv] adj activo(va)

activity [æk'tɪvətɪ] n actividad f ● **activities** npl *(leisure events)* atracciones fpl

activity holiday n *(UK)* vacaciones organizadas con de actividades deportivas, etc

actor ['æktə] n actor m, actriz f

actress ['æktrɪs] n actriz f

actual ['æktʃʊəl] adj 1. *(exact, real)* verdadero(ra) 2. *(for emphasis)* mismísimo(ma) 3. *(final)* final

actually ['æktʃʊəlɪ] adv 1. *(really)* realmente 2. *(in fact)* la verdad es que

acupuncture ['ækjʊpʌŋktʃə] n acupuntura f

acute [ə'kju:t] adj 1. *(feeling, pain)* intenso(sa) 2. *(angle, accent)* agudo(da)

ad [æd] n *(inf)* anuncio m

AD [eɪ'di:] *(abbr of Anno Domini)* d.C., d. de J.C. *(después de Jesucristo)*

adapt [ə'dæpt] ◇ vt adaptar ◇ vi adaptarse

adapter [ə'dæptə] n 1. *(for foreign plug)* adaptador m 2. *(for several plugs)* ladrón

add [æd] vt 1. *(say in addition)* añadir 2. *(numbers, prices)* sumar ◆ **add up** vt sep sumar ◆ **add up to** vt insep *(total)* venir a ser

adder ['ædə] n víbora f

addict ['ædɪkt] *n* adicto *m*, -ta *f*

addicted [ə'dɪktɪd] *adj* • **to be addicted to sthg** ser adicto(ta) a algo

addiction [ə'dɪkʃn] *n* adicción *f*

addition [ə'dɪʃn] *n* **1.** (added thing) adición *f* **2.** (in maths) suma *f* • **in addition** además • **in addition to** además de

additional [ə'dɪʃənl] *adj* adicional

additive ['ædɪtɪv] *n* aditivo *m*

address [ə'dres] ◇ *n* (on letter) dirección *f* ◇ *vt* **1.** (speak to) dirigirse a **2.** (letter) dirigir

giving an address

When giving addresses verbally or in writing, don't forget that the house number comes after the street name, and the postcode goes before the name of the town. When giving a phone number, the numbers are grouped together in twos or threes. For example, 986 730025 would be *novecientos ochenta y seis - setenta y tres - cero cero - veinticinco*. When giving an e-mail address verbally, note that @ is pronounced *arroba*, dot is *punto*, and all one word is *todo junto*, e.g.: *lauragarrido@terra.es* (laura garrido todo junto arroba terra punto es).

address book *n* agenda *f* de direcciones

addressee [ˌædre'siː] *n* destinatario *m*, -ria *f*

adequate ['ædɪkwət] *adj* **1.** (sufficient)

suficiente **2.** (satisfactory) aceptable

adhere [əd'hɪə^r] *vi* • **to adhere to** (stick to) adherirse a; (obey) observar

adhesive [əd'hiːsɪv] ◇ *adj* adhesivo(va) ◇ *n* adhesivo *m*

adjacent [ə'dʒeɪsənt] *adj* adyacente

adjective ['ædʒɪktɪv] *n* adjetivo *m*

adjoining [ə'dʒɔɪnɪŋ] *adj* contiguo(gua)

adjust [ə'dʒʌst] ◇ *vt* ajustar ◇ *vi* • **to adjust to** adaptarse a

adjustable [ə'dʒʌstəbl] *adj* ajustable

adjustment [ə'dʒʌstmənt] *n* ajuste *m*

administration [ədˌmɪnɪ'streɪʃn] *n* administración *f*

administrator [əd'mɪnɪstreɪtə^r] *n* administrador *m*, -ra *f*

admire [əd'maɪə^r] *vt* admirar

admission [əd'mɪʃn] *n* **1.** (permission to enter) admisión *f* **2.** (entrance cost) entrada *f* **3.** (confession) confesión *f*

admission charge *n* entrada *f*

admit [əd'mɪt] ◇ *vt* admitir ◇ *vi* • **to admit to a crime** admitir un crimen ▼ **admits one** (on ticket) válido para una persona

adolescent [ˌædə'lesnt] *n* adolescente *mf*

adopt [ə'dɒpt] *vt* adoptar

adopted [ə'dɒptɪd] *adj* adoptivo(va)

adorable [ə'dɔːrəbl] *adj* adorable

adore [ə'dɔː^r] *vt* adorar

adult ['ædʌlt] ◇ *n* adulto *m*, -ta *f* ◇ *adj* **1.** (entertainment, films) para adultos **2.** (animal) adulto(ta)

adult education *n* educación *f* para adultos

adultery [ə'dʌltərɪ] *n* adulterio *m*

advance [əd'vɑːns] ◇ *n* **1.** (money) anticipo *m* **2.** *(movement)* avance *m* ◇ *adj* **1.** *(warning)* previo(via) **2.** *(payment)* anticipado(da) ◇ *vt* adelantar ◇ *vi* avanzar

advance booking *n* reserva *f* OR reservación *f* (*Amér*) anticipada

advanced [ədˈvɑːnst] *adj (student, level)* avanzado(da)

advantage [ədˈvɑːntɪdʒ] *n (benefit)* ventaja *f* ● **to take advantage of** *(opportunity, offer)* aprovechar; *(person)* aprovecharse de

adventure [ədˈventʃər] *n* aventura *f*

adventurous [ədˈventʃərəs] *adj (person)* aventurero(ra)

adverb [ˈædvɜːb] *n* adverbio *m*

adverse [ˈædvɜːs] *adj* adverso(sa)

advert [ˈædvɜːt] = **advertisement**

advertise [ˈædvətaɪz] *vt (product, event)* anunciar

advertisement [ədˈvɜːtɪsmənt] *n* anuncio *m*

advice [ədˈvaɪs] *n* consejos *mpl* ● **a piece of advice** un consejo

advisable [ədˈvaɪzəbl] *adj* aconsejable

advise [ədˈvaɪz] *vt* aconsejar ● **to advise sb to do sthg** aconsejar a alguien que haga algo ● **to advise sb against doing sthg** aconsejar a alguien que no haga algo

advocate ◇ *n* [ˈædvəkət] *LAW* abogado *m*, -da *f* ◇ *vt* [ˈædvəkeɪt] abogar por

aerial [ˈeərɪəl] *n (UK)* antena *f*

aerobics [eəˈrəʊbɪks] *n* aerobic *m*

aeroplane [ˈeərəpleɪn] *n* avión *m*

aerosol [ˈeərəsɒl] *n* aerosol *m*

affair [əˈfeər] *n* **1.** *(matter)* asunto *m* **2.** *(love affair)* aventura *f* (amorosa) **3.** *(event)* acontecimiento *m*

affect [əˈfekt] *vt (influence)* afectar

affection [əˈfekʃn] *n* afecto *m*

affectionate [əˈfekʃnət] *adj* cariñoso(sa)

affluent [ˈæflʊənt] *adj* opulento(ta)

afford [əˈfɔːd] *vt* ● **to be able to afford sthg** *(holiday, new coat)* poder permitirse algo ● **I can't afford it** no me lo puedo permitir ● **I can't afford the time** no tengo tiempo

affordable [əˈfɔːdəbl] *adj* asequible

afloat [əˈfləʊt] *adj* a flote

afraid [əˈfreɪd] *adj* ● **to be afraid of** *(person)* tener miedo a; *(thing)* tener miedo de ● **I'm afraid so/not** me temo que sí/no

Africa [ˈæfrɪkə] *n* África

African [ˈæfrɪkən] ◇ *adj* africano(na) ◇ *n* africano *m*, -na *f*

African American *adj* afroamericano(na)

African American

El término *African American* se usa para referirse a los ciudadanos estadounidenses de origen africano. La mayoría de los afroamericanos son descendientes de los esclavos africanos llevados a la fuerza a América entre el siglo XVI y el XIX. Los afroamericanos están ahora completamente integrados en la sociedad estadounidense.

after [ˈɑːftər] ◇ *prep* después de ◇ *conj* después de que ◇ *adv* después ● **a quarter after ten** *(US)* las diez y cuarto

● **to be after** sthg/sb *(in search of)* buscar algo/a alguien ● **after all** *(in spite of everything)* después de todo; *(it should be remembered)* al fin y al cabo

aftereffects ['ɑːftərɪˌfekts] *npl* efectos *mpl* secundarios

afternoon [ˌɑːftəˈnuːn] *n* tarde *f* ● **good afternoon!** ¡buenas tardes!

afternoon tea *n* ≈ merienda *f*

aftershave ['ɑːftəʃeɪv] *n* colonia *f* para después del afeitado

aftersun ['ɑːftəsʌn] *n* aftersún *m*

afterwards ['ɑːftəwədz] *adv* después

again [əˈgen] *adv* de nuevo, otra vez ● **again and again** una y otra vez ● **never again** nunca jamás

against [əˈgenst] *prep* 1. contra 2. *(in disagreement with)* en contra de ● **to lean against** sthg apoyarse en algo ● **against the law** ilegal

age [eɪdʒ] *n* 1. edad *f* 2. *(old age)* vejez *f* ● **under age** menor de edad ● **I haven't seen her for ages** *(inf)* hace siglos que no la veo

aged [eɪdʒd] *adj* ● **aged eight** de ocho años de edad

age group *n* grupo *m* de edad

age limit *n* edad *f* máxima/mínima

agency ['eɪdʒənsɪ] *n* agencia *f*

agenda [əˈdʒendə] *n* orden *m* del día

agent ['eɪdʒənt] *n* agente *mf*

aggression [əˈgreʃn] *n* agresividad *f*

aggressive [əˈgresɪv] *adj* agresivo(va)

agile [(UK) 'ædʒaɪl, (US) 'ædʒəl] *adj* ágil

agitated ['ædʒɪteɪtɪd] *adj* agitado(da)

ago [əˈgəʊ] *adv* ● **a month ago** hace un mes ● **how long ago?** ¿cuánto tiempo hace?

agonizing ['ægənaɪzɪŋ] *adj* 1. *(delay)* angustioso(sa) 2. *(pain)* atroz

agony ['ægənɪ] *n* dolor *m* intenso

agree [əˈgriː] *vi* 1. *(be in agreement)* estar de acuerdo 2. *(consent)* acceder 3. *(correspond)* concordar ● **it doesn't agree with me** *(food)* no me sienta bien ● **to agree to** sthg acceder a algo ● **to agree to do** sthg acceder a hacer algo ●

agree on *vt insep (time, price)* acordar

agreed [əˈgriːd] *adj* acordado(da) ● **to be agreed** *(person)* estar de acuerdo

agreement [əˈgriːmənt] *n* acuerdo *m* ● **in agreement with** de acuerdo con

agriculture ['ægrɪkʌltʃə] *n* agricultura *f*

ahead [əˈhed] *adv* 1. *(in front)* delante 2. *(forwards)* adelante ● **the months ahead** los meses que vienen ● **to be ahead** *(winning)* ir ganando ● **ahead of** *(in front of)* delante de; *(in better position than)* por delante de ● **ahead of schedule** por delante de lo previsto ● **go straight ahead** sigue todo recto ● **they're two points ahead** llevan dos puntos de ventaja

aid [eɪd] ◇ *n* ayuda *f* ◇ *vt* ayudar ● **in aid of** a beneficio de ● **with the aid of** con la ayuda de

AIDS [eɪdz] *n* SIDA *m*

ailment ['eɪlmənt] *n (fml)* achaque *m*

aim [eɪm] ◇ *n (purpose)* propósito *m* ◇ *vt* apuntar ◇ *vi* ● **to aim (at)** apuntar (a) ● **to aim to do** sthg aspirar a hacer algo

air [eə] ◇ *n* aire *m* ◇ *vt (room)* ventilar ◇ *adj* aéreo(a) ● **by air** *(travel)* en avión; *(send)* por avión

airbed ['eəbed] *n* colchón *m* de aire

airborne ['eəbɔːn] *adj* en el aire

air-conditioned [-kənˈdɪʃnd] *adj* climatizado(da)

air-conditioning [-kənˈdɪʃnɪŋ] *n* aire *m* acondicionado

aircraft ['eəkrɑːft] (*pl inv*) *n* avión *m*

airforce ['eəfɔːs] *n* fuerzas *fpl* aéreas

air freshener [-ˌfreʃnə*] *n* ambientador *m*

airhostess ['eəˌhəʊstɪs] *n* azafata *f*, aeromoza *f* (*Amér*)

airletter ['eəˌletə*] *n* aerograma *m*

airline ['eəlaɪn] *n* línea *f* aérea

airliner ['eəˌlaɪnə*] *n* avión *m* (grande) de pasajeros

airmail ['eəmeɪl] *n* correo *m* aéreo ● **by airmail** por avión

airplane ['eəpleɪn] *n* (*US*) avión *m*

airport ['eəpɔːt] *n* aeropuerto *m*

airsick ['eəsɪk] *adj* mareado(da) (*en avión*)

air steward *n* auxiliar *m* de vuelo, sobrecargo *mf* (*Amér*)

air stewardess *n* azafata *f*, aeromoza *f* (*Amér*)

air traffic control *n* (*people*) personal *m* de la torre de control

aisle [aɪl] *n* **1.** (*in church*) nave *f* lateral *f* **2.** (*in plane, cinema, supermarket*) pasillo *m*

aisle seat *n* (*on plane*) asiento *m* junto al pasillo

ajar [əˈdʒɑː*] *adj* entreabierto(ta)

alarm [əˈlɑːm] ◇ *n* alarma *f* ◇ *vt* alarmar

alarm clock *n* despertador *m*

alarmed [əˈlɑːmd] *adj* **1.** (*anxious*) alarmado(da) **2.** (*door, car*) con alarma

alarming [əˈlɑːmɪŋ] *adj* alarmante

album ['ælbəm] *n* álbum *m*

alcohol ['ælkəhɒl] *n* alcohol *m*

alcohol-free *adj* sin alcohol

alcoholic [ˌælkəˈhɒlɪk] ◇ *adj* alcohólico(ca) ◇ *n* alcohólico *m*, -ca *f*

alcoholism ['ælkəhɒlɪzm] *n* alcoholismo *m*

alcove ['ælkəʊv] *n* hueco *m*

ale [eɪl] *n* cerveza oscura de sabor amargo y alto contenido en alcohol

alert [əˈlɜːt] ◇ *adj* atento(ta) ◇ *vt* alertar

A-level *n* examen necesario para acceder a la universidad

algebra ['ældʒɪbrə] *n* álgebra *f*

Algeria [ælˈdʒɪərɪə] *n* Argelia

alias ['eɪlɪəs] *adv* alias

alibi ['ælɪbaɪ] *n* coartada *f*

alien ['eɪlɪən] *n* **1.** (*foreigner*) extranjero *m*, -ra *f* **2.** (*from outer space*) extraterrestre *mf*

alight [əˈlaɪt] ◇ *adj* ardiendo ◇ *vi* (*fml*) (*from train, bus*) apearse ● **to alight (from)** apearse (de)

align [əˈlaɪn] *vt* alinear

alike [əˈlaɪk] ◇ *adj* parecido(da) ◇ *adv* igual ● **to look alike** parecerse

alive [əˈlaɪv] *adj* vivo(va)

all [ɔːl] ◇ *adj* **1.** (*with singular noun*) todo(da) ● **all the money** todo el dinero ● **all the time** todo el rato ● **all day** todo el día **2.** (*with plural noun*) todos(das) ● **all the houses** todas las casas ● **all trains stop at Tonbridge** todos los trenes hacen parada en Tonbridge ● **all three died** los tres murieron

◇ *adv* **1.** (*completely*) completamente ● **all alone** completamente solo **2.** (*in scores*) ● **it's two all** van empatados a

24

dos **3.** *(in phrases)* ● **all but empty** casi vacío ● **all over** *(finished)* terminado, por todo
◇ *pron* **1.** *(everything)* todo *m*, -da *f* ● **all of the work** todo el trabajo ● **is that all?** *(in shop)* ¿algo más? ● **the best of all** lo mejor de todo **2.** *(everybody)* todos *mpl*, -das *f* ● **all of us went** fuimos todos **3.** *(in phrases)* ● **in all** *(in total)* en total ● **can I help you at all?** ¿le puedo ayudar en algo?

Allah ['ælə] *n* Alá *m*

allege [ə'ledʒ] *vt* alegar

allergic [ə'lɜːdʒɪk] *adj* ● **to be allergic to** ser alérgico(ca) a

allergy ['ælədʒɪ] *n* alergia *f*

alleviate [ə'liːvɪeɪt] *vt* aliviar

alley ['ælɪ] *n (narrow street)* callejón *m*

alligator ['ælɪgeɪtə'] *n* caimán *m*

all-in *adj (UK) (inclusive)* con todo incluido

all-night *adj (bar, petrol station)* abierto (ta) toda la noche

allocate ['æləkeɪt] *vt* asignar

allow [ə'laʊ] *vt* **1.** *(permit)* permitir **2.** *(time, money)* contar con ● **to allow sb to do sthg** dejar a alguien hacer algo ● **allow for** *vt insep* contar con

allowance [ə'laʊəns] *n* **1.** *(state benefit)* subsidio *m* **2.** *(for expenses)* dietas *fpl* **3.** *(US) (pocket money)* dinero *m* de bolsillo

all right ◇ *adj* bien ◇ *adv* **1.** *(satisfactorily)* bien **2.** *(yes, okay)* vale

ally ['ælaɪ] *n* aliado *m*, -da *f*

almond ['ɑːmənd] *n* almendra *f*

almost ['ɔːlməʊst] *adv* casi

alone [ə'ləʊn] *adj & adv* solo(la) ● **to** **leave sb alone** dejar a alguien en paz ● **to leave sthg alone** dejar algo

along [ə'lɒŋ] ◇ *prep* **1.** *(towards one end of)* por **2.** *(alongside)* a lo largo de ◇ *adv* ● **she was walking along** iba caminando ● **to bring sthg along** traerse algo ● **all along** siempre, desde el principio ● **along with** junto con

alongside [ə,lɒŋ'saɪd] ◇ *prep* junto a ◇ *adv* ● **to come alongside** ponerse al lado

aloud [ə'laʊd] *adv* en voz alta

alphabet ['ælfəbet] *n* alfabeto *m*

Alps [ælps] *npl* ● **the Alps** los Alpes

already [ɔːl'redɪ] *adv* ya

also ['ɔːlsəʊ] *adv* también

altar ['ɔːltə'] *n* altar *m*

alter ['ɔːltə'] *vt* alterar

alteration [ˌɔːltə'reɪʃn] *n* alteración *f*

alternate [*(UK)* ɔːl'tɜːnət, *(US)* 'ɔːltərnət] *adj* alterno(na)

alternative [ɔːl'tɜːnətɪv] ◇ *adj* alternativo(va) ◇ *n* alternativa *f*

alternatively [ɔːl'tɜːnətɪvlɪ] *adv* o bien

although [ɔːl'ðəʊ] *conj* aunque

altitude ['æltɪtjuːd] *n* altitud *f*

altogether [ˌɔːltə'geðə'] *adv* **1.** *(completely)* completamente **2.** *(in total)* en total

aluminium [ˌæljʊ'mɪnɪəm] *n (UK)* aluminio *m*

aluminum [ə'luːmɪnəm] *(US)* = **aluminium**

always ['ɔːlweɪz] *adv* siempre

Alzheimer's disease ['ælts,haɪməz-] *n* (enfermedad *f* de) Alzheimer *m*

am [æm] ➢ **be**

a.m. [eɪ'em] *(abbr of ante meridiem)* ●

at 2 a.m. a las dos de la mañana
amateur ['æmətə'] *n* aficionado *m*, -da *f*
amazed [ə'meɪzd] *adj* asombrado(da)
amazing [ə'meɪzɪŋ] *adj* asombroso(sa)
ambassador [æm'bæsədə'] *n* embajador *m*, -ra *f*
amber ['æmbə'] *adj* **1.** *(traffic lights)* (de color) ámbar **2.** *(jewellery)* de ámbar
ambiguous [æm'bɪgjʊəs] *adj* ambiguo (gua)
ambition [æm'bɪʃn] *n* ambición *f*
ambitious [æm'bɪʃəs] *adj* ambicioso(sa)
ambulance ['æmbjʊləns] *n* ambulancia *f*
ambush ['æmbʊʃ] *n* emboscada *f*
amenities [ə'miːnətɪz] *npl* instalaciones *fpl*
America [ə'merɪkə] *n* América
American [ə'merɪkən] ◇ *adj* americano (na) ◇ *n* (person) americano *m*, -na *f*
amiable ['eɪmɪəbl] *adj* amable
ammunition [,æmjʊ'nɪʃn] *n* municiones *fpl*
amnesia [æm'niːzɪə] *n* amnesia *f*
among(st) [ə'mʌŋ(st)] *prep* entre
amount [ə'maʊnt] *n* cantidad *f* ◆
amount to *vt insep (total)* ascender a
amp [æmp] *n* amperio *m* ● **a 13-amp plug** un enchufe con un fusible de 13 amperios
ample ['æmpl] *adj* más que suficiente
amplifier ['æmplɪfaɪə'] *n* amplificador *m*
amputate ['æmpjʊteɪt] *vt* amputar
Amtrak ['æmtræk] *n* organismo que regula los ferrocarriles en EEUU
amuse [ə'mjuːz] *vt* **1.** *(make laugh)* divertir **2.** *(entertain)* entretener
amusement arcade [ə'mjuːzmənt-] *n*

(UK) salón *m* de juegos
amusement park [ə'mjuːzmənt-] *n* parque *m* de atracciones
amusements [ə'mjuːzmənts] *npl* atracciones *fpl*
amusing [ə'mjuːzɪŋ] *adj* divertido(da)
an [stressed æn, unstressed ən] ≻ **a**
anaemic [ə'niːmɪk] *adj* (UK) (person) anémico(ca)
anaesthetic [,ænɪs'θetɪk] *n* (UK) anestesia *f*
analgesic [,ænæl'dʒiːzɪk] *n* analgésico *m*
analyse ['ænəlaɪz] *vt* analizar
analyst ['ænəlɪst] *n* (psychoanalyst) psicoanalista *mf*
analyze ['ænəlaɪz] (US) = **analyse**
anarchy ['ænəkɪ] *n* anarquía *f*
anatomy [ə'nætəmɪ] *n* anatomía *f*
ancestor ['ænsestə'] *n* antepasado *m*, -da *f*
anchor ['æŋkə'] *n* ancla *f*
anchovy ['æntʃəvɪ] *n* **1.** *(salted)* anchoa *f* **2.** *(fresh)* boquerón *m*
ancient ['eɪnʃənt] *adj* antiguo(gua)
and [strong form ænd, weak form ənd, ən] *conj* **1.** y **2.** *(before* i *or* hi) e ● **and you?** ¿y tú? ● **a hundred and one** ciento uno ● **more and more** cada vez más ● **to try and do sthg** intentar hacer algo ● **to go and see** ir a ver
Andalusia [,ændə'luːzɪə] *n* Andalucía
Andes ['ændiːz] *npl* ● **the Andes** los Andes
anecdote ['ænɪkdəʊt] *n* anécdota *f*
anemic [ə'niːmɪk] (US) = **anaemic**
anesthetic [,ænɪs'θetɪk] (US) = **anaesthetic**
angel ['eɪndʒl] *n* ángel *m*

anger ['æŋgə^r] *n* ira *f*, furia *f*

angina [æn'dʒaɪnə] *n* angina *f* de pecho

angle ['æŋgl] *n* ángulo *m* ● **at an angle** torcido

angler ['æŋglə^r] *n* pescador *m*, -ra *f (con caña)*

angling ['æŋglɪŋ] *n* pesca *f (con caña)*

angry ['æŋgrɪ] *adj* **1.** *(person)* enfadado (da) **2.** *(words, look, letter)* airado(da) ● **to get angry (with sb)** enfadarse (con alguien)

animal ['ænɪml] *n* animal *m*

aniseed ['ænɪsiːd] *n* anís *m*

ankle ['æŋkl] *n* tobillo *m*

annex ['æneks] *n (building)* edificio *m* anejo

anniversary [ˌænɪ'vɜːsərɪ] *n* aniversario *m*

announce [ə'naʊns] *vt* anunciar

announcement [ə'naʊnsmənt] *n* anuncio *m*

announcer [ə'naʊnsə^r] *n* **1.** *(on TV)* presentador *m*, -ra *f* **2.** *(on radio)* locutor *m*, -ra *f*

annoy [ə'nɔɪ] *vt* molestar, fastidiar

annoyed [ə'nɔɪd] *adj* molesto(ta) ● **to get annoyed (with)** enfadarse (con)

annoying [ə'nɔɪɪŋ] *adj* molesto(ta), fastidioso(sa)

annual ['ænjʊəl] *adj* anual

anonymous [ə'nɒnɪməs] *adj* anónimo (ma)

anorak ['ænəræk] *n* anorak *m*

another [ə'nʌðə^r] ◇ *adj* otro *m*, otra *f* ◇ *pron* otro *m*, otra *f* ● **another one** otro (otra) ● **one another** el uno al otro(la una a la otra) ● **they love one another** se quieren ● **with one another** el uno con el otro(la una con la otra) ● **one after another** uno tras otro(una tras otra)

answer ['ɑːnsə^r] ◇ *n* respuesta *f* ◇ *vt* **1.** *(person, question)* contestar a **2.** *(letter, advert)* responder a ◇ *vi* contestar ● **to answer the door** abrir la puerta ● **to answer the phone** coger el teléfono ●

answer back *vi* replicar

answering machine ['ɑːnsərɪŋ-] = **answerphone**

answerphone ['ɑːnsəfəʊn] *n* contestador *m* automático

ant [ænt] *n* hormiga *f*

Antarctic [æn'tɑːktɪk] *n* ● **the Antarctic** el Antártico

antenna [æn'tenə] *n (US) (aerial)* antena *f*

anthem ['ænθəm] *n* himno *m*

antibiotics [ˌæntɪbaɪ'ɒtɪks] *npl* antibióticos *mpl*

anticipate [æn'tɪsɪpeɪt] *vt* prever

anticlimax [ˌæntɪ'klaɪmæks] *n* anticlímax *m inv*

anticlockwise [ˌæntɪ'klɒkwaɪz] *adv (UK)* en sentido contrario al de las agujas del reloj

antidote ['æntɪdəʊt] *n* antídoto *m*

antifreeze ['æntɪfriːz] *n* anticongelante *m*

antihistamine [ˌæntɪ'hɪstəmɪn] *n* antihistamínico *m*

antiperspirant [ˌæntɪ'pɜːspərənt] *n* desodorante *m*

antique [æn'tiːk] *n* antigüedad *f*

antique shop *n* tienda *f* de antigüedades

antiseptic [ˌæntɪ'septɪk] *n* antiséptico *m*

antisocial [,æntɪ'səʊʃl] *adj* **1.** *(person)* insociable **2.** *(behaviour)* antisocial

antlers ['æntləz] *npl* cornamenta *f*

anxiety [æŋ'zaɪətɪ] *n* inquietud *f*, ansiedad *f*

anxious ['æŋkʃəs] *adj* **1.** *(worried)* preocupado(da) **2.** *(eager)* ansioso(sa)

any ['enɪ]
◇ *adj* **1.** *(in questions)* algún(una) • have you got any money? ¿tienes (algo de) dinero? • have you got any postcards? ¿tienes alguna postal? • have you got any rooms? ¿tienes habitaciones libres? **2.** *(in negatives)* ningún(una) • I haven't got any money no tengo (nada de) dinero • we don't have any rooms no tenemos ninguna habitación **3.** *(no matter which)* cualquier • take any one you like coge el que quieras
◇ *pron* **1.** *(in questions)* alguno *m*, -na *f* • I'm looking for a hotel - are there any nearby? estoy buscando un hotel ¿hay alguno por aquí cerca? **2.** *(in negatives)* ninguno *m*, -na *f* • I don't want any (of them) no quiero ninguno • I don't want any (of it) no quiero (nada) **3.** *(no matter which one)* cualquiera • you can sit at any of the tables puede sentarse en cualquier mesa
◇ *adv* **1.** *(in questions)* • is that any better? ¿es así mejor? • is there any more cheese? ¿hay más queso? • any other questions? ¿alguna otra pregunta? **2.** *(in negatives)* • he's not any better no se siente nada mejor • we can't wait any longer ya no podemos esperar más

anybody ['enɪ,bɒdɪ] = **anyone**

anyhow ['enɪhaʊ] *adv* **1.** *(carelessly)* de cualquier manera **2.** *(in any case)* en cualquier caso **3.** *(in spite of that)* de todos modos

anyone ['enɪwʌn] *pron* **1.** *(in questions)* alguien **2.** *(any person)* cualquiera • I don't like anyone no me gusta nadie

anything ['enɪθɪŋ] *pron* **1.** *(in questions)* algo **2.** *(no matter what)* cualquier cosa • he didn't say anything no dijo nada

anyway ['enɪweɪ] *adv* de todos modos

anywhere ['enɪweəʳ] *adv* **1.** *(in questions)* en/a algún sitio **2.** *(any place)* en/a cualquier sitio • I can't find it anywhere no lo encuentro en ningún sitio • anywhere you like donde quieras

apart [ə'pɑːt] *adv* aparte • they're miles apart están muy separados • to come apart romperse • apart from *(except for)* salvo; *(as well as)* además de

apartheid [ə'pɑːtheɪt] *n* apartheid *m*

apartment [ə'pɑːtmənt] *n* piso *m* (*Esp*), apartamento *m*

apathetic [,æpə'θetɪk] *adj* apático(ca)

ape [eɪp] *n* simio *m*

aperitif [ə,perə'tiːf] *n* aperitivo *m*

aperture ['æpətʃəʳ] *n* (*of camera*) abertura *f*

APEX ['eɪpeks] *n* **2.** (*UK*) (*train ticket*) billete de precio reducido no transferible que se compra con dos días de antelación

apiece [ə'piːs] *adv* cada uno(una)

apologetic [ə,pɒlə'dʒetɪk] *adj* lleno(na) de disculpas

apologize [ə'pɒlədʒaɪz] *vi* • to apologize to sb for your behaviour pedir perdón a alguien por tu comportamiento

apology [ə'pɒlədʒɪ] *n* disculpa *f*

apostrophe [ə'pɒstrəfɪ] *n* apóstrofo *m*

appal [ə'pɔːl] *vt* horrorizar

appall [ə'pɔːl] (*US*) = appal

appalling [ə'pɔːlɪŋ] *adj* horrible

apparatus [ˌæpə'reɪtəs] *n* aparato *m*

apparently [ə'pærəntlɪ] *adv* **1.** (*it seems*) por lo visto **2.** (*evidently*) aparentemente

appeal [ə'piːl] ◇ *n* **1.** LAW apelación *f* **2.** (*fundraising campaign*) campaña *f* para recaudar fondos ◇ *vi* LAW apelar ● to appeal to sb (for sthg) hacer un llamamiento a alguien (para algo) ● it doesn't appeal to me no me atrae

appear [ə'pɪə] *vi* **1.** (*come into view*) aparecer **2.** (*seem*) parecer **3.** (*in play, on TV*) salir **4.** (*before court*) comparecer ● it appears that parece que

appearance [ə'pɪərəns] *n* **1.** (*arrival*) aparición *f* **2.** (*look*) aspecto *m*

appendicitis [əˌpendɪ'saɪtɪs] *n* apendicitis *f inv*

appendix [ə'pendɪks] (*pl* **-dices**) *n* apéndice *m*

appetite ['æpɪtaɪt] *n* apetito *m*

appetizer ['æpɪtaɪzə'] *n* aperitivo *m*

appetizing ['æpɪtaɪzɪŋ] *adj* apetitoso(sa)

applaud [ə'plɔːd] *vt & vi* aplaudir

applause [ə'plɔːz] *n* aplausos *mpl*

apple ['æpl] *n* manzana *f*

apple crumble *n* budín de manzana cubierto con una masa de harina, azúcar y mantequilla que se sirve caliente

apple juice *n* zumo *m* de manzana

(*Esp*), jugo *m* de manzana (*Amér*)

apple pie *n* pastel de hojaldre relleno de compota de manzana

apple tart *n* tarta *f* de manzana

appliance [ə'plaɪəns] *n* aparato *m* ● electrical/domestic appliance electrodoméstico *m*

applicable [ə'plɪkəbl] *adj* ● to be applicable (to) ser aplicable (a) ● if applicable si corresponde

applicant ['æplɪkənt] *n* solicitante *mf*

application [ˌæplɪ'keɪʃn] *n* solicitud *f*

application form *n* impreso *m* de solicitud

apply [ə'plaɪ] ◇ *vt* **1.** (*lotion*) aplicar **2.** (*brakes*) pisar ◇ *vi* ● to apply to the bank for a loan (*make request*) solicitar un préstamo al banco ● to apply (to sb) (*be applicable*) ser aplicable (a alguien)

appointment [ə'pɔɪntmənt] *n* **1.** (*with businessman*) cita *f* **2.** (*with doctor, hairdresser*) hora *f* ● to have an appointment (with) (*businessman*) tener una cita (con); (*doctor, hairdresser*) tener hora (con) ● to make an appointment (with) (*businessman*) pedir una cita (con); (*doctor, hairdresser*) pedir hora (a) ● by appointment mediante cita

appreciable [ə'priːʃəbl] *adj* apreciable

appreciate [ə'priːʃɪeɪt] *vt* **1.** (*be grateful for*) agradecer **2.** (*understand*) ser consciente de **3.** (*like, admire*) apreciar

apprehensive [ˌæprɪ'hensɪv] *adj* inquieto(ta)

apprentice [ə'prentɪs] *n* aprendiz *m*, -za *f*

apprenticeship [ə'prentɪsʃɪp] *n* aprendizaje *m*

approach [əˈprəʊtʃ] ◇ *n* **1.** *(road)* acceso *m* **2.** *(to problem, situation)* enfoque *m*, planteamiento *m* ◇ *vt* **1.** *(come nearer to)* acercarse a **2.** *(problem, situation)* enfocar ◇ *vi* acercarse

appropriate [əˈprəʊprɪət] *adj* apropiado (da)

approval [əˈpruːvl] *n* **1.** *(favourable opinion)* aprobación *f* **2.** *(permission)* permiso *m*

approve [əˈpruːv] *vi* ● to approve of sb's behaviour ver con buenos ojos el comportamiento de alguien

approximate [əˈprɒksɪmət] *adj* aproximado(da)

approximately [əˈprɒksɪmətlɪ] *adv* aproximadamente

Apr. *(abbr of April)* abr. *(abril)*

apricot [ˈeɪprɪkɒt] *n* albaricoque *m*

April [ˈeɪprəl] *n* abril *m* ● at the beginning of April a principios de abril ● at the end of April a finales de abril ● during April en abril ● every April todos los años en abril ● in April en abril ● last April en abril del año pasado ● next April en abril del año próximo ● this April en abril de este año ● 2 April 2001 *(in letters etc)* 2 de abril de 2001

April Fools' Day *n* ≃ Día *m* de los Santos Inocentes

apron [ˈeɪprən] *n* delantal *m*

apt [æpt] *adj (appropriate)* acertado(da) ● to be apt to do sthg ser propenso (sa) a hacer algo

aquarium [əˈkweərɪəm] *(pl* **-ria)** *n* acuario *m*

Aquarius [əˈkweərɪəs] *n* Acuario *m*

aqueduct [ˈækwɪdʌkt] *n* acueducto *m*

Arab [ˈærəb] ◇ *adj* árabe ◇ *n (person)* árabe *mf*

Arabic [ˈærəbɪk] ◇ *adj* árabe ◇ *n (language)* árabe *m*

arbitrary [ˈɑːbɪtrərɪ] *adj* arbitrario(ria)

arc [ɑːk] *n* arco *m*

arcade [ɑːˈkeɪd] *n* **1.** *(for shopping)* centro *m* comercial **2.** *(of video games)* salón *m* de juegos

arch [ɑːtʃ] *n* arco *m*

archaeology [ˌɑːkɪˈɒlədʒɪ] *n* arqueología *f*

archbishop [ˌɑːtʃˈbɪʃəp] *n* arzobispo *m*

archery [ˈɑːtʃərɪ] *n* tiro *m* con arco

archipelago [ˌɑːkɪˈpeləgəʊ] *n* archipiélago *m*

architect [ˈɑːkɪtekt] *n* arquitecto *m*, -ta *f*

architecture [ˈɑːkɪtektʃər] *n* arquitectura *f*

archive [ˈɑːkaɪv] *n* archivo *m*

Arctic [ˈɑːktɪk] *n* ● the Arctic el Ártico

are [weak form ər, strong form ɑːr] ● be

area [ˈeərɪə] *n* **1.** *(region, space, zone)* zona *f*, área *f* **2.** *(surface size)* área *f*

area code *n* prefijo *m* (telefónico)

arena [əˈriːnə] *n* **1.** *(at circus)* pista *f* **2.** *(at sportsground)* campo *m*

aren't [ɑːnt] = are not

Argentina [ˌɑːdʒənˈtiːnə] *n* Argentina

Argentinian [ˌɑːdʒənˈtɪnɪən] ◇ *adj* argentino(na) ◇ *n* argentino *m*, -na *f*

argue [ˈɑːgjuː] *vi* ● to argue with your partner about money discutir de dinero con tu compañero ● to argue (that) sostener que

argument ['ɑːgjʊmənt] *n* **1.** *(quarrel)* discusión *f* **2.** *(reason)* argumento *m*

arid ['ærɪd] *adj* árido(da)

Aries ['eəriːz] *n* Aries *m*

arise [ə'raɪz] *(pt* **arose**, *pp* **arisen)** *vi* ● to arise (from) surgir (de)

aristocracy [,ærɪ'stɒkrəsɪ] *n* aristocracia *f*

arithmetic [ə'rɪθmətɪk] *n* aritmética *f*

arm [ɑːm] *n* **1.** *(of person, chair)* brazo *m* **2.** *(of garment)* manga *f*

arm bands *npl (for swimming)* brazaletes *mpl (de brazos)*, alitas *fpl (Amér)*

armchair ['ɑːmtʃeəʳ] *n* sillón *m*

armed [ɑːmd] *adj* armado(da)

armed forces *npl* ● the armed forces las fuerzas armadas

armor ['ɑːmər] *(US)* = **armour**

armour ['ɑːməʳ] *n (UK)* armadura *f*

armpit ['ɑːmpɪt] *n* axila *f*

arms [ɑːmz] *npl (weapons)* armas *fpl*

army ['ɑːmɪ] *n* ejército *m*

A-road *(UK)* ≃ carretera *f* nacional

aroma [ə'rəʊmə] *n* aroma *m*

aromatic [,ærə'mætɪk] *adj* aromático(ca)

arose [ə'rəʊz] *pt* ➤ **arise**

around [ə'raʊnd] ◇ *adv* **1.** *(about, round)* por ahí **2.** *(present)* por ahí/aquí ◇ *prep* **1.** *(surrounding, approximately)* alrededor de **2.** *(to the other side of)* al otro lado de **3.** *(near, all over)* por ● around here *(in the area)* por aquí ● to go around the corner doblar la esquina ● to look around *(turn head)* volverse ● to look around *(turn head)* volver la mirada; *(visit)* visitar ● is Paul around? ¿está Paul por aquí?

arouse [ə'raʊz] *vt (suspicion, interest)* suscitar

arrange [ə'reɪndʒ] *vt* **1.** *(flowers, books)* colocar **2.** *(meeting, event)* organizar **3.** ● we've arranged to meet at seven hemos quedado para las siete ● to arrange to go to the cinema with a friend acordar ir al cine con un amigo

arrangement [ə'reɪndʒmənt] *n* **1.** *(agreement)* acuerdo *m* **2.** *(layout)* disposición *f* ● by arrangement sólo con cita previa ● to make arrangements to do sthg hacer los preparativos para hacer algo

arrest [ə'rest] ◇ *n* detención *f* ◇ *vt* detener ● to be under arrest estar detenido

arrival [ə'raɪvl] *n* llegada *f* ● on arrival al llegar ● new arrival *(person)* recién llegado *m*, -da *f*

arrive [ə'raɪv] *vi* llegar ● to arrive at llegar a

arrogant ['ærəgənt] *adj* arrogante

arrow ['ærəʊ] *n* flecha *f*

arson ['ɑːsn] *n* incendio *m* provocado

art [ɑːt] *n* arte *m* ● arts *npl (humanities)* letras *fpl* ● the arts *(fine arts)* las bellas artes

artefact ['ɑːtɪfækt] *n* artefacto *m*

artery ['ɑːtərɪ] *n* arteria *f*

art gallery *n* **1.** *(commercial)* galería *f (de arte)* **2.** *(public)* museo *m (de arte)*

arthritis [ɑː'θraɪtɪs] *n* artritis *f inv*

artichoke ['ɑːtɪtʃəʊk] *n* alcachofa *f*

article ['ɑːtɪkl] *n* artículo *m*

articulate [ɑː'tɪkjʊlət] *adj* elocuente

artificial [,ɑːtɪ'fɪʃl] *adj* artificial

artist ['ɑːtɪst] *n* artista *mf*

artistic [ɑː'tɪstɪk] *adj* **1.** *(person)* con sensibilidad artística **2.** *(design)* artístico(ca)

arts centre n ≃ casa f de cultura
arty ['ɑːtɪ] adj (pej) con pretensiones artísticas
as [unstressed əz, stressed æz] ◇ adv (in comparisons) ● **as ... as** tan ... como ● **he's as tall as I am** es tan alto como yo ● **twice as big as** el doble de grande que ● **as many as** tantos como ● **as much as** tanto como ◇ conj **1.** (referring to time) mientras **2.** (referring to manner) como **3.** (introducing a statement) como **4.** (because) como, ya que **5.** (in phrases) ● **as for** en cuanto a ● **as from** a partir de ● **as if** como si ◇ prep **1.** (referring to function) como **2.** (referring to job) de ● **as the plane was coming in to land** cuando el avión iba a aterrizar ● **do as you like** haz lo que quieras ● **as expected** (tal) como era de esperar ● **as you know** como sabes ● **I work as a teacher** soy profesor
asap [eɪeseɪ'piː] (abbr of as soon as possible) a la mayor brevedad posible
ascent [ə'sent] n ascenso m
ascribe [ə'skraɪb] vt ● **to ascribe her success to luck** atribuir su éxito a la suerte
ash [æʃ] n **1.** (from cigarette, fire) ceniza f **2.** (tree) fresno m
ashore [ə'ʃɔː] adv (be) en tierra ● **to go ashore** desembarcar
ashtray ['æʃtreɪ] n cenicero m
Asia [(UK) 'eɪʃə, (US) 'eɪʒə] n Asia
Asian [(UK) 'eɪʃn, (US) 'eɪʒn] ◇ adj asiático(ca) ◇ n asiático m, -ca f
aside [ə'saɪd] adv a un lado ● **to move aside** apartarse
ask [ɑːsk] ◇ vt **1.** (person) preguntar **2.**

(request) pedir **3.** (invite) invitar **4.** ● **to ask a question** hacer una pregunta ◇ vi ● **to ask about sthg** preguntar acerca de algo ● **to ask the man his name** preguntarle el nombre al señor ● **to ask her about her new job** preguntarle por su nuevo trabajo ● **to ask them to help** pedirles que ayuden ● **to ask your boss for a rise** pedir un aumento de sueldo al jefe ● **ask for** vt insep **1.** (ask to talk to) preguntar por **2.** (request) pedir
asleep [ə'sliːp] adj dormido(da) ● **to fall asleep** quedarse dormido
AS level n (UK) examen de asignaturas complementarias al examen de A level
asparagus [ə'spærəgəs] n espárragos mpl
aspect ['æspekt] n aspecto m
aspirin ['æsprɪn] n aspirina f
ass [æs] n (animal) asno m, -na f
assassinate [ə'sæsɪneɪt] vt asesinar
assault [ə'sɔːlt] ◇ n agresión f ◇ vt agredir
assemble [ə'sembl] ◇ vt (bookcase, model) montar ◇ vi reunirse
assembly [ə'semblɪ] n (at school) reunión cotidiana de todos los alumnos y profesores en el salón de actos
assembly hall n (at school) salón m de actos
assembly point n punto m de reunión
assert [ə'sɜːt] vt **1.** (fact, innocence) afirmar **2.** (authority) imponer ● **to assert o.s.** imponerse
assess [ə'ses] vt evaluar
assessment [ə'sesmənt] n evaluación f

asset ['æset] *n (valuable person, thing)* elemento *m* valioso

assign [ə'saɪn] *vt* ● to assign a task to an employee asignar una tarea a un empleado ● to assign police officers to watch a building asignar policías a la vigilancia de un edificio

assignment [ə'saɪnmənt] *n* 1. *(task)* misión *f* 2. SCH trabajo *m*

assist [ə'sɪst] *vt* ayudar

assistance [ə'sɪstəns] *n* ayuda *f* ● to be of assistance (to sb) ayudar (a alguien)

assistant [ə'sɪstənt] *n* ayudante *mf*

associate ◇ *n* [ə'səʊʃɪət] socio *m*, -cia *f* ◇ *vt* [ə'səʊʃɪeɪt] ● to associate sthg/sb with asociar algo/a alguien con ● to be associated with estar asociado con

association [ə,səʊsɪ'eɪʃn] *n* asociación *f*

assorted [ə'sɔːtɪd] *adj* surtido(da), variado(da)

assortment [ə'sɔːtmənt] *n* surtido *m*

assume [ə'sjuːm] *vt* 1. *(suppose)* suponer 2. *(control, responsibility)* asumir

assurance [ə'ʃʊərəns] *n* 1. *(promise)* garantía *f* 2. *(insurance)* seguro *m*

assure [ə'ʃʊəʳ] *vt* asegurar ● to assure sb (that) ... asegurar a alguien que ...

asterisk ['æstərɪsk] *n* asterisco *m*

asthma ['æsmə] *n* asma *f*

asthmatic [æs'mætɪk] *adj* asmático(ca)

astonished [ə'stɒnɪʃt] *adj* estupefacto (ta), pasmado(da)

astonishing [ə'stɒnɪʃɪŋ] *adj* asombroso (sa)

astound [ə'staʊnd] *vt* asombrar, pasmar

astray [ə'streɪ] *adv* ● to go astray extraviarse

astrology [ə'strɒlədʒɪ] *n* astrología *f*

astronomy [ə'strɒnəmɪ] *n* astronomía *f*

at [*unstressed* ət, *stressed* æt] *prep* 1. *(indicating place, position)* en ● at the bottom of the hill al pie de la colina ● at school en la escuela ● at the hotel en el hotel ● at home en casa ● at my mother's en casa de mi madre 2. *(indicating direction)* a ● to throw stones at a dog tirar piedras a un perro ● to look at a picture mirar un cuadro ● to smile at a neighbour sonreír a un vecino 3. *(indicating time)* a ● at Christmas en Navidades ● at nine o'clock a las nueve ● at night por la noche 4. *(indicating rate, level, speed)* a ● it works out at £5 each sale a 5 libras cada uno ● at 60 km/h a 60 km/h 5. *(indicating activity)* ● to be at lunch estar comiendo ● I'm good/bad at maths se me dan bien/mal las matemáticas 6. *(indicating cause)* ● shocked at sthg horrorizado ante algo ● angry at sb enfadado con alguien ● delighted at sthg encantado con algo

ate [(*UK*) et, (*US*) eɪt] *pt* > eat

atheist ['eɪθɪɪst] *n* ateo *m*, -a *f*

athlete ['æθliːt] *n* atleta *mf*

athletics [æθ'letɪks] *n* atletismo *m*

Atlantic [ət'læntɪk] *n* ● the Atlantic (Ocean) el (océano) Atlántico

atlas ['ætləs] *n* atlas *m inv*

ATM [eɪtiː'em] *n (abbr of* automatic *or* automated teller machine*)* cajero automático

atmosphere ['ætməsfɪəʳ] *n* atmósfera *f*

atrocious [ə'trəʊʃəs] *adj* atroz

attach [ə'tætʃ] *vt* sujetar ● to attach a

padlock to a bicycle ponerle un candado a una bicicleta

attachment [əˈtætʃmənt] *n* **1.** *(device)* accesorio *m* **2.** *COMPUT* anexo *m*

attack [əˈtæk] ◇ *n* ataque *m* ◇ *vt* atacar

attacker [əˈtækəʳ] *n* atacante *mf*

attain [əˈteɪn] *vt* *(fml)* alcanzar, conseguir

attempt [əˈtempt] ◇ *n* intento *m* ◇ *vt* intentar ● **to attempt to do sthg** intentar hacer algo

attend [əˈtend] *vt* asistir a ◆ **attend to** *vt insep* ocuparse de

attendance [əˈtendəns] *n* asistencia *f*

attendant [əˈtendənt] *n* **1.** *(in museum)* conserje *mf* **2.** *(in car park)* encargado *m*, -da *f*

attention [əˈtenʃn] *n* atención *f* ● **to pay attention (to)** prestar atención (a)

attic [ˈætɪk] *n* desván *m*

attitude [ˈætɪtjuːd] *n* actitud *f*

attorney [əˈtɜːnɪ] *n* (US) abogado *m*, -da *f*

attract [əˈtrækt] *vt* atraer

attraction [əˈtrækʃn] *n* **1.** atracción *f* **2.** *(attractive feature)* atractivo *m*

attractive [əˈtræktɪv] *adj* atractivo(va)

attribute [əˈtrɪbjuːt] *vt* ● **to attribute his success to hard work** atribuir su éxito al trabajo duro

aubergine [ˈəʊbəʒiːn] *n* (UK) berenjena *f*

auburn [ˈɔːbən] *adj* castaño rojizo

auction [ˈɔːkʃn] *n* subasta *f*

audience [ˈɔːdɪəns] *n* **1.** *(of play, concert, film)* público *m* **2.** *(of TV, radio)* audiencia *f*

audio [ˈɔːdɪəʊ] *adj* *(store, department)* de sonido

audio-visual [-ˈvɪʒʊəl] *adj* audiovisual

Aug. *(abbr of August)* ago. *(agosto)*

August [ˈɔːgəst] *n* agosto *m* ● **at the beginning of August** a principios de agosto ● **at the end of August** a finales de agosto ● **during August** en agosto ● **every August** todos los años en agosto ● **in August** en agosto ● **last August** en agosto del año pasado ● **next August** en agosto del próximo año ● **this August** en agosto de este año ● **2 August 2001** *(in letters etc)* 2 de agosto de 2001

aunt [ɑːnt] *n* tía *f*

au pair [ˌəʊˈpeəʳ] *n* au pair *f*

aural [ˈɔːrəl] *adj* auditivo(va)

Australia [ɒˈstreɪlɪə] *n* Australia

Australian [ɒˈstreɪlɪən] ◇ *adj* australiano(na) ◇ *n* *(person)* australiano *m*, -na *f*

Austria [ˈɒstrɪə] *n* Austria

Austrian [ˈɒstrɪən] ◇ *adj* austríaco(ca) ◇ *n* *(person)* austríaco *m*, -ca *f*

authentic [ɔːˈθentɪk] *adj* auténtico(ca)

author [ˈɔːθəʳ] *n* **1.** *(of book, article)* autor *m*, -ra *f* **2.** *(by profession)* escritor *m*, -ra *f*

authority [ɔːˈθɒrətɪ] *n* autoridad *f* ● **the authorities** las autoridades

authorization [ˌɔːθəraɪˈzeɪʃn] *n* autorización *f*

authorize [ˈɔːθəraɪz] *vt* autorizar ● **to authorize your son to act on your behalf** autorizar a tu hijo a que actúe en nombre tuyo

autobiography [ˌɔːtəbaɪˈɒgrəfɪ] *n* autobiografía *f*

autograph [ˈɔːtəgrɑːf] *n* autógrafo *m*

automatic [ˌɔːtəˈmætɪk] ◇ *n* *(car)* coche *m* automático ◇ *adj* automático(ca) ●

you will receive an automatic fine Vd. será multado en el acto

automatically [ˌɔːtəˈmætɪklɪ] *adv* automáticamente

automobile [ˈɔːtəməbiːl] *n* (US) coche *m*, automóvil *m*

autumn [ˈɔːtəm] *n* otoño *m* ● in (the) autumn en otoño

auxiliary (verb) [ɔːgˈzɪljərɪ-] *n* verbo *m* auxiliar

available [əˈveɪləbl] *adj* disponible

avalanche [ˈævəlɑːnʃ] *n* avalancha *f*

Ave. (*abbr of* avenue) Avda *(avenida)*

avenue [ˈævənjuː] *n* avenida *f*

average [ˈævərɪdʒ] ◇ *adj* 1. medio(dia) 2. (*not very good*) regular ◇ *n* media *f*, promedio *m* ● on average por término medio

aversion [əˈvɜːʃn] *n* aversión *f*

aviation [ˌeɪvɪˈeɪʃn] *n* aviación *f*

avid [ˈævɪd] *adj* ávido(da)

avocado [ˌævəˈkɑːdəʊ] *n* (*fruit*) aguacate *m*

avoid [əˈvɔɪd] *vt* evitar ● to avoid doing sthg evitar hacer algo

await [əˈweɪt] *vt* esperar, aguardar

awake [əˈweɪk] (*pt* awoke, *pp* awoken) ◇ *adj* despierto(ta) ◇ *vi* despertarse

award [əˈwɔːd] ◇ *n* premio *m*, galardón *m* ◇ *vt* ● to award a student a prize otorgar un premio a un estudiante ● to award an accident victim compensation otorgar una compensación a la víctima de un accidente

aware [əˈweə^r] *adj* consciente ● to be aware of ser consciente de

away [əˈweɪ] *adv* 1. (*move, look, turn*) hacia otra parte 2. (*not at home, in office*) fuera ● put your toys away! ¡recoge tus juguetes! ● to take a knife away from an attacker quitarle el cuchillo a un atacante ● far away lejos ● it's 10 miles away (from here) está a 10 millas (de aquí) ● it's two weeks away faltan dos semanas ● to look away apartar la vista ● to walk/drive away alejarse ● we're going away on holiday nos vamos de vacaciones

awesome [ˈɔːsəm] *adj* impresionante

awful [ˈɔːfəl] *adj* 1. (*very bad*) fatal 2. (*very great*) tremendo(da) ● how awful! ¡qué horror!

awfully [ˈɔːflɪ] *adv* (*very*) tremendamente

awkward [ˈɔːkwəd] *adj* 1. (*movement*) torpe 2. (*position, situation*) incómodo (da) 3. (*shape, size*) poco manejable 4. (*time*) inoportuno(na) 5. (*question, task*) difícil

awning [ˈɔːnɪŋ] *n* toldo *m*

awoke [əˈwəʊk] *pt* ➤ awake

awoken [əˈwəʊkən] *pp* ➤ awake

axe [æks] *n* hacha *f*

axle [ˈæksl] *n* eje *m*

bB

BA [biːˈeɪ] (*abbr of* Bachelor of Arts) (*titular de una*) licenciatura de letras

babble [ˈbæbl] *vi* (*person*) farfullar

baby [ˈbeɪbɪ] *n* 1. (*newborn baby*) bebé *m*

2. *(infant)* niño *m*, -ña *f* • **to have a baby** tener un niño

baby carriage *n (US)* cochecito *m* de niños

baby food *n* papilla *f*

baby-sit *vi* cuidar a niños

baby wipe *n* toallita *f* húmeda para bebés

back [bæk] ◇ *n* **1.** *(of person)* espalda *f* **2.** *(of chair)* respaldo *m* **3.** *(of room)* fondo *m* **4.** *(of car, book)* parte *f* trasera **5.** *(of hand, banknote)* dorso *m* ◇ *adj* trasero (ra) ◇ *vi (car, driver)* dar marcha atrás ◇ *vt (support)* respaldar ◇ *adv* **1.** *(towards the back)* hacia atrás **2.** *(to previous position, state)* de vuelta • **to get back** llegar • **to give back** devolver • **to put sthg back** devolver algo a su sitio • **to stand back** apartarse • **to write back** contestar • **at the back of** detrás de • **in back of** *(US)* detrás de • **back to front** al revés • **back up** ◇ *vt sep (support)* apoyar ◇ *vi (car, driver)* dar marcha atrás, meter reversa (*Col & Méx*)

backache ['bækeɪk] *n* dolor *m* de espalda

backbone ['bækbəʊn] *n* columna *f* vertebral

back door *n* puerta *f* trasera

backfire [,bæk'faɪə'] *vi (car)* petardear

background ['bækgraʊnd] *n* **1.** *(in picture, on stage)* fondo *m* **2.** *(to situation)* trasfondo *m* **3.** *(upbringing)* origen *m*

backlog ['bæklɒg] *n* acumulación *f*

backpack ['bækpæk] *n* mochila *f*

backpacker ['bækpækə'] *n* mochilero *m*, -ra *f*

back seat *n* asiento *m* trasero OR de atrás

backside [,bæk'saɪd] *n (inf)* trasero *m*

back street *n* callejuela *f* en una zona periférica y deprimida

backstroke ['bækstrəʊk] *n* espalda *f (en natación)*

backwards ['bækwədz] *adv* **1.** *(move, look)* hacia atrás **2.** *(the wrong way round)* al revés

bacon ['beɪkən] *n* tocino *m*, panceta *f (RP)*, bacon *m (Esp)* • **bacon and eggs** huevos fritos con bacon

bacteria [bæk'tɪərɪə] *npl* bacterias *fpl*

bad [bæd] *(compar* **worse**, *superl* **worst)** *adj* **1.** malo(la) **2.** *(accident, wound)* grave **3.** *(cold)* fuerte **4.** *(poor, weak)* débil • **not bad** *(bastante)* bien • **to go bad** echarse a perder

badge [bædʒ] *n* chapa *f*, botón *m (Amér)*

badger ['bædʒə'] *n* tejón *m*

badly ['bædlɪ] *(compar* **worse**, *superl* **worst)** *adv* **1.** *(poorly)* mal **2.** *(seriously)* gravemente **3.** *(very much)* mucho • **badly paid** [-peɪd] *adj* mal pagado(da)

badminton ['bædmɪntən] *n* bádminton *m*

bad-tempered [-'tempəd] *adj* de mal genio

bag [bæg] *n* **1.** *(of paper, plastic)* bolsa *f* **2.** *(handbag)* bolso *m (Esp)*, cartera *f (Amér)* **3.** *(suitcase)* maleta *f* • **a bag of crisps** una bolsa de patatas fritas

bagel ['beɪgəl] *n* bollo *m* de pan en forma de rosca

baggage ['bægɪdʒ] *n* equipaje *m*

baggage allowance *n* equipaje *m* permitido

baggage reclaim *n* (UK) recogida *f* de equipajes

baggy ['bægɪ] *adj* holgado(da)

bagpipes ['bægpaɪps] *npl* gaita *f*

bail [beɪl] *n* fianza *f*

bait [beɪt] *n* cebo *m*

bake [beɪk] ◇ *vt* cocer al horno ◇ *n* CULIN gratén *m*

baked [beɪkt] *adj* asado(da) al horno

baked beans *npl* alubias *fpl* (Esp) OR frijoles *mpl* (Amér) cocidas en salsa de tomate

baked potato *n* patata *f* (Esp) OR papa *f* (Amér) asada OR al horno (con piel)

baker ['beɪkər] *n* panadero *m*, -ra *f* ● **baker's** (shop) panadería *f*

balance ['bæləns] ◇ *n* **1.** (of person) equilibrio *m* **2.** (of bank account) saldo *m* **3.** (remainder) resto *m* ◇ *vt* mantener en equilibrio

balcony ['bælkənɪ] *n* **1.** (small) balcón *m* **2.** (big) terraza *f*

bald [bɔːld] *adj* calvo(va)

bale [beɪl] *n* (of cloth, hay) fardo *m*

Balearic Islands [ˌbælɪ'ærɪk-] *npl* ● **Balearic Islands** (las) Baleares

ball [bɔːl] *n* **1.** (in tennis, golf, table tennis) pelota *f* **2.** (in football) balón *m* **3.** (in snooker, pool, of paper) bola *f* **4.** (of wool, string) ovillo *m* **5.** (dance) baile *m* ● **on the ball** (fig) al tanto de todo

ballerina [ˌbælə'riːnə] *n* bailarina *f*

ballet ['bæleɪ] *n* ballet *m*

ballet dancer *n* bailarín *m*, -ina *f*

balloon [bə'luːn] *n* globo *m*

ballot ['bælət] *n* votación *f*

ballpoint pen ['bɔːlpɔɪnt-] *n* bolígrafo *m*

ballroom ['bɔːlrʊm] *n* salón *m* de baile

ballroom dancing *n* baile *m* de salón

bamboo [bæm'buː] *n* bambú *m*

ban [bæn] ◇ *n* prohibición *f* ◇ *vt* prohibir ● **to ban sb from doing sthg** prohibir a alguien hacer algo

banana [bə'nɑːnə] *n* plátano *m*

band [bænd] *n* **1.** (pop group) grupo *m* **2.** (military orchestra) banda *f* **3.** (strip of paper, rubber) cinta *f*

bandage ['bændɪdʒ] ◇ *n* venda *f* ◇ *vt* vendar

B and B [biːəndbiː] *abbr* = **bed and breakfast**

bandstand ['bændstænd] *n* quiosco *m* de música

bang [bæŋ] ◇ *n* estruendo *m* ◇ *vt* **1.** (hit loudly) golpear **2.** (shut loudly) cerrar de golpe ● **to bang one's head** golpearse la cabeza

banger ['bæŋər] *n* (UK) (inf) (sausage) salchicha *f* ● **bangers and mash** salchichas con puré de patatas

bangle ['bæŋgl] *n* brazalete *m*

bangs [bæŋz] *npl* (US) flequillo *m*, cerquillo *m* (Amér)

banister ['bænɪstər] *n* barandilla *f*

banjo ['bændʒəʊ] *n* banjo *m*

bank [bæŋk] *n* **1.** (for money) banco *m* **2.** (of river, lake) orilla *f*, ribera *f* **3.** (slope) loma *f*

bank account *n* cuenta *f* bancaria

bank book *n* libreta *f* (del banco)

bank charges *npl* comisiones *fpl* bancarias

bank clerk *n* empleado *m* de banco

bank draft *n* giro *m* bancario

banker ['bæŋkər] *n* banquero *m*, -ra *f*

banker's card *n* tarjeta *f* de identificación bancaria

bank holiday *n* (*UK*) día *m* festivo

bank holiday

En el Reino Unido, un *bank holiday* es un día festivo. Recibe ese nombre porque los bancos no abren ese día (muchas tiendas y supermercados sí lo hacen). El número de festivos (unos 8 por año) de los que disfrutan los británicos es mucho menor que el de otros europeos.

bank manager *n* director *m*, -ra *f* de banco

bank note *n* billete *m* de banco

bankrupt ['bæŋkrʌpt] *adj* quebrado(da)

bank statement *n* extracto *m* de cuenta

banner ['bænə'] *n* 1. (*flag*) pancarta *f* 2. COMPUT banner *m*

bannister ['bænɪstə'] = banister

banquet ['bæŋkwɪt] *n* 1. (*formal dinner*) banquete *m*

bap [bæp] *n* (*UK*) panecillo *m*, bollo *m*

baptize [(*UK*) bæp'taɪz, (*US*) 'bæptaɪz] *vt* bautizar

bar [bɑː'] ◇ *n* 1. (*pub, in restaurant, hotel*) bar *m* 2. (*counter in pub, metal rod*) barra *f* 3. (*of wood*) tabla *f* 4. (*of soap*) pastilla *f* 5. (*of chocolate*) tableta *f* ◇ *vt* (*obstruct*) bloquear

barbecue ['bɑːbɪkjuː] ◇ *n* barbacoa *f* ◇ *vt* asar a la parrilla

barbed wire [bɑːbd-] *n* alambre *m* de espino

barber ['bɑːbə'] *n* barbero *m* ● **barber's** (*shop*) barbería *f*, peluquería *f*

bar code *n* código *m* de barras

bare [beə'] *adj* 1. (*feet*) descalzo(za) 2. (*head*) descubierto(ta) 3. (*arms*) desnudo(da) 4. (*room, cupboard*) vacío(a) 5. (*facts, minimum*) esencial

barefoot [.beə'fʊt] *adv* ● **to go barefoot** ir descalzo

barely ['beəlɪ] *adv* apenas

bargain ['bɑːgɪn] ◇ *n* 1. (*agreement*) trato *m*, acuerdo *m* 2. (*cheap buy*) ganga *f* ◇ *vi* negociar ● **bargain for** *vt insep* contar con

bargain basement *n* sección *f* de oportunidades

barge [bɑːdʒ] *n* barcaza *f* ● **barge in** *vi* ● **to barge in (on sb)** interrumpir (a alguien)

bark [bɑːk] ◇ *n* (*of tree*) corteza *f* ◇ *vi* ladrar

barley ['bɑːlɪ] *n* cebada *f*

barmaid ['bɑːmeɪd] *n* camarera *f* (*Esp*), mesera *f* (*Amér*)

barman ['bɑːmən] (*pl* **-men**) *n* camarero *m* (*Esp*), barman *m* (*Esp*)

barn [bɑːn] *n* granero *m*

barometer [bə'rɒmɪtə'] *n* barómetro *m*

baron ['bærən] *n* barón *m*

baroque [bə'rɒk] *adj* barroco(ca)

barracks ['bærəks] *npl* cuartel *m*

barrage [bæ'rɑːʒ] *n* (*of questions, criticism*) lluvia *f*, alud *m*

barrel ['bærəl] *n* 1. (*of beer, wine, oil*) barril *m* 2. (*of gun*) cañón *m*

barren ['bærən] *adj* (*land, soil*) estéril

barricade [.bærɪ'keɪd] *n* barricada *f*

barrier ['bærɪə'] *n* barrera *f*

barrister ['bærɪstə'] *n* abogado *m*, -da *f* *(de tribunales superiores)*

bartender ['bɑːtendə'] *n (US)* camarero *m*, -ra *f (Esp)*, barman *m*

barter ['bɑːtə'] *vi* hacer trueques

base [beɪs] ◇ *n* base *f* ◇ *vt* • **to base sthg on** basar algo en • **to be based** *(company)* tener la sede; *(person)* trabajar

baseball ['beɪsbɔːl] *n* béisbol *m*

baseball cap *n* gorra *f* de béisbol

basement ['beɪsmənt] *n* sótano *m*

bases ['beɪsiːz] *pl* ➤ **basis**

bash [bæʃ] *vt (door)* dar un porrazo a • **to bash one's head** darse un porrazo en la cabeza

basic ['beɪsɪk] *adj* **1.** *(fundamental)* básico (ca) **2.** *(accommodation, meal)* simple •

basics *npl* • **the basics** los fundamentos

basically ['beɪsɪklɪ] *adv* en realidad

basil ['bæzl] *n* albahaca *f*

basin ['beɪsn] *n* **1.** *(washbasin)* lavabo *m* **2.** *(bowl)* barreño *m*

basis ['beɪsɪs] *(pl* **-ses)** *n* base *f* • **on a weekly basis** semanalmente • **on the basis of** partiendo de

basket ['bɑːskɪt] *n* cesto *m*, cesta *f*

basketball ['bɑːskɪtbɔːl] *n* baloncesto *m*

basmati rice [bæz'mɑːtɪ] *n* arroz de origen pakistaní utilizado en muchos platos de cocina oriental

Basque [bɑːsk] ◇ *adj* vasco(ca) ◇ *n* **1.** *(person)* vasco *m*, -ca *f* **2.** *(language)* euskera *m*

Basque Country *n* • **the Basque Country** el País Vasco, Euskadi

bass¹ [beɪs] *n (singer)* bajo *m*

bass² [bæs] *n (fish)* lubina *f*, róbalo *m*

bass guitar [beɪs-] *n* bajo *m*

bassoon [bə'suːn] *n* fagot *m*

bastard ['bɑːstəd] *n (vulg)* cabrón *m*, -ona *f*

bat [bæt] *n* **1.** *(in cricket, baseball)* bate *m* **2.** *(in table tennis)* paleta *f* **3.** *(animal)* murciélago *m*

batch [bætʃ] *n* lote *m*

bath [bɑːθ] ◇ *n (tub)* bañera *f*, tina *f* *(Amér)* ◇ *vt* bañar • **to have a bath** *(UK)* bañarse • **baths** *npl (UK) (public swimming pool)* piscina *f* municipal

bathe [beɪð] *vi* bañarse

bathrobe ['bɑːθrəʊb] *n* **1.** *(for bathroom, swimming pool)* albornoz *m (Esp)*, bata *f* *(Amér)* **2.** *(dressing gown)* bata *f*

bathroom ['bɑːθrʊm] *n* **1.** *(room with bath)* cuarto *m* de baño **2.** *(US) (toilet)* servicio *m*, baño *m (Amér)*

bathroom cabinet *n* armario *m* de aseo

bathtub ['bɑːθtʌb] *n* bañera *f*, tina *f* *(Amér)*

baton ['bætən] *n* **1.** *(of conductor)* batuta *f* **2.** *(truncheon)* porra *f*

batter ['bætə'] *n* CULIN masa *f* para rebozar ◇ *vt* bañar *(wife, child)* maltratar

battered ['bætəd] *adj* CULIN rebozado (da)

battery ['bætərɪ] *n* **1.** *(for radio, torch etc)* pila *f* **2.** *(for car)* batería *f*

battery charger [-,tʃɑːdʒə'] *n* cargador *m* de pilas

battle ['bætl] *n* **1.** *(in war)* batalla *f* **2.** *(struggle)* lucha *f*

bay [beɪ] *n* **1.** *(on coast)* bahía *f* **2.** *(for parking)* plaza *f*

bay leaf n hoja f de laurel

bay window n ventana f salediza

B & B [bi:ənbi:] abbr = bed and breakfast

BC [bi:ˈsi:] (abbr of before Christ) a.C., a. de J.C. (antes de Cristo)

Bcc [ˌbi:si:ˈsi:] n (abbr of blind carbon copy) Cco

be [bi:] (pt **was** OR **were**, pp **been**)
◇ vi **1.** (exist) ser ● there is/are hay ● are there any shops near here? ¿hay alguna tienda por aquí? **2.** (referring to location) estar ● the hotel is near the airport el hotel está cerca del aeropuerto **3.** (go, come) estar ● have you ever been to Ireland? ¿has estado alguna vez en Irlanda? ● I'll be there in five minutes estaré ahí dentro de cinco minutos **4.** (occur) ser ● the final is in May la final es en mayo **5.** (describing quality, permanent condition) ser ● he's a doctor es médico ● I'm British soy británico **6.** (describing state, temporary condition) estar ● I'm angry estoy enfadado ● I'm hot/cold tengo calor/frío **7.** (referring to health) estar ● how are you? ¿cómo estás? ● I'm fine estoy bien ● she's ill está enferma **8.** (referring to age) ● how old are you? ¿cuántos años tienes? ● I'm 14 (years old) tengo 14 años (de edad) **9.** (referring to cost) valer, costar ● how much is it? ¿cuánto es? ● it's ten pounds son diez libras **10.** (referring to time, dates) ser ● what time is it? ¿qué hora es? ● it's ten o'clock son las diez ● it's the 9th of April estamos a 9 de abril **11.** (referring to measurement) ● it's 2 metres wide/

long mide 2 metros de ancho/largo ● he's 2 metres tall mide 2 metros ● I'm 60 kilos peso 60 kilos **12.** (referring to weather) hacer ● it's hot/cold hace calor/frío ● it's sunny/windy hace sol/viento ● it's going to be nice today hoy va a hacer buen tiempo
◇ aux vb **1.** (forming continuous tense) estar ● I'm learning French estoy aprendiendo francés ● we've been visiting the museum hemos estado visitando el museo ● I was eating when ... estaba comiendo cuando ... **2.** (forming passive) ser ● to be loved ser amado ● the flight was delayed el avión se retrasó **3.** (with infinitive to express order) ● all rooms are to be vacated by ten a.m. las habitaciones han de ser desocupadas antes de las diez de la mañana **4.** (with infinitive to express future tense) ● the race is to start at noon la carrera empezará a mediodía **5.** (in tag questions) ● it's cold, isn't it? hace frío ¿no?

beach [bi:tʃ] n playa f

bead [bi:d] n **1.** cuenta f **2.** (glass) abalorio m

beak [bi:k] n pico m

beaker [ˈbi:kər] n taza f (sin asa)

beam [bi:m] ◇ n **1.** (of light) rayo m **2.** (of wood, concrete) viga f ◇ vi (smile) sonreír resplandeciente

bean [bi:n] n **1.** (haricot) judía f (Esp), frijol m (Amér) **2.** (pod) judía f verde **3.** (of coffee) grano m

beansprouts [ˈbi:nsprauts] npl brotes mpl de soja (Esp) OR soya (Amér)

bear [beəʳ] (pt **bore**, pp **borne**) ◇ n (animal) oso m, osa f ◇ vt aguantar, soportar • **to bear left/right** torcer a la izquierda/derecha

bearable ['beərəbl] *adj* soportable

beard [biəd] *n* barba *f*

bearer ['beərə'] *n* 1. *(of cheque)* portador *m*, -ra *f* 2. *(of passport)* titular *mf*

bearing ['beərɪŋ] *n (relevance)* relación *f* • **to get one's bearings** orientarse

beast [bi:st] *n* bestia *f*

beat [bi:t] *(pt* **beat**, *pp* **beaten**) ◇ *n* 1. *(of heart, pulse)* latido *m* 2. *MUS* ritmo *m* ◇ *vt* 1. *(defeat)* ganar, derrotar 2. *(hit)* golpear 3. *(eggs, cream)* batir ◆ **beat down** ◇ *vt sep* convencer que rebaje el precio ◇ *vi* 1. *(rain)* descargar 2. *(sun)* pegar fuerte ◆ **beat up** *vt sep* dar una paliza a

beautiful ['bju:tɪfʊl] *adj* 1. *(in appearance, very good)* precioso(sa) 2. *(person)* guapo (pa)

beauty ['bju:tɪ] *n* belleza *f*

beauty parlour *n* salón *m* de belleza

beauty spot *n (place)* bello paraje *m*

beaver ['bi:və'] *n* castor *m*

became [bɪ'keɪm] *pt* ➤ **become**

because [bɪ'kɒz] *conj* porque • **because of** a causa de

beckon ['bekən] *vi* • **to beckon (to)** hacer señas para atraer la atención (a)

become [bɪ'kʌm] *(pt* **became**, *pp inv)* *vi* 1. hacerse 2. *(ill, angry, cloudy)* ponerse 3. *(champion, prime minister)* llegar a ser • **what became of him?** ¿qué fue de él?

bed [bed] *n* 1. *(for sleeping in)* cama *f* 2. *(of river, CULIN)* lecho *m* 3. *(of sea)* fondo *m* • **in bed** en la cama • **to get out of bed** levantarse (de la cama) • **to go to**

bed irse a la cama • **to go to bed with sb** acostarse con alguien • **to make the bed** hacer la cama

bed and breakfast *n (UK)* casa privada donde se ofrece cama y desayuno a precios asequibles

bed and breakfast

Un *bed and breakfast* es un hostal familiar en el que el desayuno está incluido en el precio del alojamiento. Su localización está bien señalizada y hay de todos los tipos. Se encuentran no sólo en el Reino Unido sino también en los Estados Unidos, Canadá, Australia y Nueva Zelanda.

bedclothes ['bedkləʊðz] *npl* ropa *f* de cama

bedding ['bedɪŋ] *n* ropa *f* de cama

bed linen *n* sábanas *y* fundas *de almohada*

bedroom ['bedrʊm] *n* 1. *(en casa)* dormitorio *m* 2. *(en hotel)* habitación *f*

bedside table [bedsaɪd-] *n* mesita *f* de noche

bedsit ['bed,sɪt] *n (UK)* habitación alquilada con cama e instalaciones para cocinar y lavarse

bedspread ['bedspred] *n* colcha *f*

bedtime ['bedtaɪm] *n* hora *f* de dormir

bee [bi:] *n* abeja *f*

beech [bi:tʃ] *n* haya *f*

beef [bi:f] *n* carne *f* de vaca OR res *(Amér)*

beefburger ['bi:f,bɜːgə'] *n (UK)* hamburguesa *f*

beehive ['biːhaɪv] *n* colmena *f*

been [biːn] *pp* > be

beer [bɪəʳ] *n* cerveza *f* ● to have a couple of beers tomarse un par de cervezas

beer garden *n* patio *m* de bar

beer mat *n* posavasos *m inv* (de bar)

beetle ['biːtl] *n* escarabajo *m*

beetroot ['biːtruːt] *n* (UK) remolacha *f*

before [bɪ'fɔːʳ] ◇ *adv* antes ◇ *prep* **1.** (earlier than) antes de **2.** (in order) antes que **3.** (fml) (in front of) frente a ◇ *conj* antes de ● before you leave antes de irte ● the day before el día anterior ● the week before last la semana pasada no, la anterior

beforehand [bɪ'fɔːhænd] *adv* con antelación

befriend [bɪ'frend] *vt* hacer amistad con

beg [beg] ◇ *vi* mendigar ◇ *vt* ● to beg sb to do sthg rogar a alguien que haga algo

began [bɪ'gæn] *pt* > begin

beggar ['begəʳ] *n* mendigo *m*, -ga *f*

begin [bɪ'gɪn] (*pt* began, *pp* begun) *vt* & *vi* empezar, comenzar ● to begin doing OR to begin to do sthg empezar a hacer algo ● to begin by doing sthg empezar haciendo algo ● to begin with (firstly) de entrada; (in restaurant) de primero

beginner [bɪ'gɪnəʳ] *n* principiante *mf*

beginning [bɪ'gɪnɪŋ] *n* comienzo *m* ● at the beginning of a principios de

begun [bɪ'gʌn] *pp* > begin

behalf [bɪ'hɑːf] *n* ● on behalf of en nombre de

behave [bɪ'heɪv] *vi* comportarse ● to behave (o.s.) (be good) portarse bien

behavior [bɪ'heɪvjəʳ] (US) = behaviour

behaviour [bɪ'heɪvjəʳ] *n* comportamiento *m*

behind [bɪ'haɪnd] ◇ *adv* detrás ◇ *n* (inf) trasero *m* ◇ *prep* (at the back of) detrás de ● to be behind sb (supporting) apoyar a alguien ● to be behind (schedule) ir retrasado ● to leave sthg behind dejarse algo (olvidado) ● to stay behind quedarse

beige [beɪʒ] *adj* beige (inv)

being ['biːɪŋ] *n* ser *m* ● to come into being nacer

belated [bɪ'leɪtɪd] *adj* tardío(a)

belch [beltʃ] *vi* eructar

Belgian ['beldʒən] ◇ *adj* belga ◇ *n* belga *mf*

Belgian waffle *n* (US) gofre *m* (Esp), wafle *m* (Amér)

Belgium ['beldʒəm] *n* Bélgica *f*

belief [bɪ'liːf] *n* **1.** (faith) creencia *f* **2.** (opinion) opinión *f*

believe [bɪ'liːv] ◇ *vt* creer ◇ *vi* ● to believe in creer en ● to believe in doing sthg ser partidario de hacer algo

believer [bɪ'liːvəʳ] *n* creyente *mf*

bell [bel] *n* **1.** (of church) campana *f* **2.** (of phone, door) timbre *m*

bellboy ['belbɔɪ] *n* botones *m inv*

bellow ['beləʊ] *vi* rugir

bell pepper *n* (US) pimiento *m*

belly ['belɪ] *n* (inf) barriga *f*

belly button *n* (inf) ombligo *m*

belong [bɪ'lɒŋ] *vi* (be in right place) ir ● to belong to (property) pertenecer a; (to club, party) ser miembro de

belongings [bɪ'lɒŋɪŋz] *npl* **1.** pertenencias *fpl* **2.** ● **personal belongings** efectos *mpl* personales

below [bɪˈləʊ] ◇ *prep* por debajo de ◇ *adv* **1.** *(lower down)* abajo **2.** *(in text)* más abajo ● **the flat below** el piso de abajo ● **below zero** bajo cero ● **children below the age of ten** niños menores de diez años

belt [belt] *n* **1.** *(for clothes)* cinturón *m* **2.** *TECH* correa *f*

beltway [ˈbeltweɪ] *n* *(US)* carretera *f* de circunvalación

bench [bentʃ] *n* banco *m*

bend [bend] *(pt & pp* **bent)** ◇ *n* curva *f* ◇ *vt* doblar ◇ *vi* torcerse ◆ **bend down** *vi* agacharse ◆ **bend over** *vi* inclinarse

beneath [bɪˈniːθ] ◇ *adv* debajo ◇ *prep* bajo

beneficial [ˌbenɪˈfɪʃl] *adj* beneficioso (sa)

benefit [ˈbenɪfɪt] ◇ *n* **1.** *(advantage)* ventaja *f* **2.** *(money)* subsidio *m* ◇ *vt* beneficiar ◇ *vi* ● **to benefit (from)** beneficiarse (de) ● **for the benefit of** en atención a

benign [bɪˈnaɪn] *adj MED* benigno(na)

bent [bent] *pt & pp* ⋗ **bend**

bereaved [bɪˈriːvd] *adj* desconsolado (da)

beret [ˈbereɪ] *n* boina *f*

Bermuda shorts [bəˈmjuːdə-] *npl* bermudas *fpl*

berry [ˈberɪ] *n* baya *f*

berserk [bəˈzɜːk] *adj* ● **to go berserk** ponerse hecho(cha) una fiera

berth [bɜːθ] *n* **1.** *(for ship)* amarradero *m* **2.** *(in ship, train)* litera *f*

beside [bɪˈsaɪd] *prep* junto a ● **it's**

beside the point no viene al caso

besides [bɪˈsaɪdz] ◇ *adv* además ◇ *prep* además de

best [best] ◇ *adj & adv* mejor ◇ *n* ● **the best el** mejor(la mejor) ● **I like it best** me gusta más ● **the best thing to do is ...** lo mejor es ... ● **to make the best of** it apañárselas ● **to do one's best** hacer lo mejor que uno puede ▼ **best before ...** consumir preferentemente antes de ... ● **at best** en el mejor de los casos ● **all the best!** *(in letter)* saludos

best man *n* padrino *m* de boda

---

best man

La figura del *best man*, o padrino, es típica de las bodas británicas. El *best man* suele ser un pariente o un amigo del novio, que actúa de testigo y se encarga de pronunciar un discurso durante el banquete, además de organizar la despedida de soltero del novio.

---

best-seller [-ˈselə^r] *n* *(book)* éxito *m* editorial

bet [bet] *(pt & pp inv)* ◇ *n* apuesta *f* ◇ *vt* *(gamble)* apostar ◇ *vi* ● **to bet (on)** apostar (por) ● **I bet (that) you can't do it** a que no puedes hacerlo

betray [bɪˈtreɪ] *vt* traicionar

better [ˈbetə^r] *adj & adv* mejor ● **you had better go** más vale que te vayas ● **to get better** mejorar

betting [ˈbetɪŋ] *n* apuestas *fpl*

betting shop *n* *(UK)* casa *f* de apuestas

between [bɪˈtwiːn] ◇ *prep* entre ◇ *adv* *(in*

time) entremedias ● **in between** entre; (*in space*) en medio; (*in time*) entremedias ▼ **closed between 1 and 2** cerrado de 1 a 2

beverage ['bevərɪdʒ] *n* (*fml*) bebida *f*

beware [bɪ'weəʳ] *vi* ● **to beware of** tener cuidado con ▼ **beware of the dog** cuidado con el perro

bewildered [bɪ'wɪldəd] *adj* desconcertado(da)

beyond [bɪ'jɒnd] ◇ *prep* más allá de ◇ *adv* más allá ● **to be beyond doubt** estar fuera de toda duda

biased ['baɪəst] *adj* parcial

bib [bɪb] *n* (*for baby*) babero *m*

bible ['baɪbl] *n* biblia *f* ● **the Bible** la Biblia

biceps ['baɪseps] *n* bíceps *m inv*

bicycle ['baɪsɪkl] *n* bicicleta *f*

bicycle path *n* camino *m* para bicicletas

bicycle pump *n* bomba *f* (de bicicleta)

bid [bɪd] (*pt & pp inv*) ◇ *n* **1.** (*at auction*) puja *f* **2.** (*attempt*) intento *m* ◇ *vt* pujar ◇ *vi* ● **to bid (for)** pujar (por)

bidet ['bi:deɪ] *n* bidé *m*

big [bɪg] *adj* grande ● **a big problem** un gran problema ● **my big brother** mi hermano mayor ● **how big is it?** ¿cómo es de grande?

Big Ben

El *Big Ben* es el reloj que se encuentra en la torre del parlamento británico. Sus campanadas marcan el comienzo del Año Nuevo. Cuando el parlamento se encuentra reunido, una luz brilla en cada una de las cuatro caras del reloj.

bike [baɪk] *n* **1.** (*inf*) (*bicycle*) bici *f* **2.** (*motorcycle*) moto *f*

biking ['baɪkɪŋ] *n* ● **to go biking** ir en bici

bikini [bɪ'ki:nɪ] *n* biquini *m*

bikini bottom *n* bragas *fpl* de biquini

bikini top *n* sujetador *m* de biquini

bilingual [baɪ'lɪŋgwəl] *adj* bilingüe

bill [bɪl] *n* **1.** (*for meal*) cuenta *f* **2.** (*for electricity, hotel room*) factura *f* **3.** (*US*) (*bank note*) billete *m* **4.** (*at cinema, theatre*) programa *m* **5.** *POL* proyecto *m* de ley ● **can I have the bill please?** la cuenta, por favor

billboard ['bɪlbɔ:d] *n* cartelera *f*

billfold ['bɪlfəʊld] *n* (*US*) billetera *f*, cartera *f*

billiards ['bɪljədz] *n* billar *m*

billion ['bɪljən] *n* **1.** (*thousand million*) millar *m* de millones **2.** (*million million*) billón *m*

bin [bɪn] *n* **1.** (*rubbish bin*) cubo *m* de la basura **2.** (*wastepaper bin*) papelera *f* **3.** (*for flour*) bote *m* **4.** (*for bread*) panera *f*

bind [baɪnd] (*pt & pp bound*) *vt* atar

binding ['baɪndɪŋ] *n* **1.** (*of book*) encuadernación *f* **2.** (*for ski*) fijación *f*

bingo ['bɪŋgəʊ] *n* bingo *m*

binoculars [bɪ'nɒkjʊləz] *npl* prismáticos *mpl*

biodegradable [ˌbaɪəʊdɪ'greɪdəbl] *adj* biodegradable

biography [baɪ'ɒgrəfɪ] *n* biografía *f*

biological [ˌbaɪə'lɒdʒɪkl] *adj* biológico(ca)

biological weapon *n* arma *f* biológica

biology [baɪˈɒlədʒɪ] *n* biología *f*

biotechnology [ˌbaɪəʊtekˈnɒlədʒɪ] *n* biotecnología *f*

bioterrorism [ˌbaɪəʊˈterərɪzm] *n* bioterrorismo *m*

birch [bɜːtʃ] *n* abedul *m*

bird [bɜːd] *n* 1. *(smaller)* pájaro *m* 2. *(large)* ave *f* 3. *(UK) (inf) (woman)* tía *f* *(Esp)*, chica *f*

bird-watching [-ˌwɒtʃɪŋ] *n* observación *f* de aves

Biro ® [ˈbaɪərəʊ] *n* bolígrafo *m*

birth [bɜːθ] *n* nacimiento *m* • **by birth** de nacimiento • **to give birth to** dar a luz

birth certificate *n* partida *f* de nacimiento

birth control *n* control *m* de natalidad

birthday [ˈbɜːθdeɪ] *n* cumpleaños *m inv* • **happy birthday!** ¡feliz cumpleaños!

birthday card *n* tarjeta *f* de cumpleaños

birthday party *n* fiesta *f* de cumpleaños

birthplace [ˈbɜːθpleɪs] *n* lugar *m* de nacimiento

biscuit [ˈbɪskɪt] *n* 1. *(UK)* galleta *f* 2. *(US) (scone)* masa cocida al horno que se suele comer con salsa de carne

bishop [ˈbɪʃəp] *n* 1. *RELIG* obispo *m* 2. *(in chess)* alfil *m*

bistro [ˈbiːstrəʊ] *n* ≃ bar-restaurante *m*

bit [bɪt] ⋄ *pt* > **bite** ⋄ *n* 1. *(piece)* trozo *m* 2. *(of drill)* broca *f* 3. *(of bridle)* bocado *m*, freno *m* • **a bit of** un poco de • **a bit** un poco • **not a bit interested** nada interesado • **bit by bit** poco a poco

bitch [bɪtʃ] *n* 1. *(vulg) (woman)* bruja *f* 2. *(dog)* perra *f*

bite [baɪt] *(pt* bit, *pp* bitten) ⋄ *n* 1. *(when eating)* mordisco *m* 2. *(from insect, snake)* picadura *f* ⋄ *vt* 1. *(subj: person, dog)* morder 2. *(subj: insect, snake)* picar • **to have a bite to eat** comer algo

bitter [ˈbɪtəʳ] ⋄ *adj* 1. *(taste, food)* amargo(ga) 2. *(lemon, grapefruit)* agrio (agria) 3. *(cold, wind)* penetrante 4. *(person)* resentido(da) 5. *(argument, conflict)* enconado(da) ⋄ *n (UK) (beer)* tipo de cerveza amarga

bitter lemon *n* bíter *m* de limón

bizarre [bɪˈzɑːʳ] *adj* extravagante

black [blæk] ⋄ *adj* 1. negro(gra) 2. *(coffee, tea)* solo ⋄ *n* 1. *(colour)* negro *m* 2. *(person)* negro *m*, -gra *f* • **black out** *vi* desmayarse

black and white *adj* en blanco y negro

blackberry [ˈblækbrɪ] *n* mora *f*

blackbird [ˈblækbɜːd] *n* mirlo *m*

blackboard [ˈblækbɔːd] *n* pizarra *f*, pizarrón *m (Amér)*

blackcurrant [ˌblækˈkʌrənt] *n* grosella *f* negra

black eye *n* ojo *m* morado

black ice *n* hielo transparente en el suelo

blackmail [ˈblækmeɪl] ⋄ *n* chantaje *m* ⋄ *vt* chantajear

blackout [ˈblækaʊt] *n (power cut)* apagón *m*

black pepper *n* pimienta *f* negra

black pudding *n (UK)* ≃ morcilla *f*

blacksmith [ˈblæksmɪθ] *n* herrero *m*

bladder [ˈblædəʳ] *n* vejiga *f*

blade [bleɪd] n 1. (of knife, saw) hoja f 2. (of propeller, oar) aleta f 3. (of grass) brizna f

blame [bleɪm] ◇ n culpa f ◇ vt echar la culpa a ● **to blame sb for the failure of a plan** culpar a alguien por el fracaso de un plan ● **to blame the bombings on extremists** echar la culpa de las bombas a extremistas

bland [blænd] adj soso(sa)

blank [blæŋk] ◇ adj 1. (space, page) en blanco 2. (cassette) virgen 3. (expression) vacío(a) ◇ n (empty space) espacio m en blanco

blank cheque n cheque m en blanco

blanket ['blæŋkɪt] n manta f

blast [blɑːst] ◇ n 1. (explosion) explosión f 2. (of air, wind) ráfaga f ◇ excl (inf) ¡maldita sea! ● **at full blast** a todo trapo

blaze [bleɪz] ◇ n (fire) incendio m ◇ vi 1. (fire) arder 2. (sun, light) resplandecer

blazer ['bleɪzə'] n chaqueta f de sport generalmente con la insignia de un equipo, colegio, etc

bleach [bliːtʃ] ◇ n lejía f, cloro m (Amér) ◇ vt 1. (hair) decolorar 2. (clothes) blanquear

bleak [bliːk] adj 1. (weather) desapacible 2. (day, city) sombrío(a)

bleed [bliːd] (pt & pp **bled**) vi sangrar

blend [blend] ◇ n (of coffee, whisky) mezcla f ◇ vt mezclar

blender ['blendə'] n licuadora f

bless [bles] vt bendecir ● **bless you!** ¡jesús!

blessing ['blesɪŋ] n bendición f

blew [bluː] pt ➤ **blow**

blind [blaɪnd] ◇ adj ciego(ga) ◇ n (for window) persiana f ◇ npl ● **the blind** los ciegos

blind corner n curva f sin visibilidad

blindfold ['blaɪndfəʊld] ◇ n venda f (en los ojos) ◇ vt vendar los ojos a

blind spot n AUT ángulo m muerto

blink [blɪŋk] vi parpadear

blinkers ['blɪŋkəz] npl (UK) anteojeras fpl

bliss [blɪs] n gloria f

blister ['blɪstə'] n ampolla f

blizzard ['blɪzəd] n ventisca f (de nieve)

bloated ['bləʊtɪd] adj (after eating) hinchado(da)

blob [blɒb] n gota f

block [blɒk] ◇ n 1. bloque m 2. (US) (in town, city) manzana f ◇ vt bloquear ● **to have a blocked (up) nose** tener la nariz bloqueada ● **block up** vt sep obstruir

blockage ['blɒkɪdʒ] n obstrucción f

block capitals npl mayúsculas fpl

block of flats n (UK) bloque m de pisos (Esp), edificio m de departamentos (Amér)

bloke [bləʊk] n (UK) (inf) tipo m

blond [blɒnd] ◇ adj rubio ◇ n rubio m

blonde [blɒnd] ◇ adj rubia ◇ n rubia f

blood [blʌd] n sangre f

blood donor n donante mf de sangre

blood group n grupo m sanguíneo

blood poisoning n septicemia f

blood pressure n tensión f ● **to have high blood pressure** tener la tensión alta ● **to have low blood pressure** tener la tensión baja

bloodshot ['blʌdʃɒt] adj 1. (eye) rojo 2.

inyectado(da) de sangre

blood test *n* análisis *m inv* de sangre

blood transfusion *n* transfusión *f* de sangre

bloody ['blʌdɪ] ◇ *adj* **1.** *(hands, handkerchief)* ensangrentado(da) **2.** *(UK) (vulg) (damn)* maldito(ta) ◇ *adv* *(UK) (vulg)* acojonantemente

Bloody Mary [-'meərɪ] *n (drink)* Bloody Mary *m, vodka con zumo de tomate*

bloom [blu:m] ◇ *n* flor *f* ◇ *vi* florecer ● **in bloom** en flor

blossom ['blɒsəm] *n* flor *f*

blot [blɒt] *n* borrón *m*

blotch [blɒtʃ] *n* mancha *f*

blotting paper ['blɒtɪŋ-] *n* papel *m* secante

blouse [blaʊz] *n* blusa *f*

blow [bləʊ] (*pt* blew, *pp* blown) ◇ *vt* **1.** *(subj: wind)* hacer volar **2.** *(whistle, trumpet)* tocar **3.** *(bubbles)* hacer ◇ *vi* **1.** *(wind, person)* soplar **2.** *(fuse)* fundirse ◇ *n (hit)* golpe *m* ● **to blow one's nose** sonarse la nariz ◆ **blow up** ◇ *vt sep* **1.** *(cause to explode)* volar **2.** *(inflate)* inflar ◇ *vi* estallar

blow-dry ◇ *n* secado *m* (con secador) ◇ *vt* secar (con secador)

blown [bləʊn] *pp* > blow

BLT [bi:el'ti:] *n (sandwich) (abbr of* bacon, lettuce and tomato*)* sándwich de bacon, lechuga y tomate

blue [blu:] ◇ *adj* **1.** *(colour)* azul **2.** *(film)* porno ◇ *n* azul *m* ◆ **blues** *n* MUS blues *m inv*

bluebell ['blu:bel] *n* campanilla *f*

blueberry ['blu:bərɪ] *n* arándano *m*

bluebottle ['blu:ˌbɒtl] *n* moscardón *m*

blue cheese *n* queso *m* azul

bluff [blʌf] ◇ *n (cliff)* peñasco *m* ◇ *vi* farolear

blunder ['blʌndə] *n* metedura *f* de pata

blunt [blʌnt] *adj* **1.** *(knife, pencil)* desafilado(da) **2.** *(fig) (person)* franco(ca)

blurred [blɜːd] *adj* borroso(sa)

blush [blʌʃ] *vi* ruborizarse

blusher ['blʌʃə] *n* colorete *m*

blustery ['blʌstərɪ] *adj* borrascoso(sa)

board [bɔːd] ◇ *n* **1.** *(plank)* tabla *f* **2.** *(notice board)* tablón *m* **3.** *(for games)* tablero *m* **4.** *(blackboard)* pizarra *f*, pizarrón *m (Amér)* **5.** *(of company)* junta *f* directiva **6.** *(hardboard)* conglomerado *m* ◇ *vt* **1.** *(plane, ship)* embarcar en **2.** *(bus)* subir a ● **board and lodging** comida y habitación ● **full board** pensión completa ● **half board** media pensión ● **on board** a bordo; *(plane, ship)* a bordo de; *(bus)* dentro de

board game *n* juego *m* de tablero

boarding ['bɔːdɪŋ] *n* embarque *m*

boarding card *n* tarjeta *f* de embarque

boarding school *n* internado *m*

board of directors *n* junta *f* directiva

boast [bəʊst] *vi* ● **to boast (about sthg)** alardear (de algo)

boat [bəʊt] *n* **1.** *(large)* barco *m* **2.** *(small)* barca *f* ● **by boat** en barco

bob [bɒb] *n (hairstyle)* media melena *f* (en una capa)

bobby pin ['bɒbɪ-] *n (US)* horquilla *f*

bodice ['bɒdɪs] *n* cuerpo *m*

body ['bɒdɪ] *n* **1.** *(of person, wine)* cuerpo *m* **2.** *(corpse)* cadáver *m* **3.** *(of car)* carrocería *f* **4.** *(organization)* organismo *m*

bodyguard ['bɒdɪgɑːd] *n* guardaespaldas *m inv*

body piercing [-'pɪəsɪŋ] *n* piercing *m*

bodywork ['bɒdɪwɜːk] *n* carrocería *f*

bog [bɒg] *n* cenagal *m*

bogus ['bəʊgəs] *adj* falso(sa)

boil [bɔɪl] ◇ *vt* **1.** *(water)* hervir **2.** *(kettle)* poner a hervir **3.** *(food)* cocer ◇ *vi* hervir ◇ *n* pústula *f*

boiled egg [bɔɪld-] *n* huevo *m* pasado por agua

boiled potatoes [bɔɪld-] *npl* patatas *fpl* *(Esp)* OR papas *fpl* *(Amér)* cocidas

boiler ['bɔɪlə'] *n* caldera *f*

boiling (hot) ['bɔɪlɪŋ-] *adj* **1.** *(inf)* *(person)* asado(da) de calor **2.** *(weather)* abrasador(ra) **3.** *(water)* ardiendo

bold [bəʊld] *adj* *(brave)* audaz

Bolivia [bə'lɪvɪə] *n* Bolivia

Bolivian [bə'lɪvɪən] ◇ *adj* boliviano(na) ◇ *n* boliviano *m*, -na *f*

bollard ['bɒlɑːd] *n (UK)* *(on road)* poste *m*

bolt [bəʊlt] ◇ *n* **1.** *(on door, window)* cerrojo *m* **2.** *(screw)* tornillo *m* ◇ *vt* *(door, window)* echar el cerrojo a

bomb [bɒm] ◇ *n* bomba *f* ◇ *vt* bombardear

bombard [bɒm'bɑːd] *vt* bombardear

bomb scare *n* amenaza *f* de bomba

bond [bɒnd] *n (tie, connection)* lazo *m*, vínculo *m*

bone [bəʊn] *n* **1.** *(of person, animal)* hueso *m* **2.** *(of fish)* espina *f*

boned [bəʊnd] *adj* **1.** *(chicken)* deshuesado(da) **2.** *(fish)* limpio(pia)

boneless ['bəʊnləs] *adj* *(chicken, pork)* deshuesado(da)

bonfire ['bɒn,faɪə'] *n* hoguera *f*

bonnet ['bɒnɪt] *n (UK)* *(of car)* capó *m*, cofre *m (Méx)*

bonus ['bəʊnəs] *(pl* **-es***)* *n* **1.** *(extra money)* paga *f* extra **2.** *(additional advantage)* beneficio *m* adicional

bony ['bəʊnɪ] *adj* **1.** *(hand, face)* huesudo(da) **2.** *(fish)* lleno(na) de espinas

boo [buː] *vi* abuchear

book [bʊk] ◇ *n* **1.** *(for reading)* libro *m* **2.** *(for writing in)* libreta *f*, cuaderno *m* **3.** *(of stamps)* librillo *m* **4.** *(of matches)* cajetilla *f* **5.** *(of tickets)* talonario *m* ◇ *vt (reserve)* reservar ◆ **book in** *vi* registrarse

bookable ['bʊkəbl] *adj (seats, flight)* reservable

bookcase ['bʊkkeɪs] *n* estantería *f*

booking ['bʊkɪŋ] *n (reservation)* reserva *f*, reservación *f (Amér)*

booking office *n (UK)* taquilla *f*

bookkeeping ['bʊk,kiːpɪŋ] *n* contabilidad *f*

booklet ['bʊklɪt] *n* folleto *m*

bookmaker's ['bʊk,meɪkəz] *n* casa *f* de apuestas

bookmark ['bʊkmɑːk] *n* separador *m*

bookshelf ['bʊkʃelf] *(pl* **-shelves***)* *n* **1.** *(shelf)* estante *m* **2.** *(bookcase)* estantería *f*

bookshop ['bʊkʃɒp] *n* librería *f*

bookstall ['bʊkstɔːl] *n* puesto *m* de libros

bookstore ['bʊkstɔː'] = **bookshop**

book token *n (UK)* vale *m* para comprar libros

boom [buːm] ◇ *n (sudden growth)* auge *m* ◇ *vi (voice, guns)* retumbar

bo

boost [buːst] *vt* **1.** *(profits, production)* incrementar **2.** *(confidence, spirits)* estimular

booster ['buːstər] *n (injection)* inyección *f* de revacunación

boot [buːt] *n* **1.** *(shoe)* bota *f* **2.** *(UK) (of car)* maletero *m*

booth [buːð] *n* **1.** *(for telephone)* cabina *f* **2.** *(at fairground)* puesto *m*

booze [buːz] ◇ *n (inf)* bebida *f*, alcohol *m* ◇ *vi (inf)* empinar el codo

bop [bɒp] *n (inf) (dance)* ● **to have a bop** mover el esqueleto

border ['bɔːdər] *n* **1.** *(of country)* frontera *f* **2.** *(edge)* borde *m* ● **the Borders** región de Escocia que linda con Inglaterra, sobre todo las zonas central y oriental

bore [bɔːr] ◇ *pt* ➢ **bear** ◇ *n* **1.** *(person)* pelmazo *m* **2.** *(thing)* rollo *m* ◇ *vt* **1.** *(person)* aburrir **2.** *(hole)* horadar

bored [bɔːd] *adj* aburrido(da)

boredom ['bɔːdəm] *n* aburrimiento *m*

boring ['bɔːrɪŋ] *adj* aburrido(da)

born [bɔːn] *adj* ● **to be born** nacer

borne [bɔːn] *pp* ➢ **bear**

borough ['bʌrə] *n* municipio *m*

borrow ['bɒrəu] *vt* ● **to borrow money from a friend** tomar dinero prestado de un amigo

bosom ['buzəm] *n* pecho *m*

boss [bɒs] *n* jefe *m*, -fa *f* ● **boss around** *vt sep* mangonear

bossy ['bɒsɪ] *adj* mandón(ona)

botanical garden [bə'tænɪkl-] *n* jardín *m* botánico

both [bəuθ] ◇ *adj* ambos(bas) ◇ *pron* los dos *mpl*, las dos *f* ◇ *adv* ● **she speaks both French and German** habla francés y alemán ● **both of them/us** los dos(las dos) ● **both of us** los dos(las dos)

bother ['bɒðər] ◇ *vt* **1.** *(worry)* preocupar **2.** *(annoy, pester)* molestar ◇ *vi* molestarse ◇ *n* molestia *f* ● **I can't be bothered** no tengo ganas ● **it's no bother!** ¡no es molestia!

Botox ® ['bəutɒks] *n* Botox ® *m*

bottle ['bɒtl] *n* **1.** *(container, contents)* botella *f* **2.** *(of shampoo)* bote *m* **3.** *(of medicine)* frasco *m* **4.** *(for baby)* biberón *m*

bottle bank *n (UK)* contenedor *m* de vidrio *(para reciclaje)*

bottled ['bɒtld] *adj* embotellado(da) ● **bottled beer** cerveza *f* de botella ● **bottled water** agua *f* mineral (embotellada)

bottle opener [-ˌəupnər] *n* abrebotellas *m inv*

bottom ['bɒtəm] ◇ *adj* **1.** *(shelf, line, object in pile)* inferior **2.** *(floor)* bajo(ja) **3.** *(last, worst)* peor ◇ *n* **1.** *(of sea, bag)* fondo *m* **2.** *(of hill, stairs, ladder)* pie *m* **3.** *(of page)* final *m* **4.** *(of glass, bin)* culo *m* **5.** *(farthest part)* final *m*, fondo *m* **6.** *(buttocks)* trasero *m*

bought [bɔːt] *pt & pp* ➢ **buy**

boulder ['bəuldər] *n* canto *m* rodado

bounce [bauns] *vi* **1.** *(rebound)* rebotar **2.** *(jump)* saltar **3.** *(cheque)* ser rechazado por el banco

bouncer ['baunsər] *n (inf)* matón *m* (en discoteca, bar, etc)

bouncy ['baunsɪ] *adj (person)* dinámico(ca)

bound [baund] ◇ *pt & pp* ➢ **bind** ◇ *vi* dando saltos ◇ *adj* ● **it's bound to rain**

seguro que llueve ● **to be bound for** ir rumbo a ● **to be out of bound** estar en zona prohibida

boundary ['baʊndrɪ] *n* frontera *f*

bouquet [bʊ'keɪ] *n* **1.** *(of flowers)* ramo *m* **2.** *(of wine)* buqué *m*

bout [baʊt] *n* **1.** *(of illness)* ataque *m* **2.** *(of activity)* racha *f*

boutique [buː'tiːk] *n* boutique *f*

bow[1] [baʊ] ◇ *n* **1.** *(of head)* reverencia *f* **2.** *(of ship)* proa *f* ◇ *vi* inclinarse

bow[2] [bəʊ] *n* **1.** *(knot)* lazo *m* **2.** *(weapon, MUS)* arco *m*

bowels ['baʊəlz] *npl* intestinos *mpl*

bowl [bəʊl] *n* **1.** *(for salad, fruit, sugar)* bol *m*, cuenco *m* **2.** *(for soup, of soup)* tazón *m* **3.** *(for washing-up)* barreño *m* **4.** *(of toilet)* taza *f* ● **bowls** *fpl* bochas *fpl*

bowling alley ['bəʊlɪŋ-] *n* bolera *f*

bow tie [ˌbəʊ-] *n* pajarita *f* (*Esp*), corbata *f* de mono (*Amér*)

box [bɒks] ◇ *n* **1.** *(container, contents)* caja *f* **2.** *(of jewels)* estuche *m* **3.** *(on form)* casilla *f* **4.** *(in theatre)* palco *m* ◇ *vi* boxear ● **a box of chocolates** una caja de bombones

boxer ['bɒksə'] *n* boxeador *m*

boxer shorts *npl* calzoncillos *mpl* boxer

boxing ['bɒksɪŋ] *n* boxeo *m*

Boxing Day *n* el 26 de diciembre, fiesta nacional en Gran Bretaña

Boxing Day

El 26 de diciembre es un día festivo en el Reino Unido y recibe el nombre de *Boxing Day*, porque antaño en esa fecha las familias, como obsequio navideño, daban cajas con comida y bebida a sus empleados y a los comerciantes del lugar.

boxing gloves *npl* guantes *mpl* de boxeo

boxing ring *n* cuadrilátero *m*

box office *n* taquilla *f*, boletería *f* (*Amér*)

boy [bɔɪ] ◇ *n* **1.** *(male)* chico *m*, niño *m* **2.** *(son)* hijo *m* ◇ *excl* (*US*) (*inf*) ● (**oh**) **boy!** ¡jolín!

boycott ['bɔɪkɒt] *vt* boicotear

boyfriend ['bɔɪfrend] *n* novio *m*

boy scout *n* (**boy**) scout *m*

bra [brɑː] *n* sujetador *m* (*Esp*), sostén *m*

brace [breɪs] *n* *(for teeth)* aparato *m* corrector ● **braces** *npl* (*UK*) tirantes *mpl*

bracelet ['breɪslɪt] *n* pulsera *f*

bracken ['brækn] *n* helecho *m*

bracket ['brækɪt] *n* **1.** *(written symbol)* paréntesis *m inv* **2.** *(support)* soporte *m*

brag [bræg] *vi* fanfarronear

brain [breɪn] *n* cerebro *m*

brainy ['breɪnɪ] *adj* (*inf*) listo(ta)

braised [breɪzd] *adj* cocido(da) a fuego lento

brake [breɪk] ◇ *n* freno *m* ◇ *vi* frenar

brake light *n* luz *f* de freno

brake pad *n* pastilla *f* de frenos

brake pedal *n* pedal *m* de freno

bran [bræn] *n* salvado *m*

branch [brɑːntʃ] *n* **1.** *(of tree, subject)* rama *f* **2.** *(of bank, company)* sucursal *f* ● **branch off** *vi* desviarse

branch line *n* ramal *m*

brand [brænd] ◇ *n* marca *f* ◇ *vt* to **brand sb (as)** tildar a alguien (de)

brand-new *adj* completamente nuevo (va)

brandy ['brændɪ] *n* coñac *m*

brash [bræʃ] *adj* (*pej*) insolente

brass [brɑːs] *n* latón *m*

brass band *n* banda *f* de metal

brasserie ['bræsərɪ] *n* restaurante *m*

brassiere [(*UK*) 'bræsɪəʳ, (*US*) brə'zɪər] *n* sujetador *m* (*Esp*), sosten *m*

brat [bræt] *n* (*inf*) mocoso *m*, -sa *f*

brave [breɪv] *adj* valiente

bravery ['breɪvərɪ] *n* valentía *f*

bravo [ˌbrɑː'vəʊ] *excl* ¡bravo!

brawl [brɔːl] *n* gresca *f*

Brazil [brə'zɪl] *n* Brasil

brazil nut *n* nuez *f* de Pará

breach [briːtʃ] *vt* 1. (*contract*) incumplir 2. (*confidence*) abusar de

bread [bred] *n* pan *m* • **bread and butter** pan con mantequilla

bread bin *n* (*UK*) panera *f*

breadboard ['bredbɔːd] *n* tabla *f* (*de cortar pan*)

bread box (*US*) = **bread bin**

breadcrumbs ['bredkrʌmz] *npl* pan *m* rallado

breaded ['bredɪd] *adj* empanado(da)

bread knife *n* cuchillo *m* de pan

bread roll *n* panecillo *m*

breadth [bretθ] *n* anchura *f*

break [breɪk] (*pt* **broke**, *pp* **broken**) ◇ *n* 1. (*interruption*) interrupción *f* 2. (*in transmission*) corte *m* 3. (*in line*) espacio *m* 4. (*rest, pause*) descanso *m* 5. SCH (*playtime*) recreo *m* ◇ *vt* 1. (*cup, window,*

record) romper 2. (*machine*) estropear 3. (*disobey*) violar, infringir 4. (*fail to fulfil*) incumplir 5. (*journey*) interrumpir 6. (*news*) dar ◇ *vi* 1. (*cup, window, chair*) romperse 2. (*machine*) estropearse 3. (*dawn*) romper 4. (*voice*) cambiar • **without a break** sin parar • **a lucky break** un golpe de suerte • **to break one's leg** romperse la pierna ◆ **break down** ◇ *vi* (*car, machine*) estropearse ◇ *vt sep* (*door, barrier*) derribar ◆ **break in** *vi* entrar a la fuerza ◆ **break off** ◇ *vt* 1. (*detach*) partir 2. (*holiday*) interrumpir ◇ *vi* (*stop suddenly*) pararse, detenerse ◆ **break out** *vi* 1. (*fire, war*) desencadenarse 2. (*panic*) cundir • **he broke out in a rash** le salió un sarpullido ◆ **break up** *vi* 1. (*with spouse, partner*) romper 2. (*meeting*) disolverse 3. (*marriage*) deshacerse 4. (*school, pupils*) terminar el curso

breakage ['breɪkɪdʒ] *n* rotura *f*

breakdown ['breɪkdaʊn] *n* 1. (*of car*) avería *f* 2. (*in communications, negotiations*) ruptura *f* 3. (*acute depression*) crisis *f* nerviosa

breakdown truck *n* (*UK*) camión *m* grúa

breakfast ['brekfəst] *n* desayuno *m* • **to have breakfast** desayunar • **to have sthg for breakfast** desayunar algo

breakfast cereal *n* cereales *mpl* (*para desayuno*)

break-in *n* robo *m* (*con allanamiento de morada*)

breakwater ['breɪkˌwɔːtəʳ] *n* rompeolas *m inv*

breast [brest] *n* 1. (*of woman*) pecho *m*,

seno *m* **2.** *(of chicken, duck)* pechuga *f*

breastbone ['brestbəʊn] *n* esternón *m*

breast-feed *vt* dar el pecho a

breaststroke ['breststrəʊk] *n* braza *f*

breath [breθ] *n* aliento *m* ● **out of breath** sin aliento ● **to go for a breath of fresh air** salir a tomar un poco de aire ● **to take a deep breath** respirar hondo

Breathalyser ® ['breθəlaɪzər] *n* (UK) alcoholímetro *m*

Breathalyzer ® ['breθəlaɪzər] (US) = **Breathalyser**

breathe [briːð] *vi* respirar ◆ **breathe in** *vi* aspirar ◆ **breathe out** *vi* espirar

breathtaking ['breθˌteɪkɪŋ] *adj* sobrecogedor(ra)

breed [briːd] (*pt & pp* **bred**) ◇ *n* **1.** *(of animal)* raza *f* **2.** *(of plant)* especie *f* ◇ *vt* criar ◇ *vi* reproducirse

breeze [briːz] *n* brisa *f*

breezy ['briːzɪ] *adj* ● **it's breezy** hace aire

brew [bruː] ◇ *vt* **1.** *(beer)* elaborar **2.** *(tea, coffee)* preparar ◇ *vi* *(tea, coffee)* reposar

brewery ['brʊərɪ] *n* fábrica *f* de cerveza

bribe [braɪb] ◇ *n* soborno *m* ◇ *vt* sobornar

bric-a-brac ['brɪkəbræk] *n* baratijas *fpl*

brick [brɪk] *n* ladrillo *m*

bricklayer ['brɪkˌleɪər] *n* albañil *m*

brickwork ['brɪkwɜːk] *n* enladrillado *m*

bride [braɪd] *n* novia *f*

bridegroom ['braɪdɡrʊm] *n* novio *m*

bridesmaid ['braɪdzmeɪd] *n* dama *f* de honor

bridge [brɪdʒ] *n* **1.** *(across road, river)* puente *m* **2.** *(of ship)* puente *m* de mando **3.** *(card game)* bridge *m*

brief [briːf] ◇ *adj* breve ◇ *vt* informar ● **in brief** en resumen ◆ **briefs** *npl* **1.** *(underpants)* calzoncillos *mpl* **2.** (UK) *(knickers)* bragas *fpl* (*Esp*), calzones *mpl* (*Amér*)

briefcase ['briːfkeɪs] *n* cartera *f*

briefly ['briːflɪ] *adv* **1.** *(for a short time)* brevemente **2.** *(in few words)* en pocas palabras

brigade [brɪˈɡeɪd] *n* brigada *f*

bright [braɪt] *adj* **1.** *(light)* brillante **2.** *(sun, smile)* radiante **3.** *(weather)* despejado(da) **4.** *(room)* luminoso(sa) **5.** *(colour)* vivo(va) **6.** *(clever)* listo(ta), inteligente **7.** *(idea)* genial

brilliant ['brɪljənt] *adj* **1.** *(colour)* vivo (va) **2.** *(light, sunshine)* resplandeciente **3.** *(idea, person)* genial **4.** *(inf)* *(wonderful)* fenomenal

brim [brɪm] *n* *(of hat)* ala *f* ● **it's full to the brim** está lleno hasta el borde

brine [braɪn] *n* salmuera *f*

bring [brɪŋ] (*pt & pp* **brought**) *vt* **1.** traer **2.** *(cause)* producir ◆ **bring along** *vt sep* traer ◆ **bring back** *vt sep* devolver ◆ **bring in** *vt sep* **1.** *(introduce)* introducir **2.** *(earn)* ganar ◆ **bring out** *vt sep* *(new product)* sacar ◆ **bring up** *vt sep* **1.** *(child)* criar **2.** *(subject)* sacar a relucir **3.** *(food)* devolver

brink [brɪŋk] *n* ● **on the brink of** al borde de

brisk [brɪsk] *adj* **1.** *(quick)* rápido(da) **2.** *(efficient)* enérgico(ca)

bristle ['brɪsl] *n* **1.** *(of brush)* cerda *f* **2.** *(on chin)* pelillo *m*

Britain ['brɪtn] *n* Gran Bretaña

British ['brɪtɪʃ] ◇ *adj* británico(ca) ◇ *npl*
• the British los británicos

British Telecom [-'telɪkɒm] *n* principal empresa británica de telecomunicaciones

Briton ['brɪtn] *n* británico *m*, -ca *f*

brittle ['brɪtl] *adj* quebradizo(za)

broad [brɔːd] *adj* 1. *(wide)* ancho(cha) 2. *(wide-ranging)* amplio(plia) 3. *(description, outline)* general 4. *(accent)* cerrado(da)

B road *n (UK)* ≃ carretera *f* comarcal

broadband ['brɔːdbænd] *n* COMPUT banda *f* ancha

broad bean *n* haba *f* de mayo

broadcast ['brɔːdkɑːst] *(pt & pp inv)* ◇ *n* emisión *f* ◇ *vt* emitir

broadly ['brɔːdlɪ] *adv* en general
• broadly speaking en líneas generales

broadsheet *n (UK)* periódico serio en formato grande

broadsheet

Los *broadsheets*, llamados *broadsides* en los Estados Unidos, son los periódicos de gran tamaño, la imagen tradicional del periodismo de calidad. Muchos *broadsheets* han cambiado de formato en los últimos años, por razones prácticas, y son publicados ahora en el formato tabloide asociado tradicionalmente al periodismo sensacionalista.

broccoli ['brɒkəlɪ] *n* brócoli *m*, brécol *f*

brochure ['brəʊʃə*r*] *n* folleto *m*

broiled [brɔɪld] *adj (US)* a la parrilla

broke [brəʊk] ◇ *pt* ➤ break ◇ *adj (inf)*
sin blanca *(Esp)*, sin dinero

broken ['brəʊkn] ◇ *pp* ➤ break ◇ *adj* 1. *(window, glass, leg)* roto(ta) 2. *(machine)* estropeado(da) 3. *(English, Spanish)* macarrónico(ca)

bronchitis [brɒŋ'kaɪtɪs] *n* bronquitis *f inv*

bronze [brɒnz] *n* bronce *m*

brooch [brəʊtʃ] *n* broche *m*

brook [brʊk] *n* arroyo *m*

broom [bruːm] *n* escoba *f*

broomstick ['bruːmstɪk] *n* palo *m* de escoba

broth [brɒθ] *n* caldo *m*

brother ['brʌðə*r*] *n* hermano *m*

brother-in-law *n* cuñado *m*

brought [brɔːt] *pt & pp* ➤ bring

brow [braʊ] *n* 1. *(forehead)* frente *f* 2. *(eyebrow)* ceja *f*

brown [braʊn] ◇ *adj* 1. *(earth, paint, wood)* marrón, café *(Amér)* 2. *(hair, eyes)* castaño(ña) 3. *(skin)* moreno(na) 4. *(tanned)* bronceado(da) ◇ *n* marrón *m*, café *m (Amér)*

brown bread *n* pan *m* moreno

brownie ['braʊnɪ] *n* CULIN pequeño bizcocho de chocolate y nueces de forma cuadrada

Brownie ['braʊnɪ] *n* guía *f (de 7-10 años)*

brown rice *n* arroz *m* integral

brown sugar *n* azúcar *m* moreno

browse [braʊz] *vi (in shop)* mirar, curiosear • to browse through sthg hojear algo

browser ['braʊzə*r*] *n* 1. COMPUT navegador *m* 2. ▼ browsers welcome le invitamos a curiosear

bruise [bruːz] *n* cardenal *m*

brunch [brʌntʃ] *n* desayuno-almuerzo que se toma por la mañana tarde

brunette [bruːˈnet] *n* morena *f*

brush [brʌʃ] ◊ *n* **1.** *(for hair, teeth)* cepillo *m* **2.** *(of artist)* pincel *m* **3.** *(for decorating)* brocha *f* ◊ *vt* **1.** *(floor)* barrer **2.** *(clothes)* cepillar **3.** *(move with hand)* quitar ● **to brush one's hair** cepillarse el pelo ● **to brush one's teeth** cepillarse los dientes

Brussels sprouts [ˈbrʌslz-] *npl* coles *fpl* de Bruselas

brutal [ˈbruːtl] *adj* brutal

BSc [biːesˈsiː] *n (abbr of* Bachelor of Science*) (titular de una) licenciatura de ciencias*

BT [biːˈtiː] *abbr* = British Telecom

bubble [ˈbʌbl] *n* burbuja *f*

bubble bath *n* espuma *f* de baño

bubble gum *n* chicle *m (para hacer globos)*

bubbly [ˈbʌblɪ] *n (inf)* champán *m*

buck [bʌk] *n* **1.** *(US) (inf) (dollar)* dólar *m* **2.** *(male animal)* macho *m*

bucket [ˈbʌkɪt] *n* cubo *m*

Buckingham Palace [ˈbʌkɪŋəm-] *n* el palacio de Buckingham

Buckingham Palace

El Palacio de Buckingham es la residencia oficial de la monarquía inglesa. El Cambio de la Guardia, que tiene lugar en la parte delantera del palacio, es una de las principales atracciones turísticas de Londres. Los turistas pueden visitar una parte del palacio por dentro.

buckle [ˈbʌkl] ◊ *n* hebilla *f* ◊ *vt (fasten)* abrochar (con hebilla) ◊ *vi (warp)* combarse

bud [bʌd] ◊ *n* **1.** *(shoot)* brote *m* **2.** *(flower)* capullo *m* ◊ *vi* brotar

Buddhist [ˈbʊdɪst] *n* budista *mf*

buddy [ˈbʌdɪ] *n (inf)* amiguete *m*, -ta *f*

budge [bʌdʒ] *vi* moverse

budgerigar [ˈbʌdʒərɪgɑːˀ] *n* periquito *m*

budget [ˈbʌdʒɪt] ◊ *adj (holiday, travel)* económico(ca) ◊ *n* presupuesto *m* ● **the Budget** *(UK)* los presupuestos del Estado ● **budget for** *vt insep* contar con

budgie [ˈbʌdʒɪ] *n (inf)* periquito *m*

buff [bʌf] *n (inf)* aficionado *m*, -da *f*

buffalo [ˈbʌfələʊ] *n* búfalo *m*

buffer [ˈbʌfəˀ] *n (on train)* tope *m*

buffet [(UK) ˈbʊfeɪ, (US) bəˈfeɪ] *n* **1.** *(meal)* bufé *m* **2.** *(cafeteria)* cafetería *f*

buffet car [ˈbʊfeɪ-] *n* coche *m* restaurante *(sólo mostrador)*

bug [bʌg] ◊ *n* **1.** *(insect)* bicho *m* **2.** *(inf) (mild illness)* virus *m inv* ◊ *vt (inf) (annoy)* fastidiar

buggy [ˈbʌgɪ] *n* **1.** *(UK) (pushchair)* silla *f* de niño **2.** *(US) (pram)* cochecito *m* de niño

build [bɪld] *(pt & pp* built*)* ◊ *n* complexión *f* ◊ *vt* construir ◆ **build up** ◊ *vt sep (strength, speed)* ir aumentando ◊ *vi* acumularse

builder [ˈbɪldəˀ] *n* constructor *m*, -ra *f*

building [ˈbɪldɪŋ] *n* edificio *m*

building site *n* solar *m*

building society *n (UK)* ≃ caja *f* de ahorros

built [bɪlt] *pt & pp* ➤ **build**

built-in *adj* empotrado(da)

built-up area n zona f urbanizada

bulb [bʌlb] n **1.** *(for lamp)* bombilla f **2.** *(of plant)* bulbo m

Bulgaria [bʌlˈgeəriə] n Bulgaria

bulge [bʌldʒ] vi hacer bulto

bulk [bʌlk] n ● **the bulk of** la mayor parte de ● **in bulk** a granel

bulky [ˈbʌlkɪ] adj voluminoso(sa)

bull [bʊl] n toro m

bulldog [ˈbʊldɒg] n buldog m

bulldozer [ˈbʊldəʊzəʳ] n bulldozer m

bullet [ˈbʊlɪt] n bala f

bulletin [ˈbʊlətɪn] n boletín m

bullfight [ˈbʊlfaɪt] n corrida f (de toros)

bull's-eye n diana f

bully [ˈbʊlɪ] ◇ n abusón m, -ona f ◇ vt intimidar

bum [bʌm] n **1.** *(UK)* *(inf)* *(bottom)* culo m **2.** *(US)* *(inf)* *(tramp)* vagabundo m, -da f

bum bag n *(UK)* riñonera f

bumblebee [ˈbʌmblbiː] n abejorro m

bump [bʌmp] ◇ n **1.** *(on surface)* bulto m **2.** *(on road)* bache m **3.** *(on head, leg)* chichón m **4.** *(sound, minor accident)* golpe m ◇ vt ● **to bump one's head** golpearse la cabeza ● **bump into** vt insep **1.** *(hit)* darse con **2.** *(meet)* toparse con

bumper [ˈbʌmpəʳ] n **1.** *(on car)* parachoques m inv **2.** *(US)* *(on train)* tope m

bumpy [ˈbʌmpɪ] adj **1.** *(road)* lleno(na) de baches **2.** *(flight, journey)* con muchas sacudidas

bun [bʌn] n **1.** *(cake)* bollo m **2.** *(bread roll)* panecillo m **3.** *(hairstyle)* moño m

bunch [bʌntʃ] n **1.** *(of people)* grupo m **2.** *(of flowers)* ramo m **3.** *(of grapes, bananas)* racimo m **4.** *(of keys)* manojo m

bundle [ˈbʌndl] n **1.** *(of clothes)* bulto m **2.** *(of notes, papers)* fajo m

bungalow [ˈbʌŋgələʊ] n bungalow m

bunion [ˈbʌnjən] n juanete m

bunk [bʌŋk] n litera f

bunk bed n litera f

bunker [ˈbʌŋkəʳ] n **1.** *(shelter)* búnker m **2.** *(for coal)* carbonera f **3.** *(in golf)* búnker m

bunny [ˈbʌnɪ] n conejito m

buoy [(UK) bɔɪ, (US) ˈbuːɪ] n boya f

buoyant [ˈbɔɪənt] adj *(that floats)* boyante

BUPA [ˈbuːpə] n seguro médico privado en Gran Bretaña

burden [ˈbɜːdn] n carga f

bureaucracy [bjʊəˈrɒkrəsɪ] n burocracia f

bureau de change [ˌbjʊərəʊdəˈʃɒndʒ] n casa f de cambio

burger [ˈbɜːgəʳ] n **1.** *(hamburger)* hamburguesa f **2.** *(made with nuts, vegetables etc)* hamburguesa vegetariana

burglar [ˈbɜːgləʳ] n ladrón m, -ona f

burglar alarm n alarma f antirrobo

burglarize [ˈbɜːgləraɪz] (US) = **burgle**

burglary [ˈbɜːglərɪ] n robo m *(de una casa)*

burgle [ˈbɜːgl] vt robar *(una casa)*

burial [ˈberɪəl] n entierro m

burn [bɜːn] (pt & pp **burnt** OR **burned**) ◇ n quemadura f ◇ vt quemar ◇ vi *(be on fire)* arder ● **to burn one's hand** quemarse la mano ● **burn down** ◇ vt sep incendiar ◇ vi incendiarse

burning (hot) [ˈbɜːnɪŋ-] adj muy caliente

Burns' Night [bɜːnz-] n *fiesta escocesa del 25 de enero*

burnt [bɜːnt] *pt & pp* ➤ **burn**

burp [bɜːp] *vi* (inf) eructar

burrow ['bʌrəʊ] n madriguera *f*

burst [bɜːst] (pt & pp inv) ◇ n (of gunfire, applause) estallido *m* ◇ vt & vi reventar • **he burst into the room** irrumpió en la habitación • **to burst into tears** romper a llorar • **to burst open** (door) abrirse de golpe

bury ['berɪ] vt enterrar

bus [bʌs] n autobús *m*, bús *m* (Amér) • **by bus** en autobús

busboy ['bʌsbɔɪ] n (US) ayudante *m* (de camarero)

bus conductor [-kən'dʌktəʳ] n cobrador *m*, -ra *f* de autobús

bus driver n conductor *m*, -ra *f* de autobús

bush [bʊʃ] n arbusto *m*

business ['bɪznɪs] n 1. (commerce) negocios *mpl* 2. (shop, firm, trade) negocio *m* 3. (things to do) asuntos *mpl*, tareas *fpl* 4. (affair) asunto *m* • **mind your own business!** ¡no te metas donde no te llaman! ▼ **business as usual** abierto como de costumbre

business card n tarjeta *f* de visita

business class n clase *f* preferente

business hours *npl* horario *m* de apertura

businessman ['bɪznɪsmæn] (pl -**men**) n hombre *m* de negocios

business studies *npl* empresariales *fpl*

businesswoman ['bɪznɪsˌwʊmən] (pl -**women**) n mujer *f* de negocios

busker ['bʌskəʳ] n (UK) músico *m*

callejero, música callejera *f*

bus lane n carril *m* de autobús

bus pass n abono *m* (de autobús)

bus shelter n marquesina *f* (de parada de autobús)

bus station n estación *f* de autobuses

bus stop n parada *f* de autobús

bust [bʌst] ◇ n (of woman) busto *m* ◇ adj • **to go bust** (inf) quebrar

bustle ['bʌsl] n bullicio *m*

bus tour n excursión *f* (en autobús)

busy ['bɪzɪ] adj 1. (person, telephone, line) ocupado(da) 2. (day) ajetreado(da) 3. (schedule) lleno(na) 4. (street, office) concurrido(da) • **to be busy doing sthg** estar ocupado haciendo algo

busy signal n (US) señal *f* de comunicando (Esp) OR ocupado (Amér)

but [bʌt] ◇ conj pero ◇ prep menos • **not just one but two** no uno sino dos • **you've done nothing but moan** no has hecho más que quejarte • **the last but one** el penúltimo • **but for** de no ser por

butcher ['bʊtʃəʳ] n carnicero *m*, -ra *f* • **butcher's** (shop) carnicería *f*

butt [bʌt] n 1. (of rifle) culata *f* 2. (of cigarette, cigar) colilla *f*

butter ['bʌtəʳ] ◇ n mantequilla *f* ◇ vt untar con mantequilla

butter bean n judía *f* blanca (Esp), frijol *m* blanco (Amér)

buttercup ['bʌtəkʌp] n ranúnculo *m*

butterfly ['bʌtəflaɪ] n mariposa *f*

butterscotch ['bʌtəskɒtʃ] n dulce hecho hirviendo azúcar y mantequilla

buttocks ['bʌtəks] *npl* nalgas *fpl*

button ['bʌtn] n 1. (on clothing, machine)

botón m **2.** *(US) (badge)* chapa *f*, botón *m (Amér)*

buttonhole ['bʌtnhəʊl] *n (hole)* ojal *m*

button mushroom *n* champiñón *m* pequeño

buy [baɪ] *(pt & pp* **bought**) ◇ *vt* comprar ◇ *n* ● a good buy una buena compra ● to buy a bike for your son, to buy your son a bike comprarle una bici a tu hijo ● to buy a car from your neighbour comprarle un coche al vecino

buzz [bʌz] ◇ *vi* zumbar ◇ *n (inf) (phone call)* ● to give sb a buzz dar un telefonazo a alguien

buzzer ['bʌzər] *n* timbre *m*

by [baɪ]
◇ *prep* **1.** *(expressing cause, agent)* por ● funded by the government subvencionado por el gobierno ● a book by Joyce un libro de Joyce **2.** *(expressing method, means)* ● by car/train/plane en coche/tren/avión ● by post/phone por correo/teléfono ● to pay by credit card pagar con tarjeta de crédito ● to win by cheating ganar haciendo trampa **3.** *(near to, beside)* junto a ● by the sea junto al mar **4.** *(past)* por delante de ● a car went by the house pasó un coche por delante de la casa **5.** *(via)* ● exit by the door on the left salgan por la puerta a la izquierda **6.** *(with time)* para ● be there by nine estate allí para las nueve ● by day/night de día/noche ● by now ya **7.** *(expressing quantity)* por ● prices fell by 20% los precios bajaron en un 20% ● we charge by the hour cobramos por horas **8.** *(expressing meaning)* por ● what do you mean by that? ¿qué quieres decir con eso? **9.** *(in division, multiplication)* por ● two metres by five dos metros por cinco **10.** *(according to)* según ● by law según la ley ● it's fine by me por mí no hay problema **11.** *(expressing gradual process)* ● one by one uno a uno ● day by day día a día **12.** *(in phrases)* ● by mistake por equivocación ● by oneself *(alone)* solo ● he did it by himself lo hizo él solo ● by profession de profesión
◇ *adv (past)* ● to go/drive by pasar

bye(-bye) [baɪ('baɪ)] *excl (inf)* ¡hasta luego!

bypass ['baɪpɑːs] *n* carretera *f* de circunvalación

C

C [siː] *(abbr of* Celsius, centigrade*)* C *(centígrado)*

cab [kæb] *n* **1.** *(taxi)* taxi *m* **2.** *(of lorry)* cabina *f*

cabaret ['kæbəreɪ] *n* cabaret *m*

cabbage ['kæbɪdʒ] *n* col *f*

cabin ['kæbɪn] *n* **1.** *(on ship)* camarote *m* **2.** *(of plane)* cabina *f* **3.** *(wooden house)* cabaña *f*

cabin crew *n* personal *m* de cabina

cabinet ['kæbɪnɪt] *n* **1.** *(cupboard)* armario *m* **2.** POL consejo *m* de ministros

cable ['keɪbl] *n* cable *m*

cable car *n* teleférico *m*

cable television *n* televisión *f* por cable

cactus ['kæktəs] (*pl* **-tuses** OR **-ti**) *n* cactus *m inv*

Caesar salad [ˌsiːzə-] *n* ensalada verde con anchoas, aceitunas, queso parmesano y *croutons*

cafe ['kæfeɪ] *n* cafetería *f*

cafeteria [ˌkæfɪ'tɪərɪə] *n* cantina *f*

cafetière [kæf'tjeə^r] *n* cafetera *f* de émbolo

caffeine ['kæfiːn] *n* cafeína *f*

cage [keɪdʒ] *n* jaula *f*

cagoule [kə'guːl] *n* (*UK*) chubasquero *m*

Cajun ['keɪdʒən] *adj* cajún

Cajun

Los *cajuns* son los habitantes de Luisiana descendientes de inmigrantes franceses. Los *cajuns* se habían establecido inicialmente en Canadá, de donde fueron deportados más tarde a Luisiana. Hablan una forma arcaica de francés, tienen una cultura tradicional muy rica y son conocidos por su deliciosa cocina picante.

cake [keɪk] *n* **1.** (*sweet*) pastel *m* **2.** (*savoury*) medallón *m* empanado **3.** (*of soap*) pastilla *f*

calculate ['kælkjʊleɪt] *vt* calcular

calculator ['kælkjʊleɪtə^r] *n* calculadora *f*

calendar ['kælɪndə^r] *n* calendario *m*

calf [kɑːf] (*pl* **calves**) *n* **1.** (*of cow*) ternero *m*, -ra **2.** (*part of leg*) pantorrilla *f*

call [kɔːl] ◇ *n* **1.** (*visit*) visita *f* **2.** (*phone call, at airport*) llamada *f* **3.** (*of bird*) reclamo *m* ◇ *vt* **1.** llamar **2.** (*meeting, elections, strike*) convocar **3.** (*flight*) anunciar ◇ *vi* (*phone*) llamar ◆ **to call at** (*visit*) pasarse (por) ● **to be called** llamarse ● **what is he called?** ¿cómo se llama? ● **could I have a call for eight o'clock?** por favor, llámeme a las ocho ● **on call** (*nurse, doctor*) de guardia ● **she called my name** me llamó ● **to pay sb a call** hacer una visita a alguien ● **this train calls at ...** este tren para en ... ● **who's calling?** ¿de parte de quién? ◆ **call back** ◇ *vt sep* llamar (más tarde) ◇ *vi* **1.** (*phone again*) llamar (más tarde) **2.** (*visit again*) volver a pasarse ◆ **call for** *vt insep* **1.** (*come to fetch*) ir a buscar **2.** (*demand*) pedir **3.** (*require*) requerir ◆ **call on** *vt insep* (*visit*) visitar ● **to call on the government to take action** pedirle al gobierno que actúe ◆ **call out** ◇ *vt sep* **1.** (*name, winner*) anunciar **2.** (*doctor, fire brigade*) llamar ◇ *vi* gritar ◆ **call up** *vt sep* **1.** MIL llamar a filas a **2.** (*telephone*) llamar (por teléfono)

call box *n* cabina *f* telefónica

caller ['kɔːlə^r] *n* **1.** (*visitor*) visita *f* **2.** (*on phone*) persona *f* que llama

calm [kɑːm] ◇ *adj* **1.** (*person*) tranquilo (la) **2.** (*sea*) en calma **3.** (*weather, day*) apacible ◇ *vt* calmar ◆ **calm down** ◇ *vt sep* calmar ◇ *vi* calmarse

calorie ['kælərɪ] *n* caloría *f*

calves [kɑːvz] *pl* → **calf**

camcorder ['kæmˌkɔːdə^r] *n* cámara *f* de vídeo

came [keɪm] *pt* ➤ **come**

camel ['kæml] *n* camello *m*

camera ['kæmərə] *n* cámara *f*

cameraman ['kæmərəmæn] (*pl* **-men**) *n* cámara *m*

camera shop *n* tienda *f* de fotografía

camisole ['kæmɪsəʊl] *n* picardías *m inv* (*Esp*), camisola *f*

camp [kæmp] ◇ *n* **1.** (*for holidaymakers*) colonia *de* vacaciones para toda la familia, con parque de atracciones, etc **2.** (*for soldiers*) campamento *m* **3.** (*for prisoners*) campo *m* ◇ *vi* acampar

campaign [kæm'peɪn] ◇ *n* campaña *f* ◇ *vi* ● to campaign (for/against) hacer campaña (a favor de/contra)

camp bed *n* (*UK*) cama *f* de campaña

camper ['kæmpə'] *n* **1.** (*person*) campista *mf* **2.** (*van*) caravana *f*

camping ['kæmpɪŋ] *n* ● to go camping ir de camping

camping stove *n* cocina *f* de camping

campsite ['kæmpsaɪt] *n* camping *m*

campus ['kæmpəs] (*pl* **-es**) *n* campus *m inv*

can[1] [kæn] *n* (*container*) lata *f*

can[2] [*weak form* kən, *strong form* kæn, *conditional and preterite form* **could**] *aux vb* **1.** poder **2.** (*know how to*) saber **5.** (*expressing occasional occurrence*) ● it can get cold at night a veces hace frío por la noche ● can you help me? ¿puedes ayudarme? ● I can see the sea veo el mar ● can you drive? ¿sabes conducir? ● I can speak Spanish hablo español ● can I speak to the manager? ¿puedo hablar con el director? ● can you tell me the time? ¿me puedes decir

la hora? ● I could do it podría hacerlo ● they could be lost puede que se hayan perdido

Canada ['kænədə] *n* Canadá

Canadian [kə'neɪdɪən] ◇ *adj* canadiense ◇ *n* canadiense *mf*

canal [kə'næl] *n* canal *m*

canapé ['kænəpeɪ] *n* canapé *m*

Canaries [kə'neərɪz] *npl* ● the Canaries (las islas) Canarias

Canary Islands [kə'neərɪ-] *npl* ● the Canary Islands (las islas) Canarias

cancel ['kænsl] *vt* cancelar

cancellation [,kænsə'leɪʃn] *n* cancelación *f*

cancer ['kænsə'] *n* cáncer *m*

Cancer ['kænsə'] *n* Cáncer *m*

candidate ['kændɪdət] *n* **1.** (*for parliament, job*) candidato *m*, -ta *f* **2.** (*in exam*) examinando *m*, -da *f*

candle ['kændl] *n* vela *f*

candlelit dinner ['kændlɪt-] *n* cena *f* a la luz de las velas

candy ['kændɪ] *n* (*US*) **1.** (*confectionery*) golosinas *fpl*, dulces *mpl* (*Amér*) **2.** (*sweet*) caramelo *m*, dulce *m* (*Amér*)

cane [keɪn] *n* **1.** (*for walking*) bastón *m* **2.** (*stick*) vara *f* **3.** (*for furniture, baskets*) caña *f*

canister ['kænɪstə'] *n* **1.** (*for tea*) bote *m* **2.** (*for gas*) bombona *f*

cannabis ['kænəbɪs] *n* canabis *m*

canned [kænd] *adj* (*food, drink*) en lata

cannot ['kænɒt] = **can not**

canoe [kə'nu:] *n* SPORT piragua *f*

canoeing [kə'nu:ɪŋ] *n* piragüismo *m*

canopy ['kænəpɪ] *n* (*over bed etc*) dosel *m*

can't [kɑ:nt] = **cannot**

canteen [kænˈtiːn] *n* cantina *f*

canvas [ˈkænvəs] *n (for tent, bag)* lona *f*

cap [kæp] *n* **1.** *(hat)* gorra *f* **2.** *(without peak)* gorro *m* **3.** *(of pen)* capuchón *m* **4.** *(of bottle)* tapón *m* **5.** *(contraceptive)* diafragma *m*

capable [ˈkeɪpəbl] *adj (competent)* competente, hábil ● **to be capable of doing sthg** ser capaz de hacer algo

capacity [kəˈpæsɪtɪ] *n* **1.** *(ability)* habilidad *f*, facultad *f* **2.** *(of stadium, theatre)* capacidad *f*

cape [keɪp] *n* **1.** *(of land)* cabo *m* **2.** *(cloak)* capa *f*

capers [ˈkeɪpəz] *npl* alcaparras *fpl*

capital [ˈkæpɪtl] *n* **1.** *(of country)* capital *f* **2.** *(money)* capital *m* **3.** *(letter)* mayúscula *f*

capital punishment *n* pena *f* capital

cappuccino [ˌkæpʊˈtʃiːnəʊ] *n* capuchino *m*

Capricorn [ˈkæprɪkɔːn] *n* Capricornio *m*

capsicum [ˈkæpsɪkəm] *n* pimiento *m*

capsize [kæpˈsaɪz] *vi* volcar

capsule [ˈkæpsjuːl] *n* cápsula *f*

captain [ˈkæptɪn] *n* capitán *m*, -ana *f*

caption [ˈkæpʃn] *n* pie *m*, leyenda *f*

capture [ˈkæptʃər] *vt* **1.** *(person, animal)* capturar **2.** *(town, castle)* tomar

car [kɑːr] *n* **1.** *(motorcar)* coche *m*, carro *m (Amér)* **2.** *(railway wagon)* vagón *m*

carafe [kəˈræf] *n* vasija sin mango para servir vino y agua

car alarm *n* alarma *f* antirrobo *(en un coche)*

caramel [ˈkærəmel] *n* **1.** *(sweet)* caramelo hecho con leche y azúcar **2.** *(burnt sugar)* azúcar *m* quemado

carat [ˈkærət] *n* quilate *m* ● **24-carat gold** oro de 24 quilates

caravan [ˈkærəvæn] *n (UK)* caravana *f*

caravanning [ˈkærəvænɪŋ] *n (UK)* ● **to go caravanning** ir de vacaciones en caravana

caravan site *n (UK)* camping *m* para caravanas

carbohydrate [ˌkɑːbəʊˈhaɪdreɪt] *n* hidrato *m* de carbono

carbon [ˈkɑːbən] *n* carbono *m*

carbon dioxide [-daɪˈɒksaɪd] *n* dióxido *m* de carbono

car boot sale *n (UK)* mercadillo de objetos usados exhibidos en el maletero del coche

carburetor [ˌkɑːbəˈretər] *(US)* = **carburettor**

carburettor [ˌkɑːbəˈretər] *n (UK)* carburador *m*

car crash *n* accidente *m* de tráfico

card [kɑːd] *n* **1.** tarjeta *f* **2.** *(postcard)* postal *f* **3.** *(playing card)* carta *f*, naipe *m* **4.** *(cardboard)* cartulina *f* ● **cards** *(game)* las cartas

cardboard [ˈkɑːdbɔːd] *n* cartón *m*

cardiac arrest [ˌkɑːdɪæk-] *n* paro *m* cardíaco

cardigan [ˈkɑːdɪgən] *n* cárdigan *m*

cardphone [ˈkɑːdfəʊn] *n (UK)* teléfono *m* de tarjeta

care [keər] ◇ *n (attention)* cuidado *m* ◇ *vi (mind)* ● **I don't care** no me importa ● **to take care of** *(look after)* cuidar de; *(deal with)* encargarse de ● **would you care to ...?** *(fml)* ¿le importaría ...? ● **to take care to do sthg** tener cuidado de hacer algo ● **take care!** *(goodbye)*

¡cuídate! ● **with care** con cuidado ▼ **handle with care** frágil ● **to care about** *(think important)* preocuparse por; *(person)* tener aprecio a

career [kəˈrɪə^r] *n* carrera *f*

carefree [ˈkeəfriː] *adj* despreocupado(da)

careful [ˈkeəfʊl] *adj* 1. *(cautious)* cuidadoso(sa) 2. *(driver)* prudente 3. *(thorough)* esmerado(da) ● **be careful!** ¡ten cuidado!

carefully [ˈkeəflɪ] *adv* 1. *(cautiously)* cuidadosamente 2. *(drive)* con prudencia 3. *(thoroughly)* detenidamente, con atención

careless [ˈkeələs] *adj* 1. *(inattentive)* descuidado(da) 2. *(unconcerned)* despreocupado(da)

caretaker [ˈkeəˌteɪkə^r] *n (UK) (of school, flats)* conserje *mf*

car ferry *n* transbordador *m* de coches

cargo [ˈkɑːgəʊ] *(pl -es OR -s) n* cargamento *m*

car hire *n (UK)* alquiler *m* de coches

Caribbean [(UK) ˌkærɪˈbiːən (US) kəˈrɪbɪən] *n* ● **the Caribbean** el Caribe

caring [ˈkeərɪŋ] *adj* solícito(ta)

carnation [kɑːˈneɪʃn] *n* clavel *m*

carnival [ˈkɑːnɪvl] *n* carnaval *m*

carousel [ˌkærəˈsel] *n* 1. *(for luggage)* cinta *f* transportadora 2. *(US) (merry-go-round)* tiovivo *m (Esp)*, carrusel *m*

car park *n (UK)* aparcamiento *m (Esp)*, estacionamiento *m (Amér)*

carpenter [ˈkɑːpəntə^r] *n* carpintero *m*, -ra *f*

carpentry [ˈkɑːpəntrɪ] *n* carpintería *f*

carpet [ˈkɑːpɪt] *n* 1. *(not fitted)* alfombra *f* 2. *(fitted)* moqueta *f*

carport [ˈkɑːrpɔːrt] *n (US)* cochera *f*

car rental *n (US)* alquiler *m* de coches

carriage [ˈkærɪdʒ] *n* 1. *(UK) (of train)* vagón *m* 2. *(horse-drawn)* carruaje *m*

carriageway [ˈkærɪdʒweɪ] *n (UK)* carril *m*

carrier (bag) [ˈkærɪə^r-] *n (UK)* bolsa *f (de papel o plástico)*

carrot [ˈkærət] *n* zanahoria *f*

carrot cake *n* pastel *m* de bizcocho hecho con zanahoria rallada y cubierto con azúcar glaseado

carry [ˈkærɪ] ◇ *vt* 1. llevar 2. *(disease)* transmitir ◇ *vi (voice, sound)* oírse a lo lejos ◆ **carry on** ◇ *vi* continuar ◇ *vt insep* 1. *(continue)* continuar 2. *(conduct)* mantener ● **to carry on doing sthg** seguir haciendo algo ◆ **carry out** *vt sep* 1. *(perform)* llevar a cabo 2. *(fulfil)* cumplir

carrycot [ˈkærɪkɒt] *n (UK)* moisés *m inv*

carryout [ˈkærɪaʊt] *n* comida *f* para llevar

carsick [ˈkɑːˌsɪk] *adj* mareado(da) *(en coche)*

cart [kɑːt] *n* 1. *(for transport)* carro *m* 3. *(US) (in supermarket)* carrito *m*

carton [ˈkɑːtn] *n* cartón *m*, envase *m*

cartoon [kɑːˈtuːn] *n* 1. *(film)* dibujos *mpl* animados 2. *(drawing)* chiste *m (en viñeta)*

cartridge [ˈkɑːtrɪdʒ] *n* 1. *(for gun)* cartucho *m* 2. *(for pen)* recambio *m*

carve [kɑːv] *vt* 1. *(wood, stone)* tallar 2. *(meat)* cortar, trinchar

carvery [ˈkɑːvərɪ] *n (UK) restaurante donde se sirve un bufé de carne que se* *trincha delante del cliente*

car wash *n* lavado *m* de coches

case [keɪs] *n* **1.** (UK) (suitcase) maleta *f* **2.** (container) estuche *m* **3.** (instance, patient) caso *m* **4.** LAW (trial) pleito *m* ● in any case de todas formas ● in case of en caso de ● (just) in case por si acaso ● in that case en ese caso

cash [kæʃ] ◇ *n* **1.** (coins, notes) efectivo *m* **2.** (money in general) dinero *m* ◇ *vt* ● to cash a cheque cobrar un cheque ● to pay cash pagar en efectivo

cashback ['kæʃbæk] *n* (UK) opción de sacar dinero de la cuenta en el momento de pagar alguna compra con una tarjeta de débito

cash desk *n* caja *f*

cash dispenser [-dɪˈspensəʳ] *n* (UK) cajero *m* automático

cashew (nut) ['kæʃuː-] *n* anacardo *m*

cashier [kæˈʃɪəʳ] *n* cajero *m*, -ra *f*

cashless ['kæʃlɪs] *adj* ● cashless society sin dinero

cashmere [kæʃˈmɪəʳ] *n* cachemir *m*

cashpoint ['kæʃpɔɪnt] *n* (UK) cajero *m* automático

cash register *n* caja *f* (registradora)

casino [kəˈsiːnəʊ] (*pl* -s) *n* casino *m*

casserole ['kæsərəʊl] *n* (stew) guiso *m* ● casserole (dish) cacerola *f*

cassette [kæˈset] *n* casete *m*, cinta *f*

cassette recorder *n* casete *m*

cast [kɑːst] (*pt & pp inv*) ◇ *n* **1.** (actors) reparto *m* **2.** (for broken bone) escayola *f* (Esp), yeso *m* ◇ *vt* **1.** (shadow, light) proyectar **2.** (look) echar **3.** (vote) emitir ● to cast doubt on poner en duda ●

cast off *vi* (boat, ship) soltar amarras

caster sugar *n* (UK) azúcar *m* extrafino

Castile [kæsˈtiːl] *n* Castilla

castle ['kɑːsl] *n* **1.** (building) castillo *m* **2.** (in chess) torre *f*

casual ['kæʒʊəl] *adj* **1.** (relaxed) despreocupado(da) **2.** (offhand) superficial **3.** (clothes) informal ● casual work trabajo eventual

casualty ['kæʒʊəltɪ] *n* víctima *f* ● casualty (department) (UK) urgencias *fpl*

cat [kæt] *n* gato *m*

Catalan ['kætə,læn] ◇ *adj* catalán(ana) ◇ *n* **1.** (person) catalán *m*, -ana *f* **2.** (language) catalán *m*

catalog ['kætəlɒg] (US) = **catalogue**

catalogue ['kætəlɒg] *n* catálogo *m*

Catalonia [,kætəˈləʊnɪə] *n* Cataluña

Catalonian [,kætəˈləʊnɪən] *adj* catalán (ana)

catapult ['kætəpʌlt] *n* tirachinas *m inv*

cataract ['kætərækt] *n* (in eye) catarata *f*

catarrh [kəˈtɑːʳ] *n* catarro *m*

catastrophe [kəˈtæstrəfɪ] *n* catástrofe *f*

catch [kætʃ] (*pt & pp* **caught**) ◇ *vt* **1.** coger, agarrar (*Amér*) **2.** (fish) pescar **3.** (bus, train, plane, taxi) coger, tomar (*Amér*) **4.** (hear) coger, escuchar (*Amér*) **5.** (attract) despertar ◇ *vi* (become hooked) engancharse ◇ *n* **1.** (of window, door) pestillo *m* **2.** (snag) pega *f*

catch up ◇ *vt sep* alcanzar ◇ *vi* ● to catch up (with) ponerse a la misma altura (que)

catching ['kætʃɪŋ] *adj* (inf) contagioso (sa)

category ['kætəgərɪ] *n* categoría *f*

cater ['keɪtə'] ◆ **cater for** vt insep **1.** (UK) (needs, tastes) atender a, satisfacer **2.** (anticipate) contar con

caterpillar ['kætəpɪlə'] n oruga f

cathedral [kə'θiːdrəl] n catedral f

Catholic ['kæθlɪk] ◇ adj católico(ca) ◇ n católico m, -ca f

Catseyes ® ['kætsaɪz] npl (UK) catafaros mpl

cattle ['kætl] npl ganado m (vacuno)

caught [kɔːt] pt & pp ➤ **catch**

cauliflower ['kɒlɪˌflaʊə'] n coliflor f

cauliflower cheese n coliflor en salsa bechamel con queso

cause [kɔːz] ◇ n **1.** causa f **2.** (justification) motivo m ◇ vt causar ● **to cause sb to do sthg** hacer que alguien haga algo

causeway ['kɔːzweɪ] n carretera f elevada

caution ['kɔːʃn] n **1.** (care) cautela f **2.** (warning) amonestación f

cautious ['kɔːʃəs] adj cauteloso(sa)

cave [keɪv] n cueva f ● **cave in** vi hundirse, derrumbarse

caviar(e) ['kævɪɑː'] n caviar m

cavity ['kævətɪ] n (in tooth) caries f inv

CD [siːˈdiː] n (abbr of compact disc) CD m (compact disc)

CD player n reproductor m de CD

CD-ROM [siːdiːˈrɒm] n (abbr of compact disc read-only memory) CD-ROM m (compact disc read-only memory)

cease [siːs] ◇ vt (fml) suspender ◇ vi (fml) cesar

ceasefire ['siːsˌfaɪə'] n alto m el fuego, cese m del fuego (Amér)

ceilidh ['keɪlɪ] n baile popular en Escocia e Irlanda

ceiling ['siːlɪŋ] n techo m

celebrate ['selɪbreɪt] ◇ vt celebrar ◇ vi ● **let's celebrate** ¡hay que celebrarlo!

celebration [ˌselɪ'breɪʃn] n (event) festejo m ● **celebrations** npl (festivities) conmemoraciones fpl

celebrity [sɪ'lebrətɪ] n (person) celebridad f

celeriac [sɪ'lerɪæk] n apio m nabo

celery ['selərɪ] n apio m

cell [sel] n **1.** (of plant, body) célula f **2.** (in prison) celda f

cellar ['selə'] n sótano m

cello ['tʃeləʊ] n violoncelo m

Cellophane ® ['seləfeɪn] n celofán ® m

cell phone n (US) teléfono m móvil (Esp), celular m (Amér)

Celsius ['selsɪəs] adj centígrado(da)

cement [sɪ'ment] n cemento m

cemetery ['semɪtrɪ] n cementerio m

cent [sent] n centavo m

center ['sentə'] (US) = **centre**

centigrade ['sentɪgreɪd] adj centígrado (da) ● **five degrees centigrade** cinco grados (centígrados)

centimeter ['sentɪˌmiːtər] (US) = **centimetre**

centimetre ['sentɪˌmiːtə'] n (UK) centímetro m

centipede ['sentɪpiːd] n ciempiés m inv

central ['sentrəl] adj **1.** (in the middle) central **2.** (near town centre) céntrico(ca)

central heating n calefacción f central

central locking [-'lɒkɪŋ] n cierre m centralizado

central reservation n (UK) mediana f, camellón m (Amér)

centre ['sentə^r] ◇ *n* (*UK*) centro *m* ◇ *adj* (*UK*) central ● **the centre of attention** el centro de atención

century ['sentʃʊrɪ] *n* siglo *m*

ceramic [sɪ'ræmɪk] *adj* de cerámica ◆

ceramics *npl* cerámicas *fpl*

cereal ['sɪərɪəl] *n* (*breakfast food*) cereales *mpl*

ceremony ['serɪmənɪ] *n* ceremonia *f*

certain ['sɜːtn] *adj* 1. (*sure*) seguro(ra) 2. (*particular*) cierto(ta) ● **she's certain to be late** seguro que llega tarde ● **to be certain of sthg** estar seguro de algo ● **to make certain (that)** asegurarse de que

certainly ['sɜːtnlɪ] *adv* desde luego

certificate [sə'tɪfɪkət] *n* 1. (*of studies, medical*) certificado *m* 2. (*of birth*) partida *f* de nacimiento

certify ['sɜːtɪfaɪ] *vt* (*declare true*) certificar

chain [tʃeɪn] ◇ *n* cadena *f* ◇ *vt* ● **to chain a bike to a lamppost** encadenar una bici a una farola

chain store *n* tienda *f* de una cadena

chair [tʃeə^r] *n* silla *f*

chair lift *n* telesilla *m*

chairman ['tʃeəmən] (*pl* **-men**) *n* presidente *m*, -ta *f*

chairperson ['tʃeə,pɜːsn] *n* presidente *m*, -ta *f*

chairwoman ['tʃeə,wʊmən] (*pl* **-women**) *n* presidenta *f*

chalet ['ʃæleɪ] *n* chalé *m*

chalk [tʃɔːk] *n* 1. (*for writing*) tiza *f*, gis *m* (*Méx*) 2. (*substance*) creta *f* ● **a piece of chalk** una tiza

chalkboard ['tʃɔːkbɔːd] *n* (*US*) pizarra *f*,

pizarrón *m* (*Amér*)

challenge ['tʃælɪndʒ] ◇ *n* desafío *m* ◇ *vt* (*question*) poner en tela de juicio ● **to challenge sb to a fight** desafiar a alguien a una pelea

chamber ['tʃeɪmbə^r] *n* (*room*) cámara *f*

chambermaid ['tʃeɪmbəmeɪd] *n* camarera *f*

champagne [,ʃæm'peɪn] *n* champán *m*

champion ['tʃæmpjən] *n* (*of competition*) campeón *m*, -ona *f*

championship ['tʃæmpjənʃɪp] *n* campeonato *m*

chance [tʃɑːns] ◇ *n* 1. (*luck*) azar *m* 2. (*possibility*) posibilidad *f* 3. (*opportunity*) oportunidad *f* ◇ *vt* ● **to chance it** (*inf*) arriesgarse ● **to take a chance** correr un riesgo ● **by chance** por casualidad ● **on the off chance** por si acaso

Chancellor of the Exchequer [,tʃɑːnsələrəvðəɪks'tʃekə^r] *n ministro de economía y hacienda en Gran Bretaña*

chandelier [,ʃændə'lɪə^r] *n* lámpara *f* de araña

change [tʃeɪndʒ] ◇ *n* 1. cambio *m* 2. (*coins*) suelto *m* (*Esp*), cambio *m* ◇ *vt* 1. cambiar 2. (*job*) cambiar de ◇ *vi* 1. (*become different*) cambiar 2. (*on bus, train*) hacer transbordo 3. (*change clothes*) cambiarse ● **a change of clothes** una muda ● **do you have change for a pound?** ¿tienes cambio de una libra? ● **for a change** para variar ● **to get changed** cambiarse ● **to change money** cambiar dinero ● **to change a nappy** cambiar un pañal ● **to change a wheel** cambiar una rueda ● **to change trains/planes** cambiar de tren/avión ● **all**

change! *(on train)* ¡cambio de tren!

changeable ['ʧeɪndʒəbl] *adj (weather)* variable

change machine *n* máquina *f* de cambio

changing room ['ʧeɪndʒɪŋ-] *n* **1.** *(for sport)* vestuario *m*, vestidor *m* (*Amér*) **2.** *(UK) (in shop)* probador *m*

channel ['ʧænl] *n* canal *m* ● **the (English) Channel** el Canal de la Mancha

Channel Islands *npl* ● **the Channel Islands** las islas del Canal de la Mancha

Channel Tunnel *n* ● **the Channel Tunnel** el túnel del Canal de la Mancha

chant [ʧɑːnt] *vt* **1.** *RELIG* cantar **2.** *(words, slogan)* corear

chaos ['keɪɒs] *n* caos *m inv*

chaotic [keɪ'ɒtɪk] *adj* caótico(ca)

chap [ʧæp] *n (UK) (inf)* chico *m*, tío *m* (*Esp*)

chapatti [ʧə'pætɪ] *n* tipo de pan ázimo de origen indio

chapel ['ʧæpl] *n* capilla *f*

chapped [ʧæpt] *adj* agrietado(da)

chapter ['ʧæptə'] *n* capítulo *m*

character ['kærəktə'] *n* **1.** carácter *m* **2.** *(in film, book, play)* personaje *m* **3.** *(inf) (person, individual)* tipo *m*

characteristic [ˌkærəktə'rɪstɪk] ◇ *adj* característico(ca) ◇ *n* característica *f*

charcoal ['ʧɑːkəʊl] *n (for barbecue)* carbón *m* (vegetal)

charge [ʧɑːdʒ] ◇ *n* **1.** *(price)* tarifa *f* **2.** *LAW* cargo *m* ◇ *vt* **1.** *(money, customer)* cobrar **2.** *LAW* acusar **3.** *(battery)* cargar

◇ *vi (ask money)* cobrar ● **she charged in** entró en tromba ● **to be in charge (of)** ser el encargado (de) ● **to take charge (of)** hacerse cargo (de) ● **extra charge** suplemento *m* ● **free of charge** gratis ● **there is no charge for service** el servicio está incluido

chargrilled ['ʧɑːgrɪld] *adj* asado(da) a la parrilla

charity ['ʧærɪtɪ] *n (organization)* organización *f* benéfica ● **to give to charity** hacer donaciones a organizaciones benéficas

charity shop *n (UK)* tienda de objetos usados cuyas ventas se destinan a organizaciones benéficas

charm [ʧɑːm] ◇ *n (attractiveness)* encanto *m* ◇ *vt* encantar, hechizar

charming ['ʧɑːmɪŋ] *adj* encantador(ra)

chart [ʧɑːt] *n (diagram)* gráfico *m* ● **the charts** la lista de éxitos

chartered accountant [ˌʧɑːtəd-] *n* contable *m* colegiado, contable colegiada *f*

charter flight ['ʧɑːtə-] *n* vuelo *m* chárter

chase [ʧeɪs] ◇ *n* persecución *f* ◇ *vt* perseguir

chat [ʧæt] ◇ *n* charla *f* ◇ *vi* charlar ● **to have a chat (with)** charlar (con) ◆ **chat up** *vt sep (UK) (inf)* ligarse

chat room *n COMPUT* chat *m*, sala *f* de charla

chat show *n (UK)* programa *m* de entrevistas

chatty ['ʧætɪ] *adj* **1.** *(letter)* informal **2.** *(person)* hablador(ra), dicharachero(ra)

chauffeur [ʃəʊfəʳ] *n* chófer *mf*

cheap [tʃiːp] *adj* **1.** *(inexpensive)* barato (ta) **2.** *(pej) (low-quality)* de mala calidad

cheap day return *n (UK)* billete de ida y vuelta más barato que se ha de utilizar en el día y después de las 9.15

cheaply [ˈtʃiːplɪ] *adv* barato

cheat [tʃiːt] ◇ *n* tramposo *m*, -sa *f* ◇ *vi* hacer trampa ◇ *vt* ● **to cheat sb out of their inheritance** estafarle la herencia a alguien

Chechnya [ˈtʃetʃnɪə] *n* Chechenia *f*

check [tʃek] ◇ *n* **1.** *(inspection)* inspección *f* **2.** *(US) (bill)* cuenta *f* **3.** *(US) (tick)* señal *f (de visto bueno)* **4.** *(US)* = **cheque** ◇ *vt* **1.** *(inspect)* revisar **2.** *(verify)* comprobar ◇ *vi* ● **to check for sthg** comprobar algo ● **to check on sthg** comprobar algo ● **to check with sb** consultar con alguien ◆ **check in** ◇ *vt sep (luggage)* facturar, documentar *(Méx)* ◇ *vi* **1.** *(at hotel)* registrarse **2.** *(at airport)* facturar, documentar *(Méx)* ◆ **check off** *vt sep* ir comprobando ◆ **check out** *vi* dejar el hotel ◆ **check up** *vi* ● **to check up (on)** informarse (acerca de)

checked [tʃekt] *adj* a cuadros

checkers [ˈtʃekəz] *n (US)* damas *fpl*

check-in desk *n* mostrador *m* OR documentación *f (Méx)* de facturación

checking account [ˈtʃekɪŋ-] *n (US)* cuenta *f* corriente

checkout [ˈtʃekaʊt] *n* caja *f*

checkpoint [ˈtʃekpɔɪnt] *n* control *m*

checkroom [ˈtʃekrʊm] *n (US)* guardarropa *m*

checkup [ˈtʃekʌp] *n* chequeo *m*

cheddar [ˈtʃedəʳ] *n* cheddar *m*

cheek [tʃiːk] *n* mejilla *f* ● **what a cheek!** *(UK)* ¡qué cara!

cheeky [ˈtʃiːkɪ] *adj (UK)* descarado(da)

cheer [tʃɪəʳ] ◇ *n* aclamación *f* ◇ *vi* gritar con entusiasmo

cheerful [ˈtʃɪəfʊl] *adj* alegre

cheerio [ˌtʃɪərɪˈəʊ] *excl (UK) (inf)* ¡hasta luego!

cheers [tʃɪəz] *excl* **1.** *(when drinking)* ¡salud! **2.** *(UK) (inf) (thank you)* ¡gracias!

cheese [tʃiːz] *n* queso *m*

cheeseboard [ˈtʃiːzbɔːd] *n (cheese and biscuits)* tabla *f* de quesos

cheeseburger [ˈtʃiːzˌbɜːgəʳ] *n* hamburguesa *f* con queso

cheesecake [ˈtʃiːzkeɪk] *n* tarta *f* de queso *(fresco, sin hornear)*

chef [ʃef] *n* jefe *m* de cocina

chef's special *n* especialidad *f* de la casa

chemical [ˈkemɪkl] ◇ *adj* químico(ca) ◇ *n* sustancia *f* química

chemist [ˈkemɪst] *n* **1.** *(UK) (pharmacist)* farmacéutico *m*, -ca *f* **2.** *(scientist)* químico *m*, -ca *f* ● **chemist's** *(UK) (shop)* farmacia *f*

chemistry [ˈkemɪstrɪ] *n* química *f*

cheque [tʃek] *n (UK)* cheque *m* ● **to pay by cheque** pagar con cheque

chequebook [ˈtʃekbʊk] *n* talonario *m* de cheques

cheque card *n* tarjeta *f* de identificación bancaria

cherry [ˈtʃerɪ] *n* cereza *f*

chess [tʃes] *n* ajedrez *m*

chest [tʃest] *n* **1.** *(of body)* pecho *m* **2.** *(box)* arca *f*

chestnut ['tʃesnʌt] ◇ n castaña f ◇ adj (colour) castaño(ña)

chest of drawers n cómoda f

chew [tʃuː] ◇ vt masticar ◇ n (UK) (sweet) gominola f

chewing gum ['tʃuːɪŋ] n chicle m

chic [ʃiːk] adj elegante

chicken ['tʃɪkɪn] n 1. (bird) gallina f 2. (meat) pollo m

chickenpox ['tʃɪkɪnpɒks] n varicela f

chickpea ['tʃɪkpiː] n garbanzo m

chicory ['tʃɪkərɪ] n achicoria f

chief [tʃiːf] ◇ adj 1. (highest-ranking) jefe(fa) 2. (main) principal ◇ n jefe m, -fa f

chiefly ['tʃiːflɪ] adv 1. (mainly) principalmente 2. (especially) por encima de todo

child [tʃaɪld] (pl **children**) n 1. (young boy, girl) niño m, -ña f 2. (son, daughter) hijo m, -ja f

child abuse n maltrato m de niños

child benefit n subsidio pagado a todas las familias británicas por cada hijo

childhood ['tʃaɪldhʊd] n infancia f

childish ['tʃaɪldɪʃ] adj (pej) (immature) infantil

childminder ['tʃaɪld,maɪndəʳ] n (UK) niñera f (durante el día)

children ['tʃɪldrən] pl ➤ **child**

child seat n asiento m de seguridad para niños

Chile ['tʃɪlɪ] n Chile

Chilean ['tʃɪlɪən] ◇ adj chileno(na) ◇ n chileno m, -na f

chill [tʃɪl] ◇ n (illness) resfriado m ◇ vt enfriar ● **there's a chill in the air** hace un poco de fresco

chilled [tʃɪld] adj frío(a) ▼ **serve chilled** sírvase muy frío

chilli ['tʃɪlɪ] (pl **-ies**) n (UK) 1. (vegetable) guindilla f (Esp), chile m, ají m (Amér) 2. (dish) = **chilli con carne**

chilli con carne [-kɒn'kɑːnɪ] n (UK) picadillo de carne en una salsa picante de guindilla con cebolla, tomate y judías pintas

chilly ['tʃɪlɪ] adj frío(a)

chimney ['tʃɪmnɪ] n chimenea f

chimneypot ['tʃɪmnɪpɒt] n cañón m de chimenea

chimpanzee [,tʃɪmpən'ziː] n chimpancé mf

chin [tʃɪn] n barbilla f

china ['tʃaɪnə] n (material) porcelana f

China ['tʃaɪnə] n la China

Chinese [,tʃaɪ'niːz] ◇ adj chino(na) ◇ n (language) chino m ◇ npl ● **the Chinese** los chinos ● **a Chinese restaurant** un restaurante chino

chip [tʃɪp] ◇ n 1. (small piece) pedacito m 2. (mark) mella f 3. (counter) ficha f 4. COMPUT chip m ◇ vt desportillar ●

chips npl 1. (UK) (French fries) patatas fpl fritas (de sartén) 2. (US) (crisps) patatas fpl fritas (de bolsa)

chiropodist [kɪ'rɒpədɪst] n podólogo m, -ga f

chives [tʃaɪvz] npl cebollino m, cebolleta f

chlorine ['klɔːriːn] n cloro m

choc-ice ['tʃɒkaɪs] n (UK) tipo de bombón helado en forma de bloque y sin palo

chocolate ['tʃɒkələt] ◇ n 1. (food, drink) chocolate m 2. (sweet) bombón m ◇ adj de chocolate

chocolate biscuit n (UK) galleta f de chocolate

choice [tʃɔɪs] ⋄ n 1. (option) elección f 2. (person or thing chosen) opción f 3. (variety) variedad f ⋄ adj de primera calidad ▼ **pizzas with the topping of your choice** elija los ingredientes de su pizza

choir ['kwaɪə'] n coro m

choke [tʃəʊk] ⋄ n AUT estárter m ⋄ vt asfixiar ⋄ vi 1. (on fishbone etc) atragantarse 2. (to death) asfixiarse

cholera ['kɒlərə] n cólera m

choose [tʃuːz] (pt **chose**, pp **chosen**) vt & vi elegir ● **to choose to do sthg** decidir hacer algo

chop [tʃɒp] ⋄ n (of meat) chuleta f ⋄ vt cortar ◆ **chop down** vt sep talar, cortar ◆ **chop up** vt sep picar

chopper ['tʃɒpə'] n (inf) (helicopter) helicóptero m

chopping board ['tʃɒpɪn-] n (UK) tabla f de cocina

choppy ['tʃɒpɪ] adj picado(da)

chopsticks ['tʃɒpstɪks] npl palillos mpl (chinos)

chord [kɔːd] n acorde m

chore [tʃɔː'] n tarea f

chorus ['kɔːrəs] n 1. (part of song) estribillo m 2. (group of singers, dancers) coro m

chose [tʃəʊz] pt ➤ choose

chosen ['tʃəʊzn] pp ➤ choose

Christ [kraɪst] n Cristo m

christen ['krɪsn] vt (baby) bautizar

Christian ['krɪstʃən] ⋄ adj cristiano(na) ⋄ n cristiano m, -na f

Christian name n nombre m de pila

Christmas ['krɪsməs] n 1. (day) Navidad f 2. (period) Navidades fpl ● **Happy Christmas!** ¡Felices Navidades!

Christmas card n tarjeta f de Navidad

Christmas carol [-'kærəl] n villancico m

Christmas Day n día m de Navidad

Christmas Eve n Nochebuena f

Christmas pudding n pudín de frutas que se come caliente el día de Navidad

Christmas tree n árbol m de Navidad

chrome [krəʊm] n cromo m

chuck [tʃʌk] n (inf) 1. (throw) tirar 2. (UK) (boyfriend, girlfriend) mandar a paseo, dejar ◆ **chuck away** vt sep tirar

chunk [tʃʌŋk] n trozo m

church [tʃɜːtʃ] n iglesia f ● **to go to church** ir a misa

churchyard ['tʃɜːtʃjɑːd] n cementerio m

chute [ʃuːt] n vertedor m

cider ['saɪdə'] n sidra f

cigar [sɪ'gɑː'] n puro m

cigarette [sɪgə'ret] n cigarrillo m

cigarette lighter n mechero m (Esp), encendedor m

cinema ['sɪnəmə] n cine m

cinnamon ['sɪnəmən] n canela f

circle ['sɜːkl] ⋄ n 1. círculo m 2. (in theatre) anfiteatro m ⋄ vt 1. (draw circle around) rodear con un círculo 2. (move round) dar vueltas alrededor de ⋄ vi dar vueltas

circuit ['sɜːkɪt] n 1. (track) circuito m 2. (lap) vuelta f

circular ['sɜːkjʊlə'] ⋄ adj circular ⋄ n circular f

circulation [ˌsɜːkjʊ'leɪʃn] n 1. (of blood) circulación f 2. (of newspaper, magazine) tirada f

circumstances [ˈsɜːkəmstənsɪz] *npl* circunstancias *fpl* ● **in** OR **under the circumstances** dadas las circunstancias

circus [ˈsɜːkəs] *n* circo *m*

cistern [ˈsɪstən] *n* (of toilet) cisterna *f*

citizen [ˈsɪtɪzn] *n* **1.** (of country) ciudadano *m*, -na *f* **2.** (of town) habitante *mf*

city [ˈsɪtɪ] *n* ciudad *f* ● **the City** (UK) la City

city centre *n* (UK) centro *m* de la ciudad

city council *n* (US) consejo *m* municipal

city hall *n* (US) ayuntamiento *m*

civilian [sɪˈvɪljən] *n* civil *mf*

civilized [ˈsɪvɪlaɪzd] *adj* **1.** (society) civilizado(da) **2.** (person, evening) agradable

civil rights [ˌsɪvl-] *npl* derechos *mpl* civiles

civil servant [ˌsɪvl-] *n* funcionario *m*, -ria *f*

civil service [ˌsɪvl-] *n* administración *f* pública

civil war [ˌsɪvl-] *n* guerra *f* civil

cl [siːˈel] (abbr of **centilitre**) cl (centilitro)

claim [kleɪm] ◇ *n* **1.** (assertion) afirmación *f*, declaración *f* **2.** (demand) demanda *f*, reivindicación *f* **3.** (for insurance) reclamación *f* ◇ *vt* **1.** (allege) afirmar **2.** (demand) reclamar **3.** (credit, responsibility) reivindicar ◇ *vi* (on insurance) reclamar

claimant [ˈkleɪmənt] *n* (of benefit) solicitante *mf*

claim form *n* impreso *m* de solicitud

clam [klæm] *n* almeja *f*

clamp [klæmp] ◇ *n* (UK) (for car) cepo *m* ◇ *vt* (car) poner un cepo a

clap [klæp] *vi* aplaudir

claret [ˈklærət] *n* burdeos *m inv*

clarinet [ˌklærəˈnet] *n* clarinete *m*

clash [klæʃ] ◇ *n* **1.** (noise) estruendo *m* **2.** (confrontation) enfrentamiento *m* ◇ *vi* **1.** (colours) desentonar **2.** (event, date) coincidir

clasp [klɑːsp] ◇ *n* cierre *m* ◇ *vt* agarrar

class [klɑːs] ◇ *n* clase *f* ◇ *vt* ● **to class cocaine as a hard drug** clasificar la cocaína como droga dura

classic [ˈklæsɪk] ◇ *adj* (typical) clásico (ca) ◇ *n* clásico *m*

classical [ˈklæsɪkl] *adj* clásico(ca)

classical music *n* música *f* clásica

classification [ˌklæsɪfɪˈkeɪʃn] *n* clasificación *f*

classified ads [ˌklæsɪfaɪd-] *npl* anuncios *mpl* por palabras

classroom [ˈklɑːsrʊm] *n* aula *f*

claustrophobic [ˌklɔːstrəˈfəʊbɪk] *adj* claustrofóbico(ca)

claw [klɔː] *n* **1.** (of bird, cat, dog) garra *f* **2.** (of crab, lobster) pinza *f*

clay [kleɪ] *n* arcilla *f*

clean [kliːn] ◇ *adj* **1.** limpio(pia) **2.** (page) en blanco **3.** (driving licence) sin sanciones ◇ *vt* limpiar ● **to clean one's teeth** lavarse los dientes

cleaner [ˈkliːnəʳ] *n* **1.** (person) hombre *m* de la limpieza, mujer de la limpieza *f* **2.** (substance) producto *m* de limpieza

cleanse [klenz] *vt* limpiar

cleanser [ˈklenzəʳ] *n* tónico *m*

clear [klɪəʳ] ◇ *adj* **1.** claro(ra) **2.** (road, view, sky) despejado(da) ◇ *vt* **1.** (remove obstructions from) limpiar, despejar **2.**

(jump over) saltar **3.** *(declare not guilty)* declarar inocente **4.** *(authorize)* aprobar **5.** *(cheque)* compensar ◇ *vi (weather, fog)* despejarse ● **to be clear (about sthg)** entender (algo) ● **to be clear of sthg** *(not touching)* no estar en contacto con algo ● **to clear one's throat** carraspear ● **to clear the table** quitar la mesa ◆ **clear up** ◇ *vt sep* **1.** *(room, toys)* ordenar **2.** *(problem, confusion)* aclarar ◇ *vi* **1.** *(weather)* despejarse **2.** *(tidy up)* recoger

clearance ['klɪərəns] *n* **1.** *(authorization)* permiso *m* **2.** *(free distance)* distancia *f* de seguridad **3.** *(for take-off)* autorización *f* (para despegar)

clearing ['klɪərɪŋ] *n* claro *m*

clearly ['klɪəlɪ] *adv* **1.** claramente **2.** *(obviously)* obviamente

clementine ['kleməntaɪn] *n* clementina *f*

clerk [(UK) klɑːk, (US) klɜːrk] *n* **1.** *(in office)* oficinista *mf* **2.** *(US) (in shop)* dependiente *m*, -ta *f*

clever ['klevəʳ] *adj* **1.** *(person)* listo(ta) **2.** *(idea, device)* ingenioso(sa)

click [klɪk] ◇ *n* chasquido *m* ◇ *vi (make sound)* hacer clic

client ['klaɪənt] *n* cliente *m*, -ta *f*

cliff [klɪf] *n* acantilado *m*

climate ['klaɪmɪt] *n* clima *m*

climax ['klaɪmæks] *n* clímax *m inv*

climb [klaɪm] ◇ *vt* **1.** *(tree)* trepar a **2.** *(ladder)* subir **3.** *(mountain)* escalar ◇ *vi* **1.** *(person)* ascender **2.** *(plane)* subir ◆ **climb down** ◇ *vt insep* **1.** *(tree, mountain)* descender de **2.** *(ladder)* bajar ◇ *vi* bajar ◆ **climb up** *vt insep* **1.** *(tree)* trepar a **2.** *(ladder)* subir **3.** *(mountain)* escalar

climber ['klaɪməʳ] *n (person)* escalador *m*, -ra *f*

climbing ['klaɪmɪŋ] *n* montañismo *m* ● **to go climbing** ir de montañismo

climbing frame *n (UK)* barras de metal *para trepar los niños*

clingfilm ['klɪŋfɪlm] *n (UK)* film *m* de plástico adherente

clinic ['klɪnɪk] *n* clínica *f*

clip [klɪp] ◇ *n* **1.** *(fastener)* clip *m* **2.** *(of film, programme)* fragmento *m* ◇ *vt* **1.** *(fasten)* sujetar **2.** *(cut)* recortar **3.** *(ticket)* picar

cloak [kləʊk] *n* capa *f*

cloakroom ['kləʊkrʊm] *n* **1.** *(for coats)* guardarropa *m* **2.** *(UK) (toilet)* servicios *mpl*, baños *mpl*

clock [klɒk] *n* **1.** *(for telling time)* reloj *m* **2.** *(mileometer)* cuentakilómetros *m inv* ● **round the clock** día y noche

clockwise ['klɒkwaɪz] *adv* en el sentido de las agujas del reloj

clog [klɒg] ◇ *n* zueco *m* ◇ *vt* obstruir

close¹ [kləʊs] ◇ *adj* **1.** *(near)* cercano(na) **2.** *(friend)* íntimo(ma) **3.** *(relation, family)* cercano(na) **4.** *(contact, cooperation, link)* estrecho(cha) **5.** *(resemblance)* grande **6.** *(examination)* detallado(da) **7.** *(race, contest)* reñido(da) ◇ *adv* cerca ● **close by** cerca ● **close to** *(near)* cerca de ● **close to tears** a punto de llorar

close² [kləʊz] ◇ *vt* cerrar ◇ *vi* **1.** *(door, jar, eyes)* cerrarse **2.** *(shop, office)* cerrar **3.** *(deadline, offer, meeting)* terminar ◆ **close down** *vt sep* & *vi* cerrar (definitivamente)

closed [kləʊzd] *adj* cerrado(da)

closely ['kləʊslɪ] *adv* **1.** *(related, involved)*

estrechamente **2.** *(follow, examine)* atentamente

closet ['klɒzɪt] *n (US) (cupboard)* armario *m*, closet *m (Amér)*

close-up ['kləʊs-] *n* primer plano *m*

closing time ['kləʊzɪŋ-] *n* hora *f* de cierre

clot [klɒt] *n (of blood)* coágulo *m*

cloth [klɒθ] *n* **1.** *(fabric)* tela *f* **2.** *(piece of cloth)* trapo *m*

clothes [kləʊðz] *npl* ropa *f*

clothesline ['kləʊðzlaɪn] *n* cuerda *f* para tender la ropa

clothes peg *n (UK)* pinza *f* (para la ropa)

clothespin ['kləʊðzpɪn] *(US)* = **clothes peg**

clothes shop *n (UK)* tienda *f* de ropa

clothing ['kləʊðɪŋ] *n* ropa *f*

clotted cream [ˌklɒtɪd-] *n* nata muy espesa típica de Cornualles

cloud [klaʊd] *n* nube *f*

cloudy ['klaʊdɪ] *adj* **1.** *(sky, day)* nublado (da) **2.** *(liquid)* turbio(bia)

clove [kləʊv] *n (of garlic)* diente *m* ◆ **cloves** *npl (spice)* clavos *mpl*

clown [klaʊn] *n* payaso *m*

club [klʌb] *n* **1.** *(organization)* club *m* **2.** *(nightclub)* ≃ sala *f* de fiestas *(abierta sólo por la noche)* **3.** *(stick)* garrote *m* ◆ **clubs** *npl (in cards)* tréboles *mpl*

clubbing ['klʌbɪŋ] *n* ◆ **to go clubbing** *(inf)* ir de disco

club class *n* clase *f* club

club sandwich *n* sandwich *m* de tres pisos

club soda *n (US)* soda *f*

clue [kluː] *n* **1.** *(information)* pista *f* **2.** *(in crossword)* clave *f* ◆ **I haven't got a clue** no tengo ni idea

clumsy ['klʌmzɪ] *adj (person)* torpe

clutch [klʌtʃ] ◇ *n* **1.** *(on car, motorbike)* embrague *m*, clutch *m (Amér)* **2.** *(clutch pedal)* pedal *m* de embrague OR clutch *m (Amér)* ◇ *vt* agarrar

cm [siː'em] *(abbr of* centimetre*)* cm *(centímetro)*

c/o [siː'əʊ] *(abbr of* care of*)* c/d *(en casa de)*

Co. [kəʊ] *(abbr of* company*)* Cía *(compañía)*

coach [kəʊtʃ] *n* **1.** *(UK) (bus)* autocar *m (Esp)*, autobús *m* **2.** *(UK) (of train)* vagón *m* **3.** SPORT entrenador *m*, -ra *f*

coach station *n (UK)* estación *f* de autocares *(Esp)* OR autobuses

coach trip *n (UK)* excursión *f* en autocar *(Esp)* OR autobús

coal [kəʊl] *n* carbón *m*

coal mine *n* mina *f* de carbón

coarse [kɔːs] *adj* **1.** *(rough)* áspero(ra) **2.** *(vulgar)* ordinario(ria)

coast [kəʊst] *n* costa *f*

coaster ['kəʊstə'] *n* posavasos *m inv*

coastguard ['kəʊstɡɑːd] *n* **1.** *(person)* guardacostas *mf inv* **2.** *(organization)* guardacostas *mpl*

coastline ['kəʊstlaɪn] *n* litoral *m*

coat [kəʊt] ◇ *n* **1.** *(garment)* abrigo *m* **2.** *(of animal)* pelaje *m* ◇ *vt* ◆ **to coat sthg (with)** rebozar algo (en)

coat hanger *n* percha *f*

coating ['kəʊtɪŋ] *n* **1.** *(of chocolate)* baño *m* **2.** *(on surface)* capa *f* ◆ **with a coating of breadcrumbs** rebozado en pan rallado

cobbles ['kɒblz] *npl* adoquines *mpl*

cobweb ['kɒbweb] *n* telaraña *f*

Coca-Cola ® [ˌkəʊkə'kəʊlə] *n* Coca-Cola ® *f*

cocaine [kəʊ'keɪn] *n* cocaína *f*

cock [kɒk] *n (male chicken)* gallo *m*

cockles ['kɒklz] *npl* berberechos *mpl*

cockpit ['kɒkpɪt] *n* cabina *f*

cockroach ['kɒkrəʊtʃ] *n* cucaracha *f*

cocktail ['kɒkteɪl] *n* cóctel *m*

cocktail party *n* cóctel *m*

cock-up *n (UK) (inf)* ● to make a cock-up of sthg jorobar algo

cocoa ['kəʊkəʊ] *n (drink)* chocolate *m*

coconut ['kəʊkənʌt] *n* coco *m*

cod [kɒd] *n (pl inv)* bacalao *m*

code [kəʊd] *n* 1. *(system)* código *m* 2. *(dialling code)* prefijo *m*

coeducational [ˌkəʊedjuː'keɪʃənl] *adj* mixto(ta)

coffee ['kɒfɪ] *n* café *m* ● black/white coffee café solo/con leche ● ground/instant coffee café molido/instantáneo

coffee bar *n* cafetería *f (en aeropuerto, etc)*

coffee break *n* descanso en el trabajo, por la mañana y por la tarde

coffeepot ['kɒfɪpɒt] *n* cafetera *f*

coffee shop *n (cafe)* cafetería *f*

coffee table *n* mesita *f* baja

coffin ['kɒfɪn] *n* ataúd *m*

cog(wheel) ['kɒg(wiːl)] *n* rueda *f* dentada

coil [kɔɪl] *n* 1. *(of rope)* rollo *m* 2. *(UK) (contraceptive)* DIU *m* ◇ *vt* enrollar

coin [kɔɪn] *n* moneda *f*

coincide [ˌkəʊɪn'saɪd] *vi* ● to coincide (with) coincidir (con)

coincidence [kəʊ'ɪnsɪdəns] *n* coincidencia *f*

Coke ® [kəʊk] *n* Coca-Cola ® *f*

colander ['kʌləndəʳ] *n* colador *m*

cold [kəʊld] ◇ *adj* frío(a) ◇ *n* 1. *(illness)* resfriado *m* 2. *(low temperature)* frío *m* ● I'm cold tengo frío ● it's cold hace frío ● to get cold enfriarse ● to catch (a) cold resfriarse

cold calling *n* llamadas fpl en frío

cold cuts *(US)* = **cold meats**

cold meats *npl* fiambres *mpl*

coleslaw ['kəʊlslɔː] *n* ensalada de col, zanahoria, cebolla y mayonesa

colic ['kɒlɪk] *n* cólico *m*

collaborate [kə'læbəreɪt] *vi* colaborar

collapse [kə'læps] *vi* 1. *(building, tent)* desplomarse 2. *(person)* sufrir un colapso

collar ['kɒləʳ] *n* 1. *(of shirt, coat)* cuello *m* 2. *(of dog, cat)* collar *m*

collarbone ['kɒləbəʊn] *n* clavícula *f*

colleague ['kɒliːg] *n* colega *mf*

collect [kə'lekt] ◇ *vt* 1. *(gather)* reunir 2. *(as a hobby)* coleccionar 3. *(go and get)* recoger 4. *(money)* recaudar ◇ *vi* acumularse ◇ *adv (US)* ● to call (sb) collect llamar (a alguien) a cobro revertido

collection [kə'lekʃn] *n* 1. colección *f* 2. *(of money)* recaudación *f* 3. *(of mail)* recogida *f*

collector [kə'lektəʳ] *n (as a hobby)* coleccionista *mf*

college ['kɒlɪdʒ] *n* 1. *(school)* instituto *m*, escuela *f* 2. *(UK) (of university)* colegio universitario que forma parte de ciertas universidades **3.** (US) (university) universidad f

collide [kə'laɪd] vi ● **to collide (with)** colisionar (con)

collision [kə'lɪʒn] n colisión f

cologne [kə'ləʊn] n colonia f

Colombia [kə'lɒmbɪə] n Colombia

Colombian [kə'lɒmbɪən] ◇ adj colombiano(na) ◇ n colombiano m, -na f

colon ['kəʊlən] n GRAM dos puntos mpl

colony ['kɒlənɪ] n (country) colonia f

color ['kʌlər] (US) = **colour**

colour ['kʌlə'] ◇ n (UK) color m ◇ adj (photograph, film) en color ◇ vt **1.** (hair) teñir **2.** (food) colorear ● **colour in** vt sep colorear

colour-blind adj daltónico(ca)

colourful ['kʌləfʊl] adj **1.** (picture, garden, scenery) de vivos colores **2.** (fig) (person, place) pintoresco(ca)

colouring ['kʌlərɪŋ] n **1.** (of food) colorante m **2.** (complexion) tez f

colouring book n libro m de colorear

colour supplement n suplemento m en color

colour television n televisión f en color

column ['kɒləm] n columna f

coma ['kəʊmə] n coma m

comb [kəʊm] ◇ n peine m ◇ vt ● **to comb one's hair** peinarse (el pelo)

combination [ˌkɒmbɪ'neɪʃn] n combinación f

combine [kəm'baɪn] vt ● **to combine sthg (with)** combinar algo (con)

come [kʌm] (pt **came**, pp inv) vi **1.** (move) venir ● **we came by taxi** vinimos en taxi ● **come here!** ¡ven

aquí! **2.** (arrive) llegar ● **they still haven't come** todavía no han llegado ▼ **coming soon** próximamente **3.** (in order) **to come first/last** (in race) llegar el primero/el último; (in exam) quedar el primero/el último **4.** (reach) ● **the water comes up to my ankles** el agua me llega hasta los tobillos **5.** (become) ● **to come loose** aflojarse ● **to come undone** deshacerse **6.** (be sold) venir ● **they come in packs of six** vienen en paquetes de seis

● **come across** vt insep encontrarse con

● **come along** vi (progress) ir; (arrive) venir ● **come along!** ¡venga!

● **come apart** vi (book, clothes) deshacerse

● **come back** vi (return) volver

● **come down** vi (price) bajar

● **come down with** vt insep (illness) coger, agarrar (Amér)

● **come from** vt insep (person) ser de; (noise, product) venir de

● **come in** vi (enter) entrar; (arrive) llegar; (tide) crecer ● **come in!** ¡adelante!

● **come off** vi (become detached) desprenderse; (succeed) salir bien

● **come on** vi (progress) ir; (improve) mejorar ● **come on!** ¡venga!

● **come out** vi salir; (film) estrenarse; (stain) quitarse

● **come over** vi (visit) venir

● **come round** vi (visit) venir; (regain consciousness) volver en sí

● **come to** vt insep (subj: bill) ascender a

● **come up** vi (go upstairs) subir; (be mentioned, arise) surgir; (sun, moon) salir

● **come up with** vt insep ● **she came up**

with a brilliant idea se le ocurrió una idea estupenda

comedian [kə'miːdjən] n humorista mf

comedy ['kɒmədɪ] n **1.** (TV programme, film, play) comedia f **2.** (humour) humor m

comfort ['kʌmfət] ◇ n **1.** comodidad f **2.** (consolation) consuelo m ◇ vt consolar

comfortable ['kʌmftəbl] adj **1.** cómodo(da) **2.** (after illness, operation) en estado satisfactorio **3.** (financially) acomodado(da)

comforter ['kʌmfərtər] n (US) edredón m

comic ['kɒmɪk] ◇ adj cómico(ca) ◇ n **1.** (person) humorista mf **2.** (adult magazine) cómic m **3.** (children's magazine) tebeo m (Esp), revista f de historietas

comical ['kɒmɪkl] adj cómico(ca)

comic strip n tira f cómica

comma ['kɒmə] n coma f

command [kə'mɑːnd] ◇ n **1.** (order) orden f **2.** (mastery) dominio m ◇ vt **1.** (order) ordenar **2.** (be in charge of) estar al mando de

commander [kə'mɑːndə^r] n comandante m

commemorate [kə'meməreɪt] vt conmemorar

commence [kə'mens] vi (fml) comenzar

comment ['kɒment] ◇ n comentario m ◇ vi hacer comentarios

commentary ['kɒməntrɪ] n (on TV, radio) comentario m

commentator ['kɒmənteɪtə^r] n (on TV, radio) comentarista mf

commerce ['kɒmɜːs] n comercio m

commercial [kə'mɜːʃl] ◇ adj comercial ◇ n anuncio m (televisivo o radiofónico), comercial m (Amér)

commercial break n pausa f para la publicidad

commission [kə'mɪʃn] n comisión f

commit [kə'mɪt] vt (crime, sin) cometer • to commit o.s. (to sthg) comprometerse a (algo) • to commit suicide suicidarse

committee [kə'mɪtɪ] n comité m

commodity [kə'mɒdətɪ] n producto m

common ['kɒmən] ◇ adj **1.** común **2.** (pej) (vulgar) ordinario(ria) ◇ n (UK) (land) zona de hierba abierta accesible a todo el mundo • in common en común

commonly ['kɒmənlɪ] adv (generally) generalmente

common sense n sentido m común

Commonwealth ['kɒmənwelθ] n Commonwealth f

communal ['kɒmjʊnl] adj comunal

communicate [kə'mjuːnɪkeɪt] vi • to communicate (with) comunicarse (con)

communication [kə,mjuːnɪ'keɪʃn] n comunicación f

communication cord n (UK) alarma f (de un tren o metro)

communist ['kɒmjʊnɪst] n comunista mf

community [kə'mjuːnətɪ] n comunidad f

community centre n centro m social

commute [kə'mjuːt] vi viajar diariamente al lugar de trabajo, especialmente en tren

commuter [kə'mjuːtə^r] n persona que

viaja diariamente al lugar de trabajo, especialmente en tren

compact ◇ *adj* [kəm'pækt] compacto (ta) ◇ *n* ['kɒmpækt] **1.** *(for make-up)* polvera *f* **2.** *(US) (car)* utilitario *m* *(Esp)*, coche *m* de compact

compact disc [ˌkɒmpækt-] *n* disco *m* compacto

compact disc player [ˌkɒmpækt-] *n* compact *m* (disc)

company ['kʌmpəni] *n* compañía *f* ● to keep sb company hacer compañía a alguien

company car *n* coche *m* de la empresa

comparatively [kəm'pærətɪvlɪ] *adv* relativamente

compare [kəm'peə'] *vt* ● to compare sthg (with) comparar algo (con) ● compared with en comparación con

comparison [kəm'pærɪsn] *n* comparación *f* ● in comparison with en comparación con

compartment [kəm'pɑːtmənt] *n* compartimento *m*

compass ['kʌmpəs] *n* brújula *f* ● (a pair of) compasses (un) compás

compatible [kəm'pætəbl] *adj* compatible

compensate ['kɒmpenseɪt] ◇ *vt* compensar ◇ *vi* ● to compensate for sthg compensar algo ● to compensate sb for the damage compensar a alguien por los daños

compensation [ˌkɒmpen'seɪʃn] *n* *(money)* indemnización *f*

compete [kəm'piːt] *vi* competir ● to compete with ten other teams for the cup competir por la copa contra otros diez equipos

competent ['kɒmpɪtənt] *adj* competente

competition [ˌkɒmpɪ'tɪʃn] *n* **1.** SPORT competición *f* *(Esp)*, competencia *f* *(Amér)* **2.** *(of writing, music etc)* concurso *m* **3.** *(rivalry)* competencia *f* ● the competition la competencia

competitive [kəm'petətɪv] *adj* competitivo(va)

competitor [kəm'petɪtə'] *n* **1.** *(in race, contest)* participante *mf* **2.** *(in game show)* concursante *mf* **3.** COMM competidor *m*, -ra *f*

complain [kəm'pleɪn] *vi* ● to complain (about) quejarse (de)

complaint [kəm'pleɪnt] *n* **1.** *(statement)* queja *f* **2.** *(illness)* dolencia *f*

complement ['kɒmplɪˌment] *vt* complementar

complete [kəm'pliːt] ◇ *adj* **1.** *(whole)* completo(ta) **2.** *(finished)* terminado (da) **3.** *(change, disaster)* total **4.** *(idiot)* consumado(da) ◇ *vt* **1.** *(finish)* terminar **2.** *(a form)* rellenar **3.** *(make whole)* completar ● complete with con

completely [kəm'pliːtlɪ] *adv* completamente

complex ['kɒmpleks] ◇ *adj* complejo(ja) ◇ *n* complejo *m*

complexion [kəm'plekʃn] *n* *(of skin)* cutis *m inv*

complicated ['kɒmplɪkeɪtɪd] *adj* complicado(da)

compliment ◇ *n* ['kɒmplɪmənt] cumplido *m* ◇ *vt* ['kɒmplɪment] felicitar

complimentary [ˌkɒmplɪ'mentərɪ] *adj* **1.** *(seat, ticket)* gratuito(ta) **2.** *(words, person)* halagador(ra)

compose [kəm'pəuz] *vt* componer • **to be composed of** estar compuesto de

composed [kəm'pəuzd] *adj* tranquilo (la)

composer [kəm'pəuzə^r] *n* compositor *m*, -ra *f*

composition [ˌkɒmpə'zɪʃn] *n* (essay) redacción *f*

compound ['kɒmpaund] *n* **1.** (substance) compuesto *m* **2.** (word) palabra *f* compuesta

comprehensive [ˌkɒmprɪ'hensɪv] *adj* amplio(plia)

comprehensive (school) *n* (UK) instituto de enseñanza media no selectiva en Gran Bretaña

comprise [kəm'praɪz] *vt* comprender

compromise ['kɒmprəmaɪz] *n* arreglo *m*, acuerdo *m*

compulsory [kəm'pʌlsərɪ] *adj* obligatorio(ria)

computer [kəm'pjuːtə^r] *n* ordenador *m* (Esp), computadora *f* (Amér)

computer game *n* videojuego *m*

computer-generated [-'dʒenəreɪtɪd] *adj* generado(da) por ordenador (Esp) OR computadora (Amér)

computerized [kəm'pjuːtəraɪzd] *adj* informatizado(da)

computer-literate *adj* competente en el uso de ordenadores (Esp) OR computadoras (Amér)

computer operator *n* operador *m*, -ra *f* de ordenador (Esp) OR computadora (Amér)

computer programmer [-'prəugræmə^r] *n* programador *m*, -ra *f* (de ordenadores)

computing [kəm'pjuːtɪŋ] *n* informática *f*

con [kɒn] *n* (inf) (trick) timo *m*, estafa *f* • **all mod cons** (UK) con todas las comodidades

conceal [kən'siːl] *vt* ocultar

conceited [kən'siːtɪd] *adj* (pej) engreído (da)

concentrate ['kɒnsntreɪt] ◇ *vi* concentrarse ◇ *vt* • **to be concentrated** (in one place) concentrarse • **to concentrate on sthg** concentrarse en algo

concentrated ['kɒnsntreɪtɪd] *adj* concentrado(da)

concentration [ˌkɒnsən'treɪʃn] *n* concentración *f*

concern [kən'sɜːn] ◇ *n* **1.** (worry) preocupación *f* **2.** (matter of interest) asunto *m* **3.** COMM empresa *f* ◇ *vt* **1.** (be about) tratar de **2.** (worry) preocupar **3.** (involve) concernir • **to be concerned about** estar preocupado por • **to be concerned with** tratar de • **to concern o.s. with sthg** preocuparse por algo • **as far as I'm concerned** por lo que a mí respecta

concerned [kən'sɜːnd] *adj* preocupado (da)

concerning [kən'sɜːnɪŋ] *prep* acerca de

concert ['kɒnsət] *n* concierto *m*

concession [kən'seʃn] *n* (reduced price) descuento *m*

concise [kən'saɪs] *adj* conciso(sa)

conclude [kən'kluːd] ◇ *vt* (fml) concluir ◇ *vi* (fml) (end) concluir

conclusion [kən'kluːʒn] *n* **1.** (decision) conclusión *f* **2.** (end) final *m*

concrete ['kɒŋkriːt] ◇ *adj* **1.** (building, path) de hormigón, concreto *m* (Amér)

2. (*idea, plan*) concreto(ta) ◇ *n* hormigón *m*

concussion [kənˈkʌʃn] *n* conmoción *f* cerebral

condensation [ˌkɒndenˈseɪʃn] *n* (*on window*) vaho *m*

condition [kənˈdɪʃn] *n* **1.** (*state*) estado *m* **2.** (*proviso*) condición *f* **3.** (*illness*) afección *f* ● **to be out of condition** no estar en forma ● **on condition that a** condición de que ● **conditions** *npl* (*circumstances*) condiciones *fpl*

conditioner [kənˈdɪʃnə] *n* suavizante *m* (*Esp*), enjuague *m* (*Amér*)

condo [ˈkɒndəʊ] (*US*) (*inf*) = **condominium**

condom [ˈkɒndəm] *n* condón *m*

condominium [ˌkɒndəˈmɪnɪəm] *n* (*US*) apartamento *m*, condominio *m* (*Amér*)

conduct ◇ *vt* [kənˈdʌkt] **1.** (*investigation, business*) llevar a cabo **2.** *MUS* dirigir ◇ *n* [ˈkɒndʌkt] (*fml*) conducta *f* ● **to conduct o.s.** (*fml*) comportarse

conductor [kənˈdʌktə] *n* **1.** *MUS* director *m*, -ra *f* **2.** (*on bus*) cobrador *m*, -ra *f* **3.** (*US*) (*on train*) revisor *m*, -ra *f*

cone [kəʊn] *n* **1.** (*shape, on roads*) cono *m* **2.** (*UK*) (*for ice cream*) cucurucho *m*, barquillo *m*

confectioner's sugar [kənˈfekʃnəz-] (*US*) azúcar *m* glas

confectionery [kənˈfekʃnəri] *n* dulces *mpl*

conference [ˈkɒnfərəns] *n* conferencia *f*, congreso *m*

confess [kənˈfes] *vi* ● **to confess (to sthg)** confesar (algo)

confession [kənˈfeʃn] *n* confesión *f*

confidence [ˈkɒnfɪdəns] *n* **1.** (*self-assu-* rance) seguridad *f* (en sí mismo) **2.** (*trust*) confianza *f* ● **to have confidence in** tener confianza en

confident [ˈkɒnfɪdənt] *adj* **1.** (*self-assured*) seguro de sí mismo(segura de sí misma) **2.** (*certain*) seguro(ra)

confined [kənˈfaɪnd] *adj* limitado(da)

confirm [kənˈfɜːm] *vt* confirmar

confirmation [ˌkɒnfəˈmeɪʃn] *n* confirmación *f*

conflict ◇ *n* [ˈkɒnflɪkt] conflicto *m* ◇ *vi* [kənˈflɪkt] ● **to conflict (with)** estar en desacuerdo (con)

conform [kənˈfɔːm] *vi* ● **to conform (to)** ajustarse (a)

confuse [kənˈfjuːz] *vt* confundir ● **to confuse kindness with weakness** confundir amabilidad con debilidad

confused [kənˈfjuːzd] *adj* confuso(sa)

confusing [kənˈfjuːzɪŋ] *adj* confuso(sa)

confusion [kənˈfjuːʒn] *n* confusión *f*

congested [kənˈdʒestɪd] *adj* (*street*) congestionado(da)

congestion [kənˈdʒestʃn] *n* (*traffic*) congestión *f*

congratulate [kənˈɡrætʃʊleɪt] *vt* ● **to congratulate the team on its success** felicitar al equipo por su éxito

congratulations [kənˌɡrætʃʊˈleɪʃənz] *excl* ¡enhorabuena!

congregate [ˈkɒnɡrɪɡeɪt] *vi* congregarse

Congress [ˈkɒnɡres] *n* (*US*) el Congreso

Congress

El Congreso estadounidense está formado por dos cámaras: el Senado (o Cámara Alta) y la Cámara de

Representantes. Su sede es el Capitolio, en Washington. Cada estado elige dos senadores. La Cámara de Representantes tiene 435 diputados. Para que una ley sea aprobada, tiene que pasar por las dos cámaras.

conifer ['kɒnɪfə^r] *n* conífera *f*

conjunction [kən'dʒʌŋkʃn] *n* GRAM conjunción *f*

conjurer ['kʌndʒərə^r] *n* prestidigitador *m*, -ra *f*

connect [kə'nekt] ◇ *vt* **1.** conectar **2.** *(caller on phone)* comunicar, poner ◇ *vi* ● to connect with *(train, plane)* enlazar con ● to connect one event with another *(associate)* relacionar un acontecimiento con otro

connecting flight [kə'nektɪŋ-] *n* vuelo *m* de enlace

connection [kə'nekʃn] *n* **1.** *(link)* conexión *f* **2.** *(train, plane)* enlace *m* ● a bad connection *(on phone)* mala línea ● a loose connection *(in machine)* un hilo suelto ● in connection with con relación a

conquer ['kɒŋkə^r] *vt* conquistar

conscience ['kɒnʃəns] *n* conciencia *f*

conscientious [ˌkɒnʃɪ'enʃəs] *adj* concienzudo(da)

conscious ['kɒnʃəs] *adj* **1.** *(awake)* consciente **2.** *(deliberate)* deliberado(da) ● to be conscious of ser consciente de

consent [kən'sent] *n* consentimiento *m*

consequence ['kɒnsɪkwəns] *n (result)* consecuencia *f*

consequently ['kɒnsɪkwəntlɪ] *adv* por consiguiente

conservation [ˌkɒnsə'veɪʃn] *n* conservación *f*

conservative [kən'sɜːvətɪv] *adj* conservador(ra) ◆ **Conservative** ◇ *adj* conservador(ra) ◇ *n* conservador *m*, -ra *f*

conservatory [kən'sɜːvətrɪ] *n pequeña habitación acristalada aneja a la casa*

consider [kən'sɪdə^r] *vt* considerar ● to consider doing sthg pensarse si hacer algo

considerable [kən'sɪdrəbl] *adj* considerable

consideration [kən,sɪdə'reɪʃn] *n* consideración *f* ● to take sthg into consideration tener algo en cuenta

considering [kən'sɪdərɪŋ] *prep* teniendo en cuenta

consist [kən'sɪst] ◆ **consist in** *vt insep* consistir en ◆ **consist of** *vt insep* consistir en

consistent [kən'sɪstənt] *adj* **1.** *(coherent)* coherente **2.** *(worker, performance)* constante

consolation [ˌkɒnsə'leɪʃn] *n* consuelo *m*

console ['kɒnsəʊl] *n* consola *f*

consonant ['kɒnsənənt] *n* consonante *f*

conspicuous [kən'spɪkjʊəs] *adj* visible

constable ['kʌnstəbl] *n (UK)* policía *mf*

constant ['kɒnstənt] *adj* constante

constantly ['kɒnstəntlɪ] *adv (all the time)* constantemente

constipated ['kɒnstɪpeɪtɪd] *adj* estreñido(da)

constitution [ˌkɒnstɪ'tjuːʃn] *n (health)* constitución *f*

construct [kən'strʌkt] *vt* construir

construction [kən'strʌkʃn] *n* construcción *f* ▼ under construction en construcción

consul ['kɒnsəl] *n* cónsul *mf*

consulate ['kɒnsjʊlət] *n* consulado *m*

consult [kən'sʌlt] *vt* consultar

consultant [kən'sʌltənt] *n* (UK) (doctor) especialista *mf*

consume [kən'sju:m] *vt* consumir

consumer [kən'sju:mə'] *n* consumidor *m*, -ra *f*

contact ['kɒntækt] ◇ *n* contacto *m* ◇ *vt* ponerse en contacto con ● in contact with en contacto con

contact lens *n* lentilla *f* (Esp), lente *m* de contacto (Amér)

contagious [kən'teɪdʒəs] *adj* contagioso (sa)

contain [kən'teɪn] *vt* contener

container [kən'teɪnə'] *n* (box etc) envase *m*

contaminate [kən'tæmɪneɪt] *vt* contaminar

contemporary [kən'tempərəri] ◇ *adj* contemporáneo(a) ◇ *n* contemporáneo *m*, -a *f*

contend [kən'tend] ● contend with *vt insep* afrontar

content ◇ *adj* [kən'tent] contento(ta) ◇ *n* ['kɒntent] (of vitamins, fibre etc) contenido *m* ● contents *npl* 1. (things inside) contenido *m* 2. (at beginning of book) índice *m* (de materias)

contest ◇ *n* ['kɒntest] 1. (competition) competición *f*, concurso *m* 2. (struggle) contienda *f* ◇ *vt* [kən'test] 1. (election, seat) presentarse como candidato a 2. (decision, will) impugnar

context ['kɒntekst] *n* contexto *m*

continent ['kɒntɪnənt] *n* continente *m* ● the Continent (UK) la Europa continental

continental [,kɒntɪ'nentl] *adj* (UK) (European) de la Europa continental

continental breakfast *n* desayuno *m* continental

continental quilt *n* (UK) edredón *m*

continual [kən'tɪnjʊəl] *adj* continuo (nua)

continually [kən'tɪnjʊəlɪ] *adv* continuamente

continue [kən'tɪnju:] *vt & vi* continuar ● to continue doing sthg continuar haciendo algo ● to continue with sthg continuar con algo

continuous [kən'tɪnjʊəs] *adj* continuo (nua)

continuously [kən'tɪnjʊəslɪ] *adv* continuamente

contraception [,kɒntrə'sepʃn] *n* anticoncepción *f*

contraceptive [,kɒntrə'septɪv] *n* anticonceptivo *m*

contract ◇ *n* ['kɒntrækt] contrato *m* ◇ *vt* [kən'trækt] (fml) (illness) contraer

contradict [,kɒntrə'dɪkt] *vt* contradecir

contrary ['kɒntrərɪ] *n* ● on the contrary al contrario

contrast ◇ *n* ['kɒntrɑ:st] contraste *m* ◇ *vt* [kən'trɑ:st] contrastar ● in contrast to a diferencia de

contribute [kən'trɪbju:t] ◇ *vt* (help, money) contribuir ◇ *vi* ● to contribute to contribuir a

contribution [,kɒntrɪ'bju:ʃn] *n* contribución *f*

control [kən'trəʊl] ◇ *n* control *m* ◇ *vt* 1.

controlar 2. *(restrict)* restringir ● **to be in control** estar al mando ● **out of control** fuera de control ● **under control** bajo control ● **controls** *npl* 2. *(of plane)* mandos *mpl*

control tower *n* torre *f* de control

controversial [ˌkɒntrə'vɜ:ʃl] *adj* controvertido(da)

convenience [kən'vi:njəns] *n* 1. *(convenient nature)* conveniencia *f* 2. *(convenient thing)* comodidad *f* ● **at your convenience** cuando le venga bien

convenient [kən'vi:njənt] *adj* 1. *(suitable)* conveniente 2. *(well-situated)* bien situado(da) ● **would tomorrow be convenient?** ¿le viene bien mañana?

convent ['kɒnvənt] *n* convento *m*

conventional [kən'venʃənl] *adj* convencional

conversation [ˌkɒnvə'seɪʃn] *n* conversación *f*

conversion [kən'vɜ:ʃn] *n* 1. *(change)* conversión *f* 2. *(to building)* reforma *f*

convert [kən'vɜ:t] *vt* convertir ● **to convert sthg into** convertir algo en

converted [kən'vɜ:tɪd] *adj* *(barn, loft)* acondicionado(da)

convertible [kən'vɜ:təbl] *n* descapotable *m*, convertible *m* *(Amér)*

convey [kən'veɪ] *vt* 1. *(fml) (transport)* transportar 2. *(idea, impression)* transmitir

convict ◇ *n* ['kɒnvɪkt] presidiario *m*, -ria *f* ◇ *vt* [kən'vɪkt] ● **to convict sb (of)** declarar a alguien culpable (de)

convince [kən'vɪns] *vt* ● **to convince sb of the truth** convencer a alguien de la verdad ● **to convince sb to do sthg** convencer a alguien para que haga algo

convoy ['kɒnvɔɪ] *n* convoy *m*

cook [kʊk] ◇ *n* cocinero *m*, -ra *f* ◇ *vt* 1. *(meal)* preparar 2. *(food)* cocinar, guisar ◇ *vi* 1. *(person)* cocinar, guisar 2. *(food)* cocerse, hacerse

cookbook ['kʊk,bʊk] = **cookery book**

cooker ['kʊkə'] *n* *(UK)* cocina *f (aparato)*, estufa *f (Col & Méx)*

cookery ['kʊkəri] *n* cocina *f (arte)*

cookery book *n* *(UK)* libro *m* de cocina

cookie ['kʊki] *n* 1. *(US)* galleta *f* 2. *COMPUT* cookie *m*

cooking ['kʊkɪŋ] *n* cocina *f*

cooking apple *n* manzana *f* para asar

cooking oil *n* aceite *m* para cocinar

cool [ku:l] ◇ *adj* 1. *(temperature)* fresco (ca) 2. *(calm)* tranquilo(la) 3. *(unfriendly)* frío(a) 4. *(inf) (great)* chachi *(Esp)*, sensacional ◇ *vt* refrescar ● **cool down** *vi* 1. *(become colder)* enfriarse 2. *(become calmer)* calmarse

cooperate [kəʊ'ɒpəreɪt] *vi* cooperar

cooperation [kəʊ,ɒpə'reɪʃn] *n* cooperación *f*

cooperative [kəʊ'ɒpərətɪv] *adj* dispuesto(ta)a cooperar

coordinates [kəʊ'ɔ:dɪnəts] *npl* *(clothes)* conjuntos *mpl*

cope [kəʊp] *vi* ● **to cope with** *(problem, situation)* hacer frente a; *(work)* poder con

copilot ['kəʊ,paɪlət] *n* copiloto *mf*

copper ['kɒpə'] *n* 1. *(metal)* cobre *m*

copy ['kɒpi] ◇ *n* 1. copia *f* 2. *(of newspaper, book)* ejemplar *m* ◇ *vt* 1.

(duplicate) hacer una copia de **2.** *(imitate)* copiar

cord(uroy) [ˈkɔːd(ərɔɪ)] *n* pana *f*

core [kɔːʳ] *n (of fruit)* corazón *m*

coriander [ˌkɒrɪˈændəʳ] *n* cilantro *m*

cork [kɔːk] *n (in bottle)* corcho *m*

corkscrew [ˈkɔːkskruː] *n* sacacorchos *m inv*

corn [kɔːn] *n* **1.** *(UK) (crop)* cereal *m* **2.** *(US) (maize)* maíz *m* **3.** *(on foot)* callo *m*

corned beef [ˌkɔːnd-] *n* carne de vaca cocinada y enlatada

corner [ˈkɔːnəʳ] *n* **1.** *(outside angle, bend in road)* esquina *f* **2.** *(inside angle)* rincón *m* **3.** *(in football)* córner *m* • **it's just around the corner** está a la vuelta de la esquina

corner shop *n (UK)* pequeña tienda de ultramarinos de barrio

cornflakes [ˈkɔːnfleɪks] *npl* copos *mpl* de maíz

corn-on-the-cob [-ˈkɒb] *n* mazorca *f*

corporal [ˈkɔːpərəl] *n* cabo *mf*

corpse [kɔːps] *n* cadáver *m*

correct [kəˈrekt] *adj* correcto(ta) ◇ *vt* corregir

correction [kəˈrekʃn] *n* corrección *f*

correspond [ˌkɒrɪˈspɒnd] *vi* • **to correspond (to)** *(match)* concordar (con) • **to correspond (with)** *(exchange letters)* cartearse (con)

corresponding [ˌkɒrɪˈspɒndɪŋ] *adj* correspondiente

corridor [ˈkɒrɪdɔːʳ] *n* pasillo *m*

corrugated iron [ˈkɒrəgeɪtɪd-] *n* chapa *f* ondulada

corrupt [kəˈrʌpt] *adj* corrupto(ta)

cosmetics [kɒzˈmetɪks] *npl* cosméticos *mpl*

cost [kɒst] *(pt & pp inv)* ◇ *n* coste *m* ◇ *vt* costar • **how much does it cost?** ¿cuánto cuesta?

Costa Rica [ˌkɒstəˈriːkə] *n* Costa Rica

Costa Rican [ˌkɒstəˈriːkən] ◇ *adj* costarricense ◇ *n* costarricense *mf*

costly [ˈkɒstlɪ] *adv (expensive)* costoso(sa)

costume [ˈkɒstjuːm] *n* traje *m*

cosy [ˈkəʊzɪ] *adj (UK) (room, house)* acogedor(ra)

cot [kɒt] *n* **1.** *(UK) (for baby)* cuna *f* **2.** *(US) (camp bed)* cama *f* plegable

cottage [ˈkɒtɪdʒ] *n* casita *f* de campo

cottage cheese *n* requesón *m*

cottage pie *n (UK)* pastel de carne de vaca picada y cebollas con una capa de puré de patatas cocinado al horno

cotton [ˈkɒtn] ◇ *adj (dress, shirt)* de algodón ◇ *n* **1.** *(cloth)* algodón *m* **2.** *(thread)* hilo *m* (de algodón)

cotton wool *n (UK)* algodón *m* (hidrófilo)

couch [kaʊtʃ] *n* **1.** *(sofa)* sofá *m* **2.** *(at doctor's)* camilla *f*

couchette [kuːˈʃet] *n* **1.** *(bed on train)* litera *f* **2.** *(seat on ship)* butaca *f*

cough [kɒf] ◇ *n* tos *f* ◇ *vi* toser • **have a cough** tener tos

cough mixture *n (UK)* jarabe *m* para la tos

could [kʊd] *pt* ➤ **can**

couldn't [ˈkʊdnt] = **could not**

could've [ˈkʊdəv] = **could have**

council [ˈkaʊnsl] *n* **1.** *(of town)* ayuntamiento *m* **2.** *(of county)* ≈ diputación *f* **3.** *(organization)* consejo *m*

council house *n* *(UK)* ≃ casa *f* de protección oficial

councillor ['kaʊnsələʳ] *n* *(UK)* concejal *mf*

council tax *n* *(UK)* ≃ contribución *f* urbana

count [kaʊnt] ◇ *vt* & *vi* contar ◇ *n* *(nobleman)* conde *m* ◆ **count on** *vt insep* contar con

counter ['kaʊntəʳ] *n* **1.** *(in shop)* mostrador *m* **2.** *(in bank)* ventanilla *f* **3.** *(in board game)* ficha *f*

counterclockwise [ˌkaʊntə'klɒkwaɪz] *adv* *(US)* en sentido opuesto a las agujas del reloj

counterfoil ['kaʊntəfɔɪl] *n* matriz *f* *(Esp)*, talón *m* *(Amér)*

countess ['kaʊntɪs] *n* condesa *f*

country ['kʌntrɪ] ◇ *n* **1.** *(state)* país *m* **2.** *(countryside)* campo *m* **3.** *(population)* pueblo *m* ◇ *adj* campestre

country and western *n* música *f* country

country house *n* casa *f* de campo

country road *n* camino *m* vecinal

countryside ['kʌntrɪsaɪd] *n* campo *m*

county ['kaʊntɪ] *n* **1.** *(in Britain)* condado *m* **2.** *(in US)* división administrativa de un estado en EEUU

couple ['kʌpl] *n* pareja *f* ◆ **a couple (of)** un par (de)

coupon ['ku:pɒn] *n* cupón *m*

courage ['kʌrɪdʒ] *n* valor *m*

courgette [kɔː'ʒet] *n* *(UK)* calabacín *m*

courier ['kʊrɪəʳ] *n* **1.** *(for holidaymakers)* guía *mf* **2.** *(for delivering letters)* mensajero *m*, -ra *f*

course [kɔːs] *n* **1.** curso *m* **2.** *(of meal)* plato *m* **3.** *(of treatment, injections)* tratamiento *m* **4.** *(for golf)* campo *m* (de golf) ◆ **of course** por supuesto, claro ◆ **of course not** claro que no ◆ **in the course of** en el curso de

court [kɔːt] *n* **1.** LAW *(building, room)* juzgado *m* **2.** SPORT cancha *f* **3.** *(of king, queen)* corte *f*

court shoes *npl* *(UK)* zapatos *de señora de tacón alto y sin adornos*

courtyard ['kɔːtjɑːd] *n* patio *m*

cousin ['kʌzn] *n* primo *m*, -ma *f*

cover ['kʌvəʳ] ◇ *n* **1.** *(soft covering)* funda *f* **2.** *(lid)* tapa *f* **3.** *(of book, magazine)* cubierta *f* **4.** *(blanket)* manta *f* **5.** *(insurance)* cobertura *f* ◇ *vt* **1.** cubrir **2.** *(travel)* recorrer **3.** *(apply to)* afectar **4.** *(discuss)* abarcar ◆ **to be covered in** estar cubierto de ◆ **to cover the body with a blanket** cubrir el cuerpo con una manta ◆ **to take cover** refugiarse ◆ **cover up** *vt sep* **1.** *(put chest on)* cubrir **2.** *(facts, truth)* encubrir

cover charge *n* precio *m* del cubierto

cover note *n* *(UK)* póliza *f* provisional

cow [kaʊ] *n* vaca *f*

coward ['kaʊəd] *n* cobarde *mf*

cowboy ['kaʊbɔɪ] *n* vaquero *m*

crab [kræb] *n* cangrejo *m*

crack [kræk] ◇ *n* **1.** *(in cup, glass, wood)* grieta *f* **2.** *(gap)* rendija *f* ◇ *vt* **1.** *(cup, glass, wood)* agrietar, rajar **2.** *(nut, egg)* cascar **3.** *(inf)* *(joke)* contar **4.** *(whip)* chasquear ◇ *vi* agrietarse, rajarse

cracker ['krækəʳ] *n* **1.** *(biscuit)* galleta *f* salada **2.** *(UK)* *(for Christmas)* tubo con sorpresa típico de Navidades que produ-

ce un pequeño restallido al ser abierto

cradle ['kreɪdl] n cuna f

craft [krɑːft] n 1. *(skill, trade)* oficio m 2. *(boat: pl inv)* embarcación f

craftsman ['krɑːftsmən] *(pl* **-men)** n artesano m

cram [kræm] vt ● to cram sthg into embutir algo en ● to be crammed with estar atestado de

cramp [kræmp] n calambres mpl ● stomach cramps retortijones mpl

cranberry ['krænbəri] n arándano m (agrio)

cranberry sauce n salsa de arándanos agrios que se suele comer con pavo

crane [kreɪn] n *(machine)* grúa f

crap [kræp] ◇ adj *(vulg)* de mierda ◇ n *(vulg) (excrement)* mierda f

crash [kræʃ] ◇ n 1. *(accident)* colisión f 2. *(noise)* estruendo m ◇ vt *(car)* estrellar ◇ vi 1. *(two vehicles)* chocar 2. *(into wall, ground)* estrellarse ● **crash into** vt insep estrellarse contra

crash helmet n casco m protector

crash landing n aterrizaje m forzoso

crate [kreɪt] n caja f *(para embalaje o transporte)*

crawl [krɔːl] ◇ vi 1. *(baby)* gatear 2. *(person, insect)* arrastrarse 3. *(traffic)* ir a paso de tortuga ◇ n *(swimming stroke)* crol m

crayfish ['kreɪfɪʃ] *(pl inv)* n 1. *(freshwater)* cangrejo m de río 2. *(sea)* cigala f

crayon ['kreɪɒn] n 1. lápiz m de color 2. *(wax)* lápiz m de cera

craze [kreɪz] n moda f

crazy ['kreɪzi] adj loco(ca) ● to be crazy about estar loco por

crazy golf n *(UK)* minigolf m, golfito m *(Amér)*

cream [kriːm] ◇ n 1. *(food)* nata f *(Esp)*, crema f *(Amér)* 2. *(for face, burns)* crema f ◇ adj *(in colour)* crema *(inv)*

cream cheese n queso m cremoso *(Esp)*, queso m crema *(Amér)*

cream tea n *(UK)* merienda de té con bollos, nata cuajada y mermelada

creamy ['kriːmi] adj cremoso(sa)

crease [kriːs] n arruga f

creased [kriːst] adj arrugado(da)

create [kriːˈeɪt] vt 1. *(make)* crear 2. *(impression, interest)* producir

creative [kriːˈeɪtɪv] adj creativo(va)

creature ['kriːtʃəʳ] n criatura f

crèche [kreʃ] n *(UK)* guardería f

credit ['kredɪt] n 1. *(praise)* mérito m 2. *(money, for studies)* crédito m ● to be in credit estar con saldo acreedor ● **credits** npl *(of film)* rótulos mpl de crédito, créditos mpl

credit card n tarjeta f de crédito ● to pay by credit card pagar con tarjeta de crédito ▾ all major credit cards accepted se aceptan las principales tarjetas de crédito

creek [kriːk] n 1. *(inlet)* cala f 2. *(US) (river)* riachuelo m

creep [kriːp] *(pt & pp* **crept)** ◇ vi arrastrarse ◇ n *(inf) (groveller)* pelotillero m, -ra f *(Esp)*, adulador m, -ra f

cremate [krɪˈmeɪt] vt incinerar

crematorium [ˌkreməˈtɔːrɪəm] n crematorio m

crepe [kreɪp] n *(thin pancake)* crepe f

crept [krept] pt & pp ➤ creep

cress [kres] n berro m

crest [krest] *n* **1.** *(of hill)* cima *f* **2.** *(of wave)* cresta *f* **3.** *(emblem)* blasón *m*

crew [kru:] *n (of ship, plane)* tripulación *f*

crew neck *n* cuello *m* redondo

crib [krɪb] *n (US) (cot)* cuna *f*

cricket ['krɪkɪt] *n* **1.** *(game)* críquet *m* **2.** *(insect)* grillo *m*

crime [kraɪm] *n* **1.** *(serious offence)* crimen *m* **2.** *(less serious offence)* delito *m* **3.** *(illegal activity)* delincuencia *f*

criminal ['krɪmɪnl] ◇ *adj* criminal ◇ *n* **1.** *(serious)* criminal *mf* **2.** *(less serious)* delincuente *mf* ● **criminal offence** delito *m*

cripple ['krɪpl] ◇ *vt* dejar inválido

crisis ['kraɪsɪs] *(pl* **crises***) n* crisis *f*

crisp [krɪsp] *adj* crujiente ● **crisps** *npl (UK)* patatas *fpl (Esp)* OR papas *fpl (Amér)* fritas *(de bolsa)*

crispy ['krɪspɪ] *adj* crujiente

critic ['krɪtɪk] *n (reviewer)* crítico *m*, -ca *f*

critical ['krɪtɪkl] *adj* **1.** crítico(ca) **2.** *(very serious, dangerous)* grave

criticize ['krɪtɪsaɪz] *vt* criticar

crockery ['krɒkərɪ] *n* vajilla *f*

crocodile ['krɒkədaɪl] *n* cocodrilo *m*

crocus ['krəʊkəs] *(pl* **-es***) n* azafrán *m (flor)*

crooked ['krʊkɪd] *adj* torcido(da)

crop [krɒp] *n* **1.** *(kind of plant)* cultivo *m* **2.** *(harvest)* cosecha *f* ● **crop up** *vi* surgir

cross [krɒs] ◇ *adj* enfadado(da) ◇ *n* **1.** cruz *f* **2.** *(mixture)* mezcla *f* ◇ *vt* cruzar ◇ *vi* cruzarse ● **cross out** *vt sep* tachar

cross over *vt insep* cruzar

crossbar ['krɒsbɑːʳ] *n* **1.** *(of goal)* larguero *m* **2.** *(of bicycle)* barra *f*

cross-Channel ferry *n* ferry que hace la travesía del Canal de la Mancha

cross-country (running) *n* cross *m*

crossing ['krɒsɪŋ] *n* **1.** *(on road)* cruce *m* **2.** *(sea journey)* travesía *f*

crossroads ['krɒsrəʊdz] *(pl inv)* cruce *m*

crosswalk ['krɒswɔːk] *n (US)* paso *m (Esp)* OR cruce *m (Amér)* de peatones

crossword (puzzle) ['krɒswɜːd-] *n* crucigrama *m*

crotch [krɒtʃ] *n* entrepierna *f*

crouton ['kruːtɒn] *n* cuscurro *m*, crutón *m*

crow [krəʊ] *n* cuervo *m*

crowbar ['krəʊbɑːʳ] *n* palanca *f*

crowd [kraʊd] *n* **1.** *(large group of people)* multitud *f* **2.** *(at match)* público *m*

crowded ['kraʊdɪd] *adj* atestado(da)

crown [kraʊn] *n* **1.** corona *f* **2.** *(of head)* coronilla *f*

Crown Jewels *npl* joyas de la corona británica

crucial ['kruːʃl] *adj* crucial

crude [kruːd] *adj* **1.** *(rough)* tosco(ca) **2.** *(rude)* ordinario(ria)

cruel [krʊəl] *adj* cruel

cruelty ['krʊəltɪ] *n* crueldad *f*

cruet (set) ['kruːɪt-] *n* vinagreras *fpl*

cruise [kruːz] ◇ *n* crucero *m* ◇ *vi (car, plane, ship)* ir a velocidad de crucero

cruiser ['kruːzəʳ] *n* crucero *m*

crumb [krʌm] *n* miga *f*

crumble ['krʌmbl] ◇ *n (UK)* compota de fruta cubierta con una masa de harina, azúcar y mantequilla que se sirve caliente ◇ *vi* **1.** *(building, cliff)* desmoronarse **2.** *(cheese)* desmenuzarse

crumpet ['krʌmpɪt] n (UK) *bollo que se come tostado y con mantequilla*

crunchy ['krʌntʃi] adj crujiente

crush [krʌʃ] vt **1.** *(flatten)* aplastar **2.** *(garlic, ice)* triturar

crust [krʌst] n corteza f

crusty ['krʌsti] adj crujiente

crutch [krʌtʃ] n **1.** *(stick)* muleta f **2.** (UK) *(between legs)* = **crotch**

cry [kraɪ] ◇ n grito m ◇ vi **1.** *(weep)* llorar **2.** *(shout)* gritar ◆ **cry out** vi gritar

crystal ['krɪstl] n cristal m

cub [kʌb] n *(animal)* cachorro m

Cuba ['kjuːbə] n Cuba

Cuban ['kjuːbən] ◇ adj cubano(na) ◇ n cubano m, -na f

cube [kjuːb] n **1.** *(shape)* cubo m **2.** *(of sugar)* terrón m **3.** *(of ice)* cubito m

cubicle ['kjuːbɪkl] n **1.** *(at swimming pool)* caseta f **2.** *(in shop)* probador m

Cub (Scout) n *explorador de entre 8 y 11 años*

cuckoo ['kuku:] n cuclillo m

cucumber ['kjuːkʌmbə'] n pepino m

cuddle ['kʌdl] n abrazo m

cuddly toy ['kʌdli-] n (UK) muñeco m de peluche

cue [kjuː] n *(in snooker, pool)* taco m

cuff [kʌf] n **1.** *(of sleeve)* puño m **2.** (US) *(of trousers)* vuelta f

cuff links npl gemelos mpl

cuisine [kwɪˈziːn] n cocina f

cul-de-sac ['kʌldəsæk] n callejón m sin salida

cult [kʌlt] ◇ n culto m ◇ adj de culto

cultivate ['kʌltɪveɪt] vt cultivar

cultivated ['kʌltɪveɪtɪd] adj *(person)* culto(ta)

cultural ['kʌltʃərəl] adj cultural

culture ['kʌltʃə'] n cultura f

cumbersome ['kʌmbəsəm] adj aparatoso(sa)

cumin ['kjuːmɪn] n comino m

cunning ['kʌnɪŋ] adj astuto(ta)

cup [kʌp] n **1.** *(for drinking, cupful)* taza f **2.** *(trophy, competition, of bra)* copa f

cupboard ['kʌbəd] n armario m

curator [ˌkjuə'reɪtə'] n director m, -ra f *(de museo, biblioteca, etc)*

curb [kɜːb] (US) = **kerb**

curd cheese [ˌkɜːd-] n requesón m

cure [kjuə'] ◇ n cura f ◇ vt curar

curious ['kjuəriəs] adj curioso(sa)

curl [kɜːl] ◇ n *(of hair)* rizo m ◇ vt *(hair)* rizar

curler ['kɜːlə'] n rulo m

curly ['kɜːli] adj rizado(da)

currant ['kʌrənt] n pasa f de Corinto

currency ['kʌrənsi] n *(money)* moneda f

current ['kʌrənt] ◇ adj actual ◇ n corriente f

current account n (UK) cuenta f corriente

current affairs npl temas mpl de actualidad

currently ['kʌrəntli] adv actualmente

curriculum [kə'rɪkjələm] n temario m, plan m de estudios

curriculum vitae [-'viːtaɪ] n (UK) currículum m (vitae)

curried ['kʌrɪd] adj al curry

curry ['kʌri] n curry m

curse [kɜːs] vi maldecir

cursor ['kɜːsə'] n cursor m

curtain ['kɜːtn] n **1.** *(in house)* cortina f **2.** *(in theatre)* telón m

curve [kɜːv] ◇ n curva f ◇ vi torcer

curved [kɜːvd] adj curvo(va)

cushion [ˈkʊʃn] n cojín m

custard [ˈkʌstəd] n natillas fpl

custom [ˈkʌstəm] n (tradition) costumbre f ▼ thank you for your custom gracias por su visita

customary [ˈkʌstəmrɪ] adj habitual

customer [ˈkʌstəmə'] n (of shop) cliente m, -ta f

customer services n (department) servicio m de atención al cliente

customs [ˈkʌstəmz] n aduana f ● to go through customs pasar por la aduana

customs duty n derechos mpl de aduana

customs officer n empleado m, -da f de aduana

cut [kʌt] (pt & pp inv) ◇ n 1. corte m 2. (reduction) reducción f, recorte m ◇ vt 1. cortar 2. (reduce) reducir ◇ vi (knife, scissors) cortar ● cut and blow-dry corte y peinado ● to cut one's finger cortarse el dedo ● to cut one's nails cortarse las uñas ● to cut o.s. cortarse ● to have one's hair cut cortarse el pelo ● to cut the grass cortar el césped ● to cut sthg open abrir algo (cortándolo) ◆ cut back vi ● to cut back on sthg reducir algo ◆ cut down vt sep (tree) talar ◆ cut down on vt insep ● to cut down on sweets comer menos golosinas ◆ cut off vt sep (remove, disconnect) cortar ● I've been cut off (on phone) me han desconectado ● to be cut off (isolated) estar aislado ◆ cut out ◇ vt sep (newspaper article, photo) recortar ◇ vi (engine) calarse (Esp),

pararse ● to cut out smoking dejar de fumar ● cut it out! (inf) ¡basta ya! ◆ cut up vt sep desmenuzar

cute [kjuːt] adj mono(na)

cut-glass adj de cristal labrado

cutlery [ˈkʌtlərɪ] n cubertería f

cutlet [ˈkʌtlɪt] n 1. (of meat) chuleta f 2. (of nuts, vegetables) ≃ croqueta f

cut-price adj de oferta

cutting [ˈkʌtɪŋ] n (UK) (from newspaper) recorte m

CV [siːˈviː] n (UK) (abbr of curriculum vitae) CV m (currículum vitae)

cwt abbr = hundredweight

cycle [ˈsaɪkl] ◇ n 1. (bicycle) bicicleta f 2. (series) ciclo m ◇ vi ir en bicicleta

cycle hire n alquiler m de bicicletas

cycle lane n carril-bici m

cycle path n camino m para bicicletas

cycling [ˈsaɪklɪŋ] n ciclismo m ● to go cycling ir en bicicleta

cycling shorts npl pantalones mpl de ciclista

cyclist [ˈsaɪklɪst] n ciclista mf

cylinder [ˈsɪlɪndə'] n 1. (container) bombona f (Esp), tanque m 2. (in engine) cilindro m

cynical [ˈsɪnɪkl] adj cínico(ca)

Czech [tʃek] ◇ adj checo(ca) ◇ n 1. (person) checo m, -ca f 2. (language) checo m

Czech Republic n ● the Czech Republic la República Checa

dab [dæb] *vt (ointment, cream)* aplicar una pequeña cantidad de

dad [dæd] *n (inf)* papá *m*

daddy [ˈdædɪ] *n (inf)* papá *m*

daddy longlegs [-ˈlɒŋlegz] *(pl inv) n* típula *f*

daffodil [ˈdæfədɪl] *n* narciso *m*

daft [dɑːft] *adj (UK) (inf)* tonto(ta)

daily [ˈdeɪlɪ] ◇ *adj* diario(ria) ◇ *adv* diariamente ◇ *n* ● a daily (newspaper) un diario

dairy [ˈdeərɪ] *n* **1.** *(on farm)* vaquería *f* **2.** *(shop)* lechería *f*

dairy product *n* producto *m* lácteo

daisy [ˈdeɪzɪ] *n* margarita *f*

dam [dæm] *n* presa *f*

damage [ˈdæmɪdʒ] ◇ *n* **1.** *(physical harm)* daño *m* **2.** *(fig) (to reputation, chances)* perjuicio *m* ◇ *vt* **1.** *(house, car)* dañar **2.** *(back, leg)* hacerse daño en, lastimarse *(Amér)* **3.** *(fig) (reputation, chances)* perjudicar

damn [dæm] ◇ *excl (inf)* ¡maldita sea! ◇ *adj (inf)* maldito(ta) ◇ *n* ● I don't give a damn me importa un rábano

damp [dæmp] ◇ *adj* húmedo(da) ◇ *n* humedad *f*

dance [dɑːns] ◇ *n* baile *m* ◇ *vi* bailar ● to have a dance bailar

dance floor *n* pista *f* de baile

dancer [ˈdɑːnsə] *n* bailarín *m*, -ina *f*

dancing [ˈdɑːnsɪŋ] *n* baile *m* ● to go dancing ir a bailar

dandelion [ˈdændɪlaɪən] *n* diente *m* de león

dandruff [ˈdændrʌf] *n* caspa *f*

Dane [deɪn] *n* danés *m*, -esa *f*

danger [ˈdeɪndʒə] *n* peligro *m* ● in danger en peligro

dangerous [ˈdeɪndʒərəs] *adj* peligroso (sa)

Danish [ˈdeɪnɪʃ] ◇ *adj* danés(esa) ◇ *n (language)* danés *m*

dare [deə] *vt* ● to dare to do sthg atreverse a hacer algo ● he dared me to dive in me desafió a que me tirara de cabeza ● how dare you! ¿cómo te atreves?

daring [ˈdeərɪŋ] *adj* atrevido(da)

dark [dɑːk] ◇ *adj* **1.** oscuro(ra) **2.** *(day, weather)* sombrío(a) ◇ *n* ● after dark después del anochecer ● the dark la oscuridad

dark chocolate *n* chocolate *m* amargo

darkness [ˈdɑːknɪs] *n* oscuridad *f*

darling [ˈdɑːlɪŋ] *n (term of affection)* querido *m*, -da *f*

dart [dɑːt] *n* dardo *m* ● darts *n (game)* dardos *mpl*

dartboard [ˈdɑːtbɔːd] *n* diana *f*

dash [dæʃ] ◇ *n* **1.** *(of liquid)* gotas *fpl* **2.** *(in writing)* guión *m* ◇ *vi* ir de prisa

dashboard [ˈdæʃbɔːd] *n* salpicadero *m (Esp)*, tablero *m* de mandos

data [ˈdeɪtə] *n* datos *mpl*

database [ˈdeɪtəbeɪs] *n* base *f* de datos

data protection *n* COMPUT protección *m* de datos

date [deɪt] ◇ *n* **1.** *(day)* fecha *f* **2.** *(meeting)* cita *f* **3.** *(US) (person)* pareja *f* (con la que se sale) **4.** *(fruit)* dátil *m* ◇ *vt* **1.** *(cheque, letter)* fechar **2.** *(person)* salir con ◇ *vi (become unfashionable)* pasar de moda ● **what's the date?** ¿qué fecha es? ● **to have a date with sb** tener una cita con alguien

date of birth *n* fecha *f* de nacimiento

daughter ['dɔːtəʳ] *n* hija *f*

daughter-in-law *n* nuera *f*

dawn [dɔːn] *n* amanecer *m*

day [deɪ] *n* día *m* ● **what day is it today?** ¿qué día es hoy? ● **what a lovely day!** ¡qué día más bonito! ● **to have a day off** tomarse un día libre ● **to have a day out** ir de excursión ● **by day** de día ● **the day after tomorrow** pasado mañana ● **the day before** el día anterior ● **the day before yesterday** anteayer ● **the following day** el día siguiente ● **have a nice day!** ¡adiós y gracias!

daylight ['deɪlaɪt] *n* luz *f* del día

day return *n (UK) billete de ida y vuelta para un día*

dayshift ['deɪʃɪft] *n* turno *m* de día

daytime ['deɪtaɪm] *n* día *m*

day-to-day *adj* cotidiano(na)

day trip *n* excursión *f* (de un día)

dazzle ['dæzl] *vt* deslumbrar

DC [diːˈsiː] *(abbr of direct current)* CC *(corriente continua)*

dead [ded] ◇ *adj* **1.** *(not alive)* muerto(ta) **2.** *(not lively)* sin vida **3.** *(telephone, line)* cortado(da) **4.** *(battery)* descargado(da) ◇ *adv* **1.** *(precisely)* justo **2.** *(inf) (very)* la mar de ● **it's dead ahead** está justo

enfrente ▼ **dead slow** al paso

dead end *n (street)* callejón *m* sin salida

deadline ['dedlaɪn] *n* fecha *f* límite

deaf [def] ◇ *adj* sordo(da) ◇ *npl* ● **the deaf** los sordos

deal [diːl] *(pt & pp* **dealt)** ◇ *n (agreement)* trato *m* ◇ *vt (cards)* repartir ● **to be a good/bad deal** estar bien/mal de precio ● **a great deal of** mucho ● **it's a deal!** ¡trato hecho! ◆ **deal in** *vt insep* comerciar en ◆ **deal with** *vt insep* **1.** *(handle)* hacer frente a **2.** *(be about)* tratar de

dealer ['diːləʳ] *n* **1.** COMM comerciante *mf* **2.** *(in drugs)* traficante *mf (que vende)*

dealt [delt] *pt & pp* ➤ **deal**

dear [dɪəʳ] ◇ *adj* **1.** *(loved)* querido(da) **2.** *(expensive)* caro(ra) ◇ *n* ● **my dear** querido *m*, -da *f* ● **Dear Sir** Muy señor mío ● **Dear Madam** Estimada señora ● **Dear John** Querido John ● **oh dear!** ¡vaya por Dios!

death [deθ] *n* muerte *f*

debate [dɪˈbeɪt] ◇ *n* debate *m* ◇ *vt (wonder)* pensar, considerar

debit ['debɪt] ◇ *n* debe *m* ◇ *vt* ● **to debit sb's account with an amount** deducir una cantidad de la cuenta de alguien

debit card *n* tarjeta *f* de débito

debt [det] *n* deuda *f* ● **to be in debt** tener deudas

Dec. *(abbr of December)* dic. *(diciembre)*

decaff ['diːkæf] *n (inf)* descafeinado *m*

decaffeinated [dɪˈkæfɪneɪtɪd] *adj* descafeinado(da)

decanter [dɪˈkæntəʳ] *n* licorera *f*

de

decay [dɪ'keɪ] ◇ *n* **1.** *(of building, wood)* deterioro *m* **2.** *(of tooth)* caries *f inv* ◇ *vi* descomponerse

deceive [dɪ'siːv] *vt* engañar

decelerate [ˌdiː'seləreɪt] *vi* desacelerar

December [dɪ'sembəʳ] *n* diciembre *m* • **at the beginning of December** a principios de diciembre • **at the end of December** a finales de diciembre • **during December** en diciembre • **every December** todos los años en diciembre • **in December** en diciembre • **last December** en diciembre del año pasado • **next December** en diciembre del próximo año • **this December** en diciembre de este año • **2 December 2001** *(in letters etc)* 2 de diciembre de 2001

decent ['diːsnt] *adj* **1.** decente **2.** *(kind)* amable

decide [dɪ'saɪd] *vt* & *vi* decidir • **to decide to do sthg** decidir hacer algo ◆ **decide on** *vt insep* decidirse por

decimal ['desɪml] *adj* decimal, punto *m* decimal

decimal point *n* coma *f* decimal

decision [dɪ'sɪʒn] *n* decisión *f* • **to make a decision** tomar una decisión

decisive [dɪ'saɪsɪv] *adj* **1.** *(person)* decidido(da) **2.** *(event, factor)* decisivo(va)

deck [dek] *n* **1.** *(of ship)* cubierta *f* **2.** *(of bus)* piso *m* **3.** *(of cards)* baraja *f*

deckchair ['dektʃeəʳ] *n* tumbona *f* *(Esp)*, silla *f* de playa

declare [dɪ'kleəʳ] *vt* declarar • **to declare that** declarar que ▼ **goods to declare** *cartel que indica la ruta para personas con objetos que declarar en la aduana* ▼ **nothing to declare** *cartel que indica la ruta para personas sin objetos que declarar en la aduana*

decline [dɪ'klaɪn] ◇ *n* declive *m* ◇ *vi* **1.** *(get worse)* disminuir **2.** *(refuse)* rehusar

decorate ['dekəreɪt] *vt* **1.** *(with wallpaper)* empapelar **2.** *(with paint)* pintar **3.** *(make attractive)* decorar

decoration [ˌdekə'reɪʃn] *n* **1.** *(wallpaper, paint, furniture)* decoración *f* **2.** *(decorative object)* adorno *m*

decorator ['dekəreɪtəʳ] *n* **1.** *(painter)* pintor *m*, -ra *f* **2.** *(paperhanger)* empapelador *m*, -ra *f*

decrease ◇ *n* ['diːkriːs] disminución *f* ◇ *vi* [dɪ'kriːs] disminuir

dedicated ['dedɪkeɪtɪd] *adj* dedicado (da)

deduce [dɪ'djuːs] *vt* deducir

deduct [dɪ'dʌkt] *vt* deducir

deduction [dɪ'dʌkʃn] *n* deducción *f*

deep [diːp] ◇ *adj* **1.** profundo(da) **2.** *(colour)* intenso(sa) **3.** *(breath, sigh)* hondo(da) **4.** *(voice)* grave ◇ *adv* hondo • **it's two metres deep** tiene dos metros de profundidad

deep end *n (of swimming pool)* parte *f* honda

deep freeze *n* congelador *m*

deep-fried [-'fraɪd] *adj* frito(ta) en aceite abundante

deep-pan *adj* de masa doble

deer [dɪəʳ] *(pl inv)* *n* ciervo *m*

defeat [dɪ'fiːt] ◇ *n* derrota *f* ◇ *vt* derrotar

defect ['diːfekt] *n* defecto *m*

defective [dɪ'fektɪv] *adj* defectuoso(sa)

defence [dɪ'fens] *n (UK)* defensa *f*

defend [dɪ'fend] *vt* defender

defense [dɪ'fens] *(US)* = **defence**

deficiency [dɪ'fɪʃnsɪ] *n (lack)* deficiencia *f*

deficit ['defɪsɪt] *n* déficit *m inv*

define [dɪ'faɪn] *vt* definir

definite ['defɪnɪt] *adj* **1.** *(answer, plans)* definitivo(va) **2.** *(improvement)* claro (ra) **3.** *(person)* concluyente ● it's not definite no es seguro

definite article *n* artículo *m* definido

definitely ['defɪnɪtlɪ] *adv (certainly)* sin duda alguna

definition [defɪ'nɪʃn] *n (of word)* definición *f*

deflate [dɪ'fleɪt] *vt (tyre)* desinflar

deflect [dɪ'flekt] *vt* desviar

defogger [di:'fɒgər] *n (US)* luneta *f* térmica

deformed [dɪ'fɔːmd] *adj* deforme

defrost [di:'frɒst] *vt* **1.** *(food, fridge)* descongelar **2.** *(US) (demist)* desempañar

degree [dɪ'griː] *n* **1.** grado *m* **2.** *(qualification)* ≃ licenciatura *f* ● to have a degree in sthg ser licenciado(da) en algo

dehydrated [di:haɪ'dreɪtɪd] *adj* deshidratado(da)

de-ice [diː'aɪs] *vt* descongelar

de-icer [diː'aɪsər] *n* descongelante *m*

dejected [dɪ'dʒektɪd] *adj* abatido(da)

delay [dɪ'leɪ] *n* retraso *m* ◇ *vt* retrasar ◇ *vi* retrasarse ● without delay sin demora

delayed [dɪ'leɪd] *adj* ● to be delayed ir con retraso ● our train was delayed by two hours nuestro tren llegó con dos horas de retraso

delegate ◇ *n* ['delɪgət] delegado *m*, -da *f* ◇ *vt* ['delɪgeɪt] *(person)* delegar

delete [dɪ'liːt] *vt* borrar

deli ['delɪ] *n (inf) (abbr of* **delicatessen)** ≃ charcutería *f*

deliberate [dɪ'lɪbərət] *adj (intentional)* deliberado(da)

deliberately [dɪ'lɪbərətlɪ] *adv (intentionally)* deliberadamente

delicacy ['delɪkəsɪ] *n (food)* manjar *m*

delicate ['delɪkət] *adj* **1.** delicado(da) **2.** *(object, china)* frágil **3.** *(taste, smell)* suave

delicatessen [delɪkə'tesn] *n* ≃ charcutería *f*

delicious [dɪ'lɪʃəs] *adj* delicioso(sa)

delight [dɪ'laɪt] ◇ *n (feeling)* gozo *m* ◇ *vt* encantar ● to take (a) delight in doing sthg deleitarse haciendo algo

delighted [dɪ'laɪtɪd] *adj* encantado(da)

delightful [dɪ'laɪtfʊl] *adj* encantador (ra)

deliver [dɪ'lɪvər] *vt* **1.** *(goods, letters, newspaper)* entregar **2.** *(speech, lecture)* pronunciar **3.** *(baby)* traer al mundo

delivery [dɪ'lɪvərɪ] *n* **1.** *(of goods, letters)* entrega *f* **2.** *(birth)* parto *m*

delude [dɪ'luːd] *vt* engañar

de-luxe [də'lʌks] *adj* de lujo

demand [dɪ'mɑːnd] ◇ *n* **1.** demanda *f* **2.** *(requirement)* requisito *m* ◇ *vt* **1.** *(request forcefully)* exigir **2.** *(require)* requerir ● to demand to do sthg exigir hacer algo ● in demand solicitado

demanding [dɪ'mɑːndɪŋ] *adj* absorbente

demerara sugar [demə'reərə-] *n (UK)* azúcar *m* moreno

demist [di:'mɪst] *vt (UK)* desempañar

demister [ˌdiːˈmɪstəʳ] n (UK) luneta f térmica

democracy [dɪˈmɒkrəsɪ] n democracia f

Democrat [ˈdeməkræt] n (US) demócrata mf

democratic [deməˈkrætɪk] adj democrático(ca)

demolish [dɪˈmɒlɪʃ] vt (building) demoler

demonstrate [ˈdemənstreɪt] ◇ vt 1. (prove) demostrar 2. (machine, appliance) hacer una demostración de ◇ vi manifestarse

demonstration [demənˈstreɪʃn] n 1. (protest) manifestación f 2. (of machine, proof) demostración f

denial [dɪˈnaɪəl] n negación f

denim [ˈdenɪm] n tela f vaquera, mezclilla f (Chile & Méx) ◆ **denims** npl vaqueros mpl

denim jacket n cazadora f vaquera (Esp), chaqueta f vaquera

Denmark [ˈdenmɑːk] n Dinamarca

dense [dens] adj (crowd, smoke, forest) denso(sa)

dent [dent] n abolladura f

dental [ˈdentl] adj dental

dental floss [-flɒs] n hilo m dental

dental surgeon n odontólogo m, -ga f

dental surgery n (UK) (place) clínica f dental

dentist [ˈdentɪst] n dentista mf ● **to go to the dentist's** ir al dentista

dentures [ˈdentʃəz] npl dentadura f postiza

deny [dɪˈnaɪ] vt 1. (declare untrue) negar 2. (refuse) denegar

deodorant [diːˈəʊdərənt] n desodorante m

depart [dɪˈpɑːt] vi salir ● **this train will depart from platform 3** este tren efectuará su salida de la vía 3

department [dɪˈpɑːtmənt] n 1. departamento m 2. (of government) ministerio m

department store n grandes almacenes mpl

departure [dɪˈpɑːtʃəʳ] n salida f ▼ **departures** salidas

departure lounge n 1. (at airport) sala f de embarque 2. (at coach station) vestíbulo m de salidas

depend [dɪˈpend] vi ● **it depends** depende ◆ **depend on** vt insep 1. (be decided by) depender de 2. (rely on) confiar en ● **depending on** dependiendo de

dependable [dɪˈpendəbl] adj fiable

deplorable [dɪˈplɔːrəbl] adj deplorable

deport [dɪˈpɔːt] vt deportar

deposit [dɪˈpɒzɪt] ◇ n 1. (in bank) ingreso m (Esp), depósito m 2. (part-payment) entrada f (Esp), depósito m 3. (against damage) depósito m 4. (substance) sedimento m ◇ vt 1. (put down) depositar 2. (money in bank) ingresar

deposit account n (UK) cuenta f de ahorro a plazo fijo

depot [ˈdiːpəʊ] n (US) (for buses, trains) terminal f

depressed [dɪˈprest] adj deprimido(da)

depressing [dɪˈpresɪŋ] adj deprimente

depression [dɪˈpreʃn] n depresión f

deprive [dɪˈpraɪv] vt ● **to deprive sb of a right** privar a alguien de un derecho

depth [depθ] *n* profundidad *f* • **I'm out of my depth** *(when swimming)* he perdido pie; *(fig) (unable to cope)* no puedo • **depth of field** profundidad de campo

deputy ['depjʊtɪ] *adj* suplente • **deputy head** subdirector *m*, -ra *f*

derailment [dɪ'reɪlmənt] *n* descarrilamiento *m*

derelict ['derəlɪkt] *adj* abandonado(da)

descend [dɪ'send] ◇ *vt* descender por ◇ *vi* descender

descendant [dɪ'sendənt] *n* descendiente *mf*

descent [dɪ'sent] *n* **1.** *(going down)* descenso *m* **2.** *(downward slope)* pendiente *f*

describe [dɪ'skraɪb] *vt* describir

description [dɪ'skrɪpʃn] *n* descripción *f*

desert ◇ *n* ['dezət] desierto *m* ◇ *vt* [dɪ'zɜːt] abandonar

deserted [dɪ'zɜːtɪd] *adj* desierto(ta)

deserve [dɪ'zɜːv] *vt* merecer

design [dɪ'zaɪn] ◇ *n* diseño *m* ◇ *vt* diseñar • **to be designed for** estar diseñado para

designer [dɪ'zaɪnəʳ] ◇ *n* diseñador *m*, -ra *f* ◇ *adj* *(clothes, sunglasses)* de marca

desirable [dɪ'zaɪərəbl] *adj* deseable

desire [dɪ'zaɪəʳ] ◇ *n* deseo *m* ◇ *vt* desear • **it leaves a lot to be desired** deja mucho que desear

desk [desk] *n* **1.** *(in home, office)* escritorio *m* **2.** *(in school)* pupitre *m* **3.** *(at airport, station, hotel)* mostrador *m*

desktop ['desktop] *n* COMPUT escritorio *m*

desktop publishing *n* autoedición *f* de textos

despair [dɪ'speəʳ] *n* desesperación *f*

despatch [dɪ'spætʃ] = dispatch

desperate ['desprət] *adj* desesperado (da) • **to be desperate for sthg** necesitar algo desesperadamente

despicable [dɪ'spɪkəbl] *adj* despreciable

despise [dɪ'spaɪz] *vt* despreciar

despite [dɪ'spaɪt] *prep* a pesar de

dessert [dɪ'zɜːt] *n* postre *m*

dessertspoon [dɪ'zɜːtspuːn] *n* **1.** *(spoon)* cuchara *f* de postre **2.** *(spoonful)* cucharada *f* (de postre)

destination [ˌdestɪ'neɪʃn] *n* destino *m*

destroy [dɪ'strɔɪ] *vt* destruir

destruction [dɪ'strʌkʃn] *n* destrucción *f*

detach [dɪ'tætʃ] *vt* separar

detached house [dɪ'tætʃt-] *n* casa *f* individual

detail ['diːteɪl] *n* **1.** *(minor point)* detalle *m* **2.** *(facts, information)* detalles *mpl* • **in detail** detalladamente • **details** *npl (facts)* información *f*

detailed ['diːteɪld] *adj* detallado(da)

detect [dɪ'tekt] *vt* detectar

detective [dɪ'tektɪv] *n* detective *mf* • **a detective story** una novela policíaca

detention [dɪ'tenʃn] *n* SCH castigo de permanecer en la escuela después de clase

detergent [dɪ'tɜːdʒənt] *n* detergente *m*

deteriorate [dɪ'tɪərɪəreɪt] *vi* deteriorarse

determination [dɪˌtɜːmɪ'neɪʃn] *n* determinación *f*

determine [dɪ'tɜːmɪn] *vt* determinar

determined [dɪ'tɜːmɪnd] *adj* decidido (da) • **to be determined to do sthg** estar decidido a hacer algo

deterrent [dɪˈterənt] *n* fuerza *f* disuasoria

detest [dɪˈtest] *vt* detestar

detour [ˈdiːˌtʊəʳ] *n* desvío *m*

deuce [djuːs] *excl (in tennis)* cuarenta iguales

devastate [ˈdevəsteɪt] *vt* devastar

develop [dɪˈveləp] ◇ *vt* 1. *(idea, company)* desarrollar 2. *(land)* urbanizar 3. *(film)* revelar 4. *(machine, method)* elaborar 5. *(illness)* contraer 6. *(habit, interest)* adquirir ◇ *vi (evolve)* desarrollarse

developing country[dɪˈveləpɪŋ-] *n* país *m* en vías de desarrollo

development [dɪˈveləpmənt] *n* 1. *(growth)* desarrollo *m* 2. *(new event)* (nuevo) acontecimiento *m* ● a housing development *(US)* una urbanización

device [dɪˈvaɪs] *n* dispositivo *m*

devil [ˈdevl] *n* diablo *m* ● what the devil ...? *(inf)* ¿qué demonios ...?

devise [dɪˈvaɪz] *vt* diseñar

devolution [ˌdevəˈluːʃn] *n* (UK) traspaso de competencias del gobierno central a asambleas legislativas autónomas

devoted [dɪˈvəʊtɪd] *adj* dedicado(da), leal

dew [djuː] *n* rocío *m*

diabetes [ˌdaɪəˈbiːtiːz] *n* diabetes *f inv*

diabetic [ˌdaɪəˈbetɪk] ◇ *adj* 1. *(person)* diabético(ca) 2. *(chocolate)* para diabéticos ◇ *n* diabético *m*, -ca *f*

diagnosis [ˌdaɪəɡˈnəʊsɪs] *(pl* -oses*)* *n* diagnóstico *m*

diagonal [daɪˈæɡənl] *adj* diagonal

diagram [ˈdaɪəɡræm] *n* diagrama *m*

dial [ˈdaɪəl] ◇ *n* 1. *(of telephone, radio)* dial *m* 2. *(of clock)* esfera *f* ◇ *vt* marcar, discar *(Amér)*

dialling code [ˈdaɪəlɪŋ-] *n* (UK) prefijo *m* (telefónico)

dialling tone [ˈdaɪəlɪŋ-] *n* (UK) señal *f* de llamada

dial tone *(US)* = dialling tone

diameter [daɪˈæmɪtəʳ] *n* diámetro *m*

diamond [ˈdaɪəmənd] *n* diamante *m* ◆

diamonds *npl (in cards)* diamantes *mpl*

diaper [ˈdaɪpəʳ] *n* (US) pañal *m*

diarrhea *(US)* = diarrhoea

diarrhoea [ˌdaɪəˈrɪə] *n* (UK) diarrea *f*

diary [ˈdaɪərɪ] *n* 1. *(for appointments)* agenda *f* 2. *(journal)* diario *m*

dice [daɪs] *(pl inv)* *n* dado *m*

diced [daɪst] *adj* cortado(da) en cuadraditos

dictate [dɪkˈteɪt] *vt* dictar

dictation [dɪkˈteɪʃn] *n* dictado *m*

dictator [dɪkˈteɪtəʳ] *n* dictador *m*, -ra *f*

dictionary [ˈdɪkʃənrɪ] *n* diccionario *m*

did [dɪd] *pt* ➤ do

die [daɪ] *(cont* dying*)* *vi* morir ● to be dying for sthg *(inf)* morirse por algo ● to be dying to do sthg *(inf)* morirse por hacer algo ◆ **die away** *vi* desvanecerse ◆ **die out** *vi* extinguirse

diesel [ˈdiːzl] *n* 1. *(fuel)* gasóleo *m* 2. *(car)* vehículo *m* diesel

diet [ˈdaɪət] ◇ *n* 1. *(for slimming, health)* dieta *f*, régimen *m* 2. *(food eaten)* dieta *f* ◇ *vi* estar a régimen ◇ *adj* bajo(ja) en calorías

diet Coke ® *n* Coca-Cola ® *f* light

differ [ˈdɪfəʳ] *vi* ● to differ (from) *(be dissimilar)* ser distinto (de); *(disagree)* discrepar (de)

difference ['dɪfrəns] *n* diferencia *f* ● it makes no difference da lo mismo ● a difference of opinion un desacuerdo

different ['dɪfrənt] *adj* distinto(ta) ● to be different (from) ser distinto (de)

differently ['dɪfrəntlɪ] *adv* de otra forma

difficult ['dɪfɪkəlt] *adj* difícil

difficulty ['dɪfɪkəltɪ] *n* dificultad *f*

dig [dɪg] (*pt & pp* dug) ◇ *vt* **1.** (*hole, tunnel*) excavar **2.** (*garden, land*) cavar ◇ *vi* cavar ◆ **dig out** *vt sep* sacar ◆ **dig up** *vt sep* desenterrar

digest [dɪ'dʒest] *vt* digerir

digestion [dɪ'dʒestʃn] *n* digestión *f*

digestive (biscuit) [dɪ'dʒestɪv-] *n* (*UK*) galleta hecha con harina integral

digit ['dɪdʒɪt] *n* **1.** (*figure*) dígito *m* **2.** (*finger, toe*) dedo *m*

digital ['dɪdʒɪtl] *adj* digital

digital radio *n* radio *f* digital

dill [dɪl] *n* eneldo *m*

dilute [daɪ'luːt] *vt* diluir

dim [dɪm] ◇ *adj* **1.** (*light*) tenue **2.** (*room*) sombrío(a) **3.** (*inf*) (*stupid*) torpe ◇ *vt* atenuar

dime [daɪm] *n* (*US*) moneda de diez centavos

dimensions [dɪ'menʃnz] *npl* **1.** (*measurements*) dimensiones *fpl* **2.** (*extent*) dimensión *f*

din [dɪm] *n* estrépito *m*

dine [daɪn] *vi* cenar ◆ **dine out** *vi* cenar fuera

diner ['daɪnər] *n* **1.** (*US*) (*restaurant*) restaurante *m* económico **2.** (*person*) cliente *mf* (*en un restaurante*)

dinghy ['dɪŋgɪ] *n* bote *m*

dingy ['dɪndʒɪ] *adj* lóbrego(ga)

dining car ['daɪnɪŋ-] *n* vagón *m* restaurante

dining hall ['daɪnɪŋ-] *n* SCH comedor *m*

dining room ['daɪnɪŋ-] *n* comedor *m*

dinner ['dɪnər] *n* **1.** (*at lunchtime*) almuerzo *m* **2.** (*in evening*) cena *f* ● to have dinner (*at lunchtime*) almorzar; (*in evening*) cenar

dinner jacket *n* esmoquin *m*

dinner party *n* cena *f* (*de amigos en casa*)

dinner set *n* vajilla *f*

dinner suit *n* traje *m* de esmoquin

dinnertime ['dɪnətaɪm] *n* **1.** (*at lunchtime*) hora *f* del almuerzo **2.** (*in evening*) hora de la cena

dinosaur ['daɪnəsɔːr] *n* dinosaurio *m*

dip [dɪp] ◇ *n* **1.** (*in road, land*) pendiente *f* **2.** (*food*) salsa *f* ◇ *vt* (*into liquid*) mojar ◇ *vi* descender ligeramente ● to have a dip darse un chapuzón ● to dip one's headlights (*UK*) poner las luces de cruce

diploma [dɪ'pləʊmə] *n* diploma *m*

dipstick ['dɪpstɪk] *n* varilla *f* (*para medir el nivel*) del aceite

direct [dɪ'rekt] ◇ *adj* directo(ta) ◇ *vt* **1.** dirigir **2.** (*give directions to*) indicar el camino a ◇ *adv* directamente

direction [dɪ'rekʃn] *n* dirección *f* ● to ask for directions pedir señas ◆ **directions** *npl* (*instructions*) instrucciones *fpl* (*de uso*)

directly [dɪ'rektlɪ] *adv* **1.** (*exactly*) directamente **2.** (*soon*) pronto

director [dɪ'rektər] *n* director *m*, -ra *f*

directory [dɪˈrektərɪ] n guía f (telefónica)

directory assistance n (US) servicio m de información telefónica

directory enquiries n (UK) servicio m de información telefónica

dirt [dɜːt] n 1. suciedad f 2. (earth) tierra f

dirty [ˈdɜːtɪ] adj 1. sucio(cia) 2. (joke) verde

disability [ˌdɪsəˈbɪlətɪ] n minusvalía f

disabled [dɪsˈeɪbld] ◇ adj minusválido (da) ◇ npl ● the disabled los minusválidos ▼ disabled toilet aseo para minusválidos

disadvantage [ˌdɪsədˈvɑːntɪdʒ] n desventaja f

disagree [ˌdɪsəˈɡriː] vi (people) discrepar ● to disagree with sb (about) no estar de acuerdo con alguien (sobre) ● those mussels disagreed with me los mejillones me sentaron mal

disagreement [ˌdɪsəˈɡriːmənt] n 1. (argument) discusión f 2. (dissimilarity) discrepancia f

disappear [ˌdɪsəˈpɪəʳ] vi desaparecer

disappearance [ˌdɪsəˈpɪərəns] n desaparición f

disappoint [ˌdɪsəˈpɔɪnt] vt decepcionar

disappointed [ˌdɪsəˈpɔɪntɪd] adj decepcionado(da)

disappointing [ˌdɪsəˈpɔɪntɪŋ] adj decepcionante

disappointment [ˌdɪsəˈpɔɪntmənt] n decepción f

disapprove [ˌdɪsəˈpruːv] vi ● to disapprove of censurar

disarmament [dɪsˈɑːməmənt] n desarme m

disaster [dɪˈzɑːstəʳ] n desastre m

disastrous [dɪˈzɑːstrəs] adj desastroso (sa)

disc [dɪsk] n 1. (UK) (circular object, record) disco m 2. (CD) disco compacto ● to slip a disc sufrir una hernia discal

discard [dɪsˈkɑːd] vt desechar

discharge [dɪsˈtʃɑːdʒ] vt 1. (prisoner) poner en libertad 2. (patient) dar de alta 3. (soldier) licenciar 4. (liquid, smoke, gas) emitir

discipline [ˈdɪsɪplɪn] n disciplina f

disc jockey n pinchadiscos mf inv (Esp), disco jockey mf

disco [ˈdɪskəʊ] n 1. (place) discoteca f 2. (event) baile m

discoloured [dɪsˈkʌləd] adj descolorido (da)

discomfort [dɪsˈkʌmfət] n (pain) malestar m

disconnect [ˌdɪskəˈnekt] vt 1. (unplug) desenchufar 2. (telephone, gas supply, pipe) desconectar

discontinued [ˌdɪskənˈtɪnjuːd] adj (product) que ya no se fabrica

discount [ˈdɪskaʊnt] n descuento m

discover [dɪsˈkʌvəʳ] vt descubrir

discovery [dɪsˈkʌvərɪ] n descubrimiento m

discreet [dɪsˈkriːt] adj discreto(ta)

discrepancy [dɪsˈkrepənsɪ] n discrepancia f

discriminate [dɪsˈkrɪmɪneɪt] vi ● to discriminate against sb discriminar a alguien

discrimination [dɪˌskrɪmɪˈneɪʃn] n dis-

criminación *f*

discuss [dɪ'skʌs] *vt* discutir

discussion [dɪ'skʌʃn] *n* discusión *f*

disease [dɪ'ziːz] *n* enfermedad *f*

disembark [ˌdɪsɪm'bɑːk] *vi* desembarcar

disgrace [dɪs'greɪs] *n* vergüenza *f* ● it's a disgrace! ¡es una vergüenza!

disgraceful [dɪs'greɪsfʊl] *adj* vergonzoso(sa)

disguise [dɪs'gaɪz] ◇ *n* disfraz *m* ◇ *vt* disfrazar ● in disguise disfrazado

disgust [dɪs'gʌst] ◇ *n* asco *m* ◇ *vt* asquear

disgusting [dɪs'gʌstɪŋ] *adj* asqueroso(sa)

dish [dɪʃ] *n* 1. (*container*) fuente *f* 2. (*food*) plato *m* 3. (*US*) (*plate*) plato ● to do the dishes fregar los platos ▾ dish of the day plato del día ◆ dish up *vt sep* servir

dishcloth ['dɪʃklɒθ] *n* trapo *m* de fregar los platos

disheveled [dɪ'ʃevəld] (*US*) = **dishevelled**

dishevelled [dɪ'ʃevəld] *adj* (*UK*) (*person*) desaliñado(da)

dishonest [dɪs'ɒnɪst] *adj* deshonesto(ta)

dish towel *n* (*US*) paño *m* de cocina

dishwasher ['dɪʃˌwɒʃəʳ] *n* (*machine*) lavavajillas *m inv*

dishwashing liquid ['dɪʃˌwɒʃɪŋ-] *n* (*US*) lavavajillas *m inv*

disinfectant [ˌdɪsɪn'fektənt] *n* desinfectante *m*

disintegrate [dɪs'ɪntɪgreɪt] *vi* desintegrarse

disk [dɪsk] *n* 1. (*US*) = **disc** 2. COMPUT

disquete *m*, disco *m*

disk drive *n* disquetera *f*

dislike [dɪs'laɪk] ◇ *n* (*poor opinion*) aversión *f* ◇ *vt* tener aversión a ● to take a dislike to cogerle manía a

dislocate ['dɪsləkeɪt] *vt* dislocar

dismal ['dɪzml] *adj* 1. (*weather, place*) sombrío(a) 2. (*terrible*) lamentable

dismantle [dɪs'mæntl] *vt* desmontar

dismay [dɪs'meɪ] *n* consternación *f*

dismiss [dɪs'mɪs] *vt* 1. (*not consider*) desechar 2. (*from job*) despedir 3. (*from classroom*) echar

disobedient [ˌdɪsə'biːdjənt] *adj* desobediente

disobey [ˌdɪsə'beɪ] *vt* desobedecer

disorder [dɪs'ɔːdəʳ] *n* 1. (*confusion*) desorden *m* 2. (*violence*) disturbios *mpl* 3. (*illness*) afección *f*

disorganized [dɪs'ɔːgənaɪzd] *adj* desorganizado(da)

dispatch [dɪ'spætʃ] *vt* enviar

dispense [dɪ'spens] ◆ dispense with *vt insep* prescindir de

dispenser [dɪ'spensəʳ] *n* máquina *f* expendedora

dispensing chemist [dɪ'spensɪŋ-] *n* (*UK*) 1. (*person*) farmacéutico *m*, -ca *f* 2. (*shop*) farmacia *f*

disperse [dɪ'spɜːs] ◇ *vt* dispersar ◇ *vi* dispersarse

display [dɪ'spleɪ] ◇ *n* 1. (*of goods in window*) escaparate *m* 2. (*public event*) demostración *f* 3. (*readout*) pantalla *f* ◇ *vt* 1. (*goods, information*) exponer 2. (*feeling, quality*) mostrar ● on display expuesto

displeased [dɪs'pliːzd] *adj* disgustado(da)

disposable [dɪ'spəʊzəbl] *adj* desechable

diposable camera *n* cámara *m* desechable

dispute [dɪ'spjuːt] ◇ *n* **1.** *(argument)* disputa *f* **2.** *(industrial)* conflicto *m* ◇ *vt* cuestionar

disqualify [,dɪs'kwɒlɪfaɪ] *vt* descalificar ● he has been disqualified from driving *(UK)* se le ha retirado el permiso de conducir

disregard [,dɪsrɪ'gɑːd] *vt* hacer caso omiso de

disrupt [dɪs'rʌpt] *vt* trastornar

disruption [dɪs'rʌpʃn] *n* trastorno *m*

dissatisfied [,dɪs'sætɪsfaɪd] *adj* descontento(ta)

dissolve [dɪ'zɒlv] ◇ *vt* disolver ◇ *vi* disolverse

dissuade [dɪ'sweɪd] *vt* ● to dissuade sb from doing sthg disuadir a alguien de hacer algo

distance ['dɪstəns] *n* distancia *f* ● from a distance desde lejos ● in the distance a lo lejos

distant ['dɪstənt] *adj* **1.** lejano(na) **2.** *(reserved)* distante

distilled water [dɪ'stɪld-] *n* agua *f* destilada

distillery [dɪ'stɪlərɪ] *n* destilería *f*

distinct [dɪ'stɪŋkt] *adj* **1.** *(separate)* distinto(ta) **2.** *(noticeable)* notable

distinction [dɪ'stɪŋkʃn] *n* **1.** *(difference)* distinción *f* **2.** *(mark for work)* sobresaliente *m*

distinctive [dɪ'stɪŋktɪv] *adj* característico(ca)

distinguish [dɪ'stɪŋgwɪʃ] *vt* distinguir ● to distinguish one thing from another distinguir una cosa de otra

distorted [dɪ'stɔːtɪd] *adj* **1.** *(figure, shape)* deformado(da) **2.** *(sound)* distorsionado(da)

distract [dɪ'strækt] *vt* distraer

distraction [dɪ'strækʃn] *n* distracción *f*

distress [dɪ'stres] *n* **1.** *(pain)* dolor *m* **2.** *(anxiety)* angustia *f*

distressing [dɪ'stresɪŋ] *adj* angustioso(sa)

distribute [dɪ'strɪbjuːt] *vt* distribuir

distributor [dɪ'strɪbjʊtəʳ] *n* **1.** COMM distribuidor *m*, -ra *f* **2.** AUT delco *m*

district ['dɪstrɪkt] *n* **1.** *(region)* región *f* **2.** *(of town)* distrito *m*

district attorney *n* *(US)* fiscal *mf* (del distrito)

disturb [dɪ'stɜːb] *vt* **1.** *(interrupt)* molestar **2.** *(worry)* inquietar **3.** *(move)* mover ▼ do not disturb no molestar

disturbance [dɪ'stɜːbəns] *n* **1.** *(riot)* disturbio *m* **2.** *(small altercation)* altercado *m*

ditch [dɪtʃ] *n* zanja *f*

ditto ['dɪtəʊ] *adv* ídem

divan [dɪ'væn] *n* diván *m*

dive [daɪv] *(pt* *(US)* **-d** OR **dove,** *(UK)* **-d)** ◇ *n* *(of swimmer)* zambullida *f*, clavado *m* *(Amér)* ◇ *vi* **1.** *(from diving-board, rock)* zambullirse, echarse un clavado *(Amér)* **2.** *(under water)* bucear **3.** *(bird, plane)* bajar en picada **4.** *(rush)* lanzarse

diver ['daɪvəʳ] *n* **1.** *(from divingboard, rock)* saltador *m*, -ra *f*, clavadista *mf* *(Amér)* **2.** *(under water)* buceador *m*, -ra *f*

diversion [daɪ'vɜːʃn] *n* **1.** *(of traffic)* desvío *m* **2.** *(amusement)* diversión *f*

divert [daɪ'vɜːt] *vt* 1. *(traffic, river)* desviar 2. *(attention)* distraer

divide [dɪ'vaɪd] *vt* 1. dividir 2. *(share out)* repartir ◆ **divide up** *vt sep* 1. *(into two parts)* dividir 2. *(share out)* repartir

diving ['daɪvɪŋ] *n* 1. *(from divingboard, rock)* salto *m* 2. *(under water)* buceo *m* ● to go diving bucear

divingboard ['daɪvɪŋbɔːd] *n* trampolín *m*

division [dɪ'vɪʒn] *n* división *f*

divorce [dɪ'vɔːs] ◇ *n* divorcio *m* ◆ *vt* divorciarse de

divorced [dɪ'vɔːst] *adj* divorciado(da)

DIY [diːaɪ'waɪ] *n* (*UK*) (*abbr of* do-it-yourself) bricolaje *m*

dizzy ['dɪzɪ] *adj* mareado(da)

DJ [diː'dʒeɪ] *n* (*abbr of* disc jockey) pinchadiscos *mf inv* (*Esp*), discjockey *mf*

DNA [diːen'eɪ] *n* (*abbr of* deoxyribonucleic acid) ADN *m* (*ácido desoxirribonucleico*)

do [duː] (*pt* **did**, *pp* **done** *pl* **dos**) ◇ *aux vb* 1. *(in negatives)* ● don't do that! ¡no hagas eso! ● she didn't listen no hizo caso 2. *(in questions)* ● do you like it? ¿te gusta? ● how do you do it? ¿cómo se hace? 3. *(referring to previous verb)* ● I eat more than you do yo como más que tú ● do you smoke? - yes, I do/no, I don't ¿fumas? - sí/no ● so do I yo también 4. *(in question tags)* ● so, you like Scotland, do you? así que te gusta Escocia ¿no? ◇ *vt* 1. *(gen)* hacer ● to do one's homework hacer los deberes ● what can I do for you? ¿en qué puedo servirle? ● to do one's hair peinarse ● to do one's teeth lavarse los dientes ● to do damage hacer daño ● the rest will do you good el descanso te sentará bien 2. *(have as job)* ● what do you do? ¿a qué te dedicas? 3. *(provide, offer)* hacer ● we do pizzas for under £4 vendemos pizzas a menos de 4 libras 4. *(study)* hacer 5. *(subj: vehicle)* ir a 6. *(inf) (visit)* recorrer ◇ *vi* 1. *(behave, act)* hacer ● do as I say haz lo que te digo 2. *(progress, get on)* ir ● I did well/badly me fue bien/mal 3. *(be sufficient)* valer ● will £5 do? ¿llegará con cinco libras? 4. *(in phrases)* ● how do you do? *(greeting)* ¿cómo está usted?; *(answer)* mucho gusto ● what has that got to do with it? ¿y eso qué tiene que ver? ◇ *n* *(party)* fiesta *f* ● dos and don'ts normas *fpl* de conducta ◆ **do out of** *vt sep* (*inf*) timar ◆ **do up** *vt sep* *(shirt, buttons)* abrochar; *(shoes, laces)* atar; *(zip)* subir; *(decorate)* renovar; *(wrap up)* envolver ◆ **do with** *vt insep* ● I could do with a drink no me vendría mal una copa ◆ **do without** *vt insep* pasar sin

dock [dɒk] ◇ *n* 1. *(for ships)* muelle *m* 2. LAW banquillo *m* (de los acusados) ◇ *vi* atracar

doctor ['dɒktəʳ] *n* 1. *(of medicine)* médico *m*, -ca *f* 2. *(academic)* doctor *m*, -ra *f* ● to go to the doctor's ir al médico

document ['dɒkjʊmənt] *n* documento *m*

documentary [ˌdɒkjʊ'mentərɪ] *n* documental *m*

Dodgems ® ['dɒdʒəmz] *npl* (UK) coches *mpl* de choque

dodgy ['dɒdʒɪ] *adj* (UK) (*inf*) **1.** (*plan, car*) poco fiable **2.** (*health*) delicado(da)

does [*weak form* dəz, *strong form* dʌz] ➤ do

doesn't ['dʌznt] = does not

dog [dɒg] *n* perro *m*

dog food *n* comida *f* para perros

doggy bag ['dɒgɪ-] *n* bolsa que da el restaurante para llevarse las sobras

do-it-yourself *n* bricolaje *m*

dole [dəʊl] *n* ● to be on the dole (UK) estar parado (*Esp*), estar cobrando subsidio de desempleo

doll [dɒl] *n* muñeca *f*

dollar ['dɒləʳ] *n* dólar *m*

dolphin ['dɒlfɪn] *n* delfín *m*

dome [dəʊm] *n* cúpula *f*

domestic [də'mestɪk] *adj* **1.** (*of house, family*) doméstico(ca) **2.** (*of country*) nacional

domestic appliance *n* electrodoméstico *m*

domestic flight *n* vuelo *m* nacional

dominate ['dɒmɪneɪt] *vt* dominar

dominoes ['dɒmɪnəʊz] *n* dominó *m*

donate [də'neɪt] *vt* donar

donation [də'neɪʃn] *n* donación *f*

done [dʌn] ◇ *pp* ➤ do ◇ *adj* **1.** (*finished*) listo(ta) **2.** (*cooked*) hecho(cha) (*Esp*), cocido(da)

donkey ['dɒŋkɪ] *n* burro *m*

don't [dəʊnt] = do not

door [dɔːʳ] *n* puerta *f*

doorbell ['dɔːbel] *n* timbre *m*

doorknob ['dɔːnɒb] *n* pomo *m*, perilla *f* (*Amér*)

doorman ['dɔːmən] (*pl* **-men**) *n* portero *m*

doormat ['dɔːmæt] *n* felpudo *m*

doormen ['dɔːmən] *pl* ➤ doorman

doorstep ['dɔːstep] *n* **1.** (*in front of door*) peldaño *m* de la puerta **2.** (UK) (*piece of bread*) rebanada de pan muy gruesa

doorway ['dɔːweɪ] *n* entrada *f*

dope [dəʊp] *n* **1.** (*inf*) (*any illegal drug*) droga *f* **2.** (*marijuana*) maría *f* (*Esp*), hierba *f*

dormitory ['dɔːmətrɪ] *n* dormitorio *m*

Dormobile ® ['dɔːmə,biːl] *n* (UK) autocaravana *f*, cámper *m*

dosage ['dəʊsɪdʒ] *n* dosis *f inv*

dose [dəʊs] *n* **1.** (*amount*) dosis *f inv* **2.** (*of illness*) ataque *m*

dot [dɒt] *n* punto *m* ● on the dot (*fig*) en punto

dotted line ['dɒtɪd-] *n* línea *f* de puntos

double ['dʌbl] ◇ *adj* doble ◇ *n* **1.** (*twice the amount*) el doble **2.** (*alcohol*) doble *m* ◇ *vt* doblar ◇ *vi* doblarse ◇ *adv* ● it's double the size es el doble de grande ● to bend sthg double doblar algo ● a double whisky un whisky doble ● double three, four, two (*reading out a number*) treinta y tres, cuarenta y dos ● it's spelt with a double s se escribe con dos eses ● **doubles** *n* dobles *mpl*

double bed *n* cama *f* de matrimonio

double-breasted [-'brestɪd] *adj* cruzado(da)

double-click ◇ *vt* COMPUT hacer doble clic en ◇ *vi* COMPUT hacer doble clic ◇ *n* COMPUT doble clic *m*

double cream *n* (UK) nata *f* enriquecida (*Esp*), crema *f* doble (*Amér*)

double-decker (bus) [-'dekə'] *n* autobús *m* de dos pisos

double doors *npl* puerta *f* de dos hojas

double-glazing [-'gleɪzɪŋ] *n* (*UK*) doble acristalamiento *m*

double room *n* habitación *f* doble

doubt [daʊt] ◇ *n* duda *f* ◇ *vt* (*distrust*) dudar de ● I doubt it lo dudo ● I doubt she'll be there dudo que esté ahí ● to be in doubt (*person*) estar dudando; (*matter, outcome*) ser incierto ● no doubt sin duda

doubtful ['daʊtfʊl] *adj* (*uncertain*) dudoso(sa) ● it's doubtful that ... es improbable que ...

dough [dəʊ] *n* masa *f*

doughnut ['dəʊnʌt] *n* 1. (*without hole*) buñuelo *m* 2. (*with hole*) dónut® *m* (*Esp*), rosquilla *f*

dove¹ [dʌv] *n* (*bird*) paloma *f*

dove² [dəʊv] *pt* (*US*) ➤ dive

down [daʊn]

◇ *adv* 1. (*towards the bottom*) (hacia) abajo ● down here/there aquí/allí abajo ● to fall down caer 2. (*along*) I'm going down to the shops voy a acercarme a las tiendas 3. (*downstairs*) abajo ● I'll come down later bajaré más tarde 4. (*southwards*) hacia el sur ● we're going down to London vamos a bajar a Londres 5. (*in writing*) ● to write sthg down apuntar algo 6. (*in phrases*) ● to go down with (*illness*) pillar

◇ *prep* 1. (*towards the bottom of*) ● they ran down the hill corrieron cuesta abajo 2. (*along*) por ● I was walking down the street iba andando por la calle

◇ *adj* (*inf*) (*depressed*) deprimido(da)

◇ *n* (*feathers*) plumón *m*

● **downs** *npl* (*UK*) montes en el sur de Inglaterra

downhill [.daʊn'hɪl] *adv* cuesta abajo

Downing Street ['daʊnɪŋ-] *n* Downing Street *m*

Downing Street

El número 10 de Downing Street, en el centro de Londres, es la residencia oficial del Primer Ministro británico. En el número 11 se encuentra la residencia del Ministro de Hacienda. Con frecuencia, *Downing Street* se usa como sinónimo del "gobierno británico".

downpour ['daʊnpɔː'] *n* chaparrón *m*

downstairs [.daʊn'steəz] ◇ *adj* de abajo ◇ *adv* abajo ● to go downstairs bajar (la escalera)

downtown ◇ *adj* [.daʊntaʊn] (*US*) céntrico(ca) ◇ *adv* [.daʊn'taʊn] (*US*) 1. (*live*) en el centro 2. (*go*) al centro ● downtown New York el centro de Nueva York

down under *adv* (*UK*) (*inf*) en/a Australia

downwards ['daʊnwədz] *adv* hacia abajo

doz. *abbr* = dozen

doze [dəʊz] *vi* dormitar

dozen ['dʌzn] *n* docena *f* ● a dozen eggs una docena de huevos

Dr (*abbr of* **Doctor**) Dr. *(Doctor)*

drab [dræb] *adj (clothes, wallpaper)* deslustrado(da)

draft [drɑːft] *n* **1.** *(early version)* borrador *m* **2.** *(money order)* giro *m* **3.** *(US)* = **draught**

drafty [drɑːftɪ] *(US)* = **draughty**

drag [dræg] ◇ *vt* arrastrar ◇ *vi (along ground)* arrastrarse ● **what a drag!** *(inf)* ¡qué rollo! ● **drag on** *vi* ser interminable

dragonfly ['drægnflaɪ] *n* libélula *f*

drain [dreɪn] ◇ *n* **1.** *(sewer)* desagüe *m* **2.** *(grating in street)* sumidero *m*, resumidero *m* (*Amér*) ◇ *vt (tank, radiator)* vaciar ◇ *vi (vegetables, washing-up)* escurrirse

draining board ['dreɪnɪŋ-] *n (UK)* escurridero *m*

drainpipe ['dreɪnpaɪp] *n* tubo *m* de desagüe

drama ['drɑːmə] *n* **1.** *(play, excitement)* drama *m* **2.** *(art)* teatro *m*

dramatic [drə'mætɪk] *adj (impressive)* dramático(ca)

drank [dræŋk] *pt* > **drink**

drapes [dreɪps] *npl (US)* cortinas *fpl*

drastic ['dræstɪk] *adj* **1.** *(extreme)* drástico(ca) **2.** *(change, improvement)* radical

drastically ['dræstɪklɪ] *adv* drásticamente

draught [drɑːft] *n (UK) (of air)* corriente *f* de aire

draught beer *n (UK)* cerveza *f* de barril

draughts [drɑːfts] *n (UK)* damas *fpl*

draughty ['drɑːftɪ] *adj (UK)* ● **it's draughty** hay corriente

draw [drɔː] *(pt* **drew**, *pp* **drawn**) ◇ *vt* **1.**

(picture, map) dibujar **2.** *(line)* trazar **3.** *(pull)* tirar de **4.** *(attract)* atraer **5.** *(comparison)* señalar **6.** *(conclusion)* llegar a ◇ *vi* **1.** *(with pen, pencil)* dibujar **2.** *(UK)* SPORT empatar ◇ *n* **1.** *(UK)* SPORT *(result)* empate *m* **2.** *(lottery)* sorteo *m* ● **to draw the curtains** *(open)* descorrer las cortinas; *(close)* correr las cortinas ● **draw out** *vt sep (money)* sacar ● **draw up** ◇ *vt sep (list, plan)* preparar ◇ *vi (car, bus)* pararse

drawback ['drɔːbæk] *n* desventaja *f*

drawer [drɔːʳ] *n* cajón *m*

drawing ['drɔːɪŋ] *n* dibujo *m*

drawing pin *n (UK)* chincheta *f*

drawing room *n* cuarto *m* de estar

drawn [drɔːn] *pp* > **draw**

dreadful ['dredful] *adj* terrible

dream [driːm] ◇ *n* sueño *m* ◇ *vt* **1.** *(when asleep)* soñar **2.** *(imagine)* imaginar ◇ *vi* ● **to dream (of)** soñar (con) ● **a dream house** una casa de ensueño

dress [dres] ◇ *n* **1.** *(for woman, girl)* vestido *m* **2.** *(clothes)* traje *m* ◇ *vt* **1.** *(person, baby)* vestir **2.** *(wound)* vendar **3.** *(salad)* aliñar ◇ *vi* **1.** *(get dressed)* vestirse **2.** *(in particular way)* vestir ● **to be dressed in** ir vestido de ● **to get dressed** vestirse ● **dress up** *vi* **1.** *(in costume)* disfrazarse **2.** *(in best clothes)* engalanarse

dress circle *n* piso *m* principal

dresser ['dresəʳ] *n* **1.** *(UK) (for crockery)* aparador *m* **2.** *(US) (chest of drawers)* cómoda *f*

dressing ['dresɪŋ] *n* **1.** *(for salad)* aliño *m*, aderezo *m* **2.** *(for wound)* vendaje *m*

dressing gown *n* bata *f*

dressing room *n* vestuario *m*, vestidor *m*

dressing table *n* tocador *m*

dressmaker ['dres,meɪkəʳ] *n* modisto *m*, -ta *f*

dress rehearsal *n* ensayo *m* general

drew [dru:] *pt* ➤ draw

dribble ['drɪbl] *vi* 1. *(liquid)* gotear 2. *(baby)* babear

drier ['draɪəʳ] = dryer

drift [drɪft] ◇ *n (of snow)* ventisquero *m* ◇ *vi* 1. *(in wind)* dejarse llevar por el viento 2. *(in water)* dejarse llevar por el agua

drill [drɪl] ◇ *n* 1. *(tool)* taladro *m* 2. *(of dentist)* fresa *f* ◇ *vt (hole)* taladrar

drink [drɪŋk] *(pt* drank, *pp* drunk) ◇ *n* 1. *(of water, tea etc)* bebida *f* 2. *(alcoholic)* copa *f* ◇ *vt* & *vi* beber ● to have a drink *(alcoholic)* tomar una copa ● would you like a drink? ¿quieres beber algo?

drinkable ['drɪŋkəbl] *adj* 1. *(safe to drink)* potable 2. *(wine)* agradable

drinking water ['drɪŋkɪŋ-] *n* agua *f* potable

drip [drɪp] ◇ *n* 1. *(drop)* gota *f* 2. MED gotero *m* ◇ *vi* gotear

drip-dry *adj* de lava y pon

dripping (wet) ['drɪpɪŋ-] *adj* empapado (da)

drive [draɪv] *(pt* drove, *pp* driven) ◇ *n* 1. *(journey)* viaje *m* (en coche) 2. *(in front of house)* camino *m* (de entrada) ◇ *vt* 1. *(car, bus, train)* conducir 2. *(take in car)* llevar (en coche) 3. *(operate, power)* impulsar ◇ *vi* 1. *(drive car)* conducir 2. *(travel in car)* ir en coche ● to drive sb to do sthg llevar a alguien a hacer algo

● to go for a drive dar una vuelta en coche ● to drive sb mad volver loco a alguien

drivel ['drɪvl] *n* tonterías *fpl*

driven ['drɪvn] *pp* ➤ drive

driver ['draɪvəʳ] *n* 1. *(of car, bus)* conductor *m*, -ra *f* 2. *(of train)* maquinista *mf*

driver's license *(US)* = driving licence

driveway ['draɪvweɪ] *n* camino *m* de entrada

driving lesson ['draɪvɪŋ-] *n* clase *f* de conducir

driving licence ['draɪvɪŋ-] *n (UK)* permiso *m (Esp)* OR licencia *f* de conducir

driving test ['draɪvɪŋ-] *n* examen *m* de conducir

drizzle ['drɪzl] *n* llovizna *f*

drop [drɒp] ◇ *n* 1. *(drip, small amount)* gota *f* 2. *(distance down)* caída *f* 3. *(decrease)* descenso *m* 4. *(in wages)* disminución *f* ◇ *vt* 1. *(let fall)* dejar caer 2. *(reduce)* reducir 3. *(from vehicle)* dejar 4. *(omit)* omitir ◇ *vi* 1. *(fall)* caer 2. *(decrease)* disminuir 3. *(price, temperature)* bajar ● to drop a hint lanzar una indirecta ● to drop sb a line escribir unas líneas a alguien ◆ **drop in** *vi (inf)* ● to drop in on sb pasarse por casa de alguien ◆ **drop off** ◇ *vt sep (from vehicle)* dejar ◇ *vi* 1. *(fall asleep)* quedarse dormido 2. *(fall off)* desprenderse ◆ **drop out** *vi* 1. *(of college)* abandonar los estudios 2. *(of race)* retirarse

drought [draʊt] *n* sequía *f*

drove [drəʊv] *pt* ➤ drive

drown [draʊn] *vi* ahogarse

drug [drʌg] ◇ *n* **1.** *MED* medicamento *m* **2.** *(stimulant)* droga *f* ◇ *vt* drogar

drug addict *n* drogadicto *m*, -ta *f*

druggist ['drʌgɪst] *n* *(US)* farmacéutico *m*, -ca *f*

drum [drʌm] *n* **1.** *MUS* tambor *m* **2.** *(container)* bidón *m* ◆ **drums** *npl* *(in pop music)* batería *f*

drummer ['drʌmə^r] *n* *(in pop music)* batería *mf*

drumstick ['drʌmstɪk] *n* *(of chicken)* pata *f*

drunk [drʌŋk] ◇ *pp* > **drink** ◇ *adj* borracho(cha) ◇ *n* borracho *m*, -cha *f* ● **to get drunk** emborracharse

dry [draɪ] ◇ *adj* **1.** seco(ca) **2.** *(day)* sin lluvia ◇ *vt* secar ◇ *vi* secarse ● **to dry o. s.** secarse ● **to dry one's hair** secarse el pelo ● **to dry one's hands** secarse las manos ◆ **dry up** *vi* **1.** *(become dry)* secarse **2.** *(dry the dishes)* secar

dry-clean *vt* limpiar en seco

dry cleaner's *n* tintorería *f*

dryer ['draɪə^r] *n* **1.** *(for clothes)* secadora *f* **2.** *(for hair)* secador *m*

DTP [diːtiː'piː] *n* *(abbr of desktop publishing)* autoed. *f* *(autoedición)*

dual carriageway ['djuː-əl-] *n* *(UK)* autovía *f*

dubbed [dʌbd] *adj* *(film)* doblado(da)

dubious ['djuːbjəs] *adj* *(suspect)* sospechoso(sa)

duchess ['dʌtʃɪs] *n* duquesa *f*

duck [dʌk] ◇ *n* **1.** *(bird)* pato *m*, -ta *f* **2.** *(food)* pato *m* ◇ *vi* agacharse

due [djuː] *adj* *(bill, rent)* pagadero(ra) ● **when is the train due?** ¿cuándo debería llegar el tren? ● **the money due to me**

el dinero que se me debe ● **in due course** a su debido tiempo ● **due to** debido a

duet [djuː'et] *n* dúo *m*

duffel bag ['dʌfl-] *n* morral *m*

duffel coat ['dʌfl-] *n* trenca *f*

dug [dʌg] *pt* & *pp* > **dig**

duke [djuːk] *n* duque *m*

dull [dʌl] *adj* **1.** *(boring)* aburrido(da) **2.** *(not bright)* torpe **3.** *(weather)* gris **4.** *(pain)* sordo(da)

dumb [dʌm] *adj* **1.** *(inf)* *(stupid)* estúpido(da) **2.** *(unable to speak)* mudo(da)

dummy ['dʌmɪ] *n* **1.** *(UK)* *(for baby)* chupete *m*, chupón *m* *(Amér)* **2.** *(for clothes)* maniquí *m*

dump [dʌmp] ◇ *n* **1.** *(for rubbish)* vertedero *m*, basural *m* *(Amér)* **2.** *(place)* tugurio *m* ◇ *vt* **1.** *(drop carelessly)* dejar **2.** *(get rid of)* deshacerse de

dumpling ['dʌmplɪŋ] *n* bola de masa que se guisa al vapor con carne y verduras

dune [djuːn] *n* duna *f*

dungarees [ˌdʌŋgə'riːz] *npl* **1.** *(UK)* *(for work)* mono *m* *(Esp)*, overol *m* **2.** *(UK)* *(fashion item)* pantalones *mpl* de peto **3.** *(US)* *(jeans)* vaqueros de tela gruesa utilizados para trabajar

dungeon ['dʌndʒən] *n* mazmorra *f*

duo ['djuːəʊ] *n* ● **with a duo of sauces** con dos salsas distintas

duplicate ['djuːplɪkət] *n* copia *f*

during ['djʊərɪŋ] *prep* durante

dusk [dʌsk] *n* crepúsculo *m*

dust [dʌst] ◇ *n* polvo *m* ◇ *vt* quitar el polvo a, sacudir *(Amér)*

dustbin ['dʌstbɪn] *n* *(UK)* cubo *m* de la basura

dustcart ['dʌstkɑːt] n (UK) camión m de la basura

duster ['dʌstə^r] n trapo m (de quitar el polvo)

dustman ['dʌstmən] (pl **-men**) n (UK) basurero m

dustpan ['dʌstpæn] n recogedor m

dusty ['dʌstɪ] adj lleno(na) de polvo

Dutch [dʌtʃ] ◇ adj holandés(esa) ◇ n (language) holandés m ◇ npl ● the Dutch los holandeses

Dutchman ['dʌtʃmən] (pl **-men**) n holandés m

Dutchwoman ['dʌtʃˌwʊmən] (pl **-women**) n holandesa f

duty ['djuːtɪ] n **1.** (moral obligation) deber m **2.** (tax) impuesto m ● to be on duty estar de servicio ● to be off duty no estar de servicio ● **duties** npl (job) tareas fpl

duty chemist's n farmacia f de guardia

duty-free ◇ adj libre de impuestos ◇ n (article) artículo m libre de impuestos

duvet ['duːveɪ] n (UK) edredón m

DVD [diːviːˈdiː] noun (abbr of Digital Video or Versatile Disc) DVD m (Disco Versátil Digital)

DVD player n reproductor m de DVD

DVD-ROM [diːviːdiːˈrɒm] noun (abbr of Digital Video or Versatile Disc read only memory) DVD-ROM m (Disco Versátil Digital Read-Only Memory)

dwarf [dwɔːf] (pl **dwarves**) n enano m, -na f

dwelling ['dwelɪŋ] n (fml) morada f

dye [daɪ] ◇ n tinte m ◇ vt teñir

dying ['daɪɪŋ] cont ➤ die

dynamite ['daɪnəmaɪt] n dinamita f

dynamo ['daɪnəməʊ] (pl **-s**) n dínamo f

dyslexic [dɪsˈleksɪk] adj disléxico(ca)

E (abbr of east) E (este)

E111 [iːwʌnɪˈlevn] n (UK) E111 m impreso para obtener asistencia médica en otros países de la Unión Europea

each [iːtʃ] ◇ adj cada ◇ pron cada uno m, cada una f ● each one cada uno(cada una) ● each of them cada uno(cada una) ● each other el uno al otro ● they hate each other se odian ● we know each other nos conocemos ● one each uno cada uno(uno cada una) ● one of each uno de cada

eager ['iːgə^r] adj **1.** (pupil) entusiasta **2.** (expression) de entusiasmo ● to be eager to do sthg estar deseoso(sa) de hacer algo

eagle ['iːgl] n águila f

ear [ɪə^r] n **1.** (of person, animal) oreja f **2.** (of corn) espiga f

earache ['ɪəreɪk] n ● to have earache tener dolor de oídos

earl [ɜːl] n conde m

early ['ɜːlɪ] ◇ adj temprano(na) ◇ adv temprano ● early last year a principios del año pasado ● early morning la madrugada ● it arrived an hour early llegó con una hora de adelanto ● at the earliest como muy pronto ●

early on al principio ● **to have an early night** irse a la cama temprano

earn [ɜːn] vt 1. (money) ganar 2. (praise, success) ganarse ● **to earn a living** ganarse la vida

earnings ['ɜːnɪŋz] npl ingresos mpl

earphones ['ɪəfəʊnz] npl auriculares mpl, audífonos mpl

earplugs ['ɪəplʌgz] npl tapones mpl para los oídos

earrings ['ɪərɪŋz] npl pendientes mpl (Esp), aretes mpl (Amér)

earth [ɜːθ] ◇ n 1. tierra f 2. (UK) (electrical connection) toma f de tierra ◇ vt (UK) conectar a tierra ● **how on earth ...?** ¿cómo demonios ...?

earthenware ['ɜːθnweə'] adj de loza

earthquake ['ɜːθkweɪk] n terremoto m

ease [iːz] ◇ n facilidad f ◇ vt 1. (pain) aliviar 2. (problem) atenuar ● **at ease** cómodo ● **with ease** con facilidad ◇ **ease off** vi 1. (pain) calmarse 2. (rain) amainar

easily ['iːzɪlɪ] adv 1. (without difficulty) fácilmente 2. (by far) sin lugar a dudas

east [iːst] ◇ n este m ◇ adv 1. (fly, walk) hacia el este 2. (be situated) al este ● **in the east of England** al este de Inglaterra ● **the East** (Asia) el Oriente

eastbound ['iːstbaʊnd] adj con dirección este

Easter ['iːstə'] n 1. (day) Domingo m de Pascua 2. (period) Semana f Santa

eastern ['iːstən] adj del este ◆ **Eastern** adj (Asian) oriental

Eastern Europe n Europa del Este

eastwards ['iːstwədz] adv hacia el este

easy ['iːzɪ] adj 1. (not difficult) fácil 2.

(without problems) cómodo(da) ● **to take it easy** (relax) relajarse

easygoing [ˌiːzɪ'gəʊɪŋ] adj tranquilo(la)

eat [iːt] (pt **ate**, pp **eaten**) vt & vi comer ◆ **eat out** vi comer fuera

ebony ['ebənɪ] n ébano m

e-business ['iːbɪznɪs] n negocio m electrónico

EC [iː'siː] n (abbr of European Community) CE f (Comunidad Europea)

e-cash ['iːkæʃ] n dinero m electrónico

eccentric [ɪk'sentrɪk] adj excéntrico(ca)

echo ['ekəʊ] (pl **-es**) ◇ n eco m ◇ vi resonar

eco-friendly [ɪkəʊ-] adj que no daña el ambiente

ecological [ɪkə'lɒdʒɪkl] adj ecológico (ca)

ecology [ɪ'kɒlədʒɪ] n ecología f

e-commerce ['iːkɒmɜːs] n (U) comercio m electrónico

economic [ˌiːkə'nɒmɪk] adj 1. (relating to the economy) económico(ca) 2. (profitable) rentable ◆ **economics** n economía f

economical [ˌiːkə'nɒmɪkl] adj económico(ca)

economize [ɪ'kɒnəmaɪz] vi economizar

economy [ɪ'kɒnəmɪ] n economía f

economy class n clase f turista

economy size adj de tamaño económico

ecstasy ['ekstəsɪ] n éxtasis m inv

Ecuador ['ekwədɔː'] n Ecuador m

Ecuadorian [ˌekwə'dɔːrən] ◇ adj ecuatoriano(na) ◇ n ecuatoriano m, -na f

eczema ['eksɪmə] n eccema m

edge [edʒ] n 1. (border) borde m 2. (of

table, coin, ruler) canto *m* **3.** *(of knife)* filo *m*

edible ['edɪbl] *adj* comestible

Edinburgh ['edɪmbrə] *n* Edimburgo

Edinburgh Festival *n* ● the Edinburgh Festival el festival de Edimburgo

edition [ɪ'dɪʃn] *n* edición *f*

editor ['edɪtə'] *n* **1.** *(of newspaper, magazine)* director *m*, -ra *f* **2.** *(of book)* autor *m*, -ra *f* de la edición, redactor *m*, -ra *f* **3.** *(of film, TV programme)* montador *m*, -ra *f* *(Esp)*, editor *m*, -ra *f*

editorial [,edɪ'tɔ:rɪəl] *n* editorial *m*

educate ['edʒʊkeɪt] *vt* educar

education [,edʒʊ'keɪʃn] *n* **1.** *(field)* enseñanza *f* **2.** *(process or result of teaching)* educación *f*

eel [i:l] *n* anguila *f*

effect [ɪ'fekt] *n* efecto *m* ● to put sthg into effect hacer entrar algo en vigor ● to take effect *(medicine)* hacer efecto; *(law)* entrar en vigor

effective [ɪ'fektɪv] *adj* **1.** *(successful)* eficaz **2.** *(law, system)* operativo(va)

effectively [ɪ'fektɪvlɪ] *adv* **1.** *(successfully)* eficazmente **2.** *(in fact)* de hecho

efficient [ɪ'fɪʃənt] *adj* eficiente

effort ['efət] *n* esfuerzo *m* ● to make an effort to do sthg hacer un esfuerzo por hacer algo ● it's not worth the effort no merece la pena

e.g. *adv* p. ej.

egg [eg] *n* huevo *m*

egg cup *n* huevera *f*

egg mayonnaise *n* relleno de bocadillo consistente en huevo duro triturado con mayonesa

eggplant ['egplɑːnt] *n* (US) berenjena *f*

egg white *n* clara *f* (de huevo)

egg yolk *n* yema *f* (de huevo)

Egypt ['i:dʒɪpt] *n* Egipto

eiderdown ['aɪdədaʊn] *n* (UK) edredón *m*

eight [eɪt] *num* ocho ● to be eight (years old) tener ocho años (de edad) ● it's eight (o'clock) son las ocho ● a hundred and eight ciento ocho ● eight Hill St Hill St, número ocho ● it's minus eight (degrees) hay ocho grados bajo cero ● eight out of ten ocho sobre diez

eighteen [,eɪ'ti:n] *num* dieciocho

eighteenth [,eɪ'ti:nθ] *num* decimoctavo (va)

eighth [eɪtθ] ◇ *num adj* octavo(va) ◇ *pron* octavo *m*, -va *f* ◇ *num n (fraction)* octavo *m* ◇ *num adv* octavo ● an eighth (of) la octava parte (de) ● the eighth (of September) el ocho (de septiembre)

eightieth ['eɪtɪθ] *num* octogésimo(ma)

eighty ['eɪtɪ] *num* ochenta

Eire ['eərə] *n* Eire

either¹ ['aɪðə', 'i:ðə'] *adj* ● either book will do cualquiera de los dos libros vale

either² ['aɪðə', 'i:ðə'] *pron* ● I'll take either (of them) me llevaré cualquiera (de los dos) ● I don't like either (of them) no me gusta ninguno (de los dos)

either³ ['aɪðə', 'i:ðə'] *adv* ● I can't either yo tampoco (puedo) ● either ... or o ... o ● I don't speak either French or Spanish no hablo ni francés ni español ● on either side a ambos lados

eject [ɪˈdʒekt] *vt (cassette)* expulsar
elaborate [ɪˈlæbrət] *adj* elaborado(da)
elastic [ɪˈlæstɪk] *n* elástico *m*
elastic band *n (UK)* goma *f* (elástica)
elbow [ˈelbəʊ] *n* codo *m*
elder [ˈeldə^r] *adj* mayor
elderly [ˈeldəlɪ] ◇ *adj* anciano(na) ◇ *npl* ● the elderly los ancianos
eldest [ˈeldɪst] *adj* mayor
elect [ɪˈlekt] *vt (by voting)* elegir
election [ɪˈlekʃn] *n* elección *f*
electric [ɪˈlektrɪk] *adj* eléctrico(ca)
electrical goods [ɪˈlektrɪkl-] *npl* electrodomésticos *mpl*
electric blanket *n* manta *f* eléctrica
electric drill *n* taladro *m* eléctrico
electric fence *n* cercado *m* electrificado
electrician [ˌɪlekˈtrɪʃn] *n* electricista *mf*
electricity [ˌɪlekˈtrɪsəti] *n* electricidad *f*
electric shock *n* descarga *f* eléctrica
electrocute [ɪˈlektrəkjuːt] *vt* electrocutar
electronic [ˌɪlekˈtronɪk] *adj* electrónico(ca)
elegant [ˈelɪgənt] *adj* elegante
element [ˈelɪmənt] *n* **1.** *(part, chemical)* elemento *m* **2.** *(degree)* toque *m*, matiz *m* **3.** *(of fire, kettle)* resistencia *f* ● the elements los elementos
elementary [ˌelɪˈmentərɪ] *adj* elemental
elephant [ˈelɪfənt] *n* elefante *m*
elevator [ˈelɪveɪtə^r] *n (US)* ascensor *m*
eleven [ɪˈlevn] ◇ *num adj* once ◇ *num n* once *m inv* ● to be eleven (years old) tener once años (de edad) ● it's eleven (o'clock) son las once ● a

hundred and eleven ciento once ● eleven Hill St Hill St, número once ● it's minus eleven (degrees) hay once grados bajo cero
eleventh [ɪˈlevnθ] ◇ *num adj* undécimo (ma) ◇ *pron* undécimo *m*, -ma *f* ◇ *num n (fraction)* undécimo *m* ◇ *num adv* undécimo ● an eleventh (of) la undécima parte (de) ● the eleventh (of September) el undécimo (de septiembre)
eligible [ˈelɪdʒəbl] *adj* elegible
eliminate [ɪˈlɪmɪneɪt] *vt* eliminar
Elizabethan [ɪˌlɪzəˈbiːθn] *adj* isabelino (na)
elm [elm] *n* olmo *m*
El Salvador [ˌelˈsælvədɔːʳ] *n* El Salvador
else [els] *adv* ● I don't want anything else no quiero nada más ● anything else? ¿algo más? ● everyone else todos los demás(todas las demás) ● nobody else nadie más ● nothing else nada más ● somebody else otra persona ● something else otra cosa ● somewhere else a/en otra parte ● what else? ¿qué más? ● who else? ¿quién más? ● or else si no
elsewhere [elsˈweəʳ] *adv* a/en otra parte
e-mail [ˈiːmeɪl] ◇ *n* **1.** *(system)* correo *m* electrónico, email *m* **2.** *(message)* mensaje *m* (de correo) electrónico, mail *m*, email *m* ◇ *vt* ● to e-mail sb mandarle a alguien un mensaje (de correo) electrónico ● I'll e-mail the details to you te enviaré los detalles por correo electrónico

e-mails

You can start an e-mail (colloquially known as *un emilio* in Spanish) with formal phrases such as *Sra. Caravaca:* or *Estimado Sr. Hernández:*. However, in the majority of contexts less formal phrases are preferred, for example: *Querido Gustavo:, Hola, Carmen:* or *¿Qué tal, Pedro?* Remember that unlike in English, these phrases are followed by a colon and not a comma. You can end a formal e-mail with *Cordialmente*, but it is more usual to sign off with informal phrases like *Saludos, Abrazos, Nos vemos* or *Hasta pronto*. For close friends and family, you can also use *Besos* or *Besitos*.

e-mail address *n* dirección *f* de correo electrónico (*Esp*), dirección *f* electrónica (*Amér*)

embankment [ɪmˈbæŋkmənt] *n* **1.** *(next to river)* dique *m* **2.** *(next to road, railway)* terraplén *m*

embark [ɪmˈbɑːk] *vi (board ship)* embarcar

embarrass [ɪmˈbærəs] *vt* avergonzar

embarrassed [ɪmˈbærəst] *adj* ▪ I was embarrassed me daba vergüenza OR pena (*Amér*)

embarrassing [ɪmˈbærəsɪŋ] *adj* embarazoso(sa), penoso(sa)

embarrassment [ɪmˈbærəsmənt] *n* vergüenza *f*, pena *f* (*Amér*)

embassy [ˈembəsɪ] *n* embajada *f*

emblem [ˈembləm] *n* emblema *m*

embrace [ɪmˈbreɪs] *vt* abrazar

embroidered [ɪmˈbrɔɪdəd] *adj* bordado (da)

embroidery [ɪmˈbrɔɪdərɪ] *n* bordado *m*

emerald [ˈemərəld] *n* esmeralda *f*

emerge [ɪˈmɜːdʒ] *vi* **1.** *(from place)* salir **2.** *(fact, truth)* salir a la luz

emergency [ɪˈmɜːdʒənsɪ] ◇ *n* emergencia *f* ◇ *adj* de emergencia ● in an emergency en caso de emergencia

emergency exit *n* salida *f* de emergencia

emergency landing *n* aterrizaje *m* forzoso

emergency services *npl* servicios *mpl* de emergencia

emigrate [ˈemɪgreɪt] *vi* emigrar

emit [ɪˈmɪt] *vt* emitir

emotion [ɪˈməʊʃn] *n* emoción *f*

emotional [ɪˈməʊʃənl] *adj* emotivo(va)

emphasis [ˈemfəsɪs] *n* (*pl* -ases) énfasis *m inv*

emphasize [ˈemfəsaɪz] *vt* enfatizar, subrayar

empire [ˈempaɪə'] *n* imperio *m*

employ [ɪmˈplɔɪ] *vt* emplear

employed [ɪmˈplɔɪd] *adj* empleado(da)

employee [ɪmˈplɔɪiː] *n* empleado *m*, -da *f*

employer [ɪmˈplɔɪə'] *n* patrono *m*, -na *f*

employment [ɪmˈplɔɪmənt] *n* empleo *m*

employment agency *n* agencia *f* de trabajo

empty [ˈemptɪ] ◇ *adj* **1.** vacío(a) **2.** *(threat, promise)* vano(na) ◇ *vt* vaciar

EMU [iːemˈjuː] *n* (*abbr of European Monetary Union*) UME *f* (*Unión mone-*

taria europea)

emulsion (paint) [ɪˈmʌlʃn-] *n* pintura *f* mate

enable [ɪˈneɪbl] *vt* ● **to enable sb to do sthg** permitir a alguien hacer algo

enamel [ɪˈnæml] *n* esmalte *m*

enclose [ɪnˈkləʊz] *vt* **1.** *(surround)* rodear **2.** *(with letter)* adjuntar

enclosed [ɪnˈkləʊzd] *adj (space)* cerrado (da)

encounter [ɪnˈkaʊntəʳ] *vt* encontrarse con

encourage [ɪnˈkʌrɪdʒ] *vt (person)* animar ● **to encourage sb to do sthg** animar a alguien a hacer algo

encouragement [ɪnˈkʌrɪdʒmənt] *n* aliento *m*, ánimo *m*

encrypt [enˈkrɪpt] *vt* COMPUT codificar

encyclopedia [ɪn͵saɪkləˈpiːdjə] *n* enciclopedia *f*

end [end] ◇ *n* **1.** fin *m* **2.** *(furthest point)* extremo *m* **3.** *(of finger, toe)* punta *f* ◇ *vt* terminar ◇ *vi* acabarse ● **to come to an end** acabarse ● **to put an end to sthg** poner fin a algo ● **for days on end** día tras día ● **in the end** al final ● **to make ends meet** llegar al final de mes ● **at the end of** *(street, garden)* al final de ● **at the end of April** a finales de abril ● **end up** *vi* acabar, terminar ● **to end up doing sthg** acabar por hacer algo

endangered species [ɪnˈdeɪndʒəd-] *n* especie *f* en peligro

ending [ˈendɪŋ] *n* **1.** *(of story, film)* final *m* **2.** GRAM terminación *f*

endive [ˈendaɪv] *n* **1.** *(curly)* endibia *f* **2.** *(chicory)* achicoria *f*

endless [ˈendlɪs] *adj* interminable

endorsement [ɪnˈdɔːsmənt] *n* (UK) *(of driving licence)* nota de sanción en el *carné de conducir*

endurance [ɪnˈdjʊərəns] *n* resistencia *f*

endure [ɪnˈdjʊəʳ] *vt* soportar

enemy [ˈenɪmɪ] *n* enemigo *m*, -ga *f*

energy [ˈenədʒɪ] *n* energía *f*

enforce [ɪnˈfɔːs] *vt* hacer cumplir

engaged [ɪnˈgeɪdʒd] *adj* **1.** *(to be married)* prometido(da) **2.** *(UK) (phone)* ocupado(da), comunicando *(Esp)* **3.** *(toilet)* ocupado(da) ● **to get engaged** prometerse

engaged tone *n* (UK) señal *f* de comunicando OR ocupado

engagement [ɪnˈgeɪdʒmənt] *n* **1.** *(to marry)* compromiso *m* **2.** *(appointment)* cita *f*

engagement ring *n* anillo *m* de compromiso

engine [ˈendʒɪn] *n* **1.** *(of vehicle)* motor *m* **2.** *(of train)* máquina *f*

engineer [͵endʒɪˈnɪəʳ] *n* ingeniero *m*, -ra *f*

engineering [͵endʒɪˈnɪərɪŋ] *n* ingeniería *f*

engineering works *npl (on railway line)* trabajos *mpl* de mejora en la línea

England [ˈɪŋglənd] *n* Inglaterra

English [ˈɪŋglɪʃ] ◇ *adj* inglés(esa) ◇ *n (language)* inglés *m* ◇ *npl* ● **the English** los ingleses

English breakfast *n* desayuno *m* inglés

English Channel *n* ● **the English Channel** el Canal de la Mancha

Englishman ['ɪŋglɪʃmən] (*pl* **-men**) *n* inglés *m*

Englishwoman ['ɪŋglɪʃ,wʊmən] (*pl* **-women**) *n* inglesa *f*

engrave [ɪn'greɪv] *vt* grabar

engraving [ɪn'greɪvɪŋ] *n* grabado *m*

enjoy [ɪn'dʒɔɪ] *vt* ● I enjoyed the film me gustó la película ● I enjoy swimming me gusta nadar ● to enjoy o.s. divertirse ● enjoy your meal! ¡que aproveche!

enjoyable [ɪn'dʒɔɪəbl] *adj* agradable

enjoyment [ɪn'dʒɔɪmənt] *n* placer *m*

enlargement [ɪn'lɑːdʒmənt] *n* (*of photo*) ampliación *f*

enormous [ɪ'nɔːməs] *adj* enorme

enough [ɪ'nʌf] *adj, pron & adv* bastante ● enough time bastante tiempo ● is that enough? ¿es bastante? ● it's not big enough no es lo bastante grande ● to have had enough (of) estar harto (de)

enquire [ɪn'kwaɪə^r] *vi* informarse

enquiry [ɪn'kwaɪərɪ] *n* **1.** (*question*) pregunta *f* **2.** (*investigation*) investigación *f* ▼ Enquiries Información

enquiry desk *n* información *f*

enrol [ɪn'rəʊl] *vi* (*UK*) matricularse, inscribirse

enroll [ɪn'rəʊl] (*US*) = **enrol**

en suite bathroom [ɒn'swiːt-] *n* baño *m* adjunto

ensure [ɪn'ʃʊə^r] *vt* asegurar

ENT [iːen'tiː] *n* (*abbr of* Ear, Nose and Throat) otorrinolaringología *f*

entail [ɪn'teɪl] *vt* conllevar

enter ['entə^r] ◇ *vt* **1.** (*room, building*) entrar en **2.** (*plane, bus*) subir a **3.** (*college*) matricularse a, inscribirse en **4.** (*army*) alistarse en **5.** (*competition*) presentarse a **6.** (*on form*) escribir ◇ *vi* **1.** (*come in*) entrar **2.** (*in competition*) presentarse, participar

enterprise ['entəpraɪz] *n* empresa *f*

entertain [,entə'teɪn] *vt* (*amuse*) entretener

entertainer [,entə'teɪnə^r] *n* artista *mf*

entertaining [,entə'teɪnɪŋ] *adj* entretenido(da)

entertainment [,entə'teɪnmənt] *n* **1.** (*amusement*) diversión *f* **2.** (*show*) espectáculo *m*

enthusiasm [ɪn'θjuːzɪæzm] *n* entusiasmo *m*

enthusiast [ɪn'θjuːzɪæst] *n* entusiasta *mf*

enthusiastic [ɪn,θjuːzɪ'æstɪk] *adj* entusiasta

entire [ɪn'taɪə^r] *adj* entero(ra)

entirely [ɪn'taɪəlɪ] *adv* enteramente

entitle [ɪn'taɪtl] *vt* ● to entitle sb to sthg dar a alguien derecho a algo ● to entitle sb to do sthg autorizar a alguien a hacer algo

entrance ['entrəns] *n* entrada *f*

entrance fee *n* precio *m* de entrada

entry ['entrɪ] *n* **1.** entrada *f* **2.** (*in competition*) respuesta *f* ▼ no entry prohibido el paso

envelope ['envələʊp] *n* sobre *m*

envelopes

When addressing envelopes in Spanish, the house number comes after the street name and the postcode goes before the name of the town. For flats, you write the number of the floor followed by the flat number, e.g. 5° 2ª (fifth floor, flat no. 2). A typical address might be: *c/ Trapiche nº 177 5° 2ª, 29600 Marbella, MÁLAGA*. In this example, *c/* is the abbreviation for *calle*, *nº 177* is the main door number for the block of flats, *29600* is the postcode and *MÁLAGA* is the province (written in capitals).

envious ['enviəs] *adj* envidioso(sa)

environment [ɪn'vaɪərənmənt] *n* (*surroundings*) entorno ● **the environment** el medio ambiente

environmental [ɪn,vaɪərən'mentl] *adj* medioambiental

environmentally friendly [ɪn,vaɪərən-'mentəlɪ-] *adj* ecológico(ca)

envy ['envɪ] *vt* envidiar

epic ['epɪk] *n* epopeya *f*

epidemic [,epɪ'demɪk] *n* epidemia *f*

epileptic [,epɪ'leptɪk] *adj* epiléptico(ca)

episode ['epɪsəʊd] *n* episodio *m*

equal ['iːkwəl] ◇ *adj* igual ◇ *vt* (*number*) ser igual a ● **to be equal to** ser igual a

equality [ɪ'kwɒlətɪ] *n* igualdad *f*

equalize ['iːkwəlaɪz] *vi* marcar el empate

equally ['iːkwəlɪ] *adv* **1.** igualmente **2.** (*pay, treat*) equitativamente **3.** (*share*) por igual

equation [ɪ'kweɪʒn] *n* ecuación *f*

equator [ɪ'kweɪtə'] *n* ● **the equator** el ecuador

equip [ɪ'kwɪp] *vt* ● **to equip sb with** proveer a alguien (de) ● **to equip sthg**

with equipar algo (con)

equipment [ɪ'kwɪpmənt] *n* equipo *m*

equipped [ɪ'kwɪpt] *adj* ● **to be equipped with** estar provisto(ta) de

equivalent [ɪ'kwɪvələnt] ◇ *adj* equivalente ◇ *n* equivalente *m*

ER [iː'ɑː'] *n* (*US*) (*abbr of* **emergency room**) urgencias *fpl*

erase [ɪ'reɪz] *vt* borrar

eraser [ɪ'reɪzə'] *n* goma *f* de borrar

erect [ɪ'rekt] ◇ *adj* (*person, posture*) erguido(da) ◇ *vt* **1.** (*tent*) montar **2.** (*monument*) erigir

erotic [ɪ'rɒtɪk] *adj* erótico(ca)

errand ['erənd] *n* recado *m*

erratic [ɪ'rætɪk] *adj* irregular

error ['erə'] *n* error *m*

escalator ['eskəleɪtə'] *n* escalera *f* mecánica

escalope ['eskələp] *n* escalope *m*

escape [ɪ'skeɪp] ◇ *n* **1.** (*flight*) fuga *f* **2.** (*of gas, water*) escape *m* ◇ *vi* ● **to escape (from)** (*prison, danger*) escaparse (de); (*leak*) fugarse (de)

escort ◇ *n* ['eskɔːt] (*guard*) escolta *f* ◇ *vt* [ɪ'skɔːt] escoltar

especially [ɪ'speʃəlɪ] *adv* especialmente

esplanade [,esplə'neɪd] *n* paseo *m* marítimo

essay ['eseɪ] *n* **1.** (*at school*) redacción *f* **2.** (*at university*) trabajo *m*

essential [ɪ'senʃl] *adj* esencial ● **essentials** *npl* ● **the (bare) essentials** lo (mínimo) indispensable

essentially [ɪ'senʃəlɪ] *adv* esencialmente

establish [ɪ'stæblɪʃ] *vt* **1.** (*set up, create*) establecer **2.** (*fact, truth*) verificar

establishment [ɪˈstæblɪʃmənt] *n (business)* establecimiento *m*

estate [ɪˈsteɪt] *n* **1.** *(land in country)* finca *f* **2.** *(UK) (for housing)* urbanización *f* **3.** *(UK) (car)* = **estate car**

estate agent *n (UK)* agente *m* inmobiliario, agente *f* inmobiliaria

estate car *n (UK)* coche *m* familiar, coche *m* ranchera, camioneta *f (Amér)*

estimate ◇ *n* [ˈestɪmət] **1.** *(guess)* estimación *f* **2.** *(for job)* presupuesto *m* ◇ *vt* [ˈestɪmeɪt] calcular

estuary [ˈestjʊərɪ] *n* estuario *m*

etc. *(abbr of* etcetera*)* etc. *(etcétera)*

ethnic minority [ˈeθnɪk-] *n* minoría *f* étnica

EU [iːˈjuː] *n (abbr of* European Union*)* UE *f (Unión Europea)* ● **EU policy** directriz *f* de la UE

euro [ˈjʊərə] *n* euro *m*

Eurocheque [ˈjʊərəʊˌtʃek] *n* eurocheque *m*

Europe [ˈjʊərəp] *n* Europa

European [ˌjʊərəˈpɪən] ◇ *adj* europeo(a) ◇ *n* europeo *m*, -a *f*

European Central Bank *n* Banco *m* Central Europeo

European Commission *n* Comisión *f* Europea

Eurostar ® [ˈjʊərəʊstɑːˈ] *n* Eurostar ® *m*

euro zone *n* zona *f* del euro

evacuate [ɪˈvækjʊeɪt] *vt* evacuar

evade [ɪˈveɪd] *vt* eludir

eve [iːv] *n* ● **on the eve of** en la víspera de

even [ˈiːvn] ◇ *adj* **1.** *(uniform)* constante, uniforme **2.** *(level, flat)* llano(na), liso

(sa) **3.** *(equal)* igualado(da) **4.** *(number)* par ◇ *adv* **1.** *(emphasizing surprise)* hasta **2.** *(in comparisons)* aun ● **to break even** acabar sin ganar ni perder ● **even so** aun así ● **even though** aunque ● **not even** ni siquiera

evening [ˈiːvnɪŋ] *n* **1.** *(from 5 p.m. to 8 p.m.)* tarde *f* **2.** *(from 9 p.m. onwards)* noche *f* **3.** *(event)* velada *f* ● **good evening!** ¡buenas tardes!, ¡buenas noches! ● **in the evening** por la tarde, por la noche

evening classes *npl* clases *fpl* nocturnas

evening dress *n* **1.** *(formal clothes)* traje *m* de etiqueta **2.** *(woman's garment)* traje de noche

evening meal *n* cena *f*

event [ɪˈvent] *n* **1.** *(occurrence)* suceso *m* **2.** *SPORT* prueba *f* ● **in the event of** *(fml)* en caso de

eventual [ɪˈventʃʊəl] *adj* final, definitivo(va)

eventually [ɪˈventʃʊəlɪ] *adv* finalmente

ever [ˈevəˈ] *adv* **1.** *(at any time)* alguna vez **2.** *(in negatives)* nunca ● **I don't ever do that** no hago eso nunca ● **the best I've ever seen** lo mejor que nunca he visto ● **he was ever so angry** *(UK)* estaba muy enfadado ● **for ever** *(eternally)* para siempre ● **we've been waiting for ever** hace siglos que esperamos ● **hardly ever** casi nunca ● **ever since** desde entonces, desde que

every [ˈevrɪ] *adj* cada ● **every day** cada día ● **every other day** un día sí y otro no ● **one in every ten** uno de cada diez ● we make **every effort** ... hacemos todo lo posible ... ● **every so often** de vez en cuando

everybody ['evrɪˌbɒdɪ] = everyone

everyday ['evrɪdeɪ] *adj* diario(ria)

everyone ['evrɪwʌn] *pron* todo el mundo, todos *mpl*, -das *f*

everyplace ['evrɪˌpleɪs] (US) = everywhere

everything ['evrɪθɪŋ] *pron* todo

everywhere ['evrɪweə'] *adv* 1. (*be, search*) por todas partes 2. (*with verbs of motion*) a todas partes ● **everywhere you go** por todas partes

evidence ['evɪdəns] *n* 1. (*proof*) prueba *f* 2. *LAW* declaración *f*

evident ['evɪdənt] *adj* evidente

evidently ['evɪdəntlɪ] *adv* 1. (*apparently*) aparentemente 2. (*obviously*) evidentemente

evil ['iːvl] ◇ *adj* malvado(da) ◇ *n* mal *m*

ex [eks] *n* (*inf*) ex *mf*

exact [ɪg'zækt] *adj* exacto(ta) ▼ **exact fare ready please** tenga listo el precio exacto del billete

exactly [ɪg'zæktlɪ] ◇ *adv* exactamente ◇ *excl* ¡exacto!

exaggerate [ɪg'zædʒəreɪt] *vt* & *vi* exagerar

exaggeration [ɪgˌzædʒə'reɪʃn] *n* exageración *f*

exam [ɪg'zæm] *n* examen *m* ● **to take an exam** examinarse, presentarse a un examen

examination [ɪgˌzæmɪ'neɪʃn] *n* 1. (*exam*) examen *m* 2. *MED* reconocimiento *m*

examine [ɪg'zæmɪn] *vt* 1. (*inspect*) examinar 2. (*consider carefully*) considerar 3.

MED reconocer

example [ɪg'zɑːmpl] *n* ejemplo *m* ● **for example** por ejemplo

exceed [ɪk'siːd] *vt* 1. (*be greater than*) exceder 2. (*go beyond*) rebasar

excellent ['eksələnt] *adj* excelente

except [ɪk'sept] *prep* & *conj* salvo ● **except for** aparte de ▼ **except for access** cartel que indica que el tránsito no está permitido ▼ **except for loading** salvo carga y descarga

exception [ɪk'sepʃn] *n* excepción *f*

exceptional [ɪk'sepʃnəl] *adj* excepcional

excerpt ['eksɜːpt] *n* extracto *m*, pasaje *m*

excess [ɪk'ses] (*before noun* ['ekses]) ◇ *adj* excedente ◇ *n* exceso *m*

excess baggage *n* exceso *m* de equipaje

excess fare *n* (UK) suplemento *m*

excessive [ɪk'sesɪv] *adj* excesivo(va)

exchange [ɪks'tʃeɪndʒ] ◇ *n* 1. (*of telephones*) central *f* telefónica 2. (*of students*) intercambio *m* ◇ *vt* intercambiar ● **to be on an exchange** estar de intercambio

exchange rate *n* tipo *m* de cambio

excited [ɪk'saɪtɪd] *adj* emocionado(da)

excitement [ɪk'saɪtmənt] *n* emoción *f* ● **excitements** (*exciting things*) emociones *fpl*

exciting [ɪk'saɪtɪŋ] *adj* emocionante

exclamation mark [ˌeksklə'meɪʃn-] *n* signo *m* de admiración

exclamation point [ˌeksklə'meɪʃn-] (US) = exclamation mark

exclude [ɪk'skluːd] *vt* excluir

excluding [ɪkˈsklu:dɪŋ] *prep* excepto, con excepción de

exclusive [ɪkˈsklu:sɪv] ◇ *adj* **1.** *(high-class)* selecto(ta) **2.** *(sole)* exclusivo(va) ◇ *n* exclusiva *f* ● **exclusive of** excluyendo

excursion [ɪkˈskɜ:ʃn] *n* excursión *f*

excuse ◇ *n* [ɪkˈskju:s] excusa *f* ◇ *vt* [ɪkˈskju:z] **1.** *(forgive)* perdonar **2.** *(let off)* dispensar ● **excuse me!** *(attracting attention)* ¡perdone!; *(trying to get past)* ¿me deja pasar, por favor?; *(as apology)* perdone

ex-directory *adj* (UK) que no figura en la guía telefónica

execute [ˈeksɪkju:t] *vt* ejecutar

executive [ɪgˈzekjʊtɪv] ◇ *adj* (desk, suite) para ejecutivos ◇ *n* (person) ejecutivo *m*, -va *f*

exempt [ɪgˈzempt] *adj* ● **exempt (from)** exento(ta) (de)

exemption [ɪgˈzempʃn] *n* exención *f*

exercise [ˈeksəsaɪz] ◇ *n* ejercicio *m* ◇ *vi* hacer ejercicio ● **to do exercises** hacer ejercicio

exercise book *n* cuaderno *m* de ejercicios

exert [ɪgˈzɜ:t] *vt* ejercer

exhaust [ɪgˈzɔ:st] ◇ *vt* agotar ◇ *n* ● **exhaust (pipe)** tubo *m* de escape

exhausted [ɪgˈzɔ:stɪd] *adj* agotado(da)

exhibit [ɪgˈzɪbɪt] ◇ *n* (in museum, gallery) objeto *m* expuesto ◇ *vt* (in exhibition) exponer

exhibition [,eksɪˈbɪʃn] *n* (of art) exposición *f*

exist [ɪgˈzɪst] *vi* existir

existence [ɪgˈzɪstəns] *n* existencia *f* ● **to be in existence** existir

existing [ɪgˈzɪstɪŋ] *adj* existente

exit [ˈeksɪt] ◇ *n* salida *f* ◇ *vi* salir

exotic [ɪgˈzɒtɪk] *adj* exótico(ca)

expand [ɪkˈspænd] *vi* **1.** (in size) extenderse, expandirse **2.** (in number) aumentarse, ampliarse

expect [ɪkˈspekt] *vt* esperar ● **to expect to do sthg** esperar hacer algo ● **I expect you to get to work on time** (require) espero que llegues al trabajo puntual ● **to be expecting** (be pregnant) estar embarazada

expedition [,ekspɪˈdɪʃn] *n* **1.** (to explore etc) expedición *f* **2.** (short outing) salida *f*

expel [ɪkˈspel] *vt* (from school) expulsar

expense [ɪkˈspens] *n* gasto *m* ● **at the expense of** a costa de ● **expenses** *npl* (of business person) gastos *mpl*

expensive [ɪkˈspensɪv] *adj* caro(ra)

experience [ɪkˈspɪərɪəns] ◇ *n* experiencia *f* ◇ *vt* experimentar

experienced [ɪkˈspɪərɪənst] *adj* experimentado(da)

experiment [ɪkˈsperɪmənt] ◇ *n* experimento *m* ◇ *vi* experimentar

expert [ˈekspɜ:t] ◇ *adj* experto(ta) ◇ *n* experto *m*, -ta *f*

expire [ɪkˈspaɪə] *vi* caducar

expiry date [ɪkˈspaɪərɪ-] *n* fecha *f* de caducidad

explain [ɪkˈspleɪn] *vt* explicar

explanation [,ekspləˈneɪʃn] *n* explicación *f*

explode [ɪkˈspləʊd] *vi* estallar

exploit [ɪkˈsplɔɪt] *vt* explotar

explore [ɪkˈsplɔ:] *vt* explorar

explosion [ɪkˈspləʊʒn] *n* explosión *f*

explosive [ɪkˈspləʊsɪv] *n* explosivo *m*

export ◇ *n* [ˈekspɔːt] exportación *f* ◇ *vt* [ɪkˈspɔːt] exportar

exposed [ɪkˈspəʊzd] *adj* (*place*) al descubierto

exposure [ɪkˈspəʊʒəˀ] *n* **1.** exposición *f* **2.** MED hipotermia *f*

express [ɪkˈspres] ◇ *adj* **1.** (*letter, delivery*) urgente **2.** (*train*) rápido(da) ◇ *n* (*train*) expreso *m* ◇ *vt* expresar ◇ *adv* urgente

expression [ɪkˈspreʃn] *n* expresión *f*

expresso [ɪkˈspresəʊ] *n* café *m* exprés

expressway [ɪkˈspresweɪ] *n* (US) autopista *f*

extend [ɪkˈstend] ◇ *vt* **1.** (*visa, permit*) prorrogar **2.** (*road, railway*) prolongar **3.** (*hand*) tender ◇ *vi* (*stretch*) extenderse

extension [ɪkˈstenʃn] *n* **1.** (*of building*) ampliación *f* **2.** (*for phone, permit, essay*) extensión *f*

extension cord (US) = **extension lead**

extension lead [-liːd] *n* (UK) alargador *m*, extensión *f*

extensive [ɪkˈstensɪv] *adj* **1.** (*damage, area*) extenso(sa) **2.** (*selection*) amplio (plia)

extent [ɪkˈstent] *n* (*of damage, knowledge*) extensión *f* ● **to a certain extent** hasta cierto punto ● **to what extent ...?** ¿hasta qué punto ... ?

exterior [ɪkˈstɪərɪəˀ] ◇ *adj* exterior ◇ *n* (*of car, building*) exterior *m*

external [ɪkˈstɜːnl] *adj* externo(na)

extinct [ɪkˈstɪŋkt] *adj* extinto(ta)

extinction [ɪkˈstɪŋkʃn] *n* extinción *f*

extinguish [ɪkˈstɪŋgwɪʃ] *vt* **1.** (*fire*) extinguir **2.** (*cigarette*) apagar

extinguisher [ɪkˈstɪŋgwɪʃəˀ] *n* extintor *m*

extortionate [ɪkˈstɔːʃnət] *adj* exorbitante

extra [ˈekstrə] ◇ *adj* **1.** (*additional*) extra *inv* **2.** (*spare*) de más ◇ *n* **1.** (*bonus*) paga *f* extraordinaria **2.** (*optional thing*) extra *m* ◇ *adv* (*more*) más ● **an extra special offer** una oferta muy especial ● **be extra careful** ten mucho cuidado ● **I need some extra help** necesito más ayuda ● **extra charge** suplemento *m* ● **extra large** extra-grande ● **extras** *npl* (*in price*) suplementos *mpl*

extract ◇ *n* [ˈekstrækt] **1.** (*of yeast, malt*) extracto *m* **2.** (*from book, opera*) fragmento *m* ◇ *vt* [ɪkˈstrækt] (*tooth*) extraer

extraordinary [ɪkˈstrɔːdnrɪ] *adj* extraordinario(ria)

extravagant [ɪkˈstrævəgənt] *adj* **1.** (*wasteful*) derrochador(ra) **2.** (*expensive*) exorbitante

extreme [ɪkˈstriːm] ◇ *adj* extremo(ma) ◇ *n* extremo

extremely [ɪkˈstriːmlɪ] *adv* extremadamente

extrovert [ˈekstrəvɜːt] *n* extrovertido *m*, -da *f*

eye [aɪ] ◇ *n* ojo *m* ◇ *vt* mirar detenidamente ● **to keep an eye on** vigilar

eyebrow [ˈaɪbraʊ] *n* ceja *f*

eyeglasses [ˈaɪglɑːsɪz] *npl* (US) (*fml*) gafas *fpl* (*Esp*), anteojos *mpl* (*Amér*)

eyelash [ˈaɪlæʃ] *n* pestaña *f*

eyelid [ˈaɪlɪd] *n* párpado *m*

eyeliner [ˈaɪlaɪnəˀ] *n* lápiz *m* de ojos, delineador *m*

eye shadow *n* sombra *f* de ojos

eyesight ['aɪsaɪt] *n* vista *f*

eye test *n* prueba *f* de visión

eyewitness [,aɪ'wɪtnɪs] *n* testigo *mf* presencial

F [ef] *(abbr of* Fahrenheit) F *(fahrenheit)*

fab [fæb] *adj (inf)* genial

fabric ['fæbrɪk] *n (cloth)* tejido *m*

fabulous ['fæbjʊləs] *adj* fabuloso(sa)

facade [fə'sɑːd] *n* fachada *f*

face [feɪs] ◇ *n* 1. cara *f* 2. *(of clock, watch)* esfera *f* ◇ *vt* 1. *(look towards)* mirar a 2. *(confront, accept)* hacer frente a 3. *(cope with)* soportar ● **to be faced with** enfrentarse con ● **face up to** *vt insep* hacer frente a

facecloth ['feɪsklɒθ] *n* toalla *f* de cara

facial ['feɪʃl] *n* limpieza *f* de cutis

facilitate [fə'sɪlɪteɪt] *vt (fml)* facilitar

facilities [fə'sɪlɪtiːz] *npl* instalaciones *fpl*

facsimile [fæk'sɪmɪlɪ] *n* facsímil *m*

fact [fækt] *n* 1. *(established truth)* hecho *m* 2. *(piece of information)* dato *m* ● **in fact** *(in reality)* en realidad; *(moreover)* de hecho

factor ['fæktə] *n* 1. *(condition)* factor *m* 2. *(of suntan lotion)* factor *m* (de protección solar) ● **factor ten suntan lotion** bronceador *m* con factor de protección diez

factory ['fæktərɪ] *n* fábrica *f*

faculty ['fæklti] *n (at university)* facultad *f*

fade [feɪd] *vi* 1. *(light, sound)* irse apagando 2. *(flower)* marchitarse 3. *(jeans, wallpaper)* descolorarse

faded ['feɪdɪd] *adj (jeans)* desteñido(da)

fag [fæg] *n (UK) (inf) (cigarette)* pitillo *m*, tabaco *m*

Fahrenheit ['færənhaɪt] *adj* Fahrenheit *(inv)*

fail [feɪl] ◇ *vt (exam)* suspender *(Esp)*, reprobar *(Amér)* ◇ *vi* 1. *(not succeed)* fracasar 2. *(in exam)* suspender, reprobar *(Amér)* 3. *(engine)* fallar ● **to fail to do sthg** *(not do)* no hacer algo

failing ['feɪlɪŋ] ◇ *n* defecto *m* ◇ *prep* ● **failing that** en su defecto

failure ['feɪljə] *n* 1. fracaso *m* 2. *(unsuccessful person)* fracasado *m*, -da *f* ● **failure to comply with the regulations** el incumplimiento de las normas

faint [feɪnt] ◇ *adj* 1. *(sound, colour)* débil 2. *(outline)* impreciso(sa) 3. *(dizzy)* mareado(da) ◇ *vi* desmayarse ● **I haven't the faintest idea** no tengo ni la más mínima idea

fair [feə] ◇ *adj* 1. *(just)* justo(ta) 2. *(quite large)* considerable 3. *(quite good)* bastante bueno(na) 4. SCH satisfactorio(ria) 5. *(hair, person)* rubio(bia) 6. *(skin)* blanco(ca) 7. *(weather)* bueno(na) ◇ *n* feria *f* ● **fair enough!** ¡vale!

fairground ['feəgraʊnd] *n* recinto *m* de la feria

fair-haired [-'heəd] *adj* rubio(bia)

fairly ['feəlɪ] *adv (quite)* bastante

fairy ['feərɪ] *n* hada *f*

fairy tale *n* cuento *m* de hadas

faith [feɪθ] *n* fe *f*

faithfully ['feɪθfʊlɪ] *adv* • Yours faithfully le saluda atentamente

fake [feɪk] ◇ *n* (*false thing*) falsificación *f* ◇ *vt* (*signature, painting*) falsificar

fall [fɔːl] (*pt* **fell**, *pp* **fallen**) ◇ *vi* **1.** caer **2.** (*lose balance*) caerse **3.** (*decrease*) bajar ◇ *n* **1.** (*accident*) caída *f* **2.** (*decrease*) descenso *m* **3.** (*of snow*) nevada *f* **4.** (*US*) (*autumn*) otoño *m* • **to fall asleep** dormirse • **to fall ill** ponerse enfermo • **to fall in love** enamorarse ◆ **falls** *npl* (*waterfall*) cataratas *fpl* ◆ **fall behind** *vi* (*with work, rent*) retrasarse ◆ **fall down** *vi* (*lose balance*) caerse ◆ **fall off** *vi* **1.** (*person*) caerse **2.** (*handle, branch*) desprenderse ◆ **fall out** *vi* (*argue*) pelearse • **my tooth fell out** se me cayó un diente ◆ **fall over** *vi* caerse ◆ **fall through** *vi* fracasar

false [fɔːls] *adj* **1.** falso(sa) **2.** (*artificial*) postizo(za)

false alarm *n* falsa alarma *f*

false teeth *npl* dentadura *f* postiza

fame [feɪm] *n* fama *f*

familiar [fə'mɪljə'] *adj* **1.** (*known*) familiar **2.** (*informal*) demasiado amistoso (sa) • **to be familiar with** (*know*) estar familiarizado(da) con

family ['fæmlɪ] ◇ *n* familia *f* ◇ *adj* **1.** (*large*) familiar **2.** (*film, holiday*) para toda la familia

family planning clinic [-'plænɪŋ-] *n* clínica *f* de planificación familiar

family room *n* **1.** (*at hotel*) habitación *f* familiar

famine ['fæmɪn] *n* hambruna *f*

famished ['fæmɪʃt] *adj* (*inf*) muerto(ta) de hambre

famous ['feɪməs] *adj* famoso(sa)

fan [fæn] *n* **1.** (*held in hand*) abanico *m* **2.** (*electric*) ventilador *m* **3.** (*enthusiast*) admirador *m*, -ra *f* **4.** (*supporter*) aficionado *m*, -da *f*

fan belt *n* correa *f* OR banda *f* (*Méx*) del ventilador

fancy ['fænsɪ] ◇ *adj* **1.** (*elaborate*) recargado(da) **2.** (*food*) elaborado(da) ◇ *vt* (*UK*) (*inf*) • **I fancy an ice cream** me apetece tomar un helado • **he fancies Jane** le gusta Jane • **fancy (that)!** ¡fíjate!

fancy dress *n* disfraz *m*

fantastic [fæn'tæstɪk] *adj* fantástico(ca)

fantasy ['fæntəsɪ] *n* fantasía *f*

FAQ [fak] *n* COMPUT (*abbr of* frequently asked questions) fichero *m* de preguntas frecuentes

far [fɑː'] (*compar* **further** OR **farther**, *superl* **furthest** OR **farthest**) ◇ *adv* **1.** (*in distance, time*) lejos **2.** (*in degree*) mucho **3.** (*end*) extremo(ma) **2.** (*side*) opuesto(ta) • **have you come far?** ¿vienes de lejos? • **how far is it?** ¿está lejos? • **how far is it to London?** ¿cuánto hay de aquí a Londres? • **as far as** (*place*) hasta • **as far as I'm concerned** por lo que a mí se refiere • **as far as I know** que yo sepa • **far better** mucho mejor • **by far** con mucho • **it's far too difficult** es demasiado difícil • **so far** hasta ahora • **to go too far** pasarse

farce [fɑːs] *n* farsa *f*

fare [feə'] ◇ *n* **1.** (*on bus, train etc*) precio

m del billete **2.** *(fml) (food)* comida *f*
vi • **she fared well** le fue bien

Far East *n* • **the Far East** el Lejano Oriente

farm [fɑːm] *n* granja *f*

farmer ['fɑːmə'] *n* agricultor *m*, -ra *f*

farmhouse ['fɑːmhaʊs] *(pl* [-haʊzɪz]) *n* caserío *m*

farming ['fɑːmɪŋ] *n* agricultura *f*

farmland ['fɑːmlænd] *n* tierras *fpl* de labranza

farmyard ['fɑːmjɑːd] *n* corral *m*

farther ['fɑːðə'] *compar* > **far**

farthest ['fɑːðəst] *superl* > **far**

fascinating ['fæsɪneɪtɪŋ] *adj* fascinante

fascination [ˌfæsɪ'neɪʃn] *n* fascinación *f*

fashion ['fæʃn] *n* **1.** *(trend, style)* moda *f* **2.** *(manner)* manera *f* • **to be in fashion** estar de moda • **to be out of fashion** estar pasado de moda

fashionable ['fæʃnəbl] *adj* de moda

fashion show *n* desfile *m* de moda

fast [fɑːst] *◇ adj* **1.** *(quick)* rápido(da) **2.** *(clock, watch)* adelantado(da) *◇ adv* **1.** *(quickly)* rápidamente **2.** *(securely)* firmemente • **fast asleep** profundamente dormido • **a fast train** un tren rápido

fasten ['fɑːsn] *vt* **1.** *(belt, coat)* abrochar **2.** *(two things)* sujetar

fastener ['fɑːsnə'] *n* **1.** *(of window, box)* cierre *m* **2.** *(of dress)* corchete *m*

fast food *n* comida *f* rápida

fat [fæt] *◇ adj* **1.** *(person)* gordo(da) **2.** *(meat)* con mucha grasa *◇ n* **1.** grasa *f* **2.** *(for cooking)* manteca *f*

fatal ['feɪtl] *adj (accident, disease)* mortal

fat-free *adj* sin grasa

father ['fɑːðə'] *n* padre *m*

Father Christmas *n (UK)* Papá *m* Noel

father-in-law *n* suegro *m*

fattening ['fætnɪŋ] *adj* que engorda

fatty ['fætɪ] *adj* graso(sa)

faucet ['fɔːsɪt] *n (US)* grifo *m (Esp)*, llave *f*

fault ['fɔːlt] *n* **1.** *(responsibility)* culpa *f* **2.** *(flaw)* defecto *m* **3.** *(in machine)* fallo *m* • **it's your fault** tú tienes la culpa

faulty ['fɔːltɪ] *adj* defectuoso(sa)

favor ['feɪvə'] *(US)* = **favour**

favour ['feɪvə'] *◇ n (UK) (kind act)* favor *m ◇ vt (prefer)* preferir • **to be in favour of** estar a favor de • **to do sb a favour** hacerle un favor a alguien

favorable ['feɪvrəbl] *(US)* = **favourable**

favorite ['feɪvrət] (*(US)* = **favourite**

favorites ['feɪvrɪts] *n COMPUT* favoritos *mpl*

favourable ['feɪvrəbl] *adj (UK)* favorable

favourite ['feɪvrɪt] *◇ adj (UK)* favorito (ta) *◇ n* favorito *m*, -ta *f*

fawn [fɔːn] *adj* beige *inv*

fax [fæks] *◇ n* fax *m inv ◇ vt* **1.** *(document)* enviar por fax **2.** *(person)* enviar un fax a

fear [fɪə'] *◇ n* **1.** *(sensation)* miedo *m* **2.** *(thing feared)* temor *m ◇ vt (be afraid of)* temer • **for fear of** por miedo a

feast [fiːst] *n* banquete *m*

feather ['feðə'] *n* pluma *f*

feature ['fiːtʃə'] *◇ n* **1.** *(characteristic)* característica *f* **2.** *(of face)* rasgo *m* **3.** *(in newspaper)* artículo *m* de fondo **4.** *(on radio, TV)* programa *m* especial *◇ vt (subj: film)* estar protagonizado por

feature film *n* largometraje *m*

Feb [feb] (*abbr of* February) feb. (*febrero*)

February ['febrʊərɪ] *n* febrero *m* • **at the beginning of February** a principios de febrero • **at the end of February** a finales de febrero • **during February** en febrero • **every February** todos los años en febrero • **in February** en febrero • **last February** en febrero del año pasado • **next February** en febrero del próximo año • **this February** en febrero de este año • **2 February 2001** (*in letters etc*) 2 de febrero de 2001

fed [fed] *pt & pp* ➤ **feed**

fed up *adj* harto(ta) • **to be fed up with** estar harto de

fee [fiː] *n* **1.** (*for entry*) precio *m* **2.** (*for service*) tarifa *f* **3.** (*of doctor, lawyer*) honorarios *mpl*

feeble ['fiːbəl] *adj* (*weak*) débil

feed [fiːd] (*pt & pp* **fed**) *vt* **1.** (*person, animal*) dar de comer a **2.** (*insert*) introducir

feel [fiːl] (*pt & pp* **felt**) ◇ *vt* **1.** (*touch*) tocar **2.** (*experience*) sentir **3.** (*think*) pensar que ◇ *vi* **1.** (*tired, ill, better*) encontrarse **2.** (*sad, angry, safe*) sentirse ◇ *n* (*of material*) tacto *m* • **my nose feels cold** tengo la nariz fría • **to feel cold** tener frío • **to feel hungry** tener hambre • **I feel like a cup of tea** me apetece una taza de té • **to feel up to doing sthg** sentirse con ánimos de hacer algo

feeling ['fiːlɪŋ] *n* **1.** (*emotion*) sentimiento *m* **2.** (*sensation*) sensación *f* **3.** (*belief*) impresión *f* • **to hurt sb's feelings** herir los sentimientos de alguien

feet [fiːt] *pl* ➤ **foot**

fell [fel] ◇ *pt* ➤ **fall** ◇ *vt* talar

fellow ['feləʊ] *n* (*man*) tío *m* ◇ *adj* • **my fellow students** mis compañeros de clase

felt [felt] ◇ *pt & pp* ➤ **feel** ◇ *n* fieltro *m*

felt-tip pen *n* rotulador *m*, marcador *m* (*Amér*)

female ['fiːmeɪl] ◇ *adj* **1.** (*animal*) hembra **2.** (*person*) femenino(na) ◇ *n* hembra *f*

feminine ['femɪnɪn] *adj* femenino(na)

feminist ['femɪnɪst] *n* feminista *mf*

fence [fens] *n* valla *f*

fencing ['fensɪŋ] *n* SPORT esgrima *f*

fend [fend] *vi* • **to fend for o.s.** valerse por sí mismo(ma)

fender ['fendə'] *n* **1.** (*for fireplace*) guardafuego *m* **2.** (*US*) (*on car*) guardabarros *m inv*

fennel ['fenl] *n* hinojo *m*

fern [fɜːn] *n* helecho *m*

ferocious [fə'rəʊʃəs] *adj* feroz

ferry ['ferɪ] *n* ferry *m*

fertile ['fɜːtaɪl] *adj* fértil

fertilizer ['fɜːtɪlaɪzə'] *n* abono *m*

festival ['festəvl] *n* **1.** (*of music, arts etc*) festival *m* **2.** (*holiday*) día *m* festivo

feta cheese ['fetə-] *n* queso blando de origen griego fabricado con leche de oveja

fetch [fetʃ] *vt* **1.** (*person*) ir a buscar **2.** (*object*) traer **3.** (*be sold for*) alcanzar

fete [feɪt] *n* fiesta al aire libre

fever ['fiːvə'] *n* fiebre *f* • **to have a fever** tener fiebre

feverish ['fiːvərɪʃ] *adj* febril

few [fjuː] ◇ *adj* pocos(cas) ◇ *pron* pocos

pl, -cas *fpl* ● **few people** poca gente ● **a few** algunos, -nas *fpl*, unos pocos *pl*, unas pocas *fpl* ● **quite a few** astantes

ewer ['fju:ə'] *adj & pron* menos

iancé [fɪ'ɒnseɪ] *n* prometido *m*

iancée [fɪ'ɒnseɪ] *n* prometida *f*

ib [fɪb] *n* (*inf*) bola *f*, mentira *f*

iber ['faɪbə'] (*US*) = **fibre**

ibre ['faɪbə'] *n* (*UK*) fibra *f*

ibreglass ['faɪbəglɑ:s] *n* fibra *f* de idrio

ickle ['fɪkl] *adj* voluble

iction ['fɪkʃn] *n* ficción *f*

iddle ['fɪdl] ◇ *n* (*violin*) violín *m* ◇ *vi* ● **to fiddle with sthg** juguetear con algo ta)

idget ['fɪdʒɪt] *vi* moverse inquieta-nente

ield [fi:ld] *n* campo *m*

ield glasses *npl* prismáticos *mpl*

ierce [fɪəs] *adj* **1.** (*animal, person*) feroz **2.** *torm, heat*) fuerte

ifteen [fɪf'ti:n] *num* quince

ifteenth [ˌfɪf'ti:nθ] *num* decimoquinto ta)

ifth [fɪfθ] ◇ *num adj* quinto(ta) ◇ *pron* uinto *m*, -ta *f* ◇ *num n* (*fraction*) quinto ◇ *num adv* quinto ● **a fifth (of)** la uinta parte (de) ● **the fifth (of** eptember) el cinco (de septiembre)

iftieth ['fɪftɪəθ] *num* quincuagésimo na)

ifty ['fɪftɪ] *num* cincuenta

ig [fɪg] *n* higo *m*

ght [faɪt] (*pt & pp* fought) ◇ *n* **1.** *physical clash, argument*) pelea *f* **2.** *struggle*) lucha *f* ◇ *vt* **1.** (*enemy, crime, ness*) luchar contra **2.** (*in punch-up*)

pelearse con ◇ *vi* **1.** (*in war, struggle*) luchar **2.** (*quarrel*) discutir ● **to have a fight with sb** pelearse con alguien ● **fight back** *vi* defenderse ● **fight off** *vt sep* **1.** (*attacker*) rechazar **2.** (*illness*) sanar de

fighting ['faɪtɪŋ] *n* **1.** (*at football match, in streets*) violencia *f* **2.** (*in war*) combate *m*

figure [(*UK*) 'fɪgə', (*US*) 'fɪgjər] *n* **1.** (*number, statistic*) cifra *f* **2.** (*shape of body*) tipo *m* **3.** (*outline of person*) figura *f* **4.** (*diagram*) gráfico *m* ● **figure out** *vt sep* (*answer*) dar con ● **I can't figure out how to do it** no sé cómo hacerlo

file [faɪl] ◇ *n* **1.** (*document holder*) carpeta *f* **2.** (*information on person*) expediente *m* **3.** COMPUT fichero *m*, archivo *m* **4.** (*tool*) lima *f* ◇ *vt* **1.** (*complaint, petition*) presentar **2.** (*nails*) limar ● **in single file** en fila india

filing cabinet ['faɪlɪŋ-] *n* archivador *m*

fill [fɪl] *vt* **1.** (*make full*) llenar **2.** (*hole*) rellenar **3.** (*role*) desempeñar **4.** (*tooth*) empastar ● **fill in** *vt sep* (*form*) rellenar ● **fill out** *vt sep* = **fill in** ● **fill up** *vt sep* llenar (hasta el tope) ● **fill her up!** (*with petrol*) ¡llénelo!

filled roll ['fɪld-] *n* bocadillo *m* (*de bollo*)

fillet ['fɪlɪt] *n* filete *m*

fillet steak *n* filete *m* de carne de vaca

filling ['fɪlɪŋ] ◇ *n* **1.** (*of cake, sandwich*) relleno *m* **2.** (*in tooth*) empaste *m* ◇ *adj* que llena mucho

filling station *n* estación *f* de servicio, gasolinera *f*

film [fɪlm] ◇ *n* película *f* ◇ *vt* rodar

film star *n* estrella *f* de cine

filter ['fɪltə'] *n* filtro *m*

filthy ['fɪlθɪ] *adj* (very dirty) sucísimo (ma)

fin [fɪn] *n* **1.** (of fish) aleta *f* **2.** (US) (of swimmer) aleta *f*

final ['faɪnl] ◇ *adj* **1.** (last) último(ma) **2.** (decision, offer) definitivo(va) ◇ *n* final *f*

finalist ['faɪnəlɪst] *n* finalista *mf*

finally ['faɪnəlɪ] *adv* **1.** (at last) por fin **2.** (lastly) finalmente

finance ◇ *n* ['faɪnæns] **1.** (money) fondos *mpl* **2.** (management of money) finanzas *fpl* ◇ *vt* [faɪ'næns] financiar • **finances** *npl* finanzas *fpl*

financial [fɪ'nænʃl] *adj* financiero(ra)

find [faɪnd] (*pt & pp* **found**) ◇ *vt* **1.** encontrar **2.** (find out) enterarse de ◇ *n* hallazgo *m* • **to find the time to do sthg** encontrar tiempo para hacer algo • **find out** ◇ *vt sep* (fact, truth) averiguar ◇ *vi* • **to find out about sthg** averiguar algo

fine [faɪn] ◇ *adj* **1.** (good) bueno(na) **2.** (food, wine) excelente **3.** (thin) fino(na) ◇ *adv* **1.** (thinly) finamente **2.** (well) bien ◇ *n* multa *f* ◇ *vt* multar ◇ *excl* vale • **I'm fine** estoy bien • **it's fine** está bien

fine art *n* bellas artes *fpl*

finger ['fɪŋgə'] *n* dedo *m*

fingernail ['fɪŋgəneɪl] *n* uña *f* de la mano

fingertip ['fɪŋgətɪp] *n* yema *f* del dedo

finish ['fɪnɪʃ] ◇ *n* **1.** (end) final *m* **2.** (on furniture) acabado *m* ◇ *vt & vi* acabar • **to finish doing sthg** terminar de hacer algo • **finish off** *vt sep* **1.** (complete) acabar del todo **2.** (eat or drink) acabar • **finish up** *vi* acabar • **to finish up doing** sthg acabar haciendo algo

Finland ['fɪnlənd] *n* Finlandia

Finn [fɪn] *n* finlandés *m*, -esa *f*

Finnish ['fɪnɪʃ] ◇ *adj* finlandés(esa) ◇ *n* (language) finlandés *m*

fir [fɜː'] *n* abeto *m*

fire ['faɪə'] ◇ *n* **1.** fuego *m* **2.** (uncontrolled) incendio *m* **3.** (device) estufa *f* ◇ *vt* **1.** (gun) disparar **2.** (from job) despedir • **on fire** en llamas • **to catch fire** prender fuego • **to make a fire** encender un fuego

fire alarm *n* alarma *f* antiincendios

fire brigade *n* (UK) cuerpo *m* de bomberos

fire department (US) = fire brigade

fire engine *n* coche *m* de bomberos

fire escape *n* escalera *f* de incendios

fire exit *n* salida *f* de incendios

fire extinguisher *n* extintor *m*

fire hazard *n* • **it's a fire hazard** podría causar un incendio

fireman ['faɪəmən] (*pl* **-men**) *n* bombero *m*

fireplace ['faɪəpleɪs] *n* chimenea *f*

fire regulations *npl* ordenanzas *fpl* en caso de incendio

fire station *n* parque *m* (Esp) OR estación *f* de bomberos

firewall ['faɪəwɔːl] *n* COMPUT cortafuegos *m inv*

firewood ['faɪəwʊd] *n* leña *f*

firework display ['faɪəwɜːk-] *n* espectáculo *m* de fuegos artificiales

fireworks ['faɪəwɜːks] *npl* fuegos *mpl* artificiales

firm [fɜːm] ◇ *adj* firme ◇ *n* firma *f*, empresa *f*

first [fɜːst] ◇ *adj* primero(ra) ◇ *adv* 1. primero 2. *(for the first time)* por primera vez ◇ *n (event)* acontecimiento *m* sin precedentes ◇ *pron* ● **the first** el primero ● **first (gear)** primera *f* (marcha) ● **first thing (in the morning)** a primera hora (de la mañana) ● **for the first time** por primera vez ● **the first of January** el uno de enero ● **at first** al principio ● **first of all** antes de nada

first aid *n* primeros auxilios *mpl*

first-aid kit *n* botiquín *m* (de primeros auxilios)

first class *n* 1. *(mail)* correo que se distribuye el día siguiente 2. *(on train, plane, ship)* primera clase *f*

first-class *adj* 1. *(stamp)* para la UE o distribución al día siguiente 2. *(ticket)* de primera (clase) 3. *(very good)* de primera

first floor *n* 1. *(UK) (floor above ground floor)* primer piso *m* 2. *(US) (ground floor)* bajo *m (Esp)*, planta *f* baja

firstly ['fɜːstlɪ] *adv* en primer lugar

First World War *n* ● **the First World War** la Primera Guerra Mundial

fish [fɪʃ] *(pl inv)* ◇ *n* 1. *(animal)* pez *m* 2. *(food)* pescado *m* ◇ *vi* pescar

fish and chips *n* filete de pescado blanco rebozado, con patatas fritas

fishcake ['fɪʃkeɪk] *n* tipo de croqueta de pescado

fisherman ['fɪʃəmən] *(pl -men) n* pescador *m*

fish farm *n* piscifactoría *f*

fish fingers *npl (UK)* palitos *mpl* de pescado

fishing ['fɪʃɪŋ] *n* pesca *f* ● **to go fishing** ir de pesca

fishing boat *n* barco *m* de pesca

fishing rod *n* caña *f* de pescar

fishmonger's ['fɪʃˌmʌŋgəz] *n (UK) (shop)* pescadería *f*

fish sticks *(US)* = **fish fingers**

fist [fɪst] *n* puño *m*

fit [fɪt] ◇ *adj (healthy)* en forma ◇ *vt* 1. *(be right size for)* sentar bien a 2. *(a lock, kitchen, bath)* instalar 3. *(insert)* insertar ◇ *vi* 1. *(clothes, shoes)* estar bien de talla 2. *(in space)* caber ● **to be fit for sthg** ser apto(ta) para algo ● **fit to eat** apto para el consumo ● **it's a good fit** sienta bien ● **it doesn't fit** no cabe ● **to get fit** ponerse en forma ● **to keep fit** mantenerse en forma ● **fit in** ◇ *vt sep (find time to do)* hacer un hueco a ◇ *vi (belong)* encajar

fitness ['fɪtnɪs] *n (health)* estado *m* físico

fitted carpet [ˌfɪtəd-] *n (UK)* moqueta *f (Esp)*, alfombra *f* de pared a pared

fitted sheet [ˌfɪtəd-] *n (UK)* sábana *f* ajustable

fitting room ['fɪtɪŋ-] *n* probador *m*

five [faɪv] ◇ *num adj* cinco ◇ *num n* cinco *m inv* ● **to be five (years old)** tener cinco años (de edad) ● **it's five (o'clock)** son las cinco ● **a hundred and five** ciento cinco ● **five Hill St** Hill St, número cinco ● **it's minus five (degrees)** hay cinco grados bajo cero ● **five out of ten** cinco sobre diez

fiver ['faɪvə'] *n (UK) (inf)* 1. *(£5)* cinco libras *fpl* 2. *(£5 note)* billete *m* de cinco libras

fix [fɪks] *vt* 1. *(attach, decide on)* fijar 2.

(mend) reparar **3.** *(drink, food)* preparar ● **have you fixed anything for tonight?** ¿tienes planes para esta noche? ◆ **fix up** *vt sep* ● **to fix sb up with a lift home** buscarle a alguien alguien que le lleve a casa

fixture ['fɪkstʃə'] *n* SPORT encuentro *m* ● **fixtures and fittings** instalaciones *fpl* domésticas

fizzy ['fɪzɪ] *adj* gaseoso(sa)

flag [flæg] *n* bandera *f*

flake [fleɪk] ◇ *n (of snow)* copo *m* ◇ *vi* descamarse

flame [fleɪm] *n* llama *f*

flammable ['flæməbl] *adj* inflamable

flan [flæn] *n* tarta *f*

flannel ['flænl] *n* **1.** *(material)* franela *f* **2.** *(UK) (for washing face)* toalla *f* de cara ●

flannels *npl* pantalones *mpl* de franela

flap [flæp] ◇ *n* **1.** *(of envelope, pocket)* solapa *f* **2.** *(of tent)* puerta *f* ◇ *vt (wings)* batir

flapjack ['flæpdʒæk] *n (UK)* torta *f* de avena

flare [fleə'] *n (signal)* bengala *f*

flared [fleəd] *adj* acampanado(da)

flash [flæʃ] ◇ *n* **1.** *(of light)* destello *m* **2.** *(for camera)* flash *m* ◇ *vi (light)* destellar ● **a flash of lightning** un relámpago ● **to flash one's headlights** dar las luces

flashlight ['flæʃlaɪt] *n (US)* linterna *f*

flask [flɑːsk] *n* **1.** *(Thermos)* termo *m* **2.** *(hip flask)* petaca *f*

flat [flæt] ◇ *adj* **1.** *(level)* llano(na) **2.** *(battery)* descargado(da) **3.** *(drink)* muerto(ta), sin gas **4.** *(rate, fee)* único(ca) ◇ *n (UK)* piso *m* (Esp), apartamento *m* ◇ *adv* ● **to lie flat** estar extendido ● **a flat (tyre)** un pinchazo ● **flat out** a toda velocidad

flatter ['flætə'] *vt* adular

flavor ['fleɪvər] *(US)* = **flavour**

flavour ['fleɪvə'] *n (UK)* sabor *m*

flavoured ['fleɪvəd] *adj* de sabores

flavouring ['fleɪvərɪŋ] *n* aroma *m*

flaw [flɔː] *n* fallo *m*

flea [fliː] *n* pulga *f*

flea market *n* mercado de objetos curiosos y de segunda mano, ≃ rastro *m* (Esp)

fleece [fliːs] *n (downy material)* vellón *m*

fleet [fliːt] *n* flota *f*

Fleet Street

La calle Fleet, en el centro de Londres, ha estado asociada al periodismo desde el siglo XVI. Hasta la década de 1980, era la sede de la mayoría de los periódicos nacionales. El nombre de *Fleet Street* se usa muchas veces como sinónimo de "la prensa británica".

Flemish ['flemɪʃ] ◇ *adj* flamenco(ca) ◇ *n (language)* flamenco *m*

flesh [fleʃ] *n* **1.** *(of person, animal)* carne *f* **2.** *(of fruit, vegetable)* pulpa *f*

flew [fluː] *pt* ➢ **fly**

flex [fleks] *n (UK)* cable *m*

flexible ['fleksəbl] *adj* flexible

flick [flɪk] *vt* **1.** *(a switch)* apretar **2.** *(with finger)* golpear rápidamente ◆ **flick through** *vt insep* hojear rápidamente

flies [flaɪz] *npl (UK)* bragueta *f*

flight [flaɪt] *n* vuelo *m* ● **a flight (of**

tairs) un tramo (de escaleras)

ight attendant *n* auxiliar *mf* de uelo, sobrecargo *mf*

limsy ['flɪmzɪ] *adj* **1.** *(object)* frágil, oco sólido(da) **2.** *(clothes)* ligero(ra)

ling [flɪŋ] *(pt & pp* flung) *vt* arrojar

lint [flɪnt] *n (of lighter)* piedra *f*

lip-flop [flɪp-] *n* chancleta *f*

lipper ['flɪpə'] *n* aleta *f*

irt [flɜːt] *vi* ● **to flirt (with sb)** oquetear (con alguien)

oat [fləʊt] ◇ *n* **1.** *(for swimming)* flotador *m* **2.** *(for fishing)* corcho *m* **3.** *(in procession)* arroza *f* **4.** *(drink)* bebida con una bola de elado flotando ◇ *vi* flotar

lock [flɒk] ◇ *n* **1.** *(of birds)* bandada *f* **2.** *of sheep)* rebaño *m* ◇ *vi (people)* acudir n masa

lood [flʌd] ◇ *n* inundación *f* ◇ *vt* nundar ◇ *vi* desbordarse

loodlight ['flʌdlaɪt] *n* foco *m*

loor [flɔː'] *n* **1.** *(of room)* suelo *m* **2.** *storey)* piso *m* **3.** *(of nightclub)* pista *f* de aile

loorboard ['flɔːbɔːd] *n* tabla *f* del suelo

lop [flɒp] *n (inf)* fracaso *m*

loppy disk ['flɒpɪ-] *n* floppy disk *m*

loral ['flɔːrəl] *adj (pattern)* floreado(da)

lorida Keys ['flɒrɪdə-] *npl* ● **the lorida Keys** las Florida Keys

lorist's ['flɒrɪsts] *n (shop)* floristería *f*, orería *f (Amér)*

lour ['flaʊə'] *n* harina *f*

low [fləʊ] ◇ *n* corriente *f* ◇ *vi* correr

lower ['flaʊə'] *n* flor *f*

lowerbed ['flaʊəbed] *n* arriate *m*

lowerpot ['flaʊəpɒt] *n* tiesto *m (Esp)*, naceta *f*

flown [fləʊn] *pp* ➢ **fly**

fl oz *abbr* = **fluid ounce**

flu [fluː] *n* gripe *f*

fluent ['fluːənt] *adj* ● **to be fluent in/to speak fluent Spanish** dominar el español

fluff [flʌf] *n* pelusa *f*

flume [fluːm] *n* tobogán *m* acuático

flung [flʌŋ] *pt & pp* ➢ **fling**

flunk [flʌŋk] *vt (US) (inf)* catear *(Esp)*, reprobar *(Amér)*

fluorescent [fluəˈresənt] *adj* fluorescente

flush [flʌʃ] ◇ *vi (toilet)* funcionar ◇ *vt* ● **to flush the toilet** tirar de la cadena

flute [fluːt] *n* flauta *f*

fly [flaɪ] *(pt* flew, *pp* flown) ◇ *n* **1.** *(insect)* mosca *f* **2.** *(of trousers)* bragueta *f* ◇ *vt* **1.** *(plane, helicopter)* pilotar **2.** *(travel by)* volar con **3.** *(transport)* transportar en avión ◇ *vi* **1.** volar **2.** *(pilot a plane)* pilotar **3.** *(flag)* ondear

fly-drive *n (UK) paquete turístico que incluye vuelo y coche alquilado*

flyover ['flaɪ,əʊvə'] *n (UK)* paso *m* elevado

flying ['flaɪɪŋ] *n* ● **I like flying** me gusta ir en avión

flysheet ['flaɪʃiːt] *n* doble techo *m*

FM [ef'em] *n (abbr of* frequency modulation) FM *f (frecuencia modulada)*

foal [fəʊl] *n* potro *m*

foam [fəʊm] *n* **1.** *(bubbles)* espuma *f* **2.** *(foam rubber)* gomaespuma *f*

focus ['fəʊkəs] ◇ *n (of camera)* foco *m* ◇ *vi (with camera, binoculars)* enfocar ● **in focus** enfocado ● **out of focus** desenfocado

fog [fɒg] n niebla f

fogbound ['fɒgbaʊnd] adj (airport) cerrado(da) a causa de la niebla

foggy ['fɒgɪ] adj (weather) brumoso(sa)

fog lamp n faro m antiniebla

foil [fɔɪl] n papel m de aluminio

fold [fəʊld] ◇ n pliegue m ◇ vt **1.** (paper, material) doblar **2.** (wrap) envolver ● **to fold one's arms** cruzarse de brazos ● **fold up** vi plegarse

folder ['fəʊldə'] n carpeta f

foliage ['fəʊlɪdʒ] n follaje m

folk [fəʊk] ◇ npl (people) gente f ◇ n (music) folk m ● **folks** npl (inf) (relatives) familia f

folk (music) folk m

follow ['fɒləʊ] ◇ vt **1.** seguir **2.** (understand) comprender ◇ vi **1.** (go behind) ir detrás **2.** (in time) seguir **3.** (understand) comprender ● **followed by** seguido de ● **as follows** como sigue ● **follow on** vi ir detrás

following ['fɒləʊɪŋ] ◇ adj siguiente ◇ prep tras

fond [fɒnd] adj ● **to be fond of** (person) tener cariño a; (thing) ser aficionado (da) a

fondue ['fɒndu:] n fondue f

food [fu:d] n **1.** (nourishment) comida f **2.** (type of food) alimento m

food poisoning [-ˌpɔɪznɪŋ] n intoxicación f alimenticia

food processor [-ˌprəʊsesə'] n robot m de cocina (Esp), procesador m de cocina

foodstuffs ['fu:dstʌfs] npl comestibles mpl

fool [fu:l] ◇ n **1.** (idiot) tonto m, -ta f **2.** (pudding) mousse de nata y fruta ◇ vt engañar

foolish ['fu:lɪʃ] adj tonto(ta)

foot [fʊt] (pl feet) n **1.** pie m **2.** (of animal, wardrobe, tripod) pata f ● **by foot** a pie ● **on foot** a pie

football ['fʊtbɔ:l] n **1.** (UK) (soccer) fútbol m **2.** (US) (American football) fútbol americano **3.** (UK) (in soccer) balón m (de fútbol) **4.** (US) (in American football) balón de fútbol americano

footballer ['fʊtbɔ:lə'] n (UK) futbolista mf

football pitch n (UK) campo m de fútbol

footbridge ['fʊtbrɪdʒ] n pasarela f

footpath ['fʊtpɑ:θ] n sendero m

footprint ['fʊtprɪnt] n huella f

footstep ['fʊtstep] n paso m

footwear ['fʊtweə'] n calzado m

for [fɔ:'] prep **1.** (expressing intention, purpose, destination) para ● **this book is for you** este libro es para ti ● **what did you do that for?** ¿por qué hiciste eso? ● **what's it for?** ¿para qué es? ● **to go for a walk** dar un paseo ▼ **for sale** se vende ● **a ticket for Edinburgh** un billete para Edimburgo ● **the train for London** el tren de Londres **2.** (expressing reason) por ● **a town famous for its wine** una ciudad famosa por sus vinos ● **the reason for it** el motivo de ello **3.** (during) durante ● **I've lived here for ten years** llevo diez años viviendo aquí ● **we've lived here for years** vivimos aquí desde hace años ● **we talked for hours** estuvimos hablando durante horas y horas **4.** (by, before) para ● **be there for 8 p.m.** estate allí para las ocho de la tarde **5.** (on the occasion of)

or ● what's for dinner? ¿qué hay de
ena? ● for the first time por primera
ez 6. (on behalf of) por ● to work for
o trabajar para alguien 7. (with time and
ace) para ● there's no room/time for
no hay sitio/tiempo para eso 8.
xpressing distance) ● road works for
0 miles obras por espacio de 20 millas
● we walked for miles andamos millas
millas 9. (expressing price) por ● I
ought it for five pounds lo compré por
nco libras ● they sell for a pound se
enden a una libra 10. (expressing
eaning) ● what's the Spanish for
oy? ¿cómo se dice "boy" en español?
1. (with regard to) por ● it's cold for
ummer para ser verano, hace frío ●
m sorry for them me dan pena 12.
ntroducing more information) para ● it's
oo far for us to walk nos queda
emasiado lejos para ir andando ● it's
s time for dinner es hora de cenar

orbid [fə'bɪd] (pt **-bade**, pp **-bidden**)
vt prohibir ● I forbid you to go there te
prohíbo que vayas ahí

orbidden [fə'bɪdn] adj prohibido(da)

orce [fɔːs] ◇ n fuerza f ◇ vt forzar ● to
orce sb to do sthg forzar a alguien a
acer algo ● to force one's way
arough abrirse camino ● the forces
s fuerzas armadas

ord [fɔːd] n vado m

orecast ['fɔːkɑːst] n pronóstico m

orecourt ['fɔːkɔːt] n patio m

orefinger ['fɔːˌfɪŋgə'] n dedo m índice

oreground ['fɔːgraʊnd] n primer plano

orehead ['fɔːhed] n frente f

foreign ['fɒrən] adj extranjero(ra)

foreign currency n divisa f

foreigner ['fɒrənə'] n extranjero m, -ra
f

foreign exchange n divisas fpl

Foreign Secretary n (UK) ministro m,
-tra f de Asuntos Exteriores

foreman ['fɔːmən] (pl **-men**) n capataz
m

forename ['fɔːneɪm] n (fml) nombre m
de pila

foresee [fɔː'siː] (pt **-saw**, pp **-seen**) vt
prever

forest ['fɒrɪst] n bosque m

forever [fə'revə'] adv 1. (eternally) para
siempre 2. (continually) siempre

forgave [fə'geɪv] pt ➤ forgive

forge [fɔːdʒ] vt falsificar

forgery ['fɔːdʒərɪ] n falsificación f

forget [fə'get] (pt **-got**, pp **-gotten**) ◇
vt olvidar ◇ vi olvidarse ● to forget
about sthg olvidarse de algo ● to
forget how to do sthg olvidar cómo se
hace algo ● to forget to do sthg
olvidarse de hacer algo ● forget it!
¡no importa!

forgetful [fə'getfʊl] adj olvidadizo(za)

forgive [fə'gɪv] (pt **-gave**, pp **-given**) vt
perdonar

forgot [fə'gɒt] pt ➤ forget

forgotten [fə'gɒtn] pp ➤ forget

fork [fɔːk] n 1. (for eating with) tenedor m
2. (for gardening) horca f 3. (of road,
path) bifurcación f

form [fɔːm] ◇ n 1. (type, shape) forma f 2.
(piece of paper) impreso m 3. (UK) SCH
clase f ◇ vt formar ◇ vi formarse ● off
form en baja forma ● on form en

forma ● to form part of formar parte de

formal ['fɔːml] *adj* formal

formality [fɔːˈmælətɪ] *n* formalidad *f* ● it's just a formality es una pura formalidad

format ['fɔːmæt] *n* formato *m*

former ['fɔːmə'] ◇ *adj* **1.** *(previous)* antiguo(gua) **2.** *(first)* primero(ra) ◇ *pron* ● the former el primero(la primera)

formerly ['fɔːməlɪ] *adv* previamente, antiguamente

formula ['fɔːmjʊlə] (*pl* **-as** OR **-ae**) *n* fórmula *f*

fort [fɔːt] *n* fortaleza *f*

forthcoming [fɔːθˈkʌmɪŋ] *adj* *(future)* próximo(ma)

fortieth ['fɔːtɪɪθ] *num* cuadragésimo (ma)

fortnight ['fɔːtnaɪt] *n* *(UK)* quincena *f*

fortunate ['fɔːtʃnət] *adj* afortunado(da)

fortunately ['fɔːtʃnətlɪ] *adv* afortunadamente

fortune ['fɔːtʃuːn] *n* **1.** *(money)* fortuna *f* **2.** *(luck)* suerte *f* ● it costs a fortune *(inf)* cuesta un riñón

forty ['fɔːtɪ] *num* cuarenta

forward ['fɔːwəd] ◇ *adv* hacia adelante ◇ *n* delantero *m*, -ra *f* ◇ *vt* reenviar ● to look forward to esperar (con ilusión)

forwarding address ['fɔːwədɪŋ-] *n* nueva dirección *f* para reenvío del correo

forward slash *n* barra *f* inclinada *(hacia delante)*

fought [fɔːt] *pt & pp* ➤ fight

foul [faʊl] ◇ *adj* *(unpleasant)* asqueroso (sa) ◇ *n* falta *f*

found [faʊnd] ◇ *pt & pp* ➤ find ◇ *vt* fundar

foundation (cream) [faʊnˈdeɪʃn-] *n* base *f* (hidratante)

foundations [faʊnˈdeɪnz] *npl* cimientos *mpl*

fountain ['faʊntɪn] *n* fuente *f*

fountain pen *n* pluma *f*, pluma *f* fuente *(Amér)*

four [fɔː'] ◇ *num adj* cuatro ◇ *num n* cuatro *m inv* ● to be four (years old) tener cuatro años (de edad) ● it's four (o'clock) son las cuatro ● a hundred and four ciento cuatro ● four Hill St Hill St, número cuatro ● it's minus four (degrees) hay cuatro grados bajo cero ● four out of ten cuatro sobre diez

fourteen [ˌfɔːˈtiːn] *num* catorce

fourteenth [ˌfɔːˈtiːnθ] *num* decimocuarto(ta)

fourth [fɔːθ] ◇ *num adj* cuarto(ta) ◇ *pron* cuarto *m*, -ta *f* ◇ *num n (fraction)* cuarto *m* ◇ *num adv* cuarto ● a fourth (of) la cuarta parte (de) ● the fourth (of September) el cuarto (de septiembre)

Fourth of July

El 4 de julio, también conocido como Día de la Independencia, es la fiesta nacional de los Estados Unidos. En ella se conmemora la firma de la Declaración de Independencia en 1776. Por todo el país hay fiestas, desfiles y castillos de fuegos artificiales.

ur-wheel drive n coche m con acción a las cuatro ruedas

wl [faʊl] (pl inv) n volatería f

x [fɒks] n zorro m

yer ['fɔɪeɪ] n vestíbulo m

action ['frækʃn] n fracción f

acture ['fræktʃər] ◇ n fractura f ◇ vt acturar, romper

agile ['frædʒaɪl] adj frágil

agment ['frægmənt] n fragmento m

agrance ['freɪɡrəns] n fragancia f

ail [freɪl] adj débil

ame [freɪm] ◇ n 1. (of window, photo, or) marco m 2. (of glasses) montura f (of tent, bicycle, bed) armazón m ◇ vt *hoto, picture)* enmarcar

ance [frɑːns] n Francia f

ank [fræŋk] adj franco(ca)

ankfurter ['fræŋkfɜːtər] n salchicha f Francfort

ankly ['fræŋklɪ] adv francamente

antic ['fræntɪk] adj frenético(ca)

aud [frɔːd] n (crime) fraude m

eak [friːk] ◇ adj estrafalario(ria) ◇ n *nf) (fanatic)* fanático m, -ca f

eckles ['freklz] npl pecas fpl

ee [friː] ◇ adj 1. libre 2. (costing nothing) atis inv ◇ vt (prisoner) liberar ◇ adv *without paying)* gratis ● for free gratis ● free of charge gratis ● to be free to o sthg ser libre de hacer algo

eedom ['friːdəm] n libertad f

eefone ['friːfəʊn] n (UK) teléfono m atuito

ee gift n obsequio m

ee house n (UK) pub no controlado r una compañía cervecera

ee kick n tiro m libre

freelance ['friːlɑːns] adj autónomo (ma)

freely ['friːlɪ] adv 1. (available) fácilmente 2. (speak) francamente 3. (move) libremente

free period n hora f libre

freepost ['friːpəʊst] n (UK) franqueo m pagado

free-range adj de granja

free time n tiempo m libre

freeway ['friːweɪ] n (US) autopista f

freeze [friːz] (pt **froze**, pp **frozen**) ◇ vt congelar ◇ vi helarse ◇ impers vb helar

freezer ['friːzər] n 1. (deep freeze) arcón m congelador 2. (part of fridge) congelador m

freezing ['friːzɪŋ] adj helado(da) ● it's freezing hace un frío cortante

freezing point n ● below freezing point bajo cero

freight [freɪt] n (goods) mercancías fpl

French [frentʃ] ◇ adj francés(esa) ◇ n (language) francés m ◇ npl ● the French los franceses

French bean n judía f verde

French bread n pan m de barra

French dressing n 1. (in UK) vinagreta f 2. (in US) salsa f rosa

French fries npl patatas fpl (Esp) OR papas fpl (Amér) fritas

Frenchman ['frentʃmən] (pl **-men**) n francés m

French windows npl puertaventanas fpl

Frenchwoman ['frentʃˌwʊmən] (pl **-women**) n francesa f

frequency ['friːkwənsɪ] n frecuencia f

frequent ['friːkwənt] adj frecuente

frequently ['fri:kwəntlı] *adv* frecuentemente

fresh [freʃ] *adj* 1. fresco(ca) 2. *(bread)* del día 3. *(coffee)* recién hecho 4. *(refreshing)* refrescante 5. *(water)* dulce 6. *(developments, instructions, start)* nuevo (va) 7. *(news)* reciente ● **to get some fresh air** tomar el aire

freshen ['freʃn] ● **freshen up** *vi* refrescarse

freshly ['freʃlı] *adv* recién

fresh orange (juice) *n* zumo *m* de naranja

Fri *(abbr of* Friday*)* viernes

Friday ['fraıdı] *n* viernes *m inv* ● **it's Friday es viernes** ● **Friday morning** el viernes por la mañana ● **on Fridays** el viernes ● **on Fridays** los viernes ● **last Friday** el viernes pasado ● **this Friday** este viernes ● **next Friday** el viernes de la semana que viene ● **Friday week, a week on Friday** del viernes en ocho días

fridge [frıdʒ] *n* nevera *f*, refrigerador *m*

fried egg [fraıd-] *n* huevo *m* frito

fried rice [fraıd-] *n* arroz frito, mezclado a veces con huevo, carne o verduras, servido como acompañamiento de platos chinos

friend [frend] *n* amigo *m*, -ga *f* ● **to be friends with sb** ser amigo de alguien ● **to make friends with sb** hacerse amigo de alguien

friendly ['frendlı] *adj (kind)* amable ● **to be friendly with sb** ser amigo(ga) de alguien

friendship ['frendʃıp] *n* amistad *f*

fries [fraız] = **French fries**

fright [fraıt] *n* terror *m* ● **to give sb a fright** darle un susto a alguien

frighten ['fraıtn] *vt* asustar

frightened ['fraıtnd] *adj* asustado(da) ● **I'm frightened we won't finish** me temo que no vamos a acabar ● **to be frightened of** tener miedo a

frightening ['fraıtnıŋ] *adj* aterrador(ra)

frilly ['frılı] *adj* con volantes

fringe [frındʒ] *n* 1. *(UK) (of hair)* flequillo *m*, cerquillo *m* *(Amér)* 2. *(of clothes, curtain etc)* fleco *m*

frisk [frısk] *vt* cachear

fritter ['frıtə'] *n* buñuelo *m*

fro [frəʊ] *adv* > **to**

frog [frɒg] *n* rana *f*

from [frɒm] *prep* 1. *(expressing origin, source)* de ● **I'm from Spain** soy de España ● **I bought it from a supermarket** lo compré en un supermercado ● **the train from Manchester** el tren (procedente) de Manchester 2. *(expressing removal, separation)* de ● **away from home** fuera de casa ● **the policeman took the knife (away) from the man** el policía le quitó el cuchillo al hombre ● **10% will be deducted from the total** se descontará un 10% del total 3. *(expressing distance)* de ● **five miles from London** a cinco millas de Londres 4. *(expressing position)* desde ● **from here you can see the valley** desde aquí se ve el valle 5. *(expressing starting point)* desde ● **from now on** de ahora en adelante ● **open from nine to five** abierto de nueve a cinco ● **tickets are from £10** hay entradas desde 10 libras 6. *(expressing change)* de ● **the price has gone up from**

£1 to £2 el precio ha subido de 1 a 2 libras **7.** *(expressing range)* • it could take from two to six months podría tardar entre dos y seis meses **8.** *(as a result of)* de • I'm tired from walking estoy cansado de haber andado tanto **9.** *(expressing protection)* de • sheltered from the wind resguardado del viento **10.** *(in comparisons)* • different from diferente a

fromage frais [ˌfrɒmɑːʒ'freɪ] *n* tipo de queso fresco

front [frʌnt] ◇ *adj* delantero(ra) ◇ *n* **1.** *(foremost part)* parte *f* delantera **2.** *(of building)* fachada *f* **3.** *(of weather)* frente *m* **4.** *(by the sea)* paseo *m* marítimo • in front delante, adelante *(Amér)* • to be in front ir ganando • in front of delante de

front door *n* puerta *f* principal

frontier [frʌn'tɪəʳ] *n* frontera *f*

front page *n* portada *f*, primera plana *f*

front seat *n* asiento *m* delantero

frost [frɒst] *n* **1.** *(on ground)* escarcha *f* **2.** *(cold weather)* helada *f*

frosty ['frɒstɪ] *adj (morning, weather)* de helada

froth [frɒθ] *n* espuma *f*

frown [fraʊn] ◇ *n* ceño *m* ◇ *vi* fruncir el ceño

froze [frəʊz] *pt* ➤ freeze

frozen [frəʊzn] ◇ *pp* ➤ freeze ◇ *adj* **1.** *(helado(da)* **2.** *(food)* congelado(da)

fruit [fruːt] *n* fruta *f* • a piece of fruit una fruta • fruits of the forest frutas del bosque

fruit cake *n* pastel de pasas y frutas confitadas

fruit juice *n* zumo *m* *(Esp)* OR jugo *m* *(Amér)* de fruta

fruit machine *n (UK)* máquina *f* tragaperras *(Esp)* OR tragamonedas

fruit salad *n* macedonia *f* (de frutas)

frustrating [frʌ'streɪtɪŋ] *adj* frustrante

frustration [frʌ'streɪʃn] *n* frustración *f*

fry [fraɪ] *vt* freír

frying pan ['fraɪŋ-] *n* sartén *f*

ft *abbr* = foot, feet

fudge [fʌdʒ] *n* caramelo fabricado con leche, azúcar y mantequilla

fuel [fjʊəl] *n* combustible *m*

fuel pump *n* surtidor *m* de gasolina

fulfil [fʊl'fɪl] *vt (UK)* **1.** *(promise, duty, conditions)* cumplir **2.** *(need)* satisfacer **3.** *(role)* desempeñar

fulfill [fʊl'fɪl] *(US)* = fulfil

full [fʊl] ◇ *adj* **1.** *(filled)* lleno(na) **2.** *(complete)* completo(ta) **3.** *(maximum)* máximo(ma) **4.** *(busy)* atareado(da) **5.** *(flavour)* rico(ca) ◇ *adv* de lleno • I'm full (up) estoy lleno • full of lleno de • in full íntegramente

full board *n (UK)* pensión *f* completa

full-cream milk *n (UK)* leche *f* entera

full-length *adj (skirt, dress)* largo(ga) *(hasta los pies)*

full moon *n* luna *f* llena

full stop *n (UK)* punto *m*

full-time ◇ *adj* de jornada completa ◇ *adv* a tiempo completo

fully ['fʊlɪ] *adv (completely)* completamente

fumble ['fʌmbl] *vi* • to fumble for sthg buscar algo a tientas

fun [fʌn] *n (amusement)* diversión *f* • it's good fun es muy divertido • for

fun de broma ● **to have fun** divertirse ● **to make fun of** burlarse de

function ['fʌŋkʃn] ◊ n **1.** *(role)* función *f* **2.** *(formal event)* acto *m* ◊ vi funcionar

fund [fʌnd] ◊ n fondo *m* ◊ vt financiar ●

funds npl fondos mpl

fundamental [ˌfʌndəˈmentl] adj fundamental

funeral ['fjuːnərəl] n funeral *m*

funfair ['fʌnfeər] n parque *m* de atracciones

funky ['fʌŋkɪ] adj *(inf) (music)* funky *(inv)*

funnel ['fʌnl] n **1.** *(for pouring)* embudo *m* **2.** *(on ship)* chimenea *f*

funny ['fʌnɪ] adj **1.** *(person)* gracioso(sa) **2.** *(thing)* divertido(da) **3.** *(strange)* raro(ra) ● **to feel funny** *(ill)* sentirse raro

fur [fɜːr] n **1.** *(on animal)* pelaje *m* **2.** *(garment)* piel *f*

furious ['fjʊərɪəs] adj furioso(sa)

furnished ['fɜːnɪʃt] adj amueblado(da)

furnishings ['fɜːnɪʃɪŋz] npl mobiliario *m*

furniture ['fɜːnɪtʃər] n muebles mpl ● **a piece of furniture** un mueble

furry ['fɜːrɪ] adj peludo(da)

further ['fɜːðər] ◊ compar ➤ **far** ◊ adv **1.** *(in distance)* más lejos **2.** *(more)* más ◊ adj *(additional)* otro(otra) ● **until further notice** hasta nuevo aviso

furthermore [ˌfɜːðəˈmɔːr] adv además

furthest ['fɜːðɪst] ◊ superl ➤ **far** ◊ adj *(most distant)* más lejano(na) ◊ adv *(in distance)* más lejos

fuse [fjuːz] ◊ n **1.** *(of plug)* fusible *m* **2.** *(on bomb)* mecha *f* ◊ vi **1.** *(plug)* fundirse **2.** *(electrical device)* estropearse

fuse box n caja *f* de fusibles

fuss [fʌs] n **1.** *(agitation)* jaleo *m* **2.** *(complaints)* quejas fpl

fussy ['fʌsɪ] adj *(person)* quisquilloso (sa)

future ['fjuːtʃər] ◊ n futuro *m* ◊ adj futuro(ra) ● **in future** de ahora en adelante

g G

g *(abbr of gram)* g *(gramo)*

gable ['geɪbl] n aguilón *m*

gadget ['gædʒɪt] n artilugio *m*

Gaelic ['geɪlɪk] n gaélico *m*

gag [gæg] n *(inf) (joke)* chiste *m*

gain [geɪn] ◊ vt **1.** *(get more of)* ganar **2.** *(achieve)* conseguir **3.** *(subj: clock, watch)* adelantarse ◊ vi *(get benefit)* beneficiarse ◊ n **1.** *(improvement)* mejora *f* **2.** *(profit)* ganancia *f*

gale [geɪl] n vendaval *m*

gallery ['gælərɪ] n **1.** *(for art etc)* galería *f* **2.** *(at theatre)* gallinero *m*

gallon ['gælən] n **1.** *(in UK)* = 4,546 litros, galón *m* **2.** *(in US)* = 3,785 litros, galón *m*

gallop ['gæləp] vi galopar

gamble ['gæmbl] ◊ n riesgo *m* ◊ vi *(bet money)* apostar

gambling ['gæmblɪŋ] n juego *m* *(de dinero)*

game [geɪm] n **1.** juego *m* **2.** *(of football, tennis, cricket)* partido *m* **3.** *(of chess,* *cards, snooker*) partida f **4.** *(wild animals, meat)* caza f ◆ **games** ◇ n *(UK)* SCH deportes mpl ◇ npl *(sporting event)* juegos mpl

game show n programa m concurso

gammon ['gæmən] n *(UK)* jamón m

gang [gæŋ] n **1.** *(of criminals)* banda f **2.** *(of friends)* pandilla f

gangster ['gæŋstə'] n gángster m

gaol [dʒeɪl] *(UK)* = **jail**

gap [gæp] n **1.** *(space)* hueco m **2.** *(of time)* intervalo m **3.** *(difference)* discordancia f

gap year n *(UK)* año libre que algunos estudiantes se toman antes de entrar en la universidad, frecuentemente para viajar

garage ['gærɑːʒ, 'gærɪdʒ] n **1.** *(for keeping car)* garaje m, garage m *(Amér)* **2.** *(for petrol)* gasolinera f **3.** *(for repairs)* taller m *(de reparaciones)* **4.** *(UK)* *(for selling cars)* concesionario m *(de automóviles)*

garbage ['gɑːbɪdʒ] n *(US)* *(refuse)* basura f

garbage can n *(US)* cubo m de la basura

garbage truck n *(US)* camión m de la basura

garden ['gɑːdn] ◇ n jardín m ◇ vi trabajar en el jardín ◆ **gardens** npl *(public park)* jardines mpl

garden centre n *(UK)* centro m de jardinería

gardener ['gɑːdnə'] n jardinero m, -ra f

gardening ['gɑːdnɪŋ] n jardinería f

garden peas npl guisantes mpl

garlic ['gɑːlɪk] n ajo m

garlic bread n pan untado con mantequilla y ajo y cocido al horno

garlic butter n mantequilla f con ajo

garment ['gɑːmənt] n *(fml)* prenda f *(de vestir)*

garnish ['gɑːnɪʃ] ◇ n **1.** *(herbs, vegetables)* adorno m **2.** *(sauce)* guarnición f ◇ vt adornar

gas [gæs] n **1.** gas m **2.** *(US)* *(petrol)* gasolina f

gas cooker n *(UK)* cocina f OR estufa f *(Col & Méx)* de gas

gas cylinder n bombona f OR tanque m de gas

gas fire n estufa f de gas

gasket ['gæskɪt] n junta f *(de culata)*

gas mask n máscara f antigás

gasoline ['gæsəliːn] n *(US)* gasolina f

gasp [gɑːsp] vi *(in shock, surprise)* ahogar un grito

gas pedal n *(US)* acelerador m

gas station n *(US)* gasolinera f

gas stove = **gas cooker**

gas tank n *(US)* depósito m OR tanque m de gasolina

gasworks ['gæswɜːks] *(pl inv)* n fábrica f de gas

gate [geɪt] n **1.** *(to garden, field)* puerta f **2.** *(at airport)* puerta f de embarque

gâteau ['gætəʊ] *(pl -x)* n *(UK)* tarta f *(con nata)*

gateway ['geɪtweɪ] n entrada f

gather ['gæðə'] ◇ vt **1.** *(collect)* recoger **2.** *(speed)* ganar **3.** *(understand)* deducir ◇ vi reunirse

gaudy ['gɔːdɪ] adj chillón(ona)

gauge [geɪdʒ] ◇ n **1.** *(for measuring)* indicador m **2.** *(of railway track)* ancho *m* de vía ◇ *vt (calculate)* calibrar

gauze [gɔːz] *n* gasa *f*

gave [geɪv] *pt* ➤ **give**

gay [geɪ] *adj (homosexual)* homosexual

gaze [geɪz] *vi* ● **to gaze at** mirar fijamente

GB [dʒiːˈbiː] *(abbr of Great Britain)* GB *f (Gran Bretaña)*

GCSE [dʒiːsiːesˈiː] *n (abbr of General Certificate of Secondary Education) examen final de enseñanza media en Gran Bretaña*

gear [gɪəʳ] *n* **1.** *(wheel)* engranaje *m* **2.** *(speed)* marcha *f*, velocidad *f* **3.** *(equipment, clothes)* equipo *m* **4.** *(belongings)* cosas *fpl* ● **in gear** con una marcha metida

gearbox [ˈgɪəbɒks] *n* caja *f* de cambios OR velocidades

gear lever *n (UK)* palanca *f* de cambios

gear shift *(US)* = **gear lever**

gear stick *(UK)* = **gear lever**

geese [giːs] *pl* ➤ **goose**

gel [dʒel] *n* **1.** *(for hair)* gomina *f*, gel *m* **2.** *(for shower)* gel *m* (de ducha)

gelatine [ˌdʒeləˈtiːn] *n* gelatina *f*

gem [dʒem] *n* piedra *f* preciosa

Gemini [ˈdʒemɪnaɪ] *n* Géminis *m inv*

gender [ˈdʒendəʳ] *n* género *m*

general [ˈdʒenərəl] ◇ *adj* general ◇ *n* general *m* ● **in general** *(as a whole)* en general; *(usually)* generalmente

general anaesthetic *n (UK)* anestesia *f* general

general election *n* elecciones *fpl* generales

generally [ˈdʒenərəlɪ] *adv* en general

general practitioner [-prækˈtɪʃənəʳ] *n* médico *m*, -ca *f* de cabecera

general store *n (US)* tienda *f* de ultramarinos

generate [ˈdʒenəreɪt] *vt* generar

generation [ˌdʒenəˈreɪʃn] *n* generación *f*

generator [ˈdʒenəreɪtəʳ] *n* generador *m*

generosity [ˌdʒenəˈrɒsətɪ] *n* generosidad *f*

generous [ˈdʒenərəs] *adj* generoso(sa)

genetically ● **genetically modified** transgénico(ca), modificado genéticamente

genitals [ˈdʒenɪtlz] *npl* genitales *mpl*

genius [ˈdʒiːnjəs] *n* genio *m*

gentle [ˈdʒentl] *adj* **1.** *(careful)* cuidadoso(sa) **2.** *(kind)* dulce, amable **3.** *(movement, breeze)* suave

gentleman [ˈdʒentlmən] *(pl* **-men)** *n* **1.** *(man)* señor *m* **2.** *(well-behaved man)* caballero *m* ▼ **gentlemen** caballeros

gently [ˈdʒentlɪ] *adv (carefully)* con cuidado

gents [dʒents] *n (UK)* caballeros *mpl*

genuine [ˈdʒenjuɪn] *adj* **1.** *(authentic)* auténtico(ca) **2.** *(sincere)* sincero(ra)

geographical [dʒɪəˈgræfɪkl] *adj* geográfico(ca)

geography [dʒɪˈɒgrəfɪ] *n* geografía *f*

geology [dʒɪˈɒlədʒɪ] *n* geología *f*

geometry [dʒɪˈɒmətrɪ] *n* geometría *f*

Georgian [ˈdʒɔːdʒən] *adj* georgiano(na)

geranium [dʒɪˈreɪnjəm] *n* geranio *m*

German [ˈdʒɜːmən] ◇ *adj* alemán(ana) ◇ *n* **1.** *(person)* alemán *m*, -ana *f* **2.** *(language)* alemán *m*

German measles *n* rubéola *f*

Germany ['dʒɜːmənɪ] *n* Alemania

germs [dʒɜːmz] *npl* microbios *mpl*

gesture ['dʒestʃəʳ] *n* (*movement*) gesto *m*

get [get] ((*UK*) *pt & pp* **got**, (*US*) *pt got, pp* **gotten**)

◇ *vt* **1.** (*obtain*) conseguir ● I got some crisps from the shop compré unas patatas fritas en la tienda ● she got a job consiguió un trabajo ● I get a lot of enjoyment from it me gusta mucho (hacerlo) **2.** (*receive*) recibir ● I got a book for Christmas me regalaron un libro por Navidades **3.** (*means of transport*) coger, tomar (*Amér*) ● let's get a taxi ¡vamos a coger un taxi! **4.** (*fetch*) traer ● could you get me the boss? (*in shop*) ¿puedo ver al jefe?; (*on phone*) ¿puede ponerme con el jefe? ● get me a drink tráeme algo de beber **5.** (*illness*) coger, agarrar (*Amér*) ● I've got a cold tengo un catarro **6.** (*cause to become, do*) ● to get sthg done mandar hacer algo ● I'll get him to call you haré que te llame ● can I get my car repaired here? ¿pueden arreglarme el coche aquí? ● to get sthg ready preparar algo **7.** (*move*) ● to get sthg out sacar algo ● I can't get it through the door no puedo meterlo por la puerta **8.** (*understand*) entender ● to get a joke coger un chiste **9.** (*time, chance*) tener ● we didn't get the chance to see everything no tuvimos la oportunidad de verlo todo **10.** (*phone*) contestar **11.** (*in phrases*) ● you get a lot of rain here in winter aquí llueve mucho en invierno

◇ *vi* **1.** (*become*) ponerse ● it's getting late se está haciendo tarde ● to get dark oscurecer ● to get lost perderse ● to get ready prepararse ● get lost! (*inf*) ¡vete a la porra! **2.** (*into particular state, position*) meterse ● how do you get to Luton from here? ¿cómo se puede ir a Luton desde aquí? ● to get into the car meterse en el coche **3.** (*arrive*) llegar ● when does the train get here? ¿a qué hora llega el tren? **4.** (*in phrases*) ● to get to do sthg llegar a hacer algo

◇ *aux vb* ● to get delayed retrasarse ● to get killed resultar muerto

● **get back** *vi* (*return*) volver

● **get in** *vi* (*arrive*) llegar; (*enter*) entrar

● **get off** *vi* (*leave train, bus*) bajarse; (*depart*) salir

● **get on** *vi* (*enter train, bus*) subirse; (*in relationship*) llevarse ● how are you getting on? ¿cómo te va?

● **get out** *vi* (*of car, bus, train*) bajarse

● **get through** *vi* (*on phone*) conseguir comunicar

● **get up** *vi* levantarse

get-together *n* (*inf*) reunión *f*

ghastly ['gɑːstlɪ] *adj* (*inf*) (*very bad*) horrible

gherkin ['gɜːkɪn] *n* pepinillo *m*

ghetto blaster ['getəʊˌblɑːstəʳ] *n* (*inf*) radiocasete portátil de gran tamaño y potencia

ghost [gəʊst] *n* fantasma *m*

giant ['dʒaɪənt] ◇ *adj* gigantesco(ca) ◇ *n* (*in stories*) gigante *m*

giblets ['dʒɪblɪts] *npl* menudillos *mpl*

giddy ['gɪdɪ] *adj* (*dizzy*) mareado(da)

gift [gɪft] *n* **1.** (*present*) regalo *m* **2.**

(talent) don *m*

gifted ['gɪftɪd] *adj* **1.** *(talented)* dotado (da) **2.** *(very intelligent)* superdotado(da)

gift shop *n* tienda *f* de souvenirs

gift voucher *n* *(UK)* vale *m (para canjear por un regalo)*

gig [gɪg] *n (inf)* concierto *m* (de música pop)

gigabyte [gɪgə'baɪt] *n* gigabyte m

gigantic [dʒaɪ'gæntɪk] *adj* gigantesco (ca)

giggle ['gɪgl] *vi* reírse a lo tonto

gimmick ['gɪmɪk] *n* reclamo *m*

gin [dʒɪn] *n* ginebra *f* ● **gin and tonic** gin tonic *m*

ginger ['dʒɪndʒə'] ◇ *n* jengibre *m* ◇ *adj (colour)* rojizo(za)

ginger ale *n* ginger-ale *m*

ginger beer *n* refresco de jengibre con bajo contenido en alcohol

gingerbread ['dʒɪndʒəbred] *n* pan *m* de jengibre

gipsy ['dʒɪpsɪ] *n* gitano *m*, -na *f*

giraffe [dʒɪ'rɑːf] *n* jirafa *f*

girl [gɜːl] *n* **1.** *(child, daughter)* niña *f* **2.** *(young woman)* chica *f*

girlfriend ['gɜːlfrend] *n* **1.** *(of boy, man)* novia *f* **2.** *(of girl, woman)* amiga *f*

Girl Guide *n (UK)* exploradora *f*

Girl Scout *(US)* = **Girl Guide**

giro ['dʒaɪrəʊ] *(pl* **-s)** *n (UK) (system)* giro *m*

give [gɪv] *(pt* **gave**, *pp* **given)** *vt* **1.** dar **2.** *(a laugh, look)* echar **3.** *(attention)* prestar **4.** *(time)* dedicar ● **to give sb a sweet** dar un caramelo a alguien ● **to give sb a present** dar un regalo a alguien ● **to give sthg a push** empujar algo ● **to give sb a kiss** dar un beso a alguien ● **give or take** más o menos ▼ **give way** ceda el paso ◆**give away** *vt sep* **1.** *(get rid of)* regalar **2.** *(reveal)* revelar ◆ **give back** *vt sep* devolver ◆ **give in** *vi* ceder ◆**give off** *vt insep* despedir ◆**give out** *vt sep (distribute)* repartir ◆ **give up** ◇ *vt sep (seat)* ceder ◇ *vi* **1.** *(stop smoking)* dejar de fumar **2.** *(admit defeat)* darse por vencido ● **to give up cigarettes** OR **smoking** dejar de fumar

given name ['gɪvn-] *n (US)* nombre *m* de pila

glacier ['glæsjə'] *n* glaciar *m*

glad [glæd] *adj* contento(ta) ● **to be glad to do sthg** tener mucho gusto en hacer algo

gladly ['glædlɪ] *adv (willingly)* con mucho gusto

glamorous ['glæmərəs] *adj* atractivo (va)

glance [glɑːns] ◇ *n* vistazo *m* ◇ *vi* ● **to glance (at)** echar un vistazo (a)

gland [glænd] *n* glándula *f*

glandular fever ['glændjʊlə-] *n (UK)* mononucleosis *f* inv infecciosa

glare [gleə'] *vi* **1.** *(person)* lanzar una mirada asesina **2.** *(sun, light)* brillar

glass [glɑːs] ◇ *n* **1.** *(material)* cristal *m* **2.** *(container, glassful)* vaso *m* ◇ *adj* de cristal ● **glasses** *npl* gafas *fpl*

glassware ['glɑːsweə'] *n* cristalería *f*

glider ['glaɪdə'] *n* planeador *m*

glimpse [glɪmps] *vt* vislumbrar

glitter ['glɪtə'] *vi* relucir

global warming [ˌgləʊbl'wɔːmɪŋ] *n* calentamiento *m* de la atmósfera

globe [gləʊb] *n (with map)* globo *m*

(terráqueo) ● **the globe** (Earth) la Tierra

gloomy ['glu:mɪ] adj **1.** (room, day) oscuro(ra) **2.** (person) melancólico(ca)

glorious ['glɔ:rɪəs] adj **1.** (weather, sight) espléndido(da) **2.** (victory, history) glorioso(sa)

glory ['glɔ:rɪ] n gloria f

gloss [glɒs] n (shine) brillo m ● **gloss (paint)** pintura f de esmalte

glossary ['glɒsərɪ] n glosario m

glossy ['glɒsɪ] adj (magazine, photo) de papel satinado

glove [glʌv] n guante m

glove compartment n guantera f

glow [gləʊ] ◇ n fulgor m ◇ vi brillar, lucir

glucose ['glu:kəʊs] n glucosa f

glue [glu:] ◇ n pegamento m ◇ vt pegar

GM [dʒi:'em] adj (abbr of genetically modified) transgénico(ca) ● **GM foods/products** alimentos/productos mpl transgénicos

GMT [dʒi:em'ti:] n (abbr of Greenwich Mean Time) hora f del meridiano de Greenwich

gnat [næt] n mosquito m

gnaw [nɔ:] vt roer

GNVQ [dʒi:envi:'kju:] n (UK) (abbr of general national vocational qualification) curso de formación profesional de dos años

go [gəʊ] (pt **went**, pp **gone**, pl **goes**) ◇ vi **1.** (move, travel, attend) ir ● **to go home** irse a casa ● **to go to Spain** ir a España ● **to go by bus** ir en autobús ● **to go to church/school** ir a misa/la escuela ● **to go for a walk** ir a dar una vuelta ● **to go and do sthg** ir a hacer algo ● **to go shopping** ir de compras ● **where does this path go?** ¿adónde lleva este camino? **2.** (leave) irse; (bus) salir ● **it's time to go** ya es hora de irse ● **go away!** ¡largo de aquí! **3.** (become) ponerse ● **she went pale** se puso pálida ● **the milk has gone sour** la leche se ha cortado **4.** (expressing intention, probability, certainty) ● **to be going to do sthg** ir a hacer algo **5.** (function) funcionar ● **the car won't go** el coche no funciona **6.** (stop working) estropearse ● **the fuse has gone** se ha fundido el plomo **7.** (pass) pasar **8.** (progress) ir ● **to go well** ir bien ● **how's it going?** ¿qué tal te va? **9.** (bell, alarm) sonar **10.** (match, be appropriate) ● **to go with** ir bien con **11.** (be sold) venderse ▼ **everything must go** liquidación total **12.** (fit) caber **13.** (belong) ir **14.** (in phrases) ● **go on!** ¡venga! ● **to let go of sthg** soltar algo ● **to go** (US) (to take away) para llevar ● **there are three weeks to go** faltan tres semanas ◇ n **1.** (turn) turno m ● **it's your go** te toca a ti **2.** (attempt) jugada f ● **to have a go at sthg** probar algo ▼ **50p a go** 50 peniques la jugada

● **go ahead** vi (take place) tener lugar ● **go ahead!** ¡adelante!

● **go back** vi volver

● **go down** vi (price, standard) bajar; (sun) ponerse; (tyre) deshincharse

● **go down with** vt insep (inf) pillar, pescar

● **go in** vi entrar

● **go off** vi (alarm, bell) sonar; (food)

estropearse; *(milk)* cortarse; *(stop operating)* apagarse

♦ **go on** *vi (happen)* ocurrir, pasar; *(start operating)* encenderse ● **to go on doing sthg** seguir haciendo algo

♦ **go out** *vi (leave house)* salir; *(light, fire, cigarette)* apagarse ● **to go out (with sb)** salir (con alguien) ● **to go out for a meal** cenar fuera

♦ **go over** *vt insep (check)* repasar

♦ **go round** *vi (revolve)* girar ● **there isn't enough to go round** no hay bastante para todos

♦ **go through** *vt insep (experience)* pasar (por); *(spend)* gastar; *(search)* registrar

♦ **go up** *vi (increase)* subir

♦ **go with** *vt insep (be included with)* venir con

♦ **go without** *vt insep* pasar sin

goal [gəʊl] *n* 1. *(posts)* portería *f* 2. *(point scored)* gol *m* 3. *(aim)* objetivo *m*

goalkeeper ['gəʊlˌkiːpəʳ] *n* portero *m*, -ra *f*

goalpost ['gəʊlpəʊst] *n* poste *m* (de la portería)

goat [gəʊt] *n* cabra *f*

gob [gɒb] *n (UK) (inf) (mouth)* pico *m*

god [gɒd] *n* dios *m* ♦ **God** *n* Dios *m*

goddaughter ['gɒdˌdɔːtəʳ] *n* ahijada *f*

godfather ['gɒdˌfɑːðəʳ] *n* padrino *m*

godmother ['gɒdˌmʌðəʳ] *n* madrina *f*

gods [gɒdz] *npl* ● **the gods** *(UK) (inf) (in theatre)* el gallinero

godson ['gɒdsʌn] *n* ahijado *m*

goes [gəʊz] > **go**

goggles ['gɒglz] *npl* 1. *(for swimming)* gafas *fpl (Esp)* OR anteojos *mpl (Amér)* submarinas 2. *(for skiing)* gafas *fpl (Esp)* OR anteojos *mpl (Amér)* de esquí

going ['gəʊɪŋ] *adj (available)* disponible ● **the going rate** el precio actual

go-kart [-kɑːt] *n (UK)* kart *m*

gold [gəʊld] ◇ *n* oro *m* ◇ *adj* de oro

goldfish ['gəʊldfɪʃ] *(pl inv)* *n* pez *m* de colores

gold-plated [-'pleɪtɪd] *adj* chapado(da) en oro

golf [gɒlf] *n* golf *m*

golf ball *n* pelota *f* de golf

golf club *n* 1. *(place)* club *m* de golf 2. *(piece of equipment)* palo *m* de golf

golf course *n* campo *m* de golf

golfer ['gɒlfəʳ] *n* jugador *m*, -ra *f* de golf

gone [gɒn] ◇ *pp* > **go** ◇ *prep (UK)* ● **it's gone ten** ya pasa de las diez

good [gʊd] *(compar* **better**, *superl* **best)* ◇ *adj* bueno(na) ◇ *n* el bien ● **that's very good of you** es muy amable por tu parte ● **be good!** ¡pórtate bien! ● **to have a good time** pasarlo bien ● **I'm good at maths** se me dan bien las matemáticas ● **a good ten minutes** diez minutos por lo menos ● **in good time** a tiempo de sobra ● **for good** para siempre ● **for the good of** en bien de ● **a walk will do you good** un paseo te sentará bien ● **it's no good** *(there's no point)* no vale la pena ● **good afternoon!** ¡buenas tardes! ● **good evening!** *(in the evening)* ¡buenas tardes!; *(at night)* ¡buenas noches! ● **good morning!** ¡buenos días! ● **good night!** ¡buenas noches! ♦**goods** *npl* productos *mpl*

goodbye [ˌgʊd'baɪ] *excl* ¡adiós!

Good Friday *n* Viernes *m inv* Santo

good-looking [-'lʊkɪŋ] *adj* guapo(pa)

oose [guːs] (*pl* **geese**) *n* ganso *m*

ooseberry ['ɡʊzbərɪ] *n* grosella *f* espinosa

orge [ɡɔːdʒ] *n* desfiladero *m*

orgeous ['ɡɔːdʒəs] *adj* (*day, meal, ɔuntryside*) magnífico(ca) ● **to be orgeous** (*inf*) (*good-looking*) estar buenísimo(ma)

orilla [ɡə'rɪlə] *n* gorila *mf*

ossip ['ɡɒsɪp] ◇ *n* (*talk*) cotilleo *m* ◇ *vi* ɔtillear

ossip column *n* ecos *mpl* OR crónica *f* e sociedad

ot [ɡɒt] *pt* & *pp* > **get**

otten ['ɡɒtn] *pp* (*US*) > **get**

oujons ['ɡuːdʒɒnz] *npl* fritos *mpl* (reɔzados)

oulash ['ɡuːlæʃ] *n* gulasch *m*

ourmet ['ɡʊəmeɪ] ◇ *n* gastrónomo *m*, ɔma *f* ◇ *adj* para gastrónomos

overn ['ɡʌvən] *vt* gobernar

overnment ['ɡʌvnmənt] *n* gobierno *m*

own [ɡaʊn] *n* (*dress*) vestido *m* (de ɔoche)

GP [dʒiː'piː] *n* (*abbr of general practiɔioner*) médico de cabecera

rab [ɡræb] *vt* **1.** (*grasp*) agarrar **2.** (*snatch ɔway*) arrebatar

raceful ['ɡreɪsfʊl] *adj* elegante

rade [ɡreɪd] *n* **1.** (*quality*) clase *f* **2.** (*in ɔxam*) nota *f*, calificación *f* **3.** (*US*) (*year ɔt school*) curso *m*

rade crossing *n* (*US*) paso *m* a nivel

radient ['ɡreɪdjənt] *n* pendiente *f*

radual ['ɡrædʒʊəl] *adj* paulatino(na)

radually ['ɡrædʒʊəlɪ] *adv* paulatinaɔente

graduate ◇ *n* ['ɡrædʒʊət] **1.** (*from university*) licenciado *m*, -da *f* **2.** (*US*) (*from high school*) ≃ bachiller *mf* ◇ *vi* ['ɡrædʒʊeɪt] **1.** (*from university*) licenciarse **2.** (*US*) (*from high school*) ≃ obtener el título de bachiller

graduation [,ɡrædʒʊ'eɪʃn] *n* (*ceremony*) graduación *f*

graffiti [ɡrə'fiːtɪ] *n* pintadas *fpl*, graffiti *mpl*

grain [ɡreɪn] *n* **1.** (*seed, granule*) grano *m* **2.** (*crop*) cereales *mpl*

gram [ɡræm] *n* gramo *m*

grammar ['ɡræməʳ] *n* gramática *f*

grammar school *n* (in UK) colegio de enseñanza secundaria tradicional para alumnos de 11 a 18 años, con examen de acceso

gramme [ɡræm] = **gram**

gran [ɡræn] *n* (*UK*) (*inf*) abuelita *f*

grand [ɡrænd] ◇ *adj* (*impressive*) grandioso(sa) ◇ *n* (*inf*) **1.** (£1,000) mil libras *fpl* **2.** ($1,000) mil dólares *mpl*

grandchild ['ɡræntʃaɪld] (*pl* **-children**) *n* nieto *m*, -ta *f*

granddad ['ɡrændæd] *n* (*inf*) abuelito *m*

granddaughter ['ɡræn,dɔːtəʳ] *n* nieta *f*

grandfather ['ɡrænd,fɑːðəʳ] *n* abuelo *m*

grandma ['ɡrænmɑː] *n* (*inf*) abuelita *f*

grandmother ['ɡræn,mʌðəʳ] *n* abuela *f*

grandpa ['ɡrænpɑː] *n* (*inf*) abuelito *m*

grandparents ['ɡræn,peərənts] *npl* abuelos *mpl*

grandson ['ɡrænsʌn] *n* nieto *m*

granite ['ɡrænɪt] *n* granito *m*

granny ['ɡrænɪ] *n* (*inf*) abuelita *f*

grant [ɡrɑːnt] ◇ *n* **1.** (*for study*) beca *f* **2.** POL subvención *f* ◇ *vt* (*fml*) (*give*) conceder ● to take sthg/sb for granted no saber apreciar algo/a alguien por lo que vale

grape [greɪp] *n* uva *f*

grapefruit ['greɪpfruːt] *n* pomelo *m* (*Esp*), toronja *f* (*Amér*)

grapefruit juice *n* zumo *m* de pomelo, jugo *m* de toronja (*Amér*)

graph [grɑːf] *n* gráfico *m*

graph paper *n* papel *m* cuadriculado

grasp [grɑːsp] *vt* 1. (*grip*) agarrar 2. (*understand*) entender

grass [grɑːs] *n* 1. (*plant*) hierba *f*, pasto *m* (*Amér*) 2. (*lawn*) césped *m*, pasto *m* (*Amér*) ▼ keep off the grass prohibido pisar el césped

grasshopper ['grɑːsˌhɒpə'] *n* saltamontes *m inv*

grate [greɪt] *n* parrilla *f*

grated ['greɪtɪd] *adj* rallado(da)

grateful ['greɪtfol] *adj* agradecido(da)

grater ['greɪtə'] *n* rallador *m*

gratitude ['grætɪtjuːd] *n* agradecimiento *m*

gratuity [grəˈtjuːtɪ] *n* (*fml*) propina *f*

grave¹ [greɪv] ◇ *adj* (*mistake, news, concern*) grave ◇ *n* tumba *f*

grave² [grɑːv] *adj* (*accent*) grave

gravel ['grævl] *n* gravilla *f*

graveyard ['greɪvjɑːd] *n* cementerio *m*

gravity ['grævətɪ] *n* gravedad *f*

gravy ['greɪvɪ] *n* salsa *f* de carne

gray [greɪ] (*US*) = grey

graze [greɪz] *vt* (*injure*) rasguñar

grease [griːs] *n* grasa *f*

greaseproof paper ['griːspruːf-] *n* papel *m* de cera

greasy ['griːsɪ] *adj* 1. (*tools, clothes, food*) grasiento(ta) 2. (*skin, hair*) graso(sa)

great [greɪt] *adj* 1. grande 2. (*very good*) estupendo(da) ● great success gran éxito ● (that's) great! ¡genial! ● to have a great time pasarlo genial

Great Britain *n* Gran Bretaña

great-grandfather *n* bisabuelo *m*

great-grandmother *n* bisabuela *f*

greatly ['greɪtlɪ] *adv* enormemente

Greece [griːs] *n* Grecia

greed [griːd] *n* 1. (*for food*) glotonería *f* 2. (*for money*) codicia *f*

greedy ['griːdɪ] *adj* 1. (*for food*) glotón (ona) 2. (*for money*) codicioso(sa)

Greek [griːk] ◇ *adj* griego(ga) ◇ *n* 1. (*person*) griego *m*, -ga *f* 2. (*language*) griego *m*

green [griːn] ◇ *adj* 1. verde 2. (*inf*) (*inexperienced*) novato(ta) ◇ *n* 1. (*colour*) verde *m* 2. (*in village*) pequeña zona de hierba accesible a todo el mundo 3. (*on golf course*) green *m* ● **greens** *npl* (*vegetables*) verduras *fpl*

green beans *npl* judías *fpl* verdes

green card *n* 1. (*UK*) (*for car*) seguro de automóvil para viajar al extranjero 2. (*US*) (*work permit*) permiso *m* de residencia y trabajo (*para EEUU*)

green card

El *Green Card* es el permiso de trabajo emitido por las autoridades estadounidenses. Cualquier persona que quiera trabajar legalmente en los Estados Unidos necesita uno. El proceso para conseguirlo es largo y complicado. A pesar de su nombre, el permiso ya no es de color verde.

green channel n pasillo en la aduana para la gente sin artículos que declarar

greengage ['gri:ngeɪdʒ] n ciruela f claudia

greengrocer's ['gri:n,grəʊsəz] n (UK) (shop) verdulería f

greenhouse ['gri:nhaʊs] n invernadero m

greenhouse effect n efecto m invernadero

green light n luz f verde

green pepper n pimiento m verde

Greens [gri:nz] npl • the Greens los Verdes

green salad n ensalada f verde

greet [gri:t] vt (say hello to) saludar

greeting ['gri:tɪŋ] n saludo m

grenade [grə'neɪd] n granada f

grew [gru:] pt ➤ grow

grey [greɪ] ◇ adj 1. (in colour) gris 2. (weather) nublado(da) ◇ n gris m • he's going grey le están saliendo canas

greyhound ['greɪhaʊnd] n galgo m

grid [grɪd] n 1. (grating) reja f 2. (on map etc) cuadrícula f

grief [gri:f] n pena f, aflicción f • to come to grief (plan) ir al traste

grieve [gri:v] vi • to grieve for llorar por

grill [grɪl] ◇ n 1. (on cooker) grill m 2. (for open fire, part of restaurant) parrilla f 3. (beefburger) hamburguesa f ◇ vt asar a la parrilla

grille [grɪl] n AUT rejilla f

grilled [grɪld] adj asado(da) a la parrilla

grim [grɪm] adj 1. (expression) adusto(ta) 2. (news, reality) deprimente

grimace ['grɪməs] n mueca f

grimy ['graɪmɪ] adj mugriento(ta)

grin [grɪn] ◇ n sonrisa f (amplia) ◇ vi sonreír (ampliamente)

grind [graɪnd] (pt & pp **ground**) vt (pepper, coffee) moler

grip [grɪp] ◇ vt (hold) agarrar ◇ n 1. (of tyres) adherencia f 2. (handle) asidero m • to have a grip on sthg agarrar algo

gristle ['grɪsl] n cartílago m

groan [grəʊn] ◇ n gemido m ◇ vi 1. (in pain) gemir 2. (complain) quejarse

groceries ['grəʊsərɪz] npl comestibles mpl

grocer's ['grəʊsəz] n (UK) (shop) tienda f de comestibles

grocery ['grəʊsərɪ] n (shop) tienda f de comestibles

groin [grɔɪn] n ingle f

groove [gru:v] n ranura f

grope [grəʊp] vi • to grope around for sthg buscar algo a tientas

gross [grəʊs] adj (weight, income) bruto (ta)

grossly ['grəʊslɪ] adv (extremely) enormemente

grotty ['grɒtɪ] adj (UK) (inf) cochambroso(sa)

ground [graʊnd] ◇ pt & pp ➤ grind ◇ n 1. (surface of earth) suelo m 2. (soil) tierra f 3. SPORT campo m ◇ adj (coffee) molido(da) ◇ vt • to be grounded (plane) tener que permanecer en tierra; (US) (child) no poder salir por estar castigado; (US) (electrical connection) estar conectado a tierra • **below ground** bajo tierra ◆ **grounds** *npl* **1.** *(of building)* jardines *mpl* **2.** *(of coffee)* poso *m* **3.** *(reason)* razones *fpl*

ground floor *n* (UK) planta *f* baja

groundsheet ['graʊndʃiːt] *n* (UK) lona *f* impermeable *(para tienda de campaña)*

group [gruːp] *n* grupo *m*

grouse [graʊs] *(pl inv)* *n* urogallo *m*

grovel ['grɒvl] *vi (be humble)* humillarse

grow [grəʊ] *(pt* **grew**, *pp* **grown**) ◇ *vi* **1.** crecer **2.** *(become)* volverse ◇ *vt* **1.** *(plant, crop)* cultivar **2.** *(beard)* dejarse crecer ◆ **grow up** *vi* hacerse mayor

growl [graʊl] *vi (dog)* gruñir

grown [grəʊn] *pp* > **grow**

grown-up ◇ *adj* adulto(ta) ◇ *n* persona *f* mayor

growth [grəʊθ] *n* **1.** *(increase)* aumento *m* **2.** MED bulto *m*

grub [grʌb] *n (inf) (food)* papeo *m*

grubby ['grʌbɪ] *adj* mugriento(ta)

grudge [grʌdʒ] ◇ *n* rencor *m* ◇ *vt* • **she grudges him his success** siente rencor por su éxito

grueling ['gruəlɪŋ] *(US)* = **gruelling**

gruelling ['gruəlɪŋ] *adj* (UK) agotador(ra)

gruesome ['gruːsəm] *adj* horripilante

grumble ['grʌmbl] *vi* refunfuñar

grumpy ['grʌmpɪ] *adj (inf)* cascarrabias (inv)

grunt [grʌnt] *vi* gruñir

guarantee [ˌgærənˈtiː] ◇ *n* garantía *f* ◇ *vt* garantizar

guard [gɑːd] ◇ *n* **1.** *(of prisoner etc)* guardia *mf* **2.** *(UK)* *(on train)* jefe *m* de tren **3.** *(protective cover)* protector *m* ◇ *vt*

(watch over) guardar • **to be on one's guard** estar en guardia

Guatemala [ˌgwɑːtəˈmɑːlə] *n* Guatemala

Guatemalan [ˌgwɑːtəˈmɑːlən] ◇ *adj* guatemalteco(ca) ◇ *n* guatemalteco *m*, -ca *f*

guess [ges] ◇ *n* suposición *f* ◇ *vt* adivinar ◇ *vi* suponer • **I guess (so)** me imagino (que sí)

guest [gest] *n* **1.** *(in home)* invitado *m*, -da *f* **2.** *(in hotel)* huésped *mf*

guesthouse ['gesthaʊs] *n* casa *f* de huéspedes

guestroom ['gestrʊm] *n* cuarto *m* de los huéspedes

guidance ['gaɪdəns] *n* orientación *f*

guide [gaɪd] ◇ *n* **1.** *(for tourists)* guía *mf* **2.** *(guidebook)* guía *f* ◇ *vt* guiar • **Guide** *n* (UK) exploradora *f*

guidebook ['gaɪdbʊk] *n* guía *f*

guide dog *n* (UK) perro *m* lazarillo

guided tour ['gaɪdɪd-] *n* visita *f* guiada

guidelines ['gaɪdlaɪnz] *npl* directrices *fpl*

guilt [gɪlt] *n* **1.** *(feeling)* culpa *f* **2.** LAW culpabilidad *f*

guilty ['gɪltɪ] *adj* culpable

guinea pig ['gɪnɪ-] *n* conejillo *m* de Indias

guitar [gɪˈtɑːʳ] *n* guitarra *f*

guitarist [gɪˈtɑːrɪst] *n* guitarrista *mf*

gulf [gʌlf] *n (of sea)* golfo *m*

Gulf War *n* • **the Gulf War** la Guerra del Golfo

gull [gʌl] *n* gaviota *f*

gullible ['gʌləbl] *adj* ingenuo(nua)

gulp [gʌlp] *n* trago *m*

gum [gʌm] n 1. *(chewing gum, bubble gum)* chicle m 2. *(adhesive)* pegamento m ◆

gums npl *(in mouth)* encías fpl

gun [gʌn] n 1. *(pistol)* pistola f 2. *(rifle)* escopeta f 3. *(cannon)* cañón m

gunfire ['gʌnfaɪəʳ] n disparos mpl

gunshot ['gʌnʃɒt] n tiro m

gust [gʌst] n ráfaga f

gut [gʌt] n *(inf)* *(stomach)* buche m, barriga f ◆ **guts** npl *(inf)* 1. *(intestines)* tripas fpl 2. *(courage)* agallas fpl

gutter ['gʌtəʳ] n 1. *(beside road)* cuneta f 2. *(of house)* canalón m *(Esp)*, canaleta f

guy [gaɪ] n *(inf)* *(man)* tío m *(Esp)*, tipo m ◆ **guys** npl *(inf)* *(people)* tíos mpl *(Esp)*, gente f

Guy Fawkes Night [-'fɔːks-] n *(UK)* el 5 de noviembre

Guy Fawkes Night

El 5 de noviembre, los británicos conmemoran el fracaso del intento de volar el parlamento por parte de Guy Fawkes, en 1605, que habría acabado con la vida del rey. En pueblos y ciudades se queman grandes hogueras, a la cuales se arrojan muñecos que representan a Guy Fawkes.

guy rope n cuerda f *(de tienda de campaña)*

gym [dʒɪm] n 1. *(place)* gimnasio m 2. *(school lesson)* gimnasia f

gymnast ['dʒɪmnæst] n gimnasta mf

gymnastics [dʒɪm'næstɪks] n gimnasia f

gym shoes npl zapatillas fpl de gimnasia

gynecologist [ˌgaɪnə'kɒlədʒɪst] *(US)* = **gynaecologist**

gynaecologist [ˌgaɪnə'kɒlədʒɪst] n *(UK)* ginecólogo m, -ga f

gypsy ['dʒɪpsɪ] = **gipsy**

*h*H

H *(abbr of hot)* C *(en grifo)* *(abbr of hospital)* H.

habit ['hæbɪt] n costumbre f

hacksaw ['hæksɔː] n sierra f para metales

had [hæd] pt & pp ⟩ **have**

haddock ['hædək] *(pl inv)* n eglefino m

hadn't ['hædnt] = **had not**

haggis ['hægɪs] n plato típico escocés hecho con las asaduras del cordero, harina de avena y especias

haggle ['hægl] vi regatear

hail [heɪl] ◇ n granizo m ◇ impers vb ◆ it's hailing está granizando

hailstone ['heɪlstəʊn] n granizo m

hair [heəʳ] n 1. pelo m 2. *(on skin)* vello m ◆ **to have one's hair cut** cortarse el pelo ◆ **to wash one's hair** lavarse el pelo

hairband ['heəbænd] n turbante m *(banda elástica)*

hairbrush ['heəbrʌʃ] n cepillo m *(del pelo)*

hairclip ['heəklıp] *n* prendedor *m* (del pelo)

haircut ['heəkʌt] *n (style)* corte *m* (de pelo) • **to have a haircut** cortarse el pelo

hairdo ['heədu:] *(pl -s)* peinado *m*

hairdresser ['heə,dresə'] *n* peluquero *m*, -ra *f* • **hairdresser's** *(salon)* peluquería *f* • **to go to the hairdresser's** ir a la peluquería

hairdryer ['heə,draıə'] *n* secador *m* (del pelo)

hair gel *n* gomina *f*

hairgrip ['heəgrıp] *n (UK)* horquilla *f*

hairpin bend ['heəpın-] *n (UK)* curva *f* muy cerrada

hair remover [-rı,mu:və'] *n* depilatorio *m*

hair slide *n (UK)* prendedor *m*

hairspray ['heəspreı] *n* laca *f* (para el pelo)

hairstyle ['heəstaıl] *n* peinado *m*

hairy ['heərı] *adj* peludo(da)

half [*(UK)* hɑ:f, *(US)* hæf] *(pl* **halves)** ◇ *n* **1.** *(50%)* mitad *f* **2.** *(of match)* tiempo *m* **3.** *(UK) (half pint)* media pinta *f* **4.** *(child's ticket)* billete *m* medio ◇ *adj* medio(dia) ◇ *adv* • **half cooked** a medio cocinar • **half full** medio lleno • **I'm half Scottish** soy medio escocés • **four and a half** cuatro y medio • **half past seven** las siete y media • **half as big as** la mitad de grande que • **an hour and a half** una hora y media • **half an hour** media hora • **half a dozen** media docena • **half price** a mitad de precio

half board *n (UK)* media pensión *f*

half-day *n* media jornada *f*

half fare *n* medio billete *m (Esp)*, medio boleto *m (Amér)*

half portion *n* media ración *f*

half-price *adj* a mitad de precio

half term *n (UK) semana de vacaciones escolares a mitad de cada trimestre*

half time *n* descanso *m*

halfway [hɑ:f'weı] *adv* • **halfway between** a mitad de camino entre • **halfway through the film** a mitad de la película

halibut ['hælıbət] *(pl inv)* n halibut *m*

hall [hɔ:l] *n* **1.** *(of house)* vestíbulo *m* **2.** *(large room)* sala *f* **3.** *(building)* pabellón *m* **4.** *(country house)* mansión *f*

hallmark ['hɔ:lmɑ:k] *n (on silver, gold)* contraste *m*

hallo [hə'ləu] *(UK)* = **hello**

hall of residence *n (UK)* colegio *m* mayor *(Esp)*, residencia *f* universitaria

Halloween [,hæləu'i:n] *n* el 31 de octubre

Halloween

Halloween se celebra el 31 de octubre. Las fiestas de *Halloween*, a las que hay que ir disfrazado, son muy populares. También es tradicional que grupos de niños pequeños, disfrazados de brujas y fantasmas, vayan de puerta en puerta pidiendo dinero o caramelos.

halt [hɔ:lt] ◇ *vi* detenerse ◇ *n* • **to come to a halt** detenerse

halve [*(UK)* hɑ:v, *(US)* hæv] *vt* **1.** *(reduce*

by half) reducir a la mitad **2.** *(divide in two)* partir por la mitad

halves [(UK) hɑːvz, (US) hævz] *pl* ➤ **half**

ham [hæm] *n* jamón *m*

hamburger ['hæmbɜːgəʳ] *n* **1.** *(beefburger)* hamburguesa *f* **2.** *(US) (mince)* carne *f* picada *(Esp)* OR molida

hamlet ['hæmlɪt] *n* aldea *f*

hammer ['hæməʳ] ◇ *n* martillo *m* ◇ *vt (nail)* clavar

hammock ['hæmək] *n* hamaca *f*

hamper ['hæmpəʳ] *n* cesta *f*

hamster ['hæmstəʳ] *n* hámster *m*

hamstring ['hæmstrɪŋ] *n* tendón *m* de la corva

hand [hænd] *n* **1.** mano *f* **2.** *(of clock, watch, dial)* aguja *f* ● **to give sb a hand** echar una mano a alguien ● **to get out of hand** hacerse incontrolable ● **by hand** a mano ● **in hand** *(time)* de sobra ● **on the one hand** por una parte ● **on the other hand** por otra parte ◆ **hand in** *vt sep* entregar ◆ **hand out** *vt sep* repartir ◆ **hand over** *vt sep (give)* entregar

handbag ['hændbæg] *n* bolso *m* *(Esp)*, cartera *f*

handbasin ['hændbeɪsn] *n* *(UK)* lavabo *m*

handbook ['hændbʊk] *n* manual *m*

handbrake ['hændbreɪk] *n* *(UK)* freno *m* de mano

hand cream *n* *(UK)* crema *f* de manos

handcuffs ['hændkʌfs] *npl* esposas *fpl*

handful ['hændfʊl] *n* *(amount)* puñado *m*

handheld PC [hænd'held-] *n* ordenador *m* de bolsillo

handicap ['hændɪkæp] *n* **1.** *(physical, mental)* incapacidad *f* **2.** *(disadvantage)* desventaja *f*

handicapped ['hændɪkæpt] ◇ *adj* disminuido(da) ◇ *npl* ● **the handicapped** los minusválidos

handkerchief ['hæŋkətʃɪf] *(pl* **-chiefs** OR **-chieves**) *n* pañuelo *m*

handle ['hændl] ◇ *n* **1.** *(round)* pomo *m* **2.** *(long)* manilla *f* **3.** *(of knife, pan)* mango *m* **4.** *(of suitcase)* asa *f* ◇ *vt* **1.** *(touch)* tocar **2.** *(deal with)* encargarse de ▼ **handle with care** frágil

handlebars ['hændlbɑːz] *npl* manillar *m*, manubrio *m* *(Amér)*

hand luggage *n* equipaje *m* de mano

handmade [ˌhænd'meɪd] *adj* hecho (cha) a mano

handout ['hændaʊt] *n* *(leaflet)* hoja *f* informativa

handrail ['hændreɪl] *n* barandilla *f*

handset ['hændset] *n* auricular *m* *(de teléfono)* ▼ **please replace the handset** mensaje que avisa que el teléfono está descolgado

handshake ['hændʃeɪk] *n* apretón *m* de manos

handsome ['hænsəm] *adj* *(man)* guapo

handstand ['hændstænd] *n* pino *m*

handwriting ['hændˌraɪtɪŋ] *n* letra *f*

handy ['hændɪ] *adj* **1.** *(useful)* práctico (ca) **2.** *(good with one's hands)* mañoso (sa) **3.** *(near)* a mano ● **to come in handy** *(inf)* venir de maravilla

hang [hæŋ] *(pt & pp* **hung** OR **hanged)** ◇ *vt* **1.** *(on hook, wall etc)* colgar **2.** *(pt & pp* **hanged)** *(execute)* ahorcar ◇ *vi (be suspended)* colgar ◇ *n* ● **to get the hang**

of sthg (*inf*) coger el tranquillo a algo ◆ **hang about** *vi* (*UK*) (*inf*) pasar el rato ◆ **hang around** (*inf*) = **hang about** ◆ **hang down** *vi* caer, estar colgado ◆ **hang on** *vi* (*inf*) (*wait*) esperar ◆ **hang out** ◇ *vt sep* tender ◇ *vi* (*inf*) (*spend time*) pasar el rato ◆ **hang up** *vi* (*on phone*) colgar

hanger ['hæŋəʳ] *n* percha *f* (*Esp*), gancho *m* (*Amér*)

hang gliding [-'glaɪdɪŋ] *n* vuelo *m* con ala delta

hangover ['hæŋ,əʊvəʳ] *n* resaca *f*

hankie ['hæŋkɪ] *n* (*inf*) pañuelo *m*

happen ['hæpən] *vi* pasar ● I happened to be alone dio la casualidad de que estaba solo

happily ['hæpɪlɪ] *adv* (*luckily*) afortunadamente

happiness ['hæpɪnɪs] *n* felicidad *f*

happy ['hæpɪ] *adj* feliz ● to be happy about sthg (*satisfied*) estar contento(ta) con algo ● to be happy to do sthg estar muy dispuesto(ta) a hacer algo ● to be happy with sthg estar contento con algo ● Happy Birthday! ¡Feliz Cumpleaños! ● Happy Christmas! ¡Feliz Navidad! ● Happy New Year! ¡Feliz Año Nuevo!

happy hour *n* (*inf*) tiempo en que las *bebidas se venden a precio reducido en un bar*

harassment ['hærəsmənt] *n* acoso *m*

harbor ['haːrbər] (*US*) = harbour

harbour ['haːbəʳ] *n* (*UK*) puerto *m*

hard [haːd] ◇ *adj* **1.** duro(ra) **2.** (*difficult, strenuous*) difícil **3.** (*blow, push, frost*) fuerte ◇ *adv* **1.** (*try, work, rain*) mucho

2. (*listen*) atentamente **3.** (*hit*) con fuerza

hardback ['haːdbæk] *n* edición *f* en pasta dura

hardboard ['haːdbɔːd] *n* aglomerado *m*

hard-boiled egg [-bɔɪld-] *n* huevo *m* duro

hardcover ['haːrd,kʌvər] *n* (*US*) edición *f* en pasta dura

hard disk *n* disco *m* duro

hardly ['haːdlɪ] *adv* apenas ● hardly ever casi nunca

hardship ['haːdʃɪp] *n* **1.** (*difficult conditions*) privaciones *fpl* **2.** (*difficult circumstance*) dificultad *f*

hard shoulder *n* (*UK*) arcén *m*

hard up *adj* (*inf*) sin un duro

hardware ['haːdweəʳ] *n* **1.** (*tools, equipment*) artículos *mpl* de ferretería **2.** COMPUT hardware *m*

hardwearing [,haːd'weərɪŋ] *adj* (*UK*) resistente

hardworking [,haːd'wɜːkɪŋ] *adj* trabajador(ra)

hare [heəʳ] *n* liebre *f*

harm [haːm] ◇ *n* daño *m* ◇ *vt* **1.** (*person*) hacer daño a **2.** (*object*) dañar **3.** (*chances, reputation*) perjudicar

harmful ['haːmfʊl] *adj* perjudicial

harmless ['haːmlɪs] *adj* inofensivo(va)

harmonica [haː'mɒnɪkə] *n* armónica *f*

harmony ['haːmənɪ] *n* armonía *f*

harness ['haːnɪs] *n* **1.** (*for horse*) arreos *mpl* **2.** (*for child*) andadores *mpl*

harp [haːp] *n* arpa *f*

harsh [haːʃ] *adj* **1.** (*conditions, winter*) duro(ra) **2.** (*cruel*) severo(ra) **3.** (*weath-*

er, *climate*) inclemente **4.** *(sound, voice)* áspero(ra)

harvest ['hɑːvɪst] *n* cosecha *f*

has [*weak form* həz, *strong form* hæz] ➤ **have**

hash browns [hæʃ-] *npl* patatas cortadas en trozos y fritas en forma de bola

hasn't ['hæznt] = **has not**

hassle ['hæsl] *n* **1.** *(inf)* *(problems)* jaleo *m* **2.** *(annoyance)* fastidio *m*

hastily ['heɪstɪlɪ] *adv (rashly)* a la ligera

hasty ['heɪstɪ] *adj* **1.** *(hurried)* precipitado (da) **2.** *(rash)* irreflexivo(va)

hat [hæt] *n* sombrero *m*

hatch [hætʃ] ◇ *n (for serving food)* ventanilla *f* ◇ *vi (egg)* romperse

hatchback ['hætʃ,bæk] *n* coche *m* con puerta trasera

hatchet ['hætʃɪt] *n* hacha *f*

hate [heɪt] ◇ *n* odio *m* ◇ *vt* odiar ● **to hate doing sthg** odiar hacer algo

hatred ['heɪtrɪd] *n* odio *m*

haul [hɔːl] ◇ *vt* arrastrar ◇ *n* ● **a long haul** un buen trecho

haunted ['hɔːntɪd] *adj (house)* encantado(da)

have [hæv] *(pt & pp* **had**)

◇ *aux vb* **1.** *(to form perfect tenses)* haber ● **I have finished** he terminado ● **have you been there? - No, I haven't** ¿has estado allí? - No ● **we had already left** ya nos habíamos ido **2.** *(must)* ● **to have (got) to do sthg** tener que hacer algo ● **do you have to pay?** ¿hay que pagar?

◇ *vt* **1.** *(possess)* ● **to have (got)** tener ● **do you have OR have you got a double room?** ¿tiene una habitación doble? ●

she has (got) brown hair tiene el pelo castaño **2.** *(experience)* tener ● **to have a cold** tener catarro ● **to have a good time** pasarlo bien **3.** *(replacing other verbs)* ● **to have breakfast** desayunar ● **to have dinner** cenar ● **to have lunch** comer ● **to have a drink** tomar algo ● **to have a shower** ducharse ● **to have a swim** ir a nadar ● **to have a walk** dar un paseo **4.** *(feel)* tener ● **I have no doubt about it** no tengo ninguna duda **5.** *(invite)* ● **to have sb round for dinner** invitar a alguien a cenar **6.** *(cause to be)* ● **to have sthg done** hacer que se haga algo ● **to have one's hair cut** cortarse el pelo **7.** *(be treated in a certain way)* ● **I've had my wallet stolen** me han robado la cartera

havoc ['hævək] *n* estragos *mpl*

hawk [hɔːk] *n* halcón *m*

hawker ['hɔːkə'] *n* vendedor *m*, -ra *f* ambulante

hay [heɪ] *n* heno *m*

hay fever *n* alergia *f* primaveral

haystack ['heɪ,stæk] *n* almiar *m*

hazard ['hæzəd] *n* riesgo *m*

hazardous ['hæzədəs] *adj* arriesgado (da)

hazard warning lights *npl (UK)* luces *fpl* de emergencia

haze [heɪz] *n* neblina *f*

hazel ['heɪzl] *adj* avellanado

hazelnut ['heɪzl,nʌt] *n* avellana *f*

hazy ['heɪzɪ] *adj (misty)* neblinoso(sa)

he [hiː] *pron* él ● **he's tall** (él) es alto

head [hed] ◇ *n* **1.** cabeza *f* **2.** *(of queue, page, letter)* principio *m* **3.** *(of table, bed)* cabecera *f* **4.** *(of company, department,* school) director m, -ra f **5.** *(of beer)* espuma f ◇ vt estar a la cabeza de ◇ vi dirigirse hacia ● **£10 a head** diez libras por persona ● **heads or tails?** ¿cara o cruz? ◆ **head for** vt insep *(place)* dirigirse a

headache ['hedeɪk] n *(pain)* dolor m de cabeza ● **I have a headache** me duele la cabeza

head band n *(US)* turbante m *(banda elástica)*

heading ['hedɪŋ] n encabezamiento m

headlamp ['hedlæmp] *(UK)* = **headlight**

headlight ['hedlaɪt] n faro m

headline ['hedlaɪn] n titular m

headmaster [ˌhed'mɑːstəʳ] n *(UK)* director m (de colegio)

headmistress [ˌhed'mɪstrɪs] n *(UK)* directora f (de colegio)

head of state n jefe m, -fa f de estado

headphones ['hedfəʊnz] npl auriculares mpl

headquarters [ˌhed'kwɔːtəz] npl sede f central

headrest ['hedrest] n apoyacabezas m inv

headroom ['hedrʊm] n *(under bridge)* altura f libre

headscarf ['hedskɑːf] *(pl* **-scarves***)* n pañoleta f

head start n ventaja f *(desde el comienzo)*

head teacher n director m, -ra f (de colegio)

head waiter n jefe m (de camareros)

heal [hiːl] ◇ vt curar ◇ vi cicatrizar

health [helθ] n salud f ● **to be in good**

health tener buena salud ● **to be in poor health** tener mala salud ● **your (very) good health!** ¡a tu salud!

health center *(US)* = **health centre**

health centre n *(UK)* centro m de salud

health food n alimentos mpl naturales

health food shop n tienda f de alimentos naturales

health insurance n seguro m médico

healthy ['helθɪ] adj **1.** *(person, skin)* sano(na) **2.** *(good for one's health)* saludable

heap [hiːp] n montón m ● **heaps of** *(inf)* montones de

hear [hɪəʳ] *(pt & pp* heard*)* ◇ vt **1.** oír **2.** LAW ◇ vi oír ● **to hear about sthg** enterarse de algo ● **to hear from sb** tener noticias de alguien ● **to have heard of** haber oído hablar de

hearing ['hɪərɪŋ] n **1.** *(sense)* oído m **2.** *(at court)* vista f ● **to be hard of hearing** ser duro de oído

hearing aid n audífono m

heart [hɑːt] n corazón m ● **to know sthg (off) by heart** saberse algo de memoria ● **to lose heart** desanimarse ◆ **hearts** npl *(in cards)* corazones mpl

heart attack n infarto m

heartbeat ['hɑːtbiːt] n latido m

heartburn ['hɑːtbɜːn] n ardor m de estómago

heart condition n ● **to have a heart condition** padecer del corazón

hearth [hɑːθ] n chimenea f

hearty ['hɑːtɪ] adj *(meal)* abundante

heat [hiːt] n **1.** calor m **2.** *(specific temperature)* temperatura f ◆ **heat up** vt sep calentar

heater ['hi:tə'] *n* calentador *m*

heath [hi:θ] *n* brezal *m*

heather ['heðə'] *n* brezo *m*

heating ['hi:tɪŋ] *n* calefacción *f*

heat wave *n* ola *f* de calor

heave [hi:v] *vt* **1.** *(push)* empujar **2.** *(pull)* tirar de

Heaven ['hevn] *n* el cielo

heavily ['hevɪlɪ] *adv* mucho

heavy ['hevɪ] *adj* **1.** *(in weight)* pesado (da) **2.** *(rain, fighting, traffic)* intenso(sa) **3.** *(losses, defeat)* grave **4.** *(food)* indigesto(ta) how heavy is it? ¿cuánto pesa? to be a heavy smoker fumar mucho

heavy cream *n (US)* nata *f* para montar *(Esp)*, crema *f* doble *(Amér)*

heavy goods vehicle *n (UK)* vehículo *m* pesado

heavy industry *n* industria *f* pesada

heavy metal *n* heavy metal *m*

heckle ['hekl] *vt* reventar

hectic ['hektɪk] *adj* ajetreado(da)

hedge [hedʒ] *n* seto *m*

hedgehog ['hedʒhɒg] *n* erizo *m*

heel [hi:l] *n* **1.** *(of person)* talón *m* **2.** *(of shoe)* tacón *m*, taco *m (CSur)*

hefty ['heftɪ] *adj* **1.** *(person)* fornido(da) **2.** *(fine)* considerable

height [haɪt] *n* **1.** altura *f* **2.** *(of person)* estatura *f* **3.** *(peak period)* punto *m* álgido what height is it? ¿cuánto mide?

heir [eə'] *n* heredero *m*

heiress ['eərɪs] *n* heredera *f*

held [held] *pt & pp* ➤ hold

helicopter ['helɪkɒptə'] *n* helicóptero *m*

Hell [hel] *n* el infierno

he'll [hi:l] = he will

hello [hə'ləʊ] *excl* **1.** *(as greeting)* ¡hola! **2.** *(when answering phone)* ¡diga!, ¡bueno! *(Amér)* **3.** *(when phoning, to attract attention)* ¡oiga!

helmet ['helmɪt] *n* casco *m*

help [help] ◇ *n* ayuda *f* ◇ *vt & vi* ayudar ◇ *excl* ¡socorro! I can't help it no puedo evitarlo let me help you (to) carry that déjame que te ayude a llevar eso help yourself (to some more) sírvete (más) can I help you? *(in shop)* ¿en qué puedo servirle?

help out *vi* echar una mano

help desk *n* mostrador *m* de ayuda

helper ['helpə'] *n* **1.** *(assistant)* ayudante *mf* **2.** *(US) (cleaner)* mujer *f* de la limpieza

helpful ['helpfʊl] *adj* **1.** *(person)* atento (ta), servicial **2.** *(useful)* útil

helping ['helpɪŋ] *n* ración *f*

helpless ['helplɪs] *adj (person)* indefenso (sa)

hem [hem] *n* dobladillo *m*

hemophiliac [ˌhi:mə'fɪliæk] *n* hemofílico *m*

hemorrhage ['hemərɪdʒ] *n* hemorragia *f*

hen [hen] *n (chicken)* gallina *f*

hepatitis [ˌhepə'taɪtɪs] *n* hepatitis *f inv*

her [hɜ:'] ◇ *adj* su, sus *pl* ◇ *pron* I know her la conozco it's her es ella send it to her enviáselo tell her to come dile que venga he's worse than her él es peor que ella

herb [hɜ:b] *n* hierba *f*

herbal tea ['hɜ:bl–] *n* infusión *f*

herd [hɜ:d] *n* **1.** *(of sheep)* rebaño *m* **2.**

(of cattle) manada f
here [hɪər] adv aquí ● here's your book aquí tienes tu libro ● here you are aquí tienes
heritage ['herɪtɪdʒ] n patrimonio m
hernia ['hɜːnjə] n hernia f
hero ['hɪərəʊ] (pl -es) n héroe m
heroin ['herəʊɪn] n heroína f
heroine ['herəʊɪn] n heroína f
heron ['herən] n garza f real
herring ['herɪŋ] n arenque m
hers [hɜːz] pron suyo m, -ya f, suyos mpl, -yas fpl ● a friend of hers un amigo suyo
herself [hɜː'self] pron 1. (reflexive) se 2. (after prep) sí misma ● she did it herself lo hizo ella sola
hesitant ['hezɪtənt] adj indeciso(sa)
hesitate ['hezɪteɪt] vi vacilar
hesitation [ˌhezɪ'teɪʃn] n vacilación f
heterosexual [ˌhetərəʊ'sekʃʊəl] ◇ adj heterosexual ◇ n heterosexual mf
hey [eɪtʃdʒiːvˈiː] excl (inf) ¡eh!, ¡oye!
HGV abbr (UK) = heavy goods vehicle
hi [haɪ] excl (inf) ¡hola!
hiccup ['hɪkʌp] n ● to have (the) hiccups tener hipo
hide [haɪd] (pt hid, pp hidden) ◇ vt 1. esconder 2. (truth, feelings) ocultar ◇ vi esconderse ◇ n (of animal) piel f
hideous ['hɪdɪəs] adj horrible
hi-fi ['haɪfaɪ] n equipo m de alta fidelidad
high [haɪ] ◇ adj 1. alto(ta) 2. (winds) fuerte 3. (good) bueno(na) 4. (position, rank) elevado(da) 5. (inf) (from drugs)

flipado(da) (Esp), drogado(da) ◇ n (weather front) zona f de altas presiones ◇ adv alto ● how high is it? ¿cuánto mide? ● it's 10 metres high mide 10 metros de alto
high chair n silla f alta
high-class adj de categoría
Higher ['haɪər] n examen al final de la enseñanza secundaria en Escocia
higher education n enseñanza f superior
high heels npl tacones mpl altos
high jump n salto m de altura
Highland Games ['haɪlənd-] npl festival típico de Escocia
highlight ['haɪlaɪt] ◇ n (best part) mejor parte f ◇ vt (emphasize) destacar ◆
highlights npl 1. (of football match etc) momentos mpl más interesantes 2. (in hair) mechas fpl, reflejos mpl
highly ['haɪlɪ] adv 1. (extremely) enormemente 2. (very well) muy bien
high-pitched [-'pɪtʃt] adj agudo(da)
high-rise building n rascacielos m inv
high school n ≃ instituto m de bachillerato
high season n temporada f alta
high-speed train n tren m de alta velocidad
high street n (UK) calle f mayor (Esp) OR principal
high tide n marea f alta
highway ['haɪweɪ] n 1. (US) (between towns) autopista f 2. (UK) (any main road) carretera f

Highway Code n (*UK*) código m de la circulación

hijack ['haɪdʒæk] vt secuestrar

hijacker ['haɪdʒækə^r] n secuestrador m, -ra f

hike [haɪk] ◇ n caminata f ◇ vi ir de excursión

hiking ['haɪkɪŋ] n ● **to go hiking** ir de excursión

hilarious [hɪ'leərɪəs] adj desternillante

hill [hɪl] n colina f

hillwalking ['hɪlwɔːkɪŋ] n senderismo m

hilly ['hɪlɪ] adj montañoso(sa)

him [hɪm] pron ● **I know him** le conozco, lo conozco ● **it's him** es él ● **send it to him** envíaselo ● **tell him to come** dile que venga ● **she's worse than him** ella es peor que él

himself [hɪm'self] pron 1. (reflexive) se 2. (after prep) sí mismo ● **he did it himself** lo hizo él solo

hinder ['hɪndə^r] vt estorbar

Hindu ['hɪnduː] (pl **-s**) ◇ adj hindú ◇ n (person) hindú mf

hinge [hɪndʒ] n bisagra f

hint [hɪnt] ◇ n 1. (indirect suggestion) indirecta f 2. (piece of advice) consejo m 3. (slight amount) asomo m ◇ vi ● **to hint at sthg** insinuar algo

hip [hɪp] n cadera f

hippopotamus [ˌhɪpə'pɒtəməs] n hipopótamo m

hippy ['hɪpɪ] n hippy mf

hire ['haɪə^r] vt alquilar ● **for hire** (taxi) libre ▼ **boats for hire** se alquilan barcos ◆ **hire out** vt sep alquilar

hire car n (*UK*) coche m de alquiler

hire purchase n (*UK*) compra f a plazos

his [hɪz] ◇ adj su, sus pl ◇ pron suyo m, -ya f, suyos mpl, -yas fpl ● **a friend of his** un amigo suyo

historical [hɪ'stɒrɪkəl] adj histórico(ca)

history ['hɪstərɪ] n 1. historia f 2. (record) historial m

hit [hɪt] (pt & pp inv) ◇ vt 1. (strike on purpose) pegar 2. (collide with) chocar contra 3. (bang) golpearse 4. (a target) alcanzar ◇ n 1. (record, play, film) éxito m 2. COMPUT visita f, hit m

hit-and-run adj (accident) en que el conductor se da a la fuga

hitch [hɪtʃ] ◇ n obstáculo m ◇ vi hacer autostop ◇ vt ● **to hitch a lift** conseguir que le lleven a uno en coche

hitchhike ['hɪtʃhaɪk] vi hacer autostop

hitchhiker ['hɪtʃhaɪkə^r] n autoestopista mf

hive [haɪv] n (of bees) colmena f

HIV-positive [eɪtʃaɪviː-] adj seropositivo(va)

hoarding ['hɔːdɪŋ] n (*UK*) (for adverts) valla f publicitaria

hoarse [hɔːs] adj ronco(ca)

hoax [həʊks] n engaño m

hob [hɒb] n (*UK*) encimera f

hobby ['hɒbɪ] n hobby m

hockey ['hɒkɪ] n 1. (on grass) hockey m (sobre hierba) 2. (*US*) (ice hockey) hockey m sobre hielo

hoe [həʊ] n azada f

Hogmanay ['hɒgməneɪ] n (Scot) Nochevieja f

Hogmanay

En Escocia la Nochevieja se llama *Hogmanay*. Lo tradicional ese día es visitar a los amigos y vecinos justo después de la medianoche, para desearles un feliz año. Hoy en día también se organizan grandes fiestas para dar la bienvenida al Año Nuevo.

hold [həʊld] (*pt & pp* **held**) ◇ *vt* **1.** (*in hand, arms etc*) tener cogido OR agarrado (*Amér*) **2.** (*keep in position*) sujetar **3.** (*organize*) celebrar **4.** (*contain*) contener **5.** (*number of people*) tener cabida para **6.** (*possess*) poseer ◇ *vi* **1.** (*weather, luck*) mantenerse **2.** (*offer*) seguir en pie **3.** (*on telephone*) esperar ◇ *n* (*of ship, aircraft*) bodega *f* • **to have a hold on sthg** agarrar algo • **to hold sb prisoner** tener a alguien como prisionero • **hold the line, please** no cuelgue, por favor • **to put sb on hold** poner a alguien en espera ◆ **hold back** *vt sep* **1.** (*restrain*) contener **2.** (*keep secret*) ocultar ◆ **hold on** *vi* **1.** (*wait*) esperar **2.** (*on telephone*) no colgar • **to hold on to sthg** (*grip*) agarrarse a algo ◆ **hold out** *vt sep* (*extend*) extender ◆ **hold up** *vt sep* (*delay*) retrasar

holdall ['həʊldɔːl] *n* (*UK*) bolsa *f* de viaje

holder ['həʊldə^r] *n* **1.** (*of passport, licence*) titular *mf* **2.** (*container*) soporte *m*

holdup ['həʊldʌp] *n* (*delay*) retraso *m*

hole [həʊl] *n* **1.** agujero *m* **2.** (*in ground, in golf*) hoyo *m*

holiday ['hɒlɪdeɪ] ◇ *n* **1.** (*UK*) (*period of time*) vacaciones *fpl* **2.** (*day off*) fiesta *f*, día *m* festivo ◇ *vi* (*UK*) veranear, ir de vacaciones • **to be on holiday** estar de vacaciones • **to go on holiday** ir de vacaciones

holidays

Al contrario de lo que ocurre en el mundo hispanohablante, los días de los santos patronos no son festivos en el Reino Unido. En los Estados Unidos, además de los festivos nacionales, en los que se conmemoran fechas históricas o a personajes célebres, cada estado tiene sus propios días festivos.

holidaymaker ['hɒlɪdɪˌmeɪkə^r] *n* (*UK*) turista *mf*

holiday pay *n* (*UK*) sueldo *m* de vacaciones

Holland ['hɒlənd] *n* Holanda

hollow ['hɒləʊ] *adj* hueco(ca)

holly ['hɒlɪ] *n* acebo *m*

holy ['həʊlɪ] *adj* (*sacred*) sagrado(da), santo(ta)

home [həʊm] ◇ *n* **1.** (*house*) casa *f* **2.** (*own country*) tierra *f* **3.** (*one's family*) hogar *m* **4.** (*for old people*) residencia *f* de ancianos ◇ *adv* **1.** (*to one's house*) a casa **2.** (*in one's house*) en casa ◇ *adj* **1.** (*not foreign*) nacional **2.** (*cooking*) casero (ra) • **at home** en casa • **make yourself at home** estás como en casa • **to go home** ir a casa • **home address** domicilio *m* particular •

ho

home number número *m* particular

home help *n* (UK) asistente que ayuda *en las tareas domésticas a enfermos y ancianos*

homeless ['həʊmlɪs] *npl* • the homeless los sin hogar

homemade [ˌhəʊm'meɪd] *adj* casero(ra)

homeopathic [ˌhəʊmɪəʊ'pæθɪk] *adj* homeopático(ca)

Home Secretary *n* (UK) Ministro *m* del Interior

homesick ['həʊmsɪk] *adj* • to be homesick tener morriña

homework ['həʊmwɜːk] *n* deberes *mpl*

homosexual [ˌhɒmə'seksjʊəl] *adj* homosexual ◇ *n* homosexual *mf*

Honduran [hɒn'djʊərən] *adj* hondureño(ña) ◇ *n* hondureño *m*, -ña *f*

Honduras [hɒn'djʊərəs] *n* Honduras *m*

honest ['ɒnɪst] *adj* 1. (trustworthy) honrado(da) 2. (frank) sincero(ra)

honestly ['ɒnɪstlɪ] *adv* 1. (truthfully) honradamente 2. (frankly) sinceramente

honey ['hʌnɪ] *n* miel *f*

honeymoon ['hʌnɪmuːn] *n* luna *f* de miel

honor ['ɒnər] *n* (US) = honour

honour ['ɒnər] *n* (UK) honor *m*

honourable ['ɒnrəbl] *adj* honorable

hood [hʊd] *n* 1. (of jacket, coat) capucha *f* 2. (on convertible car) capota *f* 3. (US) (car bonnet) capó *m*, cofre *m* (Méx)

hoof [huːf] *n* 1. (of horse) casco *m* 2. (of cow, goat) pezuña *f*

hook [hʊk] *n* 1. (for picture, coat) gancho *m* 2. (for fishing) anzuelo *m* • off the hook (telephone) descolgado

hooligan ['huːlɪgən] *n* gamberro *m*, -rra *f*

hoop [huːp] *n* aro *m*

hoot [huːt] *vi* (driver) sonar

Hoover ® ['huːvər] *n* (UK) aspiradora *f*

hop [hɒp] *vi* saltar a la pata coja

hope [həʊp] ◇ *n* esperanza *f* ◇ *vt* esperar que • to hope for sthg esperar algo • to hope to do sthg esperar hacer algo • I hope so espero que sí

hopeful ['həʊpfʊl] *adj* (optimistic) optimista

hopefully ['həʊpfəlɪ] *adv* (with luck) con suerte

hopeless ['həʊplɪs] *adj* 1. (inf) (useless) inútil 2. (without any hope) desesperado (da)

horizon [hə'raɪzn] *n* horizonte *m*

horizontal [ˌhɒrɪ'zɒntl] *adj* horizontal

horn [hɔːn] *n* 1. (of car) claxon *m* 2. (on animal) cuerno *m*

horoscope ['hɒrəskəʊp] *n* horóscopo *m*

horrible ['hɒrəbl] *adj* horrible

horrid ['hɒrɪd] *adj* 1. (person) antipático (ca) 2. (place) horroroso(sa)

horrific [hɒ'rɪfɪk] *adj* horrendo(da)

hors d'oeuvres [ɔː'dɜːvr] *npl* entremeses *mpl*

horse [hɔːs] *n* caballo *m*

horseback ['hɔːsbæk] *n* • on horseback a caballo

horse chestnut *n* castaña *f* de Indias

horsepower ['hɔːsˌpaʊə'] *n* caballos *mpl* de vapor

horse racing *n* carreras *fpl* de caballos

horseradish (sauce) ['hɔːsˌrædɪʃ-] *n* salsa picante de rábano silvestre, que se suele servir con rosbif

horse riding n (UK) equitación f
horseshoe [ˈhɔːsʃuː] n herradura f
hose [həʊz] n manguera f
hose(pipe) [ˈhəʊzpaɪp] n manguera f
hosiery [ˈhəʊzɪərɪ] n medias fpl y calcetines
hospitable [hɒˈspɪtəbl] adj hospitalario (ria)
hospital [ˈhɒspɪtl] n hospital m ● in hospital en el hospital
hospitality [ˌhɒspɪˈtælətɪ] n hospitalidad f
host [həʊst] n 1. (of party, event) anfitrión m, -ona f 2. (of show, TV programme) presentador m, -ra f
hostage [ˈhɒstɪdʒ] n rehén m
hostel [ˈhɒstl] n (youth hostel) albergue m
hostess [ˈhəʊstes] n 1. (on plane) azafata f, aeromoza f (Amér) 2. (of party, event) anfitriona f
host family n familia f de acogida
hostile [(UK) ˈhɒstaɪl, (US) ˈhɒstl] adj hostil
hostility [hɒˈstɪlətɪ] n hostilidad f
hot [hɒt] adj 1. caliente 2. (spicy) picante ● to be hot (person) tener calor ● it's hot (weather) hace calor
hot chocolate n chocolate m (bebida)
hot-cross bun n bollo con pasas y dibujo en forma de cruz que se come en Semana Santa
hot dog n perrito m caliente
hotel [həʊˈtel] n hotel m
hot line n teléfono m rojo
hotplate [ˈhɒtpleɪt] n calentador m
hot-water bottle n bolsa f de agua caliente

hour [ˈaʊə] n hora f ● I've been waiting for hours llevo horas esperando
hourly [ˈaʊəlɪ] ◇ adj por hora ◇ adv 1. (pay, charge) por hora 2. (depart) cada hora
house ◇ n [haʊs] 1. casa f 2. SCH división de los alumnos de una escuela para actividades extra-académicas ◇ vt [haʊz] (person) alojar
household [ˈhaʊshəʊld] n hogar m
housekeeping [ˈhaʊsˌkiːpɪŋ] n quehaceres mpl domésticos
House of Commons n Cámara f de los Comunes
House of Lords n Cámara f de los Lores
Houses of Parliament npl (UK) Parlamento m británico

Houses of Parliament

El Parlamento británico se reúne en el Palacio de Westminster. Contiene dos cámaras: la de los Comunes y la de los Lores. La primera está formada por diputados elegidos democráticamente. La de los Lores está formada por miembros nombrados por el gobierno, y por representantes de la aristocracia británica.

housewife [ˈhaʊswaɪf] (pl **-wives**) n ama f de casa
house wine n vino m de la casa
housework [ˈhaʊswɜːk] n quehaceres mpl domésticos
housing [ˈhaʊzɪŋ] n (houses) vivienda f

housing estate n (UK) urbanización de viviendas de protección oficial

housing project (US) = **housing estate**

hovercraft ['hɒvəkrɑːft] n aerodeslizador m

hoverport ['hɒvəpɔːt] n terminal f de aerodeslizador

how [haʊ] adv 1. (asking about way or manner) cómo ● how does it work? ¿cómo funciona? ● tell me how to do it dime cómo se hace 2. (asking about health, quality, event) cómo ● how are you? ¿cómo estás? ● how are you doing? ¿qué tal estás? ● how are things? ¿cómo van las cosas? ● how do you do? (greeting) ¿cómo está usted?; (answer) mucho gusto ● how is your room? ¿qué tal es tu habitación? 3. (asking about degree, amount) ● how far? ¿a qué distancia? ● how long? ¿cuánto tiempo? ● how many? ¿cuántos? ● how much? ¿cuánto? ● how much is it? ¿cuánto es? 4. (in phrases) ● how about a drink? ¿qué tal si tomamos algo? ● how lovely! ¡qué precioso!

however [haʊ'evər] adv (nevertheless) sin embargo ● however hard I try por mucho que lo intente ● however easy it may be por muy fácil que sea

howl [haʊl] vi 1. (dog) aullar 2. (person) gritar 3. (wind) bramar

HP [eɪtʃ'piː] abbr (UK) = **hire purchase** = **horsepower**

HQ [eɪtʃ'kjuː] abbr = **headquarters**

hubcap ['hʌbkæp] n tapacubos m inv

hug [hʌg] ◇ vt abrazar ◇ n ● to give sb

a hug abrazar a alguien

huge [hjuːdʒ] adj enorme

hum [hʌm] vi 1. (bee, machine) zumbar 2. (person) canturrear

human ['hjuːmən] ◇ adj humano(na) ◇ n ● human (being) ser m humano

humanities [hjuː'mænətɪz] npl humanidades fpl

human rights npl derechos mpl humanos

humble ['hʌmbl] adj humilde

humid ['hjuːmɪd] adj húmedo(da)

humidity [hjuː'mɪdətɪ] n humedad f

humiliating [hjuː'mɪlɪeɪtɪŋ] adj humillante

humiliation [hjuː,mɪlɪ'eɪʃn] n humillación f

hummus ['hʊməs] n puré de garbanzos, ajo y pasta de sésamo

humor ['hjuːmər] (US) = **humour**

humorous ['hjuːmərəs] adj humorístico (ca)

humour ['hjuːməʳ] n (UK) humor m ● a sense of humour un sentido del humor

hump [hʌmp] n 1. (bump) montículo m 2. (of camel) joroba f

hunch [hʌntʃ] n presentimiento m

hundred ['hʌndrəd] num cien ● a hundred cien ● a hundred and ten ciento diez

hundredth ['hʌndrətθ] num centésimo (ma)

hung [hʌŋ] pt & pp > **hang**

Hungarian [hʌŋ'geərɪən] ◇ adj húngaro (ra) ◇ n 1. (person) húngaro m, -ra f 2. (language) húngaro m

Hungary ['hʌŋgərɪ] n Hungría

hunger ['hʌŋgəʳ] n hambre f

hungry ['hʌŋgrɪ] *adj* hambriento(ta) ● **to be hungry** tener hambre

hunt [hʌnt] ◇ *n* (*UK*) (*for foxes*) caza *f* (del zorro) ◇ *vt* (*animals*) cazar ◇ *vi* (*for animals*) cazar ● **to hunt** (*for sthg*) (*search*) buscar (algo)

hunting ['hʌntɪŋ] *n* **1.** (*for animals*) caza *f* **2.** (*UK*) (*for foxes*) caza del zorro

hurl [hɜːl] *vt* arrojar

hurricane ['hʌrɪkən] *n* huracán *m*

hurry ['hʌrɪ] ◇ *vt* (*person*) meter prisa a ◇ *vi* apresurarse ◇ *n* ● **to be in a hurry** tener prisa ● **to do sthg in a hurry** hacer algo de prisa ◆ **hurry up** *vi* darse prisa

hurt [hɜːt] (*pt & pp inv*) ◇ *vt* **1.** hacerse daño en, lastimarse (*Amér*) **2.** (*emotionally*) herir ◇ *vi* doler ● **my arm hurts** me duele el brazo ● **to hurt o.s.** hacerse daño

husband ['hʌzbənd] *n* marido *m*

hustle ['hʌsl] *n* ● **hustle and bustle** bullicio *m*

hut [hʌt] *n* cabaña *f*

hyacinth ['haɪəsɪnθ] *n* jacinto *m*

hydrofoil ['haɪdrəfɔɪl] *n* hidrofoil *m*

hygiene ['haɪdʒiːn] *n* higiene *f*

hygienic [haɪ'dʒiːnɪk] *adj* higiénico(ca)

hymn [hɪm] *n* himno *m*

hyperlink ['haɪpəlɪŋk] *n* hiperenlace *m*, hipervínculo *m*

hypermarket ['haɪpə,mɑːkɪt] *n* hipermercado *m*

hyphen ['haɪfn] *n* guión *m*

hypocrite ['hɪpəkrɪt] *n* hipócrita *mf*

hypodermic needle [,haɪpə'dɜːmɪk-] *n* aguja *f* hipodérmica

hysterical [hɪs'terɪkl] *adj* **1.** histérico (ca) **2.** (*inf*) (*very funny*) tronchante

I [aɪ] *pron* yo ● **I'm a doctor** soy médico

ice [aɪs] *n* **1.** hielo *m* **2.** (*ice cream*) helado *m*

iceberg ['aɪsbɜːg] *n* iceberg *m*

iceberg lettuce *n* lechuga *f* iceberg

ice-cold *adj* helado(da)

ice cream *n* helado *m*

ice cube *n* cubito *m* de hielo

ice hockey *n* hockey *m* sobre hielo

Iceland ['aɪslənd] *n* Islandia

ice lolly *n* (*UK*) polo *m* (*Esp*), paleta *f* helada

ice rink *n* pista *f* de hielo

ice skates *npl* patines *mpl* de cuchilla

ice-skating *n* patinaje *m* sobre hielo ● **to go ice-skating** ir a patinar

icicle ['aɪsɪkl] *n* carámbano *m*

icing ['aɪsɪŋ] *n* glaseado *m*

icing sugar *n* (*UK*) azúcar *m* glas

icy ['aɪsɪ] *adj* helado(da)

I'd [aɪd] = I would, I had

ID [aɪ'diː] *n* (*abbr of* identification), documentos *mpl* de identificación

ID card *n* carné *m* de identidad

idea [aɪ'dɪə] *n* idea *f* ● **I've no idea** no tengo ni idea

ideal [aɪ'dɪəl] ◇ *adj* ideal ◇ *n* ideal *m*

ideally [aɪ'dɪəlɪ] *adv* **1.** idealmente **2.** (*suited*) perfectamente

identical [aɪ'dentɪkl] *adj* idéntico(ca)

identification [aɪ,dentɪfɪ'keɪʃn] *n* identificación *f*

identify [aɪˈdentɪfaɪ] vt identificar

identity [aɪˈdentətɪ] n identidad f

idiom [ˈɪdɪəm] n (phrase) locución f

idiot [ˈɪdɪət] n idiota mf

idle [ˈaɪdl] ◇ adj. (lazy) perezoso(sa) 2. (not working) parado(da) ◇ vi (engine) estar en punto muerto

idol [ˈaɪdl] n (person) ídolo m

idyllic [ɪˈdɪlɪk] adj idílico(ca)

i.e. [ˈaɪˈiː] (abbr of id est) i.e. (id est)

if [ɪf] conj si • if I were you yo que tú • if not (otherwise) si no

ignition [ɪgˈnɪʃn] n AUT ignición f

ignorant [ˈɪgnərənt] adj (pej) ignorante • to be ignorant of desconocer

ignore [ɪgˈnɔːʳ] vt ignorar

ill [ɪl] adj 1. enfermo(ma) 2. (bad) malo (la)

I'll [aɪl] = I will, I shall

illegal [ɪˈliːgl] adj ilegal

illegible [ɪˈledʒəbl] adj ilegible

illegitimate [ˌɪlɪˈdʒɪtɪmət] adj ilegítimo (ma)

illiterate [ɪˈlɪtərət] adj analfabeto(ta)

illness [ˈɪlnɪs] n enfermedad f

illuminate [ɪˈluːmɪneɪt] vt iluminar

illusion [ɪˈluːʒn] n 1. (false idea) ilusión f 2. (visual) ilusión óptica

illustration [ˌɪləˈstreɪʃn] n ilustración f

I'm [aɪm] = I am

image [ˈɪmɪdʒ] n imagen f

imaginary [ɪˈmædʒɪnrɪ] adj imaginario (ria)

imagination [ɪˌmædʒɪˈneɪʃn] n imaginación f

imagine [ɪˈmædʒɪn] vt 1. imaginar 2. (suppose) imaginarse que

imitate [ˈɪmɪteɪt] vt imitar

imitation [ˌɪmɪˈteɪʃn] ◇ n imitación f ◇ adj de imitación

immaculate [ɪˈmækjʊlət] adj 1. (very clean) inmaculado(da) 2. (perfect) impecable

immature [ˌɪməˈtjʊəʳ] adj inmaduro(ra)

immediate [ɪˈmiːdjət] adj (without delay) inmediato(ta)

immediately [ɪˈmiːdjətlɪ] ◇ adv (at once) inmediatamente ◇ conj (UK) en cuanto

immense [ɪˈmens] adj inmenso(sa)

immersion heater [ɪˈmɜːʃn-] n calentador m de inmersión

immigrant [ˈɪmɪgrənt] n inmigrante mf

immigration [ˌɪmɪˈgreɪʃn] n inmigración f

imminent [ˈɪmɪnənt] adj inminente

immune [ɪˈmjuːn] adj • to be immune to MED ser inmune a

immunity [ɪˈmjuːnətɪ] n MED inmunidad f

immunize [ˈɪmjʊnaɪz] vt inmunizar

impact [ˈɪmpækt] n impacto m

impair [ɪmˈpeəʳ] vt 1. (sight) dañar 2. (ability) mermar 3. (movement) entorpecer

impatient [ɪmˈpeɪʃnt] adj impaciente • to be impatient to do sthg estar impaciente por hacer algo

imperative [ɪmˈperətɪv] n imperativo m

imperfect [ɪmˈpɜːfɪkt] n imperfecto m

impersonate [ɪmˈpɜːsəneɪt] vt (for amusement) imitar

impertinent [ɪmˈpɜːtɪnənt] adj impertinente

implement ◇ n [ˈɪmplɪmənt] herramienta f ◇ vt [ˈɪmplɪment] llevar a cabo

implication [ˌɪmplɪˈkeɪʃn] n (conse-

im 156

imply [ɪmˈplaɪ] *vt (suggest)* insinuar

impolite [ˌɪmpəˈlaɪt] *adj* maleducado
(da)

import ◇ *n* [ˈɪmpɔːt] importación *f* ◇ *vt*
[ɪmˈpɔːt] importar

importance [ɪmˈpɔːtns] *n* importancia *f*

important [ɪmˈpɔːtnt] *adj* importante

impose [ɪmˈpəʊz] ◇ *vt* imponer ◇ *vi*
abusar • **to impose sthg on** imponer
algo a

impossible [ɪmˈpɒsəbl] *adj* **1.** imposible
2. *(person, behaviour)* inaguantable

impractical [ɪmˈpræktɪkl] *adj* poco práctico(ca)

impress [ɪmˈpres] *vt* impresionar

impression [ɪmˈpreʃn] *n* impresión *f*

impressive [ɪmˈpresɪv] *adj* impresionante

improbable [ɪmˈprɒbəbl] *adj* improbable

improper [ɪmˈprɒpə] *adj* **1.** *(incorrect, illegal)* indebido(da) **2.** *(rude)* indecoroso(sa)

improve [ɪmˈpruːv] *vt & vi* mejorar

improve on *vt insep* mejorar

improvement [ɪmˈpruːvmənt] *n* **1.** mejora *f* **2.** *(to home)* reforma *f*

improvise [ˈɪmprəvaɪz] *vi* improvisar

impulse [ˈɪmpʌls] *n* impulso *m* • **on impulse** sin pensárselo dos veces

impulsive [ɪmˈpʌlsɪv] *adj* impulsivo(va)

in [ɪn]
◇ *prep* **1.** *(expressing location, position)* en
• **it comes in a box** viene en una caja
• **in the bedroom** en la habitación
• **in Scotland** en Escocia • **in the sun** al
sol • **in here/there** aquí/allí dentro •

in the middle en el medio • **I'm not in
the photo** no estoy en la foto **2.**
(participating in) en • **who's in the play?**
¿quién actúa? • **3.** *(expressing arrangement)*
• **in a row** en fila • **they come in
packs of three** vienen en paquetes de
tres **4.** *(with time)* en • **in April** en abril
• **in the afternoon** por la tarde • **in
the morning** por la mañana • **at ten
o'clock in the morning** a las diez de la
mañana • **in 1994** en 1994 • **it'll be
ready in an hour** estará listo en una
hora • **they're arriving in two weeks**
llegarán dentro de dos semanas **5.**
(expressing means) en • **in writing** por
escrito • **they were talking in English**
estaban hablando en inglés • **write in
ink** escribe a bolígrafo **6.** *(wearing)* de •
the man in the suit el hombre del traje
7. *(expressing condition)* en • **in good
health** bien de salud • **to be in pain**
tener dolor • **in ruins** en ruinas • **a
rise in prices** una subida de precios •
to be 50 metres in length medir 50
metros de largo • **she's in her twenties**
tiene unos veintitantos años **8.** *(with
numbers)* • **one in ten** uno de cada diez
9. *(with colours)* • **it comes in green or
blue** viene en verde o en azul **10.** *(with
superlatives)* de • **the best in the world**
el mejor del mundo
◇ *adv* **1.** *(inside)* dentro • **you can go in
now** puedes entrar ahora **2.** *(at home,
work)* • **she's not in** no está • **to stay
in** quedarse en casa **3.** *(train, bus, plane)*
• **the train's not in yet** el tren todavía
no ha llegado **4.** *(tide)* • **the tide is in**
la marea está alta

◊ *adj* (*inf*) (*fashionable*) de moda

inability [ˌɪnə'bɪlətɪ] *n* ● **inability (to do sthg)** incapacidad *f* (de hacer algo)

inaccessible [ˌɪnək'sesəbl] *adj* inaccesible.

inaccurate [ɪn'ækjʊrət] *adj* incorrecto (ta)

inadequate [ɪn'ædɪkwət] *adj* (*insufficient*) insuficiente

inappropriate [ɪnə'prəʊprɪət] *adj* impropio(pia)

inauguration [ɪˌnɔːgjʊ'reɪʃn] *n* **1.** (*of leader*) investidura *f* **2.** (*of building*) inauguración *f*

inbox ['ɪnbɒks] *n* COMPUT buzón *m* de entrada

Inc. [ɪŋk] (*abbr of* Incorporated) ≃ S. A. (*Sociedad Anónima*)

incapable [ɪn'keɪpəbl] *adj* ● **to be incapable of doing sthg** ser incapaz de hacer algo

incense ['ɪnsens] *n* incienso *m*

incentive [ɪn'sentɪv] *n* incentivo *m*

inch [ɪntʃ] *n* = 2,5 cm pulgada *f*

incident ['ɪnsɪdənt] *n* incidente *m*

incidentally [ˌɪnsɪ'dentəlɪ] *adv* por cierto

incline ['ɪnklaɪn] *n* pendiente *f*

inclined [ɪn'klaɪnd] *adj* (*sloping*) inclinado(da) ● **to be inclined to do sthg** tener tendencia a hacer algo

include [ɪn'kluːd] *vt* incluir

included [ɪn'kluːdɪd] *adj* incluido(da) ● **to be included in sthg** estar incluido en algo

including [ɪn'kluːdɪŋ] *prep* inclusive

inclusive [ɪn'kluːsɪv] *adj* ● **from the 8th to the 16th inclusive** del ocho al

dieciseis inclusive ● **inclusive of VAT** incluido IVA

income ['ɪŋkʌm] *n* ingresos *mpl*

income support *n* (*UK*) subsidio para personas con muy bajos ingresos o desempleados sin derecho a subsidio de paro

income tax *n* impuesto *m* sobre la renta

incoming ['ɪnˌkʌmɪŋ] *adj* (*train, plane*) que efectúa su llegada ▼ **incoming calls only** cartel que indica que sólo se pueden recibir llamadas en un teléfono

incompetent [ɪn'kɒmpɪtənt] *adj* incompetente

incomplete [ˌɪnkəm'pliːt] *adj* incompleto(ta)

inconsiderate [ˌɪnkən'sɪdərət] *adj* desconsiderado(da)

inconsistent [ˌɪnkən'sɪstənt] *adj* inconsecuente

incontinent [ɪn'kɒntɪnənt] *adj* incontinente

inconvenient [ˌɪnkən'viːnjənt] *adj* **1.** (*time*) inoportuno(na) **2.** (*place*) mal situado(da) ● **tomorrow's inconvenient** mañana no me viene bien

incorporate [ɪn'kɔːpəreɪt] *vt* incorporar

incorrect [ˌɪnkə'rekt] *adj* incorrecto(ta)

increase ◊ *n* ['ɪnkriːs] aumento *m* ◊ *vt* & *vi* [ɪn'kriːs] aumentar ● **an increase in sthg** un aumento en algo

increasingly [ɪn'kriːsɪŋlɪ] *adv* cada vez más

incredible [ɪn'kredəbl] *adj* increíble

incredibly [ɪn'kredəblɪ] *adv* increíblemente

incur [ɪn'kɜː] *vt* incurrir en

indecisive [ˌɪndɪˈsaɪsɪv] *adj* indeciso(sa)

indeed [ɪnˈdiːd] *adv* **1.** *(for emphasis)* verdaderamente **2.** *(certainly)* ciertamente

indefinite [ɪnˈdefɪnɪt] *adj* **1.** *(time, number)* indefinido(da) **2.** *(answer, opinion)* impreciso(sa)

indefinitely [ɪnˈdefɪnətlɪ] *adv (closed, delayed)* indefinidamente

independence [ˌɪndɪˈpendəns] *n* independencia *f*

independent [ˌɪndɪˈpendənt] *adj* independiente

independently [ˌɪndɪˈpendəntlɪ] *adv* independientemente

independent school *n* (*UK*) colegio *m* privado

index [ˈɪndeks] *n* **1.** *(of book)* índice *m* **2.** *(in library)* catálogo *m*

index finger *n* dedo *m* índice

India [ˈɪndjə] *n* India

Indian [ˈɪndjən] ◇ *adj* indio(dia) *(de India)* ◇ *n* indio *m*, -dia *f (de India)* ● **Indian restaurant** restaurante indio

Indian Ocean *n* océano *m* Índico

indicate [ˈɪndɪkeɪt] *vt* & *vi* indicar

indicator [ˈɪndɪkeɪtər] *n* (*UK*) AUT intermitente *m*

indifferent [ɪnˈdɪfrənt] *adj* indiferente

indigestion [ˌɪndɪˈdʒestʃn] *n* indigestión *f*

indigo [ˈɪndɪgəʊ] *adj* añil

indirect [ˌɪndɪˈrekt] *adj* indirecto(ta)

individual [ˌɪndɪˈvɪdʒʊəl] ◇ *adj* **1.** *(tuition, case)* particular **2.** *(portion)* individual ◇ *n* individuo *m*

individually [ˌɪndɪˈvɪdʒʊəlɪ] *adv* individualmente

Indonesia [ˌɪndəˈniːzjə] *n* Indonesia

indoor [ˈɪndɔːr] *adj* **1.** *(swimming pool)* cubierto(ta) **2.** *(sports)* en pista cubierta

indoors [ˌɪnˈdɔːz] *adv* dentro

indulge [ɪnˈdʌldʒ] *vi* ● **to indulge in** sthg permitirse algo

industrial [ɪnˈdʌstrɪəl] *adj* industrial

industrial estate *n* (*UK*) polígono *m* industrial (*Esp*), zona *m* industrial

industry [ˈɪndəstrɪ] *n* industria *f*

inedible [ɪnˈedɪbl] *adj* no comestible

inefficient [ˌɪnɪˈfɪʃnt] *adj* ineficaz

inequality [ˌɪnɪˈkwɒlətɪ] *n* desigualdad *f*

inevitable [ɪnˈevɪtəbl] *adj* inevitable

inevitably [ɪnˈevɪtəblɪ] *adv* inevitablemente

inexpensive [ˌɪnɪkˈspensɪv] *adj* barato (ta)

infamous [ˈɪnfəməs] *adj* infame

infant [ˈɪnfənt] *n* **1.** *(baby)* bebé *m* **2.** *(young child)* niño *m* pequeño, niña pequeña *f*

infant school *n* (*UK*) colegio *m* preescolar

infatuated [ɪnˈfætjʊeɪtɪd] *adj* ● **to be infatuated with** estar encaprichado(da) con

infected [ɪnˈfektɪd] *adj* infectado(da)

infectious [ɪnˈfekʃəs] *adj* contagioso(sa)

inferior [ɪnˈfɪərɪər] *adj* inferior

infinite [ˈɪnfɪnət] *adj* infinito(ta)

infinitely [ˈɪnfɪnətlɪ] *adv* infinitamente

infinitive [ɪnˈfɪnɪtɪv] *n* infinitivo *m*

infinity [ɪnˈfɪnətɪ] *n* infinito *m*

infirmary [ɪnˈfɜːmərɪ] *n* hospital *m*

inflamed [ɪnˈfleɪmd] *adj* inflamado(da)

inflammation [ˌɪnfləˈmeɪʃn] *n* inflamación *f*

inflatable [ɪnˈfleɪtəbl] *adj* hinchable (*Esp*), inflable

inflate [ɪnˈfleɪt] *vt* inflar

inflation [ɪnˈfleɪʃn] *n* inflación *f*

inflict [ɪnˈflɪkt] *vt* infligir

in-flight *adj* de a bordo

influence [ˈɪnfluəns] ◇ *vt* influenciar ◇ *n* ● influence (on) influencia *f* (en)

inform [ɪnˈfɔːm] *vt* informar

informal [ɪnˈfɔːml] *adj* (*occasion, dress*) informal

information [ˌɪnfəˈmeɪʃn] *n* información *f* ● a piece of information un dato

information desk *n* información *f*

information superhighway [-ˈsuːpə-ˌhaɪweɪ] *n* COMPUT superautopista *f* de la información

information office *n* oficina *f* de información

informative [ɪnˈfɔːmətɪv] *adj* informativo(va)

infuriating [ɪnˈfjʊərɪeɪtɪŋ] *adj* exasperante

ingenious [ɪnˈdʒiːnjəs] *adj* ingenioso (sa)

ingredient [ɪnˈɡriːdjənt] *n* ingrediente *m*

inhabit [ɪnˈhæbɪt] *vt* habitar

inhabitant [ɪnˈhæbɪtənt] *n* habitante *mf*

inhale [ɪnˈheɪl] *vi* respirar

inhaler [ɪnˈheɪləʳ] *n* inhalador *m*

inherit [ɪnˈherɪt] *vt* heredar

inhibition [ˌɪnhɪˈbɪʃn] *n* inhibición *f*

initial [ɪˈnɪʃl] ◇ *adj* inicial ◇ *vt* poner las iniciales a ● **initials** *npl* iniciales *fpl*

initially [ɪˈnɪʃəlɪ] *adv* inicialmente

initiative [ɪˈnɪʃətɪv] *n* iniciativa *f*

injection [ɪnˈdʒekʃn] *n* inyección *f*

injure [ˈɪndʒəʳ] *vt* **1.** herir **2.** (*leg, arm*) lesionarse ● **to injure o.s.** hacerse daño

injured [ˈɪndʒəd] *adj* herido(da)

injury [ˈɪndʒərɪ] *n* lesión *f*

ink [ɪŋk] *n* tinta *f*

inland ◇ *adj* [ˈɪnlənd] interior ◇ *adv* [ɪnˈlænd] hacia el interior

Inland Revenue *n* (*UK*) ≃ Hacienda *f*

inn [ɪn] *n* (*UK*) posada que ofrece comida y alojamiento

inner [ˈɪnəʳ] *adj* (*on inside*) interior

inner city *n* núcleo *m* urbano

inner tube *n* cámara *f* (de aire)

innocence [ˈɪnəsəns] *n* inocencia *f*

innocent [ˈɪnəsənt] *adj* inocente

inoculate [ɪˈnɒkjʊleɪt] *vt* ● **to inoculate sb against smallpox** inocular a alguien contra la viruela

inoculation [ɪˌnɒkjʊˈleɪʃn] *n* inoculación *f*

input [ˈɪnput] (*pt & pp inv* OR **-ted**) *vt* COMPUT entrar

inquire [ɪnˈkwaɪəʳ] = enquire

inquiry [ɪnˈkwaɪərɪ] = enquiry

insane [ɪnˈseɪn] *adj* demente

insect [ˈɪnsekt] *n* insecto *m*

insect repellent [-rəˈpelənt] *n* loción *f* antiinsectos

insensitive [ɪnˈsensɪtɪv] *adj* insensible

insert [ɪnˈsɜːt] *vt* introducir

inside [ɪnˈsaɪd] ◇ *prep* dentro de ◇ *adv* **1.** (*be, remain*) dentro **2.** (*go, run*) adentro ◇ *adj* interior ◇ *n* ● **the inside** (*interior*) el interior; AUT (*in UK*) el carril de la izquierda; AUT (*in Europe, US*) el carril de la derecha ● **inside out** (*clothes*) al revés

inside lane n 1. AUT (in UK) carril m de la izquierda 2. (in Europe, US) carril m de la derecha

inside leg n (UK) medida f de la entrepierna

insight ['insait] n (glimpse) idea f

insignificant [,insig'nifikənt] adj insignificante

insinuate [in'sinjueit] vt insinuar

insist [in'sist] vi insistir • to insist on doing sthg insistir en hacer algo

insole ['insəul] n plantilla f

insolent ['insələnt] adj insolente

insomnia [in'sɒmnɪə] n insomnio m

inspect [in'spekt] vt examinar

inspection [in'spekʃn] n examen m

inspector [in'spektər] n 1. (on bus, train) revisor m, -ra f 2. (in police force) inspector m, -ra f

inspiration [,inspə'reiʃn] n 1. (quality) inspiración f 2. (source of inspiration) fuente f de inspiración

install [in'stɔːl] vt (equipment) instalar

installment [in'stɔːlmənt] (US) = instalment

instalment [in'stɔːlmənt] n (UK) 1. (payment) plazo m 2. (episode) episodio m

instance ['instəns] n ejemplo m • for instance por ejemplo

instant ['instənt] ◇ adj instantáneo (nea) ◇ n instante m

instant coffee n café m instantáneo

instead [in'sted] adv en cambio • instead of en vez de

instep ['instep] n empeine m

instinct ['instiŋkt] n instinto m

institute ['institjuːt] n instituto m

institution [,insti'tjuːʃn] n (organization) institución f

instructions [in'strʌkʃnz] npl (for use) instrucciones fpl

instructor [in'strʌktər] n monitor m, -ra f

instrument ['instrəmənt] n instrumento m

insufficient [,insə'fiʃnt] adj insuficiente

insulating tape ['insjuleitiŋ-] n (UK) cinta f aislante

insulation [,insju'leiʃn] n aislamiento m

insulin ['insjolin] n insulina f

insult ◇ n ['insʌlt] insulto m ◇ vt [in'sʌlt] insultar

insurance [in'ʃuərəns] n seguro m

insurance certificate n certificado m de seguro

insurance company n compañía f de seguros

insurance policy n póliza f de seguros

insure [in'ʃuər] vt asegurar

insured [in'ʃuəd] adj • to be insured estar asegurado(da)

intact [in'tækt] adj intacto(ta)

intellectual [,intə'lektjuəl] ◇ adj intelectual ◇ n intelectual mf

intelligence [in'telidʒəns] n (cleverness) inteligencia f

intelligent [in'telidʒənt] adj inteligente

intend [in'tend] vt • it's intended as a handbook está pensado como un manual • to intend to do sthg tener la intención de hacer algo

intense [in'tens] adj intenso(sa)

intensity [in'tensəti] n intensidad f

intensive [in'tensiv] adj intensivo(va)

intensive care n cuidados mpl intensivos

intent [ɪnˈtent] *adj* ● **to be intent on doing sthg** estar empeñado(da) en hacer algo

intention [ɪnˈtenʃn] *n* intención *f*

intentional [ɪnˈtenʃənl] *adj* deliberado (da)

intentionally [ɪnˈtenʃənəlɪ] *adv* deliberadamente

interchange [ˈɪntətʃeɪndʒ] *n (on motorway)* cruce *m*

Intercity ® [ˌɪntəˈsɪtɪ] *n tren rápido de largo recorrido*

intercom [ˈɪntəkɒm] *n* portero *m* automático *(Esp)* OR eléctrico

interest [ˈɪntrəst] ◇ *n* interés *m* ◇ *vt* interesar ● **to take an interest in sthg** interesarse en algo

interested [ˈɪntrəstɪd] *adj* interesado (da) ● **to be interested in sthg** estar interesado en algo

interesting [ˈɪntrəstɪŋ] *adj* interesante

interest rate *n* tipo *m (Esp)* OR tasa *f* de interés

interfere [ˌɪntəˈfɪəʳ] *vi (meddle)* entrometerse ● **to interfere with sthg** *(damage)* interferir en algo

interference [ˌɪntəˈfɪərəns] *n (on TV, radio)* interferencia *f*

interior [ɪnˈtɪərɪəʳ] ◇ *adj* interior ◇ *n* interior *m*

intermediate [ˌɪntəˈmiːdjət] *adj* intermedio(dia)

intermission [ˌɪntəˈmɪʃn] *n* descanso *m*

internal [ɪnˈtɜːnl] *adj* **1.** *(not foreign)* nacional **2.** *(on the inside)* interno(na)

internal flight *n* vuelo *m* nacional

Internal Revenue Service *n (US)* ≃ Hacienda *f*

international [ˌɪntəˈnæʃənl] *adj* internacional

international flight *n* vuelo *m* internacional

Internet [ˈɪntənet] *n* ● **the Internet** el *(Esp)* OR la *(Amér)* Internet ● **on the Internet** en Internet

Internet café *n* cibercafé *m*

Internet Service Provider *n* Proveedor *m* de Acceso a Internet, Proveedor *m* de Servicios Internet

interpret [ɪnˈtɜːprɪt] *vi* hacer de intérprete

interpreter [ɪnˈtɜːprɪtəʳ] *n* intérprete *mf*

interrogate [ɪnˈterəgeɪt] *vt* interrogar

interrupt [ˌɪntəˈrʌpt] *vt* interrumpir

intersection [ˌɪntəˈsekʃn] *n* intersección *f*

interval [ˈɪntəvl] *n* **1.** intervalo *m* **2.** *(UK) (at cinema, theatre)* intermedio *m*

intervene [ˌɪntəˈviːn] *vi* **1.** *(person)* intervenir **2.** *(event)* interponerse

interview [ˈɪntəvjuː] ◇ *n* entrevista *f* ◇ *vt* entrevistar

interviewer [ˈɪntəvjuːəʳ] *n* entrevistador *m*, -ra *f*

intestine [ɪnˈtestɪn] *n* intestino *m*

intimate [ˈɪntɪmət] *adj* íntimo(ma)

intimidate [ɪnˈtɪmɪdeɪt] *vt* intimidar

into [ˈɪntə] *prep* **1.** *(inside)* en **2.** *(against)* con **3.** *(concerning)* en relación con ● **4 into 20 goes 5 (times)** veinte entre cuatro a cinco ● **to translate into Spanish** traducir al español ● **to change into sthg** transformarse en algo ● **I'm into music** *(inf)* lo mío es la música

intolerable [ɪnˈtɒlrəbl] *adj* intolerable

intransitive [ɪn'trænzətɪv] *adj* intransitivo(va)

intricate ['ɪntrɪkət] *adj* intrincado(da)

intriguing [ɪn'triːgɪŋ] *adj* intrigante

introduce [ˌɪntrə'djuːs] *vt* presentar ● I'd like to introduce you to Fred me gustaría presentarte a Fred

introduction [ˌɪntrə'dʌkʃn] *n* **1.** (to book, programme) introducción f **2.** (to person) presentación f

introverted ['ɪntrəˌvɜːtɪd] *adj* introvertido(da)

intruder [ɪn'truːdə'] *n* intruso m, -sa f

intuition [ˌɪntjuː'ɪʃn] *n* intuición f

invade [ɪn'veɪd] *vt* invadir

invalid ◇ *adj* [ɪn'vælɪd] nulo(la) ◇ *n* ['ɪnvəlɪd] inválido m, -da f

invaluable [ɪn'væljʊəbl] *adj* inestimable

invariably [ɪn'veərɪəblɪ] *adv* siempre

invasion [ɪn'veɪʒn] *n* invasión f

invent [ɪn'vent] *vt* inventar

invention [ɪn'venʃn] *n* invención f

inventory ['ɪnventrɪ] *n* **1.** (list) inventario m **2.** (US) (stock) existencias fpl

inverted commas [ɪn'vɜːtɪd-] *npl* (UK) comillas fpl

invest [ɪn'vest] ◇ *vt* invertir ◇ *vi* ● to invest in sthg invertir en algo

investigate [ɪn'vestɪgeɪt] *vt* investigar

investigation [ɪnˌvestɪ'geɪʃn] *n* investigación f

investment [ɪn'vestmənt] *n* inversión f

invisible [ɪn'vɪzɪbl] *adj* invisible

invitation [ˌɪnvɪ'teɪʃn] *n* invitación f

invite [ɪn'vaɪt] *vt* invitar ● to invite sb to do sthg invitar a alguien a hacer algo ● to invite sb round invitar a alguien a casa

invoice ['ɪnvɔɪs] *n* factura f

involve [ɪn'vɒlv] *vt* (entail) conllevar ● what does it involve? ¿qué implica? ● to be involved in a scheme estar metido en una intriga ● to be involved in an accident verse envuelto en un accidente

involved [ɪn'vɒlvd] *adj* ● what is involved? ¿qué supone?

inwards ['ɪnwədz] *adv* hacia dentro

IOU [ˌaɪəʊ'juː] *n* (abbr of I owe you) pagaré m

IQ [aɪ'kjuː] *n* (abbr of intelligence quotient) CI m (coeficiente de inteligencia)

Iran [ɪ'rɑːn] *n* Irán

Iraq [ɪ'rɑːk] *n* Irak

Ireland ['aɪələnd] *n* Irlanda

iris ['aɪərɪs] (pl **-es**) *n* (flower) lirio m

Irish ['aɪrɪʃ] ◇ *adj* irlandés(esa) ◇ *n* (language) irlandés m ◇ *npl* ● the Irish los irlandeses

Irish coffee *n* café m irlandés

Irishman ['aɪrɪʃmən] (pl **-men**) *n* irlandés m

Irishwoman ['aɪrɪʃˌwʊmən] (pl **-women**) *n* irlandesa f

iron ['aɪən] ◇ *n* **1.** (for clothes) plancha f **2.** (metal, golf club) hierro m ◇ *vt* planchar

ironic [aɪ'rɒnɪk] *adj* irónico(ca)

ironing board ['aɪənɪŋ-] *n* tabla f de planchar

ironmonger's ['aɪənˌmʌŋgəz] *n* (UK) ferretería f

irrelevant [ɪ'reləvənt] *adj* irrelevante

irresistible [ˌɪrɪ'zɪstəbl] *adj* irresistible

irrespective [ˌɪrɪ'spektɪv] ● irrespective

of *prep* con independencia de

irresponsible [ˌɪrɪ'spɒnsəbl] *adj* irresponsable

irrigation [ˌɪrɪ'ɡeɪʃn] *n* riego *m*

irritable ['ɪrɪtəbl] *adj* irritable

irritate ['ɪrɪteɪt] *vt* irritar

irritating ['ɪrɪteɪtɪŋ] *adj* irritante

IRS [aɪɑːr'es] *n* (US) (abbr of Internal Revenue Service) ≃ Hacienda *f*

is [ɪz] ➤ **be**

Islam ['ɪzlɑːm] *n* islam *m*

island ['aɪlənd] *n* **1.** (in water) isla *f* **2.** (in road) isleta *f*

isle [aɪl] *n* isla *f*

isolated ['aɪsəleɪtɪd] *adj* aislado(da)

ISP [aɪes'piː] *n* abbr of **Internet Service Provider**

Israel ['ɪzreɪəl] *n* Israel

issue ['ɪʃuː] ◇ *n* **1.** (problem, subject) cuestión *f* **2.** (of newspaper, magazine) edición *f* ◇ *vt* **1.** (statement) hacer público **2.** (passport, document) expedir **3.** (stamps, bank notes) emitir

it [ɪt] *pron* **1.** (referring to specific thing: subj) él *m*, ella *f*; (direct object) lo *m*, la *f*; (indirect object) le *mf* ● **it's big** es grande ● **she hit it** lo golpeó ● **give it to me** dámelo **2.** (nonspecific) ello ● **it's nice here** se está bien aquí ● **I can't remember it** no me acuerdo (de ello) ● **tell me about it** cuéntamelo ● **it's me** soy yo ● **who is it?** ¿quién es? **3.** (used impersonally) ● **it's hot** hace calor ● **it's six o'clock** son las seis ● **it's Sunday** es domingo

Italian [ɪ'tæljən] ◇ *adj* italiano(na) ◇ *n* **1.** (person) italiano *m*, -na *f* **2.** (language) italiano *m* ● **Italian restaurant** restaurante italiano

Italy ['ɪtəlɪ] *n* Italia

itch [ɪtʃ] *vi* ● **my arm is itching** me pica el brazo

item ['aɪtəm] *n* **1.** artículo *m* **2.** (on agenda) asunto *m* ● **a news item** una noticia

itemized bill ['aɪtəmaɪzd-] *n* factura *f* detallada

its [ɪts] *adj* su, sus *pl*

it's [ɪts] = **it is, it has**

itself [ɪt'self] *pron* **1.** (reflexive) se **2.** (after prep) sí mismo(ma) ● **the house itself is fine** la casa en sí está bien

I've [aɪv] = **I have**

ivory ['aɪvərɪ] *n* marfil *m*

ivy ['aɪvɪ] *n* hiedra *f*

Ivy League

El *Ivy League* es un grupo formado por ocho universidades privadas del noreste de los Estados Unidos que gozan de un gran prestigio tanto académico como social. La más conocida de las ocho universidades es la de Harvard, la universidad más prestigiosa del país.

jab [dʒæb] *n* (UK) (inf) (injection) pinchazo *m*

jack [dʒæk] *n* **1.** (for car) gato *m* **2.**

(playing card) ≃ sota f

jacket ['dʒækɪt] n **1.** *(garment)* chaqueta f **2.** *(of book)* sobrecubierta f **3.** *(US)* *(of record)* cubierta f **4.** *(UK)* *(of potato)* piel f *(Esp)*, cáscara f *(Amér)*

jacket potato n *(UK)* patata f asada con piel *(Esp)*, papa f asada con cáscara *(Amér)*

jack-knife vi derrapar la parte delantera

Jacuzzi ® [dʒə'ku:zɪ] n jacuzzi ® m

jade [dʒeɪd] n jade m

jail [dʒeɪl] n cárcel f

jam [dʒæm] ◇ n **1.** *(food)* mermelada f **2.** *(of traffic)* atasco m **3.** *(inf)* *(difficult situation)* apuro m ◇ vt *(pack tightly)* apiñar ◇ vi atascarse ● the roads are jammed las carreteras están atascadas

jam-packed [-'pækt] adj *(inf)* a tope

Jan. [dʒæn] *(abbr of January)* ene. *(enero)*

January ['dʒænjʊərɪ] n enero m ● at the beginning of January a principios de enero ● at the end of January a finales de enero ● during January en enero ● every January todos los años en enero ● in January en enero ● last January en enero del año pasado ● next January en enero del próximo año ● this January en enero de este año ● 2 January 2001 *(in letters etc)* 2 de enero de 2001

Japan [dʒə'pæn] n Japón m

Japanese [,dʒæpə'niːz] ◇ adj japonés (esa) ◇ n *(language)* japonés m ◇ npl ● the Japanese los japoneses

jar [dʒɑː] n tarro m

javelin ['dʒævlɪn] n jabalina f

jaw [dʒɔː] n *(of person)* mandíbula f

jazz [dʒæz] n jazz m

jealous ['dʒeləs] adj celoso(sa)

jeans [dʒiːnz] npl vaqueros mpl

Jeep ® [dʒiːp] n jeep m

Jello ® ['dʒeləʊ] n *(US)* gelatina f

jelly ['dʒelɪ] n **1.** *(UK)* *(dessert)* gelatina f **2.** *(US)* *(jam)* mermelada f

jellyfish ['dʒelɪfɪʃ] *(pl inv)* n medusa f

jeopardize ['dʒepədaɪz] vt poner en peligro

jerk [dʒɜːk] n **1.** *(movement)* movimiento m brusco **2.** *(inf)* *(idiot)* idiota mf

jersey ['dʒɜːzɪ] *(pl -s)* n *(UK)* *(garment)* jersey m

jet [dʒet] n **1.** *(aircraft)* reactor m **2.** *(of liquid, gas)* chorro m **3.** *(outlet)* boquilla f

jet lag n jet lag m

jet-ski n moto f acuática

jetty ['dʒetɪ] n embarcadero m

Jew [dʒuː] n judío m, -a f

jewel ['dʒuːəl] n piedra f preciosa ●
jewels npl *(jewellery)* joyas fpl

jeweler's ['dʒuːələz] *(US)* = **jeweller's**

jeweller's ['dʒuːələz] n *(UK)* *(shop)* joyería f

jewellery ['dʒuːəlrɪ] n *(UK)* joyas fpl

jewelry ['dʒuːəlrɪ] *(US)* = **jewellery**

Jewish ['dʒuːɪʃ] adj judío(a)

jigsaw (puzzle) ['dʒɪgsɔː-] n puzzle m *(Esp)*, rompecabezas m

jingle ['dʒɪŋgl] n *(of advert)* sintonía f (de anuncio)

job [dʒɒb] n **1.** trabajo m **2.** *(function)* cometido m ● to lose one's job perder el trabajo

job centre n *(UK)* oficina f de empleo

jockey ['dʒɒkɪ] *(pl -s)* n jockey mf

jog [dʒɒg] ◇ *vt (bump)* golpear ligeramente ◇ *vi* hacer footing ◇ *n* ● **to go for a jog** hacer footing

jogging ['dʒɒgɪŋ] *n* footing *m* ● **to go jogging** hacer footing

join [dʒɔɪn] *vt* **1.** *(club, organization)* hacerse socio de **2.** *(fasten together)* unir, juntar **3.** *(come together with, participate in)* unirse a **4.** *(connect)* conectar ◆ **join in** ◇ *vt insep* participar en ◇ *vi* participar

joint [dʒɔɪnt] ◇ *adj* **1.** *(responsibility, effort)* compartido(da) **2.** *(bank account, ownership)* conjunto(ta) ◇ *n* **1.** *(of body)* articulación *f* **2.** *(of meat)* corte *m* **3.** *(in structure)* juntura *f*

joke [dʒəʊk] ◇ *n* chiste *m* ◇ *vi* bromear

joker ['dʒəʊkə'] *n (playing card)* comodín *m*

jolly ['dʒɒlɪ] ◇ *adj (cheerful)* alegre ◇ *adv (UK) (inf)* muy

jolt [dʒəʊlt] *n* sacudida *f*

jot [dʒɒt] ◆ **jot down** *vt sep* apuntar

journal ['dʒɜːnl] *n* **1.** *(magazine)* revista *f* **2.** *(diary)* diario *m*

journalist ['dʒɜːnəlɪst] *n* periodista *mf*

journey ['dʒɜːnɪ] *(pl -s)* *n* viaje *m*

joy [dʒɔɪ] *n (happiness)* alegría *f*

joypad ['dʒɔɪpæd] *n (of video game)* mando *m*

joyrider ['dʒɔɪraɪdə'] *n* persona que se pasea en un coche robado y luego lo abandona

joystick ['dʒɔɪstɪk] *n (of video game)* joystick *m*

judge [dʒʌdʒ] ◇ *n* juez *mf* ◇ *vt* **1.** *(competition)* juzgar **2.** *(evaluate)* calcular

judg(e)ment ['dʒʌdʒmənt] *n* **1.** juicio *m* **2.** *LAW* fallo *m*

judo ['dʒuːdəʊ] *n* judo *m*

jug [dʒʌg] *n* jarra *f*

juggernaut ['dʒʌgənɔːt] *n (UK)* camión *m* grande

juggle ['dʒʌgl] *vi* hacer malabarismo

juice [dʒuːs] *n* **1.** zumo *m (Esp)*, jugo *m (Amér)* **2.** *(from meat)* jugo *m*

juicy ['dʒuːsɪ] *adj (food)* jugoso(sa)

jukebox ['dʒuːkbɒks] *n* máquina *f* de discos

Jul. *(abbr of July)* jul. *(julio)*

July [dʒuːˈlaɪ] *n* julio *m* ● **at the beginning of July** a principios de septiembre ● **at the end of July** a finales de julio ● **during July** en julio ● **every July** todos los años en julio ● **in July** en julio ● **last July** en julio del año pasado ● **next July** en julio del próximo año ● **this July** en julio de este año ● **2 July 2001** *(in letters etc)* 2 de julio de 2001

jumble sale ['dʒʌmbl-] *n (UK)* rastrillo *m* benéfico

jumbo ['dʒʌmbəʊ] *adj (inf)* **1.** *(pack)* familiar **2.** *(sausage, sandwich)* gigante

jumbo jet *n* jumbo *m*

jump [dʒʌmp] ◇ *n* salto *m* ◇ *vi* **1.** *(through air)* saltar **2.** *(with fright)* sobresaltarse **3.** *(increase)* aumentar de golpe ◇ *vt (US) (train, bus)* montarse sin pagar en ● **to jump the queue** *(UK)* colarse

jumper ['dʒʌmpə'] *n* **1.** *(UK) (pullover)* jersey *m (Esp)*, suéter *m* **2.** *(US) (dress)* pichi *m (Esp)*, jumper *m (Amér)*

jumper cables *npl (US)* cables *mpl* de empalme

jump leads *npl* (*UK*) cables *mpl* de empalme

Jun. (*abbr of* June) jun. (*junio*)

junction ['dʒʌŋkʃn] *n* 1. (*of roads*) cruce *m* 2. (*of railway lines*) empalme *m*

June [dʒuːn] *n* junio *m* ● at the beginning of June a principios de septiembre ● at the end of June a finales de junio ● during June en junio ● every June todos los años en junio ● in June en junio ● last June en junio del año pasado ● next June en junio del próximo año ● this June en junio de este año ● 2 June 2001 (*in letters etc*) 2 de junio de 2001

jungle ['dʒʌŋgl] *n* selva *f*

junior ['dʒuːnjəʳ] ◇ *adj* 1. (*of lower rank*) de rango inferior 2. (*after name*) júnior (*inv*) ◇ *n* ● she's my junior es más joven que yo

junior school *n* (*UK*) escuela *f* primaria

junk [dʒʌŋk] *n* (*inf*) (*unwanted things*) trastos *mpl*

junk food *n* (*inf*) comida preparada poco nutritiva o saludable

junkie ['dʒʌŋkɪ] *n* (*inf*) yonqui *mf*

junk shop *n* tienda *f* de objetos de segunda mano

jury ['dʒʊərɪ] *n* jurado *m*

just [dʒʌst] ◇ *adj* justo(ta) ◇ *adv* 1. (*exactly*) justamente 2. (*only*) sólo ● I'm just coming ahora voy ● we were just leaving justo íbamos a salir ● just a bit more un poquito más ● just as good igual de bueno ● just over an hour poco más de una hora ● passengers just arriving los pasajeros que acaban de llegar ● to be just about to do sthg estar a punto de hacer algo ● to have just done sthg acabar de hacer algo ● just about por casi ● (only) just (*almost not*) por los pelos ● just a minute! ¡un minuto!

justice ['dʒʌstɪs] *n* justicia *f*

justify ['dʒʌstɪfaɪ] *vt* justificar

jut [dʒʌt] ● **jut out** *vi* sobresalir

juvenile ['dʒuːvənaɪl] *adj* 1. (*young*) juvenil 2. (*childish*) infantil

*k*K

kangaroo [ˌkæŋgəˈruː] (*pl* **-s**) *n* canguro *m*

karaoke [ˌkærɪˈəʊkɪ] *n* karaoke *m*

karate [kəˈrɑːtɪ] *n* kárate *m*

kebab [kɪˈbæb] *n* (*UK*) 1. (*shish kebab*) pincho *m* moruno 2. (*doner kebab*) pan árabe relleno de ensalada y carne de cordero, con salsa

keel [kiːl] *n* quilla *f*

keen [kiːn] *adj* 1. (*enthusiastic*) entusiasta 2. (*eyesight, hearing*) agudo(da) ● to be keen on (*UK*) ser aficionado(da) a ● to be keen to do sthg (*UK*) tener ganas de hacer algo

keep [kiːp] (*pt & pp* **kept**) ◇ *vt* 1. (*change, book, object loaned*) quedarse con 2. (*job, old clothes*) conservar 3. (*store, not tell*) guardar 4. (*cause to remain*) mantener 5. (*promise*) cumplir

6. (appointment) acudir a **7.** (delay) retener **8.** (record, diary) llevar ◇ vi **1.** (food) conservarse **2.** (remain) mantenerse ● **to keep (on) doing sthg** (do continuously) seguir haciendo algo; (do repeatedly) no dejar de hacer algo ● **to keep sb from doing sthg** impedir a alguien hacer algo ● **keep back!** ¡atrás! ● **to keep clear (of)** mantenerse alejado (de) ▼ **keep in lane!** señal que advierte a los conductores que se mantengan en el carril ▼ **keep left!** circula por la izquierda! ▼ **keep off the grass!** no pisar la hierba ▼ **keep out!** prohibida la entrada ▼ **keep your distance!** señal que incita a mantener la distancia de prudencia ● **keep up** ◇ vt sep mantener ◇ vi (maintain pace, level etc) mantener el ritmo

keep-fit n' (UK) ejercicios mpl de mantenimiento

kennel ['kenl] n caseta f del perro

kept [kept] pt & pp ➤ **keep**

kerb [kɜːb] n (UK) bordillo m

kerosene ['kerəsiːn] n (US) queroseno m

ketchup ['ketʃəp] n catsup m

kettle ['ketl] n tetera f para hervir ● **to put the kettle on** (UK) poner a hervir la tetera

key [kiː] ◇ n **1.** (for lock) llave f **2.** (of piano, typewriter) tecla f **3.** (of map) clave f ◇ adj clave (inv)

keyboard ['kiːbɔːd] n teclado m

keyhole ['kiːhəʊl] n ojo m de la cerradura

keypad ['kiːpæd] n teclado m

key ring n llavero m

kg (abbr of kilogram) kg (kilogramo)

kick [kɪk] ◇ n (of foot) patada f ◇ vt (with foot) dar una patada

kickoff ['kɪkɒf] n saque m inicial

kid [kɪd] ◇ n **1.** (inf) (child) crío m, -a f **2.** (young person) chico m, -ca f ◇ vi bromear

kidnap ['kɪdnæp] vt secuestrar

kidnaper ['kɪdnæpər] (US) = **kidnapper**

kidnapper ['kɪdnæpəʳ] n (UK) secuestrador m, -ra f

kidney ['kɪdnɪ] (pl -s) n riñón m

kidney bean n judía f pinta

kill [kɪl] vt matar ● **my feet are killing me!** ¡los pies me están matando!

killer ['kɪləʳ] n asesino m, -na f

kilo ['kiːləʊ] (pl -s) n kilo m

kilogram ['kɪlə̩græm] n kilogramo m

kilometer [kɪ'lɒmɪtər] n (US) = **kilometre**

kilometre ['kɪlə̩miːtəʳ] n (UK) kilómetro m

kilt [kɪlt] n falda f escocesa

kind [kaɪnd] ◇ adj amable ◇ n tipo m ● **kind of** (inf) un poco, algo

kindergarten ['kɪndə̩gɑːtn] n jardín m de infancia

kindly ['kaɪndlɪ] adv ● **would you kindly ...?** ¿sería tan amable de ...?

kindness ['kaɪndnɪs] n amabilidad f

king [kɪŋ] n rey m

kingfisher ['kɪŋ̩fɪʃəʳ] n martín m pescador

king prawn n langostino m

king-size bed n cama f gigante

kiosk ['kiːɒsk] n **1.** (for newspapers etc) quiosco m **2.** (UK) (phone box) cabina f

kipper ['kɪpə'] *n* arenque *m* ahumado

kiss [kɪs] ◇ *n* beso *m* ◇ *vt* besar

kiss of life *n* boca a boca *m inv*

kit [kɪt] *n* **1.** (*UK*) (*set, clothes*) equipo *m* **2.** (*for assembly*) modelo *m* para armar

kitchen ['kɪtʃɪn] *n* cocina *f*

kitchen unit *n* módulo *m* de cocina

kite [kaɪt] *n* (*toy*) cometa *f*

kitesurfing ['kaɪtsə:fɪŋ] *n* kitesurf *m*, modalidad de surf que se practica colgado de una especie de cometa

kitten ['kɪtn] *n* gatito *m*

kitty ['kɪtɪ] *n* (*for regular expenses*) fondo *m* común

kiwi fruit ['ki:wi:-] *n* kiwi *m*

Kleenex® ['kli:neks] *n* kleenex® *m* (*inv*)

km (*abbr of kilometre*) km (*kilómetro*)

km/h (*abbr of kilometres per hour*) km/h (*kilómetros por hora*)

knack [næk] *n* • I've got the knack (of it) he cogido el tranquillo

knackered ['nækəd] *adj* (*UK*) (*inf*) hecho(cha) polvo

knapsack ['næpsæk] *n* mochila *f*

knee [ni:] *n* rodilla *f*

kneecap ['ni:kæp] *n* rótula *f*

kneel [ni:l] (*pt & pp* knelt) *vi* **1.** (*be on one's knees*) estar de rodillas **2.** (*go down on one's knees*) arrodillarse

knew [nju:] *pt* ➤ know

knickers ['nɪkəz] *npl* (*UK*) (*underwear*) bragas *fpl* (*Esp*), calzones *mpl* (*Amér*)

knife [naɪf] (*pl* knives) *n* cuchillo *m*

knight [naɪt] *n* **1.** (*in history*) caballero *m* **2.** (*in chess*) caballo *m*

knit [nɪt] *vt* tejer

knitted ['nɪtɪd] *adj* de punto, tejido(da)

knitting ['nɪtɪŋ] *n* **1.** (*thing being knitted*) punto *m* (*Esp*), tejido *m* **2.** (*activity*) labor *f* de punto (*Esp*), tejido *m*

knitting needle *n* aguja *f* de hacer punto (*Esp*), aguja *f* de tejer

knitwear ['nɪtweə'] *n* género *m* de punto

knives [naɪvz] *pl* ➤ knife

knob [nɒb] *n* **1.** (*on door etc*) pomo *m*, perilla *f* (*Amér*) **2.** (*on machine*) botón *m*

knock [nɒk] ◇ *n* (*at door*) golpe *m* ◇ *vt* **1.** (*hit*) golpear **2.** (*one's head, leg*) golpearse ◇ *vi* (*at door etc*) llamar ◆ **knock down** *vt sep* **1.** (*UK*) (*pedestrian*) atropellar **2.** (*building*) derribar **3.** (*price*) bajar ◆ **knock out** *vt sep* **1.** (*make unconscious*) dejar sin conocimiento **2.** (*of competition*) eliminar ◆ **knock over** *vt sep* **1.** (*glass, vase*) volcar **2.** (*UK*) (*pedestrian*) atropellar

knocker ['nɒkə'] *n* (*on door*) aldaba *f*

knot [nɒt] *n* nudo *m*

know [nəʊ] (*pt* knew, *pp* known) *vt* **1.** (*have knowledge of*) saber **2.** (*language*) saber hablar **3.** (*person, place*) conocer ◆ to get to know sb llegar a conocer a alguien ◆ to know about sthg (*understand*) saber de algo; (*have heard*) saber algo ◆ to know how to do sthg saber hacer algo ◆ to know of conocer ◆ to be known as ser conocido como ◆ to let sb know sthg avisar a alguien de algo ◆ you know (*for emphasis*) ¿sabes?

knowledge ['nɒlɪdʒ] *n* conocimiento *m* ◆ to my knowledge que yo sepa

known [nəʊn] *pp* ➤ know

knuckle ['nʌkl] *n* **1.** (*of hand*) nudillo *m*

2. *(of pork)* jarrete *m*

Koran [kɒ'rɑːn] *n* ● **the Koran** el Corán

kph *(abbr of kilometres per hour)* k.p. h. *(kilómetros por hora)*

L

l *(abbr of litre)* l. *(litro)*

L *(abbr of learner)* placa *f* de la L

lab [læb] *n (inf)* laboratorio *m*

label ['leɪbl] *n* etiqueta *f*

labor ['leɪbər] *(US)* = labour

Labor Day *n (US)* día *m* del Trabajador

Labor Day

El día del Trabajador se celebra en los Estados Unidos el primero de septiembre. Las playas y otros destinos turísticos se llenan de gente que sale a disfrutar los últimos días del verano. Esta fecha marca también la vuelta al colegio.

laboratory [(UK) lə'bɒrətrɪ, (US) 'læbrə,tɔːrɪ] *n* laboratorio *m*

labour ['leɪbə^r] *n (UK) (work)* trabajo *m* ● **in labour** MED de parto

labourer ['leɪbərə^r] *n (UK)* obrero *m*, -ra

Labour Party *n (UK)* partido *m* Laborista

labour-saving *adj (UK)* que ahorra trabajo

lace [leɪs] *n* **1.** *(material)* encaje *m* **2.** *(for shoe)* cordón *m*

lace-ups *npl* zapatos *mpl* con cordones

lack [læk] ◇ *n* falta *f* ◇ *vt* carecer de ◇ *vi* ● **to be lacking** faltar

lacquer ['lækə^r] *n* laca *f*

lad [læd] *n (UK) (inf)* chaval *m (Esp)*, muchacho *m*

ladder ['lædə^r] *n* **1.** *(for climbing)* escalera *f* (de mano) **2.** *(UK) (in tights)* carrera *f*

ladies ['leɪdɪz] *n (UK)* lavabo *m* de señoras

ladies' room *(US)* = ladies

ladieswear ['leɪdɪz,weə^r] *n (fml)* ropa *f* de señoras

ladle ['leɪdl] *n* cucharón *m*

lady ['leɪdɪ] *n* **1.** *(woman)* señora *f* **2.** *(woman of high status)* dama *f*

ladybird ['leɪdɪbɜːd] *n (UK)* mariquita *f*

ladybug ['leɪdɪbʌg] *n (US)* = ladybird

lag [læg] *vi* retrasarse ● **to lag behind** *(move more slowly)* rezagarse

lager ['lɑːgə^r] *n* cerveza *f* rubia

lagoon [lə'guːn] *n* laguna *f*

laid [leɪd] *pt & pp* > lay

lain [leɪn] *pp* > lie

lake [leɪk] *n* lago *m*

lamb [læm] *n* cordero *m*

lamb chop *n* chuleta *f* de cordero

lame [leɪm] *adj* cojo(ja)

lamp [læmp] *n* **1.** *(light)* lámpara *f* **2.** *(in street)* farola *f*

lamppost ['læmppəʊst] *n* farol *m*

lampshade ['læmpʃeɪd] *n* pantalla *f*

land [lænd] ◇ *n* **1.** tierra *f* **2.** *(property)* tierras *fpl* ◇ *vi* **1.** *(plane)* aterrizar **2.** *(passengers)* desembarcar **3.** *(fall)* caer

landing ['lændɪŋ] *n* **1.** *(of plane)* aterrizaje *m* 2. *(on stairs)* rellano *m*

landlady ['lænd,leɪdɪ] *n* 1. *(of house)* casera *f* 2. *(UK) (of pub)* dueña *f*

landlord ['lændlɔːd] *n* 1. *(of house)* casero *m* 2. *(UK) (of pub)* dueño *m*

landmark ['lændmɑːk] *n* punto *m* de referencia

landscape ['lændskeɪp] *n* paisaje *m*

landslide ['lændslaɪd] *n (of earth, rocks)* desprendimiento *m* de tierras

lane [leɪn] *n* 1. *(in town)* calleja *f* 2. *(in country, on road)* camino *m* ▸ **get in lane** señal que advierte a los conductores que tomen el carril adecuado

language ['læŋgwɪdʒ] *n* 1. *(of a people, country)* idioma *m* 2. *(system of communication, words)* lenguaje *m*

lap [læp] *n* 1. *(of person)* regazo *m* 2. *(of race)* vuelta *f*

lapel [lə'pel] *n* solapa *f*

lapse [læps] *vi (passport, membership)* caducar

lard [lɑːd] *n* manteca *f* de cerdo

larder ['lɑːdə'] *n (UK)* despensa *f*

large [lɑːdʒ] *adj* grande

largely ['lɑːdʒlɪ] *adv* en gran parte

large-scale *adj* de gran escala

lark [lɑːk] *n* alondra *f*

laryngitis [,lærɪn'dʒaɪtɪs] *n* laringitis *f inv*

lasagne [lə'zænjə] *n* lasaña *f*

laser ['leɪzə'] *n* láser *m*

lass [læs] *n (UK) (inf)* chavala *f*

last [lɑːst] ◇ *adj* último(ma) ◇ *adv* 1. *(most recently)* por última vez 2. *(at the end)* en último lugar ◇ *pron* ● **the last to come** el último en venir ● **the last but one** el penúltimo(la penúltima) ●

the time before last la penúltima vez ● last year el año pasado ● the last year el año pasado ● at last por fin

lastly ['lɑːstlɪ] *adv* por último

last-minute *adj* de última hora

latch [lætʃ] *n* pestillo *m* ● **to be on the latch** tener el pestillo echado

late [leɪt] ◇ *adj* 1. *(not on time)* con retraso 2. *(after usual time)* tardío(a) 3. *(dead)* difunto(ta) ◇ *adv* 1. *(not on time)* con retraso 2. *(after usual time)* tarde ● **in late June** a finales de junio ● **in the late afternoon** al final de la tarde ● **late in June** a finales de junio ● **to be (running) late** ir con retraso

lately ['leɪtlɪ] *adv* últimamente

late-night *adj* de última hora, de noche

later ['leɪtə'] ◇ *adj* posterior ◇ *adv* ● **later (on)** más tarde ● **at a later date** en una fecha posterior

latest ['leɪtɪst] *adj* ● **the latest fashion** la última moda ● **the latest** lo último ● **at the latest** como muy tarde

lather ['lɑːðə'] *n* espuma *f*

Latin ['lætɪn] *n* latín *m*

Latin America *n* América Latina

Latin American ◇ *adj* latinoamericano(na) ◇ *n* latinoamericano *m*, -na *f*

latitude ['lætɪtjuːd] *n* latitud *f*

latter ['lætə'] *n* ● **the latter** éste *m*, -ta *f*

laugh [lɑːf] ◇ *n* risa *f* ◇ *vi* reírse ● **to have a laugh** *(UK) (inf)* pasarlo bomba ◆ **laugh at** *vt insep* reírse de

laughter ['lɑːftə'] *n* risa *f*

launch [lɔːntʃ] *vt* 1. *(boat)* botar 2. *(new product)* lanzar

laund(e)rette [lɔːn'dret] *n* lavandería *f*

Laundromat ['lɔːndrəmæt] *n (US)* = **laund(e)rette**

laundry ['lɔːndrɪ] *n* **1.** *(washing)* ropa *f* sucia **2.** *(place)* lavandería *f*

lavatory ['lævətrɪ] *n* servicio *m*

lavender ['lævəndə'] *n* lavanda *f*

lavish ['lævɪʃ] *adj (meal, decoration)* espléndido(da)

law [lɔː] *n* **1.** ley *f* **2.** *(study)* derecho *m* ● **the law** *LAW (set of rules)* la ley ● **to be against the law** estar en contra de la ley

lawn [lɔːn] *n* césped *m*

lawnmower ['lɔːn͵məʊə'] *n* cortacésped *m*

lawyer ['lɔːjə'] *n* abogado *m*, -da *f*

laxative ['læksətɪv] *n* laxante *m*

lay [leɪ] *(pt & pp* **laid)** ◇ *pt* ➢ **lie** ◇ *vt* **1.** *(place)* colocar **2.** *(egg)* poner ● **to lay the table** *(UK)* poner la mesa ◆ **lay off** *vt sep (worker)* despedir ◆ **lay on** *vt sep (UK)* proveer ◆ **lay out** *vt sep (display)* disponer

lay-by *(pl* **lay-bys)** *n (UK)* área *f* de descanso

layer ['leɪə'] *n* capa *f*

layman ['leɪmən] *(pl* **-men)** *n* lego *m*, -ga *f*

layout ['leɪaʊt] *n (of building, streets)* trazado *m*

lazy ['leɪzɪ] *adj* perezoso(sa)

lb *(abbr of* **pound)** libra *f*

lead¹ [liːd] *(pt & pp* **led)** ◇ *vt* **1.** *(take)* llevar **2.** *(be in charge of)* estar al frente de **3.** *(be in front of)* encabezar ◇ *vi* **1.** *(UK) (for dog)* correa *f* **2.** *(UK) (cable)* cable *m* ● **to lead sb to do sthg** llevar a alguien a hacer algo ● **to lead to** *(go to)* conducir

a; *(result in)* llevar a ● **to lead the way** guiar ● **to be in the lead** llevar la delantera

lead² [led] ◇ *n* **1.** *(metal)* plomo *m* **2.** *(for pencil)* mina *f* ◇ *adj* de plomo

leaded petrol ['ledɪd-] *n (UK)* gasolina *f* con plomo

leader ['liːdə'] *n* líder *mf*

leadership ['liːdəʃɪp] *n (position of leader)* liderazgo *m*

lead-free [led-] *adj* sin plomo

leading ['liːdɪŋ] *adj (most important)* destacado(da)

lead singer [liːd-] *n* cantante *mf (de un grupo)*

leaf [liːf] *(pl* **leaves)** *n (of tree)* hoja *f*

leaflet ['liːflɪt] *n* folleto *m*

league [liːg] *n* liga *f*

leak [liːk] ◇ *n* **1.** *(hole)* agujero *m* **2.** *(of gas, water)* escape *m* ◇ *vi (roof, tank)* tener goteras

lean [liːn] *(pt & pp* **leant** OR **-ed)** ◇ *adj* **1.** *(meat)* magro(gra) **2.** *(person, animal)* delgado y musculoso (delgada y musculosa) ◇ *vi (bend)* inclinarse ◇ *vt* ● **to lean a ladder against a wall** apoyar una escalera contra una pared ● **to lean on** apoyarse en ● **to lean forward** inclinarse hacia delante ● **to lean over** inclinarse

leap [liːp] *(pt & pp* **leapt** OR **-ed)** *vi* saltar

leap year *n* año *m* bisiesto

learn [lɜːn] *(pt & pp* **learnt** OR **-ed)** *vt* aprender ● **to learn (how) to do sthg** aprender a hacer algo ● **to learn about sthg** *(hear about)* enterarse de algo; *(study)* aprender algo

learner (driver) ['lɜ:nəʳ] *n* conductor *m* principiante

learnt [lɜ:nt] *pt & pp* ➢ **learn**

lease [li:s] ◇ *n* arriendo *m* ◇ *vt* arrendar ● **to lease a house from sb** arrendar una casa de alguien ● **to lease a house to sb** arrendar una casa a alguien

leash [li:ʃ] *n* correa *f*

least [li:st] ◇ *adj & adv* menos ◇ *pron* ● **(the) least** menos ● **I have least food** soy la que menos comida tiene ● **I like him least** él es el que menos me gusta ● **he paid (the) least** es el que menos pagó ● **it's the least you could do** es lo menos que puedes hacer ● **at least** *(with quantities, numbers)* por lo menos; *(to indicate an advantage)* al menos

leather ['leðəʳ] *n* piel *f* ● **leathers** *npl* cazadora y pantalón de cuero utilizados por motociclistas

leave [li:v] *(pt & pp* **left**) ◇ *vt* **1.** dejar **2.** *(go away from)* salir de **3.** *(not take away)* dejarse ◇ *vi* **1.** *(person)* marcharse **2.** *(train, bus etc)* salir ◇ *n (time off work)* permiso *m* ● **to leave a message** dejar un mensaje ◆ **leave behind** *vt sep (not take away)* dejar ◆ **leave out** *vt sep* omitir

leaves [li:vz] *pl* ➢ **leaf**

Lebanon ['lebənən] *n* Líbano

lecture ['lektʃəʳ] *n* **1.** *(at university)* clase *f* **2.** *(at conference)* conferencia *f*

lecturer ['lektʃərəʳ] *n* profesor *m*, -ra *f* (de universidad)

lecture theatre *n (UK)* aula *f*

led [led] *pt & pp* ➢ **lead**

ledge [ledʒ] *n (of window)* alféizar *m*

leek [li:k] *n* puerro *m*

left [left] ◇ *pt & pp* ➢ **leave** ◇ *adj (not right)* izquierdo(da) ◇ *adv* a la izquierda ◇ *n* izquierda *f* ● **on the left** a la izquierda ● **there are none left** no queda ninguno (más)

left-hand *adj* izquierdo(da)

left-hand drive *n* vehículo *m* con el volante a la izquierda

left-handed [-'hændɪd] *adj* **1.** *(person)* zurdo(da) **2.** *(implement)* para zurdos

left-luggage locker *n (UK)* consigna *f* automática

left-luggage office *n (UK)* consigna *f*

left-wing *adj* de izquierdas

leg [leg] *n* **1.** *(of person)* pierna *f* **2.** *(of animal, table, chair)* pata *f* **3.** *(of trousers)* pernera *f* ● **leg of lamb** pierna de cordero

legal ['li:gl] *adj* legal

legal aid *n* ayuda financiera para personas que no poseen posibilidades económicas para pagar a un abogado

legal holiday *n (US)* día *m* festivo

legalize ['li:gəlaɪz] *vt* legalizar

legal system *n* sistema *m* jurídico

legend ['ledʒənd] *n* leyenda *f*

leggings ['legɪŋz] *npl* mallas *fpl*

legible ['ledʒɪbl] *adj* legible

legislation [,ledʒɪs'leɪʃn] *n* legislación *f*

legitimate [lɪ'dʒɪtɪmət] *adj* legítimo (ma)

leisure [(UK)'leʒəʳ, (US) 'li:ʒər] *n* ocio *m*

leisure centre *n (UK)* centro *m* deportivo y cultural

lemon ['lemən] *n* limón *m*

lemonade [,lemə'neɪd] *n* **1.** *(UK)* gaseosa *f* **2.** *(US)* limonada *f*

lemon curd [-kɜ:d] *n (UK)* dulce para

untar hecho con limón, huevos, mantequilla y azúcar

lemon juice *n* zumo *m* (*Esp*) OR jugo *m* (*Amér*) de limón

lemon sole *n* platija *f*

lemon tea *n* té *m* con limón

lend [lend] (*pt & pp* **lent**) *vt* prestar • can you lend me some money? ¿me podrías prestar dinero?

length [leŋθ] *n* **1.** (*in distance*) longitud *f* **2.** (*in time*) duración *f* **3.** (*of swimming pool*) largo *m*

lengthen ['leŋθən] *vt* alargar

lens [lenz] *n* **1.** (*of camera*) objetivo *m* **2.** (*of glasses*) lente *f* **3.** (*contact lens*) lentilla *f* (*Esp*), lente *m* de contacto (*Amér*)

lent [lent] *pt & pp* ➢ **lend**

Lent [lent] *n* Cuaresma *f*

lentils ['lentlz] *npl* lentejas *fpl*

Leo ['li:əʊ] *n* Leo *m*

leopard ['lepəd] *n* leopardo *m*

leopard-skin *adj* estampado(da) en piel de leopardo

leotard ['li:ətɑ:d] *n* body *m*

leper ['lepə^r] *n* leproso *m*, -sa *f*

lesbian ['lezbɪən] ◇ *adj* lesbiano(na) ◇ *n* lesbiana *f*

less [les] *adj, adv & pron* menos • less than 20 menos de 20 • I eat less than her yo como menos que ella

lesson ['lesn] *n* (*in class*) clase *f*

let [let] (*pt & pp inv*) *vt* **1.** (*allow*) dejar **2.** (*UK*) (*rent out*) alquilar • to let sb do sthg dejar hacer algo a alguien • to let go of sthg soltar algo • to let sb have sthg prestar algo a alguien • to let sb know sthg avisar a alguien de algo • let's go! ¡vamos! ▼ to let (*UK*) se alquila • **let in** *vt sep* dejar entrar • **let off** *vt sep* (*UK*) (*not punish*) perdonar • she let me off doing it me dejó no hacerlo • can you let me off at the station? ¿puede dejarme en la estación? • **let out** *vt sep* (*allow to go out*) dejar salir

letdown ['letdaʊn] *n* (*inf*) desilusión *f*

lethargic [ləˈθɑːdʒɪk] *adj* aletargado(da)

letter ['letə^r] *n* **1.** (*written message*) carta *f* **2.** (*of alphabet*) letra *f*

letters

In Spanish letters, the date is written in full on the right-hand side e.g.: *12 de febrero de 2006*. Formal letters to people whose name you don't know begin with *Muy Sr. Mío* for men and *Muy Sra. Mía* for women, or *Muy Sres. Míos* if you don't know whether they are male or female. If you know the person's surname, then you use *Apreciado Sr. X* or *Distinguida Sra. X*. Letters to friends begin with *Querido/a* plus the person's first name, e.g. *Querida Pilar*. All these introductions are followed by a colon rather than a comma. The following phrases are used to conclude a formal letter: *Reciba un cordial saludo*; *Le saluda atentamente*; *Cordialmente*; *Atentamente*. Phrases for signing off letters to friends include: *Afectuosos saludos, Un abra-*

zo and *Un fuerte abrazo*, while letters to even closer friends or family members can end with *Con todo mi cariño*, *Besos* or *Un beso muy cariñoso*. All these phrases are followed by a comma.

letterbox ['letǝbɒks] *n* (*UK*) buzón *m*

letter carrier *n* (*US*) cartero *m*, -ra *f*

lettuce ['letɪs] *n* lechuga *f*

leuk(a)emia [luːˈkiːmɪǝ] *n* leucemia *f*

level ['levl] ◇ *adj* (*horizontal*) plano(na) ◇ *n* **1.** nivel *m* **2.** (*storey*) planta *f* ● **to be level with** (*in height*) estar a nivel de; (*in standard*) estar al mismo nivel que

level crossing *n* (*UK*) paso *m* a nivel

lever [(*UK*) 'liːvǝ', (*US*) 'levǝr] *n* palanca *f*

liability [ˌlaɪǝ'bɪlǝti] *n* (*responsibility*) responsabilidad *f*

liable ['laɪǝbl] *adj* ● **to be liable to do sthg** tener tendencia a hacer algo ● **to be liable for sthg** ser responsable de algo

liaise [lɪ'eɪz] *vi* ● **to liaise with** mantener contacto con

liar ['laɪǝ'] *n* mentiroso *m*, -sa *f*

liberal ['lɪbǝrǝl] *adj* **1.** (*tolerant*) liberal **2.** (*generous*) generoso(sa)

Liberal Democrat Party *n* partido *m* demócrata liberal

liberate ['lɪbǝreɪt] *vt* liberar

liberty ['lɪbǝtɪ] *n* libertad *f*

Libra ['liːbrǝ] *n* Libra *f*

librarian [laɪ'breǝrɪǝn] *n* bibliotecario *m*, -ria *f*

library ['laɪbrǝrɪ] *n* biblioteca *f*

Libya ['lɪbɪǝ] *n* Libia

lice [laɪs] *npl* piojos *mpl*

licence ['laɪsǝns] *n* (*UK*) permiso *m*

license ['laɪsǝns] ◇ *vt* autorizar ◇ *n* (*US*) = **licence**

licensed ['laɪsǝnst] *adj* (*UK*) (*restaurant, bar*) autorizado(da) para vender bebidas alcohólicas

licensing hours ['laɪsǝnsɪŋ-] *npl* (*UK*) *horario en que se autoriza la venta de bebidas alcohólicas al público en un pub*

lick [lɪk] *vt* lamer

lid [lɪd] *n* (*cover*) tapa *f*

lie [laɪ] ◇ *n* mentira *f* ◇ *vi* (*pt* **lay**, *pp* **lain**, *cont* **lying**) **1.** (*pt & pp* **lied**) (*tell lie*) mentir **2.** (*be horizontal*) estar echado **3.** (*lie down*) echarse **4.** (*be situated*) encontrarse ● **to tell lies** contar mentiras ● **to lie about sthg** mentir respecto a algo ● **lie down** *vi* acostarse

lieutenant [(*UK*) lef'tenǝnt, (*US*) luː'tenǝnt] *n* teniente *m*

life [laɪf] (*pl* **lives**) *n* vida *f*

life assurance *n* (*UK*) seguro *m* de vida

life belt *n* salvavidas *m inv*

lifeboat ['laɪfbǝʊt] *n* **1.** (*launched from shore*) bote *m* salvavidas **2.** (*launched from ship*) lancha *f* de salvamento

lifeguard ['laɪfɡɑːd] *n* socorrista *mf*

life jacket *n* chaleco *m* salvavidas

lifelike ['laɪflaɪk] *adj* realista

life preserver [-prɪ'zɜːvǝr] *n* (*US*) **1.** (*life belt*) salvavidas *m inv* **2.** (*life jacket*) chaleco *m* salvavidas

life-size *adj* de tamaño natural

lifespan ['laɪfspæn] *n* vida *f*

lifestyle ['laɪfstaɪl] *n* estilo *m* de vida

lift [lɪft] ◇ *n* (*UK*) (*elevator*) ascensor *m* ◇

vt (raise) levantar ◇ *vi (fog)* despejarse ● **to give sb a lift** llevar a alguien *(en automóvil)* ◆ **lift up** *vt sep* levantar

light [laɪt] *(pt & pp* **lit** OR **-ed)** ◇ *adj* **1.** ligero(ra) **2.** *(in colour)* claro(ra) **3.** *(rain)* fino(na) ◇ *n* **1.** luz *f* **2.** *(for cigarette)* fuego *m* ◇ *vt* **1.** *(fire, cigarette)* encender **2.** *(room, stage)* iluminar ● **have you got a light?** ¿tienes fuego? ● **to set light to sthg** prender fuego a algo ◆ **lights** *(traffic lights)* semáforo *m* ◆ **light up** ◇ *vt sep (house, road)* iluminar ◇ *vi (inf) (light a cigarette)* encender un cigarrillo

light bulb *n* bombilla *f*

lighter ['laɪtə*] *n* mechero *m* *(Esp)*, encendedor *m*

light-hearted [-'hɑːtɪd] *adj* alegre

lighthouse ['laɪthaʊs] *n* faro *m*

lighting ['laɪtɪŋ] *n* iluminación *f*

light meter *n* contador *m* OR medidor *m* *(Amér)* de la luz

lightning ['laɪtnɪŋ] *n* relámpagos *mpl*

lightweight ['laɪtweɪt] *adj (clothes, object)* ligero(ra)

like [laɪk] ◇ *prep* **1.** como **2.** *(typical of)* típico de ◇ *vt (want)* querer ● **I like beer** me gusta la cerveza ● **I like them** me gustan ● **I like doing it** me gusta hacerlo ● **what's it like?** ¿cómo es? ● **like that** así ● **like this** así ● **he looks like his father** se parece a su padre ● **I'd like to come** me gustaría venir ● **I'd like to sit down** quisiera sentarme ● **I'd like a drink** me apetece tomar algo

likelihood ['laɪklɪhʊd] *n* probabilidad *f*

likely ['laɪklɪ] *adj* probable

likeness ['laɪknɪs] *n (similarity)* parecido *m*

likewise ['laɪkwaɪz] *adv* del mismo modo

lilac ['laɪlək] *adj* lila *(inv)*

Lilo ® ['laɪləʊ] *(pl* **-s)** *n (UK)* colchoneta *f*

lily ['lɪlɪ] *n* azucena *f*

lily of the valley *n* lirio *m* de los valles

limb [lɪm] *n* miembro *m*

lime [laɪm] *n (fruit)* lima *f* ● **lime (juice)** refresco *m* de lima

limestone ['laɪmstəʊn] *n* piedra *f* caliza

limit ['lɪmɪt] ◇ *n* límite *m* ◇ *vt* limitar ● **the city limits** los límites de la ciudad

limited ['lɪmɪtɪd] *adj* limitado(da)

limp [lɪmp] ◇ *adj* flojo(ja) ◇ *vi* cojear

line [laɪn] ◇ *n* **1.** línea *f* **2.** *(row)* fila *f* **3.** *(US) (queue)* cola *f* **4.** *(of words on page)* renglón *m* **5.** *(of poem, song)* verso *m* **6.** *(for fishing)* sedal *m* **7.** *(for washing, rope)* cuerda *f* **8.** *(railway track)* vía *f* **9.** *(of business, work)* especialidad *f* **10.** *(type of food)* surtido *m* ◇ *vt (coat, drawers)* forrar ● **in line** *(aligned)* alineado(da) ● **it's a bad line** hay interferencias ● **the line is engaged** está comunicando ● **to drop sb a line** *(inf)* escribir unas letras a alguien ● **to stand in line** *(US)* hacer cola ◆ **line up** ◇ *vt sep (arrange)* planear ◇ *vi* alinearse

lined [laɪnd] *adj (paper)* de rayas

linen ['lɪnɪn] *n* **1.** *(cloth)* lino *m* **2.** *(tablecloths, sheets)* ropa *f* blanca

liner ['laɪnə*] *n (ship)* transatlántico *m*

linesman ['laɪnzmən] *(pl* **-men)** *n* juez *mf* de línea

linger ['lɪŋgə'] *vi (in place)* rezagarse

lingerie ['lænʒərɪ] *n* lencería *f*

lining ['laɪnɪŋ] *n* forro *m*

link [lɪŋk] ◇ *n* **1.** *(connection)* conexión *f* **2.** *(between countries, companies)* vínculo *m* ◇ *vt (connect)* conectar ● rail link enlace *m* ferroviario ● road link conexión de carreteras

lino ['laɪnəʊ] *n (UK)* linóleo *m*

lion ['laɪən] *n* león *m*

lioness ['laɪənes] *n* leona *f*

lip [lɪp] *n* labio *m*

lip salve [-sælv] *n* protector *m* labial

lipstick ['lɪpstɪk] *n* barra *f* de labios, lápiz *m* labial *(Amér)*

liqueur [lɪ'kjʊə'] *n* licor *m*

liquid ['lɪkwɪd] *n* líquido *m*

liquor ['lɪkər] *n (US)* bebida *f* alcohólica

liquor store *n (US) tienda de bebidas alcohólicas para llevar*

liquorice ['lɪkərɪs] *n* regaliz *m*

lisp [lɪsp] *n* ceceo *m*

list [lɪst] ◇ *n* lista *f* ◇ *vt* hacer una lista de

listen ['lɪsn] *vi* ● to listen (to) *(to person, sound, radio)* escuchar; *(to advice)* hacer caso de

listener ['lɪsnə'] *n (to radio)* oyente *mf*

lit [lɪt] *pt & pp* ➢ light

liter ['liːtər] *(US)* = litre

literally ['lɪtərəlɪ] *adv* literalmente

literary ['lɪtərərɪ] *adj* literario(ria)

literature ['lɪtrətʃə'] *n* **1.** literatura *f* **2.** *(printed information)* folletos *mpl* informativos

litre ['liːtə'] *n (UK)* litro *m*

litter ['lɪtə'] *n* basura *f*

litterbin ['lɪtəbɪn] *n (UK)* papelera *f (en la calle)*

little ['lɪtl] ◇ *adj* **1.** pequeño(ña) **2.** *(distance, time)* corto(ta) **3.** *(not much)* poco(ca) ◇ *adv* poco ◇ *pron* ● I have very little tengo muy poco ● as little as possible lo menos posible ● little by little poco a poco ● a little un poco ● a little sugar un poco de azúcar ● a little while un rato

little finger *n* meñique *m*

live¹ [lɪv] *vi* vivir ● to live with sb vivir con alguien ◆ **live together** *vi* vivir juntos

live² [laɪv] ◇ *adj* **1.** *(alive)* vivo(va) **2.** *(programme, performance)* en directo **3.** *(wire)* cargado(da) ◇ *adv* en directo

lively ['laɪvlɪ] *adj* **1.** *(person)* vivaz **2.** *(place, atmosphere)* animado(da)

liver ['lɪvə'] *n* hígado *m*

lives [laɪvz] *pl* ➢ life

living ['lɪvɪŋ] ◇ *adj (alive)* vivo(va) ◇ *n* ● to earn a living ganarse la vida ● what do you do for a living? ¿en qué trabajas?

living room *n* sala *f* de estar

lizard ['lɪzəd] *n* lagartija *f*

load [ləʊd] ◇ *n (thing carried)* carga *f* ◇ *vt* cargar ● loads of *(inf)* un montón de

loaf [ləʊf] *(pl* **loaves***) n* ● loaf (of bread) barra *f* de pan

loan [ləʊn] ◇ *n* préstamo *m* ◇ *vt* prestar

loathe [ləʊð] *vt* detestar

loaves [ləʊvz] *pl* ➢ loaf

lobby ['lɒbɪ] *n (hall)* vestíbulo *m*

lobster ['lɒbstə'] *n* langosta *f*

local ['ləʊkl] ◇ *adj* local ◇ *n* **1.** *(inf) (local person)* vecino *m* (del lugar) **2.** *(UK)* *(pub)* ≃ bar *m* del barrio **3.** *(US)* *(bus)* autobús *m* urbano **4.** *(US)* *(train)* tren *m* de cercanías

local anaesthetic *n* *(UK)* anestesia *f* local

local call *n* llamada *f* urbana

local government *n* administración *f* local

locate [*(UK)* ləʊˈkeɪt, *(US)* ˈləʊkeɪt] *vt* *(find)* localizar ● **to be located** estar situado

location [ləʊˈkeɪʃn] *n* *(place)* situación *f*

loch [lɒk] *n* lago *m*

lock [lɒk] ◇ *n* **1.** *(on door, drawer)* cerradura *f* **2.** *(for bike)* candado *m* **3.** *(on canal)* esclusa *f* ◇ *vt* **1.** *(fasten with key)* cerrar con llave **2.** *(keep safely)* poner bajo llave ◇ *vi* *(become stuck)* bloquearse ● **lock in** *vt sep* *(accidentally)* dejar encerrado ● **lock out** *vt sep* *(accidentally)* dejar fuera accidentalmente ● **lock up** ◇ *vt sep* *(imprison)* encarcelar ◇ *vi* cerrar con llave

locker [ˈlɒkə^r] *n* taquilla *f*, locker *m* *(Amér)*

locker room *n* vestuario *m* (con taquillas)

locket [ˈlɒkɪt] *n* guardapelo *m*

locum [ˈləʊkəm] *n* interino *m*, -na *f*

lodge [lɒdʒ] ◇ *n* *(for hunters, skiers)* refugio *m* ◇ *vi* alojarse

lodger [ˈlɒdʒə^r] *n* *(UK)* huésped *mf*

lodgings [ˈlɒdʒɪŋz] *npl* habitación *f* alquilada

loft [lɒft] *n* **1.** desván *m* **2.** *(US)* *(apartment)* apartamento convertido de un almacén

log [lɒg] *n* tronco *m* ● **log on** *vi* COMPUT

acceder OR entrar al sistema ● **log off** *vi* COMPUT salir del sistema

logic [ˈlɒdʒɪk] *n* lógica *f*

logical [ˈlɒdʒɪkl] *adj* lógico(ca)

logo [ˈləʊgəʊ] *(pl* **-s***)* *n* logotipo *m*

loin [lɔɪn] *n* lomo *m*

loiter [ˈlɔɪtə^r] *vi* merodear

London [ˈlʌndən] *n* Londres

Londoner [ˈlʌndənə^r] *n* londinense *mf*

lonely [ˈləʊnlɪ] *adj* **1.** *(person)* solo(la) **2.** *(place)* solitario(ria)

long [lɒŋ] ◇ *adj* largo(ga) ◇ *adv* mucho *(tiempo)* ● **it's 2 metres long** mide 2 metros de largo ● **it's two hours long** dura dos horas ● **how long is it?** *(in distance)* ¿cuánto mide (de largo)?; *(in time)* ¿cuánto tiempo dura? ● **a long time** mucho tiempo ● **all day long** todo el día ● **as long as** mientras (que) ● **for long** mucho tiempo ● **I'm no longer interested** ya no me interesa ● **so long!** *(inf)* ¡hasta luego! ● **long for** *vt insep* desear vivamente

long-distance call *n* conferencia *f* (telefónica) *(Esp)*, llamada *f* de larga distancia

long drink *n* combinado de alcohol y refresco

long-haul *adj* de larga distancia

longitude [ˈlɒndʒɪtjuːd] *n* longitud *f*

long jump *n* salto *m* de longitud

long-life *adj* *(UK)* de larga duración

longsighted [ˌlɒŋˈsaɪtɪd] *adj* *(UK)* présbita

long-term *adj* a largo plazo

longwearing [ˌlɒŋˈweərɪŋ] *adj* *(US)* duradero(ra)

loo [luː] *(pl* **-s***)* *n* *(UK)* *(inf)* wáter *m*

(*Esp*), baño *m* (*Amér*)

look [lʊk] ◇ *n* **1.** (*act of looking*) mirada *f* **2.** (*appearance*) aspecto *m* ◇ *vi* **1.** (*with eyes, search*) mirar **2.** (*seem*) parecer ● **you don't look well** no tienes muy buen aspecto ● **to look onto** dar a ● **to have a look** (*see*) echar un vistazo; (*search*) buscar ● **(good) looks** atractivo *m* (*físico*) ● **I'm just looking** (*in shop*) solamente estoy mirando ● **look out!** ¡cuidado! ◆ **look after** *vt insep* **1.** (*person*) cuidar **2.** (*matter, arrangements*) encargarse de ◆ **look at** *vt insep* **1.** (*observe*) mirar **2.** (*examine*) examinar ◆ **look for** *vt insep* buscar ◆ **look forward to** *vt insep* esperar (con ilusión) ◆ **look out for** *vt insep* estar atento a ◆ **look round** ◇ *vt insep* **1.** (*city, museum*) visitar **2.** (*shop*) mirar ◇ *vi* volver la cabeza ◆ **look up** *vt sep* (*in dictionary, phone book*) buscar

loony ['luːnɪ] *n* (*inf*) chiflado *m*, -da *f*
loop [luːp] *n* lazo *m*
loose [luːs] *adj* **1.** (*not fixed firmly*) flojo (ja) **2.** (*sweets, sheets of paper*) suelto(ta) **3.** (*clothes*) ancho(cha)
loosen ['luːsn] *vt* aflojar
lop-sided [-'saɪdɪd] *adj* ladeado(da)
lord [lɔːd] *n* (*member of nobility*) lord *m*, título de nobleza británica
lorry ['lɒrɪ] *n* (*UK*) camión *m*
lorry driver *n* (*UK*) camionero *m*, -ra *f*
lose [luːz] (*pt & pp* **lost**) ◇ *vt* **1.** perder **2.** (*subj: watch, clock*) atrasarse ◇ *vi* perder ● **to lose weight** adelgazar
loser ['luːzər] *n* (*in contest*) perdedor *m*, -ra *f*
loss [lɒs] *n* pérdida *f*

lost [lɒst] ◇ *pt & pp* ➤ **lose** ◇ *adj* perdido(da) ● **to get lost** (*lose way*) perderse
lost-and-found office *n* (*US*) oficina *f* de objetos perdidos
lost property office *n* (*UK*) oficina *f* de objetos perdidos
lot [lɒt] *n* **1.** (*group of things*) grupo *m* **2.** (*at auction*) lote *m* **3.** (*US*) (*car park*) aparcamiento *m* (*Esp*), estacionamiento *m* (*Amér*) ● **a lot** (*large amount*) mucho *m*, -cha *f*, muchos *mpl*, -chas *fpl*; (*to a great extent, often*) mucho ● **a lot of time** mucho tiempo ● **a lot of problems** muchos problemas ● **lots (of)** mucho *m*, -cha *f*, muchos *mpl*, -chas *fpl* ● **the lot** (*everything*) todo
lotion ['ləʊʃn] *n* loción *f*
lottery ['lɒtərɪ] *n* lotería *f*
loud [laʊd] *adj* **1.** (*voice, music, noise*) alto (ta) **2.** (*colour, clothes*) chillón(ona)
loudspeaker [,laʊd'spiːkər] *n* altavoz *m*
lounge [laʊndʒ] *n* **1.** (*in house*) salón *m* **2.** (*at airport*) sala *f* de espera
lounge bar *n* (*UK*) salón-bar *m*
lousy ['laʊzɪ] *adj* (*inf*) (*poor-quality*) cochambroso(sa)
lout [laʊt] *n* gamberro *m*, -rra *f* (*Esp*), patán *m*
love [lʌv] ◇ *n* **1.** amor *m* **2.** (*strong liking*) pasión *f* **3.** (*in tennis*) cero *m* ◇ *vt* querer ● **I love music** me encanta la música ● **I'd love a coffee** un café me vendría estupendamente ● **I love playing tennis** me encanta jugar al tenis ● **to be in love (with)** estar enamorado (de) ● **(with) love from** (*in letter*) un abrazo (de)

love affair n aventura f amorosa

lovely ['lʌvlɪ] adj 1. (very beautiful) guapísimo(ma) 2. (very nice) precioso (sa)

lover ['lʌvə'] n amante mf

loving ['lʌvɪŋ] adj cariñoso(sa)

low [ləʊ] ◇ adj 1. bajo(ja) 2. (quality, opinion) malo(la) 3. (sound, note) grave 4. (supply) escaso(sa) 5. (depressed) deprimido(da) ◇ n (area of low pressure) zona f de baja presión (atmosférica) ● we're low on petrol se está terminando la gasolina

low-alcohol adj bajo(ja) en alcohol

low-calorie adj bajo(ja) en calorías

low-cut adj escotado(da)

lower ['ləʊə'] ◇ adj inferior ◇ vt 1. (move downwards) bajar 2. (reduce) reducir

lower sixth n (UK) primer curso de enseñanza secundaria pre-universitaria para alumnos de 17 años que preparan sus A-levels

low-fat adj de bajo contenido graso

low tide n marea f baja

loyal ['lɔɪəl] adj leal

loyalty ['lɔɪəltɪ] n lealtad f

lozenge ['lɒzɪndʒ] n (sweet) caramelo m para la tos

L-plate n (UK) placa f de la L (de prácticas)

Ltd (UK) (abbr of limited) ≃ S.A. (Sociedad Anónima)

lubricate ['luːbrɪkeɪt] vt lubricar

luck [lʌk] n suerte f ● bad luck mala suerte ● good luck! ¡buena suerte! ● with luck con un poco de suerte

luckily ['lʌkɪlɪ] adv afortunadamente

lucky ['lʌkɪ] adj 1. (person, escape) afortunado(da) 2. (event, situation) oportuno(na) 3. (number, colour) de la suerte ● to be lucky tener suerte

ludicrous ['luːdɪkrəs] adj ridículo(la)

lug [lʌg] vt (inf) arrastrar

luggage ['lʌgɪdʒ] n equipaje m

luggage compartment n maletero m (en tren)

luggage locker n consigna f automática

luggage rack n (on train) redecilla f (para equipaje)

lukewarm ['luːkwɔːm] adj tibio(bia)

lull [lʌl] n intervalo m

lullaby ['lʌləbaɪ] n nana f

luminous ['luːmɪnəs] adj luminoso(sa)

lump [lʌmp] n 1. (of coal, mud, butter) trozo m 2. (of sugar) terrón m 3. (on body) bulto m

lump sum n suma f global

lumpy ['lʌmpɪ] adj 1. (sauce) grumoso (sa) 2. (mattress) lleno(na) de bultos

lunatic ['luːnətɪk] n (pej) loco m, -ca f

lunch [lʌntʃ] n comida f, almuerzo m ● to have lunch comer, almorzar

lunch hour n hora f del almuerzo

lunchtime ['lʌntʃtaɪm] n hora f del almuerzo

lung [lʌŋ] n pulmón m

lunge [lʌndʒ] vi ● to lunge at arremeter contra

lure [ljʊə'] vt atraer con engaños

lurk [lɜːk] vi (person) estar al acecho

lush [lʌʃ] adj exuberante

lust [lʌst] n (sexual desire) lujuria f

Luxembourg ['lʌksəmbɜːg] n Luxemburgo

luxurious [lʌgˈʒʊərɪəs] adj lujoso(sa)

luxury ['lʌkʃərɪ] ◇ *adj* de lujo ◇ *n* lujo *m*

lying ['laɪŋ] *cont* ➢ **lie**

lyrics ['lɪrɪks] *npl* letra *f*

*m*M

m ◇ *(abbr of* metre) m *(metro)* ◇ *abbr* = **mile**

M *(UK) (abbr of* motorway) A *(autopista); (abbr of* medium) M *(mediano)*

MA [em'eɪ] *n (abbr of* Master of Arts) máster en letras

mac [mæk] *n (UK) (inf)* gabardina *f*

macaroni [,mækə'rəʊnɪ] *n* macarrones *mpl*

machine [mə'ʃiːn] *n* máquina *f*

machinegun [mə'ʃiːngʌn] *n* ametralladora *f*

machinery [mə'ʃiːnərɪ] *n* maquinaria *f*

machine-washable *adj* lavable a máquina

mackerel ['mækrəl] *(pl inv)* caballa *f*

mackintosh ['mækɪntɒʃ] *n (UK)* gabardina *f*

mad [mæd] *adj* 1. loco(ca) 2. *(angry)* furioso(sa) 3. *(uncontrolled)* desenfrenado(da) ● **to be mad about** *(inf) (like a lot)* estar loco por ● **like mad** *(run)* como un loco

Madam ['mædəm] *n* señora *f*

made [meɪd] *pt & pp* ➢ **make**

made-to-measure *adj* hecho(cha) a medida

madness ['mædnɪs] *n* locura *f*

magazine [,mægə'ziːn] *n* revista *f*

maggot ['mægət] *n* gusano *m (larva)*

magic ['mædʒɪk] *n* magia *f*

magician [mə'dʒɪʃn] *n (conjurer)* prestidigitador *m*, -ra *f*

magistrate ['mædʒɪstreɪt] *n* magistrado *m*, -da *f*

magnet ['mægnɪt] *n* imán *m*

magnetic [mæg'netɪk] *adj* magnético(ca)

magnificent [mæg'nɪfɪsənt] *adj* magnífico(ca)

magnifying glass ['mægnɪfaɪŋ-] *n* lupa *f*

mahogany [mə'hɒgənɪ] *n* caoba *f*

maid [meɪd] *n (servant)* criada *f*

maiden name ['meɪdn-] *n* nombre *m* de soltera

mail [meɪl] ◇ *n* 1. *(letters)* correspondencia *f* 2. *(system)* correo *m* ◇ *vt (US)* enviar por correo

mailbox ['meɪlbɒks] *n (US)* buzón *m*

mailing list ['meɪlɪŋ-] *n COMPUT* lista m de correo

mailman ['meɪlmən] *(pl* **-men**) *n (US)* cartero *m*

mail order *n* pedido *m* por correo

main [meɪn] *adj* principal

main course *n* plato *m* principal

mainland ['meɪnlənd] *n* ● **the mainland** el continente

main line *n* línea *f* férrea principal

mainly ['meɪnlɪ] *adv* principalmente

main road *n* carretera *f* principal

mains [meɪnz] *npl* ● **the mains** *(UK) (for electricity)* la red eléctrica; *(for gas, water)* la tubería principal

main street *n (US)* calle *f* principal

maintain [meɪn'teɪn] vt mantener

maintenance ['meɪntənəns] n **1.** (of car, machine) mantenimiento m **2.** (money) pensión f de manutención

maisonette [,meɪzə'net] n (UK) piso m dúplex

maize [meɪz] n (UK) maíz m

major ['meɪdʒəʳ] ◇ adj **1.** (important) importante **2.** (most important) principal ◇ n MIL comandante m ◇ vi (US) ● to major in especializarse en

Majorca [mə'jɔːkə, mə'dʒɔːkə] n Mallorca

majority [mə'dʒɒrətɪ] n mayoría f

major road n carretera f principal

make [meɪk] (pt & pp made) ◇ vt **1.** (produce, construct) hacer ● to be made of estar hecho de ● to make lunch/supper hacer la comida/cena ● made in Japan fabricado en Japón **2.** (perform, do) hacer ● to make a mistake cometer un error ● to make a phone call hacer una llamada **3.** (cause to be, to) hacer ● to make sb sad poner triste a alguien ● to make sb happy hacer feliz a alguien ● the ice made her slip el hielo le hizo resbalar ● to make sb do sthg (force) obligar a alguien a hacer algo **4.** (amount to, total) hacer ● that makes £5 eso hace 5 libras **5.** (calculate) calcular ● I make it seven o'clock calculo que serán las siete **6.** (money) ganar; (profit) obtener; (loss) sufrir **7.** (inf) (arrive in time for) ● I don't think we'll make the 10 o'clock train no creo que lleguemos para el tren de las diez **8.** (friend, enemy) hacer **9.** (have qualities for) ser ● this would make a lovely bedroom esta habitación sería preciosa como dormitorio **10.** (bed) hacer **11.** (in phrases) ● to make do arreglárselas ● to make good (compensate for) indemnizar ● to make it (arrive in time) llegar a tiempo; (be able to go) poder ir

◇ n (of product) marca f

● **make out** vt sep (form) rellenar; (cheque, receipt) extender; (see) divisar; (hear) entender

● **make up** vt sep (invent) inventar; (comprise) formar; (difference) cubrir

● **make up for** vt insep compensar

makeover ['meɪkəʊvəʳ] n **1.** (person) cambio m de imagen **2.** (building, area) remodelación f

makeshift ['meɪkʃɪft] adj improvisado (da)

make-up n maquillaje m

malaria [mə'leərɪə] n malaria f

Malaysia [mə'leɪzɪə] n Malasia

male [meɪl] ◇ adj **1.** (person) masculino (na) **2.** (animal) macho ◇ n (animal) macho m

malfunction [mæl'fʌŋkʃn] vi (fml) funcionar mal

malignant [mə'lɪgnənt] adj (disease, tumour) maligno(na)

mall [mɔːl] n zona f comercial peatonal

mallet ['mælɪt] n mazo m

maltreat [,mæl'triːt] vt maltratar

malt whisky n whisky m de malta

mammal ['mæml] n mamífero m

man [mæn] (pl men) ◇ n **1.** hombre m **2.** (mankind) el hombre ◇ vt ● the lines are manned 24 hours a day las líneas están abiertas las 24 horas

manage ['mænɪdʒ] ◇ vt **1.** *(company, business)* dirigir **2.** *(suitcase, job, food)* poder con ◇ vi *(cope)* arreglárselas ● **can you manage Friday?** ¿te viene bien el viernes? ● **to manage to do sthg** conseguir hacer algo

management ['mænɪdʒmənt] n **1.** *(people in charge)* dirección f **2.** *(control, running)* gestión f

manager ['mænɪdʒə'] n **1.** *(of business, bank)* director m, -ra f **2.** *(of shop)* jefe m, -fa f **3.** *(of sports team)* ≃ entrenador m, -ra f

managing director ['mænɪdʒɪŋ-] n director m, -ra f general

mandarin ['mændərɪn] n *(fruit)* mandarina f

mane [meɪn] n crin f

maneuver [mə'nuːvər] *(US)* = **manoeuvre**

mangetout [,mɒnʒ'tuː] n *(UK) vaina de guisante tierna que se come entera*

mangle ['mæŋgl] vt aplastar

mango ['mæŋgəʊ] *(pl* -es OR -s) n mango m

Manhattan [mæn'hætən] n Manhattan

manhole ['mænhəʊl] n registro m *(de alcantarillado)*

maniac ['meɪnɪæk] n *(inf) (wild person)* maníaco m, -ca f

manicure ['mænɪkjʊə'] n manicura f

manifold ['mænɪfəʊld] n colector m

manipulate [mə'nɪpjʊleɪt] vt **1.** *(person)* manipular **2.** *(machine, controls)* manejar

mankind [,mæn'kaɪnd] n la humanidad

manly ['mænlɪ] adj varonil

man-made adj artificial

manner ['mænə'] n *(way)* manera f ●

manners npl modales mpl

manoeuvre [mə'nuːvə'] ◇ n *(UK)* maniobra f ◇ vt *(UK)* maniobrar

manor ['mænə'] n casa f solariega

mansion ['mænʃn] n casa f solariega

manslaughter ['mæn,slɔːtə'] n homicidio m no premeditado

mantelpiece ['mæntlpiːs] n repisa f de la chimenea

manual ['mænjʊəl] ◇ adj manual ◇ n manual m

manufacture [,mænjʊ'fæktʃə'] ◇ n fabricación f ◇ vt fabricar

manufacturer [,mænjʊ'fæktʃərə'] n fabricante mf

manure [mə'njʊə'] n estiércol m

many ['menɪ] *(compar* **more***, superl* **most***)* ◇ adj muchos(chas) ◇ pron muchos mpl, -chas fpl ● **as many as** tantos(tas) como ... ● **twice as many as** el doble que ● **how many?** ¿cuántos (tas)? ● **so many** tantos(tas) ● **too many** demasiados(das)

map [mæp] n **1.** *(of town)* plano m **2.** *(of country)* mapa m

maple syrup ['meɪpl-] n *jarabe de arce que se come con crepes etc*

Mar. *(abbr of* **March***)* mar. *(marzo)*

marathon ['mærəθn] n maratón m

marble ['mɑːbl] n **1.** *(stone)* mármol m **2.** *(glass ball)* canica f

march [mɑːtʃ] ◇ n *(demonstration)* manifestación f ◇ vi *(walk quickly)* dirigirse resueltamente

March [mɑːtʃ] n marzo m ● **at the beginning of March** a principios de marzo ● **at the end of March** a finales de marzo • during March en marzo • **every March** todos los años en marzo • **in March** en marzo • **last March** en marzo del año pasado • **next March** en marzo del próximo año • **this March** en marzo de este año • **2 March 2001** *(in letters etc)* 2 de marzo de 2001

mare [meəʳ] *n* yegua *f*

margarine [ˌmɑːdʒəˈriːn] *n* margarina *f*

margin [ˈmɑːdʒɪn] *n* margen *m*

marina [məˈriːnə] *n* puerto *m* deportivo

marinated [ˈmærɪneɪtɪd] *adj* marinado (da)

marital status [ˈmærɪtl-] *n* estado *m* civil

mark [mɑːk] ◇ *n* **1.** marca *f* **2.** SCH nota *f* ◇ *vt* **1.** *(blemish)* manchar **2.** *(put symbol on)* marcar **3.** *(correct)* corregir **4.** *(show position of)* señalar • **(gas) mark five** *(UK)* número cinco (del horno)

marker pen [ˈmɑːkə-] *n* rotulador *m*, marcador *m* (*Amér*)

market [ˈmɑːkɪt] *n* mercado *m*

marketing [ˈmɑːkɪtɪŋ] *n* marketing *m*

marketplace [ˈmɑːkɪtpleɪs] *n* mercado *m*

markings [ˈmɑːkɪŋz] *npl* *(on road)* marcas *fpl* viales

marmalade [ˈmɑːməleɪd] *n* mermelada *f* *(de frutos cítricos)*

marquee [mɑːˈkiː] *n* carpa *f*

marriage [ˈmærɪdʒ] *n* **1.** *(event)* boda *f* **2.** *(time married)* matrimonio *m*

married [ˈmærɪd] *adj* casado(da) • **to get married** casarse

marrow [ˈmærəʊ] *n* *(UK)* *(vegetable)* calabacín *m* grande

marry [ˈmærɪ] ◇ *vt* casarse con ◇ *vi* casarse

marsh [mɑːʃ] *n* *(area)* zona *f* pantanosa

martial arts [ˌmɑːʃl-] *npl* artes *fpl* marciales

marvellous [ˈmɑːvələs] *adj* *(UK)* maravilloso(sa)

marvelous [ˈmɑːvələs] *(US)* = **marvellous**

marzipan [ˈmɑːzɪpæn] *n* mazapán *m*

mascara [mæsˈkɑːrə] *n* rímel *m*

masculine [ˈmæskjolɪn] *adj* **1.** masculino(na) **2.** *(woman)* hombruno(na)

mashed potatoes [mæʃt-] *npl* puré *m* de patatas *(Esp)* OR papas *(Amér)*

mask [mɑːsk] *n* máscara *f*

masonry [ˈmeɪsnrɪ] *n* • **falling masonry** materiales que se desprenden de un edificio

mass [mæs] *n* **1.** *(large amount)* montón *m* **2.** RELIG misa *f* • **masses (of)** *(inf)* montones (de)

massacre [ˈmæsəkəʳ] *n* masacre *f*

massage [*(UK)* ˈmæsɑːʒ, *(US)* məˈsɑːʒ] ◇ *n* masaje *m* ◇ *vt* dar masajes a

masseur [mæˈsɜːʳ] *n* masajista *m*

masseuse [mæˈsɜːz] *n* masajista *f*

massive [ˈmæsɪv] *adj* enorme

mast [mɑːst] *n* *(on boat)* mástil *m*

master [ˈmɑːstəʳ] ◇ *n* **1.** *(at primary school)* maestro *m* **2.** *(at secondary school)* profesor *m* **3.** *(of servant, dog)* amo *m* ◇ *vt* *(skill, language)* dominar

masterpiece [ˈmɑːstəpiːs] *n* obra *f* maestra

mat [mæt] *n* **1.** *(small rug)* esterilla *f*, tapete *m* *(Col & Méx)* **2.** *(for plate)* salvamanteles *m inv* **3.** *(for glass)* posavasos *m inv*

match [mætʃ] ◇ *n* **1.** *(for lighting)* cerilla *f* (*Esp*), fósforo *m* **2.** *(game)* partido *m* ◇ *vt* **1.** *(in colour, design)* hacer juego con **2.** *(be the same as)* coincidir con **3.** *(be as good as)* competir con ◇ *vi* *(in colour, design)* hacer juego

matchbox ['mætʃbɒks] *n* caja *f* de cerillas (*Esp*) OR fósforos

matching ['mætʃɪŋ] *adj* a juego

mate [meɪt] ◇ *n* **1.** *(UK)* *(inf)* colega *mf* ◇ *vi* aparearse

material [mə'tɪərɪəl] *n* **1.** *(substance)* material *m* **2.** *(cloth)* tela *f* **3.** *(information)* información *f* ● **materials** *npl* writing materials objetos *mpl* de escritorio

maternity leave [mə'tɜːnətɪ-] *n* baja *f* por maternidad

maternity ward [mə'tɜːnətɪ-] *n* sala *f* de maternidad

math [mæθ] *(US)* = maths

mathematics [ˌmæθə'mætɪks] *n* matemáticas *fpl*

maths [mæθs] *n* (*UK*) mates *fpl*

matinée ['mætɪneɪ] *n* **1.** *(at cinema)* primera sesión *f* **2.** *(at theatre)* función *f* de tarde

matt [mæt] *adj* mate

matter ['mætəʳ] ◇ *n* **1.** *(issue, situation)* asunto *m* **2.** *(physical material)* materia *f* ◇ *vi* ● winning is all that matters lo único que importa es ganar ● it doesn't matter no importa ● no matter what happens pase lo que pase ● there's something the matter with my car algo le pasa a mi coche ● what's the matter? ¿qué pasa? ● as a matter of course rutinariamente ● as a matter of fact en realidad

mattress ['mætrɪs] *n* colchón *m*

mature [mə'tjʊəʳ] *adj* **1.** *(person, behaviour)* maduro(ra) **2.** *(cheese)* curado (da) **3.** *(wine)* añejo(ja)

mauve [məʊv] *adj* malva *(inv)*

max. [mæks] *(abbr of* maximum*)* máx. *(máximo)*

maximum ['mæksɪməm] ◇ *adj* máximo(ma) ◇ *n* máximo *m*

may [meɪ] *aux vb* **1.** *(expressing possibility)* poder ● it may rain puede que llueva ● they may have got lost puede que se hayan perdido **2.** *(expressing permission)* ● may I smoke? ¿puedo fumar? ● you may sit, if you wish puede sentarse si lo desea **3.** *(when conceding a point)* ● it may be a long walk, but it's worth it puede que sea una caminata, pero merece la pena

May [meɪ] *n* mayo *m* ● at the beginning of May a principios de mayo ● at the end of May a finales de mayo ● during May en mayo ● every May todos los años en mayo ● in May en mayo ● last May en mayo del año pasado ● next May en mayo del próximo año ● this May en mayo de este año ● 2 May 2006 *(in letters etc)* 2 de mayo de 2006

maybe ['meɪbiː] *adv* quizás

mayonnaise [ˌmeɪə'neɪz] *n* mayonesa *f*

mayor [meəʳ] *n* alcalde *m*

mayoress ['meərɪs] *n* esposa *f* del alcalde

maze [meɪz] *n* laberinto *m*

MD [em'diː] *n* (*abbr of* Managing Director*)* director m, -ra *f* gerente

me [miː] *pron* me ● she knows me me conoce ● it's me soy yo ● send it to me envíamelo ● tell me dime ● he's worse than me él aún es peor que yo ● with me conmigo ● without me sin mí

meadow ['medəʊ] *n* prado *m*

meal [miːl] *n* comida *f*

mealtime ['miːltaɪm] *n* hora *f* de comer

mean [miːn] (*pt & pp* **meant**) ◇ *adj* **1.** (*miserly*) tacaño(ña) **2.** (*unkind*) mezquino(na) ◇ *vt* **1.** (*signify, matter*) significar ● (*intend*) querer decir **3.** (*be a sign of*) indicar ● I mean it hablo en serio ● to mean to do sthg pensar hacer algo ● I didn't mean to hurt you no quería hacerte daño ● to be meant to do sthg deber hacer algo ● it's meant to be good dicen que es bueno

meaning ['miːnɪŋ] *n* **1.** (*of word, phrase*) significado *m* **2.** (*intention*) sentido *m*

meaningless ['miːnɪŋlɪs] *adj* (*irrelevant*) sin importancia

means [miːnz] (*pl inv*) ◇ *n* (*method*) medio *m* ◇ *npl* (*money*) medios *mpl* ● by all means! ¡por supuesto! ● by means of por medio de

meant [ment] *pt & pp* > **mean**

meantime ['miːnˌtaɪm] ● in the meantime *adv* mientras tanto

meanwhile ['miːnˌwaɪl] *adv* mientras tanto

measles ['miːzlz] *n* sarampión *m*

measure ['meʒəʳ] ◇ *vt* medir ◇ *n* medida ● the room measures 10 m² la habitación mide 10 m²

measurement ['meʒəmənt] *n* medida *f*
measurements *npl* (*of person*) medidas *fpl*

meat [miːt] *n* carne *f* ● red meat carnes rojas ● white meat carnes blancas

meatball ['miːtbɔːl] *n* albóndiga *f*

mechanic [mɪ'kænɪk] *n* mecánico *m*, -ca *f*

mechanical [mɪ'kænɪkl] *adj* (*device*) mecánico(ca)

mechanism ['mekənɪzm] *n* mecanismo *m*

medal ['medl] *n* medalla *f*

media ['miːdjə] *n* OR *npl* ● the media los medios de comunicación

Medicaid, Medicare ['medɪkeɪd, 'medɪkeəʳ] *n* (*US*) un seguro de enfermedad a los pobres, ancianos y minusválidos

Medicaid/Medicare

El *Medicaid* es un programa de asistencia sanitaria que las autoridades estadounidenses ofrecen a los ciudadanos con pocos ingresos. Otro programa, el *Medicare*, está dirigido a las personas de más de 65 años y se financia a través de contribuciones mensuales.

medical ['medɪkl] ◇ *adj* médico(ca) ◇ *n* chequeo *m* (médico)

medication [ˌmedɪ'keɪʃn] *n* medicación *f*

medicine ['medsɪn] *n* **1.** (*substance*) medicamento *m* **2.** (*science*) medicina *f*

medicine cabinet *n* botiquín *m*

medieval [ˌmedɪ'iːvl] *adj* medieval

mediocre [ˌmiːdɪ'əʊkəʳ] *adj* mediocre

Mediterranean [ˌmedɪtə'reɪnjən] *n* ●

the Mediterranean el Mediterráneo • the Mediterranean (Sea) el (Mar) Mediterráneo

medium ['mi:djəm] *adj* **1.** *(middle-sized)* mediano(na) **2.** *(wine)* suave, semi **3.** *(sherry)* medium

medium-dry *adj* semiseco(ca)

medium-sized [-saɪzd] *adj* de tamaño mediano

medley ['medlɪ] *n* CULIN selección *f*

meet [mi:t] *(pt & pp* met) ◇ *vt* **1.** *(by arrangement)* reunirse con **2.** *(by chance)* encontrarse con **3.** *(get to know)* conocer **4.** *(go to collect)* ir a buscar **5.** *(need, requirement)* satisfacer **6.** *(cost, expenses)* cubrir ◇ *vi* **1.** *(by arrangement)* reunirse **2.** *(by chance)* encontrarse **3.** *(get to know each other)* conocerse **4.** *(intersect)* unirse • meet me at the bar espérame en el bar ✦ **meet up** *vi* reunirse ✦ **meet with** *vt insep* **1.** *(problems, resistance)* encontrarse con **2.** *(US) (by arrangement)* reunirse con

meeting ['mi:tɪŋ] *n (for business)* reunión *f*

meeting point *n* punto *m* de encuentro

megabyte ['megəbaɪt] *n* megabyte *m*

melody ['melədɪ] *n* melodía *f*

melon ['melən] *n* melón *m*

melt [melt] *vi* derretirse

member ['membə'] *n* **1.** *(of group, party, organization)* miembro *mf* **2.** *(of club)* socio *m*, -cia *f*

Member of Congress *n* miembro *mf* del Congreso *(de EEUU)*

Member of Parliament *n* diputado *m*, -da *f (del parlamento británico)*

membership ['membəʃɪp] *n* **1.** *(state of being a member)* afiliación *f* **2.** *(members)* miembros *mpl* **3.** *(of club)* socios *mpl*

memorial [mɪ'mɔ:rɪəl] *n* monumento *m* conmemorativo

memorize ['meməraɪz] *vt* memorizar

memory ['memərɪ] *n* **1.** *(ability to remember, of computer)* memoria *f* **2.** *(thing remembered)* recuerdo *m*

men [men] *pl* ➤ **man**

menacing ['menəsɪŋ] *adj* amenazador (ra)

mend [mend] *vt* arreglar

menopause ['menəpɔ:z] *n* menopausia *f*

men's room *n (US)* servicio *m* OR baño *m* de caballeros

menstruate ['menstrʊeɪt] *vi* menstruar

menswear ['menzweə'] *n* confección *f* de caballeros

mental ['mentl] *adj* mental

mentally handicapped ['mentəlɪ-] ◇ *adj* disminuido *m* psíquico, disminuida psíquica *f* ◇ *npl* • the mentally handicapped los disminuidos psíquicos

mentally ill ['mentəlɪ-] *adj* • to be mentally ill ser un enfermo mental (ser una enferma mental)

mention ['menʃn] *vt* mencionar • don't mention it! ¡no hay de qué!

menu ['menju:] *n* menú *m* • children's menu menú infantil

merchandise ['mɜ:tʃəndaɪz] *n* géneros *mpl*

merchant marine [,mɜ:tʃəntmə'ri:n] *(US)* = **merchant navy**

merchant navy [,mɜ:tʃənt-] *n (UK)* marina *f* mercante

mercury ['mɜːkjʊrɪ] *n* mercurio *m*

mercy ['mɜːsɪ] *n* compasión *f*

mere [mɪə'] *adj* simple • **a mere two pounds** tan sólo dos libras

merely ['mɪəlɪ] *adv* solamente

merge [mɜːdʒ] *vi (combine)* mezclarse ▼

merge (*US*) cartel que indica que los *oches* que acceden a un autopista deben *ntrar* en el carril de la derecha

merger ['mɜːdʒə'] *n* fusión *f*

meringue [mə'ræŋ] *n* merengue *m*

merit ['merɪt] *n* 1. mérito *m* 2. *(in exam)* ≃ notable *m*

merry ['merɪ] *adj* 1. *(cheerful)* alboroza-o(da) 2. *(inf) (tipsy)* achispado(da) • **Merry Christmas!** ¡Feliz Navidad!

merry-go-round *n* tiovivo *m (Esp)*, arrusel *m*

mess [mes] *n* 1. *(untidiness)* desorden *m* *(difficult situation)* lío *m* • **in a mess** *untidy)* desordenado • **mess about** *vi* *(inf) (have fun)* divertirse 2. *(behave olishly)* hacer el tonto • **to mess bout with sthg** *(interfere)* manosear go • **mess up** *vt sep (inf) (ruin, spoil)* stropear

message ['mesɪdʒ] *n* mensaje *m*

messenger ['mesɪndʒə'] *n* mensajero *m*, *ra f*

messy ['mesɪ] *adj* desordenado(da)

met [met] *pt & pp* ➢ **meet**

metal ['metl] ◇ *adj* metálico(ca) ◇ *n* etal *m*

metalwork ['metəlwɜːk] *n (craft)* meta-stería *f*

meter ['miːtə'] *n* 1. *(device)* contador *m*, edidor *m (Amér)* 2. *(US)* = metre

method ['meθəd] *n* método *m*

methodical [mɪ'θɒdɪkl] *adj* metódico (ca)

meticulous [mɪ'tɪkjʊləs] *adj* meticuloso (sa)

metre ['miːtə'] *n (UK)* metro *m*

metric ['metrɪk] *adj* métrico(ca)

Mexican ['meksɪkn] ◇ *adj* mejicano(na) (*Esp*), mexicano(na) ◇ *n* mejicano *m*, -na *f (Esp)*, mexicano *m*, -na *f*

Mexico ['meksɪkəʊ] *n* Méjico (*Esp*), México

mg *(abbr of milligram)* mg *(miligramo)*

miaow [miː'aʊ] *vi (UK)* maullar

mice [maɪs] *pl* ➢ **mouse**

microchip ['maɪkrəʊtʃɪp] *n* microchip *m*

microphone ['maɪkrəfəʊn] *n* micrófono *m*

microscope ['maɪkrəskəʊp] *n* microsco-pio *m*

microwave (oven) ['maɪkrəweɪv-] *n* microondas *m inv*

midday [,mɪd'deɪ] *n* mediodía *m*

middle ['mɪdl] ◇ *n* 1. *(in space)* centro *m* 2. *(in time)* medio *m* ◇ *adj* del medio • **in the middle of the road** en (el) medio de la carretera • **in the middle of April** a mediados de abril • **to be in the middle of doing sthg** estar haciendo algo

middle-aged *adj* de mediana edad

middle-class *adj* de clase media

Middle East *n* • **the Middle East** el Oriente Medio

middle name *n* segundo nombre *m* (de pila) *(en un nombre compuesto)*

midge [mɪdʒ] *n* mosquito *m*

midget ['mɪdʒɪt] *n* enano *m*, -na *f*

midnight ['mɪdnaɪt] *n* medianoche *f*

midsummer ['mɪd'sʌmə'] *n* pleno verano *m*

midway [ˌmɪd'weɪ] *adv* 1. *(in space)* a medio camino 2. *(in time)* a la mitad

midweek ◇ *adj* ['mɪdwiːk] de entre semana ◇ *adv* [mɪd'wiːk] entre semana

midwife ['mɪdwaɪf] *(pl* **-wives)** *n* comadrona *f*

midwinter ['mɪd'wɪntə'] *n* pleno invierno *m*

midwives ['mɪdwaɪvz] *pl* ➢ **midwife**

might [maɪt]

◇ *aux vb* 1. *(expressing possibility)* poder ● I suppose they might still come supongo que aún podrían venir 2. *(fml)* *(expressing permission)* ● might I have a few words? ¿podría hablarle un momento? 3. *(when conceding a point)* ● it might be expensive, but it's good quality puede que sea caro, pero es de buena calidad 4. *(would)* ● I'd hoped you might come too esperaba que tú vinieras también

◇ *n* fuerzas *fpl*

migraine ['miːgreɪn, 'maɪgreɪn] *n* jaqueca *f*

mild [maɪld] ◇ *adj* 1. *(taste, weather, detergent)* suave 2. *(illness, discomfort)* leve 3. *(slight)* ligero(ra) 4. *(person, nature)* apacible ◇ *n (UK) cerveza f de sabor suave*

mile [maɪl] *n* milla *f* ● it's miles away está muy lejos

mileage ['maɪlɪdʒ] *n* distancia *f* en millas, ≃ kilometraje *m*

mileometer [maɪ'lɒmɪtə'] *n (UK)* cuentamillas *m inv*, ≃ cuentakilómetros *m inv*

military ['mɪlɪtrɪ] *adj* militar

milk [mɪlk] ◇ *n* leche *f* ◇ *vt (cow)* ordeñar

milk chocolate *n* chocolate *m* con leche

milkman ['mɪlkmən] *(pl* **-men)** *n* lechero *m*

milk shake *n* batido *m*, malteada *f (Amér)*

milky ['mɪlkɪ] *adj (drink)* con mucha leche

mill [mɪl] *n* 1. *(flour-mill)* molino *m* 2. *(for grinding)* molinillo *m* 3. *(factory)* fábrica *f*

millennium [mɪ'lenɪəm] *n* milenio *m*

milligram ['mɪlɪgræm] *n* miligramo *m*

milliliter ['mɪlɪˌliːtər] *(US)* = **millilitre**

millilitre ['mɪlɪˌliːtə'] *n (UK)* mililitro *m*

millimeter ['mɪlɪˌmiːtər] *(US)* = **millimetre**

millimetre ['mɪlɪˌmiːtə'] *n (UK)* milímetro *m*

million ['mɪljən] *n* millón *m* ● **millions of** *(fig)* millones de

millionaire [ˌmɪljə'neə'] *n* millonario *m*, -ria *f*

mime [maɪm] *vi* hacer mímica

min. [mɪn] *(abbr of* minute) min. *(minuto)*; *(abbr of* minimum) mín. *(mínimo)*

mince [mɪns] *n (UK)* carne *f* picada

mincemeat ['mɪnsmiːt] *n* 1. *(sweet filling)* dulce de fruta confitada con especias 2. *(mince)* carne *f* picada *(Esp)* OR molida

mince pie *n* pastelillo navideño de pasta quebrada, rellena de fruta confitada y especias

mind [maɪnd] ◇ *n* 1. mente *f* 2. *(memory)*

memoria *f* ◇ *vt (look after)* cuidar de ◇ *vi* ● do you mind if ...? ¿le importa si ...? ● I don't mind *(it won't disturb me)* no me molesta; *(I'm indifferent)* me da igual ● it slipped my mind se me olvidó ● state of mind estado *m* de ánimo ● to my mind en mi opinión ● to bear sthg in mind tener algo en cuenta ● to change one's mind cambiar de opinión ● to have sthg in mind tener algo en mente ● to have sthg on one's mind estar preocupado por algo ● do you mind the noise? ¿te molesta el ruido? ● to make one's mind up decidirse ● I wouldn't mind a drink no me importaría tomar algo ▼ mind the gap! *(UK)* advertencia a los pasajeros de tener cuidado con el hueco entre el andén y el metro ▼ mind the step cuidado con el escalón ● never mind! *(don't worry)* ¡no importa!

mine¹ [maɪn] *pron* mío *m*, -a *f* ● a friend of mine un amigo mío

mine² *n* mina *f*

miner ['maɪnə'] *n* minero *m*, -ra *f*

mineral ['mɪnərəl] *n* mineral *m*

mineral water *n* agua *f* mineral

minestrone [,mɪnɪ'strəʊnɪ] *n* minestrone *f*

miniature ['mɪnətʃə'] ◇ *adj* en miniatura ◇ *n (bottle of alcohol)* botellín *m* (de bebida alcohólica)

minibar ['mɪnɪbɑ:'] *n* minibar *m*

minibus ['mɪnɪbʌs] *(pl* **-es***) n* microbús *m*

minicab ['mɪnɪkæb] *n (UK)* radiotaxi *m*

minimal ['mɪnɪml] *adj* mínimo(ma)

minimum ['mɪnɪməm] ◇ *adj* mínimo (ma) ◇ *n* mínimo *m*

miniskirt ['mɪnɪskɜːt] *n* minifalda *f*

minister ['mɪnɪstə'] *n* **1.** *(in government)* ministro *m*, -tra *f* **2.** *(in Church)* pastor *m*

ministry ['mɪnɪstrɪ] *n (of government)* ministerio *m*

minor ['maɪnə'] ◇ *adj* menor ◇ *n (fml)* menor *mf* de edad

Minorca [mɪ'nɔːkə] *n* Menorca *f*

minority [maɪ'nɒrətɪ] *n* minoría *f*

minor road *n* carretera *f* secundaria

mint [mɪnt] *n* **1.** *(sweet)* caramelo *m* de menta **2.** *(plant)* menta *f*

minus ['maɪnəs] *prep (in subtraction)* menos ● it's minus 10°C estamos a 10°C bajo cero

minuscule ['mɪnəskjuːl] *adj* minúsculo (la)

minute¹ ['mɪnɪt] *n* minuto *m* ● any minute en cualquier momento ● just a minute! ¡espera un momento!

minute² [maɪ'njuːt] *adj* diminuto(ta)

minute steak [,mɪnɪt-] *n* filete muy fino que se hace rápido al cocinarlo

miracle ['mɪrəkl] *n* milagro *m*

miraculous [mɪ'rækjʊləs] *adj* milagroso (sa)

mirror ['mɪrə'] *n* **1.** *(on wall, hand-held)* espejo *m* **2.** *(on car)* retrovisor *m*

misbehave [,mɪsbɪ'heɪv] *vi* portarse mal

miscarriage [,mɪs'kærɪdʒ] *n* aborto *m* (natural)

miscellaneous [,mɪsə'leɪnjəs] *adj* diverso(sa)

mischievous ['mɪstʃɪvəs] *adj* travieso (sa)

misconduct [,mɪs'kɒndʌkt] *n* mala conducta *f*

miser ['maɪzə'] *n* avaro *m*, -ra *f*

miserable ['mɪzrəbl] *adj* **1.** *(unhappy)* infeliz **2.** *(depressing, small)* miserable **3.** *(weather)* horrible

misery ['mɪzərɪ] *n* **1.** *(unhappiness)* desdicha *f* **2.** *(poor conditions)* miseria *f*

misfire [,mɪs'faɪə'] *vi (car)* no arrancar

misfortune [mɪs'fɔːtʃuːn] *n (bad luck)* mala suerte *f*

mishap ['mɪshæp] *n* contratiempo *m*

misjudge [,mɪs'dʒʌdʒ] *vt* **1.** *(distance, amount)* calcular mal **2.** *(person, character)* juzgar mal

mislay [,mɪs'leɪ] *(pt & pp* **-laid)** *vt* extraviar

mislead [,mɪs'liːd] *(pt & pp* **-led)** *vt* engañar

miss [mɪs] ◇ *vt* **1.** perder **2.** *(not notice)* no ver **3.** *(regret absence of)* echar de menos **4.** *(appointment)* faltar a **5.** *(programme)* perderse ◇ *vi* fallar • **you can't miss it** no tiene pérdida • **miss out** ◇ *vt sep* pasar por alto ◇ *vi* • **to miss out on sthg** perderse algo

Miss [mɪs] *n* señorita *f*

missile [(UK) 'mɪsaɪl, (US) 'mɪsl] *n* **1.** *(weapon)* misil *m* **2.** *(thing thrown)* proyectil *m*

missing ['mɪsɪŋ] *adj (lost)* perdido(da) • **to be missing** *(not there)* faltar

missing person *n* desaparecido *m*, -da *f*

mission ['mɪʃn] *n* misión *f*

missionary ['mɪʃənrɪ] *n* misionario *m*, -ria *f*

mist [mɪst] *n* neblina *f*

mistake [mɪ'steɪk] *(pt* **-took,** *pp* **-taken)** ◇ *n* error *m* ◇ *vt (misunderstand)* malentender • **by mistake** por error

• **to make a mistake** equivocarse • **I always mistake him for his brother** siempre lo confundo con su hermano

Mister ['mɪstə'] *n* señor *m*

mistook [mɪ'stʊk] *pp* > **mistake**

mistress ['mɪstrɪs] *n* **1.** *(lover)* amante *f* **2.** *(UK) (primary teacher)* maestra *f* **3.** *(UK) (secondary teacher)* profesora *f*

mistrust [,mɪs'trʌst] *vt* desconfiar de

misty ['mɪstɪ] *adj* neblinoso(sa)

misunderstanding [,mɪsʌndə'stændɪŋ] *n* malentendido *m*

misuse [,mɪs'juːs] *n* uso *m* indebido

mitten ['mɪtn] *n* manopla *f*

mix [mɪks] ◇ *vt* mezclar ◇ *vi (socially)* alternar ◇ *n (for cake, sauce)* mezcla *f* • **to mix the butter with the flour** mezclar la mantequilla con la harina • **mix up** *vt sep* **1.** *(confuse)* confundir **2.** *(put into disorder)* mezclar

mixed [mɪkst] *adj (school)* mixto(ta)

mixed grill *n (UK)* parrillada mixta de carne, champiñones y tomate

mixed salad *n* ensalada *f* mixta

mixed vegetables *npl* selección *f* de verduras

mixer ['mɪksə'] *n* **1.** *(for food)* batidora *f* **2.** *(drink)* bebida no alcohólica que se mezcla con las bebidas alcohólicas

mixture ['mɪkstʃə'] *n* mezcla *f*

mix-up *n (inf)* confusión *f*

ml *(abbr of* millilitre) ml *(mililitro)*

mm *(abbr of* millimetre) mm *(milímetro)*

MMR [,emem'ɑː'] *n* MED *(abbr of* measles, mumps & rubella) triple *f* vírica

moan [məʊn] *vi* **1.** *(in pain, grief)* gemir **2.** *(inf) (complain)* quejarse

mobile ['məʊbaɪl] *adj* móvil

mobile phone *n* (*UK*) teléfono *m* móvil (*Esp*), celular *m* (*Amér*)

mock [mɒk] ◇ *adj* fingido(da) ◇ *vt* burlarse de ◇ *n* (*UK*) (*exam*) simulacro *m* de examen

mode [məʊd] *n* modo *m*

model ['mɒdl] *n* **1.** modelo *m* **2.** (*small copy*) maqueta *f* **3.** (*fashion model*) modelo *mf*

moderate ['mɒdərət] *adj* moderado(da)

modern ['mɒdən] *adj* moderno(na)

modernized ['mɒdənaɪzd] *adj* modernizado(da)

modern languages *npl* lenguas *fpl* modernas

modest ['mɒdɪst] *adj* **1.** modesto(ta) **2.** (*price*) módico(ca) **3.** (*increase, improvement*) ligero(ra)

modify ['mɒdɪfaɪ] *vt* modificar

mohair ['məʊheər] *n* mohair *m*

moist [mɔɪst] *adj* húmedo(da)

moisture ['mɔɪstʃər] *n* humedad *f*

moisturizer ['mɔɪstʃəraɪzər] *n* crema *f* hidratante

molar ['məʊlər] *n* muela *f*

mold [məʊld] (*US*) = mould

mole [məʊl] *n* **1.** (*animal*) topo *m* **2.** (*spot*) lunar *m*

molest [məˈlest] *vt* **1.** (*child*) abusar sexualmente **2.** (*woman*) acosar

mom [mɒm] *n* (*US*) (*inf*) mamá *f*

moment ['məʊmənt] *n* momento *m* ● at the moment en este momento ● for the moment de momento

Mon. (*abbr of* Monday) lun. (*lunes*)

monarchy ['mɒnəkɪ] *n* ● the monarchy la familia real

monastery ['mɒnəstrɪ] *n* monasterio *m*

Monday ['mʌndɪ] *n* lunes *m inv* ● it's Monday es lunes ● Monday morning el lunes por la mañana ● on Monday el lunes ● on Mondays los lunes ● last Monday el lunes pasado ● this Monday este lunes ● next Monday el lunes de la semana que viene ● Monday week, a week on Monday del lunes en ocho días

money ['mʌnɪ] *n* dinero *m*

money belt *n* riñonera *f*

money order *n* giro *m* postal

mongrel ['mʌŋgrəl] *n* perro *m* cruzado

monitor ['mɒnɪtər] ◇ *n* (*computer screen*) monitor *m* ◇ *vt* (*check, observe*) controlar

monk [mʌŋk] *n* monje *m*

monkey ['mʌŋkɪ] (*pl* **monkeys**) *n* mono *m*

monkfish ['mʌŋkfɪʃ] *n* rape *m*

monopoly [məˈnɒpəlɪ] *n* monopolio *m*

monorail ['mɒnəʊreɪl] *n* monorraíl *m* (*Esp*), monorriel *m* (*Amér*)

monotonous [məˈnɒtənəs] *adj* monótono(na)

monsoon [mɒnˈsuːn] *n* monzón *m*

monster ['mɒnstər] *n* monstruo *m*

month [mʌnθ] *n* mes *m* ● every month cada mes ● in a month's time en un mes

monthly ['mʌnθlɪ] ◇ *adj* mensual ◇ *adv* mensualmente

monument ['mɒnjʊmənt] *n* monumento *m*

mood [muːd] *n* humor *m* ● to be in a (bad) mood estar de mal humor ● to be in a good mood estar de buen humor

moody ['muːdɪ] *adj* **1.** *(bad-tempered)* malhumorado(da) **2.** *(changeable)* de humor variable

moon [muːn] *n* luna *f*

moonlight ['muːnlaɪt] *n* luz *f* de luna

moor [mɔːʳ] ◇ *n (UK)* páramo *m* ◇ *vt* amarrar

mop [mɒp] ◇ *n (for floor)* fregona *f* (*Esp*), trapeador *m* (*Amér*) ◇ *vt (floor)* pasar la fregona por (*Esp*), trapear (*Amér*) ● **mop up** *vt sep (clean up)* limpiar

moped ['məʊped] *n* ciclomotor *m*

moral ['mɒrəl] ◇ *adj* moral ◇ *n (lesson)* moraleja *f*

morality [mə'rælɪtɪ] *n* moralidad *f*

more [mɔːʳ]

◇ *adj* **1.** *(a larger amount of)* más ● there are more tourists than usual hay más turistas que de costumbre **2.** *(additional)* más ● are there any more cakes? ¿hay más pasteles? ● there's more wine no hay más vino ● have some more rice come un poco más de arroz **3.** *(in phrases)* ● more and more cada vez más

◇ *adv* **1.** *(in comparatives)* más ● it's more difficult than before es más difícil que antes ● speak more clearly habla con más claridad **2.** *(to a greater degree)* más ● we ought to go to the cinema more deberíamos ir más al cine **3.** *(longer)* más ● I don't go there any more ya no voy más allí **4.** *(again)* ● once more una vez más **5.** *(in phrases)* ● more or less más o menos ● we'd be more than happy to help estaríamos encantados de ayudarle

◇ *pron* **1.** *(a larger amount)* más ● I've got more than you tengo más que tú ● more than 20 types of pizza más de 20 clases de pizzas **2.** *(an additional amount)* más ● is there any more? ¿hay más?

moreover [mɔː'rəʊvəʳ] *adv (fml)* además

morning ['mɔːnɪŋ] *n* mañana *f* ● two o'clock in the morning las dos de la mañana ● good morning! ¡buenos días! ● in the morning *(early in the day)* por la mañana; *(tomorrow morning)* mañana por la mañana

morning-after pill *n* píldora *f* del día siguiente

morning sickness *n* náuseas *fpl* de por la mañana

Morocco [mə'rɒkəʊ] *n* Marruecos *m*

moron ['mɔːrɒn] *n (inf)* imbécil *mf*

mortgage ['mɔːgɪdʒ] *n* hipoteca *f*

mosaic [mə'zeɪk] *n* mosaico *m*

mosque [mɒsk] *n* mezquita *f*

mosquito [mə'skiːtəʊ] *(pl* **-es***) n* mosquito *m*

mosquito net *n* mosquitero *m*

moss [mɒs] *n* musgo *m*

most [məʊst]

◇ *adj* **1.** *(the majority of)* la mayoría de ● most people la mayoría de la gente **2.** *(the largest amount of)* más ● I drank (the) most beer yo fui el que bebió más cerveza

◇ *adv* **1.** *(in superlatives)* más ● the most expensive hotel el hotel más caro **2.** *(to the greatest degree)* más ● I like this one most éste es el que más me gusta **3.** *(fml) (very)* muy ● we would be most grateful les agradeceríamos mucho *mo*

pron 1. *(the majority)* la mayoría ● host of the villages la mayoría de los ueblos ● most of the time la mayor arte del tiempo **2.** *(the largest amount)* ● she earns (the) most es la que más ana **3.** *(in phrases)* ● at most como náximo ● to make the most of sthg provechar algo al máximo

ostly ['məʊstlɪ] *adv* principalmente

MOT [emoʊ'tiː] *n* *(UK)* *(test)* revisión nual obligatoria para todos los coches e más de tres años, ≃ ITV *f*

otel [məʊ'tel] *n* motel *m*

oth [mɒθ] *n* polilla *f*

other ['mʌðəʳ] *n* madre *f*

other-in-law *n* suegra *f*

other-of-pearl *n* nácar *m*

otif [məʊ'tiːf] *n* motivo *m*

otion ['məʊʃn] ◇ *n* *(movement)* movi niento *m* ◇ *vi* ● to motion to sb hacer na señal a alguien

otionless ['məʊʃənlɪs] *adj* inmóvil

otivate ['məʊtɪveɪt] *vt* motivar

otive ['məʊtɪv] *n* motivo *m*

otor ['məʊtəʳ] *n* motor *m*

otorbike ['məʊtəbaɪk] *n* *(UK)* moto *f*

otorboat ['məʊtəbəʊt] *n* lancha *f* notora

otorcar ['məʊtəkɑːʳ] *n* *(UK)* automó il *m*

otorcycle ['məʊtəˌsaɪkl] *n* moticicleta

otorcyclist ['məʊtəˌsaɪklɪst] *n* motoci lista *mf*

otorist ['məʊtərɪst] *n* automovilista f

otor racing *n* automovilismo *m deporte)*

motorway ['məʊtəweɪ] *n* *(UK)* autopista *f*

motto ['mɒtəʊ] *(pl* **-s)** *n* lema *m*

mould [məʊld] ◇ *n* *(UK)* **1.** *(shape)* molde *m* **2.** *(substance)* moho *m* ◇ *vt* *(UK)* moldear

mound [maʊnd] *n* **1.** *(hill)* montículo *m* **2.** *(pile)* montón *m*

mount [maʊnt] ◇ *n* **1.** *(for photo)* marco *m* **2.** *(mountain)* monte *m* ◇ *vt* **1.** *(horse)* montar en **2.** *(photo)* enmarcar ◇ *vi (increase)* aumentar

mountain ['maʊntɪn] *n* montaña *f*

mountain bike *n* bicicleta *f* de mon taña

mountaineer [ˌmaʊntɪ'nɪəʳ] *n* montañe ro *m*, -ra *f*

mountaineering [ˌmaʊntɪ'nɪərɪŋ] *n* ● to go mountaineering hacer montañis mo

mountainous ['maʊntɪnəs] *adj* monta ñoso(sa)

Mount Rushmore [-'rʌʃmɔːʳ] *n* el mon te Rushmore

mourning ['mɔːnɪŋ] *n* ● to be in mourning estar de luto

mouse [maʊs] *(pl* **mice**) *n* ratón *m*

mouse mat *(UK)*, **mouse pad** *(US)* *n* alfombrilla *f*

moussaka [muː'sɑːkə] *n* plato griego de berenjenas, tomate, salsa de queso y carne picada

mousse [muːs] *n* **1.** *(food)* mousse *m* **2.** *(for hair)* espuma *f*

moustache [mə'stɑːʃ] *n* *(UK)* bigote *m*

mouth [maʊθ] *n* **1.** boca *f* **2.** *(of river)* desembocadura *f*

mouthful ['maʊθfʊl] *n* **1.** *(of food)*

bocado *m* **2.** *(of drink)* trago *m*

mouthpiece ['maʊθpiːs] *n* **1.** *(of telephone)* micrófono *m* **2.** *(of musical instrument)* boquilla *f*

mouthwash ['maʊθwɒʃ] *n* elixir *m* bucal

move [muːv] ◇ *n* **1.** *(change of house)* mudanza *f* **2.** *(movement)* movimiento *m* **3.** *(in games)* jugada *f* **4.** *(turn to play)* turno *m* **5.** *(course of action)* medida *f* ◇ *vt* **1.** *(shift)* mover **2.** *(emotionally)* conmover ◇ *vi (shift)* moverse ● to move (house) mudarse ● to make a move *(leave)* irse ◆ **move along** *vi* hacerse a un lado ◆ **move in** *vi (to house)* instalarse ◆ **move off** *vi (train, car)* ponerse en marcha ◆ **move on** *vi (after stopping)* reanudar la marcha ◆ **move out** *vi (from house)* mudarse ◆ **move over** *vi* hacer sitio ◆ **move up** *vi* hacer sitio

movement ['muːvmənt] *n* movimiento *m*

movie ['muːvɪ] *n* película *f*

movie theater *n* (US) cine *m*

moving ['muːvɪŋ] *adj (emotionally)* conmovedor(ra)

mow [məʊ] *vt* ● to mow the lawn cortar el césped

mozzarella [ˌmɒtsəˈrelə] *n* mozzarella *f*

MP *abbr* (UK) = Member of Parliament

MP3 [ˌempiːˈθriː] *n (abbr of* MPEG-1 Audio Layer-3) MP3 *m*

mph *(abbr of* miles per hour) millas *fpl* por hora

Mr ['mɪstə[r]] *n (abbr of* Mister) Sr. *(Señor)*

Mrs ['mɪsɪz] *n (abbr of* Mistress) Sra. *(Señora)*

MRSA [ˌemɑːresˈeɪ] *n* MED *(abbr of* methicillin resistant Staphylococcus aureus) MRSA *m*

Ms [mɪz] *n (abbr of* Miss OR Mrs) abreviatura que se utiliza delante del apellido cuando no se quiere decir el estado civil de la mujer

MSc [emesˈsiː] *n (abbr of* Master of Science) título postuniversitario de dos años en ciencias

MSP [emesˈpiː] *n* (UK) abbr of Member of the Scottish Parliament

much [mʌtʃ] *(compar* more, superl most)
◇ *adj* mucho(cha) ● I haven't got much money no tengo mucho dinero ● as much food as you can eat tanta comida como puedas comer ● how much time is left? ¿cuánto tiempo queda? ● they have so much money tienen tanto dinero ● we have too much food tenemos demasiada comida
◇ *adv* mucho ● it's much better es mucho mejor ● he's much too good es demasiado bueno ● I like it very much me gusta muchísimo ● it's not much good no vale mucho ● thank you very much muchas gracias ● we don't go there much no vamos mucho allí
◇ *pron* mucho ● I haven't got much no tengo mucho ● as much as you like tanto como quieras ● how much is it? ¿cuánto es? ● you've got so much tienes tanto ● you've got too much tienes demasiado

muck [mʌk] *n* mugre *f* ◆ **muck about** *vi*

UK) (*inf*) hacer el indio ◆ **muck up** *vt*
ɛp (*inf*) fastidiar

mud [mʌd] *n* barro *m*

muddle ['mʌdl] *n* ● **to be in a muddle**
★star hecho un lío

muddy ['mʌdɪ] *adj* lleno(na) de barro

mud flap *n* (*US*) = mudguard

mudguard ['mʌdgɑːd] *n* guardabarros
n inv

muesli ['mjuːzlɪ] *n* muesli *m*

muffin ['mʌfɪn] *n* **1.** (*UK*) (*roll*) panecillo
a **2.** (*cake*) especie de bollo que se come
aliente

muffler ['mʌflə^r] *n* (*US*) (*silencer*) silen-
★iador *m*

mug [mʌg] ◆ *n* (*cup*) tanque *m*, taza *f*
★rande (*cilíndrica*) ◆ *vt* asaltar

mugging ['mʌgɪŋ] *n* atraco *m*

muggy ['mʌgɪ] *adj* bochornoso(sa)

mule [mjuːl] *n* mula *f*

multicoloured ['mʌltɪˌkʌləd] *adj* multi-
olor

multiple ['mʌltɪpl] *adj* múltiple

multiplex cinema ['mʌltɪpleks-] *n* mul-
★cine *m*

multiplication [ˌmʌltɪplɪ'keɪʃn] *n* multi-
licación *f*

multiply ['mʌltɪplaɪ] ◆ *vt* multiplicar ◆
i multiplicarse

multistorey (car park) [ˌmʌltɪ'stɔːrɪ-] *n*
UK) aparcamiento *m* de muchas
lantas (*Esp*), estacionamiento *m* de
arios pisos (*Amér*)

multivitamin [(*UK*)'mʌltɪvɪtəmɪn, (*US*)
mʌltɪvaɪtəmɪn] *n* multivitamina *f*

mum [mʌm] *n* (*UK*) (*inf*) mamá *f*

mummy ['mʌmɪ] *n* (*UK*) (*inf*) (*mother*)
lamá *f*

mumps [mʌmps] *n* paperas *fpl*

munch [mʌntʃ] *vt* masticar

municipal [mjuː'nɪsɪpl] *adj* municipal

mural ['mjuːrəl] *n* mural *m*

murder ['mɜːdə^r] ◆ *n* asesinato *m* ◆ *vt*
asesinar

murderer ['mɜːdərə^r] *n* asesino *m*, -na *f*

muscle ['mʌsl] *n* músculo *m*

museum [mjuː'zɪəm] *n* museo *m*

mushroom ['mʌʃrom] *n* **1.** (*small and
white*) champiñón *m* **2.** (*darker and
flatter*) seta *f*

music ['mjuːzɪk] *n* música *f*

musical ['mjuːzɪkl] ◆ *adj* **1.** (*connected
with music*) musical **2.** (*person*) con
talento para la música ◆ *n* musical *m*

musical instrument *n* instrumento *m*
musical

musician [mjuː'zɪʃn] *n* músico *m*, -ca *f*

Muslim ['mʊzlɪm] ◆ *adj* musulmán
(ana) ◆ *n* musulmán *m*, -ana *f*

mussels ['mʌslz] *npl* mejillones *mpl*

must [mʌst] ◆ *aux vb* deber, tener que ◆
n (*inf*) ● **it's a must** no te lo puedes
perder ● **I must go** debo irme ● **the
room must be vacated by ten** la
habitación debe dejarse libre para las
diez ● **you must have seen it** tienes
que haberlo visto ● **you must see that
film** no te puedes perder esa película ●
you must be joking! estás de broma
¿no?

mustache ['mʌstæʃ] (*US*) = moustache

mustard ['mʌstəd] *n* mostaza *f*

mustn't ['mʌsənt] = must not

mutter ['mʌtə^r] *vt* musitar

mutual ['mjuːtʃʊəl] *adj* **1.** (*feeling*) mutuo

(tua) **2.** *(friend, interest)* común

muzzle ['mʌzl] *n (for dog)* bozal *m*

my [maɪ] *adj* mi, mis *pl*

myself [maɪ'self] *pron* **1.** *(reflexive)* me **2.** *(after prep)* mí mismo(ma) ● **I did it myself** lo hice yo solo

mysterious [mɪ'stɪərɪəs] *adj* misterioso (sa)

mystery ['mɪstərɪ] *n* misterio *m*

myth [mɪθ] *n* mito *m*

*n*N

N *(abbr of north)* N *(norte)*

nag [næg] *vt* regañar

nail [neɪl] *n* **1.** *(of finger, toe)* uña *f* **2.** *(metal)* clavo *m* ◇ *vt (fasten)* clavar

nailbrush ['neɪlbrʌʃ] *n* cepillo *m* de uñas

nail file *n* lima *f* de uñas

nail scissors *npl* tijeras *fpl* para las uñas

nail varnish *n (UK)* esmalte *m* de uñas

nail varnish remover [-rə'muːvəʳ] *n (UK)* quitaesmaltes *m inv*

naive [naɪ'iːv] *adj* ingenuo(nua)

naked ['neɪkɪd] *adj (person)* desnudo (da)

name [neɪm] ◇ *n* **1.** nombre *m* **2.** *(surname)* apellido *m* **3.** *(reputation)* reputación *f* ◇ *vt (date, price)* fijar ● **they named him John** le pusieron John de nombre ● **first name** nombre ● **last name** apellido ● **what's your**

name? ¿cómo te llamas? ● **my name is ...** me llamo ...

namely ['neɪmlɪ] *adv* a saber

nanny ['nænɪ] *n* **1.** *(childminder)* niñera *f* **2.** *(UK) (inf) (grandmother)* abuelita *f*

nap [næp] *n* ● **to have a nap** echar una siesta

napkin ['næpkɪn] *n* servilleta *f*

nappy ['næpɪ] *n (UK)* pañal *m*

narcotic [nɑː'kɒtɪk] *n* narcótico *m*

narrow ['nærəʊ] ◇ *adj (road, gap)* estrecho(cha) ◇ *vi (road, gap)* estrecharse

narrow-minded [-'maɪndɪd] *adj* estrecho(cha) de miras

nasty ['nɑːstɪ] *adj* **1.** *(spiteful)* malintencionado(da) **2.** *(accident, fall)* grave **3.** *(unpleasant)* desagradable

nation ['neɪʃn] *n* nación *f*

national ['næʃənl] ◇ *adj* nacional ◇ *n* súbdito *m*, -ta *f*

national anthem *n* himno *m* nacional

National Health Service *n (UK) organismo gestor de la salud pública en Gran Bretaña*

National Health Service (NHS)

El *National Health Service* es el sistema público de asistencia sanitaria del Reino Unido. La asistencia es universal y gratuita, aunque se paga una pequeña cantidad de dinero por las medicinas. Las consultas con el dentista o el oftalmólogo se pagan aparte.

National Insurance *n (UK) (contribu-tions)* ≃ Seguridad *f* Social

National Insurance (NI)

En el Reino Unido todos los trabajadores tienen que cotizar a la Seguridad Social (*National Insurance*). Todos los afiliados a la Seguridad Social reciben un número, llamado *National Insurance Number*, sin el cual no se puede trabajar legalmente en el país.

nationality [ˌnæʃəˈnælətɪ] *n* nacionalidad *f*

National Lottery *n* (*UK*) ● **the National Lottery** la Lotería Nacional

national park *n* parque *m* nacional

nationwide [ˈneɪʃənwaɪd] *adj* a escala nacional

native [ˈneɪtɪv] ◇ *adj* **1.** (*country*) natal **2.** (*customs*) originario(ria) **3.** (*population*) indígeno(na) ◇ *n* natural *mf* ● **a native speaker of English** un hablante nativo de inglés

Native American

Native American es el término usado en los Estados Unidos para referirse a los indios que ya vivían en el continente antes de la colonización. Muchos de estos indios han salido de las reservas y se han integrado completamente en la sociedad americana. Otros continúan viviendo en las reservas.

NATO [ˈneɪtəʊ] *n* (*abbr of North Atlantic Treaty Organization*) OTAN *f* (*Organización del Tratado del Atlántico Norte*)

natural [ˈnætʃrəl] *adj* **1.** (*ability, charm*) natural **2.** (*swimmer, actor*) nato(ta)

natural gas *n* gas *m* natural

naturally [ˈnætʃrəlɪ] *adv* (*of course*) naturalmente

natural yoghurt *n* yogur *m* natural

nature [ˈneɪtʃəʳ] *n* naturaleza *f*

nature reserve *n* reserva *f* natural

naughty [ˈnɔːtɪ] *adj* (*child*) travieso(sa)

nausea [ˈnɔːzɪə] *n* náusea *f*

navigate [ˈnævɪgeɪt] *vi* **1.** (*in boat, plane*) dirigir **2.** (*in car*) guiar

navy [ˈneɪvɪ] ◇ *n* (*ships*) armada *f* ◇ *adj* ● **navy (blue)** azul marino

NB [enˈbiː] (*abbr of nota bene*) N.B. (*nota bene*)

near [nɪəʳ] ◇ *adv* cerca ◇ *adj* **1.** (*place, object*) cerca **2.** (*relation*) cercano(na) ◇ *prep* ● **near (to)** (*edge, object, place*) cerca de ● **in the near future** en el futuro próximo

nearby [nɪəˈbaɪ] ◇ *adv* cerca ◇ *adj* cercano(na)

nearly [ˈnɪəlɪ] *adv* casi

nearsighted [ˈnɪərsaɪtəd] *adj* (*US*) miope

neat [niːt] *adj* **1.** (*writing, work*) bien hecho(cha) **2.** (*room*) ordenado(da) **3.** (*whisky, vodka etc*) solo(la) **4.** (*US*) (*very good*) genial

neatly [ˈniːtlɪ] *adv* **1.** (*placed, arranged*) cuidadosamente, con pulcritud **2.** (*written*) con buena letra

necessarily [ˌnesəˈserɪlɪ (*UK*), ˈnesəsrəlɪ] *adv* ● **not necessarily** no necesariamente

necessary [ˈnesəsrɪ] *adj* necesario(ria) ● **it is necessary to do it** es necesario hacerlo

necessity [nɪ'sesətɪ] *n* necesidad *f*

necessities *npl* artículos *mpl* de primera necesidad

neck [nek] *n* **1.** *(of person, jumper, shirt)* cuello *m* **2.** *(of animal)* pescuezo *m*

necklace ['neklɪs] *n* **1.** *(long)* collar *m* **2.** *(short)* gargantilla *f*

nectarine ['nektərɪn] *n* nectarina *f*

need [niːd] ◇ *n* necesidad *f* ◇ *vt* necesitar ● to need to do sthg *(require)* necesitar hacer algo; *(be obliged)* tener que hacer algo

needle ['niːdl] *n* aguja *f*

needlework ['niːdlwɜːk] *n SCH* costura *f*

needn't ['niːdənt] = need not

needy ['niːdɪ] *adj* necesitado(da)

negative ['negətɪv] ◇ *adj* negativo(va) ◇ *n* **1.** *(in photography)* negativo *m* **2.** GRAM negación *f*

neglect [nɪ'glekt] *vt (child, garden, work)* descuidar

negligence ['neglɪdʒəns] *n* negligencia *f*

negotiations [nɪ,gəʊʃɪ'eɪʃnz] *npl* negociaciones *fpl*

negro ['niːgrəʊ] *(pl -es)* *n* negro *m*, -gra *f*

neighbor ['neɪbər] *(US)* = neighbour

neighbour ['neɪbər] *n (UK)* vecino *m*, -na *f*

neighbourhood ['neɪbəhʊd] *n* barrio *m*

neighbouring ['neɪbərɪŋ] *adj* vecino(na)

neither ['naɪðər, 'niːðər]
◇ *adj* ● neither bag is big enough ninguna de las dos bolsas es bastante grande
◇ *pron* ● neither of us ninguno *m* de nosotros, ninguna de nosotras *f*
◇ *conj* ● neither do I yo tampoco ● neither ... nor ... ni ... ni ...

neon light ['niːɒn-] *n* luz *f* de neón

nephew ['nefjuː] *n* sobrino *m*

nerve [nɜːv] *n* **1.** *(in body)* nervio *m* **2.** *(courage)* coraje *m* ● what a nerve! ¡qué caradura!

nervous ['nɜːvəs] *adj* **1.** *(tense by nature)* nervioso(sa) **2.** *(apprehensive)* aprensivo(va) **3.** *(uneasy)* preocupado(da)

nervous breakdown *n* crisis *f inv* nerviosa

nest [nest] *n* nido *m*

net [net] ◇ *n* **1.** red *f* **2.** ● the Net la Red ◇ *adj* neto(ta)

netball ['netbɔːl] *n* deporte parecido al baloncesto femenino

Netherlands ['neðələndz] *npl* ● the Netherlands los Países Bajos

nettle ['netl] *n* ortiga *f*

network ['netwɜːk] *n* **1.** *(of streets, trains)* red *f* **2.** RADIO & TV cadena *f*

neurotic [,njʊə'rɒtɪk] *adj* neurótico(ca)

neutral ['njuːtrəl] ◇ *adj* **1.** *(country, person)* neutral **2.** *(in colour)* incoloro(ra) ◇ *n* AUT ● in neutral en punto muerto

never ['nevər] *adv* nunca ● I've never been to Berlin no he estado nunca en Berlín ● she's never late (ella) nunca llega tarde ● never mind! ¡no importa!

nevertheless [,nevəðə'les] *adv* sin embargo

new [njuː] *adj* nuevo(va)

newly ['njuːlɪ] *adv* recién

news [njuːz] *n* noticias *fpl* ● a piece of news una noticia

newsagent ['nju:zeɪdʒənt] *n (UK) (shop)* ≃ quiosco *m* de periódicos

newspaper ['nju:z,peɪpə'] *n* periódico *m*

New Year *n* Año *m* Nuevo

New Year's Day *n* día *m* de Año Nuevo

New Year's Eve *n* Nochevieja *f*

New Zealand [-'zi:lənd] *n* Nueva Zelanda

next [nekst] ◇ *adj* 1. *(in the future, following)* próximo(ma) 2. *(room, house)* de al lado ◇ *adv* 1. *(afterwards)* después 2. *(on next occasion)* la próxima vez ● **when does the next bus leave?** ¿a qué hora sale el próximo autobús? ● **next year/Monday** el año/el lunes que viene ● **next to** *(by the side of)* junto a ● **the week after next** la semana que viene no, la otra

next door *adv* en la casa de al lado

next of kin [-kɪn] *n* pariente *m* más próximo, pariente más próxima *f*

NHS *abbr (UK)* = **National Health Service**

nib [nɪb] *n* plumilla *f*

nibble ['nɪbl] *vt* mordisquear

Nicaragua [,nɪkə'rægjʊə] *n* Nicaragua

Nicaraguan [,nɪkə'rægjʊən] ◇ *adj* nicaragüense ◇ *n* nicaragüense *mf*

nice [naɪs] *adj* 1. *(pleasant)* agradable 2. *(pretty)* bonito(ta) 3. *(kind)* amable ● **to have a nice time** pasarlo bien ● **nice to see you!** ¡encantado(da) de verle!

nickel ['nɪkl] *n* 1. *(metal)* níquel *m* 2. *(US) (coin)* moneda *f* de cinco centavos

nickname ['nɪkneɪm] *n* apodo *m*

niece [ni:s] *n* sobrina *f*

night [naɪt] *n* 1. *(time when asleep)* noche *f* 2. *(evening)* tarde *f* ● **at night** de noche ● **by night** por la noche ● **last night** anoche

nightclub ['naɪtklʌb] *n* ≃ sala *f* de fiestas *(abierta sólo por las noches)*

nightdress ['naɪtdres] *n* camisón *m*

nightie ['naɪtɪ] *n (inf)* camisón *m*

nightlife ['naɪtlaɪf] *n* vida *f* nocturna

nightly ['naɪtlɪ] *adv* cada noche

nightmare ['naɪtmeə'] *n* pesadilla *f*

night safe *n (UK)* caja *f* nocturna *(en un banco)*

night school *n* escuela *f* nocturna

nightshift ['naɪtʃɪft] *n* turno *m* de noche

nil [nɪl] *n* SPORT cero *m*

Nile [naɪl] *n* ● **the Nile** el Nilo

nine [naɪn] ◇ *num adj* nueve *inv* ◇ *num n* nueve *m inv* ● **to be nine (years old)** tener nueve años (de edad) ● **it's nine (o'clock)** son las nueve ● **a hundred and nine** ciento nueve ● **nine Hill St** Hill St, número nueve ● **it's minus nine (degrees)** hay nueve grados bajo cero ● **nine out of ten** nueve sobre diez

nineteen [,naɪn'ti:n] *num* diecinueve ● **nineteen ninety-five** mil novecientos noventa y cinco

nineteenth [,naɪn'ti:nθ] *num* decimonoveno(na)

ninetieth ['naɪntɪəθ] *num* nonagésimo(ma)

ninety ['naɪntɪ] *num* noventa

ninth [naɪnθ] ◇ *num adj* noveno(na) ◇ *pron* noveno *m*, -na *f* ◇ *num n (fraction)* noveno *m* ◇ *num adv* noveno ● **a ninth (of)** la novena parte (de) ● **the ninth**

(of September) el nueve (de septiembre)

nip [nɪp] *vt (pinch)* pellizcar

nipple ['nɪpl] *n* **1.** *(of breast)* pezón *m* **2.** *(US) (of bottle)* tetilla *f*

no [nəʊ] ◇ *adv* no ◇ *adj* ninguno(na) ◇ *n* no *m* ● **I've got no time** no tengo tiempo ● **I've got no money left** no me queda (ningún) dinero

noble ['nəʊbl] *adj* noble

nobody ['nəʊbədɪ] *pron* nadie

nod [nɒd] *vi (in agreement)* asentir con la cabeza

noise [nɔɪz] *n* ruido *m*

noisy ['nɔɪzɪ] *adj* ruidoso(sa)

nominate ['nɒmɪneɪt] *vt* proponer

nonalcoholic [ˌnɒnælkə'hɒlɪk] *adj* sin alcohol

none [nʌn] *pron* ninguno *m*, -na *f* ● **there's none left** no queda nada

nonetheless [ˌnʌnðə'les] *adv* no obstante

nonfiction [ˌnɒn'fɪkʃn] *n* no ficción *f*

non-iron *adj* que no necesita plancha

nonsense ['nɒnsəns] *n* tonterías *fpl*

nonsmoker [ˌnɒn'sməʊkəʳ] *n* no fumador *m*, -ra *f*

nonstick [ˌnɒn'stɪk] *adj* antiadherente

nonstop [ˌnɒn'stɒp] ◇ *adj* **1.** *(talking, arguing)* continuo(nua) **2.** *(flight)* sin escalas ◇ *adv* **1.** *(run, rain)* sin parar **2.** *(fly, travel)* directamente

noodles ['nuːdlz] *npl* fideos *mpl*

noon [nuːn] *n* mediodía *m*

no one = **nobody**

nor [nɔːʳ] *conj* tampoco ● **nor do I** yo tampoco, neither

normal ['nɔːml] *adj* normal

normally ['nɔːməlɪ] *adv* normalmente

north [nɔːθ] ◇ *n* norte *m* ◇ *adv* **1.** *(fly, walk)* hacia el norte **2.** *(be situated)* al norte ● **in the north of England** en el norte de Inglaterra

North America *n* Norteamérica

northbound ['nɔːθbaʊnd] *adj* con dirección norte

northeast [ˌnɔːθ'iːst] *n* nordeste *m*

northern ['nɔːðən] *adj* del norte

Northern Ireland *n* Irlanda del Norte

North Pole *n* Polo *m* Norte

North Sea *n* Mar *m* del Norte

northwards ['nɔːθwədz] *adv* hacia el norte

northwest [ˌnɔːθ'west] *n* noroeste *m*

Norway ['nɔːweɪ] *n* Noruega *f*

Norwegian [nɔː'wiːdʒən] ◇ *adj* noruego (ga) ◇ *n* **1.** *(person)* noruego *m*, -ga *f* **2.** *(language)* noruego *m*

nose [nəʊz] *n* **1.** *(of person)* nariz *f* **2.** *(of animal)* hocico *m* **3.** *(of plane, rocket)* morro *m*

nosebleed ['nəʊzbliːd] *n* ● **he had a nosebleed** le sangraba la nariz

nostril ['nɒstrəl] *n* **1.** *(of person)* ventana *f* de la nariz **2.** *(of animal)* orificio *m* nasal

nosy ['nəʊzɪ] *adj* fisgón(ona)

not [nɒt] *adv* no ● **she's not there** no está allí ● **I hope not** espero que no ● **not yet** todavía no ● **not at all** *(pleased, interested)* en absoluto; *(in reply to thanks)* no hay de qué

notably ['nəʊtəblɪ] *adv* especialmente

note [nəʊt] ◇ *n* **1.** nota *f* **2.** *(UK) (bank note)* billete *m* ◇ *vt* **1.** *(notice)* notar **2.**

(write down) anotar • **to take notes** tomar apuntes

notebook ['nəʊtbʊk] *n* libreta *f*

noted ['nəʊtɪd] *adj* célebre

notepaper ['nəʊtpeɪpə'] *n* papel *m* de escribir *(para cartas)*

nothing ['nʌθɪŋ] *pron* nada • **he did nothing** no hizo nada • **nothing new/interesting** nada nuevo/interesante • **for nothing** *(for free)* gratis; *(in vain)* para nada

notice ['nəʊtɪs] ◇ *vt* notar ◇ *n* **1.** *(written announcement)* anuncio *m* **2.** *(warning)* aviso *m* • **to take notice of** hacer caso de • **to hand in one's notice** presentar la dimisión

noticeable ['nəʊtɪsəbl] *adj* perceptible

notice board *n* (UK) tablón *m* (Esp) OR tablero *m* de anuncios

notion ['nəʊʃn] *n* noción *f*

notorious [nəʊ'tɔːrɪəs] *adj* de mala reputación

nougat ['nuːgɑː] *n* turrón de frutos secos y frutas confitadas

nought [nɔːt] *n* cero *m*

noun [naʊn] *n* nombre *m*, sustantivo *m*

nourishment ['nʌrɪʃmənt] *n* alimento *m*

Nov. *(abbr of November)* nov. *(noviembre)*

novel ['nɒvl] ◇ *n* novela *f* ◇ *adj* original

novelist ['nɒvəlɪst] *n* novelista *mf*

November [nə'vembə'] *n* noviembre *m* • **at the beginning of November** a principios de septiembre • **at the end of November** a finales de noviembre • **during November** en noviembre • **every November** todos los años en noviembre • **in November** en no-

viembre • **last November** en noviembre del año pasado • **next November** en noviembre del próximo año • **this November** en noviembre de este año • **2 November 2001** *(in letters etc)* 2 de noviembre de 2001

now [naʊ] ◇ *adv* ahora ◇ *conj* • **now (that)** ahora que • **just now** ahora mismo • **right now** *(at the moment)* en este momento; *(immediately)* ahora mismo • **by now** ya • **from now on** de ahora en adelante

nowadays ['naʊədeɪz] *adv* hoy en día

nowhere ['nəʊweə'] *adv* en ninguna parte

nozzle ['nɒzl] *n* boquilla *f*

nuclear ['njuːklɪə'] *adj* nuclear

nude [njuːd] *adj* desnudo(da)

nudge [nʌdʒ] *vt* dar un codazo a

nuisance ['njuːsns] *n* • **it's a real nuisance!** ¡es una lata! • **he's such a nuisance!** ¡es tan pelma!

numb [nʌm] *adj* **1.** *(person)* entumecido (da) **2.** *(leg, arm)* dormido(da)

number ['nʌmbə'] ◇ *n* número *m* ◇ *vt* *(give number to)* numerar

telephone numbers

The international dialling code for calling Britain from Spain is *0044*. The code for the US is *001*. The emergency number for the local police is *092*, but the emergency services all have different numbers: *080* for the fire brigade, *061* for the ambulance service and *112* for other emergencies. Phone cards for public phone booths can be bought from newspaper stands (*quioscos*) and tobacconists (*estancos*).

numberplate ['nʌmbəpleɪt] *n* (UK) matrícula *f*, placa *f* (*Amér*)

numeral ['nju:mərəl] *n* número *m*

numerous ['nju:mərəs] *adj* numeroso (sa)

nun [nʌn] *n* monja *f*

nurse [nɜːs] ◇ *n* enfermera *f* ◇ *vt* (*look after*) cuidar de ● **male nurse** enfermero *m*

nursery ['nɜːsərɪ] *n* **1.** (*in house*) cuarto *m* de los niños **2.** (*childcare*) guardería *f* **3.** (*for plants*) vivero *m*

nursery (school) *n* escuela *f* de párvulos, guardería *f*

nursery slope *n* (UK) pista *f* para principiantes

nursing ['nɜːsɪŋ] *n* (*profession*) enfermería *f*

nut [nʌt] *n* **1.** (*to eat*) nuez *f* (*frutos secos en general*) **2.** (*of metal*) tuerca *f*

nutcrackers ['nʌt,krækəz] *npl* cascanueces *m inv*

nutmeg ['nʌtmeg] *n* nuez *f* moscada

NVQ [envi:'kju:] *n* (abbr of National Vocational Qualification) *en Gran Bretaña, una titulación profesional orientada a personas que ya forman parte del mundo laboral*

nylon ['naɪlɒn] ◇ *n* nylon *m* ◇ *adj* de nylon

O

o' [ə] *abbr* = **of**

oak [əʊk] ◇ *n* roble *m* ◇ *adj* de roble

OAP [əʊeɪ'piː] *abbr* (UK) = **old age pensioner**

oar [ɔːʳ] *n* remo *m*

oatcake ['əʊtkeɪk] *n* galleta *f* de avena

oath [əʊθ] *n* (*promise*) juramento *m*

oatmeal ['əʊtmiːl] *n* harina *f* de avena

oats [əʊts] *npl* avena *f*

obedient [ə'biːdjənt] *adj* obediente

obey [ə'beɪ] *vt* obedecer

object ◇ *n* ['ɒbdʒɪkt] **1.** objeto *m* **2.** GRAM objeto *m*, complemento *m* ◇ *vi* [ɒb'dʒekt] ● **to object (to)** oponerse (a)

objection [ɒb'dʒekʃn] *n* objeción *f*

objective [əb'dʒektɪv] *n* objetivo *m*

obligation [,ɒblɪ'geɪʃn] *n* obligación *f*

obligatory [ə'blɪgətrɪ] *adj* obligatorio (ria)

oblige [ə'blaɪdʒ] *vt* ● **to oblige sb to do sthg** obligar a alguien a hacer algo

oblique [ə'bliːk] *adj* oblicuo(cua)

oblong ['ɒblɒŋ] ◇ *adj* rectangular ◇ *n* rectángulo *m*

obnoxious [əb'nɒkʃəs] *adj* detestable

oboe ['əʊbəʊ] *n* oboe *m*

obscene [əb'siːn] *adj* obsceno(na)

obscure [əb'skjʊəʳ] *adj* **1.** (*difficult to understand*) oscuro(ra) **2.** (*not well-known*) desconocido(da)

observant [əb'zɜːvnt] *adj* observador (ra)

of

observation [ˌɒbzə'veɪʃn] *n* observación *f*

observe [əb'zɜːv] *vt* observar

obsessed [əb'sest] *adj* obsesionado(da)

obsession [əb'seʃn] *n* obsesión *f*

obsolete ['ɒbsəliːt] *adj* obsoleto(ta)

obstacle ['ɒbstəkl] *n* obstáculo *m*

obstinate ['ɒbstənət] *adj* obstinado(da)

obstruct [əb'strʌkt] *vt (road, path)* obstruir

obstruction [əb'strʌkʃn] *n (in road, path)* obstáculo *m*

obtain [əb'teɪn] *vt* obtener

obtainable [əb'teɪnəbl] *adj* asequible

obvious ['ɒbvɪəs] *adj* obvio(via)

obviously ['ɒbvɪəsli] *adv* 1. *(of course)* evidentemente 2. *(clearly)* claramente

occasion [ə'keɪʒn] *n* 1. *(instance)* vez *f* 2. *(important event)* acontecimiento *m* 3. *(opportunity)* ocasión *f*

occasional [ə'keɪʒənl] *adj* esporádico(ca)

occasionally [ə'keɪʒnəli] *adv* de vez en cuando

occupant ['ɒkjʊpənt] *n* 1. *(of house)* inquilino *m*, -na *f* 2. *(of car, plane)* ocupante *mf*

occupation [ˌɒkjʊ'peɪʃn] *n* 1. *(job)* empleo *m* 2. *(pastime)* pasatiempo *m*

occupied ['ɒkjʊpaɪd] *adj (toilet)* ocupado(da)

occupy ['ɒkjʊpaɪ] *vt* 1. ocupar 2. *(building)* habitar

occur [ə'kɜː'] *vi* 1. *(happen)* ocurrir 2. *(exist)* encontrarse

occurrence [ə'kʌrəns] *n* acontecimiento *m*

ocean ['əʊʃn] *n* océano *m* • **the ocean** *(US) (sea)* el mar

o'clock [ə'klɒk] *adv* • **it's one o'clock** es la una • **it's two o'clock** son las dos • **at one/two o'clock** a la una/las dos

Oct. *(abbr of October)* oct. *(octubre)*

October [ɒk'təʊbə'] *n* octubre *m* • **at the beginning of October** a principios de octubre • **at the end of October** a finales de octubre • **during October** en octubre • **every October** todos los años en octubre • **in October** en octubre • **last October** en octubre del año pasado • **next October** en octubre del próximo año • **this October** en octubre de este año • **2 October 2001** *(in letters etc)* 2 de octubre de 2001

octopus ['ɒktəpəs] *n* pulpo *m*

odd [ɒd] *adj* 1. *(strange)* raro(ra) 2. *(number)* impar 3. *(not matching)* sin pareja 4. *(occasional)* ocasional • **sixty odd miles** sesenta y pico millas • **some odd bits of paper** algunos que otros cachos de papel • **odd jobs** chapuzas *fpl*

odds [ɒdz] *npl* 1. *(in betting)* apuestas *fpl* 2. *(chances)* probabilidades *fpl* • **odds and ends** chismes *mpl*

odor ['əʊdə'] *(US)* = odour

odour ['əʊdə'] *n (UK)* olor *m*

of [ɒv] *prep* 1. *(gen)* de • **the handle of the door** el pomo de la puerta • **fear of spiders** miedo a las arañas • **he died of cancer** murió de cáncer • **the city of Glasgow** la ciudad de Glasgow • **that was very kind of you** fue muy amable por tu parte 2. *(describing amounts, contents)* de • **a piece of cake**

un trozo de pastel ● a glass of beer un vaso de cerveza ● a fall of 20% un descenso del 20% **3.** *(made from)* de ● it's made of wood es de madera **4.** *(referring to time)* de ● the summer of 1969 el verano de 1969 ● the 26th of August el 26 de agosto **5.** *(US) (in telling the time)* ● it's ten of four son las cuatro menos diez

off [ɒf]

◇ *adv* **1.** *(away)* ● to drive/walk off alejarse ● to get off *(bus, train etc)* bajarse ● we're off to Austria next week nos vamos a Austria la semana que viene **2.** *(expressing removal)* ● to take sthg off *(clothes, shoes)* quitarse algo; *(lid, wrapper)* quitar algo; *(money)* descontar algo **3.** *(so as to stop working)* ● to turn sthg off *(TV, radio, engine)* apagar algo; *(tap)* cerrar algo **4.** *(expressing distance or time away)* ● it's a long way off *(in distance)* está muy lejos **5.** *(not at work)* libre ● I'm taking a week off voy a tomar una semana libre ● she's off ill está enferma **6.** *(expressing completion)* ● to finish sthg off terminar algo

◇ *prep* **1.** *(away from)* ● to get off sthg bajarse de algo ● she fell off the chair se cayó de la silla **2.** *(indicating removal)* ● take the lid off the jar quita la tapa del tarro ● we'll take £20 off the price le descontaremos 20 libras del precio **3.** *(adjoining)* ● it's just off the main road está al lado de la carretera principal **4.** *(absent from)* ● to be off work no estar en el trabajo **5.** *(inf) (from)* ● I bought it off her se lo

compré (a ella) **6.** *(inf) (no longer liking)* ● I'm off my food no me apetece comer

◇ *adj* **1.** *(meat, cheese)* pasado(da); *(milk)* cortado(da); *(beer)* agrio(agria) **2.** *(not working)* apagado(da); *(tap)* cerrado(da) **3.** *(cancelled)* cancelado(da) **4.** *(not available)* ● the soup's off no hay sopa

offence [ə'fens] *n (UK)* **1.** *(crime)* delito *m* **2.** *(upset)* ofensa *f*

offend [ə'fend] *vt* ofender

offender [ə'fendə^r] *n* delincuente *mf*

offense [ə'fens] *(US)* = **offence**

offensive [ə'fensɪv] *adj (insulting)* ofensivo(va)

offer ['ɒfə^r] ◇ *n* oferta *f* ◇ *vt* ofrecer ● on offer *(available)* disponible; *(reduced)* en oferta ● to offer to do sthg ofrecerse a hacer algo ● he offered her a drink le ofreció una bebida

office ['ɒfɪs] *n* **1.** oficina *f* **2.** *(US) (building)* bloque *m (Esp)* OR edificio *m* de oficinas

office block *n (UK)* bloque *m (Esp)* OR edificio *m* de oficinas

officer ['ɒfɪsə^r] *n* **1.** *(MIL)* oficial *mf* **2.** *(policeman)* agente *mf* de policía

official [ə'fɪʃl] ◇ *adj* oficial ◇ *n (of government)* funcionario *m*, -ria *f*

officially [ə'fɪʃəlɪ] *adv* oficialmente

off-licence *n (UK)* tienda de bebidas alcohólicas para llevar

off-peak *adj* de tarifa reducida

off-season *n* temporada *f* baja

offshore ['ɒfʃɔː'] *adj (breeze)* costero (ra)

off side *n* **1.** *(for right-hand drive)* lado *m*

izquierdo 2. *(for left-hand drive)* lado derecho

off-the-peg *adj (UK)* confeccionado (da)

often ['ɒfn, 'ɒftn] *adv* a menudo, con frecuencia ● **how often do the buses run?** ¿cada cuánto tiempo pasan los autobuses? ● **every so often** cada cierto tiempo

oh [əʊ] *excl* ¡ah!, ¡oh!

oil [ɔɪl] *n* **1.** aceite *m* **2.** *(fuel)* petróleo *m*

oil rig *n* plataforma *f* petrolífera

oily ['ɔɪlɪ] *adj* **1.** *(cloth, hands)* grasiento (ta) **2.** *(food)* aceitoso(sa)

ointment ['ɔɪntmənt] *n* pomada *f*

OK [,əʊ'keɪ] *◇ adv* **1.** *(inf)* *(expressing agreement)* vale *(Esp)*, okey *(Amér)* **2.** *(satisfactorily, well)* bien *◇ adj (inf)* ● **is that OK with you?** ¿te parece bien? ● **everyone's OK** todos están bien ● **the film was OK** la película estuvo bien

okay [,əʊ'keɪ] = **OK**

old [əʊld] *adj* **1.** viejo(ja) **2.** *(former)* antiguo(gua) ● **how old are you?** ¿cuántos años tienes? ● **I'm 36 years old** tengo 36 años ● **to get old** hacerse viejo

old age *n* vejez *f*

old age pensioner *n (UK)* pensionista *nf*

olive ['ɒlɪv] *n* aceituna *f*

olive oil *n* aceite *m* de oliva

Olympic Games [ə'lɪmpɪk-] *npl* Juegos *npl* Olímpicos

omelette ['ɒmlɪt] *n* tortilla *f* ● **mushroom omelette** tortilla de champiñones

ominous ['ɒmɪnəs] *adj* siniestro(tra)

omit [ə'mɪt] *vt* omitir

on [ɒn]
◇ prep **1.** *(indicating position)* en; *(on top of)* en, sobre ● **it's on the table** está en la mesa ● **it's on the floor** está en el suelo ● **a picture on the wall** un cuadro en la pared ● **the exhaust on the car** el tubo de escape del coche ● **on the left/right** a la izquierda/derecha ● **we stayed on a farm** estuvimos en una granja ● **on the banks of the river** a orillas del río ● **the instructions on the packet** las instrucciones en el paquete **2.** *(with forms of transport)* ● **on the train/plane** en el tren/avión ● **to get on a bus** subirse a un autobús **3.** *(expressing means, method)* en ● **on foot** a pie ● **to lean on one's elbows** apoyarse en los codos ● **on the radio** en la radio ● **on TV** en la televisión ● **it runs on unleaded petrol** funciona con gasolina sin plomo **4.** *(about)* sobre, acerca de ● **a book on Germany** un libro sobre Alemania **5.** *(expressing time)* ● **on arrival** al llegar ● **on Tuesday** el martes ● **on Tuesdays** los martes ● **on 25th August** el 25 de agosto **6.** *(with regard to)* en, sobre ● **a tax on imports** un impuesto sobre las importaciones ● **the effect on Britain** el impacto en Gran Bretaña **7.** *(describing activity, state)* ● **on holiday** de vacaciones ● **on offer** *(reduced)* en oferta ● **on sale** en venta **8.** *(in phrases)* ● **do you have any money on you?** ¿llevas dinero? ● **the drinks are on me** (a las copas) invito yo
◇ adv **1.** *(in place, covering)* ● **put the lid on** pon la tapa ● **to put one's clothes**

on vestirse **2.** *(film, play, programme)* ● what's on at the cinema? ¿qué ponen en el cine? **3.** *(with transport)* ● to get on subirse **4.** *(functioning)* ● to turn sthg on *(TV, radio, engine)* encender algo; *(tap)* abrir algo **5.** *(taking place)* ● the match is already on ya ha empezado el partido **6.** *(indicating continuing action)* ● to keep on doing sthg seguir haciendo algo ● to drive on seguir conduciendo **7.** *(in phrases)* ● have you anything on tonight? ¿haces algo esta noche?
◇ *adj (TV, radio, light, engine)* encendido (da); *(tap)* abierto(ta) ● is the game on? ¿se va a celebrar el partido?

once [wʌns] ◇ *adv* **1.** *(one time)* una vez **2.** *(in the past)* en otro tiempo ◇ *conj* una vez que ● at once *(immediately)* inmediatamente; *(at the same time)* a la vez ● for once por una vez ● once a month una vez al mes ● once more *(one more time)* una vez más; *(again)* otra vez

oncoming ['ɒnˌkʌmɪŋ] *adj (traffic)* que viene de frente contraria

one [wʌn] ◇ *num* uno(una) ◇ *adj (only)* único(ca) ◇ *pron (fml) (you)* uno *m*, una *f* ● the green one el verde(la verde) ● I want a blue one quiero uno azul ● thirty-one treinta y uno ● a hundred and one ciento uno ● one fifth un quinto ● that one ése *m*, ésa *f* ● this one éste *m*, -ta *f* ● which one? ¿cuál? ● the one I told you about aquél que te conté ● one of my friends uno de mis amigos ● one day *(in past)* un día; *(in future)* algún día

oneself [wʌn'self] *pron* **1.** *(reflexive)* se **2.**

(after prep) uno mismo *m*, una misma *f* ● to wash oneself lavarse

one-way *adj* **1.** *(street)* de dirección única **2.** *(ticket)* de ida

onion ['ʌnjən] *n* cebolla *f*

online ['ɒnlaɪn] *adj* COMPUT on-line

online banking *n* COMPUT banca *f* online

online shopping *n* COMPUT compras *fpl* online

only ['əʊnlɪ] ◇ *adj* único(ca) ◇ *adv* sólo ● an only child hijo único ● I only want one sólo quiero uno ● we've only just arrived acabamos de llegar ● there's only just enough apenas hay lo justo ● not only no sólo ▼ members only miembros sólo

onto ['ɒntu:] *prep (with verbs of movement)* encima de, sobre ● to get onto sb *(telephone)* ponerse en contacto con alguien

onward ['ɒnwəd] ◇ *adv* = **onwards** ◇ *adj* ● your onward journey el resto de su viaje

onwards ['ɒnwədz] *adv (forwards)* adelante ● from now onwards de ahora en adelante ● from October onwards de octubre en adelante

opal ['əʊpl] *n* ópalo *m*

opaque [əʊ'peɪk] *adj* opaco(ca)

open ['əʊpn] ◇ *adj* **1.** abierto(ta) **2.** *(honest)* sincero(ra) ◇ *vt* **1.** abrir **2.** *(start)* dar comienzo a ◇ *vi* **1.** *(door, window, lock)* abrirse **2.** *(shop, office, bank)* abrir **3.** *(start)* dar comienzo ● are you open at the weekend? ¿abres el fin de semana? ● wide open abierto de par en par ● in the open (air) al aire libre ●

open onto vt insep dar a • **open up** vi abrir

open-air adj al aire libre

opening ['oupnɪŋ] n 1. (gap) abertura f 2. (beginning) comienzo m 3. (opportunity) oportunidad f

opening hours npl horario m de apertura

open-minded [-'maɪndɪd] adj sin prejuicios

open-plan adj de plano abierto

Open University n (UK) universida f a distancia

opera ['opərə] n ópera f

opera house n teatro m de la ópera

operate ['opəreɪt] ◇ vt (machine) hacer funcionar ◇ vi (work) funcionar • **to operate on sb** operar a alguien

operating room ['opəreɪtɪŋ-] n (US) = operating theatre

operating theatre ['opəreɪtɪŋ-] n (UK) quirófano m

operation [,opə'reɪʃn] n operación f • **to be in operation** (law, system) estar en vigor • **to have an operation** operarse

operator ['opəreɪtə'] n (on phone) operador m, -ra f

opinion [ə'pɪnjən] n opinión f • **in my opinion** en mi opinión

opponent [ə'pəʊnənt] n 1. SPORT contrincante mf 2. (of idea, policy, party) adversario m, -ria f

opportunity [,opə'tju:nətɪ] n oportunidad f

oppose [ə'pəʊz] vt oponerse a

opposed [ə'pəʊzd] adj • **to be opposed to** oponerse a

opposite ['opəzɪt] ◇ adj 1. (facing) de

enfrente 2. (totally different) opuesto(ta) ◇ prep enfrente de ◇ n • **the opposite (of)** lo contrario (de)

opposition [,opə'zɪʃn] n 1. (objections) oposición f 2. SPORT oponentes mf pl • **the Opposition** la oposición

opt [opt] vt • **to opt to do sthg** optar por hacer algo

optician's [op'tɪʃnz] n (shop) óptica f

optimist ['optɪmɪst] n optimista mf

optimistic [,optɪ'mɪstɪk] adj optimista

option ['opʃn] n opción f

optional ['opʃənl] adj opcional

or [ɔ:'] conj 1. o, u (before o or ho) 2. (after negative) ni • **I can't read or write** no sé (ni) leer ni escribir

oral ['ɔ:rəl] ◇ adj 1. (spoken) oral 2. (of the mouth) bucal ◇ n examen m oral

orange ['orɪndʒ] ◇ adj naranja (inv) ◇ n naranja f

orange juice n zumo m (Esp) OR jugo m (Amér) de naranja

orange squash n (UK) naranjada f

orbit ['ɔ:bɪt] n órbita f

orchard ['ɔ:tʃəd] n huerto m

orchestra ['ɔ:kɪstrə] n orquesta f

ordeal [ɔ:'di:l] n calvario m

order ['ɔ:də'] ◇ n 1. (sequence, neatness, discipline) orden m 2. (command, in restaurant) orden f 3. COMM pedido m ◇ vt 1. (command) ordenar 2. (food, drink, taxi) pedir 3. COMM encargar ◇ vi (in restaurant) pedir • **in order to** para • **out of order** (not working) estropeado • **in working order** en funcionamiento • **to order sb to do sthg** ordenar a alguien que haga algo

order form n hoja f de pedido

ordinary ['ɔːdənrɪ] *adj* corriente

oregano [ˌɒrɪ'gɑːnəʊ] *n* orégano *m*

organ ['ɔːgən] *n* órgano *m*

organic [ɔː'gænɪk] *adj* orgánico(ca)

organization [ˌɔːgənaɪ'zeɪʃn] *n* organización *f*

organize ['ɔːgənaɪz] *vt* organizar

organizer ['ɔːgənaɪzə^r] *n* **1.** *(person)* organizador *m*, -ra *f* **2.** *(diary)* agenda *f* **3.** *(electronic)* agenda *f* electrónica

orient ['ɔːrɪent] *vt (US)* ● **to orient o.s.** orientarse

oriental [ˌɔːrɪ'entl] *adj* oriental

orientate ['ɔːrɪenteɪt] *vt* ● **to orientate o.s.** orientarse

origin ['ɒrɪdʒɪn] *n* origen *m*

original [ə'rɪdʒənl] *adj* **1.** *(first)* originario(ria) **2.** *(novel)* original

originally [ə'rɪdʒənəlɪ] *adv* originalmente

originate [ə'rɪdʒəneɪt] *vi* ● **to originate (from)** nacer (de)

ornament ['ɔːnəmənt] *n* adorno *m*

ornamental [ˌɔːnə'mentl] *adj* ornamental

orphan ['ɔːfn] *n* huérfano *m*, -na *f*

orthodox ['ɔːθədɒks] *adj* ortodoxo(xa)

ostentatious [ˌɒsten'teɪʃəs] *adj* ostentoso(sa)

ostrich ['ɒstrɪtʃ] *n* avestruz *m*

other ['ʌðə^r] ◇ *adj* otro(otra) ◇ *adv* ● **other than** excepto ● **the other (one)** el otro(la otra) ● **the other day** el otro día ● **one after the other** uno después del otro ● **others** *pron (additional ones)* otros *mpl*, otras *f* ● **the others** *(remaining ones)* los demás (las demás), los otros (las otras)

otherwise ['ʌðəwaɪz] *adv* **1.** *(or else)* sino **2.** *(apart from that)* por lo demás **3.** *(differently)* de otra manera

otter ['ɒtə^r] *n* nutria *f*

ought [ɔːt] *aux vb* deber ● **it ought to be ready** debería de estar listo ● **you ought to do it** deberías hacerlo

ounce [aʊns] *n = 28,35g*, onza *f*

our ['aʊə^r] *adj* nuestro(tra)

ours ['aʊəz] *pron* nuestro *m*, -tra *f* ● **a friend of ours** un amigo nuestro

ourselves [aʊə'selvz] *pron* **1.** *(reflexive)* nos **2.** *(after prep)* nosotros *mpl* mismos, nosotras mismas *f* ● **we did it ourselves** lo hicimos nosotros mismos

out [aʊt]
◇ *adj (light, cigarette)* apagado(da)
◇ *adv* **1.** *(outside)* fuera ● **to get out (of)** *(car)* bajar (de) ● **to go out (of)** salir (de) ● **it's cold out today** hace frío fuera hoy **2.** *(not at home, work)* fuera ● **to go out** salir ● **she's out** está fuera **3.** *(extinguished)* ● **put your cigarette out** apaga tu cigarrillo **4.** *(expressing removal)* ● **to take sthg out** sacar algo (de) ● **to pour sthg out** *(liquid)* echar algo **5.** *(outwards)* hacia fuera ● **to stick out** sobresalir **6.** *(expressing exclusion)* fuera ▼ **keep out** prohibida la entrada **7.** ● **to be out** *(of game, competition)* perder **8.** *(in phrases)* ● **stay out of the sun** no te pongas al sol ● **made out of wood** (hecho) de madera ● **five out of ten women** cinco de cada diez mujeres ● **I'm out of cigarettes** no tengo (más) cigarrillos

outbreak ['aʊtbreɪk] *n* **1.** *(of war)* comienzo *m* **2.** *(of illness)* epidemia *f*

outburst ['aʊtbɜːst] n explosión f

outcome ['aʊtkʌm] n resultado m

outdated [,aʊt'deɪtɪd] adj anticuado (da)

outdo [,aʊt'duː] vt aventajar

outdoor ['aʊtdɔːʳ] adj (swimming pool, activities) al aire libre

outdoors [aʊt'dɔːz] adv al aire libre

outer ['aʊtəʳ] adj exterior

outer space n el espacio exterior

outfit ['aʊtfɪt] n (clothes) traje m

outing ['aʊtɪŋ] n excursión f

outlet ['aʊtlet] n (pipe) desagüe m ▼ no outlet (US) señal que indica que una carretera no tiene salida

outline ['aʊtlaɪn] n 1. (shape) contorno m 2. (description) esbozo m

outlook ['aʊtlʊk] n 1. (for future) perspectivas fpl 2. (of weather) pronóstico m 3. (attitude) enfoque m

out-of-date adj 1. (old-fashioned) anticuado(da) 2. (passport, licence) caducado(da), vencido(da) (Amér)

outpatients' (department) ['aʊt,peɪʃnts-] n departamento m de pacientes externos

output ['aʊtpʊt] n 1. (of factory) producción f 2. COMPUT (printout) impresión f

outrage ['aʊtreɪdʒ] n (cruel act) atrocidad f

outrageous [aʊt'reɪdʒəs] adj (shocking) indignante

outright [,aʊt'raɪt] adv 1. (tell, deny) categóricamente 2. (own) totalmente

outside ◇ adv [,aʊt'saɪd] fuera, afuera (Amér) ◇ prep ['aʊtsaɪd] fuera de, afuera de (Amér) ◇ adj ['aʊtsaɪd] 1. (exterior)

exterior 2. (help, advice) independiente ◇ n ['aʊtsaɪd] ● **the outside** (of building, car, container) el exterior; AUT (in UK) carril m de adelantamiento; AUT (in Europe, US) carril lento ● **an outside line** una línea exterior ● **outside of** (US) (on the outside of) fuera de; (apart from) aparte de

outside lane n 1. (in UK) carril m de adelantamiento 2. (in Europe, US) carril m lento

outsize ['aʊtsaɪz] adj (clothes) de talla grande

outskirts ['aʊtskɜːts] npl afueras fpl

outsource ['aʊtsɔːs] vt subcontratar

outsourcing ['aʊtsɔːsɪŋ] n subcontratación f

outstanding [,aʊt'stændɪŋ] adj 1. (remarkable) destacado(da) 2. (problem, debt) pendiente

outward ['aʊtwəd] adj 1. (journey) de ida 2. (external) visible

outwards ['aʊtwədz] adv hacia afuera

oval ['əʊvl] adj oval

ovation [əʊ'veɪʃn] n ovación f

oven ['ʌvn] n horno m

oven glove n (UK) guante m de horno

ovenproof ['ʌvnpruːf] adj refractario (ria)

oven-ready adj listo(ta) para hornear

over ['əʊvəʳ] ◇ prep 1. (above) encima de ● **a lamp over the table** una lámpara encima de la mesa 2. (across) por encima de ● **to walk over sthg** cruzar algo (andando) ● **it's just over the road** está mismo enfrente 3. (covering) sobre ● **to smear the cream over the wound** untar la herida con la crema **4.** *(more than)* más de ● it cost over £1,000 costó más de mil libras **5.** *(during)* durante ● over the past two years en los dos últimos años **6.** *(with regard to)* sobre ● an argument over the price una discusión sobre el precio

◇ *adv* **1.** *(downwards)* ● to fall over caerse ● to push sthg over empujar algo **2.** *(referring to position, movement)* to drive/walk over cruzar ● over here aquí ● over there allí **3.** *(round to other side)* ● to turn sthg over dar la vuelta a algo **4.** *(more)* ● children aged 12 and over niños de 12 años en adelante **5.** *(remaining)* ● to be (left) over quedar **6.** *(to one's house)* ● to invite sb over for dinner invitar a alguien a cenar **7.** *(in phrases)* ● all over *(finished)* terminado (da); *(throughout)* por todo

◇ *adj (finished)* ● to be over haber terminado

overall ◇ *adv* [ˌəʊvəˈrɔːl] en conjunto ◇ *n* [ˈəʊvərɔːl] **1.** *(UK) (coat)* guardapolvo *m* **2.** *(US) (boiler suit)* mono *m* (*Esp*), overol *m* (*Amér*) ● how much does it cost overall? ¿cuánto cuesta en total? ● **overalls** *npl* **1.** *(UK) (boiler suit)* mono *m* (*Esp*), overol *m* (*Amér*) **2.** *(US) (dungarees)* pantalones *mpl* de peto

overboard [ˈəʊvəbɔːd] *adv (from ship)* por la borda

overbooked [ˌəʊvəˈbʊkt] *adj* ● to be overbooked tener overbooking

overcame [ˌəʊvəˈkeɪm] *pt* ➤ overcome

overcast [ˌəʊvəˈkɑːst] *adj* cubierto(ta)

overcharge [ˌəʊvəˈtʃɑːdʒ] *vt* cobrar en exceso

overcoat [ˈəʊvəkəʊt] *n* abrigo *m*

overcome [ˌəʊvəˈkʌm] (*pt* **-came**, *pp* **-come**) *vt (defeat)* vencer

overcooked [ˌəʊvəˈkʊkt] *adj* demasiado hecho(cha) (*Esp*), sobrecocido(da)

overcrowded [ˌəʊvəˈkraʊdɪd] *adj* atestado(da)

overdo [ˌəʊvəˈduː] (*pt* **-did**, *pp* **-done**) *vt (exaggerate)* exagerar ● to overdo it exagerar

overdone [ˌəʊvəˈdʌn] ◇ *pp* ➤ overdo ◇ *adj (food)* demasiado hecho(cha) (*Esp*), sobrecocido(da)

overdose [ˈəʊvədəʊs] *n* sobredosis *f* *inv*

overdraft [ˈəʊvədrɑːft] *n* **1.** *(money owed)* saldo *m* deudor **2.** *(credit limit)* descubierto *m*

overdue [ˌəʊvəˈdjuː] *adj* **1.** *(bus, flight)* retrasado(da) **2.** *(rent, payment)* vencido (da)

over easy *adj* (*US*) *(egg)* frito(ta) por ambos lados

overexposed [ˌəʊvərɪkˈspəʊzd] *adj* sobreexpuesto(ta)

overflow ◇ *vi* [ˌəʊvəˈfləʊ] desbordarse ◇ *n* [ˈəʊvəfləʊ] *(pipe)* cañería *f* de desagüe

overgrown [ˌəʊvəˈɡrəʊn] *adj* cubierto (ta) de matojos

overhaul [ˌəʊvəˈhɔːl] *n (of machine, car)* revisión *f*

overhead ◇ *adj* [ˈəʊvəhed] aéreo(a) ◇ *adv* [ˌəʊvəˈhed] por lo alto

overhead locker *n* maletero *m* superior

overhear [ˌəʊvəˈhɪəʳ] (*pt & pp* **-heard**) *vt* oír por casualidad

overheat [ˌəʊvəˈhiːt] *vi* recalentarse

overland ['əʊvəlænd] *adv* por vía terrestre

overlap [,əʊvə'læp] *vi* superponerse

overleaf [,əʊvə'liːf] *adv* al dorso

overload [,əʊvə'ləʊd] *vt* sobrecargar

overlook ◇ *vt* [,əʊvə'lʊk] **1.** *(subj: building, room)* dar a **2.** *(miss)* pasar por alto ◇ *n* ['əʊvəlʊk] **●** *(scenic)* overlook *(US)* mirador *m*

overnight [*adv* ,əʊvə'naɪt, *adj* 'əʊvənaɪt] ◇ *adv* **1.** *(during the night)* durante la noche **2.** *(until next day)* toda la noche ◇ *adj (train, journey)* de noche

overnight bag *n* bolso *m* de fin de semana

overpass ['əʊvəpɑːs] *n (US)* paso *m* elevado

overpowering [,əʊvə'paʊərɪŋ] *adj* arrollador(ra)

oversaw [,əʊvə'sɔː] *pt* ➣ oversee

overseas ◇ *adv* [,əʊvə'siːz] **1.** *(go)* al extranjero **2.** *(live)* en el extranjero ◇ *adj* ['əʊvəsiːz] **1.** *(holiday, branch)* en el extranjero **2.** *(student)* extranjero(ra)

oversee [,əʊvə'siː] *(pt* -saw*, pp* -seen*) vt* supervisar

overshoot [,əʊvə'ʃuːt] *(pt & pp* -shot*) vt* pasarse

oversight ['əʊvəsaɪt] *n* descuido *m*

oversleep [,əʊvə'sliːp] *(pt & pp* -slept*) vi* dormirse, no despertarse a tiempo

overtake [,əʊvə'teɪk] *(pt* -took*, pp* -taken*) vt & vi (UK)* adelantar ▼ no overtaking prohibido adelantar

overtime ['əʊvətaɪm] *n* horas *fpl* extra

overtook [,əʊvə'tʊk] *pt* ➣ overtake

overture ['əʊvə,tjʊəʳ] *n* MUS obertura *f*

overturn [,əʊvə'tɜːn] *vi* volcar

overweight [,əʊvə'weɪt] *adj* gordo(da)

overwhelm [,əʊvə'welm] *vt* abrumar

owe [əʊ] *vt* deber **●** you owe me £50 me debes 50 libras **●** owing to debido a

owl [aʊl] *n* búho *m*

own [əʊn] ◇ *adj* propio(pia) ◇ *vt* poseer ◇ *pron* **●** my own el mío(la mía) **●** her own la suya **●** his own el suyo **●** on my own solo(la) **●** to get one's own back tomarse la revancha ◆ **own up** *vi* **●** to own up (to sthg) confesar (algo)

owner ['əʊnəʳ] *n* propietario *m*, -ria *f*

ownership ['əʊnəʃɪp] *n* propiedad *f*

ox [ɒks] *(pl* oxen*) n* buey *m*

Oxbridge ['ɒksbrɪdʒ] *n las universidades de Oxford y Cambridge*

Oxbridge

Oxbridge es un término que combina las palabras Oxford y Cambridge, y que se usa para referirse a las dos universidades británicas más prestigiosas. Son universidades que se destacan por su calidad de enseñanza y de investigación. Para entrar en ellas hay que pasar por un riguroso proceso de selección.

oxtail soup ['ɒksteɪl-] *n* sopa *f* de rabo de buey

oxygen ['ɒksɪdʒən] *n* oxígeno *m*

oyster ['ɔɪstəʳ] *n* ostra *f*

oz *abbr* = ounce

ozone-friendly ['əʊzəʊn-] *adj* que no daña la capa de ozono

p [piː] *abbr* **1.** = penny, pence **2.** *(abbr of page)* pág.

pace [peɪs] *n* paso *m*

pacemaker [ˈpeɪsˌmeɪkəʳ] *n (for heart)* marcapasos *m inv*

Pacific [pəˈsɪfɪk] *n* ● the Pacific (Ocean) el (océano) Pacífico

pacifier [ˈpæsɪfaɪəʳ] *n (US) (for baby)* chupete *m*, chupón *m (Amér)*

pacifist [ˈpæsɪfɪst] *n* pacifista *mf*

pack [pæk] ◇ *n* **1.** *(packet)* paquete *m* **2.** *(of crisps)* bolsa *f* **3.** *(UK) (of cards)* baraja *f* **4.** *(rucksack)* mochila *f* ◇ *vt* **1.** *(suitcase, bag)* hacer **2.** *(clothes, camera etc)* meter en la maleta **3.** *(to package)* empaquetar ◇ *vi* hacer la maleta ● a pack of lies una sarta de mentiras ● they packed all their possessions into the van metieron todas sus posesiones en la furgoneta ● to pack one's bags hacerse las maletas ◆ **pack up** *vi* **1.** *(pack suitcase)* hacer las maletas **2.** *(tidy up)* recoger **3.** *(UK) (inf) (machine, car)* fastidiarse, fdescomponerse *(Amér)*

package [ˈpækɪdʒ] ◇ *n* paquete *m* ◇ *vt* envasar

package holiday *n (UK)* vacaciones *fpl* con todo incluido

packaging [ˈpækɪdʒɪŋ] *n* embalaje *m*

packed [pækt] *adj (crowded)* repleto(ta)

packed lunch *n (UK)* almuerzo preparado que se lleva al colegio, trabajo etc

packet [ˈpækɪt] *n* paquete *m* ● it cost a packet *(UK) (inf)* costó un dineral

packing [ˈpækɪŋ] *n (material)* embalaje *m* ● to do one's packing hacer el equipaje

pad [pæd] *n* **1.** *(of paper)* bloc *m* **2.** *(of cloth, cotton wool)* almohadilla *f* ● shoulder pads hombreras *fpl*

padded [ˈpædɪd] *adj* acolchado(da)

padded envelope *n* sobre *m* acolchado

paddle [ˈpædl] ◇ *n (pole)* pala *f* ◇ *vi* **1.** *(UK) (wade)* pasear por la orilla **2.** *(in canoe)* remar

paddling pool [ˈpædlɪŋ-] *n (in park)* estanque *m* para chapotear

padlock [ˈpædlɒk] *n* candado *m*

page [peɪdʒ] ◇ *n* página *f* ◇ *vt* **1.** *(on public system)* llamar por megafonía **2.** *(on pager)* contactar a alguien con un buscapersonas **3.** ▼ paging Mr Hill llamando a Mr Hill

pager [ˈpeɪdʒəʳ] *n* buscapersonas *m*, bíper *m (Méx)*

paid [peɪd] ◇ *pt & pp* ➤ **pay** ◇ *adj* pagado(da)

pain [peɪn] *n* **1.** *(physical)* dolor *m* **2.** *(emotional)* pena *f* ● to be in pain sufrir dolor ● he's such a pain! *(inf)* ¡es un plasta! ◆ **pains** *npl (trouble)* esfuerzos *mpl*

painful [ˈpeɪnfʊl] *adj* doloroso(sa) ● my leg is painful me duele la pierna

painkiller [ˈpeɪnˌkɪləʳ] *n* calmante *m*

paint [peɪnt] ◇ *n* pintura *f* ◇ *vt & vi* pintar ● to paint one's nails pintarse las uñas ◆ **paints** *npl (tubes, pots etc)* pinturas *fpl*

paintbrush ['peɪntbrʌʃ] *n* **1.** *(of decorator)* brocha *f* **2.** *(of artist)* pincel *m*

painter ['peɪntəʳ] *n* pintor *m*, -ra *f*

painting ['peɪntɪŋ] *n* **1.** *(picture)* cuadro *m* **2.** *(artistic activity, trade)* pintura *f*

pair [peəʳ] *n (of two things)* par *m* ● **in pairs** por pares ● **a pair of pliers** unos alicates ● **a pair of scissors** unas tijeras ● **a pair of shorts** unos pantalones cortos ● **a pair of tights** un par de medias ● **a pair of trousers** unos pantalones

pajamas [pəˈdʒɑːməz] *(US)* = **pyjamas**

Pakistan [*(UK)* ˌpɑːkɪˈstɑːn, *(US)* ˌpækɪˈstæn] *n* Paquistán

Pakistani [*(UK)* ˌpɑːkɪˈstɑːnɪ, *(US)* ˌpækɪˈstænɪ] ◇ *adj* paquistaní ◇ *n* paquistaní *mf*

pakora [pəˈkɔːrə] *npl* verduras rebozadas muy fritas y picantes, al estilo indio

pal [pæl] *n (inf)* colega *mf*

palace ['pælɪs] *n* palacio *m*

palatable ['pælətəbl] *adj* sabroso(sa)

palate ['pælət] *n* paladar *m*

pale [peɪl] *adj* **1.** *(not bright)* claro(ra) **2.** *(skin)* pálido(da)

pale ale *n* tipo de cerveza rubia

palm [pɑːm] *n (of hand)* palma *f* ● **palm (tree)** palmera *f*

palpitations [ˌpælpɪˈteɪʃnz] *npl* palpitaciones *fpl*

pamphlet ['pæmflɪt] *n* folleto *m*

pan [pæn] *n* cazuela *f*

Panama [ˌpænəˈmɑː] *n* Panamá

Panamanian [ˌpænəˈmeɪnjən] ◇ *adj* panameño(ña) ◇ *n* panameño *m*, -ña *f*

pancake ['pænkeɪk] *n* crepe *f*

panda ['pændə] *n* panda *m*

pane [peɪn] *n* cristal *m*

panel ['pænl] *n* **1.** *(of wood, on TV, radio)* panel *m* **2.** *(group of experts)* equipo *m*

paneling ['pænəlɪŋ] *(US)* = **panelling**

panelling ['pænəlɪŋ] *n (UK)* paneles *mpl*

panic ['pænɪk] *(pt & pp* **-ked**, *cont* **-king)** ◇ *n* pánico *m* ◇ *vi* aterrarse

panniers ['pænɪəz] *npl (for bicycle)* bolsas *fpl* para equipaje

panoramic [ˌpænəˈræmɪk] *adj* panorámico(ca)

pant [pænt] *vi* jadear

panties ['pæntɪz] *npl (inf)* bragas *fpl (Esp)*, calzones *mpl (Amér)*

pantomime ['pæntəmaɪm] *n (UK) musical humorístico infantil de Navidades*

pantry ['pæntrɪ] *n* despensa *f*

pants [pænts] *npl* **1.** *(UK) (underwear)* calzoncillos *mpl* **2.** *(US) (trousers)* pantalones *mpl*

panty hose ['pæntɪ-] *npl (US)* medias *fpl*

paper ['peɪpəʳ] ◇ *n* **1.** *(material)* papel *m* **2.** *(newspaper)* periódico *m*. **3.** *(exam)* examen *m* ◇ *adj* de papel ◇ *vt* empapelar ● **a piece of paper** *(sheet)* un papel; *(scrap)* un trozo de papel ● **papers** *npl (documents)* documentación *f*

paperback ['peɪpəbæk] *n* libro *m* en rústica

paper bag *n* bolsa *f* de papel

paperboy ['peɪpəbɔɪ] *n* repartidor *m* de periódicos

paper clip *n* clip *m*

papergirl ['peɪpəgɜːl] *n* repartidora *f* de periódicos

paper shop *n (UK)* ≃ quiosco *m* de periódicos

paperweight ['peɪpəweɪt] *n* pisapapeles *m inv*

paprika ['pæprɪkə] *n* pimentón *m*

paracetamol [ˌpærə'siːtəmɒl] *n* paracetamol *m*

parachute ['pærəʃuːt] *n* paracaídas *m inv*

parade [pə'reɪd] *n* **1.** *(procession)* desfile *m*

paradise ['pærədaɪs] *n* paraíso *m*

paraffin ['pærəfɪn] *n* parafina *f*

paragraph ['pærəɡrɑːf] *n* párrafo *m*

Paraguay ['pærəɡwaɪ] *n* (el) Paraguay

Paraguayan [ˌpærə'ɡwaɪən] ◇ *adj* paraguayo(ya) ◇ *n* paraguayo *m*, -ya *f*

parallel ['pærəlel] *adj* ● **parallel (to)** paralelo(la)(a)

paralysed ['pærəlaɪzd] *adj* *(UK)* paralizado(da)

paralyzed ['pærəlaɪzd] *(US)* = **paralysed**

paramedic [ˌpærə'medɪk] *n* auxiliar *m* sanitario, auxiliar sanitaria *f*

paranoid ['pærənɔɪd] *adj* paranoico(ca)

parasite ['pærəsaɪt] *n* **1.** *(animal)* parásito *m* **2.** *(pej)* *(person)* parásito *m*, -ta *f*

parasol ['pærəsɒl] *n* sombrilla *f*

parcel ['pɑːsl] *n* paquete *m*

parcel post *n* servicio *m* de paquete postal

pardon ['pɑːdn] *excl* ● **pardon? ¿perdón? ● pardon (me)! ¡perdone! ● I beg your pardon!** *(apologizing)* ¡le ruego me perdone! ● **I beg your pardon?** *(asking for repetition)* ¿cómo dice?

parents ['peərənts] *npl* padres *mpl*

parish ['pærɪʃ] *n* **1.** *(of church)* parroquia *f* **2.** *(village area)* municipio *m*

park [pɑːk] ◇ *n* parque *m* ◇ *vt* & *vi* aparcar *(Esp)*, estacionar *(Amér)*

park and ride *n* aparcamiento en las afueras de la ciudad en donde hay autobuses al centro

parking ['pɑːkɪŋ] *n* aparcamiento *m* *(Esp)*, estacionamiento *m* *(Amér)*

parking brake *n* *(US)* freno *m* de mano

parking lot *n* *(US)* aparcamiento *m* (al aire libre), estacionamiento *m* *(Amér)*

parking meter *n* parquímetro *m*

parking space *n* sitio *m* (para aparcar)

parking ticket *n* multa *f* por aparcamiento *(Esp)* OR estacionamiento *(Amér)* indebido

parkway ['pɑːkweɪ] *n* *(US)* avenida *f* *(con zona ajardinada en el medio)*

parliament ['pɑːləmənt] *n* parlamento *m*

Parmesan (cheese) [pɑːmɪ'zæn-] *n* parmesano *m*

parrot ['pærət] *n* loro *m*

parsley ['pɑːslɪ] *n* perejil *m*

parsnip ['pɑːsnɪp] *n* chirivía *f*

parson ['pɑːsn] *n* párroco *m*

part [pɑːt] ◇ *n* **1.** parte *f* **2.** *(of machine, car)* pieza *f* **3.** *(in play, film)* papel *m* **4.** *(US)* *(in hair)* raya *f* ◇ *adv* en parte ◇ *vi* *(couple)* separarse ● **in this part of France** en esta parte de Francia ● **to form part of** formar parte de ● **to play a part in** desempeñar un papel en ● **to take part in** tomar parte en ● **for my part** por mi parte ● **for the most part** en su mayoría ● **in these parts** por aquí

partial ['pɑːʃl] *adj* *(not whole)* parcial ●

to be partial to sthg ser aficionado(da) a algo

participant [pɑː'tɪsɪpənt] *n* participante *mf*

participate [pɑː'tɪsɪpeɪt] *vi* ● to participate (in) participar (en)

particular [pə'tɪkjʊləʳ] *adj* **1.** (specific, fussy) particular **2.** (special) especial ● **in particular** en particular ● **nothing in particular** nada en particular ◆ **particulars** *npl* (details) datos *mpl* personales

particularly [pə'tɪkjʊləlɪ] *adv* especialmente

parting ['pɑːtɪŋ] *n* (UK) (in hair) raya *f*

partition [pɑː'tɪʃn] *n* (wall) tabique *m*

partly ['pɑːtlɪ] *adv* en parte

partner ['pɑːtnəʳ] *n* **1.** pareja *f* **2.** COMM socio *m*, -cia *f*

partnership ['pɑːtnəʃɪp] *n* asociación *f*

partridge ['pɑːtrɪdʒ] *n* perdiz *f*

part-time *adj* & *adv* a tiempo parcial

party ['pɑːtɪ] *n* **1.** (for fun) fiesta *f* **2.** POL partido *m* **3.** (group of people) grupo *m* ● **to have a party** hacer una fiesta

pass [pɑːs] ◇ *vt* **1.** pasar **2.** (house, entrance etc) pasar por delante de **3.** (person in street) cruzarse con **4.** (test, exam) aprobar **5.** (overtake) adelantar **6.** (law) aprobar ◇ *vi* **1.** pasar **2.** (overtake) adelantar **3.** (in test, exam) aprobar ◇ *n* **1.** (document, SPORT) pase *m* **2.** (in mountain) desfiladero *m* **3.** (in exam) aprobado *m* ● **please pass me the salt** pásame la sal, por favor ◆ **pass by** ◇ *vt insep* (building, window etc) pasar por ◇ *vi* pasar cerca ◆ **pass on** *vt sep* transmitir ◆ **pass out** *vi* (faint) desmayarse ◆ **pass up** *vt sep* (opportunity) dejar pasar

passable ['pɑːsəbl] *adj* **1.** (road) transitable **2.** (satisfactory) pasable

passage ['pæsɪdʒ] *n* **1.** (corridor) pasadizo *m* **2.** (in book) pasaje *m* **3.** (sea journey) travesía *f*

passageway ['pæsɪdʒweɪ] *n* pasadizo *m*

passenger ['pæsɪndʒəʳ] *n* pasajero *m*, -ra *f*

passerby [,pɑːsə'baɪ] *n* transeúnte *mf*

passing place ['pɑːsɪŋ-] *n* (for cars) apartadero *m*

passion ['pæʃn] *n* pasión *f*

passionate ['pæʃənət] *adj* apasionado(da)

passive ['pæsɪv] *n* pasiva *f*

passport ['pɑːspɔːt] *n* pasaporte *m*

passport control *n* control *m* de pasaportes

passport photo *n* foto *f* de pasaporte

password ['pɑːswɜːd] *n* contraseña *f*

past [pɑːst] ◇ *adj* **1.** (at earlier time) anterior **2.** (finished) terminado(da) **3.** (last) último(ma) **4.** (former) antiguo (gua) ◇ *prep* **1.** (further than) más allá de **2.** (in front of) por delante de, por enfrente de (Amér) ◇ *n* pasado *m* ◇ *adv* ● **to run past** pasar corriendo ◇ **past (tense)** pasado ● **the past month** el mes pasado ● **twenty past four** las cuatro y veinte ● **in the past** en el pasado

pasta ['pæstə] *n* pasta *f*

paste [peɪst] *n* **1.** (spread) paté *m* **2.** (glue) engrudo *m*

pastel ['pæstl] *n* pastel *m*

pasteurized ['pɑːstʃəraɪzd] *adj* pasteurizado(da)

pastille ['pæstɪl] *n* pastilla *f*

pastime ['pɑːstaɪm] *n* pasatiempo *m*

pastry ['peɪstrɪ] *n* **1.** (for pie) pasta *f* **2.** (cake) pastel *m*

pasture ['pɑːstʃə'] *n* pasto *m*

pat [pæt] *vt* golpear ligeramente

patch [pætʃ] *n* **1.** (for clothes) remiendo *m* **2.** (of colour, damp, for eye) parche *m* **3.** (for skin) esparadrapo *m* ● **a bad patch** (fig) un mal momento

pâté ['pæteɪ] *n* paté *m*

patent [(UK) 'peɪtənt, (US) 'pætənt] *n* patente *f*

path [pɑːθ] *n* (in garden, park, country) camino *m*

pathetic [pə'θetɪk] *adj* (pej) (useless) inútil

patience ['peɪʃns] *n* **1.** (quality) paciencia *f* **2.** (UK) (card game) solitario *m*

patient ['peɪʃnt] ◇ *adj* paciente ◇ *n* paciente *mf*

patio ['pætɪəʊ] *n* patio *m*

patriotic [(UK) ,pætrɪ'ɒtɪk, (US) ,peɪtrɪ'ɒtɪk] *adj* patriótico(ca)

patrol [pə'trəʊl] ◇ *vt* patrullar ◇ *n* patrulla *f*

patrol car *n* coche *m* patrulla

patron ['peɪtrən] *n* (fml) (customer) cliente *mf* ▼ **patrons only** sólo para clientes

patronizing ['pætrənaɪzɪŋ] *adj* condesciente

pattern ['pætn] *n* **1.** (of shapes, colours) diseño *m* **2.** (for sewing) patrón *m*

patterned ['pætənd] *adj* estampado(da)

pause [pɔːz] ◇ *n* pausa *f* ◇ *vi* **1.** (when speaking) hacer una pausa **2.** (in activity) detenerse

pavement ['peɪvmənt] *n* **1.** (UK) (beside road) acera *f* **2.** (US) (roadway) calzada *f*

pavilion [pə'vɪljən] *n* pabellón *m*

paving stone ['peɪvɪŋ-] *n* losa *f*

pavlova [pæv'ləʊvə] *n* postre de merengue relleno de fruta y nata montada

paw [pɔː] *n* pata *f*

pawn [pɔːn] ◇ *vt* empeñar ◇ *n* (in chess) peón *m*

pay [peɪ] (pt & pp **paid**) ◇ *vt* pagar ◇ *vi* **1.** (give money) pagar **2.** (be profitable) ser rentable ◇ *n* paga *f* ● **have you paid the waiter for the drinks?** ¿le has pagado las bebidas al camarero? ● **to pay money into an account** ingresar dinero en una cuenta ● **to pay attention (to)** prestar atención (a) ● **to pay sb a visit** hacer una visita a alguien ● **to pay by credit card** pagar con tarjeta de crédito ◆ **pay back** *vt sep* **1.** (money) devolver **2.** (person) devolver el dinero a ◆ **pay for** *vt insep* pagar ◆ **pay in** *vt sep* ingresar (Esp), depositar (Amér) ◆ **pay out** *vt sep* (money) pagar ◆ **pay up** *vi* pagar

payable ['peɪəbl] *adj* (bill) pagadero(ra) ● **payable to** (cheque) a favor de

payment ['peɪmənt] *n* pago *m*

pay-per-view *adj* (television, distributor) de pago (Esp), pago (Amér)

payphone ['peɪfəʊn] *n* teléfono *m* público

pay television, pay TV *n* televisión *f* de pago (Esp) OR paga (Amér)

PC [piːsiː] *n* **1.** (abbr of **personal computer**) ordenador personal PC *m* **2.** (UK) (abbr of **police constable**) policía *mf*

PDF [piːdiːef] *n* (abbr of **portable document format**) PDF *m*

PE *abbr* = physical education

pea [pi:] *n* guisante *m* (*Esp*), arveja *m*

peace [pi:s] *n* paz *f* • **to leave sb in peace** dejar a alguien en paz • **peace and quiet** tranquilidad *f*

peaceful ['pi:sfʊl] *adj* **1.** (*place, day, feeling*) tranquilo(la) **2.** (*demonstration*) pacífico(ca)

peach [pi:tʃ] *n* melocotón *m* (*Esp*), durazno *m* (*Amér*)

peacock ['pi:kɒk] *n* pavo *m* real

peak [pi:k] *n* **1.** (*of mountain*) pico *m* **2.** (*of hat*) visera *f* **3.** (*fig*) (*highest point*) apogeo *m*

peak hours *npl* horas *fpl* punta (*Esp*) OR pico (*Amér*)

peak rate *n* (*on telephone*) tarifa *f* de hora punta (*Esp*) OR pico (*Amér*)

peanut ['pi:nʌt] *n* cacahuete *m* (*Esp*), maní *m* (*Amér*)

peanut butter *n* manteca *f* de cacahuete (*Esp*), mantequilla *f* de maní (*Amér*)

pear [peə'] *n* pera *f*

pearl [pɜ:l] *n* perla *f*

peasant ['peznt] *n* campesino *m*, -na *f*

pebble ['pebl] *n* guijarro *m*

pecan pie ['pi:kæn-] *n* tartaleta de pacanas

peck [pek] *vi* picotear

peculiar [prɪ'kju:ljə'] *adj* (*strange*) peculiar • **to be peculiar to** ser propio(pia) de

peculiarity [pɪ,kju:lɪ'ærətɪ] *n* (*special feature*) peculiaridad *f*

pedal ['pedl] ⋄ *n* pedal *m* ⋄ *vi* pedalear

pedalo ['pedələʊ] (*pl* **-s**) *n* (*UK*) patín *m* (*de agua*)

pedestrian [prɪ'destrɪən] *n* peatón *m*

pedestrian crossing *n* (*UK*) paso *m* de peatones

pedestrianized [prɪ'destrɪənaɪzd] *adj* peatonal

pedestrian precinct *n* (*UK*) zona *f* peatonal

pedestrian zone (*US*) = **pedestrian precinct**

pee [pi:] ⋄ *vi* (*inf*) mear ⋄ *n* • **to have a pee** (*inf*) echar una meada

peel [pi:l] ⋄ *n* piel *f* ⋄ *vt* pelar ⋄ *vi* **1.** (*paint*) descascarillarse **2.** (*skin*) pelarse

peep [pi:p] *n* • **to have a peep** echar una ojeada

peer [pɪə'] *vi* mirar con atención

peg [peg] *n* **1.** (*for tent*) estaca *f* **2.** (*hook*) gancho *m* **3.** (*UK*) (*for washing*) pinza *f*

pelican crossing ['pelɪkən-] *n* (*UK*) paso de peatones con semáforo que el usuario puede accionar apretando un botón

pelvis ['pelvɪs] *n* pelvis *f*

pen [pen] *n* **1.** (*ballpoint pen*) bolígrafo *m* **2.** (*fountain pen*) pluma *f* (estilográfica) (*Esp*), pluma *f* fuente (*Amér*) **3.** (*for animals*) corral *m*

penalty ['penltɪ] *n* **1.** (*fine*) multa *f* **2.** (*in football*) penalti *m*

pence [pens] *npl* (*UK*) peniques *mpl*

pencil ['pensl] *n* lápiz *m*

pencil case *n* estuche *m*

pencil sharpener [-'ʃɑːpnə'] *n* sacapuntas *m inv*

pendant ['pendənt] *n* colgante *m*

pending ['pendɪŋ] *prep* (*fml*) a la espera de

penetrate ['penɪtreɪt] *vt* (*pierce*) penetrar en

penfriend ['penfrend] *n* (UK) amigo *m*, -ga *f* por correspondencia

penguin ['pengwin] *n* pingüino *m*

penicillin [ˌpenɪ'sɪlɪn] *n* penicilina *f*

peninsula [pə'nɪnsjʊlə] *n* península *f*

penis ['piːnɪs] *n* pene *m*

penknife ['pennaɪf] (*pl* **-knives**) *n* navaja *f*

penny ['penɪ] (*pl* **pennies**) *n* 1. (*in UK*) penique *m* 2. (*in US*) centavo *m*

pension ['penʃn] *n* pensión *f*

pensioner ['penʃənə'] *n* pensionista *f*

penthouse ['penthaʊs] *n* ático *m*, penthouse *m* (*Amér*)

penultimate [pe'nʌltɪmət] *adj* penúltimo(ma)

people ['piːpl] ◇ *npl* 1. (*persons*) personas *fpl* 2. (*in general*) gente *f* ◇ *n* (*nation*) pueblo *m* ● **the people** (*citizens*) el pueblo

people carrier *n* (UK) monovolumen *m*

pepper ['pepə'] *n* 1. (*spice*) pimienta *f* 2. (*vegetable*) pimiento *m*

peppermint ['pepəmɪnt] ◇ *adj* de menta ◇ *n* (*sweet*) caramelo *m* de menta

per [pɜː'] *prep* por ● **per person** por persona ● **per week** por semana ● **£20 per night** 20 libras por noche

perceive [pə'siːv] *vt* percibir

per cent *adv* por ciento

percentage [pə'sentɪdʒ] *n* porcentaje *m*

perch [pɜːtʃ] *n* (*for bird*) percha *f*

percolator ['pɜːkəleɪtə'] *n* percolador *m*

perfect ◇ *adj* ['pɜːfɪkt] perfecto(ta) ◇ *vt* [pə'fekt] perfeccionar ◇ *n* ['pɜːfɪkt] ● **the perfect (tense)** el perfecto

perfection [pə'fekʃn] *n* ● **to do sthg to**

perfection hacer algo a la perfección

perfectly ['pɜːfɪktlɪ] *adv* (*very well*) perfectamente

perform [pə'fɔːm] ◇ *vt* 1. (*task, operation*) realizar 2. (*play*) representar 3. (*concert*) interpretar ◇ *vi* (*actor, singer*) actuar

performance [pə'fɔːməns] *n* 1. (*of play, concert, film*) función *f* 2. (*by actor, musician*) actuación *f* 3. (*of car*) rendimiento *m*

performer [pə'fɔːmə'] *n* intérprete *mf*

perfume ['pɜːfjuːm] *n* perfume *m*

perhaps [pə'hæps] *adv* quizás

perimeter [pə'rɪmɪtə'] *n* perímetro *m*

period ['pɪərɪəd] ◇ *n* 1. periodo *m* 2. SCH hora *f* 3. (US) (*full stop*) punto *m* ◇ *adj* de época ● **sunny periods** intervalos *mpl* de sol

periodic [ˌpɪərɪ'ɒdɪk] *adj* periódico(ca)

period pains *npl* dolores *mpl* menstruales

periphery [pə'rɪfərɪ] *n* periferia *f*

perishable ['perɪʃəbl] *adj* perecedero(ra)

perk [pɜːk] *n* beneficio *m* adicional

perm [pɜːm] ◇ *n* permanente *f* ◇ *vt* ● **to have one's hair permed** hacerse una permanente

permanent ['pɜːmənənt] *adj* permanente

permanent address *n* domicilio *m* fijo

permanently ['pɜːmənəntlɪ] *adv* permanentemente

permissible [pə'mɪsəbl] *adj* (*fml*) lícito(ta)

permission [pə'mɪʃn] *n* permiso *m*

permit ◇ *vt* [pə'mɪt] permitir ◇ *n*

['pɜːmɪt] permiso *m* • **to permit sb to do sth** permitir a alguien hacer algo ▼ **permit holders only** aparcamiento prohibido a personas no autorizadas

perpendicular [,pɜːpən'dɪkjʊləʳ] *adj* perpendicular

persevere [,pɜːsɪ'vɪəʳ] *vi* perseverar

persist [pə'sɪst] *vi* persistir • **to persist in doing sth** empeñarse en hacer algo

persistent [pə'sɪstənt] *adj* 1. persistente 2. *(person)* tenaz

person ['pɜːsn] (*pl* **people**) *n* persona *f* • **in person** en persona

personal ['pɜːsənl] *adj* 1. personal 2. *(life, letter)* privado(da) 3. *(rude)* ofensivo(va) • **a personal friend** un amigo íntimo

personal assistant *n* asistente *m*, -ta *f* personal

personal belongings *npl* efectos *mpl* personales

personal computer *n* ordenador *m* personal (*Esp*), computadora *f* personal (*Amér*)

personality [,pɜːsə'næləti] *n* personalidad *f*

personally ['pɜːsnəli] *adv* personalmente

personal property *n* bienes *mpl* muebles

personal stereo *n* walkman ® *m*

personnel [,pɜːsə'nel] *npl* personal *m*

perspective [pə'spektɪv] *n* perspectiva *f*

perspiration [,pɜːspə'reɪʃn] *n* transpiración *f*

persuade [pə'sweɪd] *vt* • **to persuade sb (to do sth)** persuadir a alguien (para que haga algo) • **to persuade sb that** ... persuadir a alguien de que ...

persuasive [pə'sweɪsɪv] *adj* persuasivo(va)

Peru [pə'ruː] *n* Perú

Peruvian [pə'ruːvjən] ◇ *adj* peruano(na) ◇ *n* peruano *m*, -na *f*

pervert ['pɜːvɜːt] *n* pervertido *m*, -da *f*

pessimist ['pesɪmɪst] *n* pesimista *mf*

pessimistic [,pesɪ'mɪstɪk] *adj* pesimista

pest [pest] *n* 1. *(insect)* insecto *m* nocivo 2. *(animal)* animal *m* nocivo 3. *(inf) (person)* pelma *mf*

pester ['pestəʳ] *vt* incordiar

pesticide ['pestɪsaɪd] *n* pesticida *m*

pet [pet] *n* animal *m* de compañía • **the teacher's pet** el favorito(la favorita) del maestro

petal ['petl] *n* pétalo *m*

pet food *n* alimentos *mpl* para animales de compañía

petition [pɪ'tɪʃn] *n* petición *f*

petrified ['petrɪfaɪd] *adj (frightened)* aterrado(da)

petrol ['petrəl] *n (UK)* gasolina *f*

petrol gauge *n (UK)* indicador *m* del nivel de carburante

petrol pump *n (UK)* surtidor *m* de gasolina

petrol station *n (UK)* gasolinera *f*

petrol tank *n (UK)* depósito *m* de gasolina

pet shop *n* tienda *f* de animales de compañía

petticoat ['petɪkəʊt] *n* combinación *f*

petty ['peti] *adj (pej) (person, rule)* mezquino(na)

petty cash *n* dinero *m* para pequeños gastos

pew [pju:] *n* banco *m (de iglesia)*

pewter ['pju:tə'] *n* peltre *m*

PG [pi:'dʒi:] *(UK) (film) (abbr of parental guidance) con algunas escenas no aptas para menores de 15 años*

pharmacist ['fɑ:məsɪst] *n* farmacéutico *m*, -ca *f*

pharmacy ['fɑ:məsɪ] *n (shop)* farmacia *f*

phase [feɪz] *n* fase *f*

PhD *n (degree)* doctorado *m*

pheasant ['feznt] *n* faisán *m*

phenomena [fɪ'nɒmɪnə] *pl* > **phenomenon**

phenomenal [fɪ'nɒmɪnl] *adj* fenomenal

phenomenon [fɪ'nɒmɪnən] *(pl* **-mena)** *n* fenómeno *m*

Philippines ['fɪlɪpi:nz] *npl* • **the Philippines** (las) Filipinas

philosophy [fɪ'lɒsəfɪ] *n* filosofía *f*

phlegm [flem] *n (in throat)* flema *f*

phone [fəʊn] ◇ *n* teléfono *m* ◇ *vt & vi* telefonear • **on the phone** *(talking)* al teléfono ◆ **phone up** *vt sep & vi* llamar (por teléfono)

phone book *n* guía *f* telefónica

phone booth *n* teléfono *m* público

phone box *n (UK)* cabina *f* de teléfono

phone call *n* llamada *f* telefónica

phonecard ['fəʊnkɑ:d] *n* tarjeta *f* telefónica

phone number *n* número *m* de teléfono

photo ['fəʊtəʊ] *n* foto *f* • **to take a photo of** *(person)* sacar una foto a; *(thing)* sacar una foto de

photo album *n* álbum *m* de fotos

photocopier [,fəʊtəʊ'kɒpɪə'] *n* fotocopiadora *f*

photocopy ['fəʊtəʊ,kɒpɪ] ◇ *n* fotocopia *f* ◇ *vt* fotocopiar

photograph ['fəʊtəgrɑ:f] ◇ *n* fotografía *f* ◇ *vt* fotografiar

photographer [fə'tɒgrəfə'] *n* fotógrafo *m*, -fa *f*

photography [fə'tɒgrəfɪ] *n* fotografía *f*

phrase [freɪz] *n* frase *f*

phrasebook ['freɪzbʊk] *n* libro *m* de frases

physical ['fɪzɪkl] ◇ *adj* físico(ca) ◇ *n* reconocimiento *m* médico

physical education *n* educación *f* física

physics ['fɪzɪks] *n* física *f*

physiotherapy [,fɪzɪəʊ'θerəpɪ] *n (UK)* fisioterapia *f*

pianist ['pɪənɪst] *n* pianista *mf*

piano [pɪ'ænəʊ] *(pl* **-s)** *n* piano *m*

pick [pɪk] ◇ *vt* 1. *(select)* escoger 2. *(fruit, flowers)* coger ◇ *n (pickaxe)* piqueta *f* • **to pick a fight** buscar camorra • **to pick one's nose** hurgarse la nariz • **to take one's pick** escoger lo que uno quiera ◆ **pick on** *vt insep* meterse con ◆ **pick out** *vt sep* 1. *(select)* escoger 2. *(see)* distinguir ◆ **pick up** ◇ *vt sep* 1. recoger 2. *(lift up)* recoger (del suelo) 3. *(bargain, habit)* adquirir 4. *(language, hints)* aprender 5. *(inf) (woman, man)* ligar con ◇ *vi (improve)* mejorar

pickle ['pɪkl] *n* 1. *(UK) (food)* condimento hecho con trozos de frutas y verduras maceradas hasta formar una salsa agridulce 2. *(US) (pickled cucumber)* pepinillo *m* encurtido

pickled onion ['pɪkld-] *n* cebolleta *f* en vinagre

pickpocket ['pɪk,pɒkɪt] *n* carterista *mf*

pick-up (truck) *n* camioneta *f*

picnic ['pɪknɪk] *n* comida *f* campestre

picnic area *n* ≃ zona *f* de picnics

picture ['pɪktʃəʳ] *n* **1.** (*painting*) cuadro *m* **2.** (*drawing*) dibujo *m* **3.** (*photograph*) foto *f* **4.** (*on TV*) imagen *f* **5.** (*film*) película *f*

picture frame *n* marco *m* (para fotos)

picturesque [,pɪktʃə'resk] *adj* pintoresco (ca)

pie [paɪ] *n* **1.** (*savoury*) empanada *f* **2.** (*sweet*) tarta *f* (*cubierta de hojaldre*)

piece [piːs] *n* **1.** (*part, bit*) trozo *m* **2.** (*component, in chess, of music*) pieza *f* ● a 20p piece una moneda de 20 peniques ● a piece of advice un consejo ● a piece of clothing una prenda de vestir ● a piece of furniture un mueble ● a piece of paper una hoja de papel ● to fall to pieces deshacerse ● in one piece (*intact*) intacto; (*unharmed*) sano y salvo

pier [pɪəʳ] *n* paseo *m* marítimo (*sobre malecón*)

pierce [pɪəs] *vt* perforar ● to have one's ears pierced hacerse agujeros en las orejas

pig [pɪg] *n* **1.** (*animal*) cerdo *m* **2.** (*inf*) (*greedy person*) tragón *m*, -ona *f*

pigeon ['pɪdʒɪn] *n* paloma *f*

pigeonhole ['pɪdʒɪnhəʊl] *n* casilla *f*

pigtail ['pɪgteɪl] *n* trenza *f*

pike [paɪk] *n* (*fish*) lucio *m*

pilau rice ['pɪlaʊ-] *n* arroz de distintos colores, condimentado con especias orientales

pilchard ['pɪltʃəd] *n* sardina *f*

pile [paɪl] ◇ *n* **1.** (*heap*) montón *m* **2.** (*neat stack*) pila *f* ◇ *vt* amontonar ● piles of (*inf*) (*a lot*) un montón de ●

pile up ◇ *vt sep* amontonar ◇ *vi* (*accumulate*) acumularse

piles [paɪlz] *npl MED* almorranas *fpl*

pileup ['paɪlʌp] *n* colisión *f* en cadena

pill [pɪl] *n* pastilla *f* ● the pill la píldora

pillar ['pɪləʳ] *n* pilar *m*

pillar box *n* (*UK*) buzón *m*

pillion ['pɪljən] *n* ● to ride pillion ir sentado atrás (*en moto*)

pillow ['pɪləʊ] *n* **1.** (*for bed*) almohada *f* **2.** (*US*) (*on chair, sofa*) cojín *m*

pillowcase ['pɪləʊkeɪs] *n* funda *f* de la almohada

pilot ['paɪlət] *n* piloto *mf*

pilot light *n* piloto *m*

pimple ['pɪmpl] *n* grano *m*

pin [pɪn] ◇ *n* **1.** (*for sewing*) alfiler *m* **2.** (*drawing pin*) chincheta *f* **3.** (*safety pin*) imperdible *m* **4.** (*US*) (*brooch*) broche *m* **5.** (*US*) (*badge*) chapa *f*, pin *m* ◇ *vt* (*fasten*) prender ● a two-pin plug un enchufe de dos clavijas ● pins and needles hormigueo *m*

pinafore ['pɪnəfɔːʳ] *n* (*UK*) **1.** (*apron*) delantal *m* **2.** (*dress*) pichi *m* (*Esp*), jumper *m* (*Amér*)

pinball ['pɪnbɔːl] *n* flípper *m*

pincers ['pɪnsəz] *npl* (*tool*) tenazas *fpl*

pinch [pɪntʃ] ◇ *vt* **1.** (*squeeze*) pellizcar **2.** (*UK*) (*inf*) (*steal*) mangar ◇ *n* (*of salt*) pizca *f*

pine [paɪn] ◇ *n* pino *m* ◇ *adj* de pino

pineapple ['paɪnæpl] *n* piña *f*

pink [pɪŋk] ◇ *adj* rosa (*inv*) ◇ *n* (*colour*) rosa *m*

pinkie ['pɪŋkɪ] *n* dedo *m* meñique

PIN number *n* número *m* personal de identificación

pint [paɪnt] *n* **1.** *(in UK)* = *0,568 litros* pinta *f* **2.** *(in US)* = *0,473 litros* pinta ● **a pint (of beer)** *(UK)* *(UK)* una jarra de cerveza

pip [pɪp] *n* *(UK)* *(of fruit)* pepita *f*

pipe [paɪp] *n* **1.** *(for smoking)* pipa *f* **2.** *(for gas, water)* tubería *f*

pipe cleaner *n* limpiapipas *m inv*

pipeline [ˈpaɪplaɪn] *n* *(for oil)* oleoducto *m*

pirate [ˈpaɪrət] *n* pirata *m*

Pisces [ˈpaɪsiːz] *n* Piscis *m inv*

piss [pɪs] ◇ *vi* *(vulg)* mear, hacer pís ◇ *n* ● **to have a piss** *(vulg)* echar una meada ● **it's pissing down** *(vulg)* está lloviendo que te cagas

pissed [pɪst] *adj* **1.** *(UK)* *(vulg)* *(drunk)* mamado(da) *(Esp)*, tomado(da) *(Amér)* **2.** *(US)* *(vulg)* *(angry)* cabreado (da)

pissed off *adj* *(vulg)* cabreado(da)

pistachio [pɪˈstɑːʃɪəʊ] ◇ *n* pistacho *m* ◇ *adj* de pistacho

pistol [ˈpɪstl] *n* pistola *f*

piston [ˈpɪstən] *n* pistón *m*

pit [pɪt] *n* **1.** *(hole)* hoyo *m* **2.** *(coalmine)* mina *f* **3.** *(for orchestra)* foso *m* de la orquesta **4.** *(US)* *(in fruit)* hueso *m*

pitch [pɪtʃ] ◇ *n* *(UK)* SPORT campo *m* ◇ *vt* *(throw)* lanzar ● **to pitch a tent** montar una tienda de campaña

pitcher [ˈpɪtʃə] *n* **1.** *(UK)* *(large jug)* cántaro *m* **2.** *(US)* *(small jug)* jarra *f*

pitfall [ˈpɪtfɔːl] *n* escollo *m*

pith [pɪθ] *n* *(of orange)* parte blanca de la corteza

pitta (bread) [ˈpɪtə-] *n* fina torta de pan ácimo

pitted [ˈpɪtɪd] *adj* *(olives)* deshuesado (da)

pity [ˈpɪtɪ] *n* *(compassion)* lástima *f* ● **to have pity on sb** compadecerse de alguien ● **it's a pity (that) ...** es una pena que ... ● **what a pity!** ¡qué pena!

pivot [ˈpɪvət] *n* eje *m*

pizza [ˈpiːtsə] *n* pizza *f*

pizzeria [ˌpiːtsəˈrɪə] *n* pizzería *f*

Pl. *(abbr of Place)* *nombre de ciertas calles en Gran Bretaña*

placard [ˈplækɑːd] *n* pancarta *f*

place [pleɪs] ◇ *n* **1.** *(location)* sitio *m*, lugar *m* **2.** *(house, flat)* casa *f* **3.** *(seat)* asiento *m* **4.** *(proper position)* sitio *m* **5.** *(in race, list)* lugar *m* **6.** *(at table)* cubierto *m* ◇ *vt* **1.** *(put)* colocar **2.** *(an order, bet)* hacer ● **in the first place ...** en primer lugar ... ● **to take place** tener lugar ● **to take sb's place** sustituir a alguien ● **all over the place** por todas partes ● **in place of** en lugar de

place mat *n* mantel *m* individual

placement [ˈpleɪsmənt] *n* *(UK)* colocación *f* temporal

place of birth *n* lugar *m* de nacimiento

plague [pleɪg] *n* peste *f*

plaice [pleɪs] *n* platija *f*

plain [pleɪn] ◇ *adj* **1.** *(not decorated)* liso (sa) **2.** *(simple)* sencillo(lla) **3.** *(clear)* claro(ra) **4.** *(paper)* sin rayas **5.** *(pej)* *(not attractive)* sin ningún atractivo ◇ *n* llanura *f*

plain chocolate *n* *(UK)* chocolate *m* amargo

plainly ['pleɪnlɪ] *adv* **1.** *(obviously)* evidentemente **2.** *(distinctly)* claramente

plait [plæt] ◇ *n* (UK) trenza *f* ◇ *vt* (UK) trenzar

plan [plæn] ◇ *n* **1.** *(scheme, project)* plan *m* **2.** *(drawing)* plano *m* ◇ *vt* *(organize)* planear ● **have you any plans for tonight?** ¿tienes algún plan para esta noche? ● **according to plan** según lo previsto ● **to plan to do sthg, to plan on doing sthg** pensar hacer algo

plane [pleɪn] *n* **1.** *(aeroplane)* avión *m* **2.** *(tool)* cepillo *m*

planet ['plænɪt] *n* planeta *m*

plank [plæŋk] *n* tablón *m*

plant [plɑːnt] ◇ *n* planta *f* ◇ *vt* **1.** *(seeds, tree)* plantar **2.** *(land)* sembrar ▼ **heavy plant crossing** cartel que indica peligro por salida de vehículos pesados

plaque [plɑːk] *n* placa *f*

plaster ['plɑːstə^r] *n* **1.** (UK) *(for cut)* tirita® *f* *(Esp)*, curita® *f* *(Amér)* **2.** *(for walls)* escayola *f* *(Esp)*, yeso *m* *(Amér)* ● **in plaster** escayolado

plaster cast *n* *(for broken bones)* escayola *f* *(Esp)*, yeso *f* *(Amér)*

plastic ['plæstɪk] ◇ *n* plástico *m* ◇ *adj* de plástico

plastic bag *n* bolsa *f* de plástico

Plasticine® ['plæstɪsiːn] *n* (UK) plastilina® *f*

plate [pleɪt] *n* **1.** *(for food)* plato *m* **2.** *(of metal)* placa *f*

plateau ['plætəʊ] *n* meseta *f*

plate-glass *adj* de vidrio cilindrado

platform ['plætfɔːm] *n* **1.** *(at railway station)* andén *m* **2.** *(raised structure)* plataforma *f* ● **platform 12** la vía 12

platinum ['plætɪnəm] *n* platino *m*

platter ['plætə^r] *n* CULIN combinado, *especialmente de mariscos, servido en una fuente alargada*

play [pleɪ] ◇ *vt* **1.** *(sport, game)* jugar a **2.** *(music, instrument)* tocar **3.** *(opponent)* jugar contra **4.** *(CD, tape, record)* poner **5.** *(role, character)* representar ◇ *vi* **1.** *(child, in sport, game)* jugar **2.** *(musician)* tocar ◇ *n* **1.** *(in theatre, on TV)* obra *f* *(de teatro)* **2.** *(button on CD, tape recorder)* botón *m* del "play" ◆ **play back** *vt sep* volver a poner ◆ **play up** *vi* dar guerra

player ['pleɪə^r] *n* **1.** *(of sport, game)* jugador *m*, -ra *f* **2.** *(of musical instrument)* intérprete *mf*

playful ['pleɪfʊl] *adj* juguetón(ona)

playground ['pleɪgraʊnd] *n* **1.** *(in school)* patio *m* de recreo **2.** *(in park etc)* zona *f* recreativa

playgroup ['pleɪgruːp] *n* (UK) grupo *para niños de edad preescolar*

playing card ['pleɪŋ-] *n* carta *f*

playing field ['pleɪŋ-] *n* campo *m* de deportes

playroom ['pleɪrʊm] *n* cuarto *m* de los juguetes

playschool ['pleɪskuːl] (UK) = **playgroup**

playtime ['pleɪtaɪm] *n* recreo *m*

playwright ['pleɪraɪt] *n* dramaturgo *m*, -ga *f*

plc [piːelˈsiː] (UK) *(abbr of public limited company)* ≃ S.A. *(sociedad anónima)*

pleasant ['pleznt] *adj* agradable

please [pliːz] ◇ *adv* por favor ◇ *vt* complacer ● **yes please!** ¡sí, gracias! ● **whatever you please** lo que desee

pleased [pli:zd] *adj* contento(ta) ● **to be pleased with** estar contento con ● **pleased to meet you!** ¡encantado(da) de conocerle!

pleasure ['pleʒəʳ] *n* placer *m* ● **with pleasure** con mucho gusto ● **it's a pleasure!** ¡es un placer!

pleat [pli:t] *n* pliegue *m*

pleated ['pli:tɪd] *adj* plisado(da)

plentiful ['plentɪful] *adj* abundante

plenty ['plentɪ] *pron* de sobra ● **plenty of money** dinero de sobra ● **plenty of chairs** sillas de sobra

pliers ['plaɪəz] *npl* alicates *mpl*

plonk [plɒŋk] *n* (UK) (inf) (wine) vino *m* peleón

plot [plɒt] *n* 1. *(scheme)* complot *m* 2. *(of story, film, play)* trama *f* 3. *(of land)* parcela *f*

plough [plaʊ] ⋄ *n* (UK) arado *m* ⋄ *vt* (UK) arar

ploughman's (lunch) ['plaʊmənz-] (UK) *tabla de queso servida con pan, cebolla, ensalada y salsa agridulce*

plow [plaʊ] (US) = **plough**

ploy [plɔɪ] *n* estratagema *f*

pluck [plʌk] *vt* 1. *(eyebrows)* depilar (con pinzas) 2. *(chicken)* desplumar

plug [plʌɡ] *n* 1. *(electrical)* enchufe *m* 2. *(for bath, sink)* tapón *m* ◆ **plug in** *vt sep* enchufar

plughole ['plʌɡhəʊl] *n* (UK) agujero *m* del desagüe

plum [plʌm] *n* ciruela *f*

plumber ['plʌməʳ] *n* fontanero *m*, -ra *f*

plumbing ['plʌmɪŋ] *n* *(pipes)* tuberías *fpl*

plump [plʌmp] *adj* regordete

plunge [plʌndʒ] *vi* 1. *(fall, dive)* zambu-

llirse 2. *(decrease)* caer vertiginosamente

plunger ['plʌndʒəʳ] *n* *(for unblocking pipe)* desatascador *m*

pluperfect (tense) [,plu:'pɜ:fɪkt-] *n* ● **the pluperfect tense** el pluscuamperfecto

plural ['plʊərəl] *n* plural *m* ● **in the plural** en plural

plus [plʌs] ⋄ *prep* más ⋄ *adj* ● **30 plus** treinta o más

plush [plʌʃ] *adj* lujoso(sa)

Pluto ['plu:təʊ] *n* Plutón *m*

plywood ['plaɪwʊd] *n* contrachapado *m*

p.m. [pi:'em] *(abbr of post meridiem)* ● **at 4 p.m.** a las cuatro de la tarde ● **at 10 p.m.** a las diez de la noche

PMS [pi:em'es] *n* (UK) *(abbr of premenstrual syndrome)* SPM *m* *(síndrome premenstrual)*

PMT [pi:em'ti:] *n* *(abbr of premenstrual tension)* SPM *m* *(síndrome premenstrual)*

pneumatic drill [nju:'mætɪk-] *n* (UK) taladradora *f* neumática

pneumonia [nju:'məʊnjə] *n* pulmonía *f*

poached egg [pəʊtʃt-] *n* huevo *m* escalfado

poached salmon [pəʊtʃt-] *n* salmón *m* hervido

poacher ['pəʊtʃəʳ] *n* 1. *(hunting)* cazador *m* furtivo 2. *(fishing)* pescador *m* furtivo

PO Box [pi:'əʊ-] *n* *(abbr of Post Office Box)* apdo. *m* *(apartado)*

pocket ['pɒkɪt] ⋄ *n* 1. bolsillo *m* 2. *(on car door)* bolsa *f* ⋄ *adj* de bolsillo

pocketbook ['pɒkɪtbʊk] *n* 1. *(notebook)* libreta *f* 2. *(US)* *(handbag)* bolso *m*

(Esp), cartera f (Amér)

pocket money n (UK) propina f semanal

podiatrist [pə'daɪətrɪst] n (US) podólogo m, -ga f

poem ['pəʊɪm] n poema m

poet ['pəʊɪt] n poeta m, -tisa f

poetry ['pəʊɪtrɪ] n poesía f

point [pɔɪnt] ◇ n 1. punto m 2. (tip) punta f 3. (most important thing) razón f 4. (UK) (electric socket) enchufe m ◇ vi • to point to señalar • five point seven cinco coma siete • what's the point? ¿para qué? • there's no point no vale la pena • to be on the point of doing sthg estar a punto de hacer algo • to come to the point ir al grano • points npl (UK) (on railway) agujas fpl • point out vt sep 1. (object, person) señalar 2. (fact, mistake) hacer notar

pointed ['pɔɪntɪd] adj (in shape) puntiagudo(da)

pointless ['pɔɪntlɪs] adj sin sentido

point of view n punto m de vista

poison ['pɔɪzn] ◇ n veneno m ◇ vt 1. (intentionally) envenenar 2. (unintentionally) intoxicar

poisoning ['pɔɪznɪŋ] n 1. (intentional) envenenamiento m 2. (unintentional) intoxicación f

poisonous ['pɔɪznəs] adj 1. (food, gas, substance) tóxico(ca) 2. (snake, spider) venenoso(sa)

poke [pəʊk] vt 1. (with finger, stick) dar 2. (with elbow) dar un codazo

poker ['pəʊkə'] n (card game) póker m

Poland ['pəʊlənd] n Polonia f

polar bear ['pəʊlə-] n oso m polar

pole [pəʊl] n (of wood) palo m

Pole [pəʊl] n (person) polaco m, -ca f

police [pə'liːs] npl • **the police** la policía

police car n coche m patrulla

police force n cuerpo m de policía

policeman [pə'liːsmən] (pl -men) n policía m

police officer n agente mf de policía

police station n comisaría f de policía

policewoman [pə'liːs,wʊmən] (pl -women) n mujer f policía

policy ['pɒləsɪ] n 1. (approach, attitude) política f 2. (for insurance) póliza f

policy-holder n asegurado m, -da f

polio ['pəʊlɪəʊ] n polio f

polish ['pɒlɪʃ] ◇ n (for cleaning) abrillantador m ◇ vt sacar brillo a

Polish ['pəʊlɪʃ] ◇ adj polaco(ca) ◇ n (language) polaco m ◇ npl • **the Polish** los polacos

polite [pə'laɪt] adj educado(da)

political [pə'lɪtɪkl] adj político(ca)

politician [,pɒlɪ'tɪʃn] n político m, -ca f

politics ['pɒlətɪks] n política f

poll [pəʊl] n (survey) encuesta f • **the polls** (election) los comicios

pollen ['pɒlən] n polen m

pollute [pə'luːt] vt contaminar

pollution [pə'luːʃn] n 1. (of sea, air) contaminación f 2. (substances) agentes mpl contaminantes

polo neck ['pəʊləʊ-] n (UK) (jumper) jersey m de cuello de cisne (Esp), suéter m de cuello alto

polyester [,pɒlɪ'estə'] n poliéster m

polystyrene [,pɒlɪ'staɪriːn] n poliestireno m

polythene [ˈpɒlɪθiːn] *n* polietileno *m*

pomegranate [ˈpɒmɪˌɡrænɪt] *n* granada *f*

pompous [ˈpɒmpəs] *adj* (*person*) engreído(da)

pond [pɒnd] *n* estanque *m*

pony [ˈpəʊnɪ] *n* poni *m*

ponytail [ˈpəʊnɪteɪl] *n* cola *f* de caballo (*peinado*)

pony-trekking [-ˌtrekɪŋ] *n* (*UK*) excursión *f* en poni

poodle [ˈpuːdl] *n* caniche *m*

pool [puːl] *n* 1. (*for swimming*) piscina *f* 2. (*of water, blood, milk*) charco *m* 3. (*small pond*) estanque *m* 4. (*game*) billar *m* americano ♦ **pools** *npl* (*UK*) ● **the pools** las quinielas

poor [pɔːʳ] ◇ *adj* 1. pobre 2. (*bad*) malo(la) ◇ *npl* ● **the poor** los pobres

poorly [ˈpɔːlɪ] ◇ *adj* (*UK*) pachucho(cha) (*Esp*) ◇ *adv* mal

pop [pɒp] ◇ *n* (*music*) música *f* pop ◇ *vt* (*inf*) (*put*) meter ◇ *vi* (*balloon*) reventar ● **my ears popped** me estallaron los oídos ♦ **pop in** *vi* (*UK*) entrar un momento

popcorn [ˈpɒpkɔːn] *n* palomitas *fpl* (de maíz)

Pope [pəʊp] *n* ● **the Pope** el Papa

pop group *n* grupo *m* de música pop

poplar (tree) [ˈpɒpləʳ] *n* álamo *m*

pop music *n* música *f* pop

popper [ˈpɒpəʳ] *n* (*UK*) corchete *m*, broche *m* de presión (*Amér*)

poppy [ˈpɒpɪ] *n* amapola *f*

Popsicle® [ˈpɒpsɪkl] *n* (*US*) polo *m* (*Esp*), paleta *f* helada (*Amér*)

pop socks *npl* calcetines de nylon

pop star *n* estrella *f* del pop

popular [ˈpɒpjʊləʳ] *adj* 1. (*person, activity*) popular 2. (*opinion, ideas*) generalizado(da)

popularity [ˌpɒpjʊˈlærətɪ] *n* popularidad *f*

populated [ˈpɒpjʊleɪtɪd] *adj* poblado(da)

population [ˌpɒpjʊˈleɪʃn] *n* población *f*

porcelain [ˈpɔːsəlɪn] *n* porcelana *f*

porch [pɔːtʃ] *n* porche *m*

pork [pɔːk] *n* carne *f* de cerdo

pork chop *n* chuleta *f* de cerdo

pornographic [ˌpɔːnəˈɡræfɪk] *adj* pornográfico(ca)

porridge [ˈpɒrɪdʒ] *n* (*UK*) papilla *f* de avena

port [pɔːt] *n* 1. (*town, harbour*) puerto *m* 2. (*drink*) oporto *m*

portable [ˈpɔːtəbl] *adj* portátil

porter [ˈpɔːtəʳ] *n* 1. (*at hotel, museum*) conserje *mf* 2. (*at station, airport*) mozo *m*

portion [ˈpɔːʃn] *n* 1. (*part*) porción *f* 2. (*of food*) ración *f*

portrait [ˈpɔːtreɪt] *n* retrato *m*

Portugal [ˈpɔːtʃʊɡl] *n* Portugal

Portuguese [ˌpɔːtʃʊˈɡiːz] ◇ *adj* portugués(esa) ◇ *n* (*language*) portugués *m* ◇ *npl* ● **the Portuguese** los portugueses

pose [pəʊz] ◇ *vt* 1. (*problem*) plantear 2. (*threat*) suponer ◇ *vi* (*for photo*) posar

posh [pɒʃ] *adj* 1. (*inf*) (*person, accent*) de clase alta 2. (*hotel, restaurant*) de lujo

position [pəˈzɪʃn] *n* 1. posición *f* 2. (*situation*) situación *f* 3. (*rank, importance*) rango *m* 4. (*fml*) (*job*) puesto *m* ▼ **position closed** cerrado

positive [ˈpɒzətɪv] *adj* **1.** positivo(va) **2.** *(certain, sure)* seguro(ra) **3.** *(optimistic)* optimista

possess [pəˈzes] *vt* poseer

possession [pəˈzeʃn] *n* posesión *f*

possessive [pəˈzesɪv] *adj* posesivo(va)

possibility [ˌpɒsəˈbɪlətɪ] *n* posibilidad *f*

possible [ˈpɒsəbl] *adj* posible ● it's possible that we may be late puede (ser) que lleguemos tarde ● would it be possible for me to use the phone? ¿podría usar el teléfono? ● as much as possible tanto como sea posible ● if possible si es posible

possibly [ˈpɒsəblɪ] *adv (perhaps)* posiblemente

post [pəʊst] ◇ *n* **1.** *(UK) (system, letters)* correo *m* **2.** *(UK) (delivery)* reparto *m* **3.** *(pole)* poste *m* **4.** *(fml) (job)* puesto *m* ◇ *vt (UK) (letter, parcel)* echar al correo ● by post *(UK)* por correo

postage [ˈpəʊstɪdʒ] *n* franqueo *m* ● postage and packing *(UK)* gastos *mpl* de envío ● postage paid franqueo pagado

postage stamp *n (fml)* sello *m*, estampilla *f (Amér)*

postal order [ˈpəʊstl-] *n (UK)* giro *m* postal

postbox [ˈpəʊstbɒks] *n (UK)* buzón *m*

postcard [ˈpəʊstkɑːd] *n (UK)* postal *f*

postcode [ˈpəʊstkəʊd] *n (UK)* código *m* postal

poster [ˈpəʊstə] *n* póster *m*

postgraduate [ˌpəʊstˈɡrædʒʊət] *n* posgraduado *m*, -da *f*

Post-it (note) ® *n* Post-it ® *m*

postman [ˈpəʊstmən] *(pl* -men*) n (UK)* cartero *m*

postmark [ˈpəʊstmɑːk] *n* matasellos *m inv*

post office *n (building)* oficina *f* de correos ● the Post Office ≃ Correos *m inv*

postpone [ˌpəʊstˈpəʊn] *vt* aplazar

posture [ˈpɒstʃə] *n* postura *f*

postwoman [ˈpəʊstˌwʊmən] *(pl* -women*) n (UK)* cartera *f*

pot [pɒt] *n* **1.** *(for cooking)* olla *f* **2.** *(for jam)* tarro *m* **3.** *(for paint)* bote *m* **4.** *(for tea)* tetera *f* **5.** *(for coffee)* cafetera *f* **6.** *(inf) (cannabis)* maría *f (Esp)*, hierba *f* ● a pot of tea una tetera

potato [pəˈteɪtəʊ] *(pl* -es*) n* patata *f*

potato salad *n* ensalada *f* de patatas *(Esp)* OR papas *(Amér)*

potential [pəˈtenʃl] ◇ *adj* potencial ◇ *n* potencial *m*

pothole [ˈpɒthəʊl] *n (in road)* bache *m*

pot plant *n (UK)* planta *f* de interior

potted [ˈpɒtɪd] *adj* **1.** *(meat, fish)* en conserva **2.** *(plant)* en maceta

pottery [ˈpɒtərɪ] *n* cerámica *f*

potty [ˈpɒtɪ] *adj* chalado(da), chiflado(da)

pouch [paʊtʃ] *n* **1.** *(for money)* monedero *m* de atar **2.** *(for tobacco)* petaca *f*

poultry [ˈpəʊltrɪ] ◇ *n (meat)* carne *f* de pollería ◇ *npl (animals)* aves *fpl* de corral

pound [paʊnd] ◇ *n* **1.** *(unit of money)* libra *f* **2.** *(unit of weight)* = 453,6 *g* libra ◇ *vi (heart, head)* palpitar

pour [pɔː] ◇ *vt* **1.** *(liquid etc)* verter **2.** *(drink)* servir ◇ *vi (flow)* manar ● it's pouring (with rain) está lloviendo a cántaros ◆ pour out *vt sep (drink)* servir

poverty ['pɒvətɪ] *n* pobreza *f*

powder ['paʊdəʳ] *n* polvo *m*

power ['paʊəʳ] ◇ *n* **1.** *(control, authority)* poder *m* **2.** *(ability)* capacidad *f* **3.** *(strength, force)* fuerza *f* **4.** *(energy)* energía *f* **5.** *(electricity)* corriente *f* ◇ *vt* impulsar ● to be in power estar en el poder

power cut *n* *(UK)* apagón *m*

power failure *n* corte *m* de corriente

powerful ['paʊəfʊl] *adj* **1.** *(having control)* poderoso(sa) **2.** *(physically strong, forceful)* fuerte **3.** *(machine, drug, voice)* potente **4.** *(smell)* intenso(sa)

power point *n* *(UK)* toma *f* de corriente

power station *n* *(UK)* central *f* eléctrica

power steering *n* dirección *f* asistida

practical ['præktɪkl] *adj* práctico(ca)

practically ['præktɪklɪ] *adv* *(almost)* prácticamente

practice ['præktɪs] ◇ *n* **1.** *(training, training session)* práctica *f* **2.** SPORT entrenamiento *m* **3.** *(of doctor)* consulta *f* **4.** *(of lawyer)* bufete *m* **5.** *(regular activity, custom)* costumbre *f* ◇ *vt* *(US)* ● to be out of practice tener falta de práctica = practise

practise ['præktɪs] ◇ *vt* *(UK)* *(sport, music, technique)* practicar ◇ *vi* **1.** *(train)* practicar **2.** *(doctor, lawyer)* ejercer

praise [preɪz] ◇ *n* elogio *m* ◇ *vt* elogiar

pram [præm] *n* *(UK)* cochecito *m* de niño

prank [præŋk] *n* travesura *f*

prawn [prɔːn] *n* gamba *f* *(Esp)*, camarón *m* *(Amér)*

prawn cracker *n* pan *m* de gambas *(Esp)* OR camarones *(Amér)*

pray [preɪ] *vi* rezar ● to pray for sthg *(fig)* rogar por algo

prayer [preəʳ] *n* *(to God)* oración *f*

precarious [prɪˈkeərɪəs] *adj* precario (ria)

precaution [prɪˈkɔːʃn] *n* precaución *f*

precede [prɪˈsiːd] *vt* *(fml)* preceder

preceding [prɪˈsiːdɪŋ] *adj* precedente

precinct ['priːsɪŋkt] *n* **1.** *(UK)* *(for shopping)* zona *f* comercial peatonal **2.** *(US)* *(area of town)* distrito *m*

precious ['preʃəs] *adj* **1.** precioso(sa) **2.** *(memories)* entrañable **3.** *(possession)* de gran valor sentimental

precious stone *n* piedra *f* preciosa

precipice ['presɪpɪs] *n* precipicio *m*

precise [prɪˈsaɪs] *adj* preciso(sa), exacto (ta)

precisely [prɪˈsaɪslɪ] *adv* **1.** *(accurately)* con precisión **2.** *(exactly)* exactamente

predecessor ['priːdɪsesəʳ] *n* predecesor *m*, -ra *f*

predicament [prɪˈdɪkəmənt] *n* apuro *m*

predict [prɪˈdɪkt] *vt* predecir

predictable [prɪˈdɪktəbl] *adj* **1.** *(foreseeable)* previsible **2.** *(pej)* *(unoriginal)* poco original

prediction [prɪˈdɪkʃn] *n* predicción *f*

preface ['prefɪs] *n* prólogo *m*

prefect ['priːfekt] *n* *(UK)* *(at school)* alumno de un curso superior elegido por los profesores para mantener el orden fuera de clase

prefer [prɪˈfɜːʳ] *vt* ● to prefer sthg (to) preferir algo (a) ● to prefer to do sthg preferir hacer algo

preferable ['prefrəbl] *adj* preferible

preferably ['prefrəblɪ] *adv* preferible-mente

preference ['prefərəns] *n* preferencia *f*

prefix ['pri:fɪks] *n* prefijo *m*

pregnancy ['pregnənsɪ] *n* embarazo *m*

pregnant ['pregnənt] *adj* embarazada

prejudice ['predʒʊdɪs] *n* prejuicio *m*

prejudiced ['predʒʊdɪst] *adj* parcial

preliminary [prɪ'lɪmɪnərɪ] *adj* prelimi-nar

premature ['premə,tjʊəʳ] *adj* 1. prema-turo(ra) 2. *(arrival)* anticipado(da)

premier ['premjəʳ] ◇ *adj* primero(ra) ◇ *n (UK)* primer ministro *m*, primera ministra *f*

premiere ['premɪeəʳ] *n* estreno *m*

premises ['premɪsɪz] *npl* local *m*

premium ['pri:mjəm] *n (for insurance)* prima *f*

premium-quality *adj (meat)* de cali-dad superior

preoccupied [pri:'ɒkjʊpaɪd] *adj* preocu-pado(da)

prepacked [,pri:'pækt] *adj* preempaque-tado(da)

prepaid ['pri:peɪd] *adj (envelope)* con porte pagado

preparation [,prepə'reɪʃn] *n (preparing)* preparación *f* ◆ **preparations** *npl (arran-gements)* preparativos *mpl*

preparatory school [prɪ'pærətrɪ-] *n* 1. *(in UK)* colegio privado que prepara a alumnos de 7 a 12 años para la enseñanza secundaria 2. *(in US)* colegio privado de enseñanza media que prepara a a sus alumnos para estudios superio-res

prepare [prɪ'peəʳ] ◇ *vt* preparar ◇ *vi* prepararse

prepared [prɪ'peəd] *adj (ready)* prepara-do(da) ● **to be prepared to do sthg** estar dispuesto(ta) a hacer algo

preposition [,prepə'zɪʃn] *n* preposición *f*

prep school [prep-] = **preparatory school**

prescribe [prɪ'skraɪb] *vt* prescribir

prescription [prɪ'skrɪpʃn] *n* receta *f*

presence ['prezns] *n* presencia *f* ● **in sb's presence** en presencia de alguien

present ◇ *adj* ['preznt] 1. *(in attendance)* presente 2. *(current)* actual ◇ *n* ['preznt] *(gift)* regalo *m* ◇ *vt* [prɪ'zent] 1. *(give as present)* obsequiar 2. *(problem, challenge, play)* representar 3. *(portray, on radio or TV)* presentar ● **the present (tense)** el presente ● **at present** actualmente ● **may I present you to the mayor?** ¿te puedo presentar al alcalde?

presentable [prɪ'zentəbl] *adj* presen-table

presentation [,prezn'teɪʃn] *n* 1. *(way of presenting)* presentación *f* 2. *(ceremony)* ceremonia *f* de entrega

presenter [prɪ'zentəʳ] *n (UK) (of TV, radio programme)* presentador *m*, -ra *f*

presently ['prezntlɪ] *adv* 1. *(soon)* den-tro de poco 2. *(now)* actualmente

preservation [,prezə'veɪʃn] *n* conserva-ción *f*

preservative [prɪ'zɜ:vətɪv] *n* conservan-te *m*

preserve [prɪ'zɜ:v] ◇ *n (jam)* confitura *f* ◇ *vt* conservar

president ['prezɪdənt] n presidente m, -ta f

press [pres] ◇ vt 1. (push) apretar 2. (iron) planchar ◇ n ● the press la prensa ● to press sb to do sthg presionar a alguien para que haga algo

press conference n rueda f de prensa

press-up n (UK) flexión f

pressure ['preʃə'] n presión f

pressure cooker n olla f exprés

prestigious [pre'stɪdʒəs] adj prestigioso (sa)

presumably [prɪ'zju:məblɪ] adv probablemente

presume [prɪ'zju:m] vt suponer

pretend [prɪ'tend] vt ● to pretend to do sthg fingir hacer algo

pretentious [prɪ'tenʃəs] adj pretencioso (sa)

pretty ['prɪtɪ] ◇ adj 1. (person) guapo (pa) 2. (thing) bonito(ta), lindo(da) (Amér) ◇ adv (inf) 1. (quite) bastante 2. (very) muy

prevent [prɪ'vent] vt prevenir ● they prevented him from leaving le impidieron que se marchara

prevention [prɪ'venʃn] n prevención f

preview ['pri:vju:] n 1. (of film) preestreno m 2. (short description) reportaje m (sobre un acontecimiento futuro)

previous ['pri:vjəs] adj 1. (earlier) previo (via) 2. (preceding) anterior

previously ['pri:vjəslɪ] adv anteriormente

price [praɪs] ◇ n precio m ◇ vt ● attractively priced con un precio atractivo

priceless ['praɪslɪs] adj 1. (expensive) de un valor incalculable 2. (valuable) valiosísimo(ma)

price list n lista f de precios

pricey ['praɪsɪ] adj (inf) caro(ra)

prick [prɪk] vt 1. (skin, finger) pinchar 2. (sting) picar

prickly ['prɪklɪ] adj (plant, bush) espinoso (sa)

prickly heat n sarpullido causado por el calor

pride [praɪd] ◇ n orgullo m ◇ vt ● to pride o.s. on sthg estar orgulloso de algo

priest [pri:st] n sacerdote m

primarily ['praɪmərɪlɪ] adv primordialmente

primary school ['praɪmərɪ-] n escuela f primaria

prime [praɪm] adj 1. (chief) primero(ra) 2. (quality, beef, cut) de calidad superior

prime minister n primer ministro m, primera ministra f

primitive ['prɪmɪtɪv] adj (simple) rudimentario(ria)

primrose ['prɪmrəʊz] n primavera f

prince [prɪns] n príncipe m

princess [prɪn'ses] n princesa f

principal ['prɪnsəpl] ◇ adj principal ◇ n (of school, university) director m, -ra f

principle ['prɪnsəpl] n principio m ● in principle en principio

print [prɪnt] ◇ n 1. (words) letras fpl (de imprenta) 2. (photo) foto f 3. (of painting) reproducción f 4. (mark) huella f ◇ vt 1. (book, newspaper, photo) imprimir 2. (publish) publicar 3. (write) escribir en letra de imprenta ● out of

print agotado ◆ **print out** *vt sep* imprimir

printed matter ['prɪntɪd-] *n* impresos *mpl*

printer ['prɪntər] *n* **1.** *(machine)* impresora *f* **2.** *(person)* impresor *m*, -ra *f*

printout ['prɪntaʊt] *n* copia *f* de impresora

prior ['praɪər] *adj (previous)* anterior ◆ **prior to** *(fml)* con anterioridad a

priority [praɪˈɒrətɪ] *n* prioridad *f* ● **to have priority over** tener prioridad sobre

prison ['prɪzn] *n* cárcel *f*

prisoner ['prɪznər] *n* preso *m*, -sa *f*

prisoner of war *n* prisionero *m*, -ra *f* de guerra

prison officer *n* funcionario *m*, -ria *f* de prisiones

privacy ['prɪvəsɪ] *n* intimidad *f*

private ['praɪvɪt] ◇ *adj* **1.** privado(da) **2.** *(class, lesson)* particular **3.** *(matter, belongings)* personal **4.** *(quiet)* retirado(da) ◇ *n* MIL soldado *m* raso ● **in private** en privado

private education

Los colegios privados británicos no reciben dinero del gobierno, y son una alternativa para aquellos padres con más recursos financieros para pagar la educación de sus hijos. Aunque el nombre pueda engañar, en Inglaterra a los colegios privados se les suele llamar *public schools*.

private health care *n* asistencia *f* sanitaria privada

private property *n* propiedad *f* privada

private school *n* colegio *m* privado

privilege ['prɪvɪlɪdʒ] *n* privilegio *m* ● **it's a privilege!** ¡es un honor!

prize [praɪz] *n* premio *m*

prize-giving [-ˌgɪvɪŋ] *n* entrega *f* de premios

pro [prəʊ] *(pl* **-s)** *n (inf) (professional)* profesional *mf* ◆ **pros** *npl* ● **the pros and cons** los pros y los contras

probability [ˌprɒbəˈbɪlətɪ] *n* probabilidad *f*

probable ['prɒbəbl] *adj* probable

probably ['prɒbəblɪ] *adv* probablemente

probation officer [prəˈbeɪʃn-] *n* oficial *m* encargado de la vigilancia de presos en libertad condicional

problem ['prɒbləm] *n* problema *m* ● **no problem!** *(inf)* ¡no hay problema!

procedure [prəˈsiːdʒər] *n* procedimiento *m*

proceed [prəˈsiːd] *vi (fml)* **1.** *(continue)* proseguir **2.** *(act)* proceder **3.** *(advance)* avanzar ▼ **proceed with caution** conduzca con precaución

proceeds ['prəʊsiːdz] *npl* recaudación *f*

process ['prəʊses] *n* proceso *m* ● **to be in the process of doing sthg** estar haciendo algo

processed cheese ['prəʊsest-] *n* queso *m* para sandwiches

procession [prəˈseʃn] *n* desfile *m*

prod [prɒd] *vt* empujar repetidamente

produce ◇ *vt* [prəˈdjuːs] **1.** producir **2.**

(show) mostrar **3.** *(play)* poner en escena ◇ *n* ['prɒdjuːs] productos *mpl* agrícolas

producer [prə'djuːsəʳ] *n* **1.** *(manufacturer)* fabricante *mf* **2.** *(of film)* productor *m*, -ra *f* **3.** *(of play)* director *m*, -ra *f* de escena

product ['prɒdʌkt] *n* producto *m*

production [prə'dʌkʃn] *n* **1.** *(manufacture)* producción *f* **2.** *(of film, play)* realización *f* **3.** *(play)* representación *f*

productivity [,prɒdʌk'tɪvətɪ] *n* productividad *f*

profession [prə'feʃn] *n* profesión *f*

professional [prə'feʃənl] ◇ *adj* profesional ◇ *n* profesional *mf*

professor [prə'fesəʳ] *n* **1.** *(in UK)* catedrático *m*, -ca *f* **2.** *(in US)* profesor *m*, -ra *f* de universidad

profile ['prəʊfaɪl] *n* **1.** *(silhouette, outline)* perfil *m* **2.** *(description)* corta biografía *f*

profit ['prɒfɪt] ◇ *n* *(financial)* beneficio *m* ◇ *vi* ● to profit (from) sacar provecho (de)

profitable ['prɒfɪtəbl] *adj* rentable

profiteroles [prə'fɪtərəʊlz] *npl* profiteroles *mpl*

profound [prə'faʊnd] *adj* profundo(da)

program ['prəʊgræm] ◇ *n* **1.** COMPUT programa *m* **2.** *(US)* = **programme** ◇ *vt* COMPUT programar

programme ['prəʊgræm] *n* *(UK)* programa *m*

progress ◇ *n* ['prəʊgres] **1.** *(improvement)* progreso *m* **2.** *(forward movement)* avance *m* ◇ *vi* [prə'gres] **1.** *(work, talks, student)* progresar **2.** *(day, meeting)* avanzar ● to make progress *(improve)* progresar; *(in journey)* avanzar ● in progress en curso

progressive [prə'gresɪv] *adj* *(forward-looking)* progresista

prohibit [prə'hɪbɪt] *vt* prohibir ▼ smoking strictly prohibited está terminantemente prohibido fumar

project ['prɒdʒekt] *n* **1.** *(plan)* proyecto *m* **2.** *(at school)* trabajo *m*

projector [prə'dʒektəʳ] *n* proyector *m*

prolong [prə'lɒŋ] *vt* prolongar

prom [prɒm] *n* *(US)* *(dance)* baile *m* de gala *(en colegios)*

promenade [,prɒmə'nɑːd] *n* *(by the sea)* paseo *m* marítimo, malecón *m* *(Amér)*

prominent ['prɒmɪnənt] *adj* **1.** *(person)* eminente **2.** *(noticeable)* prominente

promise ['prɒmɪs] ◇ *n* promesa *f* ◇ *vt* prometer ◇ *vi* ● I promise te lo prometo ● to show promise ser prometedor ● I promise (that) I'll come te prometo que vendré ● you promised me a lift home me prometiste que me llevarías a casa ● to promise to do sthg prometer hacer algo

promising ['prɒmɪsɪŋ] *adj* prometedor (ra)

promote [prə'məʊt] *vt* *(in job)* ascender

promotion [prə'məʊʃn] *n* **1.** *(in job)* ascenso *m* **2.** *(of product)* promoción *f*

prompt [prɒmpt] ◇ *adj* inmediato(ta) ◇ *adv* ● at six o'clock prompt a las seis en punto

prone [prəʊn] *adj* ● to be prone to sthg ser propenso(sa) a algo ● to be prone to do sthg tender a hacer algo

prong [prɒŋ] *n* diente *m*

pronoun ['prəʊnaʊn] *n* pronombre *m*

pronounce [prəˈnaʊns] vt (word) pronunciar

pronunciation [prəˌnʌnsɪˈeɪʃn] n pronunciación f

proof [pru:f] n (evidence) prueba f ● it's 12% proof (alcohol) tiene 12 grados

prop [prɒp] ◆ **prop up** vt sep (support) apuntalar

propeller [prəˈpelə^r] n hélice f

proper [ˈprɒpə^r] adj 1. (suitable) adecuado(da) 2. (correct, socially acceptable) correcto(ta)

properly [ˈprɒpəlɪ] adv 1. (suitably) bien 2. (correctly) correctamente

property [ˈprɒpətɪ] n 1. propiedad f 2. (land) finca f 3. (fml) (building) inmueble m

proportion [prəˈpɔ:ʃn] n proporción f

proposal [prəˈpəʊzl] n (suggestion) propuesta f

propose [prəˈpəʊz] ◇ vt (suggest) proponer ◇ vi ● to propose to sb pedir la mano a alguien

proposition [ˌprɒpəˈzɪʃn] n (offer) propuesta f

proprietor [prəˈpraɪətə^r] n (fml) propietario m, -ria f

prose [prəʊz] n 1. (not poetry) prosa f 2. SCH traducción f inversa

prosecution [ˌprɒsɪˈkju:ʃn] n LAW (charge) procesamiento m

prospect [ˈprɒspekt] n (possibility) posibilidad f ● I don't relish the prospect no me apasiona la perspectiva ◆ **prospects** npl (for the future) perspectivas fpl

prospectus [prəˈspektəs] (pl **-es**) n folleto m informativo

prosperous [ˈprɒspərəs] adj próspero(ra)

prostitute [ˈprɒstɪtju:t] n prostituta f

protect [prəˈtekt] vt proteger ● to protect sb from harm proteger a alguien de cualquier daño ● plans to protect the country against attack planes para proteger al país contra el ataque

protection [prəˈtekʃn] n protección f

protection factor n factor m de protección solar

protective [prəˈtektɪv] adj protector(ra)

protein [ˈprəʊti:n] n proteína f

protest ◇ n [ˈprəʊtest] 1. (complaint) protesta f 2. (demonstration) manifestación f ◇ vt [prəˈtest] (US) (protest against) protestar contra ◇ vi ● to protest (against) protestar (contra)

Protestant [ˈprɒtɪstənt] n protestante mf

protester [prəˈtestə^r] n manifestante mf

protrude [prəˈtru:d] vi sobresalir

proud [praʊd] adj 1. (pleased) orgulloso(sa) 2. (pej) (arrogant) soberbio(bia) ● to be proud of estar orgulloso de

prove [pru:v] (pp **-d** OR **proven**) vt 1. (show to be true) probar 2. (turn out to be) resultar

proverb [ˈprɒvɜ:b] n proverbio m

provide [prəˈvaɪd] vt proporcionar ● to provide sb with information proporcionar información a alguien ◆ **provide for** vt insep (person) mantener

provided (that) [prəˈvaɪdɪd-] conj con tal de que

providing (that) [prəˈvaɪdɪŋ-] = provided (that)

province ['prɒvɪns] *n* provincia *f*

provisional [prə'vɪʒənl] *adj* provisional

provisions [prə'vɪʒnz] *npl* provisiones *fpl*

provocative [prə'vɒkətɪv] *adj* provocador(ra)

provoke [prə'vəʊk] *vt* provocar

prowl [praʊl] *vi* merodear

prune [pruːn] ◇ *n* ciruela *f* pasa ◇ *vt* podar

PS [piː'es] (*abbr of* postscript) P.D. (*posdata*)

psychiatrist [saɪ'kaɪətrɪst] *n* psiquiatra *mf*

psychic ['saɪkɪk] *adj* clarividente

psychological [ˌsaɪkə'lɒdʒɪkl] *adj* psicológico(ca)

psychologist [saɪ'kɒlədʒɪst] *n* psicólogo *m*, -ga *f*

psychology [saɪ'kɒlədʒɪ] *n* psicología *f*

psychotherapist [ˌsaɪkəʊ'θerəpɪst] *n* psicoterapeuta *mf*

pt *abbr* = **pint**

PTO [piːtiː'əʊ] (*abbr of* please turn over) sigue

pub [pʌb] *n* (*UK*) ≃ bar *m*

pub

Los pubs británicos son un tipo de bar muy popular en los que la gente se reúne para charlar y tomar unas copas. Las bebidas se pagan en la barra del bar en el momento de pedirlas. Muchos pubs sirven también comidas.

puberty ['pjuːbətɪ] *n* pubertad *f*

public ['pʌblɪk] ◇ *adj* público(ca) ◇ *n* ● **the public** el público ● **in public** en público

publican ['pʌblɪkən] *n* (*UK*) *patrón de un pub*

publication [ˌpʌblɪ'keɪʃn] *n* publicación *f*

public bar *n* (*UK*) *bar cuya decoración es más sencilla y cuyos precios son más bajos*

public convenience *n* (*UK*) aseos *mpl* públicos

public footpath *n* (*UK*) camino *m* público

public holiday *n* fiesta *f* nacional

public house *n* (*UK*) (*fml*) ≃ bar *m*

publicity [pʌb'lɪsɪtɪ] *n* publicidad *f*

public school *n* **1.** (*in UK*) colegio *m* privado **2.** (*in US*) escuela *f* pública

public telephone *n* teléfono *m* público

public transport *n* (*UK*) transporte *m* público

public transportation (*US*) = **public transport**

publish ['pʌblɪʃ] *vt* publicar

publisher ['pʌblɪʃə'] *n* **1.** (*person*) editor *m*, -ra *f* **2.** (*company*) editorial *f*

publishing ['pʌblɪʃɪŋ] *n* (*industry*) industria *f* editorial

pub lunch *n* (*UK*) *almuerzo generalmente sencillo en un pub*

pudding ['pʊdɪŋ] *n* **1.** (*sweet dish*) pudín *m* **2.** (*UK*) (*course*) postre *m*

puddle ['pʌdl] *n* charco *m*

puff [pʌf] ◇ *vi* (*breathe heavily*) resollar ◇ *n* **1.** (*of air*) soplo *m* **2.** (*of smoke*) bocanada *f* ● **to puff at** dar caladas a

puff pastry n hojaldre m

pull [pʊl] ◇ vt 1. tirar de, jalar (Amér) 2. (tow) arrastrar 3. (trigger) apretar ◇ vi tirar, jalar (Amér) ◇ n ● to give sthg a pull darle un tirón a algo ● to pull a face hacer muecas ● to pull a muscle dar un tirón en un músculo ▼ pull (on door) tirar ◆ **pull apart** vt sep (machine) desmontar ◆ **pull down** vt sep 1. (lower) bajar 2. (demolish) derribar ◆ **pull in** vi pararse ◆ **pull out** ◇ vt sep sacar ◇ vi 1. (train, car) salir 2. (withdraw) retirarse ◆ **pull over** vi (car) hacerse a un lado ◆ **pull up** ◇ vt sep (socks, trousers, sleeve) subirse ◇ vi parar

pulley ['pʊlɪ] (pl **pulleys**) n polea f

pull-out n (US) área f de descanso

pullover ['pʊl,əʊvə'] n jersey m (Esp), suéter m (Amér)

pulpit ['pʊlpɪt] n púlpito m

pulse [pʌls] n MED pulso m

pump [pʌmp] n 1. (device, bicycle pump) bomba f 2. (for petrol) surtidor m ◆ **pump up** vt sep inflar

pumpkin ['pʌmpkɪn] n calabaza f

pun [pʌn] n juego m de palabras

punch [pʌntʃ] ◇ n 1. (blow) puñetazo m 2. (drink) ponche m ◇ vt 1. (hit) dar un puñetazo 2. (ticket) picar

punctual ['pʌŋktʃʊəl] adj puntual

punctuation [,pʌŋktʃʊ'eɪʃn] n puntuación f

puncture ['pʌŋktʃə'] ◇ n pinchazo m ◇ vt pinchar

punish ['pʌnɪʃ] vt ● to punish sb for a crime castigar a alguien por un delito

punishment ['pʌnɪʃmənt] n castigo m

punk [pʌŋk] n 1. (person) punki mf 2. (music) punk m

punnet ['pʌnɪt] n (UK) canasta f pequeña

pupil ['pjuːpl] n 1. (student) alumno m, -na f 2. (of eye) pupila f

puppet ['pʌpɪt] n títere m

puppy ['pʌpɪ] n cachorro m

purchase ['pɜːtʃəs] ◇ vt (fml) comprar ◇ n (fml) compra f

pure [pjʊə'] adj puro(ra)

puree ['pjʊəreɪ] n puré m

purely ['pjʊəlɪ] adv puramente

purity ['pjʊərətɪ] n pureza f

purple ['pɜːpl] adj morado(da)

purpose ['pɜːpəs] n propósito m ● on purpose a propósito

purr [pɜː'] vi (cat) ronronear

purse [pɜːs] n 1. (UK) (for money) monedero m 2. (US) (handbag) bolso m (Esp), cartera f (Amér)

pursue [pə'sjuː] vt 1. (follow) perseguir 2. (study, inquiry, matter) continuar con

pus [pʌs] n pus m

push [pʊʃ] ◇ vt 1. (shove) empujar 2. (press) apretar 3. (product) promocionar ◇ vi (shove) empujar ◇ n ● to give a car a push dar un empujón a un coche ● to push sb into doing sthg obligar a alguien a hacer algo ▼ push (on door) empujar ◆ **push in** vi (UK) (in queue) colarse ◆ **push off** vi (UK) (inf) (go away) largarse

push-button telephone n teléfono m de botones

pushchair ['pʊʃtʃeə'] n (UK) silla f (de paseo)

pushed [pʊʃt] adj (inf) ● to be pushed (for time) andar corto(ta) de tiempo

push-ups *npl* flexiones *fpl*

put [pʊt] (*pt & pp inv*) *vt* poner; *(pressure)* ejercer; *(blame)* echar; *(express)* expresar; *(a question)* hacer • **to put sthg at** *(estimate)* estimarse algo en • **to put a child to bed** acostar a un niño • **to put money into an account** depositar dinero en una cuenta

◆ **put aside** *vt sep (money)* apartar

◆ **put away** *vt sep (tidy up)* poner en su sitio

◆ **put back** *vt sep (replace)* volver a poner en su sitio; *(postpone)* aplazar; *(clock, watch)* atrasar

◆ **put down** *vt sep (on floor, table, from vehicle)* dejar; *(animal)* matar; *(deposit)* pagar como depósito

◆ **put forward** *vt sep (clock, watch)* adelantar; *(suggest)* proponer

◆ **put in** *vt sep (insert)* meter; *(install)* instalar

◆ **put off** *vt sep (postpone)* posponer; *(distract)* distraer; *(repel)* repeler; *(passenger)* dejar

◆ **put on** *vt sep (clothes, glasses, make-up)* ponerse; *(weight)* ganar; *(television, light, radio)* encender; *(CD, tape, record)* poner; *(play, show)* representar • **to put the kettle on** (UK) poner la tetera a hervir

◆ **put out** *vt sep (cigarette, fire, light)* apagar; *(publish)* hacer público; *(hand, arm, leg)* extender; *(inconvenience)* causar molestias a • **to put one's back out** fastidiarse la espalda

◆ **put together** *vt sep (assemble)* montar; *(combine)* juntar

◆ **put up**

◇ *vt sep (tent, statue, building)* construir; *(umbrella)* abrir; *(a notice, sign)* pegar; *(price, rate)* subir; *(provide with accommodation)* alojar

◇ *vi (in hotel)* alojarse

◆ **put up with** *vt insep* aguantar

putting green ['pʌtɪŋ-] *n* minigolf *m* (con césped y sin obstáculos)

putty ['pʌtɪ] *n* masilla *f*

puzzle ['pʌzl] ◇ *n* **1.** *(game)* rompecabezas *m inv* **2.** *(jigsaw)* puzzle *m* **3.** *(mystery)* misterio *m* ◇ *vt* desconcertar

puzzling ['pʌzlɪŋ] *adj* desconcertante

pyjamas [pə'dʒɑːməz] *npl* (UK) pijama *m*, piyama *f* (Amér)

pylon ['paɪlən] *n* torre *f* de alta tensión

pyramid ['pɪrəmɪd] *n* pirámide *f*

Pyrenees [ˌpɪrə'niːz] *npl* • **the Pyrenees** los Pirineos

Pyrex ® ['paɪreks] *n* pírex ® *m*

q Q

quail [kweɪl] *n* codorniz *f*

quail's eggs *npl* huevos *mpl* de codorniz

quaint [kweɪnt] *adj* pintoresco(ca)

qualification [ˌkwɒlɪfɪ'keɪʃn] *n* **1.** *(diploma)* título *m* **2.** *(ability)* aptitud *f*

qualified ['kwɒlɪfaɪd] *adj (having qualifications)* cualificado(da)

qualify ['kwɒlɪfaɪ] *vi* **1.** *(for competition)* clasificarse **2.** *(pass exam)* sacar el título

quality ['kwɒlətɪ] ◇ *n* **1.** *(standard, high standard)* calidad *f* **2.** *(feature)* cualidad *f*

◇ *adj* de calidad

quarantine [ˈkwɒrəntiːn] *n* cuarentena *f*

quarrel [ˈkwɒrəl] ◇ *n* riña *f* ◇ *vi* reñir

quarry [ˈkwɒrɪ] *n* (for stone, sand) cantera *f*

quart [kwɔːrt] *n* (in US) = 0,946 l, ≃ litro

quarter [ˈkwɔːtər] *n* **1.** (fraction) cuarto *m* **2.** (US) (coin) cuarto de dólar **3.** (UK) (4 ounces) cuatro onzas *fpl* **4.** (three months) trimestre *m* **5.** (part of town) barrio *m* ● (a) quarter to five (UK) las cinco menos cuarto ● (a) quarter of five (US) las cinco menos cuarto ● (a) quarter past five (UK) las cinco y cuarto ● (a) quarter after five (US) las cinco y cuarto ● (a) quarter of an hour un cuarto de hora

quarterpounder [ˌkwɔːtəˈpaʊndər] *n* hamburguesa *f* de un cuarto de libra

quartet [kwɔːˈtet] *n* cuarteto *m*

quartz [kwɔːts] *adj* de cuarzo

quay [kiː] *n* muelle *m*

queasy [ˈkwiːzɪ] *adj* (inf) mareado(da)

queen [kwiːn] *n* **1.** reina *f* **2.** (in cards) dama *f*

queer [kwɪər] ◇ *adj* **1.** (strange) raro(ra) **2.** (inf) (ill) pachucho(cha) (Esp), mal ◇ *n* (inf & offens) marica *m*

quench [kwentʃ] *vt* ● to quench one's thirst apagar la sed

query [ˈkwɪərɪ] *n* pregunta *f*

question [ˈkwestʃn] ◇ *n* **1.** (query, in exam, in questionnaire) pregunta *f* **2.** (issue) cuestión *f* ◇ *vt* (person) interrogar ● it's out of the question es imposible

question mark *n* signo *m* de interrogación

questionnaire [ˌkwestʃəˈneər] *n* cuestionario *m*

queue [kjuː] ◇ *n* (UK) cola *f* ◇ *vi* (UK) hacer cola ● queue up *vi* (UK) hacer cola

quiche [kiːʃ] *n* quiche *f*

quick [kwɪk] ◇ *adj* rápido(da) ◇ *adv* rápidamente

quickly [ˈkwɪklɪ] *adv* de prisa

quid [kwɪd] (*pl inv*) *n* (UK) (inf) libra *f*

quiet [ˈkwaɪət] ◇ *adj* **1.** (silent, not noisy) silencioso(sa) **2.** (calm, peaceful) tranquilo(la) **3.** (voice) bajo(ja) ◇ *n* tranquilidad *f* ● keep quiet! ¡silencio! ● to keep quiet quedarse callado(da) ● to keep quiet about sthg callarse algo

quieten [ˈkwaɪətn] ● quieten down *vi* tranquilizarse

quietly [ˈkwaɪətlɪ] *adv* **1.** (silently) silenciosamente **2.** (not noisily) sin hacer ruido **3.** (calmly) tranquilamente

quilt [kwɪlt] *n* **1.** (UK) (duvet) edredón *m* **2.** (eiderdown) colcha *f*

quince [kwɪns] *n* membrillo *m*

quirk [kwɜːk] *n* manía *f*, rareza *f*

quit [kwɪt] (*pt & pp inv*) ◇ *vi* **1.** (resign) dimitir **2.** (give up) rendirse ◇ *vt* (school, job) abandonar ● to quit doing sthg dejar de hacer algo

quite [kwaɪt] *adv* **1.** (fairly) bastante **2.** (completely) totalmente ● there's not quite enough no alcanza por poco ● quite a lot (of children) bastantes (niños) ● quite a lot of money bastante dinero

quiz [kwɪz] (*pl -zes*) *n* concurso *m*

quota [ˈkwəʊtə] *n* cuota *f*

quotation [kwəʊˈteɪʃn] *n* **1.** (phrase) cita

f **2.** *(estimate)* presupuesto m
quotation marks npl comillas fpl
quote [kwəʊt] ◇ vt **1.** *(phrase, writer)* citar
2. *(price)* dar ◇ n **1.** *(phrase)* cita f **2.**
(estimate) presupuesto m

rR

rabbit ['ræbɪt] n conejo m
rabies ['reɪbiːz] n rabia f
RAC [ɑːreɪ'siː] n *(abbr of Royal Automobile Club)* asociación británica del
automóvil, ≃ RACE m
race [reɪs] ◇ n **1.** *(competition)* carrera f **2.**
(ethnic group) raza f ◇ vi **1.** *(compete)*
competir **2.** *(go fast)* ir corriendo **3.**
(engine) acelerarse ◇ vt *(compete against)*
competir con
racecourse ['reɪskɔːs] n *(UK)* hipódromo m
racehorse ['reɪshɔːs] n caballo m de
carreras
racetrack ['reɪstræk] n *(for horses)* hipódromo m
racial ['reɪʃl] adj racial
racing ['reɪsɪŋ] n • **(horse) racing**
carreras fpl de caballos
racing car n coche m de carreras
racism ['reɪsɪzm] n racismo m
racist ['reɪsɪst] n racista mf
rack [ræk] n **1.** *(for coats)* percha f **2.** *(for
plates)* escurreplatos m inv **3.** *(for
bottles)* botellero m • **rack of lamb**
costillar m de cordero

racket ['rækɪt] n **1.** SPORT raqueta f **2.**
(inf) *(noise)* jaleo m
racquet ['rækɪt] n raqueta f
radar ['reɪdɑː] n radar m
radiation [ˌreɪdɪ'eɪʃn] n radiación f
radiator ['reɪdɪeɪtə] n radiador m
radical ['rædɪkl] adj radical
radii ['reɪdɪaɪ] pl ➤ radius
radio ['reɪdɪəʊ] *(pl -s)* ◇ n radio f ◇ vt
radiar • **on the radio** *(hear, be broadcast)*
por la radio
radioactive [ˌreɪdɪəʊ'æktɪv] adj radiacti-
vo(va)
radio alarm n radiodespertador m
radish ['rædɪʃ] n rábano m
radius ['reɪdɪəs] *(pl radii)* n radio m
raffle ['ræfl] n rifa f
raft [rɑːft] n **1.** *(of wood)* balsa f **2.**
(inflatable) bote m
rafter ['rɑːftə] n par m
rag [ræg] n *(old cloth)* trapo m
rage [reɪdʒ] n rabia f
raid [reɪd] ◇ n **1.** *(attack)* incursión f **2.**
(by police) redada f **3.** *(robbery)* asalto m
◇ vt **1.** *(subj: police)* hacer una redada en
2. *(subj: thieves)* asaltar
rail [reɪl] ◇ n **1.** *(bar)* barra f **2.** *(for
curtain, train)* carril m **3.** *(on stairs)*
barandilla f ◇ adj ferroviario(ria) •
by rail por ferrocarril
railcard ['reɪlkɑːd] n *(UK)* tarjeta que da
derecho a un descuento al viajar en tren
railings ['reɪlɪŋz] npl reja f
railroad ['reɪlrəʊd] *(US)* = **railway**
railway ['reɪlweɪ] n *(UK)* **1.** *(system)*
ferrocarril m **2.** *(track)* vía f *(férrea)*
railway line n *(UK)* **1.** *(route)* línea f de
ferrocarril **2.** *(track)* vía f *(férrea)*

railway station n (UK) estación f de ferrocarril

rain [reɪn] ◇ n lluvia f ◇ impers vb llover
• it's raining está lloviendo

rainbow ['reɪnbəʊ] n arco m iris

raincoat ['reɪnkəʊt] n impermeable m

raindrop ['reɪndrɒp] n gota f de lluvia

rainfall ['reɪnfɔːl] n pluviosidad f

rainy ['reɪnɪ] adj lluvioso(sa)

raise [reɪz] ◇ vt 1. (lift) levantar 2. (increase) aumentar 3. (money) recaudar 4. (child, animals) criar 5. (question, subject) plantear ◇ n (US) (pay increase) aumento m

raisin ['reɪzn] n pasa f

rake [reɪk] n (tool) rastrillo m

rally ['rælɪ] n 1. (public meeting) mitin m 2. (motor race) rally m 3. (in tennis, badminton, squash) peloteo m

ram [ræm] ◇ n carnero m ◇ vt (bang into) chocar con

Ramadan [,ræmə'dæn] n Ramadán m

ramble ['ræmbl] n paseo m por el campo

ramp [ræmp] n 1. (slope) rampa f 2. (UK) (in roadworks) rompecoches m inv 3. (US) (to freeway) acceso m ▼ ramp (UK) rampa

ramparts ['ræmpɑːts] npl murallas fpl

ran [ræn] pt ➤ run

ranch [rɑːntʃ] n rancho m

rancid ['rænsɪd] adj rancio(cia)

random ['rændəm] ◇ adj fortuito(ta) ◇ n
• at random al azar

rang [ræŋ] pt ➤ ring

range [reɪndʒ] ◇ n 1. (of radio, telescope) alcance m 2. (of aircraft) autonomía f 3. (of prices, temperatures, ages) escala f 4. (of goods, services) variedad f 5. (of hills, mountains) sierra f 6. (for shooting) campo m de tiro 7. (cooker) fogón m ◇ vi (vary) oscilar

ranger ['reɪndʒəʳ] n guardabosques mf inv

rank [ræŋk] ◇ n (in armed forces, police) grado m ◇ adj (smell, taste) pestilente

ransom ['rænsəm] n rescate m

rap [ræp] n (music) rap m

rape [reɪp] ◇ n (crime) violación f ◇ vt violar

rapid ['ræpɪd] adj rápido(da) ◆ **rapids** npl rápidos mpl

rapidly ['ræpɪdlɪ] adv rápidamente

rapist ['reɪpɪst] n violador m

rare [reəʳ] adj 1. (not common) raro(ra) 2. (meat) poco hecho(cha)

rarely ['reəlɪ] adv raras veces

rash [ræʃ] ◇ n (on skin) sarpullido m ◇ adj precipitado(da)

raspberry ['rɑːzbərɪ] n frambuesa f

rat [ræt] n rata f

ratatouille [ˌrætə'twiː] n guiso de tomate, cebolla, pimiento, calabacín, berenjenas, etc

rate [reɪt] ◇ n 1. (level) índice m 2. (of interest) tipo m (Esp), tasa f 3. (charge) precio m 4. (speed) velocidad f ◇ vt 1. (consider) considerar 2. (deserve) merecer • rate of exchange tipo de cambio
• at any rate de todos modos • at this rate a este paso

rather ['rɑːðəʳ] adv (quite) bastante •
I'd rather have a beer prefiero tomar una cerveza • I'd rather not mejor que no • would you rather ...? ¿preferirías ...? • rather a lot bastante
• rather than antes que

ratio ['reɪʃɪəʊ] (*pl* **-s**) *n* proporción *f*

ration ['ræʃn] *n* ración *f* ◆ **rations** *npl* (*food*) víveres *mpl*

rational ['ræʃnl] *adj* racional

rattle ['rætl] ◇ *n* (*of baby*) sonajero *m* ◇ *vi* golpetear

rave [reɪv] *n* (*UK*) (*party*) rave *f*

raven ['reɪvn] *n* cuervo *m*

ravioli [,rævɪ'əʊlɪ] *n* raviolis *mpl*

raw [rɔː] *adj* **1.** (*uncooked*) crudo(da) **2.** (*sugar*) sin refinar

raw material *n* materia *f* prima

ray [reɪ] *n* rayo *m*

razor ['reɪzər] *n* **1.** (*with blade*) navaja *f* **2.** (*electric*) maquinilla *f* de afeitar, rasuradora *f* (*Amér*)

razor blade *n* hoja *f* de afeitar

Rd *abbr* = Road

re [riː] *prep* con referencia a

RE [ɑːr'iː] *n* (*abbr of religious education*) religión *f* (*materia*)

reach [riːtʃ] ◇ *vt* **1.** llegar a **2.** (*manage to touch*) alcanzar **3.** (*contact*) contactar con ◇ *n* out of reach fuera de alcance ● within reach of the beach a poca distancia de la playa ● **reach out** *vi* ● to reach out (for) alargar la mano (para)

react [rɪ'ækt] *vi* reaccionar

reaction [rɪ'ækʃn] *n* reacción *f*

read [riːd] (*pt & pp inv*) ◇ *vt* **1.** leer **2.** (*subj: sign, note*) decir **3.** (*subj: meter, gauge*) marcar ◇ *vi* leer ● I read about it in the paper lo leí en el periódico ● **read out** *vt sep* leer en voz alta

reader ['riːdər] *n* (*of newspaper, book*) lector *m*, -ra *f*

readily ['redɪlɪ] *adv* **1.** (*willingly*) de

buena gana **2.** (*easily*) fácilmente

reading ['riːdɪŋ] *n* lectura *f*

reading matter *n* lectura *f*

ready ['redɪ] *adj* (*prepared*) listo(ta) ● to be ready for sthg (*prepared*) estar listo para algo ● to be ready to do sthg (*willing*) estar dispuesto(ta) a hacer algo; (*likely*) estar a punto de hacer algo ● to get ready prepararse ● to get sthg ready preparar algo

ready cash *n* dinero *m* contante

ready-cooked [-kʊkt] *adj* precocinado (da)

ready-to-wear *adj* confeccionado(da)

real ['rɪəl] ◇ *adj* **1.** (*existing*) real **2.** (*genuine*) auténtico(ca) **3.** (*for emphasis*) verdadero(ra) ◇ *adv* (*US*) (*inf*) muy

real ale *n* (*UK*) *cerveza criada en toneles, a la manera tradicional*

real estate *n* (*US*) propiedad *f* inmobiliaria

realistic [,rɪə'lɪstɪk] *adj* realista

reality [rɪ'ælətɪ] *n* realidad *f* ● in reality en realidad

reality TV *n* reality shows mpl

realize ['rɪəlaɪz] *vt* **1.** (*become aware of, know*) darse cuenta de **2.** (*ambition, goal*) realizar

really ['rɪəlɪ] *adv* realmente ● not really en realidad no ● really? (*expressing surprise*) ¿de verdad?

realtor ['rɪəltər] *n* (*US*) agente *m* inmobiliario, agente *f* inmobiliaria

rear [rɪə] ◇ *adj* trasero(ra) ◇ *n* (*back*) parte *f* de atrás

rearrange [,riːə'reɪndʒ] *vt* **1.** (*room, furniture*) colocar de otro modo **2.** (*meeting*) volver a concertar

earview mirror ['rıəvjuː-] *n* espejo *m* retrovisor

ear-wheel drive *n* coche *m* con tracción trasera

eason ['riːzn] *n* **1.** *(motive, cause)* razón *f* **2.** *(justification)* razones *fpl* • **for some reason** por alguna razón

easonable ['riːznəbl] *adj* razonable

easonably ['riːznəblɪ] *adv (quite)* razonablemente

easoning ['riːznıŋ] *n* razonamiento *m*

eassure [ˌriːə'ʃɔːr] *vt* tranquilizar

eassuring [ˌriːə'ʃɔːrɪŋ] *adj* tranquilizador(ra)

ebate ['riːbeɪt] *n* devolución *f*

ebel ◇ *n* ['rebl] rebelde *mf* ◇ *vi* [rɪ'bel] rebelarse

ebound [rɪ'baʊnd] *vi* rebotar

ebuild [ˌriː'bɪld] *(pt & pp* **rebuilt**) *vt* reconstruir

ebuke [rɪ'bjuːk] *vt* reprender

ecall [rɪ'kɔːl] *vt (remember)* recordar

eceipt [rɪ'siːt] *n (for goods, money)* recibo *m* • **on receipt of** al recibo de

eceive [rɪ'siːv] *vt* recibir

eceiver [rɪ'siːvər] *n (of phone)* auricular *m*

ecent ['riːsnt] *adj* reciente

ecently ['riːsntlɪ] *adv* recientemente

eceptacle [rɪ'septəkl] *n (fml)* receptáculo *m*

eception [rɪ'sepʃn] *n* recepción *f*

introducing yourself at reception

When arriving for a meeting at a company, you tell the receptionist your name, your company and the person you are meeting: *Buenos días. Soy de ADM Internacional. Tengo una cita con el señor Lajunta.* When arriving at a hotel, you give your first name and surname: *Tengo una habitación reservada a nombre de Diego Villalobos.*

reception desk *n* recepción *f*

receptionist [rɪ'sepʃənɪst] *n* recepcionista *mf*

recess ['riːses] *n* **1.** *(in wall)* hueco *m* **2.** *(US) SCH* recreo *m*

recession [rɪ'seʃn] *n* recesión *f*

recipe ['resɪpɪ] *n* receta *f*

recite [rɪ'saɪt] *vt* **1.** *(poem)* recitar **2.** *(list)* enumerar

reckless ['reklɪs] *adj* imprudente

reckon ['rekn] *vt (inf) (think)* pensar • **reckon on** *vt insep* contar con • **reckon with** *vt insep (expect)* contar con

reclaim [rɪ'kleɪm] *vt (baggage)* reclamar

reclining seat [rɪ'klaɪnıŋ-] *n* asiento *m* reclinable

recognition [ˌrekəg'nıʃn] *n* reconocimiento *m*

recognize ['rekəgnaɪz] *vt* reconocer

recollect [ˌrekə'lekt] *vt* recordar

recommend [ˌrekə'mend] *vt* recomendar • **to recommend sb to do sthg** recomendar a alguien hacer algo

recommendation [ˌrekəmen'deɪʃn] *n* recomendación *f*

reconsider [ˌriːkən'sɪdər] *vt* reconsiderar

reconstruct [ˌriːkən'strʌkt] *vt* reconstruir

record ◇ *n* ['rekɔːd] **1.** *MUS* disco *m* **2.**

(best performance, highest level) récord *m* **3.** *(account)* anotación *f* ◇ *vt* [rɪˈkɔːd] **1.** *(keep account of)* anotar **2.** *(on tape)* grabar

recorded delivery [rɪˈkɔːdɪd-] *n* (UK) ≃ correo *m* certificado

recorder [rɪˈkɔːdəʳ] *n* **1.** *(tape recorder)* magnetófono *m* **2.** *(instrument)* flauta *f*

recording [rɪˈkɔːdɪŋ] *n* grabación *f*

record shop *n* tienda *f* de música

recover [rɪˈkʌvəʳ] ◇ *vt* *(stolen goods, lost property)* recuperar ◇ *vi* recobrarse

recovery [rɪˈkʌvərɪ] *n* recuperación *f*

recovery vehicle *n* (UK) grúa *f* remolcadora

recreation [ˌrekrɪˈeɪʃn] *n* recreo *m*

recreation ground *n* (UK) campo *m* de deportes

recruit [rɪˈkruːt] ◇ *n* *(to army)* recluta *mf* ◇ *vt* *(staff)* contratar

rectangle [ˈrek.tæŋgl] *n* rectángulo *m*

rectangular [rekˈtæŋgjʊləʳ] *adj* rectangular

recycle [ˌriːˈsaɪkl] *vt* reciclar

recycle bin *n* COMPUT papelera *f* de reciclaje

red [red] ◇ *adj* rojo(ja) ◇ *n* *(colour)* rojo *m* ● she has red hair es pelirroja ● in the red en números rojos

red cabbage *n* lombarda *f*

Red Cross *n* Cruz *f* Roja

redcurrant [ˈredkʌrənt] *n* grosella *f*

redecorate [ˌriːˈdekəreɪt] *vt* cambiar la decoración de

redhead [ˈredhed] *n* pelirrojo *m*, -ja *f*

red-hot *adj* al rojo vivo

redial [riːˈdaɪəl] *vi* volver a marcar OR discar *(Amér)*

redirect [ˌriːdɪˈrekt] *vt* **1.** *(letter)* reexpedir **2.** *(traffic, plane)* redirigir

red pepper *n* pimiento *m* rojo

reduce [rɪˈdjuːs] ◇ *vt* **1.** *(make smaller)* reducir **2.** *(make cheaper)* rebajar ◇ *vi* (US) *(slim)* adelgazar

reduced price [rɪˈdjuːst-] *n* precio *m* rebajado

reduction [rɪˈdʌkʃn] *n* **1.** *(in size)* reducción *f* **2.** *(in price)* descuento *m*

redundancy [rɪˈdʌndənsɪ] *n* (UK) *(job loss)* despido *m*

redundant [rɪˈdʌndənt] *adj* (UK) ● to be made redundant perder el empleo

red wine *n* vino *m* tinto

reed [riːd] *n* carrizo *m*

reef [riːf] *n* arrecife *m*

reek [riːk] *vi* apestar

reel [riːl] *n* carrete *m*

refectory [rɪˈfektərɪ] *n* refectorio *m*

refer [rɪˈfɜːʳ] ◆ **refer to** *vt insep* **1.** *(speak about, relate to)* referirse a **2.** *(consult)* consultar

referee [ˌrefəˈriː] *n* SPORT árbitro *m*

reference [ˈrefrəns] ◇ *n* **1.** *(mention)* referencia *f* **2.** *(letter for job)* referencias *fpl* ◇ *adj* *(book, library)* de consulta ● with reference to con referencia a

referendum [ˌrefəˈrendəm] *n* referéndum *m*

refill ◇ *vt* [ˌriːˈfɪl] volver a llenar ◇ *n* [ˈriːfɪl] *(for pen)* cartucho *m* de recambio ● would you like a refill? *(inf)* *(drink)* ¿quieres tomar otra copa de lo mismo?

refinery [rɪˈfaɪnərɪ] *n* refinería *f*

reflect [rɪˈflekt] ◇ *vt* reflejar ◇ *vi* *(think)* reflexionar

reflection [rɪˈflekʃn] *n (image)* reflejo *m*

reflector [rɪˈflektə^r] *n* reflector *m*

reflex [ˈriːfleks] *n* reflejo *m*

reflexive [rɪˈfleksɪv] *adj* reflexivo(va)

reform [rɪˈfɔːm] ◇ *n* reforma *f* ◇ *vt* reformar

refresh [rɪˈfreʃ] *vt* refrescar

refreshing [rɪˈfreʃɪŋ] *adj* refrescante

refreshments [rɪˈfreʃmənts] *npl* refrigerios *mpl*

refrigerator [rɪˈfrɪdʒəreɪtə^r] *n* refrigerador *m*

refugee [ˌrefjʊˈdʒiː] *n* refugiado *m*, -da *f*

refund ◇ *n* [ˈriːfʌnd] reembolso *m* ◇ *vt* [rɪˈfʌnd] reembolsar

refundable [rɪˈfʌndəbl] *adj* reembolsable

refusal [rɪˈfjuːzl] *n* negativa *f*

refuse[1] [rɪˈfjuːz] ◇ *vt* **1.** *(not accept)* rechazar **2.** *(not allow)* denegar ◆ refusarse ● **to refuse to do sthg** negarse a hacer algo

refuse[2] [ˈrefjuːs] *n (fml)* basura *f*

refuse collection [ˈrefjuːs-] *n (fml)* recogida *f* de basuras

regard [rɪˈɡɑːd] ◇ *vt (consider)* considerar ◇ *n* ● **with regard to** respecto a ● as regards por lo que se refiere a ◆ regards *npl (in greetings)* recuerdos *mpl* ● give them my regards salúdales de mi parte

regarding [rɪˈɡɑːdɪŋ] *prep* respecto a

regardless [rɪˈɡɑːdlɪs] *adv* a pesar de todo ● regardless of sin tener en cuenta

reggae [ˈreɡeɪ] *n* reggae *m*

regiment [ˈredʒɪmənt] *n* regimiento *m*

region [ˈriːdʒən] *n* región *f* ● in the region of alrededor de

regional [ˈriːdʒənl] *adj* regional

register [ˈredʒɪstə^r] ◇ *n (official list)* registro *m* ◇ *vt* registrar ◇ *vi* **1.** *(be officially recorded)* inscribirse **2.** *(at hotel)* registrarse

registered [ˈredʒɪstəd] *adj (letter, parcel)* certificado(da)

registration [ˌredʒɪˈstreɪʃn] *n* **1.** *(for course)* inscripción *f* **2.** *(at conference)* entrega *f* de documentación

registration (number) *n (of car)* número *m* de matrícula OR placa *(Amér)*

registry office [ˈredʒɪstrɪ-] *n (UK)* registro *m* civil

regret [rɪˈɡret] ◇ *n* pesar *m* ◇ *vt* lamentar ● **to regret doing sthg** lamentar haber hecho algo ● **we regret any inconvenience caused** lamentamos las molestias ocasionadas

regrettable [rɪˈɡretəbl] *adj* lamentable

regular [ˈreɡjʊlə^r] ◇ *adj* **1.** regular **2.** *(frequent)* habitual **3.** *(normal, of normal size)* normal ◇ *n* cliente *mf* habitual

regularly [ˈreɡjʊləlɪ] *adv* con regularidad

regulate [ˈreɡjʊleɪt] *vt* regular

regulation [ˌreɡjʊˈleɪʃn] *n (rule)* regla *f*

rehearsal [rɪˈhɜːsl] *n* ensayo *m*

rehearse [rɪˈhɜːs] *vt* ensayar

reign [reɪn] ◇ *n* reinado *m* ◇ *vi* reinar

reimburse [ˌriːɪmˈbɜːs] *vt (fml)* reembolsar

reindeer [ˈreɪnˌdɪə^r] *(pl inv)* *n* reno *m*

reinforce [ˌriːɪnˈfɔːs] *vt* reforzar

reinforcements [ˌriːɪnˈfɔːsmənts] *npl* refuerzos *mpl*

reins [reɪnz] *npl* **1.** *(for horse)* riendas *fpl*

reject [rɪˈdʒekt] *vt* rechazar

rejection [rɪˈdʒekʃn] *n* rechazo *m*

rejoin [ˌriːˈdʒɔɪn] *vt (motorway)* reincorporarse a

relapse [rɪˈlæps] *n* recaída *f*

relate [rɪˈleɪt] ◇ *vt (connect)* relacionar ◇ *vi* ● **to relate to** *(be connected with)* estar relacionado con; *(concern)* referirse a

related [rɪˈleɪtɪd] *adj* 1. *(of same family)* emparentado(da) 2. *(connected)* relacionado(da)

relation [rɪˈleɪʃn] *n* 1. *(member of family)* pariente *mf* 2. *(connection)* relación *f* ● **in relation to** en relación con ◆ **relations** *npl (international etc)* relaciones *fpl*

relationship [rɪˈleɪʃnʃɪp] *n* relación *f*

relative [ˈrelətɪv] ◇ *adj* relativo(va) ◇ *n* pariente *mf*

relatively [ˈrelətɪvlɪ] *adv* relativamente

relax [rɪˈlæks] *vi* relajarse

relaxation [ˌriːlækˈseɪʃn] *n* relajación *f*

relaxed [rɪˈlækst] *adj* 1. *(person)* tranquilo(la) 2. *(atmosphere)* desenfadado(da)

relaxing [rɪˈlæksɪŋ] *adj* relajante

relay [ˈriːleɪ] *n (race)* carrera *f* de relevos

release [rɪˈliːs] ◇ *vt* 1. *(set free)* liberar 2. *(hand, brake, catch)* soltar 3. *(film)* estrenar 4. *(record)* sacar ◇ *n* 1. *(film)* estreno *m* 2. *(record)* lanzamiento *m*

relegate [ˈrelɪɡeɪt] *vt* ● **to be relegated** SPORT descender

relevant [ˈreləvənt] *adj* 1. *(connected, appropriate)* pertinente 2. *(important)* importante

reliable [rɪˈlaɪəbl] *adj (person, machine)* fiable

relic [ˈrelɪk] *n (vestige)* reliquia *f*

relief [rɪˈliːf] *n* 1. *(gladness)* alivio *m* 2. *(aid)* ayuda *f*

relief road *n (UK)* carretera *f* auxiliar de descongestión

relieve [rɪˈliːv] *vt (pain, headache)* aliviar

relieved [rɪˈliːvd] *adj* aliviado(da)

religion [rɪˈlɪdʒn] *n* religión *f*

religious [rɪˈlɪdʒəs] *adj* religioso(sa)

relish [ˈrelɪʃ] *n (sauce)* salsa *f* picante

reluctant [rɪˈlʌktənt] *adj* reacio(cia)

rely [rɪˈlaɪ] ◆ **rely on** *vt insep* 1. *(trust)* contar con 2. *(depend on)* depender de

remain [rɪˈmeɪn] *vi* 1. *(stay)* permanecer 2. *(continue to exist)* quedar ◆ **remains** *npl* restos *mpl*

remainder [rɪˈmeɪndəʳ] *n* resto *m*

remaining [rɪˈmeɪnɪŋ] *adj* restante

remark [rɪˈmɑːk] ◇ *n* comentario *m* ◇ *vt* comentar

remarkable [rɪˈmɑːkəbl] *adj* excepcional

remedy [ˈremədɪ] *n* remedio *m*

remember [rɪˈmembəʳ] ◇ *vt* recordar ◇ *vi* acordarse ● **to remember doing sthg** acordarse de haber hecho algo ● **to remember to do sthg** acordarse de hacer algo

remind [rɪˈmaɪnd] *vt* ● **to remind sb of** sb recordarle a alguien a alguien ● **to remind sb to do sthg** recordar a alguien hacer algo

reminder [rɪˈmaɪndəʳ] *n (for bill, library book)* notificación *f*

remittance [rɪˈmɪtns] *n (fml)* giro *m*

remote [rɪˈməʊt] *adj* remoto(ta)

remote control n (device) mando m de control remoto)

removal [rɪ'muːvl] n (taking away) extracción f

removal van n (UK) camión m de mudanzas

remove [rɪ'muːv] vt quitar

renew [rɪ'njuː] vt renovar

renovate ['renəveɪt] vt reformar

renowned [rɪ'naʊnd] adj renombrado (da)

rent [rent] ◇ n alquiler m ◇ vt alquilar

rental ['rentl] n alquiler m

repaid [riː'peɪd] pt & pp > repay

repair [rɪ'peəʳ] ◇ vt reparar ◇ n ● in good repair en buen estado ◆ repairs npl reparaciones fpl

repay [riː'peɪ] (pt & pp repaid) vt (money, favour) devolver

repayment [riː'peɪmənt] n devolución f

repeat [rɪ'piːt] ◇ vt repetir ◇ n (on TV, radio) reposición f

repetition [ˌrepɪ'tɪʃn] n repetición f

repetitive [rɪ'petɪtɪv] adj repetitivo(va)

replace [rɪ'pleɪs] vt 1. (substitute) sustituir 2. (faulty goods) reemplazar 3. (put back) poner en su sitio

replacement [rɪ'pleɪsmənt] n (substitute) sustituto m, -ta f

replay ['riːpleɪ] n 1. (rematch) partido m de desempate 2. (on TV) repetición f

reply [rɪ'plaɪ] ◇ n respuesta f ◇ vt & vi responder

report [rɪ'pɔːt] ◇ n 1. (account) informe m 2. (in newspaper, on TV, radio) reportaje m 3. (UK) SCH boletín m de evaluación ◇ vt 1. (announce) informar 2. (theft, disappearance, person) denunciar ◇ vi

informar ● **to report to sb** (go to) presentarse a alguien

reporter [rɪ'pɔːtəʳ] n reportero m, -ra f

represent [ˌreprɪ'zent] vt representar

representative [ˌreprɪ'zentətɪv] n representante mf

repress [rɪ'pres] vt reprimir

reprieve [rɪ'priːv] n (delay) tregua f

reprimand ['reprɪmɑːnd] vt reprender

reproach [rɪ'prəʊtʃ] vt reprochar

reproduction [ˌriːprə'dʌkʃn] n reproducción f

reptile ['reptaɪl] n reptil m

republic [rɪ'pʌblɪk] n república f

Republican [rɪ'pʌblɪkən] ◇ n (in US) republicano m, -na f ◇ adj (in US) republicano(na)

repulsive [rɪ'pʌlsɪv] adj repulsivo(va)

reputable ['repjʊtəbl] adj de buena reputación

reputation [ˌrepjʊ'teɪʃn] n reputación f

request [rɪ'kwest] ◇ n petición f ◇ vt solicitar ● **to request sb to do sthg** rogar a alguien que haga algo ● **available on request** disponible a petición del interesado

require [rɪ'kwaɪəʳ] vt (need) necesitar ● **passengers are required to show their tickets** los pasajeros han de mostrar los billetes

requirement [rɪ'kwaɪəmənt] n requisito m

resat [ˌriː'sæt] pt & pp > resit

rescue ['reskjuː] vt rescatar

research [rɪ'sɜːtʃ] n investigación f

resemblance [rɪ'zembləns] n parecido m

resemble [rɪ'zembl] vt parecerse a

resent [rɪ'zent] *vt* tomarse a mal

reservation [ˌrezə'veɪʃn] *n* **1.** *(booking)* reserva *f* **2.** *(doubt)* duda *f* ● **to make a reservation** hacer una reserva

reserve [rɪ'zɜ:v] ◇ *n* **1.** SPORT suplente *mf* **2.** *(UK) (for wildlife)* reserva *f* ◇ *vt* reservar

reserved [rɪ'zɜ:vd] *adj* reservado(da)

reservoir [ˈrezəvwɑ:] *n* pantano *m*

reset [ˌri:'set] *(pt & pp inv)* *vt (watch, meter, device)* reajustar

residence ['rezɪdəns] *n (fml)* residencia *f* ● **place of residence** *(fml)* domicilio *m*

residence permit *n* permiso *m* de residencia

resident ['rezɪdənt] *n* **1.** *(of country)* residente *mf* **2.** *(of hotel)* huésped *mf* **3.** *(of area, house)* vecino *m*, -na *f* ● **residents only** *(for parking)* sólo para residentes

residential [ˌrezɪ'denʃl] *adj (area)* residencial

residue ['rezɪdju:] *n* residuo *m*

resign [rɪ'zaɪn] ◇ *vi* dimitir ◇ *vt* ● **to resign o.s. to sthg** resignarse a algo

resignation [ˌrezɪg'neɪʃn] *n (from job)* dimisión *f*

resilient [rɪ'zɪlɪənt] *adj* resistente

resist [rɪ'zɪst] *vt* **1.** *(fight against)* resistir a **2.** *(temptation)* resistir ● **I can't resist cream cakes** me encantan los pasteles de nata ● **to resist doing sthg** resistirse a hacer algo

resistance [rɪ'zɪstəns] *n* resistencia *f*

resit [ˌri:'sɪt] *(pt & pp* **resat***) vt (UK)* volver a presentarse a

resolution [ˌrezə'lu:ʃn] *n (promise)* propósito *m*

resolve [rɪ'zɒlv] *vt (solve)* resolver

resort [rɪ'zɔ:t] *n (for holidays)* lugar *m* de vacaciones ● **as a last resort** como último recurso ● **resort to** *vt insep* recurrir a ● **to resort to doing sthg** recurrir a hacer algo

resource [rɪ'sɔ:s] *n* recurso *m*

resourceful [rɪ'sɔ:sful] *adj* habilidoso (sa)

respect [rɪ'spekt] ◇ *n* **1.** respeto *m* **2.** *(aspect)* aspecto *m* ◇ *vt* respetar ● **in some respects** en algunos aspectos ● **with respect to** con respecto a

respectable [rɪ'spektəbl] *adj* respetable

respective [rɪ'spektɪv] *adj* respectivo (va)

respond [rɪ'spɒnd] *vi* responder

response [rɪ'spɒns] *n* respuesta *f*

responsibility [rɪˌspɒnsə'bɪlətɪ] *n* responsabilidad *f*

responsible [rɪ'spɒnsəbl] *adj* responsable ● **to be responsible (for)** *(accountable)* ser responsable (de)

rest [rest] ◇ *n* **1.** *(relaxation, for foot)* descanso *m* **2.** *(for head)* respaldo *m* ◇ *vi (relax)* descansar ● **the rest** el resto ● **to have a rest** descansar ● **to rest against** apoyarse contra

restaurant ['restərɒnt] *n* restaurante *m*

restaurant car *n (UK)* vagón *m* restaurante

restful ['restful] *adj* tranquilo(la)

restless ['restlɪs] *adj* **1.** *(bored, impatient)* impaciente **2.** *(fidgety)* inquieto(ta)

restore [rɪ'stɔ:] *vt* **1.** *(reintroduce)* restablecer **2.** *(renovate)* restaurar

restrain [rɪ'streɪn] *vt* controlar

restrict [rɪ'strɪkt] *vt* restringir

restricted [rɪ'strɪktɪd] *adj* limitado(da)

restriction [rɪ'strɪkʃn] *n* **1.** *(rule)* restricción f **2.** *(limitation)* limitación f

rest room *n* (US) aseos *mpl*

result [rɪ'zʌlt] ◇ *n* resultado *m* ◇ *vi* to result in resultar en ● as a result of como resultado de ◆ results *npl* (of test, exam) resultados *mpl*

resume [rɪ'zjuːm] *vi* volver a empezar

résumé ['rezjuːmeɪ] *n* **1.** *(summary)* resumen *m* **2.** (US) (curriculum vitae) currículum *m*

retail ['riːteɪl] ◇ *n* venta f al por menor ◇ *vt* vender (al por menor) ◇ *vi* ● to retail at venderse a

retailer ['riːteɪlə'] *n* minorista *mf*

retail price *n* precio *m* de venta al público

retain [rɪ'teɪn] *vt* (fml) retener

retaliate [rɪ'tælɪeɪt] *vi* desquitarse

retire [rɪ'taɪə'] *vi* (stop working) jubilarse

retired [rɪ'taɪəd] *adj* jubilado(da)

retirement [rɪ'taɪəmənt] *n* **1.** (leaving job) jubilación f **2.** (period after retiring) retiro *m*

retreat [rɪ'triːt] ◇ *vi* retirarse ◇ *n* (place) refugio *m*

retrieve [rɪ'triːv] *vt* recobrar

return [rɪ'tɜːn] ◇ *n* **1.** (arrival back) vuelta f **2.** (UK) (ticket) billete *m* (Esp) OR boleto *m* (Amér) de ida y vuelta ◇ *vt* **1.** (put back) volver a poner **2.** (ball, serve) restar **3.** (give back) devolver ◇ *vi* **1.** (go back, come back) volver **2.** (reappear) reaparecer ◇ *adj* (journey) de vuelta ● the police returned the wallet to its owner la policía devolvió la cartera a su dueño ● by return of post (UK) a vuelta de correo ● many happy returns! ¡y que cumplas muchos más! ● in return (for) en recompensa (por)

return flight *n* vuelo *m* de regreso

return ticket *n* (UK) billete *m* (Esp) OR boleto (Amér) de ida y vuelta

reunite [ˌriːjuː'naɪt] *vt* reunir

reveal [rɪ'viːl] *vt* revelar

revelation [ˌrevə'leɪʃn] *n* revelación f

revenge [rɪ'vendʒ] *n* venganza f

reverse [rɪ'vɜːs] ◇ *adj* inverso(sa) ◇ *n* **1.** AUT marcha f atrás, reversa f (Col & Méx) **2.** (of coin) reverso *m* **3.** (of document) dorso *m* ◇ *vt* **1.** (car) dar marcha atrás a, echar en reversa (Col & Méx) **2.** (decision) revocar ◇ *vi* dar marcha atrás, echar en reversa (Col & Méx) ● the reverse (opposite) lo contrario ● in reverse order al revés ● to reverse the charges (UK) llamar a cobro revertido

reverse-charge call *n* (UK) llamada f a cobro revertido, llamada f por cobrar (Chile & Méx)

review [rɪ'vjuː] ◇ *n* **1.** (of book, record, film) reseña f **2.** (examination) repaso *m* ◇ *vt* (US) (for exam) repasar

revise [rɪ'vaɪz] ◇ *vt* revisar ◇ *vi* (UK) repasar

revision [rɪ'vɪʒn] *n* (UK) repaso *m*

revive [rɪ'vaɪv] *vt* **1.** (person) reanimar **2.** (economy, custom) resucitar

revolt [rɪ'vəʊlt] *n* rebelión f

revolting [rɪ'vəʊltɪŋ] *adj* asqueroso(sa)

revolution [ˌrevə'luːʃn] *n* revolución f

revolutionary [ˌrevə'luːʃnərɪ] *adj* revolucionario(ria)

revolver [rɪ'vɒlvə^r] *n* revólver *m*

revolving door [rɪ'vɒlvɪŋ-] *n* puerta *f* giratoria

revue [rɪ'vjuː] *n* revista *f* teatral

reward [rɪ'wɔːd] ◇ *n* recompensa *f* ◇ *vt* recompensar

rewind [ˌriː'waɪnd] (*pt & pp* rewound) *vt* rebobinar

rheumatism ['ruːmətɪzm] *n* reumatismo *m*

rhinoceros [raɪ'nɒsərəs] (*pl inv* OR **-es**) *n* rinoceronte *m*

rhubarb ['ruːbɑːb] *n* ruibarbo *m*

rhyme [raɪm] ◇ *n* (*poem*) rima *f* ◇ *vi* rimar

rhythm ['rɪðm] *n* ritmo *m*

rib [rɪb] *n* costilla *f*

ribbon ['rɪbən] *n* cinta *f*

rice [raɪs] *n* arroz *m*

rice pudding *n* arroz *m* con leche

rich [rɪtʃ] ◇ *adj* rico(ca) ◇ *npl* ● **the rich** los ricos ● **to be rich in sthg** abundar en algo

ricotta cheese [rɪ'kɒtə-] *n* queso *m* de ricotta

rid [rɪd] *vt* ● **to get rid of** deshacerse de

ridden ['rɪdn] *pp* > **ride**

riddle ['rɪdl] *n* 1. (*puzzle*) acertijo *m* 2. (*mystery*) enigma *m*

ride [raɪd] (*pt* rode, *pp* ridden) ◇ *n* 1. (*on horse, bike*) paseo *m* 2. (*in vehicle*) vuelta *f* ◇ *vt* 1. (*horse*) montar a 2. (*bike*) montar en ◇ *vi* 1. (*on horse*) montar a caballo 2. (*bike*) ir en bici 3. (*in car*) ir en coche ● **to go for a ride** (*in car*) darse una vuelta en coche

rider ['raɪdə^r] *n* 1. (*on horse*) jinete *m*, amazona *f* 2. (*on bike*) ciclista *mf*

ridge [rɪdʒ] *n* 1. (*of mountain*) cresta *f* 2. (*raised surface*) rugosidad *f*

ridiculous [rɪ'dɪkjʊləs] *adj* ridículo(la)

riding ['raɪdɪŋ] *n* equitación *f*

riding school *n* escuela *f* de equitación

rifle ['raɪfl] *n* fusil *m*

rig [rɪg] ◇ *n* torre *f* de perforación ◇ *vt* amañar

right [raɪt]
◇ *adj* 1. (*correct*) correcto(ta) ● **to be right** tener razón ● **have you got the right time?** ¿tienes buena hora? ● **to be right to do sthg** hacer bien en hacer algo 2. (*most suitable*) adecuado(da) ● **is this the right way?** ¿así está bien? 3. (*fair*) justo(ta) ● **that's not right!** ¡eso no es justo! 4. (*on the right*) derecho (cha) ● **the right side of the road** la derecha de la carretera
◇ *n* 1. (*side*) ● **the right** la derecha 2. (*entitlement*) derecho *m* ● **to have the right to do sthg** tener el derecho a hacer algo
◇ *adv* 1. (*towards the right*) a la derecha ● **turn right** tuerza a la derecha 2. (*correctly*) bien ● **am I pronouncing it right?** ¿lo pronuncio bien? 3. (*for emphasis*) justo ● **right here** aquí mismo ● **right the way down the road** por toda la calle abajo 4. (*immediately*) ● **I'll be right back** vuelvo enseguida ● **right after** justo después ● **right away** enseguida

right angle *n* ángulo *m* recto

right-hand *adj* derecho(cha)

right-hand drive *n* vehículo *m* con el volante a la derecha

right-handed [-'hændɪd] *adj* **1.** *(person)* diestro(tra) **2.** *(implement)* para personas diestras

rightly ['raɪtlɪ] *adv* **1.** *(correctly)* correctamente **2.** *(justly)* debidamente

right of way *n* **1.** AUT prioridad *f* **2.** *(path)* camino *m* público

right-wing *adj* derechista

rigid ['rɪdʒɪd] *adj* rígido(da)

rim [rɪm] *n* borde *m*

rind [raɪnd] *n* corteza *f*

ring [rɪŋ] *(pt* rang, *pp* rung*)* ◇ *n* **1.** *(for finger)* anillo *m* **2.** *(circle)* círculo *m* **3.** *(sound)* timbrazo *m* **4.** *(on cooker)* quemador *m* **5.** *(for boxing)* cuadrilátero *m* **6.** *(in circus)* pista *f* ◇ *vt* **1.** (UK) *(on phone)* llamar (por teléfono) **2.** *(bell)* tocar ◇ *vi* **1.** *(bell, telephone)* sonar **2.** (UK) *(make phone call)* llamar (por teléfono) ● **to give sb a ring** (UK) llamar a alguien (por teléfono) ● **to ring the bell** tocar el timbre ● **ring back** *vt sep & vi* (UK) volver a llamar ● **ring off** *vi* (UK) colgar ● **ring up** *vt sep & vi* (UK) llamar (por teléfono)

ring road *n* (UK) carretera *f* de circunvalación

ring tone *n* *(on mobile phone)* melodía *f*

rink [rɪŋk] *n* pista *f*

rinse [rɪns] *vt* aclarar *(Esp)*, enjuagar

rinse out *vt sep* enjuagar

riot ['raɪət] *n* disturbio *m*

rip [rɪp] ◇ *n* rasgón *m* ◇ *vt* rasgar ◇ *vi* rasgarse ● **rip up** *vt sep* desgarrar

ripe [raɪp] *adj* maduro(ra)

ripen ['raɪpn] *vi* madurar

rip-off *n* *(inf)* estafa *f*

rise [raɪz] *(pt* rose, *pp* risen*)* ◇ *vi* **1.**

(move upwards) elevarse **2.** *(sun, moon)* salir **3.** *(increase)* aumentar **4.** *(stand up)* levantarse ◇ *n* **1.** *(increase)* ascenso *m* **2.** (UK) *(pay increase)* aumento *m* **3.** *(slope)* subida *f*

risk [rɪsk] ◇ *n* **1.** *(danger)* peligro *m* **2.** *(in insurance)* riesgo *m* ◇ *vt* arriesgar ● **to take a risk** arriesgarse ● **at your own risk** bajo su cuenta y riesgo ● **to risk doing sthg** exponerse a hacer algo ● **to risk it** arriesgarse

risky ['rɪskɪ] *adj* peligroso(sa)

risotto [rɪ'zɒtəʊ] *(pl* -s*)* *n* arroz con carne, marisco o verduras

ritual ['rɪtjʊəl] *n* ritual *m*

rival ['raɪvl] ◇ *adj* rival ◇ *n* rival *mf*

river ['rɪvə^r] *n* río *m*

river bank *n* orilla *f* del río

riverside ['rɪvəsaɪd] *n* ribera *f* del río

Riviera [ˌrɪvɪ'eərə] *n* ● **the (French) Riviera** la Riviera (francesa)

roach [rəʊtʃ] *n* (US) cucaracha *f*

road [rəʊd] *n* **1.** *(major, roadway)* carretera *f* **2.** *(minor)* camino *m* **3.** *(street)* calle *f* ● **by road** por carretera

road map *n* mapa *m* de carreteras

road safety *n* seguridad *f* en carretera

roadside ['rəʊdsaɪd] *n* ● **the roadside** el borde de la carretera

road sign *n* señal *f* de tráfico

road tax *n* (UK) impuesto *m* de circulación

roadway ['rəʊdweɪ] *n* calzada *f*

road works *npl* obras *fpl* (en la carretera)

roam [rəʊm] *vi* vagar

roar [rɔː^r] ◇ *n* *(of crowd, aeroplane)* estruendo *m* ◇ *vi* rugir

roast [rəʊst] ◇ *n* asado *m* ◇ *vt* asar ◇ *adj* asado(da) ● **roast beef** rosbif *m* ● **roast chicken** pollo *m* asado ● **roast lamb** cordero *m* asado ● **roast pork** cerdo *m* asado ● **roast potatoes** patatas *fpl* asadas

rob [rɒb] *vt* robar

robber ['rɒbə'] *n* ladrón *m*, -ona *f*

robbery ['rɒbərɪ] *n* robo *m*

robe [rəʊb] *n* (US) (bathrobe) bata *f*

robin ['rɒbɪn] *n* petirrojo *m*

robot ['rəʊbɒt] *n* robot *m*

rock [rɒk] ◇ *n* 1. (boulder) peñasco *m* 2. (US) (stone) guijarro *m* 3. (substance) roca *f* 4. (music) rock *m* 5. (UK) (sweet) palo *m* de caramelo ◇ *vt* (baby, boat) mecer ● **on the rocks** (drink) con hielo

rock climbing *n* escalada *f* (de rocas) ● **to go rock climbing** ir de escalada

rocket ['rɒkɪt] *n* cohete *m*

rocking chair ['rɒkɪŋ-] *n* mecedora *f*

rock 'n' roll [ˌrɒkən'rəʊl] *n* rock and roll *m*

rocky ['rɒkɪ] *adj* rocoso(sa)

rod [rɒd] *n* 1. (wooden) vara *f* 2. (metal) barra *f* 3. (for fishing) caña *f*

rode [rəʊd] *pt* ➤ ride

role [rəʊl] *n* papel *m*

roll [rəʊl] ◇ *n* 1. (of bread) bollo *m*, panecillo *m* 2. (of film, paper) rollo *m* ◇ *vi* 1. (ball, rock) rodar 2. (vehicle) avanzar 3. (ship) balancearse ◇ *vt* 1. (ball, rock) hacer rodar 2. (cigarette) liar 3. (dice) rodar ◆ **roll over** *vi* 1. (person, animal) darse la vuelta 2. (car) volcar ◆ **roll up** *vt sep* 1. (map, carpet) enrollar 2. (sleeves, trousers) remangarse

Rollerblades ® ['rəʊləbleɪdz] *n* patines *mpl* en línea

rollerblading ['rəʊləbleɪdɪŋ] *n* ● **to go rollerblading** ir a patinar (con patines en línea)

roller coaster ['rəʊləˌkəʊstə'] *n* montaña *f* rusa

roller skate ['rəʊlə-] *n* patín *m* (de ruedas)

roller-skating ['rəʊlə-] *n* patinaje *m* sobre ruedas

rolling pin ['rəʊlɪŋ-] *n* rodillo *m*

Roman ['rəʊmən] ◇ *adj* romano(na) ◇ *n* romano *m*, -na *f*

Roman Catholic *n* católico *m* (romano), católica (romana) *f*

romance [rəʊ'mæns] *n* 1. (love) lo romántico 2. (love affair) amorío *m* 3. (novel) novela *f* romántica

Romania [ruː'meɪnjə] *n* Rumanía

romantic [rəʊ'mæntɪk] *adj* romántico (ca)

roof [ruːf] *n* 1. (of building, cave) tejado *m* 2. (of car, caravan, tent) techo *m*

roof rack *n* (UK) baca *f*, parrilla *f* (Amér)

room [ruːm, rʊm] *n* 1. habitación *f* 2. (larger) sala *f* 3. (space) sitio *m*

room number *n* número *m* de habitación

room service *n* servicio *m* de habitación

room temperature *n* temperatura *f* ambiente

roomy ['ruːmɪ] *adj* espacioso(sa)

root [ruːt] *n* raíz *f*

rope [rəʊp] ◇ *n* cuerda *f* ◇ *vt* atar con cuerda

rose [rəʊz] ◇ *pt* ➤ **rise** ◇ *n* rosa *f*

rosé ['rəʊzeɪ] *n* rosado *m*

rosemary ['rəʊzmərɪ] *n* romero *m*

rot [rɒt] *vi* pudrirse

rota ['rəʊtə] *n* lista *f* (de turnos)

rotate [rəʊ'teɪt] *vi* girar

rotten ['rɒtn] *adj* 1. *(food, wood)* podrido(da) 2. *(inf) (not good)* malísimo(ma) ● **to feel rotten** *(ill)* me siento fatal

rough [rʌf] ◇ *adj* 1. *(surface, skin, wine)* áspero(ra) 2. *(sea, crossing)* agitado(da) 3. *(person)* bruto(ta) 4. *(approximate)* aproximado(da) 5. *(conditions)* básico(ca) 6. *(area, town)* peligroso(sa) ◇ *n (in golf)* rough *m* ● **to have a rough time** pasar por un momento difícil

roughly ['rʌflɪ] *adv* 1. *(approximately)* aproximadamente 2. *(push, handle)* brutalmente

round[1] [raʊnd] *adj* redondo(da)

round[2] [raʊnd]

◇ *n* 1. *(of drinks)* ronda *f* ● **it's my round** es mi ronda 2. *(of sandwiches)* sándwich cortado en cuartos 3. *(of toast)* tostada *f* 4. *(of competition)* vuelta *f* 5. *(in golf)* partido *m* 6. *(in boxing)* asalto *m* 7. *(of policeman, milkman)* recorrido *m*

◇ *adv (UK)* 1. *(in a circle)* en redondo ● **to spin round** girar 2. *(surrounding)* alrededor ● **it had a wall all (the way) round** estaba todo rodeado por un muro ● **all round** por todos lados 3. *(near)* ● **round about** alrededor 4. *(to one's house)* ● **to ask some friends round** invitar a unos amigos a casa 5. *(continuously)* ● **all year round** durante todo el año

◇ *prep (UK)* 1. *(surrounding)* alrededor de ● **they stood round the car** estaban alrededor del coche 2. *(circling)* alrededor de ● **to go round the corner** doblar la esquina ● **we walked round the lake** fuimos andando alrededor del lago 3. *(visiting)* ● **to go round a town** recorrer una ciudad 4. *(approximately)* sobre ● **round (about) 100** unos 100 ● **round ten o'clock** a eso de las diez 5. *(near)* ● **round here** por aquí 6. *(in phrases)* ● **it's just round the corner** *(nearby)* está a la vuelta de la esquina ● **round the clock** las 24 horas

● **round off** *vt sep (meal, day, visit)* terminar

roundabout ['raʊndəbaʊt] *n (UK)* 1. *(in road)* rotonda *f (de tráfico)* 2. *(in playground)* plataforma giratoria donde juegan los niños 3. *(at fairground)* tiovivo *m (Esp)*, carrusel *m*

rounders ['raʊndəz] *n (UK)* juego parecido al béisbol

round trip *n* viaje *m* de ida y vuelta

route [ruːt] ◇ *n* ruta *f* ◇ *vt* dirigir

routine [ruː'tiːn] ◇ *n* rutina *f* ◇ *adj* rutinario(ria)

row[1] [rəʊ] ◇ *n* fila *f* ◇ *vt (boat)* remar ◇ *vi* remar ● **four in a row** cuatro seguidos

row[2] [raʊ] *n* 1. *(argument)* pelea *f* 2. *(inf) (noise)* estruendo *m* ● **to have a row** tener una pelea

rowboat ['rəʊbəʊt] *(US)* = **rowing boat**

rowdy ['raʊdɪ] *adj* ruidoso(sa)

rowing ['rəʊɪŋ] *n* remo *m*

rowing boat *n (UK)* bote *m* de remos

royal ['rɔɪəl] *adj* real

royal family *n* familia *f* real

royalty ['rɔɪəltɪ] *n* realeza *f*

RRP [a:ra:r'pi:] (abbr of recommended retail price) P.V.P. (precio de venta al público)

rub [rʌb] ◇ vt 1. (back, eyes) frotar 2. (polish) sacar brillo a ◇ vi 1. (with hand, cloth) frotar 2. (shoes) rozar ◆ **rub in** vt sep (lotion, oil) frotar ◆ **rub out** vt sep borrar

rubber ['rʌbəʳ] ◇ adj de goma ◇ n 1. (material) goma f 2. (UK) (eraser) goma f de borrar 3. (US) (inf) (condom) goma f

rubber band n goma f elástica, liga f (Amér)

rubber gloves npl guantes mpl de goma

rubber ring n flotador m

rubbish ['rʌbɪʃ] n (UK) 1. (refuse) basura f 2. (inf) (worthless thing) porquería f 3. (inf) (nonsense) tonterías fpl

rubbish bin n (UK) cubo m de la basura

rubbish dump n (UK) vertedero m de basura, basural m (Amér)

rubble ['rʌbl] n escombros mpl

ruby ['ru:bɪ] n rubí m

rucksack ['rʌksæk] n mochila f

rudder ['rʌdəʳ] n timón m

rude [ru:d] adj 1. (person) maleducado (da) 2. (behaviour, joke, picture) grosero (ra)

rug [rʌg] n 1. (for floor) alfombra f 2. (UK) (blanket) manta f de viaje

rugby ['rʌgbɪ] n rugby m

ruin ['ru:ɪn] vt estropear ◆ **ruins** npl ruinas fpl

ruined ['ru:ɪnd] adj 1. (building) en ruinas 2. (clothes, meal, holiday) estropeado(da)

rule [ru:l] ◇ n regla f ◇ vt gobernar ● to be the rule ser la norma ● against the rules contra las normas ● as a rule por regla general ◆ **rule out** vt sep descartar

ruler ['ru:ləʳ] n 1. (of country) gobernante mf 2. (for measuring) regla f

rum [rʌm] n ron m

rumor ['ru:mər] (US) = rumour

rumour ['ru:məʳ] n (UK) rumor m

rump steak [,rʌmp-] n filete m (grueso) de lomo

run [rʌn] (pt ran, pp inv)
◇ vi 1. (on foot) correr 2. (train, bus) circular ● the bus runs every hour hay un autobús cada hora ● the train is running an hour late el tren va con una hora de retraso 3. (operate) funcionar ● the car runs on diesel el coche funciona con diésel ● leave the engine running deja el motor en marcha 4. (tears, liquid) correr 5. (road, river, track) pasar ● the path runs along the coast el camino sigue la costa 7. (tap) ● to leave the tap running dejar el grifo abierto 8. (nose) moquear; (eyes) llorar 9. (colour, dye, clothes) desteñir 10. (remain valid) ser válido
◇ vt 1. (on foot) correr ● to run a race participar en una carrera 2. (manage, organize) llevar 3. (car) mantener ● it's cheap to run es económico 4. (bus, train) ● we're running a special bus to the airport hemos puesto un autobús especial al aeropuerto 5. (take in car) llevar en coche 6. (bath) ● to run a bath llenar la bañera
◇ n 1. (on foot) carrera f ● to go for a run ir a correr 2. (in car) paseo m en

coche ● **to go for a run** dar un paseo en coche **3.** *(of play, show)* ● **it had a two-year run** estuvo dos años en cartelera **4.** *(for skiing)* pista *f* **5.** *(of success)* racha *f* **6.** *(US) (in tights)* carrera *f* **7.** *(in phrases)* ● **in the long run** a largo plazo

◆ **run away** *vi* huir

◆ **run down**
◇ *vt sep* *(run over)* atropellar; *(criticize)* hablar mal de
◇ *vi (clock)* pararse; *(battery)* acabarse

◆ **run into** *vt insep* *(meet)* tropezar con; *(hit)* chocar con; *(problem, difficulty)* encontrarse con

◆ **run out** *vi (be used up)* acabarse

◆ **run out of** *vt insep* quedarse sin

◆ **run over** *vt sep* atropellar

unaway ['rʌnəweɪ] *n* fugitivo *m*, -va *f*

ung [rʌŋ] ◇ *pp* ➤ **ring** ◇ *n* escalón *m*

unner ['rʌnə'] *n* **1.** *(person)* corredor *m*, -ra *f* **2.** *(for door, drawer)* corredera *f* **3.** *(of sledge)* patín *m*

unner bean *n* judía *f* escarlata *(Esp)*, habichuela *f*

unner-up *(pl* **runners-up***)* *n* subcampeón *m*, -ona *f*

unning ['rʌnɪŋ] ◇ *n* **1.** SPORT carreras *fpl* **2.** *(management)* dirección *f* ◇ *adj* ● **three days running** durante tres días seguidos ● **to go running** hacer footing

unning water *n* agua *f* corriente

unny ['rʌnɪ] *adj* **1.** *(egg, omelette)* poco hecho(cha) **2.** *(sauce)* líquido(da) **3.** *(nose)* que moquea **4.** *(eye)* lloroso(sa)

unway ['rʌnweɪ] *n* pista *f*

ural ['ruərəl] *adj* rural

rush [rʌʃ] ◇ *n* **1.** *(hurry)* prisa *f*, apuro *m* *(Amér)* **2.** *(of crowd)* tropel *m* de gente ◇ *vi* **1.** *(move quickly)* ir de prisa, apurarse *(Amér)* **2.** *(hurry)* apresurarse ◇ *vt* **1.** *(work)* hacer de prisa **2.** *(meal)* comer de prisa **3.** *(transport quickly)* llevar urgentemente ● **to be in a rush** tener prisa ● **there's no rush!** ¡no corre prisa! **don't rush me!** ¡no me metas prisa!

rush hour *n* hora *f* punta *(Esp)*, hora *f* pico *(Amér)*

Russia ['rʌʃə] *n* Rusia

Russian ['rʌʃn] ◇ *adj* ruso(sa) ◇ *n* **1.** *(person)* ruso *m*, -sa *f* **2.** *(language)* ruso *m*

rust [rʌst] ◇ *n* óxido *m* ◇ *vi* oxidarse

rustic ['rʌstɪk] *adj* rústico(ca)

rustle ['rʌsl] *vi* susurrar

rustproof ['rʌstpruːf] *adj* inoxidable

rusty ['rʌstɪ] *adj* oxidado(da)

RV [ɑːr'viː] *n (US) (abbr of* **recreational vehicle***)* casa remolque

rye [raɪ] *n* centeno *m*

rye bread *n* pan *m* de centeno

Ss

S *(abbr of* **south***)* S. *(Sur) (abbr of* **small***)* P. *(pequeño)*

saccharin ['sækərɪn] *n* sacarina *f*

sachet ['sæʃeɪ] *n* bolsita *f*

sack [sæk] ◇ *n* saco *m* ◇ *vt (UK) (inf)* despedir ● **to get the sack** ser despedido

sacrifice ['sækrıfaıs] *n* (*fig*) sacrificio *m*

sad [sæd] *adj* **1.** triste **2.** (*unfortunate*) lamentable

saddle ['sædl] *n* **1.** (*on horse*) silla *f* de montar **2.** (*on bicycle, motorbike*) sillín *m*

saddlebag ['sædlbæg] *n* **1.** (*on bicycle, motorbike*) cartera *f* **2.** (*on horse*) alforja *f*

sadly ['sædlı] *adv* **1.** (*unfortunately*) desgraciadamente **2.** (*unhappily*) tristemente

sadness ['sædnıs] *n* tristeza *f*

s.a.e. [eseı'i:] *n* (*UK*) (*abbr of stamped addressed envelope*) *sobre con señas y franqueo*

safari park [sə'fɑːrı-] *n* safari *m* (*reserva*)

safe [seıf] ◇ *adj* **1.** (*not dangerous, risky*) seguro(ra) **2.** (*out of harm*) a salvo ◇ *n* caja *f* de caudales ● **a safe place** un lugar seguro ● (**have a**) **safe journey!** ¡feliz viaje! ● **safe and sound** sano y salvo

safe-deposit box *n* caja *f* de seguridad

safely ['seıflı] *adv* **1.** (*not dangerously*) sin peligro **2.** (*arrive*) a salvo **3.** (*out of harm*) seguramente

safety ['seıftı] *n* seguridad *f*

safety belt *n* cinturón *m* de seguridad

safety pin *n* imperdible *m*

sag [sæg] *vi* combarse

sage [seıdʒ] *n* (*herb*) salvia *f*

Sagittarius [,sædʒı'teərıəs] *n* Sagitario *m*

said [sed] *pt & pp* → **say**

sail [seıl] ◇ *n* vela *f* ◇ *vi* **1.** (*boat, ship*) navegar **2.** (*person*) ir en barco **3.** (*depart*) zarpar ◇ *vt* ● **to sail a boat** gobernar un barco ● **to set sail** zarpar

sailboat ['seılbəʊt] (*US*) = **sailing boat**

sailing ['seılıŋ] *n* **1.** (*activity*) vela *f* **2.** (*departure*) salida *f* ● **to go sailing** ir a practicar la vela

sailing boat *n* (*UK*) barco *m* de vela

sailor ['seılə] *n* marinero *m*, -ra *f*

saint [seınt] *n* santo *m*, -ta *f*

sake [seık] *n* ● **for my/their sake** por mí/ellos ● **for God's sake!** ¡por el amor de Dios!

salad ['sæləd] *n* ensalada *f*

salad bowl *n* ensaladera *f*

salad cream *n* (*UK*) *salsa parecida a la mayonesa, aunque de sabor más dulce, utilizada para aderezar ensaladas*

salad dressing *n* aliño *m*

salami [sə'lɑːmı] *n* salami *m*

salary ['sælərı] *n* sueldo *m*

sale [seıl] *n* **1.** (*selling*) venta *f* **2.** (*at reduced prices*) liquidación *f* ● **on sale** en venta ▼ **for sale** se vende ◆ **sales** *npl* COMM ventas *fpl* ● **the sales** las rebajas

sales assistant ['seılz-] *n* (*UK*) dependiente *m*, -ta *f*

salesclerk ['seılzklɑːrk] (*US*) = **sales assistant**

salesman ['seılzmən] (*pl* -**men**) *n* **1.** (*in shop*) dependiente *m* **2.** (*rep*) representante *m* de ventas

sales rep(resentative) *n* representante *mf* de ventas

saleswoman ['seılz,wʊmən] (*pl* -**women**) *n* dependienta *f*

saliva [sə'laıvə] *n* saliva *f*

salmon ['sæmən] (*pl inv*) *n* salmón *m*

salon ['sælɒn] *n* salón *m*

saloon [sə'luːn] *n* **1.** (*UK*) (*car*) turismo

m **2.** (US) (bar) bar m ● **saloon (bar)** (UK) bar m de un hotel o pub, decorado lujosamente, que sirve bebidas a precios más altos que en el public bar

salopettes [ˌsælə'pets] npl pantalones mpl de peto para esquiar

salt [sɔːlt, sɒlt] n sal f

saltcellar ['sɔːlt,selə'] n (UK) salero m

salted peanuts [sɔːltɪd-] npl cacahuetes mpl salados, maní m salado (Amér)

salt shaker [-,ʃeɪkə'] (US) = **saltcellar**

salty ['sɔːltɪ] adj salado(da)

salute [sə'luːt] ◇ n saludo m ◇ vi hacer un saludo

Salvadorean [ˌsælvə'dɔːrɪən] ◇ adj salvadoreño m, -ña f ◇ n salvadoreño(ña)

same [seɪm] ◇ adj mismo(ma) ◇ pron ● **the same** (unchanged) el mismo(la misma); (in comparisons) lo mismo ● **they look the same** parecen iguales ● **I'll have the same as her** yo voy a tomar lo mismo que ella ● **you've got the same book as me** tienes el mismo libro que yo ● **it's all the same to me** me da igual

sample ['saːmpl] ◇ n muestra f ◇ vt robar

sanctions ['sæŋkʃnz] npl sanciones fpl

sanctuary ['sæŋktʃʊərɪ] n (for birds, animals) reserva f

sand [sænd] ◇ n arena f ◇ vt lijar ●

sands npl playa f

sandal ['sændl] n sandalia f

sandcastle ['sænd,kaːsl] n castillo m de arena

sandpaper ['sænd,peɪpə'] n papel m de lija

sandwich ['sænwɪdʒ] n **1.** (made with roll) bocadillo m (Esp), sandwich m **2.** (made with freshly sliced bread) sándwich m

sandy ['sændɪ] adj **1.** (beach) arenoso (sa) **2.** (hair) de color rubio rojizo

sang [sæŋ] pt > **sing**

sanitary ['sænɪtrɪ] adj **1.** (conditions, measures) sanitario(ria) **2.** (hygienic) higiénico(ca)

sanitary napkin (US) = **sanitary towel**

sanitary towel n (UK) compresa f, toalla f higiénica

sank [sæŋk] pt > **sink**

sapphire ['sæfaɪə'] n zafiro m

sarcastic [saː'kæstɪk] adj sarcástico(ca)

sardine [saː'diːn] n sardina f

SASE [eseɪesiː'] n (US) (abbr of self-addressed stamped envelope) sobre con señas y franqueo

sat [sæt] pt & pp > **sit**

Sat. (abbr of Saturday) sáb. (sábado)

SAT abbr = Scholastic Aptitude Test

satchel ['sætʃəl] n cartera f (para escolares)

satellite ['sætəlaɪt] n **1.** (in space) satélite m **2.** (at airport) sala f de embarque auxiliar

satellite dish n antena f parabólica

satellite TV n televisión f por vía satélite

satin ['sætɪn] n raso m

satisfaction [ˌsætɪs'fækʃn] n satisfacción f

satisfactory [ˌsætɪs'fæktərɪ] adj satisfactorio(ria)

satisfied ['sætɪsfaɪd] adj satisfecho(cha)

satisfy ['sætɪsfaɪ] vt satisfacer

satsuma [ˌsætˈsuːmə] *n* (UK) satsuma *f*

saturate [ˈsætʃəreɪt] *vt* (with liquid) empapar

Saturday [ˈsætədɪ] *n* sábado *m* ● **it's Saturday** es sábado ● **Saturday morning** el sábado por la mañana ● **on Saturday** el sábado ● **on Saturdays** los sábados ● **last Saturday** el sábado pasado ● **this Saturday** este sábado ● **next Saturday** el sábado de la semana que viene ● **Saturday week, a week on Saturday** del sábado en ocho días

sauce [sɔːs] *n* salsa *f*

saucepan [ˈsɔːspən] *n* **1.** (with one long handle) cazo *m* **2.** (with two handles) cacerola *f*

saucer [ˈsɔːsəʳ] *n* platillo *m*

Saudi Arabia [ˌsaʊdɪəˈreɪbjə] *n* Arabia Saudí

sauna [ˈsɔːnə] *n* sauna *f*

sausage [ˈsɒsɪdʒ] *n* salchicha *f*

sausage roll *n* (UK) salchicha pequeña envuelta en hojaldre y cocida al horno

sauté ((UK) ˈsəʊteɪ, (US) səʊˈteɪ) *adj* salteado(da)

savage [ˈsævɪdʒ] *adj* salvaje

save [seɪv] ◇ *vt* **1.** (rescue) salvar **2.** (money) ahorrar **3.** (time, space) ganar **4.** (reserve) reservar **5.** SPORT parar **6.** COMPUT guardar ◇ *n* parada *f* ● **save up** *vi* ahorrar ● **to save up for a holiday** ahorrar para unas vacaciones

savings [ˈseɪvɪŋz] *npl* ahorros *mpl*

savings bank *n* ≃ caja *f* de ahorros

savory [ˈseɪvərɪ] (US) = **savoury**

savoury [ˈseɪvərɪ] *adj* salado(da)

saw [sɔː] ((UK) *pt* -**ed**, *pp* **sawn**, (US) *pt & pp* -**ed**) ◇ *pt* ▷ **see** ◇ *n* sierra *f* ◇

vt serrar

sawdust [ˈsɔːdʌst] *n* serrín *m*

sawn [sɔːn] *pp* ▷ **saw**

saxophone [ˈsæksəfəʊn] *n* saxofón *m*

say [seɪ] (*pt & pp* **said**) ◇ *vt* **1.** decir **2.** (subj: clock, meter) marcar ◇ *n* ● **to have a say in sthg** tener voz y voto en algo ● **could you say that again?** ¿puede repetir? ● **say we met at nine?** ¿pongamos que nos vemos a las nueve? ● **to say yes** decir que sí ● **what did you say?** ¿qué has dicho?

saying [ˈseɪɪŋ] *n* dicho *m*

scab [skæb] *n* postilla *f*

scaffolding [ˈskæfəldɪŋ] *n* andamios *mpl*

scald [skɔːld] *vt* escaldar

scale [skeɪl] *n* **1.** escala *f* **2.** (extent) extensión *f* **3.** (of fish, snake) escama *f* **4.** (in kettle) costra *f* caliza ● **scales** *npl* **1.** (for weighing person) báscula *f* **2.** (for weighing food) balanza *f*

scallion [ˈskæljən] *n* (US) cebolleta *f*

scallop [ˈskɒləp] *n* vieira *f*

scalp [skælp] *n* cuero *m* cabelludo

scan [skæn] ◇ *vt* **1.** (consult quickly) echar un vistazo a **2.** MED hacer una ecografía de ◇ *n* MED escáner *m*

scandal [ˈskændl] *n* **1.** (disgrace) escándalo *m* **2.** (gossip) habladurías *fpl*

Scandinavia [ˌskændɪˈneɪvjə] *n* Escandinavia

scar [skɑːʳ] *n* cicatriz *f*

scarce [skeəs] *adj* escaso(sa)

scarcely [ˈskeəslɪ] *adv* apenas

scare [skeəʳ] *vt* asustar

scarecrow [ˈskeəkrəʊ] *n* espantapájaros *m inv*

scared [ˈskeəd] *adj* asustado(da)

scarf [skɑːf] (*pl* **scarves**) *n* **1.** *(woollen)* bufanda *f* **2.** *(for women)* pañoleta *f*

scarlet [ˈskɑːlət] *adj* escarlata

scarves [skɑːvz] *pl* ➤ **scarf**

scary [ˈskeərɪ] *adj* (*inf*) espeluznante

scatter [ˈskætəʳ] ◇ *vt* **1.** *(seeds, papers)* esparcir **2.** *(birds)* dispersar ◇ *vi* dispersarse

scene [siːn] *n* **1.** *(in play, film, book)* escena *f* **2.** *(of crime, accident)* lugar *m* **3.** *(view)* panorama *m* ● **the music scene** el mundo de la música ● **to make a scene** armar un escándalo

scenery [ˈsiːnərɪ] *n* **1.** *(countryside)* paisaje *m* **2.** *(in theatre)* decorado *m*

scenic [ˈsiːnɪk] *adj* pintoresco(ca)

scent [sent] *n* **1.** *(smell)* fragancia *f* **2.** *(of animal)* rastro *m* **3.** *(perfume)* perfume *m*

sceptical [ˈskeptɪkl] *adj* (*UK*) escéptico(ca)

schedule [(*UK*) ˈʃedjuːl, (*US*) ˈskedʒʊl] ◇ *n* **1.** *(of work, things to do)* plan *m* **2.** (*US*) *(timetable)* horario *m* **3.** *(list)* lista *f* ◇ *vt* programar ● **according to schedule** según lo previsto ● **behind schedule** con retraso ● **on schedule** a la hora prevista

scheduled flight [(*UK*) ˈʃedjuːld-, (*US*) ˈskedʒʊld-] *n* vuelo *m* regular

scheme [skiːm] *n* **1.** (*UK*) *(plan)* proyecto *m* **2.** *(pej)* *(dishonest plan)* estratagema *f*

scholarship [ˈskɒləʃɪp] *n* *(award)* beca *f*

school [skuːl] ◇ *n* **1.** escuela *f* **2.** *(institute)* academia *f* **3.** *(university department)* facultad *f* **4.** (*US*) (*inf*) *(university)* universidad *f* ◇ *adj* escolar ● **at school** en la escuela

---

school year

El año escolar británico se divide en tres trimestres. En Estados Unidos hay dos trimestres, que a su vez se subdividen en otros dos periodos cada uno. En los dos lugares, el colegio empieza en septiembre y suele acabar entre junio y julio.

---

schoolbag [ˈskuːlbæg] *n* cartera *f*

schoolbook [ˈskuːlbʊk] *n* libro *m* de texto

schoolboy [ˈskuːlbɔɪ] *n* alumno *m*

school bus *n* autobús *m* escolar

schoolchild [ˈskuːltʃaɪld] (*pl* **-children**) *n* alumno *m*, -na *f*

schoolgirl [ˈskuːlgɜːl] *n* alumna *f*

schoolteacher [ˈskuːlˌtiːtʃəʳ] *n* **1.** *(primary)* maestro *m*, -tra *f* **2.** *(secondary)* profesor *m*, -ra *f*

school uniform *n* uniforme *m* escolar

science [ˈsaɪəns] *n* **1.** ciencia *f* **2.** *SCH* ciencias *fpl*

science fiction *n* ciencia *f* ficción

scientific [ˌsaɪənˈtɪfɪk] *adj* científico(ca)

scientist [ˈsaɪəntɪst] *n* científico *m*, -ca *f*

scissors [ˈsɪzəz] *npl* ● **(a pair of) scissors** unas tijeras

scone [skɒn] *n* pastelillo redondo hecho con harina, manteca y a veces pasas, que suele tomarse a la hora del té

scoop [skuːp] *n* **1.** *(for ice cream)* pinzas *fpl* de helado **2.** *(for flour)* paleta *f* **3.** *(of ice cream)* bola *f* **4.** *(in media)* exclusiva *f*

scooter [ˈskuːtəʳ] *n* *(motor vehicle)* Vespa ® *f*

scope [skəʊp] *n* **1.** *(possibility)* posibilidades *fpl* 2. *(range)* alcance *m*

scorch [skɔːtʃ] *vt* chamuscar

score [skɔːʳ] ◇ *n* 1. *(final result)* resultado *m* 2. *(points total)* puntuación *f* 3. *(in exam)* calificación *f* ◇ *vt* 1. SPORT marcar 2. *(in test)* obtener una puntuación de ◇ *vi* SPORT marcar ● what's the score? ¿cómo van?

scorn [skɔːn] *n* desprecio *m*

Scorpio ['skɔːpɪəʊ] *n* Escorpión *m*

scorpion ['skɔːpjən] *n* escorpión *m*

Scot [skɒt] *n* escocés *m*, -esa *f*

scotch [skɒtʃ] *n* whisky *m* escocés

Scotch broth *n* sopa espesa con caldo de carne, verduras y cebada

Scotch tape ® *n* (US) celo ® *m* (Esp), durex ® *m* (Amér)

Scotland ['skɒtlənd] *n* Escocia

Scotsman ['skɒtsmən] *(pl -men) n* escocés *m*

Scotswoman ['skɒtswʊmən] *(pl -women) n* escocesa *f*

Scottish ['skɒtɪʃ] *adj* escocés(esa) ● the Scottish Parliament el Parlamento Escocés

Scottish Parliament

El Parlamento Escocés actual fue establecido en 1998. Está integrado por 129 diputados y tiene competencias sobre asuntos como la educación, la salud o las cárceles. El edificio del parlamento escocés se encuentra en el centro de Edimburgo y es conocido por su diseño vanguardista.

scout [skaʊt] *n (boy scout)* explorador *m*

scowl [skaʊl] *vi* fruncir el ceño

scrambled eggs [ˌskræmbld-] *npl* huevos *mpl* revueltos

scrap [skræp] *n* 1. *(of paper, cloth)* trozo *m* 2. *(old metal)* chatarra *f*

scrapbook ['skræpbʊk] *n* álbum *m* de recortes

scrape [skreɪp] *vt* 1. *(rub)* raspar 2. *(scratch)* rasguñar

scrap paper *n (UK)* papel *m* usado

scratch [skrætʃ] ◇ *n* 1. *(cut)* arañazo *m* 2. *(mark)* rayazo *m* ◇ *vt* 1. *(cut)* arañar 2. *(mark)* rayar 3. *(rub)* rascar ● to be up to scratch tener un nivel aceptable ● to start from scratch empezar desde el principio

scratch paper *(US)* = scrap paper

scream [skriːm] ◇ *n* grito *m* ◇ *vi* gritar

screen [skriːn] ◇ *n* 1. *(of TV, computer, for film)* pantalla *f* 2. *(hall in cinema)* sala *f* (de proyecciones) 3. *(panel)* biombo *m* ◇ *vt* 1. *(film)* proyectar 2. *(programme)* emitir

screening ['skriːnɪŋ] *n (of film)* proyección *f*

screw [skruː] ◇ *n* tornillo *m* ◇ *vt* 1. *(fasten)* atornillar 2. *(twist)* enroscar

screwdriver ['skruːˌdraɪvəʳ] *n* destornillador *m*

scribble ['skrɪbl] *vi* garabatear

script [skrɪpt] *n (of play, film)* guión *m*

scrub [skrʌb] *vt* restregar

scruffy ['skrʌfɪ] *adj* andrajoso(sa)

scrunchie, scrunchy ['skrʌntʃɪ] *n* coletero *m* de tela

scuba diving ['skuːbə-] *n* buceo *m* (con botellas de oxígeno)

sculptor ['skʌlptə'] *n* escultor *m*, -ra *f*

sculpture ['skʌlptʃə'] *n (statue)* escultura *f*

sea [si:] *n* mar *m* o *f* ● **by sea** en barco ● **by the sea** a orillas del mar

seafood ['si:fu:d] *n* mariscos *mpl*

seafront ['si:frʌnt] *n* paseo *m* marítimo, malecón *m (Amér)*

seagull ['si:gʌl] *n* gaviota *f*

seal [si:l] ◇ *n* **1.** *(animal)* foca *f* **2.** *(on bottle, container)* precinto *m* **3.** *(official mark)* sello *m* ◇ *vt (envelope, container)* cerrar

seam [si:m] *n (in clothes)* costura *f*

search [sɜ:tʃ] ◇ *n* búsqueda *f* ◇ *vt* **1.** *(place)* registrar **2.** *(person)* cachear ◇ *vi* ● **to search for** buscar

search engine *n* COMPUT buscador *m*

seashell ['si:ʃel] *n* concha *f* (marina)

seashore ['si:ʃɔ:'] *n* orilla *f* del mar

seasick ['si:sɪk] *adj* mareado(da) *(en barco)*

seaside ['si:saɪd] *n* ● **the seaside** la playa

seaside resort *n* lugar *m* de veraneo *(junto al mar)*

season ['si:zn] ◇ *n* **1.** *(division of year)* estación *f* **2.** *(period)* temporada *f* ◇ *vt* sazonar ● **in season** *(holiday)* en temporada alta ● **strawberries are in season** ahora es la época de las fresas ● **out of season** *(fruit, vegetables)* fuera de temporada; *(holiday)* en temporada baja

seasoning ['si:znɪŋ] *n* condimento *m*

season ticket *n* abono *m*

seat [si:t] ◇ *n* **1.** *(place, chair)* asiento *m* **2.** *(for show)* entrada *f* **3.** *(in parliament)*

escaño *m* ◇ *vt (subj: building, vehicle)* tener cabida para ▼ **please wait to be seated** cartel que ruega a los clientes que esperen hasta que les sea asignada una mesa

seat belt *n* cinturón *m* de seguridad

seaweed ['si:wi:d] *n* alga *f* marina

secluded [sɪ'klu:dɪd] *adj* aislado(da)

second ['sekənd] ◇ *n* segundo *m* ◇ *num adj* segundo(da) ◇ *pron* segundo *m*, -da *f* ● **second gear** segunda marcha *f* ● **the second (of September)** el dos (de septiembre) ● **seconds** *npl (goods)* artículos *mpl* defectuosos ● **who wants seconds?** *(inf) (food)* ¿quién quiere repetir?

secondary school ['sekəndrɪ-] *n* instituto *m* de enseñanza media

second-class *adj* **1.** *(ticket)* de segunda clase **2.** *(stamp)* para el correo nacional ordinario **3.** *(inferior)* de segunda categoría

second-hand *adj* de segunda mano

Second World War *n* ● **the Second World War** la segunda Guerra Mundial

secret ['si:krɪt] ◇ *adj* secreto(ta) ◇ *n* secreto *m*

secretary [(UK) 'sekrətrɪ, (US) 'sekrə-terɪ] *n* secretario *m*, -ria *f*

Secretary of State *n* **1.** *(US) (foreign minister)* ministro *m*, -tra *f* de Asuntos Exteriores **2.** *(UK) (government minister)* ministro *m*, -tra *f*

section ['sekʃn] *n* sección *f*

sector ['sektə'] *n* sector *m*

secure [sɪ'kjʊə'] ◇ *adj* seguro(ra) ◇ *vt* **1.** *(fix)* fijar **2.** *(fml) (obtain)* conseguir

security [sɪˈkjʊərətɪ] n seguridad f

security guard n guardia mf jurado

sedative [ˈsedətɪv] n sedante m

seduce [sɪˈdjuːs] vt seducir

see [siː] (pt **saw**, pp **seen**) ◇ vt 1. ver 2. (friends) visitar 3. (understand) entender 4. (accompany) acompañar 5. (find out) ir a ver 6. (undergo) experimentar ◇ vi ver ● I see ya veo ● to see if one can do sthg ver si uno puede hacer algo ● to see to sthg (deal with) encargarse de algo; (repair) arreglar algo ● see you! ¡hasta la vista! ● see you later! ¡hasta luego! ● see you soon! ¡hasta pronto! ● see p 14 véase p. 14 ◆ see off vt sep (say goodbye to) despedir

seed [siːd] n semilla f

seeing (as) [ˈsiːɪŋ-] conj en vista de que

seek [siːk] (pt & pp **sought**) vt (fml) 1. (look for) buscar 2. (request) solicitar

seem [siːm] ◇ vi parecer ◇ impers vb ● it seems (that) ... parece que ... ● to seem like parecer

seen [siːn] pp ➣ **see**

seesaw [ˈsiːsɔː] n balancín m

segment [ˈsegmənt] n (of fruit) gajo m

seize [siːz] vt 1. (grab) agarrar 2. (drugs, arms) incautarse de ● seize up vi agarrotarse

seldom [ˈseldəm] adv rara vez

select [sɪˈlekt] ◇ vt seleccionar ◇ adj selecto(ta)

selection [sɪˈlekʃn] n 1. (selecting) selección f 2. (range) surtido m

self-assured [ˌselfəˈʃʊəd] adj seguro de sí mismo(segura de sí misma)

self-catering [ˌselfˈkeɪtərɪŋ] adj (UK) con alojamiento sólo

self-confident [ˌself-] adj seguro de sí mismo(segura de sí misma)

self-conscious [ˌself-] adj cohibido(da)

self-contained [ˌselfkənˈteɪnd] adj (flat) autosuficiente

self-defence [ˌself-] n (UK) defensa f personal

self-defense (US) = **self-defence**

self-employed [ˌself-] adj autónomo (ma)

selfish [ˈselfɪʃ] adj egoísta

self-raising flour [ˌselfˈreɪzɪŋ-] n (UK) harina f con levadura

self-rising flour [ˌselfˈraɪzɪŋ-] (US) = **self-raising flour**

self-service [ˌself-] adj de autoservicio

sell [sel] (pt & pp **sold**) vt & vi vender ● to sell for venderse a ● he sold me the car for £2,000 me vendió el coche por 2.000 libras

sell-by date n (UK) fecha f de caducidad

seller [ˈselər] n vendedor m, -ra f

Sellotape® [ˈseləteɪp] n (UK) celo® m, cinta f Scotch®, durex m (Amér)

semester [sɪˈmestər] n semestre m

semicircle [ˈsemɪˌsɜːkl] n semicírculo m

semicolon [ˌsemɪˈkəʊlən] n punto m y coma

semidetached [ˌsemɪdɪˈtætʃt] adj adosado(da)

semifinal [ˌsemɪˈfaɪnl] n semifinal f

seminar [ˈsemɪnɑːr] n seminario m

semi-skimmed milk [ˌsemɪˈskɪmd-] n leche f semidesnatada (Esp) OR semi-descremada (Amér)

semolina [ˌseməˈliːnə] n sémola f

send [send] (pt & pp **sent**) vt 1.

mandar **2.** *(TV or radio signal)* transmitir ● **to send a letter to sb** enviar una carta a alguien ● **send back** *vt sep* devolver ● **send off** ◇ *vt sep* **1.** *(letter, parcel)* mandar (por correo) **2.** *(UK) SPORT* expulsar ◇ *vi* ● **to send off (for sthg)** solicitar (algo) por escrito

sender ['sendər] *n* remitente *mf*

senile ['si:naɪl] *adj* senil

senior ['si:njər] ◇ *adj* superior ◇ *n SCH* senior *mf*

senior citizen *n* persona *f* de la tercera edad

sensation [sen'seɪʃn] *n* sensación *f*

sensational [sen'seɪʃənl] *adj* sensacional

sense [sens] ◇ *n* sentido *m* ◇ *vt* sentir ● **to make sense** tener sentido ● **sense of direction** sentido de la orientación ● **sense of humour** sentido del humor

sensible ['sensəbl] *adj* **1.** *(person)* sensato(ta) **2.** *(clothes, shoes)* práctico(ca)

sensitive ['sensɪtɪv] *adj* **1.** *(person, skin, device)* sensible **2.** *(easily offended)* susceptible **3.** *(emotionally)* comprensivo (va) **4.** *(subject, issue)* delicado(da)

sent [sent] *pt & pp* > **send**

sentence ['sentəns] ◇ *n* **1.** *GRAM* oración *f* **2.** *(for crime)* sentencia *f* ◇ *vt* condenar

sentimental [,sentɪ'mentl] *adj (pej)* sentimental

Sept. *(abbr of September)* sep. *(septiembre)*

separate ◇ *adj* ['seprət] **1.** *(different, individual)* distinto(ta) **2.** *(not together)* separado(da) ◇ *vt* ['sepəreɪt] **1.** *(divide)* dividir **2.** *(detach)* separar ◇ *vi* separarse ● **separates** *npl* prendas de vestir femeninas combinables

separately ['seprətlɪ] *adv* **1.** *(individually)* independientemente **2.** *(alone)* por separado

separation [,sepə'reɪʃn] *n* separación *f*

September [sep'tembər] *n* septiembre *m* ● **at the beginning of September** a principios de septiembre ● **at the end of September** a finales de septiembre ● **during September** en septiembre ● **every September** todos los años en septiembre ● **in September** en septiembre ● **last September** en septiembre del año pasado ● **next September** en septiembre del próximo año ● **this September** en septiembre de este año ● **2 September 2001** *(in letters etc)* 2 de septiembre de 2001

septic ['septɪk] *adj* séptico(ca)

septic tank *n* fosa *f* séptica

sequel ['si:kwəl] *n* continuación *f*

sequence ['si:kwəns] *n* **1.** *(series)* sucesión *f* **2.** *(order)* orden *m*

sequin ['si:kwɪn] *n* lentejuela *f*

sergeant ['sɑ:dʒənt] *n* **1.** *(in police force)* ≃ subinspector *m*, -ra *f* **2.** *(in army)* sargento *mf*

serial ['sɪərɪəl] *n* serial *m*

series ['sɪəri:z] *(pl inv)* *n* serie *f*

serious ['sɪərɪəs] *adj* **1.** serio(ria) **2.** *(very bad)* grave ● **I'm serious** hablo en serio

seriously ['sɪərɪəslɪ] *adv* **1.** *(really)* en serio **2.** *(badly)* gravemente

sermon ['sɜ:mən] *n* sermón *m*

servant ['sɜ:vənt] *n* sirviente *m*, -ta *f*

serve [sɜ:v] ◇ *vt* servir ◇ *vi* **1.** *SPORT* sacar **2.** *(work)* servir ◇ *n* saque *m* ● **to**

serve as *(be used for)* servir de • **the town is served by two airports** la ciudad está provista de dos aeropuertos • **it serves you right** te está bien empleado ▼ **serves two** para dos personas

service ['sɜːvɪs] ◇ *n* **1.** servicio *m* **2.** *(at church)* oficio *m* **3.** SPORT saque *m* **4.** *(of car)* revisión *f* ◇ *vt (car)* revisar • **to be of service to sb** *(fml)* ayudar a alguien ▼ **out of service** no funciona ▼ **service included** servicio incluido ▼ **service not included** servicio no incluido •

services *npl* **1.** *(UK) (on motorway)* área *f* de servicios **2.** *(of person)* servicios *mpl*

service area *n (UK)* área *f* de servicios

service charge *n* servicio *m*

service provider *n* COMPUT proveedor *m* de servicios

service station *n* estación *f* de servicio

serviette [ˌsɜːvɪ'et] *n (UK)* servilleta *f*

serving ['sɜːvɪŋ] *n* ración *f*

serving spoon *n* cucharón *m*

sesame seeds ['sesəmɪ-] *npl* sésamo *m*

session ['seʃn] *n* sesión *f*

set [set] *(pt & pp inv)* ◇ *adj* **1.** *(fixed)* fijo(ja) • **a set lunch** el menú del día **2.** *(text, book)* obligatorio (ria) **3.** *(situated)* situado(da) ◇ *n* **1.** *(collection)* juego *m*; *(of stamps, stickers)* colección *f* **2.** *(TV)* aparato *m* • **a TV set** un televisor **3.** *(in tennis)* set *m* **4.** *(of play)* decorado *m* **5.** *(at hairdresser's)* • **a shampoo and set** lavado *m* y marcado ◇ *vt* **1.** *(put)* colocar, poner **2.** *(cause to be)* • **to set a machine going** poner una máquina en marcha • **to set fire**

to prender fuego a **3.** *(clock, alarm, controls)* poner • **set the alarm for 7 a.m.** pon el despertador para las 7 de la mañana **4.** *(fix)* fijar **5.** *(essay, homework, the table)* poner **6.** *(a record)* marcar **7.** *(broken bone)* componer **8.** *(play, film, story)* • **to be set in** desarrollarse en ◇ *vi* **1.** *(sun)* ponerse **2.** *(glue)* secarse; *(jelly)* cuajar

◆ **set down** *vt sep (UK) (passengers)* dejar

◆ **set off** ◇ *vt sep (alarm)* hacer saltar ◇ *vi* ponerse en camino

◆ **set out** ◇ *vt sep (arrange)* disponer ◇ *vi* ponerse en camino

◆ **set up** *vt sep (barrier, cordon)* levantar; *(equipment)* preparar; *(meeting, interview)* organizar; *(committee)* crear

set meal *n* menú *m (plato)*

set menu *n* menú *m* del día

settee [se'tiː] *n (UK)* sofá *m*

setting ['setɪŋ] *n* **1.** *(on machine)* posición *f* **2.** *(surroundings)* escenario *m*

settle ['setl] ◇ *vt* **1.** *(argument)* resolver **2.** *(bill)* saldar **3.** *(stomach)* asentar **4.** *(nerves)* calmar **5.** *(arrange, decide on)* acordar ◇ *vi* **1.** *(start to live)* establecerse **2.** *(come to rest)* posarse **3.** *(sediment, dust)* depositarse ◆ **settle down** *vi* **1.** *(calm down)* calmarse **2.** *(sit comfortably)* acomodarse ◆ **settle up** *vi* saldar las cuentas

settlement ['setlmənt] *n* **1.** *(agreement)* acuerdo *m* **2.** *(place)* asentamiento *m*

set-top box *n* decodificador *m*

seven ['sevn] ◇ *num adj* siete ◇ *num n* siete *m inv* • **to be seven (years old)**

tener siete años (de edad) • **it's seven** (o'clock) son las siete • **a hundred and seven** ciento siete • **seven Hill St** Hill St, número siete • **it's minus seven (degrees)** hay siete grados bajo cero • **seven out of ten** siete sobre diez

seventeen [ˌsevn'tiːn] *num* diecisiete

seventeenth [ˌsevn'tiːnθ] *num* decimoséptimo(ma)

seventh ['sevnθ] ◇ *num adj* séptimo (ma) ◇ *pron* séptimo m, -ma f ◇ *num n* (fraction) séptimo m ◇ *num adv* séptimo • **a seventh (of)** la séptima parte (de) • **the seventh (of September)** el siete (de septiembre)

seventieth ['sevntɪəθ] *num* septuagésimo(ma)

seventy ['sevntɪ] *num* setenta

several ['sevrəl] ◇ *adj* varios(rias) ◇ *pron* varios *mpl*, -rias f

severe [sɪ'vɪə] *adj* **1.** severo(ra) **2.** (illness) grave **3.** (pain) fuerte

Seville [sə'vɪl] *n* Sevilla

sew [səʊ] (*pp* **sewn**) *vt & vi* coser

sewage ['suːɪdʒ] *n* aguas *fpl* residuales

sewing ['səʊɪŋ] *n* costura f

sewing machine *n* máquina f de coser

sewn [səʊn] *pp* ➤ **sew**

sex [seks] *n* sexo m • **to have sex (with)** tener relaciones sexuales (con)

sexist ['seksɪst] *n* sexista *mf*

sexual ['sekʃʊəl] *adj* sexual

sexy ['seksɪ] *adj* sexi (inv)

shabby ['ʃæbɪ] *adj* **1.** (clothes, room) desastrado(da) **2.** (person) desharrapado(da)

shade [ʃeɪd] ◇ *n* **1.** (shadow) sombra f **2.** (lampshade) pantalla f **3.** (of colour)

tonalidad f ◇ *vt* (protect) proteger • **shades** *npl* (inf) (sunglasses) gafas *fpl* (Esp) OR anteojos *mpl* (Amér) de sol

shadow ['ʃædəʊ] *n* **1.** (dark shape) sombra f **2.** (darkness) oscuridad f

shady ['ʃeɪdɪ] *adj* **1.** (place) sombreado (da) **2.** (inf) (person) sospechoso(sa) **3.** (inf) (deal) turbio(bia)

shaft [ʃɑːft] *n* **1.** (of machine) eje m **2.** (of lift) pozo m

shake [ʃeɪk] (*pt* **shook**, *pp* **shaken**) ◇ *vt* **1.** (tree, rug, packet, etc) sacudir **2.** (bottle) agitar **3.** (person) zarandear **4.** (dice) mover **5.** (shock) conmocionar ◇ *vi* temblar • **to shake hands with sb** estrechar la mano a alguien • **to shake one's head** (saying no) negar con la cabeza

shall (weak form [ʃəl], strong form [, ʃæl]) *aux vb* **1.** (expressing future) • **I shall be ready soon** estaré listo enseguida **2.** (in questions) • **shall I buy some wine?** ¿compro vino? • **where shall we go?** ¿adónde vamos? **3.** (fml) (expressing order) • **payment shall be made within a week** debe efectuarse el pago dentro de una semana

shallot [ʃə'lɒt] *n* chalote m

shallow ['ʃæləʊ] *adj* poco profundo(da)

shallow end *n* (of swimming pool) parte f poco profunda

shambles ['ʃæmblz] *n* desbarajuste m

shame [ʃeɪm] *n* **1.** (remorse) vergüenza f **2.** (disgrace) deshonra f • **it's a shame** es una lástima • **what a shame!** ¡qué lástima!

shampoo [ʃæm'puː] (*pl* **-s**) *n* **1.** (liquid) champú m **2.** (wash) lavado m

shandy ['ʃændɪ] *n* cerveza *f* con gaseosa

shape [ʃeɪp] *n* **1.** *(form)* forma *f* **2.** *(object, person, outline)* figura *f* ● **to be in good/bad shape** estar en (buena) forma/bad forma

share [ʃeəʳ] ◇ *n* **1.** *(part)* parte *f* **2.** *(in company)* acción *f* ◇ *vt* **1.** *(room, work, cost)* compartir **2.** *(divide)* repartir ● **share out** *vt sep* repartir

shark [ʃɑːk] *n* tiburón *m*

sharp [ʃɑːp] ◇ *adj* **1.** *(knife, razor, teeth)* afilado(da) **2.** *(pin, needle)* puntiagudo (da) **3.** *(clear)* nítido(da) **4.** *(quick, intelligent)* inteligente **5.** *(rise, bend)* marcado(da) **6.** *(change)* brusco(ca) **7.** *(painful)* agudo(da) **8.** *(food, taste)* ácido(da) ◇ *adv (exactly)* en punto

sharpen ['ʃɑːpn] *vt* **1.** *(knife)* afilar **2.** *(pencil)* sacar punta a

shatter ['ʃætəʳ] ◇ *vt (break)* hacer añicos ◇ *vi* hacerse añicos

shattered ['ʃætəd] *adj* **(UK)** *(inf) (tired)* hecho(cha) polvo

shave [ʃeɪv] ◇ *vt* afeitar ◇ *vi* afeitarse ◇ *n* ● **to have a shave** afeitarse

shaver ['ʃeɪvəʳ] *n* maquinilla *f* de afeitar

shaving brush ['ʃeɪvɪŋ-] *n* brocha *f* de afeitar

shaving foam ['ʃeɪvɪŋ-] *n* espuma *f* de afeitar

shawl [ʃɔːl] *n* chal *m*

she [ʃiː] *pron* ella *f* ● **she's tall** (ella) es alta

sheaf [ʃiːf] *(pl* **sheaves**) *n (of paper, notes)* fajo *m*

shears [ʃɪəz] *npl (for gardening)* tijeras *fpl* de podar

sheaves [ʃiːvz] *pl* > **sheaf**

shed [ʃed] *(pt & pp inv)* ◇ *n* cobertizo *m* ◇ *vt (tears, blood)* derramar

she'd *(weak form* [ʃɪd]*, strong form* [ʃiːd]) = **she had, she would**

sheep [ʃiːp] *(pl inv)* *n* oveja *f*

sheepdog ['ʃiːpdɒg] *n* perro *m* pastor

sheepskin ['ʃiːpskɪn] *adj* piel *f* de cordero ● **sheepskin jacket** zamarra *f* de piel de cordero

sheer [ʃɪəʳ] *adj* **1.** *(pure, utter)* puro(ra) **2.** *(cliff)* escarpado(da) **3.** *(stockings)* fino (na)

sheet [ʃiːt] *n* **1.** *(for bed)* sábana *f* **2.** *(of paper)* hoja *f* **3.** *(of glass, metal, wood)* lámina *f*

shelf [ʃelf] *(pl* **shelves**) *n* estante *m*

shell [ʃel] *n* **1.** *(of egg, nut)* cáscara *f* **2.** *(on beach)* concha *f* **3.** *(of animal)* caparazón *m* **4.** *(bomb)* proyectil *m*

she'll [ʃiːl] = **she will, she shall**

shellfish ['ʃelfɪʃ] *n (food)* mariscos *mpl*

shelter ['ʃeltəʳ] ◇ *n* refugio *m* ◇ *vt (protect)* proteger ◇ *vi* resguardarse ● **to take shelter** cobijarse

sheltered ['ʃeltəd] *adj* protegido(da)

shelves [ʃelvz] *pl* > **shelf**

shepherd ['ʃepəd] *n* pastor *m*

shepherd's pie ['ʃepədz-] *n* plato consistente en carne picada de vaca, cebolla y especias cubierta con una capa de puré de patata dorada al grill

sheriff ['ʃerɪf] *n* sheriff *m*

sherry ['ʃerɪ] *n* jerez *m*

she's [ʃiːz] = **she is, she has**

shield [ʃiːld] ◇ *n* escudo *m* ◇ *vt* proteger

shift [ʃɪft] ◇ *n* **1.** *(change)* cambio *m* **2.** *(period of work)* turno *m* ◇ *vt* mover ◇ *vi*

1. (*move*) moverse **2.** (*change*) cambiar

shin [ʃɪn] *n* espinilla *f*

shine [ʃaɪn] (*pt & pp* **shone**) ◇ *vi* brillar ◇ *vt* **1.** (*shoes*) sacar brillo a **2.** (*torch*) enfocar

shiny [ʃaɪnɪ] *adj* brillante

ship [ʃɪp] *n* barco *m* ● **by ship** en barco

shipwreck [ʃɪprek] *n* **1.** (*accident*) naufragio *m* **2.** (*wrecked ship*) barco *m* náufrago

shirt [ʃɜːt] *n* camisa *f*

shit [ʃɪt] ◇ *n* (*vulg*) mierda *f* ◇ *excl* (*vulg*) ¡mierda!

shiver [ʃɪvə^r] *vi* temblar

shock [ʃɒk] ◇ *n* **1.** (*surprise*) susto *m* **2.** (*force*) sacudida *f* ◇ *vt* **1.** (*surprise*) conmocionar **2.** (*horrify*) escandalizar ● **to be in shock** *MED* estar en estado de shock

shocking [ʃɒkɪŋ] *adj* (*very bad*) horroroso(sa)

shoe [ʃuː] *n* zapato *m*

shoelace [ʃuːleɪs] *n* cordón *m* (*de zapato*)

shoe polish *n* betún *m*

shoe repairer's [-rɪˌpeərəz] *n* zapatero *m* (*remendón*)

shoe shop *n* zapatería *f*

shone [ʃɒn] *pt & pp* ➤ **shine**

shook [ʃʊk] *pt* ➤ **shake**

shoot [ʃuːt] (*pt & pp* **shot**) ◇ *vt* **1.** (*kill*) matar a tiros **2.** (*injure*) herir (*con arma de fuego*) **3.** (*gun, arrow*) disparar **4.** (*film*) rodar ◇ *vi* **1.** (*with gun*) disparar **2.** (*move quickly*) pasar disparado **3.** *SPORT* chutar ◇ *n* (*of plant*) brote *m*

shop [ʃɒp] ◇ *n* tienda *f* ◇ *vi* hacer compras

shop assistant *n* (*UK*) dependiente *m*, -ta *f*

shop floor *n* (*place*) taller *m*

shopkeeper [ʃɒpˌkiːpə^r] *n* (*UK*) tendero *m*, -ra *f*

shoplifter [ʃɒpˌlɪftə^r] *n* ratero *m*, -ra *f* de tiendas

shopper [ʃɒpə^r] *n* comprador *m*, -ra *f*

shopping [ʃɒpɪŋ] *n* compras *fpl* ● **I hate shopping** odio ir de compras ● **to do the shopping** hacer las compras ● **to go shopping** ir de compras

shopping bag *n* bolsa *f* de la compra

shopping basket *n* cesta *f* de la compra

shopping center (*US*) = **shopping centre**

shopping centre *n* (*UK*) centro *m* comercial

shopping list *n* lista *f* de la compra

shopping mall *n* centro *m* comercial

shop steward *n* enlace *m* sindical

shop window *n* (*UK*) escaparate *m*

shore [ʃɔː^r] *n* orilla *f* ● **on shore** en tierra

short [ʃɔːt] ◇ *adj* **1.** (*not tall*) bajo(ja) **2.** (*in length, time*) corto(ta) ◇ *adv* (*cut hair*) corto ◇ *n* **1.** (*UK*) (*drink*) licor *m* **2.** (*film*) cortometraje *m* ● **to be short of time** andar escaso de tiempo ● **Liz is short for Elizabeth** Liz es el diminutivo de Elizabeth ● **I'm short of breath** me falta el aliento ● **in short** en resumen ● **shorts** *npl* **1.** (*short trousers*) pantalones *mpl* cortos **2.** (*US*) (*underpants*) calzoncillos *mpl*

shortage [ʃɔːtɪdʒ] *n* escasez *f*

shortbread [ʃɔːtbred] *n especie de torta*

dulce y quebradiza hecha con harina, azúcar y mantequilla

short-circuit *vi* tener un cortocircuito

shortcrust pastry ['ʃɔːtkrʌst-] *n* (UK) pasta *f* quebrada

short cut *n* atajo *m*

shorten ['ʃɔːtn] *vt* acortar

shorthand ['ʃɔːthænd] *n* taquigrafía *f*

shortly ['ʃɔːtlɪ] *adv* (soon) dentro de poco • **shortly before** poco antes de

shortsighted [,ʃɔːt'saɪtɪd] *adj* miope

short-sleeved [-,sliːvd] *adj* de manga corta

short story *n* cuento *m*

shot [ʃɒt] ◇ *pt* & *pp* > **shoot** ◇ *n* 1. (of gun, in football) tiro *m* 2. (in tennis, golf) golpe *m* 3. (photo) foto *f* 4. (in film) plano *m* 5. (inf) (attempt) intento *m* 6. (drink) trago *m*

shotgun ['ʃɒtgʌn] *n* escopeta *f*

should [ʃʊd] *aux vb* 1. (expressing desirability) deber • **we should leave now** deberíamos irnos ahora 2. (asking for advice) • **should I go too?** ¿yo también voy? 3. (expressing probability) deber de • **she should arrive soon** debe de estar a punto de llegar 4. (ought to have) deber • **they should have won the match** deberían haber ganado el partido 5. (in clauses with that) • **we decided that you should do it** decidimos que lo hicieras tú 6. (conditionals) • **should you need anything, call reception** si necesita alguna cosa, llame a recepción 7. (fml) (expressing wish) • **I should like to come with you** me gustaría ir contigo

shoulder ['ʃəʊldə'] *n* 1. (of person)

hombro *m* 2. (of meat) espaldilla *f* 3. (US) (of road) arcén *m*

shoulder pad *n* hombrera *f*

shouldn't ['ʃʊdnt] = **should not**

should've ['ʃʊdəv] = **should have**

shout [ʃaʊt] ◇ *n* grito *m* ◇ *vt* & *vi* gritar • **shout out** *vt sep* gritar

shove [ʃʌv] *vt* 1. (push) empujar 2. (put carelessly) poner de cualquier manera

shovel ['ʃʌvl] *n* pala *f*

show [ʃəʊ] (*pp* **-ed** OR **shown**) ◇ *n* 1. (at theatre) función *f* 2. (on TV, radio) programa *m* 3. (exhibition) exhibición *f* ◇ *vt* 1. mostrar 2. (undergo) registrar 3. (represent, depict) representar 4. (accompany) acompañar 5. (film) proyectar 6. (TV programme) emitir ◇ *vi* 1. (be visible) verse 2. (film) proyectarse • **I showed my ticket to the inspector** le enseñé mi billete al revisor • **to show sb how to do sthg** enseñar a alguien cómo se hace algo • **show off** *vi* presumir • **show up** *vi* 1. (come along) aparecer 2. (be visible) resaltar

shower ['ʃaʊə'] ◇ *n* 1. (for washing) ducha *f* 2. (of rain) chubasco *m* ◇ *vi* ducharse • **to have a shower** darse una ducha

shower gel *n* gel *m* de baño

shower unit *n* ducha *f* (cubículo)

showing ['ʃəʊɪŋ] *n* (of film) proyección *f*

shown [ʃəʊn] *pp* > **show**

showroom ['ʃəʊrʊm] *n* sala *f* de exposición

shrank [ʃræŋk] *pt* > **shrink**

shrimp [ʃrɪmp] *n* camarón *m*

shrine [ʃraɪn] *n* santuario *m*

shrink [ʃrɪŋk] (*pt* **shrank**, *pp* **shrunk**) ◇

n (*inf*) loquero *m*, -ra *f* ◇ *vi* **1.** (*become smaller*) encoger **2.** (*diminish*) reducirse

shrub [ʃrʌb] *n* arbusto *m*

shrug [ʃrʌɡ] ◇ *vi* encogerse de hombros ◇ *n* ● she gave a shrug se encogió de hombros

shrunk [ʃrʌŋk] *pp* ➤ **shrink**

shuffle [ʃʌfl] ◇ *vt* (*cards*) barajar ◇ *vi* andar arrastrando los pies

shut [ʃʌt] (*pt & pp inv*) ◇ *adj* cerrado (da) ◇ *vt* cerrar ◇ *vi* **1.** (*door, mouth, eyes*) cerrarse **2.** (*shop, restaurant*) cerrar ● **shut down** *vt sep* cerrar ● **shut up** *vi* (*inf*) callarse la boca

shutter [ʃʌtəʳ] *n* **1.** (*on window*) contraventana *f* **2.** (*on camera*) obturador *m*

shuttle [ʃʌtl] *n* **1.** (*plane*) avión *m* de puente aéreo **2.** (*bus*) autobús *m* de servicio regular

shuttlecock [ʃʌtlkɒk] *n* (*UK*) volante *m*

shy [ʃaɪ] *adj* tímido(da)

sick [sɪk] *adj* **1.** (*ill*) enfermo(ma) **2.** (*nauseous*) mareado(da) ● **to be sick** (*vomit*) devolver ● **to feel sick** estar mareado ● **to be sick of** estar harto (ta) de

sick bag *n* bolsa *f* para el mareo

sickness [sɪknɪs] *n* enfermedad *f*

sick pay *n* ≃ subsidio *m* de enfermedad

side [saɪd] ◇ *n* **1.** lado *m* **2.** (*of hill, valley*) ladera *f* **3.** (*of river*) orilla *f* **4.** (*of paper, coin, tape, record*) cara *f* **5.** (*UK*) (*team*) equipo *m* **6.** (*TV channel*) canal *m* **7.** (*page of writing*) página *f* ◇ *adj* lateral ● **at the side of** al lado de ● **on the other side** al otro lado ● **on this side** en este lado ● side by side juntos

sideboard [saɪdbɔːd] *n* aparador *m*

side dish *n* plato *m* de acompañamiento

side effect *n* efecto *m* secundario

side order *n* guarnición *f* (*no incluida en el plato*)

side salad *n* ensalada *f* de acompañamiento

side street *n* travesía *f* (*Esp*), calle *f* lateral

sidewalk [saɪdwɔːk] *n* (*US*) acera *f*

sideways [saɪdweɪz] *adv* **1.** (*move*) de lado **2.** (*look*) de reojo

sieve [sɪv] *n* tamiz *m*

sigh [saɪ] ◇ *n* suspiro *m* ◇ *vi* suspirar

sight [saɪt] *n* **1.** (*eyesight*) vista *f* **2.** (*thing seen*) imagen *f* ● **at first sight** a primera vista ● **to catch sight of** divisar ● **in sight** a la vista ● **to lose sight of** perder de vista ● **out of sight** fuera de vista ● **sights** *npl* (*of city, country*) lugares *mpl* de interés turístico

sightseeing [saɪtˌsiːɪŋ] *n* ● **to go sightseeing** ir a visitar los lugares de interés turístico

sign [saɪn] ◇ *n* **1.** señal *f* **2.** (*on shop*) letrero *m* **3.** (*symbol*) signo *m* ◇ *vt & vi* firmar ● **there's no sign of her** no hay señales de ella ● **sign in** *vi* firmar en el registro de entrada

signal [sɪɡnl] ◇ *n* **1.** señal *f* **2.** (*US*) (*traffic lights*) semáforo *m* ◇ *vi* señalizar

signature [sɪɡnətʃəʳ] *n* firma *f*

significant [sɪɡnɪfɪkənt] *adj* significativo(va)

signpost [saɪnpəʊst] *n* letrero *m* indicador

Sikh [siːk] *n* sij *mf*

silence ['saɪləns] *n* silencio *m*

silencer ['saɪlənsə'] *n* (UK) silenciador *m*

silent ['saɪlənt] *adj* silencioso(sa)

silicon ['sɪlɪkən] *n* silicio *m*

silk [sɪlk] *n* seda *f*

sill [sɪl] *n* alféizar *m*

silly ['sɪlɪ] *adj* tonto(ta)

silver ['sɪlvə'] ◇ *n* 1. *(substance)* plata *f* 2. *(coins)* monedas *fpl* plateadas ◇ *adj* de plata

silver foil *n* (UK) papel *m* de aluminio

silver-plated [-'pleɪtɪd] *adj* chapado (da) en plata

similar ['sɪmɪlə'] *adj* similar ● **to be similar to** ser parecido(da) a

similarity [,sɪmɪ'lærətɪ] *n* 1. *(resemblance)* parecido *m* 2. *(similar point)* similitud *f*

simmer ['sɪmə'] *vi* hervir a fuego lento

simple ['sɪmpl] *adj* sencillo(lla)

simplify ['sɪmplɪfaɪ] *vt* simplificar

simply ['sɪmplɪ] *adv* 1. *(just)* simplemente 2. *(easily, not elaborately)* sencillamente

simulate ['sɪmjʊleɪt] *vt* simular

simultaneous [(UK) ,sɪml'teɪnjəs, (US) ,saɪml'teɪnjəs] *adj* simultáneo(a)

simultaneously [(UK) ,sɪml'teɪnjəslɪ, (US) ,saɪml'teɪnjəslɪ] *adv* simultáneamente

sin [sɪn] ◇ *n* pecado *m* ◇ *vi* pecar

since [sɪns] ◇ *adv* desde entonces ◇ *prep* desde ◇ *conj* 1. *(in time)* desde que 2. *(as)* ya que ● **ever since** desde, desde que

sincere [sɪn'sɪə'] *adj* sincero(ra)

sincerely [sɪn'sɪəlɪ] *adv* sinceramente ● **Yours sincerely** (le saluda) atentamente

sing [sɪŋ] *(pt* **sang**, *pp* **sung**) *vt & vi* cantar

singer ['sɪŋə'] *n* cantante *mf*

single ['sɪŋgl] ◇ *adj* 1. *(just one)* solo(la) 2. *(not married)* soltero(ra) ◇ *n* 1. (UK) *(ticket)* billete *m* (Esp) OR boleto *m* (Amér) de ida 2. *(record)* disco *m* sencillo ● **every single** cada uno (una) de ● **singles** ◇ *n* modalidad *f* individual ◇ *adj* (bar, club) para solteros

single bed *n* cama *f* individual

single cream *n* (UK) nata *f* líquida (Esp), crema *f* líquida (Amér)

single currency *n* moneda *f* única

single parent *n* padre *m* soltero, madre soltera *f*

single room *n* habitación *f* individual

singular ['sɪŋgjʊlə'] *n* singular *m* ● **in the singular** en singular

sinister ['sɪnɪstə'] *adj* siniestro(tra)

sink [sɪŋk] *(pt* **sank**, *pp* **sunk**) ◇ *n* 1. *(in kitchen)* fregadero *m* 2. *(washbasin)* lavabo *m* ◇ *vi* 1. *(in water, mud)* hundirse 2. *(decrease)* descender

sink unit *n* fregadero *m* (con mueble debajo)

sinuses ['saɪnəsɪz] *npl* senos *mpl* frontales

sip [sɪp] ◇ *n* sorbo *m* ◇ *vt* beber a sorbos

siphon ['saɪfn] ◇ *n* sifón *m* ◇ *vt* sacar con sifón

sir [sɜː'] *n* señor *m* ● **Dear Sir** Muy Señor mío ● **Sir Richard Blair** Sir Richard Blair

siren ['saɪərən] *n* sirena *f*

sirloin steak [,sɜːlɔɪn-] *n* solomillo *m*

sister ['sɪstə'] *n* 1. hermana *f* 2. (UK) *(nurse)* enfermera *f* jefe

sister-in-law *n* cuñada *f*

sit [sɪt] (*pt & pp* **sat**) ◇ *vi* **1.** sentarse **2.** (*be situated*) estar situado ◇ *vt* **1.** (*place*) poner **2.** (*UK*) (*exam*) presentarse a ● **to be sitting** estar sentado ● **sit down** *vi* sentarse ● **to be sitting down** estar sentado ● **sit up** *vi* **1.** (*after lying down*) incorporarse **2.** (*stay up late*) quedarse levantado

site [saɪt] *n* **1.** (*place*) sitio *m* **2.** (*building site*) obra *f* de construcción

sitting room [ˈsɪtɪŋ-] *n* (*UK*) sala *f* de estar

situated [ˈsɪtjʊeɪtɪd] *adj* ● **to be situated** estar situado(da)

situation [ˌsɪtjʊˈeɪʃn] *n* situación *f* ● **situations vacant** (*UK*) ofertas de empleo

six [sɪks] ◇ *num adj* seis *inv* ◇ *num n* seis *m inv* ● **to be six** (*years old*) tener seis años (de edad) ● **it's six** (*o'clock*) son las seis ● **a hundred and six** ciento seis ● **six Hill St** Hill St, número seis ● **it's minus six** (*degrees*) hay seis grados bajo cero ● **six out of ten** seis sobre diez

sixteen [sɪksˈtiːn] *num* dieciséis

sixteenth [sɪksˈtiːnθ] *num* decimosexto (ta)

sixth [sɪksθ] ◇ *num adj* sexto(ta) ◇ *pron* sexto *m*, -ta *f* ◇ *num n* (*fraction*) sexto *m* ◇ *num adv* sexto ● **a sixth** (*of*) la sexta parte (de) ● **the sixth** (*of September*) el seis (de septiembre)

sixth form *n* (*UK*) curso de enseñanza media que prepara a alumnos de 16 a 18 años para los A-levels

sixth-form college *n* (*UK*) centro de enseñanza que prepara a alumnos de 16 a 18 años para los A-levels o exámenes de formación profesional

sixtieth [ˈsɪkstɪəθ] *num* sexagésimo (ma)

sixty [ˈsɪkstɪ] *num* sesenta

size [saɪz] *n* **1.** tamaño *m* **2.** (*of clothes, hats*) talla *f* **3.** (*of shoes*) número *m* ● **what size do you take?** ¿qué talla/número usa? ● **what size is this?** ¿de qué talla es esto?

sizeable [ˈsaɪzəbl] *adj* considerable

skate [skeɪt] ◇ *n* **1.** (*ice skate, roller skate*) patín *m* **2.** (*fish*) raya *f* ◇ *vi* patinar

skateboard [ˈskeɪtbɔːd] *n* monopatín *m*, patineta *f* (*Amér*)

skater [ˈskeɪtə'] *n* (*ice-skater*) patinador *m*, -ra *f*

skating [ˈskeɪtɪŋ] *n* ● **to go skating** ir a patinar

skeleton [ˈskelɪtn] *n* esqueleto *m*

skeptical [ˈskeptɪkl] (*US*) = **sceptical**

sketch [sketʃ] ◇ *n* **1.** (*drawing*) bosquejo *m* **2.** (*humorous*) sketch *m* ◇ *vt* hacer un bosquejo de

skewer [ˈskjʊə'] *n* brocheta *f*

ski [skiː] (*pt & pp* **skied**, *cont* **skiing**) ◇ *n* esquí *m* ◇ *vi* esquiar

ski boots *npl* botas *fpl* de esquí

skid [skɪd] ◇ *n* derrape *m* ◇ *vi* derrapar

skier [ˈskiːə'] *n* esquiador *m*, -ra *f*

skiing [ˈskiːɪŋ] *n* esquí *m* ● **to go skiing** ir a esquiar ● **a skiing holiday** unas vacaciones de esquí

skilful [ˈskɪlfʊl] *adj* (*UK*) experto(ta)

ski lift *n* telesilla *m*

skill [skɪl] *n* **1.** (*ability*) habilidad *f* **2.** (*technique*) técnica *f*

skilled [skɪld] *adj* **1.** *(worker, job)* especializado(da) **2.** *(driver, chef)* cualificado (da)

skillful ['skɪlful] *(US)* = skilful

skimmed milk ['skɪmd-] *n* leche *f* desnatada *(Esp)* OR descremada *(Amér)*

skin [skɪn] *n* **1.** piel *f* **2.** *(on milk)* nata *f*

skinny ['skɪnɪ] *adj* flaco(ca)

skip [skɪp] ◇ *vi* **1.** *(with rope)* saltar a la comba *(Esp)* OR cuerda **2.** *(jump)* ir dando brincos ◇ *vt* saltarse ◇ *n (UK) (container)* contenedor *m*

ski pants *npl* pantalones *mpl* de esquí

ski pass *n* forfait *m*

ski pole *n* bastón *m* para esquiar

skipping rope ['skɪpɪŋ-] *n (UK)* cuerda *f* de saltar

skirt [skɜːt] *n* falda *f*

ski slope *n* pista *f* de esquí

ski tow *n* remonte *m*

skittles ['skɪtlz] *n (UK)* bolos *mpl*

skull [skʌl] *n* **1.** *(of living person)* cráneo *m* **2.** *(of skeleton)* calavera *f*

sky [skaɪ] *n* cielo *m*

skylight ['skaɪlaɪt] *n* tragaluz *m*

skyscraper ['skaɪˌskreɪpə'] *n* rascacielos *m inv*

slab [slæb] *n (of stone, concrete)* losa *f*

slack [slæk] *adj* **1.** *(rope)* flojo(ja) **2.** *(careless)* descuidado(da) **3.** *(not busy)* inactivo(va)

slam [slæm] ◇ *vt* cerrar de golpe ◇ *vi* cerrarse de golpe

slander ['slɑːndə'] *n* calumnia *f*

slang [slæŋ] *n* argot *m*

slant [slɑːnt] ◇ *n (slope)* inclinación *f* ◇ *vi* inclinarse

slap [slæp] ◇ *n* bofetada *f*, cachetada *f* *(Amér)* ◇ *vt* abofetear, cachetear *(Amér)*

slash [slæʃ] ◇ *vt* **1.** *(cut)* cortar **2.** *(fig) (prices)* recortar drásticamente ◇ *n (written symbol)* barra *f* (oblicua)

slate [sleɪt] *n* pizarra *f*

slaughter ['slɔːtə'] *vt* **1.** *(kill)* matar **2.** *(fig) (defeat)* dar una paliza

slave [sleɪv] *n* esclavo *m*, -va *f*

sled [sled] = sledge

sledge [sledʒ] *n (UK)* trineo *m*

sleep [sliːp] *(pt & pp slept)* ◇ *n* **1.** *(rest)* descanso *m* **2.** *(nap)* siesta *f* ◇ *vi* dormir ◇ *vt* ● the house sleeps six la casa tiene seis plazas ● did you sleep well? ¿dormiste bien? ● I couldn't get to sleep no pude conciliar el sueño ● to go to sleep dormirse ● to sleep with sb acostarse con alguien

sleeper ['sliːpə'] *n* **1.** *(train)* tren *m* nocturno *(con literas)* **2.** *(sleeping car)* coche-cama *m* **3.** *(UK) (on railway track)* traviesa *f* **4.** *(UK) (earring)* aro *m*

sleeping bag ['sliːpɪŋ-] *n* saco *m* de dormir

sleeping car ['sliːpɪŋ-] *n* coche-cama *m*

sleeping pill ['sliːpɪŋ-] *n* pastilla *f* para dormir

sleep mode *n* COMPUT modo *m* inactividad, modo *m* ahorro de energía

sleepy ['sliːpɪ] *adj* soñoliento(ta)

sleet [sliːt] ◇ *n* aguanieve *f* ◇ *impers vb* ● it's sleeting cae aguanieve

sleeve [sliːv] *n* **1.** *(of garment)* manga *f* **2.** *(of record)* cubierta *f*

sleeveless ['sliːvlɪs] *adj* sin mangas

slept [slept] *pt & pp* > sleep

S level ['eslevl] *n* (UK) (*abbr of* **Special level**) *examen optativo que realizan los mejores estudiantes antes de entrar en la universidad, con el objeto de estar más preparados para las materias que van a estudiar en la facultad elegida*

slice [slaɪs] ◇ *n* 1. (*of bread*) rebanada *f* 2. (*of meat*) tajada *f* 3. (*of cake, pizza*) trozo *m* 4. (*of lemon, sausage, cucumber*) rodaja *f* 5. (*of cheese, ham*) loncha *f* (*Esp*), rebanada *f* ◇ *vt* cortar

sliced bread [,slaɪst-] *n* pan *m* en rebanadas

slide [slaɪd] (*pt & pp* **slid**) ◇ *n* 1. (*in playground*) tobogán *m* 2. (*of photograph*) diapositiva *f* 3. (UK) (*hair slide*) prendedor *m* ◇ *vi* (*slip*) resbalar

sliding door [,slaɪdɪŋ-] *n* puerta *f* corredera

slight [slaɪt] *adj* (*minor*) leve ● **the slightest** el menor(la menor) ● **not in the slightest** en absoluto

slightly ['slaɪtlɪ] *adv* ligeramente

slim [slɪm] ◇ *adj* delgado(da) ◇ *vi* adelgazar

slimming ['slɪmɪŋ] *n* adelgazamiento *m*

sling [slɪŋ] (*pt & pp* **slung**) ◇ *n* (*for arm*) cabestrillo *m* ◇ *vt* (*inf*) tirar

slip [slɪp] ◇ *vi* resbalar ◇ *n* 1. (*mistake*) descuido *m* 2. (*of paper*) papelito *m* 3. (*petticoat*) enaguas *fpl* ● **slip up** *vi* (*make a mistake*) cometer un error

slipper ['slɪpə'] *n* zapatilla *f*, pantufla *f* (*Amér*)

slippery ['slɪpərɪ] *adj* resbaladizo(za)

slit [slɪt] *n* ranura *f*

slob [slɒb] *n* (*inf*) guarro *m*, -rra *f*

slogan ['sləʊgən] *n* eslogan *m*

slope [sləʊp] ◇ *n* 1. (*incline*) inclinación *f* 2. (*hill*) cuesta *f* 3. (*for skiing*) pista *f* ◇ *vi* inclinarse

sloping ['sləʊpɪŋ] *adj* inclinado(da)

slot [slɒt] *n* 1. (*for coin*) ranura *f* 2. (*groove*) muesca *f*

Slovakia [slə'vækɪə] *n* Eslovaquia

slow [sləʊ] ◇ *adj* 1. (*not fast*) lento(ta) 2. (*clock, watch*) atrasado(da) 3. (*business*) flojo(ja) 4. (*in understanding*) corto(ta) ◇ *adv* despacio ● **a slow train** ≃ un tren tranvía ● **slow** *cartel que aconseja a los automovilistas ir despacio* ● **slow down** ◇ *vt sep* reducir la velocidad de ◇ *vi* 1. (*vehicle*) reducir la velocidad 2. (*person*) reducir el paso

slowly ['sləʊlɪ] *adv* 1. (*not fast*) despacio 2. (*gradually*) poco a poco

slug [slʌg] *n* babosa *f*

slum [slʌm] *n* (*building*) cuchitril *m* ● **slums** *npl* (*district*) barrios *mpl* bajos

slung [slʌŋ] *pt & pp* ➤ **sling**

slush [slʌʃ] *n* nieve *f* medio derretida

sly [slaɪ] *adj* 1. (*cunning*) astuto(ta) 2. (*deceitful*) furtivo(va)

smack [smæk] ◇ *n* (*slap*) cachete *m* (*Esp*), cachetada *m* (*Amér*) ◇ *vt* dar un cachete (*Esp*) OR una cachetada (*Amér*)

small [smɔːl] *adj* pequeño(ña)

small change *n* cambio *m*

smallpox ['smɔːlpɒks] *n* viruela *f*

smart [smɑːt] *adj* 1. (UK) (*elegant, posh*) elegante 2. (*clever*) inteligente

smart card *n* tarjeta *f* con banda magnética

smash [smæʃ] ◇ *n* 1. SPORT mate *m* 2. (*inf*) (*car crash*) choque *m* ◇ *vt* (*plate,* window) romper ◇ *vi (plate, vase etc)* romperse

smear test ['smɪə-] *n (UK)* citología *f*

smell [smel] *(pt & pp* **-ed** OR **smelt)** ◇ *n* olor *m* ◇ *vt & vi* oler ● **to smell of sthg** oler a algo

smelly ['smelɪ] *adj* maloliente

smelt [smelt] *pt & pp* > **smell**

smile [smaɪl] ◇ *n* sonrisa *f* ◇ *vi* sonreír

smoke [sməʊk] ◇ *n* humo *m* ◇ *vt & vi* fumar ● **to have a smoke** echarse un cigarro

smoked [sməʊkt] *adj* ahumado(da)

smoked salmon *n* salmón *m* ahumado

smoker ['sməʊkə'] *n* fumador *m*, -ra *f*

smoking ['sməʊkɪŋ] *n* el fumar ▼ **no smoking** prohibido fumar

smoking area *n* área *f* de fumadores

smoking compartment *n* compartimento *m* de fumadores

smoky ['sməʊkɪ] *adj (room)* lleno(na) de humo

smooth [smuːð] *adj* **1.** *(surface, road)* liso (sa) **2.** *(skin)* terso(sa) **3.** *(flight, journey)* tranquilo(la) **4.** *(mixture, liquid)* sin grumos **5.** *(wine, beer)* suave **6.** *(pej) (suave)* meloso(sa) ● **smooth down** *vt sep* alisar

smother ['smʌðə'] *vt (cover)* cubrir

SMS [ˌesem'es] *n (abbr of short message system)* SMS *m*

smudge [smʌdʒ] *n* mancha *f*

smuggle ['smʌgl] *vt* pasar de contrabando

snack [snæk] *n* piscolabis *m inv (Esp)*, tentempié *m*

snack bar *n* cafetería *f*

snail [sneɪl] *n* caracol *m*

snake [sneɪk] *n* **1.** *(smaller)* culebra *f* **2.** *(larger)* serpiente *f*

snap [snæp] ◇ *vt (break)* partir (en dos) ◇ *vi (break)* partirse (en dos) ◇ *n* **1.** *(UK) (inf) (photo)* foto *f* **2.** *(card game)* guerrilla *f*

snatch [snætʃ] *vt* **1.** *(grab)* arrebatar **2.** *(steal)* dar el tirón

sneakers ['sniːkəz] *npl (US)* zapatos *mpl* de lona

sneeze [sniːz] ◇ *n* estornudo *m* ◇ *vi* estornudar

sniff [snɪf] ◇ *vi (from cold, crying)* sorber ◇ *vt* oler

snip [snɪp] *vt* cortar con tijeras

snob [snɒb] *n* esnob *mf*

snog [snɒg] *vi (UK) (inf)* morrearse *(Esp)*, besuquearse

snooker ['snuːkə'] *n* snooker *m juego parecido al billar*

snooze [snuːz] *n* cabezada *f*

snore [snɔː'] *vi* roncar

snorkel ['snɔːkl] *n* tubo *m* respiratorio

snout [snaʊt] *n* hocico *m*

snow [snəʊ] ◇ *n* nieve *f* ◇ *impers vb* ● **it's snowing** está nevando

snowball ['snəʊbɔːl] *n* bola *f* de nieve

snowboard ['snəʊˌbɔːd] *n* tabla *f* de snowboard

snowboarding ['snəʊˌbɔːdɪŋ] *n* snowboard *m*

snowdrift ['snəʊdrɪft] *n* montón *m* de nieve

snowflake ['snəʊfleɪk] *n* copo *m* de nieve

snowman ['snəʊmæn] *(pl* **-men)** *n* muñeco *m* de nieve

snowplough ['snəʊplaʊ] *n (UK)* quitanieves *m inv*

snowstorm ['snəʊstɔːm] *n* tormenta *f* de nieve

snug [snʌg] *adj* **1.** *(person)* cómodo y calentito(cómoda y calentita) **2.** *(place)* acogedor(ra)

so [səʊ]

◇ *adv* **1.** *(emphasizing degree)* tan ● it's so difficult (that ...) es tan difícil (que ...) ● so many tantos ● so much tanto **2.** *(referring back)* ● so you knew already así que ya lo sabías ● I don't think so no creo ● I'm afraid so me temo que sí ● if so en ese caso **3.** *(also)* también ● so do I yo también **4.** *(in this way)* así **5.** *(expressing agreement)* ● so I see ya lo veo **6.** *(in phrases)* ● or so más o menos ● so as to do sthg para hacer algo ● come here so that I can see you ven acá para que te vea

◇ *conj* **1.** *(therefore)* así que **2.** *(summarizing)* entonces ● so what have you been up to? entonces ¿qué has estado haciendo? **3.** *(in phrases)* ● so what? *(inf)* ¿y qué? ● so there! *(inf)* ¡y si no te gusta te aguantas!

soak [səʊk] ◇ *vt* **1.** *(leave in water)* poner en remojo **2.** *(make very wet)* empapar ◇ *vi* ● to soak through sthg calar algo

soak up *vt sep* absorber

soaked [səʊkt] *adj* empapado(da)

soaking ['səʊkɪŋ] *adj* empapado(da)

soap [səʊp] *n* jabón *m*

soap opera *n* telenovela *f*

soap powder *n* detergente *m* en polvo

sob [sɒb] ◇ *n* sollozo *m* ◇ *vi* sollozar

sober ['səʊbəʳ] *adj* *(not drunk)* sobrio (bria)

soccer ['sɒkəʳ] *n* fútbol *m*

sociable ['səʊʃəbl] *adj* sociable

social ['səʊʃl] *adj* social

social club *n* club *m* social

socialist ['səʊʃəlɪst] ◇ *adj* socialista ◇ *n* socialista *mf*

social life *n* vida *f* social

social security *n* seguridad *f* social

social worker *n* asistente *m*, -ta *f* social

society [sə'saɪətɪ] *n* sociedad *f*

sociology [ˌsəʊsɪ'ɒlədʒɪ] *n* sociología *f*

sock [sɒk] *n* calcetín *m*

socket ['sɒkɪt] *n* *(for plug, light bulb)* enchufe *m*

sod [sɒd] *n* *(UK)* *(vulg)* cabrón *m*, -ona *f*

soda ['səʊdə] *n* **1.** *(soda water)* soda *f* **2.** *(US)* *(fizzy drink)* gaseosa *f*

soda water *n* soda *f*

sofa ['səʊfə] *n* sofá *m*

sofa bed *n* sofá-cama *m*

soft [sɒft] *adj* **1.** *(not firm, stiff)* blando (da) **2.** *(not rough, loud)* suave **3.** *(not forceful)* ligero(ra)

soft cheese *n* queso *m* blando

soft drink *n* refresco *m*

software ['sɒftweəʳ] *n* software *m*

soil [sɔɪl] *n* tierra *f*

solarium [sə'leərɪəm] *n* solario *m*

solar panel ['səʊlə-] *n* panel *m* solar

sold [səʊld] *pt & pp* > **sell**

soldier ['səʊldʒəʳ] *n* soldado *m*

sold out *adj* agotado(da)

sole [səʊl] ◇ *adj* **1.** *(only)* único(ca) **2.** *(exclusive)* exclusivo(va) ◇ *n* **1.** *(of shoe)* suela *f* **2.** *(of foot)* planta *f* **3.** *(fish: pl inv)* lenguado *m*

solemn ['sɒləm] *adj* solemne

solicitor [sə'lɪsɪtəʳ] *n* *(UK)* abogado que

actúa en los tribunales de primera instancia y prepara casos para los tribunales superiores

solid ['sɒlɪd] *adj* **1.** sólido(da) **2.** *(table, gold, oak)* macizo(za)

solo ['səʊləʊ] *(pl* **-s)** *n* solo *m*

soluble ['sɒljʊbl] *adj* soluble

solution [sə'luːʃn] *n* solución *f*

solve [sɒlv] *vt* resolver

some [sʌm]

◇ *adj* **1.** *(certain amount of)* ● would you like some coffee? ¿quieres café? ● can I have some cheese? ¿me das un poco de queso? ● some money algo de dinero **2.** *(certain number of)* unos(unas) ● some sweets unos caramelos ● have some grapes coge uvas ● some people alguna gente **3.** *(large amount of)* bastante ● I had some difficulty getting here me resultó bastante difícil llegar aquí **4.** *(large number of)* bastante ● I've known him for some years hace bastantes años que lo conozco **5.** *(not all)* algunos(nas) ● some jobs are better paid than others algunos trabajos están mejor pagados que otros **6.** *(in imprecise statements)* un(una) ● some man phoned llamó un hombre

◇ *pron* **1.** *(certain amount)* un poco ● can I have some? ¿puedo coger un poco? **2.** *(certain number)* algunos *mpl*, -nas *f* ● can I have some? ¿puedo coger algunos? ● some (of them) left early algunos (de ellos) se fueron pronto

◇ *adv* aproximadamente ● there were some 7,000 people there había unas 7.000 personas allí

somebody ['sʌmbədɪ] **= someone**

somehow ['sʌmhaʊ] *adv* **1.** *(some way or other)* de alguna manera **2.** *(for some reason)* por alguna razón

someone ['sʌmwʌn] *pron* alguien

someplace ['sʌmpleɪs] *(US)* **= somewhere**

somersault ['sʌməsɔːlt] *n* salto *m* mortal

something ['sʌmθɪŋ] *pron* algo ● it's really something es algo impresionante ● or something *(inf)* o algo así ● something like algo así como

sometime ['sʌmtaɪm] *adv* en algún momento

sometimes ['sʌmtaɪmz] *adv* a veces

somewhere ['sʌmweə˅] *adv* **1.** *(in or to unspecified place)* en/a alguna parte **2.** *(approximately)* aproximadamente

son [sʌn] *n* hijo *m*

song [sɒŋ] *n* canción *f*

son-in-law *n* yerno *m*

soon [suːn] *adv* pronto ● how soon can you do it? ¿para cuándo estará listo? ● as soon as tan pronto como ● as soon as possible cuanto antes ● soon after poco después ● sooner or later tarde o temprano

soot [sʊt] *n* hollín *m*

soothe [suːð] *vt* **1.** *(pain, sunburn)* aliviar **2.** *(person, anger, nerves)* calmar

sophisticated [sə'fɪstɪkeɪtɪd] *adj* sofisticado(da)

sorbet ['sɔːbeɪ] *n* sorbete *m*

sore [sɔː] ◇ *adj* **1.** *(painful)* dolorido(da) **2.** *(US) (inf) (angry)* enfadado(da) ◇ *n* úlcera *f* ● to have a sore throat tener dolor de garganta

sorry ['sɒrɪ] *adj* ● I'm sorry! ¡lo siento!

● I'm sorry I'm late siento llegar tarde ● I'm sorry you failed lamento que hayas suspendido ● sorry? *(pardon?)* ¿perdón? ● to feel sorry for sb sentir lástima por alguien ● to be sorry about sthg sentir algo

sort [sɔːt] ◇ *n* tipo *m*, clase *f* ◇ *vt* clasificar ● **sort of** más o menos ● it's sort of difficult es algo difícil ◆ **sort out** *vt sep* 1. *(classify)* clasificar 2. *(resolve)* resolver

so-so *adj & adv (inf)* así así

soufflé ['suːfleɪ] *n* suflé *m*

sought [sɔːt] *pt & pp* ➤ seek

soul [səʊl] *n* 1. *(spirit)* alma *f* 2. *(soul music)* música *f* soul

sound [saʊnd] ◇ *n* 1. sonido *m* 2. *(individual noise)* ruido *m* ◇ *vt (horn, bell)* hacer sonar ◇ *vi* 1. *(make a noise)* sonar 2. *(seem to be)* parecer ◇ *adj* 1. *(health, person)* bueno(na) 2. *(heart)* sano(na) 3. *(building, structure)* sólido(da) ● **to sound like** *(make a noise like)* sonar como; *(seem to be)* sonar

soundcard ['saʊndkɑːd] *n* COMPUT tarjeta *f* de sonido

soundproof ['saʊndpruːf] *adj* insonorizado(da)

soup [suːp] *n* sopa *f*

soup spoon *n* cuchara *f* sopera

sour [saʊəʳ] *adj* 1. *(taste)* ácido(da) 2. *(milk)* agrio(agria) ● **to go sour** agriarse

source [sɔːs] *n* 1. *(supply, origin)* fuente *f* 2. *(cause)* origen *m* 3. *(of river)* nacimiento *m*

sour cream *n* nata *f (Esp)* OR crema *f (Amér)* agria

south [saʊθ] ◇ *n* sur *m* ◇ *adv* 1. *(fly, walk)* hacia el sur 2. *(be situated)* al sur ● **in the south of England** en el sur de Inglaterra

South Africa *n* Sudáfrica

South America *n* Sudamérica

southbound ['saʊθbaʊnd] *adj* con rumbo al sur

southeast [ˌsaʊθ'iːst] *n* sudeste *m*

southern ['sʌðən] *adj* del sur

South Pole *n* Polo *m* Sur

southwards ['saʊθwədz] *adv* hacia el sur

southwest [ˌsaʊθ'west] *n* suroeste *m*

souvenir [ˌsuːvə'nɪəʳ] *n* recuerdo *m*

sow[1] [səʊ] *(pp* sown*)* *vt* sembrar

sow[2] [saʊ] *n (pig)* cerda *f*

soya ['sɔɪə] *n* soja *f (Esp)*, soya *f (Amér)*

soya bean *n* semilla *f* de soja *(Esp)* OR soya *(Amér)*

soy sauce [ˌsɔɪ-] *n* salsa *f* de soja *(Esp)* OR soya *(Amér)*

spa [spɑː] *n* balneario *m*

space [speɪs] ◇ *n* espacio *m* ◇ *vt* espaciar

space bar *n (on computer, keyboard)* espaciador *m*

spaceship ['speɪsʃɪp] *n* nave *f* espacial

space shuttle *n* transbordador *m* espacial

spacious ['speɪʃəs] *adj* espacioso(sa)

spade [speɪd] *n (tool)* pala ◆ **spades** *npl (in cards)* picas *fpl*

spaghetti [spə'getɪ] *n* espaguetis *mpl*

Spain [speɪn] *n* España

spam [spæm] *n* COMPUT spam *m*, correo *m* basura

span [spæn] ◇ *pt* ➤ spin ◇ *n* 1. *(length)* duración *f* 2. *(of time)* periodo *m*

Spaniard ['spænjəd] *n* español *m*, -la *f*

spaniel ['spænjəl] *n* perro *m* de aguas

Spanish ['spænɪʃ] ◇ *adj* español(la) ◇ *n* (*language*) español *m*

spank [spæŋk] *vt* zurrar

spanner ['spænə'] *n* (*UK*) llave *f* (de tuercas)

spare [speə'] ◇ *adj* 1. (*kept in reserve*) de sobra 2. (*not in use*) libre ◇ *n* 1. (*spare part*) recambio *m* 2. (*spare wheel*) rueda *f* de recambio ◇ *vt* ● I can't spare the time no tengo tiempo ● with ten minutes to spare con diez minutos de sobra

spare part *n* pieza *f* de recambio

spare ribs *npl* costillas *fpl* (sueltas)

spare room *n* habitación *f* de invitados

spare time *n* tiempo *m* libre

spark [spa:k] *n* chispa *f*

sparkling ['spa:klɪŋ-] *adj* (*drink*) con gas

sparkling wine *n* vino *m* espumoso

sparrow ['spærəʊ] *n* gorrión *m*

spat [spæt] *pt* & *pp* (*UK*) ≻ **spit**

speak [spi:k] (*pt* **spoke**, *pp* **spoken**) ◇ *vt* 1. (*language*) hablar 2. (*say*) decir ◇ *vi* hablar ● who's speaking? (*on phone*) ¿quién es? ● can I speak to Sarah? - speaking! ¿puedo hablar con Sara? - ¡soy yo! ● speak to the boss about the problem hablar con el jefe sobre el problema ◆ **speak up** *vi* (*more loudly*) hablar más alto

speaker ['spi:kə'] *n* 1. (*at conference*) conferenciante *mf* 2. (*loudspeaker, of stereo*) altavoz *m* ● a Spanish speaker un hispanohablante

spear [spɪə'] *n* lanza *f*

special ['speʃl] ◇ *adj* 1. (*not ordinary*) especial 2. (*particular*) particular ◇ *n* (*dish*) plato *m* del día ▼ today's special plato del día

special delivery *n* (*UK*) ≃ correo *m* urgente

special effects *npl* efectos *mpl* especiales

specialist ['speʃəlɪst] *n* (*doctor*) especialista *mf*

speciality [,speʃɪ'ælətɪ] *n* (*UK*) especialidad *f*

specialize ['speʃəlaɪz] *vi* ● to specialize (in) especializarse (en)

specially ['speʃəlɪ] *adv* 1. especialmente 2. (*particularly*) particularmente

special offer *n* oferta *f* especial

special school *n* escuela *f* especial

specialty ['speʃltɪ] (*US*) = **speciality**

species ['spi:ʃi:z] (*pl inv*) *n* especie *f*

specific [spə'sɪfɪk] *adj* específico(ca)

specifications [,spesɪfɪ'keɪʃnz] *npl* (*of machine, building etc*) datos *mpl* técnicos

specimen ['spesɪmən] *n* 1. MED espécimen *m* 2. (*example*) muestra *f*

specs [speks] *npl* (*inf*) gafas *fpl*

spectacle ['spektəkl] *n* espectáculo *m*

spectacles ['spektəklz] *npl* (*fml*) gafas *fpl*

spectacular [spek'tækjʊlə'] *adj* espectacular

spectator [spek'teɪtə'] *n* espectador *m*, -ra *f*

sped [sped] *pt* & *pp* ≻ **speed**

speech [spi:tʃ] *n* 1. (*ability to speak*) habla *f* 2. (*manner of speaking*) manera *f* de hablar 3. (*talk*) discurso *m*

speech impediment [-ɪm,pedɪmənt] *n*

impedimento *m* al hablar

speed [spi:d] (*pt & pp* **-ed** OR **sped**) ◇ *n* velocidad *f* ◇ *vi* **1.** *(move quickly)* moverse de prisa **2.** *(drive too fast)* conducir con exceso de velocidad ▼ **reduce speed now** reduzca su velocidad ● **speed up** *vi* acelerarse

speedboat ['spi:dbəʊt] *n* lancha *f* motora

speed bump *n* banda *f* (sonora), guardia *m* tumbado (*Esp*), lomo *m* de burro (*RP*)

speed dating *n encuentros organizados normalmente en bares para que personas de diferentes sexos se conozcan rápidamente y decidan si quieren volver a verse*

speeding ['spi:dɪŋ] *n* exceso *m* de velocidad

speed limit *n* límite *m* de velocidad

speedometer [spɪ'dɒmɪtəʳ] *n* velocímetro *m*

spell [spel] ((*UK*) *pt & pp* **-ed** OR **spelt**, (*US*) **-ed**) ◇ *vt* **1.** *(word, name)* deletrear ◇ *vi* **1.** *(time spent)* temporada *f* **2.** *(of weather)* racha *f* **3.** *(magic)* hechizo *m*

spell-check *vt* *(text, file, document)* corregir la ortografía de

spell-checker [-tʃekəʳ] *n* corrector *m* de ortografía

spelling ['spelɪŋ] *n* ortografía *f*

spelt [spelt] *pt & pp* (*UK*) ⊳ **spell**

spend [spend] (*pt & pp* **spent**) *vt* **1.** *(money)* gastar **2.** *(time)* pasar

sphere [sfɪəʳ] *n* esfera *f*

spice [spaɪs] ◇ *n* especia *f* ◇ *vt* condimentar

spicy ['spaɪsɪ] *adj* picante

spider ['spaɪdəʳ] *n* araña *f*

spider's web *n* telaraña *f*

spike [spaɪk] *n* (metal) clavo *m*

spill [spɪl] ((*UK*) *pt & pp* **-ed** OR **spilt**, (*US*) **-ed**) ◇ *vt* derramar ◇ *vi* derramarse

spin [spɪn] (*pt* **span** OR **spun**, *pp* **spun**) ◇ *vt* **1.** *(wheel, coin, chair)* hacer girar **2.** *(washing)* centrifugar ◇ *n* *(on ball)* efecto *m* ● **to go for a spin** (*inf*) ir a dar una vuelta

spinach ['spɪnɪdʒ] *n* espinacas *fpl*

spine [spaɪn] *n* **1.** *(of back)* espina *f* dorsal **2.** *(of book)* lomo *m*

spiral ['spaɪərəl] *n* espiral *f*

spiral staircase *n* escalera *f* de caracol

spire ['spaɪəʳ] *n* aguja *f*

spirit ['spɪrɪt] *n* **1.** *(soul)* espíritu *m* **2.** *(energy)* vigor *m* **3.** *(courage)* valor *m* **4.** *(mood)* humor *m* ● **spirits** *npl* (*alcohol*) licores *mpl*

spit [spɪt] ((*UK*) *pt & pp* **spat**, (*US*) *inv*) ◇ *vi* escupir ◇ *n* **1.** *(saliva)* saliva *f* **2.** *(for cooking)* asador *m* ◇ *impers vb* ● **it's spitting** (*UK*) está chispeando

spite [spaɪt] ● **in spite of** *prep* a pesar de

spiteful ['spaɪtfʊl] *adj* rencoroso(sa)

splash [splæʃ] ◇ *n* *(sound)* chapoteo *m* ◇ *vt* salpicar

splendid ['splendɪd] *adj* **1.** *(beautiful)* magnífico(ca) **2.** *(very good)* espléndido(da)

splint [splɪnt] *n* tablilla *f*

splinter ['splɪntəʳ] *n* astilla *f*

split [splɪt] (*pt & pp inv*) ◇ *n* **1.** *(tear)* rasgón *m* **2.** *(crack)* grieta *f* **3.** *(in skirt)* abertura *f* ◇ *vt* **1.** *(wood, stone)* agrietar **2.** *(tear)* rasgar **3.** *(bill, profits, work)* dividir ◇ *vi* **1.** *(wood, stone)* agrietarse **2.** *(tear)* rasgarse ◆ **split up** *vi (group, couple)* separarse

spoil [spɔɪl] *(pt & pp* **-ed** OR **spoilt)** *vt* **1.** *(ruin)* estropear **2.** *(child)* mimar

spoke [spəʊk] ◇ *pt* ➤ **speak** ◇ *n* radio *m*

spoken ['spəʊkn] *pp* ➤ **speak**

spokesman ['spəʊksmən] *(pl* **-men)** *n* portavoz *m*

spokeswoman ['spəʊks,wʊmən] *(pl* **-women)** *n* portavoz *f*

sponge [spʌndʒ] *n* **1.** *(for cleaning, washing)* esponja *f*

sponge bag *n (UK)* neceser *m*

sponge cake *n* bizcocho *m*

sponsor ['spɒnsə] *n (of event, TV programme)* patrocinador *m*, -ra *f*

sponsored walk [,spɒnsəd-] *n* marcha *f* benéfica

spontaneous [spɒn'teɪnjəs] *adj* espontáneo(nea)

spoon [spuːn] *n* cuchara *f*

spoonful ['spuːnfʊl] *n* cucharada *f*

sport [spɔːt] *n* deporte *m*

sports car [spɔːts-] *n* coche *m* deportivo

sports centre [spɔːts-] *n (UK)* centro *m* deportivo

sportsman ['spɔːtsmən] *(pl* **-men)** *n* deportista *m*

sports shop [spɔːts-] *n* tienda *f* de deporte

sportswoman ['spɔːts,wʊmən] *(pl* **-women)** *n* deportista *f*

spot [spɒt] ◇ *n* **1.** *(of paint, rain)* gota *f* **2.** *(on clothes)* lunar *m* **3.** *(UK) (on skin)* grano *m* **4.** *(place)* lugar *m* ◇ *vt* notar ● **on the spot** *(at once)* en el acto; *(at the scene)* en el lugar

spotless ['spɒtlɪs] *adj* inmaculado(da)

spotlight ['spɒtlaɪt] *n* foco *m*

spotty ['spɒtɪ] *adj (UK) (skin, person, face)* lleno(na) de granos

spouse [spaʊs] *n (fml)* esposo *m*, -sa *f*

spout [spaʊt] *n* pitorro *m (Esp)*, pico *m*

sprain [spreɪn] *vt* torcerse

sprang [spræŋ] *pt* ➤ **spring**

spray [spreɪ] ◇ *n* **1.** *(of aerosol, perfume)* espray *m* **2.** *(droplets)* rociada *f* **3.** *(of sea)* espuma *f* ◇ *vt* rociar

spread [spred] *(pt & pp inv)* ◇ *vt* **1.** *(butter, jam, glue)* untar **2.** *(map, tablecloth, blanket)* extender **3.** *(legs, fingers, arms)* estirar **4.** *(disease)* propagar **5.** *(news, rumour)* difundir ◇ *vi* **1.** *(disease, fire, stain)* propagarse **2.** *(news, rumour)* difundirse ◇ *n (food)* pasta *f* para untar ◆ **spread out** *vi (disperse)* dispersarse

spring [sprɪŋ] *(pt* **sprang,** *pp* **sprung)** ◇ *n* **1.** *(season)* primavera *f* **2.** *(coil)* muelle *m* **3.** *(of water)* manantial *m* ◇ *vi (leap)* saltar ● **in (the) spring** en (la) primavera

springboard ['sprɪŋbɔːd] *n* trampolín *m*

spring-cleaning [-'kliːnɪŋ] *n (UK)* limpieza *f* general

spring onion *n (UK)* cebolleta *f*

spring roll *n* rollito *m* de primavera

sprinkle ['sprɪŋkl] *vt* rociar

sprinkler ['sprɪŋklə] *n* aspersor *m*

sprint [sprɪnt] ◇ *n (race)* esprint *m* ◇ *vi (run fast)* correr a toda velocidad

sprout [spraʊt] *n* (UK) (vegetable) col *f* de Bruselas

spruce [spruːs] *n* picea *f*

sprung [sprʌŋ] *pp* ➤ **spring** ◇ *adj* (mattress) de muelles

spud [spʌd] *n* (UK) (inf) patata *f*

spun [spʌn] *pt & pp* ➤ **spin**

spur [spɜːʳ] *n* (for horse rider) espuela *f* ● **on the spur of the moment** sin pensarlo dos veces

spurt [spɜːt] *vi* salir a chorros

spy [spaɪ] *n* espía *mf*

squalor ['skwɒləʳ] *n* miseria *f*

square [skweəʳ] ◇ *adj* (in shape) cuadrado(da) ◇ *n* 1. (shape) cuadrado *m* 2. (in town) plaza *f* 3. (of chocolate) onza *f* 4. (on chessboard) casilla *f* ● **2 square metres** 2 metros cuadrados ● **it's 2 metres square** tiene 2 metros cuadrados ● **we're (all) square now** (UK) quedamos en paz

squash [skwɒʃ] ◇ *n* 1. (game) squash *m* 2. (UK) (drink) refresco *m* 3. (US) (vegetable) calabaza *f* ◇ *vt* aplastar

squat [skwɒt] ◇ *adj* achaparrado(da) ◇ *vi* (crouch) agacharse

squeak [skwiːk] *vi* chirriar

squeeze [skwiːz] *vt* 1. (orange) exprimir 2. (hand) apretar 3. (tube) estrujar ●

squeeze in *vi* meterse

squid [skwɪd] *n* (food) calamares *mpl*

squint [skwɪnt] ◇ *n* estrabismo *m* ◇ *vi* bizquear

squirrel [(UK) 'skwɪrəl, (US) 'skwɜːrəl] *n* ardilla *f*

squirt [skwɜːt] *vi* salir a chorro

St (abbr of Street) c (calle); (abbr of Saint) Sto., Sta. (santo, santa)

St Patrick's Day

San Patricio es el patrono de Irlanda y su festividad, el 17 de marzo, se celebra tanto en Irlanda como en otros lugares del mundo en los que hay comunidades irlandesas, especialmente en los Estados Unidos. Durante ese día hay desfiles en las calles, con música y bailes tradicionales.

stab [stæb] *vt* (with knife) apuñalar

stable ['steɪbl] ◇ *adj* 1. (unchanging) estable 2. (firmly fixed) fijo(ja) ◇ *n* cuadra *f*

stack [stæk] *n* (pile) pila *f* ● **stacks of** (inf) (lots) montones de

stadium ['steɪdjəm] *n* estadio *m*

staff [stɑːf] *n* (workers) empleados *mpl*

stage [steɪdʒ] *n* 1. (phase) etapa *f* 2. (in theatre) escenario *m*

stagger ['stægəʳ] ◇ *vt* (arrange in stages) escalonar ◇ *vi* tambalearse

stagnant ['stægnənt] *adj* estancado(da)

stain [steɪn] ◇ *n* mancha *f* ◇ *vt* manchar

stained glass window [,steɪnd-] *n* vidriera *f*

stainless steel ['steɪnlɪs-] *n* acero *m* inoxidable

staircase ['steəkeɪs] *n* escalera *f*

stairs [steəz] *npl* escaleras *fpl*

stairwell ['steəwel] *n* hueco *m* de la escalera

stake [steɪk] *n* 1. (share) participación *f* 2. (in gambling) apuesta *f* 3. (post) estaca *f* ● **at stake** en juego

stale [steɪl] *adj* 1. (food) pasado(da) 2. (bread) duro(ra)

stalk [stɔːk] n 1. *(of flower, plant)* tallo m 2. *(of fruit, leaf)* pecíolo m

stall [stɔːl] ◇ n *(in market, at exhibition)* puesto m ◇ vi *(car, plane, engine)* calarse *(Esp)*, pararse ◆ **stalls** npl *(UK)* *(in theatre)* platea f

stamina [ˈstæmɪnə] n resistencia f

stammer [ˈstæməʳ] vi tartamudear

stamp [stæmp] ◇ n sello m ◇ vt *(passport, document)* sellar ◇ vi ● **to stamp on** sthg pisar algo ● **to stamp one's foot** patear

stamp-collecting [-kəˌlektɪŋ] n filatelia f

stamp machine n máquina f expendedora de sellos *(Esp)* OR estampillas *(Amér)*

stand [stænd] *(pt & pp* **stood)** ◇ vi 1. *(be on feet)* estar de pie 2. *(be situated)* estar *(situado)* 3. *(get to one's feet)* ponerse de pie ◇ vt 1. *(place)* colocar 2. *(bear, withstand)* soportar ◇ n 1. *(stall)* puesto m 2. *(for coats)* perchero m 3. *(for umbrellas)* paragüero m 4. *(for bike, motorbike)* patín m de apoyo 5. *(at sports stadium)* tribuna f ● **to be standing** estar de pie ● **to stand sb a drink** invitar a alguien a beber algo ▼ **no standing** *(US)* AUT prohibido aparcar ◆ **stand back** vi echarse para atrás ◆ **stand for** vt insep 1. *(mean)* significar 2. *(tolerate)* tolerar ◆ **stand in** vi ● **to stand in for sb** sustituir a alguien ◆ **stand out** vi 1. *(be conspicuous)* destacar 2. *(be superior)* sobresalir ◆ **stand up** ◇ vi 1. *(be on feet)* estar de pie 2. *(get to one's feet)* levantarse ◇ vt sep *(inf)* *(boyfriend, girlfriend etc)* dejar plantado ◆ **stand up**

for vt insep salir en defensa de

standard [ˈstændəd] ◇ adj *(normal)* normal ◇ n 1. *(level)* nivel m 2. *(point of comparison)* criterio m ● **up to standard** al nivel requerido ◆ **standards** npl *(principles)* valores mpl morales

standard-class adj *(UK)* de segunda clase

standby [ˈstændbaɪ] adj sin reserva

stank [stæŋk] pt ➣ **stink**

staple [ˈsteɪpl] n *(for paper)* grapa f

stapler [ˈsteɪpləʳ] n grapadora f

star [stɑːʳ] ◇ n estrella f ◇ vt *(subj: film, play etc)* estar protagonizado por ◆ **stars** npl *(UK)* *(inf)* *(horoscope)* horóscopo m

starch [stɑːtʃ] n 1. *(for clothes)* almidón m 2. *(in food)* fécula f

stare [steəʳ] vi mirar fijamente ● **to stare at** mirar fijamente

starfish [ˈstɑːfɪʃ] *(pl inv)* n estrella f de mar

starling [ˈstɑːlɪŋ] n estornino m

Stars and Stripes n ● **the Stars and Stripes** la bandera de las barras y estrellas

Stars and Stripes

Barras y estrellas es el nombre oficial de la bandera de los Estados Unidos. Las estrellas que aparecen en la bandera representan a cada uno de los estados que forman el país. Los estadounidenses están orgullosos de su bandera y es normal verla en coches y casas por todo el país.

start [stɑːt] ◇ n **1.** *(beginning)* principio m **2.** *(starting place)* salida f ◇ vt **1.** *(begin)* empezar **2.** *(car, engine)* arrancar **3.** *(business, club)* montar ◇ vi **1.** *(begin)* empezar **2.** *(car, engine)* arrancar **3.** *(begin journey)* salir ● **at the start of the year** a principios del año ● **prices start at** OR **from £5** precios desde cinco libras ● **to start doing sthg** OR **to do sthg** empezar a hacer algo ● **to start with** *(in the first place)* para empezar; *(when ordering meal)* de primero ● **start out** vi **1.** *(on journey)* salir **2.** *(be originally)* empezar ● **start up** vt sep **1.** *(car, engine)* arrancar **2.** *(business, shop)* montar

starter ['stɑːtə'] n **1.** *(UK) (of meal)* primer plato m **2.** *(of car)* motor m de arranque ● **for starters** *(in meal)* de primero

starter motor n motor m de arranque

starting point ['stɑːtɪŋ-] n punto m de partida

startle ['stɑːtl] vt asustar

starvation [stɑː'veɪʃn] n hambre f

starve [stɑːv] vi *(have no food)* pasar hambre ● **I'm starving!** ¡me muero de hambre!

state [steɪt] ◇ n estado m ◇ vt **1.** *(declare)* declarar **2.** *(specify)* indicar ● **the State** el Estado ● **the States** *(inf)* los Estados Unidos

state-funded education

Los colegios públicos cambian mucho de una parte a otra del Reino Unido, especialmente desde que Escocia y Gales tienen competen-

cias en materia de educación. La calidad de la enseñanza, que comienza a los cinco años de edad, también difiere mucho de un lugar a otro.

statement ['steɪtmənt] n **1.** *(declaration)* declaración f **2.** *(from bank)* extracto m

state school n ≃ instituto m

statesman ['steɪtsmən] *(pl* **-men)** n estadista m

static ['stætɪk] n interferencias fpl

station ['steɪʃn] n **1.** estación f **2.** *(on radio)* emisora f

stationary ['steɪʃnərɪ] adj inmóvil

stationery ['steɪʃnərɪ] n objetos mpl de escritorio

station wagon n *(US)* furgoneta f familiar, camioneta f *(Amér)*

statistics [stə'tɪstɪks] npl datos mpl

statue ['stætʃuː] n estatua f

Statue of Liberty n ● **the Statue of Liberty** la Estatua de la Libertad

Statue of Liberty

La Estatua de la Libertad se encuentra a la entrada del puerto de Nueva York. Fue un regalo del gobierno francés en 1886 para conmemorar la alianza entre Francia y los Estados Unidos durante la Guerra de la Independencia. Ha pasado a simbolizar el sueño americano.

status ['steɪtəs] n **1.** *(legal position)* estado m **2.** *(social position)* condición f **3.** *(prestige)* prestigio m

stay [steɪ] ◇ *n* estancia *f* ◇ *vi* **1.** *(remain)* quedarse **2.** *(as guest)* alojarse ● **to stay the night** pasar la noche ● **stay away** *vi* **1.** *(not attend)* no asistir **2.** *(not go near)* no acercarse ● **stay in** *vi* quedarse en casa ● **stay out** *vi* *(from home)* quedarse fuera ● **stay up** *vi* quedarse levantado

STD code [esti:'di:kəʊd] *n* (UK) *(abbr of* subscriber trunk dialling) *prefijo para llamadas interurbanas*

steady ['stedɪ] ◇ *adj* **1.** *(not shaking, firm)* firme **2.** *(gradual)* gradual **3.** *(stable)* constante **4.** *(job)* estable ◇ *vt (stop from shaking)* mantener firme

steak [steɪk] *n* **1.** *(type of meat)* bistec *m* **2.** *(piece of meat, fish)* filete *m*

steakhouse ['steɪkhaʊs] *n* parrilla *f* *(restaurante)*

steal [sti:l] *(pt* **stole**, *pp* **stolen**) *vt* robar ● **to steal sthg from sb** robar algo a alguien

steam [sti:m] ◇ *n* vapor *m* ◇ *vt (food)* cocer al vapor

steam engine *n* máquina *f* de vapor

steam iron *n* plancha *f* de vapor

steel [sti:l] ◇ *n* acero *m* ◇ *adj* de acero

steep [sti:p] *adj* **1.** *(hill, path)* empinado (da) **2.** *(increase, drop)* considerable

steeple ['sti:pl] *n* torre *f* coronada con una aguja

steer [stɪə*r*] *vt (car, boat, plane)* conducir, dirigir

steering ['stɪərɪŋ] *n* dirección *f*

steering wheel *n* volante *m*

stem [stem] *n* **1.** *(of plant)* tallo *m* **2.** *(of glass)* pie *m*

step [step] ◇ *n* **1.** paso *m* **2.** *(stair, rung)* peldaño *m* **3.** *(measure)* medida *f* ◇ *vi* ● **to step on sthg** pisar algo ● **mind the step** cuidado con el escalón ● **steps** *npl* *(stairs)* escaleras *fpl* ● **step aside** *vi* *(move aside)* apartarse ● **step back** *vi* *(move back)* echarse atrás

step aerobics *n* step *m*

stepbrother ['step,brʌðə*r*] *n* hermanastro *m*

stepdaughter ['step,dɔ:tə*r*] *n* hijastra *f*

stepfather ['step,fɑ:ðə*r*] *n* padrastro *m*

stepladder ['step,lædə*r*] *n* escalera *f* de tijera

stepmother ['step,mʌðə*r*] *n* madrastra *f*

stepsister ['step,sɪstə*r*] *n* hermanastra *f*

stepson ['stepsʌn] *n* hijastro *m*

stereo ['sterɪəʊ] *(pl* **-s**) ◇ *adj* estéreo *(inv)* ◇ *n* **1.** *(hi-fi)* equipo *m* estereofónico **2.** *(stereo sound)* estéreo *m*

sterile ['steraɪl] *adj (germ-free)* esterilizado(da)

sterilize ['sterɪlaɪz] *vt* esterilizar

sterling ['stɜ:lɪŋ] ◇ *adj (pound)* esterlina ◇ *n* la libra esterlina

sterling silver *n* plata *f* de ley

stern [stɜ:n] ◇ *adj* severo(ra) ◇ *n* popa *f*

stew [stju:] *n* estofado *m*

steward ['stjʊəd] *n* **1.** *(on plane)* auxiliar *m* de vuelo, sobrecargo *m* **2.** *(on ship)* camarero *m* **3.** *(at public event)* ayudante *mf* de organización

stewed [stju:d] *adj (fruit)* en compota

stick [stɪk] *(pt & pp* **stuck**) ◇ *n* **1.** *(of wood, for sport)* palo *m* **2.** *(thin piece)* barra *f* **3.** *(walking stick)* bastón *m* ◇ *vt* **1.** *(glue)* pegar **2.** *(push, insert)* meter **3.** *(inf) (put)* poner ◇ *vi* **1.** *(become attached)* pegarse **2.** *(jam)* atrancarse ● **stick**

out *vi* sobresalir ◆ **stick to** *vt insep* **1.** (decision) atenerse a **2.** (principles) ser fiel a **3.** (promise) cumplir con ◆ **stick up** ◇ *vt sep* (poster, notice) pegar ◇ *vi* salir ◆ **stick up for** *vt insep* (inf) defender

sticker ['stɪkə'] *n* pegatina *f*

stick shift *n* (US) (car) coche *m* con palanca de cambios

sticky ['stɪkɪ] *adj* **1.** (substance, hands, sweets) pegajoso(sa) **2.** (label, tape) adhesivo(va) **3.** (weather) húmedo(da)

stiff [stɪf] ◇ *adj* **1.** (firm) rígido(da) **2.** (back, neck) agarrotado(da) **3.** (door, latch, mechanism) atascado(da) ◇ *adv* **to be bored stiff** (inf) estar muerto de aburrimiento ◆ **to feel stiff** tener agujetas

stiletto heels [stɪ'letəʊ-] *npl* (shoes) tacones *mpl* de aguja

still [stɪl] ◇ *adv* **1.** todavía **2.** (despite that) sin embargo **3.** (even) aún ◇ *adj* **1.** (motionless) inmóvil **2.** (quiet, calm) tranquilo(la) **3.** (UK) (not fizzy) sin gas ◆ **we've still got ten minutes** aún nos quedan diez minutos ◆ **still more** aún más ◆ **to stand still** estarse quieto

stimulate ['stɪmjʊleɪt] *vt* **1.** (encourage) estimular **2.** (make enthusiastic) excitar

sting [stɪŋ] (pt & pp **stung**) ◇ *vt* picar ◇ *vi* ◆ **my eyes are stinging** me pican los ojos

stingy ['stɪndʒɪ] *adj* (inf) roñoso(sa)

stink [stɪŋk] (pt **stank** OR **stunk**, pp **stunk**) *vi* (smell bad) apestar

stipulate ['stɪpjʊleɪt] *vt* estipular

stir [stɜː'] *vt* (move around, mix) remover

stir-fry *n* plato que se fríe en aceite muy caliente y removiendo constantemente

stirrup ['stɪrəp] *n* estribo *m*

stitch [stɪtʃ] *n* (in sewing, knitting) punto *m* ◆ **to have a stitch** sentir pinchazos ◆ **stitches** *npl* (for wound) puntos *mpl*

stock [stɒk] ◇ *n* **1.** (of shop, business) existencias *fpl* **2.** (supply) reserva *f* **3.** FIN capital *m* **4.** (in cooking) caldo *m* ◇ *vt* (have in stock) tener, vender ◆ **in stock** en existencia ◆ **out of stock** agotado

stock cube *n* pastilla *f* de caldo

Stock Exchange *n* bolsa *f*

stocking ['stɒkɪŋ] *n* media *f*

stock market *n* mercado *m* de valores

stodgy ['stɒdʒɪ] *adj* (food) indigesto(ta)

stole [stəʊl] *pt* > **steal**

stolen ['stəʊln] *pp* > **steal**

stomach ['stʌmək] *n* **1.** (organ) estómago *m* **2.** (belly) vientre *m*

stomachache ['stʌməkeɪk] *n* dolor *m* de estómago

stomach upset [-'ʌpset] *n* trastorno *m* gástrico

stone [stəʊn] ◇ *n* **1.** (substance, pebble) piedra *f* **2.** (in fruit) hueso *m* **3.** (measurement) = 6,35 kilos **4.** (gem) piedra *f* preciosa ◇ *adj* de piedra

stonewashed ['stəʊnwɒʃt] *adj* lavado(da) a la piedra

stood [stʊd] *pt & pp* > **stand**

stool [stuːl] *n* taburete *m*

stop [stɒp] ◇ *n* parada *f* ◇ *vt* **1.** parar **2.** (prevent) impedir ◇ *vi* **1.** pararse **2.** (cease) parar **3.** (stay) quedarse ◆ **to stop doing sthg** dejar de hacer algo ◆ **to stop sthg from happening** impedir que ocurra algo ◆ **to put a stop to sthg** poner fin a algo ◆ **stop** (road sign) stop ▼ **stopping at ...** (train, bus) con paradas en ... ◆ **stop off** *vi* hacer una parada

stopover ['stɒp,əʊvəʳ] *n* parada *f*

stopper ['stɒpəʳ] *n* tapón *m*

stopwatch ['stɒpwɒtʃ] *n* cronómetro *m*

storage ['stɔːrɪdʒ] *n* almacenamiento *m*

store [stɔːʳ] ◇ *n* **1.** *(shop)* tienda *f* **2.** *(supply)* provisión *f* ◇ *vt* almacenar

storehouse ['stɔːhaʊs] *n* almacén *m*

storeroom ['stɔːrʊm] *n* almacén *m*

storey ['stɔːrɪ] *(pl* **-s)** *n (UK)* planta *f*

stork [stɔːk] *n* cigüeña *f*

storm [stɔːm] *n* tormenta *f*

stormy ['stɔːmɪ] *adj (weather)* tormentoso(sa)

story ['stɔːrɪ] *n* **1.** *(account, tale)* cuento *m* **2.** *(news item)* artículo *m* **3.** *(US)* = **storey**

stout [staʊt] ◇ *adj (fat)* corpulento(ta) ◇ *n (drink)* cerveza *f* negra

stove [stəʊv] *n* **1.** *(for cooking)* cocina *f* **2.** *(for heating)* estufa *f*

straight [streɪt] ◇ *adj* **1.** *(not curved)* recto(ta) **2.** *(upright, level)* derecho (cha) **3.** *(hair)* liso(sa) **4.** *(consecutive)* consecutivo(va) **5.** *(drink)* solo(la) ◇ *adv* **1.** *(in a straight line)* en línea recta **2.** *(upright)* derecho **3.** *(directly)* directamente **4.** *(without delay)* inmediatamente ◆ **straight ahead** todo derecho ◆ **straight away** enseguida

straightforward [,streɪt'fɔːwəd] *adj (easy)* sencillo(lla)

strain [streɪn] ◇ *n* **1.** *(force)* presión *f* **2.** *(nervous stress)* tensión *f* nerviosa **3.** *(tension)* tensión **4.** *(injury)* torcedura *f* ◇ *vt* **1.** *(muscle)* torcerse **2.** *(eyes)* cansar **3.** *(food, tea)* colar

strainer ['streɪnəʳ] *n* colador *m*

strait [streɪt] *n* estrecho *m*

strange [streɪndʒ] *adj* **1.** *(unusual)* raro (ra) **2.** *(unfamiliar)* extraño(ña)

stranger ['streɪndʒəʳ] *n* **1.** *(unfamiliar person)* extraño *m*, -ña *f* **2.** *(person from different place)* forastero *m*, -ra *f*

strangle ['stræŋgl] *vt* estrangular

strap [stræp] *n* **1.** *(of bag, camera, watch)* correa *f* **2.** *(of dress, bra)* tirante *m*

strapless ['stræplɪs] *adj* sin tirantes

strategy ['strætɪdʒɪ] *n* estrategia *f*

straw [strɔː] *n* paja *f*

strawberry ['strɔːbərɪ] *n* fresa *f*

stray [streɪ] ◇ *adj (ownerless)* callejero (ra) ◇ *vi* vagar

streak [striːk] *n* **1.** *(stripe, mark)* raya *f* **2.** *(period)* racha *f*

stream [striːm] *n* **1.** *(river)* riachuelo *m* **2.** *(of traffic, people, blood)* torrente *m*

street [striːt] *n* calle *f*

streetcar ['striːtkɑːʳ] *n (US)* tranvía *m*

street light *n* farola *f*

street plan *n* callejero *m (mapa)*

strength [streŋθ] *n* **1.** *(of person, food, drink)* fuerza *f* **2.** *(of structure)* solidez *f* **3.** *(influence)* poder *m* **4.** *(strong point)* punto *m* fuerte **5.** *(of feeling, wind, smell)* intensidad *f* **6.** *(of drug)* potencia *f*

strengthen ['streŋθn] *vt* reforzar

stress [stres] ◇ *n* **1.** *(tension)* estrés *m inv* **2.** *(on word, syllable)* acento *m* ◇ *vt* **1.** *(emphasize)* recalcar **2.** *(word, syllable)* acentuar

stretch [stretʃ] ◇ *n* **1.** *(of land, water)* extensión *f* **2.** *(of road)* tramo *m* **3.** *(of time)* periodo *m* ◇ *vt* **1.** *(rope, material, body)* estirar **2.** *(elastic, clothes)* estirar (demasiado) ◇ *vi* **1.** *(land, sea)* extenderse **2.** *(person, animal)* estirarse ● **to stretch one's legs** *(fig)* dar un paseo ● **stretch out** ◇ *vt sep (hand)* alargar ◇ *vi (lie down)* tumbarse

stretcher [ˈstretʃəʳ] *n* camilla *f*

strict [strɪkt] *adj* **1.** estricto(ta) **2.** *(exact)* exacto(ta)

strictly [ˈstrɪktlɪ] *adv* **1.** *(absolutely)* terminantemente **2.** *(exclusively)* exclusivamente ● **strictly speaking** realmente

stride [straɪd] *n* zancada *f*

strike [straɪk] *(pt & pp* **struck)** ◇ *n (of employees)* huelga *f* ◇ *vt* **1.** *(fml) (hit)* pegar **2.** *(fml) (collide with)* chocar contra **3.** *(a match)* encender ◇ *vi* **1.** *(refuse to work)* estar en huelga **2.** *(happen suddenly)* sobrevenir ● **the clock struck eight** el reloj dio las ocho

striking [ˈstraɪkɪŋ] *adj* **1.** *(noticeable)* chocante **2.** *(attractive)* atractivo(va)

string [strɪŋ] *n* **1.** cuerda *f* **2.** *(of pearls, beads)* sarta *f* **3.** *(series)* serie *f* ● **a piece of string** una cuerda

strip [strɪp] ◇ *n* **1.** *(of paper, cloth etc)* tira *f* **2.** *(of land, water)* franja *f* ◇ *vt (paint, wallpaper)* quitar ◇ *vi (undress)* desnudarse

stripe [straɪp] *n (of colour)* raya *f*

striped [straɪpt] *adj* a rayas

strip-search *vt registrar exhaustivamente, haciendo que se quite la ropa*

stroke [strəʊk] ◇ *n* **1.** MED derrame *m* cerebral **2.** *(in tennis, golf)* golpe *m* **3.** *(swimming style)* estilo *m* ◇ *vt* acariciar ● **a stroke of luck** un golpe de suerte

stroll [strəʊl] *n* paseo *m*

stroller [ˈstrəʊləʳ] *n (US) (pushchair)* sillita *f* (de niño)

strong [strɒŋ] *adj* **1.** fuerte **2.** *(structure, bridge, chair)* resistente **3.** *(influential)* poderoso(sa) **4.** *(possibility)* serio(ria) **5.** *(drug)* potente **6.** *(accent)* marcado(da) **7.** *(point, subject)* mejor

struck [strʌk] *pt & pp* > **strike**

structure [ˈstrʌktʃəʳ] *n* **1.** *(arrangement, organization)* estructura *f* **2.** *(building)* construcción *f*

struggle [ˈstrʌgl] ◇ *n (great effort)* lucha *f* ◇ *vi* **1.** *(fight)* luchar **2.** *(in order to get free)* forcejear ● **to struggle to do sthg** esforzarse en hacer algo

stub [stʌb] *n* **1.** *(of cigarette)* colilla *f* **2.** *(of cheque)* matriz *f (Esp)*, talón *m (Amér)* **3.** *(of ticket)* resguardo *m*

stubble [ˈstʌbl] *n (on face)* barba *f* de tres días

stubborn [ˈstʌbən] *adj* terco(ca)

stuck [stʌk] ◇ *pt & pp* > **stick** ◇ *adj* **1.** *(jammed, unable to continue)* atascado (da) **2.** *(stranded)* colgado(da)

stud [stʌd] *n* **1.** *(on boots)* taco *m* **2.** *(fastener)* automático *m*, botón *m* de presión *(Amér)* **3.** *(earring)* pendiente *m (Esp)* OR arete *m (Amér) (pequeño)*

student [ˈstjuːdnt] *n* estudiante *mf*

student card *n* carné *m* de estudiante

students' union [ˌstjuːdnts-] *n (UK) (place)* club *m* de alumnos

studio [ˈstjuːdɪəʊ] *n (pl* **-s)** estudio *m*

studio apartment *(US)* = **studio flat**

studio flat *n (UK)* estudio *m*

study [ˈstʌdɪ] ◇ *n* estudio *m* ◇ *vt* **1.** *(learn about)* estudiar **2.** *(examine)* examinar ◇ *vi* estudiar

stuff [stʌf] ◇ n (inf) **1.** (substance) cosa f, sustancia f **2.** (things, possessions) cosas fpl ◇ vt **1.** (put roughly) meter **2.** (fill) rellenar

stuffed [stʌft] adj **1.** (food) relleno(na) **2.** (inf) (full up) lleno(na) **3.** (dead animal) disecado(da)

stuffing ['stʌfɪŋ] n relleno m

stuffy ['stʌfɪ] adj (room, atmosphere) cargado(da)

stumble ['stʌmbl] vi (when walking) tropezar

stump [stʌmp] n (of tree) tocón m

stun [stʌn] vt aturdir

stung [stʌŋ] pt & pp = sting

stunk [stʌŋk] pt & pp = stink

stunning ['stʌnɪŋ] adj **1.** (very beautiful) imponente **2.** (very surprising) pasmoso (sa)

stupid ['stjuːpɪd] adj **1.** (foolish) estúpido (da) **2.** (inf) (annoying) puñetero(ra)

sturdy ['stɜːdɪ] adj robusto(ta)

stutter ['stʌtəʳ] vi tartamudear

sty [staɪ] n pocilga f

style [staɪl] ◇ n **1.** (manner) estilo m **2.** (elegance) clase f **3.** (design) modelo m ◇ vt (hair) peinar

stylish ['staɪlɪʃ] adj elegante

stylist ['staɪlɪst] n (hairdresser) peluquero m, -ra f

sub [sʌb] n (inf) **1.** (substitute) reserva mf **2.** (UK) (subscription) suscripción f

subdued [səb'djuːd] adj **1.** (person, colour) apagado(da) **2.** (lighting) tenue

subject ◇ n ['sʌbdʒɪkt] **1.** (topic) tema m **2.** (at school, university) asignatura f **3.** GRAM sujeto m **4.** (fml) (of country) ciudadano m, -na f ◇ vt [səb'dʒekt] ■ to

subject sb to abuse someter a alguien a malos tratos ■ **subject to availability** hasta fin de existencias ■ **they are subject to an additional charge** están sujetos a un suplemento

subjunctive [səb'dʒʌŋktɪv] n subjuntivo m

submarine [,sʌbmə'riːn] n submarino m

submit [səb'mɪt] ◇ vt presentar ◇ vi rendirse

subordinate [sə'bɔːdɪnət] adj GRAM subordinado(da)

subscribe [səb'skraɪb] vi (to magazine, newspaper) suscribirse

subscription [səb'skrɪpʃn] n suscripción f

subsequent ['sʌbsɪkwənt] adj subsiguiente

subside [səb'saɪd] vi **1.** (ground) hundirse **2.** (noise, feeling) apagarse

substance ['sʌbstəns] n sustancia f

substantial [səb'stænʃl] adj (large) sustancial

substitute ['sʌbstɪtjuːt] n **1.** (replacement) sustituto m, -ta f **2.** SPORT suplente mf

subtitles ['sʌb,taɪtlz] npl subtítulos mpl

subtle ['sʌtl] adj **1.** (difference, change) sutil **2.** (person, plan) ingenioso(sa)

subtract [səb'trækt] vt restar

subtraction [səb'trækʃn] n resta f

suburb ['sʌbɜːb] n barrio m residencial ■ **the suburbs** las afueras

subway ['sʌbweɪ] n **1.** (UK) (for pedestrians) paso m subterráneo **2.** (US) (underground railway) metro m

succeed [sək'siːd] ◇ vi (be successful) tener éxito ◇ vt suceder a ■ **to succeed**

in doing sthg conseguir hacer algo
success [sək'ses] *n* éxito *m*
successful [sək'sesful] *adj* **1.** (plan, attempt) afortunado(da) **2.** (film, book, person) de éxito **3.** (politician, actor) popular
succulent ['sʌkjʊlənt] *adj* suculento(ta)
such [sʌʧ] ◇ *adj* **1.** (of stated kind) tal, semejante **2.** (so great) tal ◇ *adv* ● **such a lot** tanto ● **such a lot of books** tantos libros ● **it's such a lovely day** hace un día tan bonito ● **such a thing should never have happened** tal cosa nunca debería de haber pasado ● **such as** tales como
suck [sʌk] *vt* chupar
sudden ['sʌdn] *adj* repentino(na) ● **all of a sudden** de repente
suddenly ['sʌdnlɪ] *adv* de repente
sue [su:] *vt* demandar
suede [sweɪd] *n* ante *m*
suffer ['sʌfəʳ] ◇ *vt* sufrir ◇ *vi* **1.** sufrir **2.** (experience bad effects) salir perjudicado ● **to suffer from** (illness) padecer
suffering ['sʌfrɪŋ] *n* **1.** (mental) sufrimiento *m* **2.** (physical) dolor *m*
sufficient [sə'fɪʃnt] *adj* (fml) suficiente
sufficiently [sə'fɪʃntlɪ] *adv* (fml) suficientemente
suffix ['sʌfɪks] *n* sufijo *m*
suffocate ['sʌfəkeɪt] *vi* asfixiarse
sugar ['ʃʊgəʳ] *n* azúcar *m*
suggest [sə'dʒest] *vt* (propose) sugerir ● **to suggest doing sthg** sugerir hacer algo
suggestion [sə'dʒesʧn] *n* **1.** (proposal) sugerencia *f* **2.** (hint) asomo *m*
suicide ['sʊɪsaɪd] *n* suicidio *m* ● **to commit suicide** suicidarse

suit [su:t] ◇ *n* **1.** (man's clothes) traje *m* **2.** (woman's clothes) traje de chaqueta **3.** (in cards) palo *m* **4.** LAW pleito *m* ◇ *vt* **1.** (subj: clothes, colour, shoes) favorecer **2.** (be convenient for) convenir **3.** (be appropriate for) ser adecuado para ● **to be suited to** ser apropiado para
suitable ['su:təbl] *adj* adecuado(da) ● **to be suitable for** ser adecuado para
suitcase ['su:tkeɪs] *n* maleta *f*
suite [swi:t] *n* **1.** (set of rooms) suite *f* **2.** (furniture) juego *m*
sulk [sʌlk] *vi* estar de mal humor
sultana [səl'tɑ:nə] *n* (raisin) pasa *f* de Esmirna
sum [sʌm] *n* suma *f* ● **sum up** *vt sep* (summarize) resumir
summarize ['sʌməraɪz] *vt* resumir
summary ['sʌmərɪ] *n* resumen *m*
summer ['sʌməʳ] *n* verano *m* ● **in (the) summer** en verano ● **summer holidays** vacaciones *fpl* de verano
summertime ['sʌmətaɪm] *n* verano *m*
summit ['sʌmɪt] *n* **1.** (of mountain) cima *f* **2.** (meeting) cumbre *f*
summon ['sʌmən] *vt* **1.** (send for) llamar **2.** LAW citar
sun [sʌn] ◇ *n* sol *m* ◇ *vt* ● **to sun o.s.** tomar el sol ● **to catch the sun** coger color ● **in the sun** al sol ● **out of the sun** a la sombra
Sun. (abbr of Sunday) dom. (domingo)
sunbathe ['sʌnbeɪð] *vi* tomar el sol
sunbed ['sʌnbed] *n* camilla *f* de rayos ultravioletas
sun block *n* pantalla *f* solar
sunburn ['sʌnbɜːn] *n* quemadura *f* de sol

sunburnt ['sʌnbɜːnt] *adj* quemado(da) (por el sol)

Sunday ['sʌndɪ] *n* domingo *m* • it's Sunday es domingo • Sunday morning el domingo por la mañana • on Sunday el domingo • on Sundays los domingos • last Sunday el domingo pasado • this Sunday este domingo • next Sunday el domingo de la semana que viene • Sunday week, a week on Sunday del domingo en ocho días

Sunday school *n* catequesis *f inv*

sundress ['sʌndres] *n* vestido *m* de playa

sundries ['sʌndrɪz] *npl* artículos *mpl* diversos

sunflower ['sʌn,flaʊə'] *n* girasol *m*

sunflower oil *n* aceite *m* de girasol

sung [sʌŋ] *pt* > sing

sunglasses ['sʌn,glɑːsɪz] *npl* gafas *fpl* (Esp) OR anteojos *mpl* (Amér) de sol

sunhat ['sʌnhæt] *n* pamela *f*

sunk [sʌŋk] *pp* > sink

sunlight ['sʌnlaɪt] *n* luz *f* del sol

sun lounger [-,laʊndʒə'] *n* (UK) tumbona *f* (Esp), silla *f* de playa

sunny ['sʌnɪ] *adj* soleado(da) • it's sunny hace sol

sunrise ['sʌnraɪz] *n* amanecer *m*

sunroof ['sʌnruːf] *n* (on car) techo *m* corredizo

sunscreen ['sʌnskriːn] *n* filtro *m* solar

sunset ['sʌnset] *n* anochecer *m*

sunshine ['sʌnʃaɪn] *n* luz *f* del sol • in the sunshine al sol

sunstroke ['sʌnstrəʊk] *n* insolación *f*

suntan ['sʌntæn] *n* bronceado *m*

suntan cream *n* crema *f* bronceadora

suntan lotion *n* loción *f* bronceadora

super ['suːpə'] ◇ *adj* fenomenal

Super Bowl

La *Super Bowl* es la gran final de la liga de fútbol americano, que disputan a comienzos de febrero los campeones de la *National Football Conference* y de la *American Football Conference*. Millones de personas ven la final por televisión.

superb [suː'pɜːb] *adj* excelente

superficial [,suːpə'fɪʃl] *adj* superficial

superfluous [suː'pɜːfluəs] *adj* superfluo (flua)

superior [suː'pɪərɪə'] ◇ *adj* superior ◇ *n* superior *mf*

supermarket ['suːpə,mɑːkɪt] *n* supermercado *m*

supernatural [,suːpə'nætʃrəl] *adj* sobrenatural

superstitious [,suːpə'stɪʃəs] *adj* supersticioso(sa)

superstore ['suːpəstɔː'] *n* hipermercado *m*

supervise ['suːpəvaɪz] *vt* supervisar

supervisor ['suːpəvaɪzə'] *n* supervisor *m*, -ra *f*

supper ['sʌpə'] *n* cena *f*

supple ['sʌpl] *adj* flexible

supplement ◇ *n* ['sʌplɪmənt] **1.** suplemento *m* **2.** (of diet) complemento *m* ◇ *vt* ['sʌplɪment] complementar

supplementary [,sʌplɪ'mentərɪ] *adj* suplementario(ria)

supply [sə'plaɪ] ◇ *n* suministro *m* ◇ *vt*

suministrar ● **to supply sb with information** proveer a alguien de información ◆ **supplies** *npl* provisiones *fpl*

support [sə'pɔːt] ◇ *n* **1.** *(backing, encouragement)* apoyo *m* **2.** *(supporting object)* soporte *m* ◇ *vt* **1.** *(cause, campaign, person)* apoyar **2.** SPORT seguir **3.** *(hold up)* soportar **4.** *(financially)* financiar

supporter [sə'pɔːtə̆] *n* **1.** SPORT hincha *mf* **2.** *(of cause, political party)* partidario *m*, -ria *f*

suppose [sə'pəʊz] ◇ *vt* suponer ◇ *conj* I suppose so supongo que sí ● **it's supposed to be good** se dice que es bueno ● **it was supposed to arrive yesterday** debería haber llegado ayer = **supposing**

supposing [sə'pəʊzɪŋ] *conj* si, suponiendo que

supreme [sʊ'priːm] *adj* supremo(ma)

surcharge ['sɜːtʃɑːdʒ] *n* recargo *m*

sure [ʃʊə̆] ◇ *adj* seguro(ra) ◇ *adv* (inf) por supuesto ● **to be sure of o.s.** estar seguro de sí mismo ● **to make sure (that)** asegurarse de que ● **for sure** a ciencia cierta

surely ['ʃʊəlɪ] *adv* sin duda

surf [sɜːf] ◇ *n* espuma *f* ◇ *vi* hacer surf

surface ['sɜːfɪs] *n* superficie *f*

surface mail *n* correo *m* por vía terrestre y marítima

surfboard ['sɜːfbɔːd] *n* tabla *f* de surf

surfing ['sɜːfɪŋ] *n* surf *m* ● **to go surfing** hacer surf

surgeon ['sɜːdʒən] *n* cirujano *m*, -na *f*

surgery ['sɜːdʒərɪ] *n* **1.** *(treatment)* cirujía *f* **2.** *(UK) (building)* consultorio *m* **3.**

(UK) (period) consulta *f*

surname ['sɜːneɪm] *n* apellido *m*

surplus ['sɜːpləs] *n* excedente *m*

surprise [sə'praɪz] ◇ *n* sorpresa *f* ◇ *vt* *(astonish)* sorprender

surprised [sə'praɪzd] *adj* asombrado (da)

surprising [sə'praɪzɪŋ] *adj* sorprendente

surrender [sə'rendə̆] ◇ *vi* rendirse ◇ *vt* *(fml) (hand over)* entregar

surround [sə'raʊnd] *vt* rodear

surrounding [sə'raʊndɪŋ] *adj* circundante ◆ **surroundings** *npl* alrededores *mpl*

survey ['sɜːveɪ] *(pl* -s*)* *n* **1.** *(investigation)* investigación *f* **2.** *(poll)* encuesta *f* **3.** *(of land)* medición *f* **4.** *(UK) (of house)* inspección *f*

surveyor [sə'veɪə̆] *n* **1.** *(UK) (of houses)* perito *m* tasador de la propiedad **2.** *(of land)* agrimensor *m*, -ra *f*

survival [sə'vaɪvl] *n* supervivencia *f*

survive [sə'vaɪv] ◇ *vi* sobrevivir ◇ *vt* sobrevivir a

survivor [sə'vaɪvə̆] *n* superviviente *mf*

suspect ◇ *vt* [sə'spekt] **1.** *(believe)* imaginar **2.** *(mistrust)* sospechar ◇ *n* ['sʌspekt] sospechoso *m*, -sa *f* ◇ *adj* ['sʌspekt] sospechoso(sa) ● **to suspect sb of a crime** considerar a alguien sospechoso de un delito

suspend [sə'spend] *vt* **1.** suspender **2.** *(from team, school, work)* expulsar temporalmente

suspenders [sə'spendəz] *npl* **1.** *(UK) (for stockings)* ligas *fpl* **2.** *(US) (for trousers)* tirantes *mpl*

suspense [sə'spens] *n* suspense *m* *(Esp)*,

suspenso m (Amér)

suspension [sə'spenʃn] n 1. (of vehicle) suspensión f 2. (from team, school, work) expulsión f temporal

suspicion [sə'spiʃn] n 1. (mistrust) recelo m 2. (idea) sospecha f 3. (trace) pizca f

suspicious [sə'spiʃəs] adj (behaviour, situation) sospechoso(sa) ● to be suspicious (of) ser receloso(sa)(de)

swallow ['swɒləʊ] ◇ n (bird) golondrina f ◇ vt & vi tragar

swam [swæm] pt ➤ swim

swamp [swɒmp] n pantano m

swan [swɒn] n cisne m

swap [swɒp] vt 1. (possessions, places) cambiar 2. (ideas, stories) intercambiar ● I swapped my CD for one of hers cambié mi CD por uno de ella

swarm [swɔːm] n (of bees) enjambre m

swear [sweə'] (pt swore, pp sworn) ◇ vi jurar ◇ vt ● to swear to do sthg jurar hacer algo

swearword ['sweəwɜːd] n palabrota f

sweat [swet] ◇ n sudor m ◇ vi sudar

sweater ['swetə'] n suéter m

sweat pants n (US) pantalones mpl de deporte OR de chándal (Esp)

sweatshirt ['swetʃɜːt] n sudadera f

swede [swiːd] n (UK) nabo m sueco

Swede [swiːd] n sueco m, -ca f

Sweden ['swiːdn] n Suecia

Swedish ['swiːdɪʃ] ◇ adj sueco(ca) ◇ n (language) sueco m ◇ npl ● the Swedish los suecos

sweep [swiːp] (pt & pp swept) vt (with brush, broom) barrer

sweet [swiːt] ◇ adj 1. (food, drink) dulce 2. (smell) fragante 3. (person, nature) amable ◇ n (UK) 1. (candy) caramelo m, dulce m (Amér) 2. (dessert) postre m

sweet-and-sour adj agridulce

sweet corn n maíz m

sweetener ['swiːtnə'] n (for drink) edulcorante m

sweet potato n batata f

sweet shop n (UK) confitería f, dulcería f (Amér)

swell [swel] (pt -ed, pp swollen OR -ed) vi (ankle, arm etc) hincharse

swelling ['swelɪŋ] n hinchazón f

swept [swept] pt & pp ➤ sweep

swerve [swɜːv] vi virar bruscamente

swig [swɪg] n (inf) trago m

swim [swɪm] (pt swam, pp swum) ◇ n baño m ◇ vi nadar ● to go for a swim ir a nadar

swimmer ['swɪmə'] n nadador m, -ra f

swimming ['swɪmɪŋ] n natación f ● to go swimming ir a nadar

swimming cap n gorro m de baño

swimming costume n (UK) traje m de baño

swimming pool n piscina f

swimming trunks npl (UK) bañador m (Esp), traje m de baño

swimsuit ['swɪmsuːt] n traje m de baño

swindle ['swɪndl] n estafa f

swing [swɪŋ] (pt & pp swung) ◇ n (for children) columpio m ◇ vt (move from side to side) balancear ◇ vi (move from side to side) balancearse

swipe [swaɪp] vt (credit card etc) pasar por el datáfono

Swiss [swɪs] ◇ adj suizo(za) ◇ n (person) suizo m, -za f ◇ npl ● the Swiss los suizos

switch [swɪtʃ] ◇ n (for light, power, television) interruptor m ◇ vt **1.** (change) cambiar de **2.** (exchange) intercambiar ◇ vi cambiar ◆ **switch off** vt sep apagar ◆ **switch on** vt sep encender

switchboard ['swɪtʃbɔːd] n centralita f (Esp), conmutador m (Amér)

Switzerland ['swɪtsələnd] n Suiza

swivel ['swɪvl] vi girar

swollen ['swəʊln] ◇ pp ➤ **swell** ◇ adj hinchado(da)

sword [sɔːd] n espada f

swordfish ['sɔːdfɪʃ] (pl inv) n pez m espada

swore [swɔːʳ] pt ➤ **swear**

sworn [swɔːn] pp ➤ **swear**

swum [swʌm] pp ➤ **swim**

swung [swʌŋ] pt & pp ➤ **swing**

syllable ['sɪləbl] n sílaba f

syllabus ['sɪləbəs] (pl -buses OR -bi) n programa m (de estudios)

symbol ['sɪmbl] n símbolo m

sympathetic [ˌsɪmpə'θetɪk] adj (understanding) comprensivo(va)

sympathize ['sɪmpəθaɪz] vi ◆ **to sympathize (with)** (feel sorry) compadecerse (de); (understand) comprender

sympathy ['sɪmpəθɪ] n **1.** (understanding) comprensión f **2.** (compassion) compasión f

symphony ['sɪmfənɪ] n sinfonía f

symptom ['sɪmptəm] n síntoma m

synagogue ['sɪnəgɒg] n sinagoga f

synthesizer ['sɪnθəsaɪzəʳ] n sintetizador n

synthetic [sɪn'θetɪk] adj sintético(ca)

syringe [sɪ'rɪndʒ] n jeringa f

syrup ['sɪrəp] n (for fruit etc) almíbar m

system ['sɪstəm] n **1.** sistema m **2.** (for gas, heating etc) instalación f

ta [tɑː] excl (UK) (inf) ¡gracias!

tab [tæb] n **1.** (of cloth, paper etc) lengüeta f **2.** (bill) cuenta f ◆ **put it on my tab** póngalo en mi cuenta

table ['teɪbl] n **1.** (piece of furniture) mesa f **2.** (of figures etc) tabla f

tablecloth ['teɪblklɒθ] n mantel m

tablespoon ['teɪblspuːn] n **1.** (spoon) cuchara f grande (para servir) **2.** (amount) cucharada f grande

tablet ['tæblɪt] n pastilla f

table tennis n tenis m de mesa

table wine n vino m de mesa

tabloid ['tæblɔɪd] n (UK) periódico m sensacionalista

tabloid

Los tabloides son los periódicos británicos de pequeño formato, asociados tradicionalmente a la prensa sensacionalista. Son periódicos más preocupados por los escándalos que por la información seria. Son más baratos que los *broadsheets*, los periódicos serios y de un tamaño mayor que los tabloides.

tack [tæk] n (nail) tachuela f

tackle ['tækl] ◇ *n* **1.** SPORT entrada *f* **2.** *(for fishing)* aparejos *mpl* ◇ *vt* **1.** SPORT entrar **2.** *(deal with)* abordar

tacky ['tækɪ] *adj* (inf) *(jewellery, design etc)* cutre

taco ['tækəʊ] *(pl* **-s)** *n* taco *m*

tact [tækt] *n* tacto *m*

tactful ['tæktfʊl] *adj* discreto(ta)

tactics ['tæktɪks] *npl* táctica *f*

tag [tæg] *n (label)* etiqueta *f*

tagliatelle [,tæɡljə'telɪ] *n* tallarines *mpl*

tail [teɪl] *n* cola *f* ◆ **tails** ◇ *n (of coin)* cruz *f* ◇ *npl (formal dress)* frac *m*

tailgate ['teɪlɡeɪt] *n* portón *m*

tailor ['teɪləʳ] *n* sastre *m*

Taiwan [,taɪ'wɑːn] *n* Taiwán

take [teɪk] *(pt* **took,** *pp* **taken)** *vt* **1.** *(gen)* tomar **2.** *(carry, drive)* llevar **3.** *(hold, grasp)* coger, agarrar (Amér) **4.** *(do, make)* ● **to take a bath** bañarse ● **to take a photo** sacar una foto **5.** *(require)* requerir ● **how long will it take?** ¿cuánto tiempo tardará? **6.** *(steal)* quitar **7.** *(size in clothes, shoes)* usar ● **what size do you take?** ¿qué talla/número usas? **8.** *(subtract)* restar **9.** *(accept)* aceptar ● **do you take traveller's cheques?** ¿acepta cheques de viaje? ● **to take sb's advice** seguir los consejos de alguien **10.** *(contain)* tener cabida para **11.** *(react to)* tomarse **12.** *(tolerate)* soportar **13.** *(assume)* ● **I take it that ...** supongo que ... **14.** *(rent)* alquilar

◆ **take apart** *vt sep* desmontar

◆ **take away** *vt sep (remove)* quitar; *(subtract)* restar

◆ **take back** *vt sep (return)* devolver; *(accept)* aceptar la devolución de; *(statement)* retirar

◆ **take down** *vt sep (picture, curtains)* descolgar

◆ **take in** *vt sep (include)* abarcar; *(understand)* entender; *(deceive)* engañar ● **take this dress in** mete un poco en este vestido

◆ **take off** ◇ *vt sep (remove)* quitar; *(clothes)* quitarse; *(as holiday)* tomarse libre ◇ *vi (plane)* despegar

◆ **take out** *vt sep (from container, pocket, library)* sacar; *(insurance policy)* hacerse; *(loan)* conseguir ● **to take sb out to dinner** invitar a alguien a cenar

◆ **take over** *vi* tomar el relevo

◆ **take up** *vt sep (begin)* dedicarse a; *(use up)* ocupar; *(trousers, skirt, dress)* acortar

takeaway ['teɪkə,weɪ] *n* (UK) **1.** *(shop)* tienda *f* de comida para llevar **2.** *(food)* comida *f* para llevar

taken ['teɪkn] *pp* ➤ **take**

takeoff ['teɪkɒf] *n (of plane)* despegue *m*

takeout ['teɪkaʊt] *(US)* = **takeaway**

takings ['teɪkɪŋz] *npl* recaudación *f*

talcum powder ['tælkəm-] *n* talco *m*

tale [teɪl] *n* **1.** *(story)* cuento *m* **2.** *(account)* anécdota *f*

talent ['tælənt] *n* talento *m*

talk [tɔːk] ◇ *n* **1.** *(conversation)* conversación *f* **2.** *(speech)* charla *f* ◇ *vi* hablar ● **have you talked to her about the matter?** ¿has hablado con ella del asunto? ● **to talk with sb** hablar con alguien ● **talks** *npl* conversaciones *fpl*

talkative ['tɔːkətɪv] *adj* hablador(ra)

tall [tɔːl] *adj* alto(ta) ● **how tall are you?** ¿cuánto mides? ● **I'm 2 metres tall** mido dos metros

tame [teɪm] *adj (animal)* doméstico(ca)

tampon ['tæmpon] *n* tampón *m*

tan [tæn] ◇ *n (suntan)* bronceado *m* ◇ *vi* broncearse ◇ *adj (colour)* de color marrón OR café *(Amér)* claro

tangerine [,tændʒə'riːn] *n* mandarina *f*

tank [tæŋk] *n* **1.** *(container)* depósito *m* **2.** *(vehicle)* tanque *m*

tanker ['tæŋkə'] *n (truck)* camión *m* cisterna

tanned [tænd] *adj (UK) (suntanned)* bronceado(da)

tap [tæp] ◇ *n (UK) (for water)* grifo *m* ◇ *vt (hit)* golpear ligeramente

tape [teɪp] ◇ *n* **1.** cinta *f* **2.** *(adhesive material)* cinta adhesiva ◇ *vt* **1.** *(record)* grabar **2.** *(stick)* pegar

tape measure *n* cinta *f* métrica

tape recorder *n* magnetófono *m*

tapestry ['tæpɪstrɪ] *n* tapiz *m*

tap water *n* agua *f* del grifo

tar [tɑː'] *n* alquitrán *m*

target ['tɑːgɪt] *n* **1.** *(in archery, shooting)* blanco *m* **2.** MIL objetivo *m*

tariff ['tærɪf] *n* **1.** *(UK) (price list)* tarifa *f*, lista *f* de precios **2.** *(UK) (menu)* menú *m* **3.** *(at customs)* arancel *m*

tarmac ['tɑːmæk] *n (at airport)* pista *f* ◆ **Tarmac®** *n (on road)* alquitrán *m*

tarpaulin [tɑː'pɔːlɪn] *n* lona *f* alquitranada

tart [tɑːt] *n (sweet)* tarta *f*

tartan ['tɑːtn] *n* tartán *m*

tartare sauce [,tɑːtə-] *n (UK)* salsa *f* ártara

task [tɑːsk] *n* tarea *f*

taste [teɪst] ◇ *n* **1.** *(flavour)* sabor *m* **2.** *(discernment, sense)* gusto *m* ◇ *vt* **1.** *(sample)* probar **2.** *(detect)* notar un sabor a ◇ *vi* ● **to taste of sthg** saber a algo ● **it tastes bad** sabe mal ● **it tastes good** sabe bien ● **to have a taste of sthg** probar algo ● **bad taste** mal gusto ● **good taste** buen gusto

tasteful ['teɪstful] *adj* de buen gusto

tasteless ['teɪstlɪs] *adj* **1.** *(food)* soso(sa) **2.** *(comment, decoration)* de mal gusto

tasty ['teɪstɪ] *adj* sabroso(sa)

tattoo [tə'tuː] *(pl* **-s***)* *n* **1.** *(on skin)* tatuaje *m* **2.** *(military display)* desfile *m* militar

taught [tɔːt] *pt & pp* ➤ **teach**

Taurus ['tɔːrəs] *n* Tauro *m*

taut [tɔːt] *adj* tenso(sa)

tax [tæks] ◇ *n* impuesto *m* ◇ *vt (goods, person)* gravar

tax disc *n (UK) pegatina del impuesto de circulación*

tax-free *adj* libre de impuestos

taxi ['tæksɪ] ◇ *n* taxi *m* ◇ *vi (plane)* rodar por la pista

taxi driver *n* taxista *mf*

taxi rank *n (UK)* parada *f* de taxis

taxi stand *(US)* = taxi rank

tea [tiː] *n* **1.** té *m* **2.** *(herbal)* infusión *f* **3.** *(afternoon meal)* ≃ merienda *f*

tea bag *n* bolsita *f* de té

teacake ['tiːkeɪk] *n (UK)* bollo *m* con pasas

teach [tiːtʃ] *(pt & pp* **taught***)* ◇ *vt* enseñar ◇ *vi* ser profesor ● **to teach adults English, to teach English to adults** enseñar inglés a adultos ● **to teach sb**

(how) to do sthg enseñar a alguien a hacer algo

teacher ['ti:tʃə'] *n* **1.** *(in secondary school)* profesor *m*, -ra *f* **2.** *(in primary school)* maestro *m*, -ra *f*

teaching ['ti:tʃɪŋ] *n* enseñanza *f*

teacup ['ti:kʌp] *n* taza *f* de té

team [ti:m] *n* equipo *m*

teapot ['ti:pɒt] *n* tetera *f*

tear¹ [teə'] *(pt* **tore**, *pp* **torn)** ◇ *vt (rip)* rasgar ◇ *vi* **1.** *(rip)* romperse **2.** *(move quickly)* ir a toda pastilla ◇ *n (rip)* rasgón *m* ◆ **tear up** *vt sep* hacer pedazos

tear² [tɪə'] *n* lágrima *f*

tearoom ['ti:rʊm] *n* salón *m* de té

tease [ti:z] *vt* tomar el pelo

tea set *n* juego *m* de té

teaspoon ['ti:spu:n] *n* **1.** *(utensil)* cucharilla *f* **2.** *(amount)* = **teaspoonful**

teaspoonful ['ti:spu:n,fʊl] *n* cucharadita *f*

teat [ti:t] *n* **1.** *(of animal)* teta *f* **2.** *(UK) (of bottle)* tetina *f*

teatime ['ti:taɪm] *n* hora *f* de la merienda cena

tea towel *n (UK)* paño *m* de cocina

technical ['teknɪkl] *adj* técnico(ca)

technician [tek'nɪʃn] *n* técnico *m*, -ca *f*

technique [tek'ni:k] *n* técnica *f*

technological [,teknə'lɒdʒɪkl] *adj* tecnológico(ca)

technology [tek'nɒlədʒɪ] *n* tecnología *f*

teddy (bear) ['tedɪ-] *n* oso *m* de peluche

tedious ['ti:djəs] *adj* tedioso(sa)

teenager ['ti:n,eɪdʒə'] *n* adolescente *mf*

teeth [ti:θ] *pl* > **tooth**

teethe [ti:ð] *vi* ● **to be teething** estar echando los dientes

teetotal [ti:'təʊtl] *adj* abstemio(mia)

tel *(abbr of* **telephone**) tel *(teléfono)*

telebanking ['telɪ,bæŋkɪŋ] *n* telebanca *f*

teleconference ['telɪ,kɒnfərəns] *n* teleconferencia *f*

telegram ['telɪgræm] *n* telegrama *f*

telegraph pole *n (UK)* poste *m* de telégrafos

telephone ['telɪfəʊn] ◇ *n* teléfono *m* ◇ *vt* & *vi* telefonear ● **to be on the telephone** *(talking)* estar al teléfono

on the telephone

When answering the phone in Spain you say *¡Diga!, ¿Dígame?* or *¿Sí?*, while in some Latin American countries you can also say *¡Aló!* In formal contexts, the caller introduces themselves with a phrase like *Buenas tardes, soy Carlos Urrutia. ¿Podría hablar con el Sr. Sáez, por favor?*, whereas in a call to a friend they might say *Victoria, soy Eduardo.* Note that you say *soy Eduardo* (It's Eduardo) or *soy yo* (Speaking).

telephone booth *n* teléfono *m* público

telephone box *n (UK)* cabina *f* telefónica

telephone call *n* llamada *f* telefónica

telephone directory *n* guía *f* telefónica

telephone number *n* número *m* de teléfono

telephonist [tɪ'lefənɪst] *n (UK)* telefonista *mf*

telephoto lens [,telɪˈfəʊtəʊ-] *n* teleobjetivo *m*

telescope [ˈtelɪskəʊp] *n* telescopio *m*

television [ˈtelɪˌvɪʒn] *n* televisión *f* ● **on (the) television** en la televisión

telex [ˈteleks] *n* télex *m inv*

tell [tel] (*pt & pp* **told**) ◇ *vt* **1.** decir **2.** *(story, joke)* contar ◇ *vi* ● **I can't tell** no lo sé ● **can you tell me the time?** ¿me puedes decir la hora? ● **you should tell him the truth** deberías contarle la verdad ● **did she tell him about the job offer?** ¿le ha contado lo de la oferta de trabajo? ● **to tell sb how to do sthg** decir a alguien cómo hacer algo ● **to tell sb to do sthg** decir a alguien que haga algo ● **to be able to tell sthg** saber algo ● **tell off** *vt sep* reñir

teller [ˈteləʳ] *n (in bank)* cajero *m*, -ra *f*

telly [ˈtelɪ] *n (UK) (inf)* tele *f*

temp [temp] ◇ *n* secretario *m* eventual, secretaria eventual *f* ◇ *vi* trabajar de eventual

temper [ˈtempəʳ] *n (character)* temperamento *m* ● **to be in a temper** estar de mal humor ● **to lose one's temper** perder la paciencia

temperature [ˈtemprətʃəʳ] *n* **1.** *(heat, cold)* temperatura *f* **2.** MED fiebre *f* ● **to have a temperature** tener fiebre

temple [ˈtempl] *n* **1.** *(building)* templo *m* **2.** *(of forehead)* sien *f*

temporary [ˈtempərərɪ] *adj* temporal

tempt [tempt] *vt* tentar ● **to be tempted to do sthg** sentirse tentado de hacer algo

temptation [tempˈteɪʃn] *n* tentación *f*

tempting [ˈtemptɪŋ] *adj* tentador(ra)

ten [ten] ◇ *num adj* diez ◇ *num n* diez *m inv* ● **to be ten (years old)** tener diez años (de edad) ● **it's ten (o'clock)** son las diez ● **a hundred and ten** ciento diez ● **ten Hill St** Hill St, número diez ● **it's minus ten (degrees)** hay diez grados bajo cero ● **ten out of ten** diez sobre diez

tenant [ˈtenənt] *n* inquilino *m*, -na *f*

tend [tend] *vi* ● **to tend to do sthg** soler hacer algo

tendency [ˈtendənsɪ] *n* **1.** *(trend)* tendencia *f* **2.** *(inclination)* inclinación *f*

tender [ˈtendəʳ] ◇ *adj* **1.** tierno(na) **2.** *(sore)* dolorido(da) ◇ *vt (fml) (pay)* pagar

tendon [ˈtendən] *n* tendón *m*

tenement [ˈtenəmənt] *n* bloque de viviendas modestas

tennis [ˈtenɪs] *n* tenis *m*

tennis ball *n* pelota *f* de tenis

tennis court *n* pista *f (Esp)* OR cancha de tenis

tennis racket *n* raqueta *f* de tenis

tenpin bowling [ˈtenpɪn-] *n (UK)* bolos *mpl*

tenpins [ˈtenpɪnz] *(US)* = **tenpin bowling**

tense [tens] ◇ *adj* tenso(sa) ◇ *n* tiempo *m*

tension [ˈtenʃn] *n* tensión *f*

tent [tent] *n* tienda *f* de campaña

tenth [tenθ] ◇ *num adj* décimo(ma) ◇ *pron* décimo *m*, -ma *f* ◇ *num n (fraction)* décimo *m* ◇ *num adv* décimo ● **a tenth (of)** la décima parte (de) ● **the tenth (of September)** el diez (de septiembre)

tent peg *n* estaca *f*

tepid ['tepɪd] *adj* tibio(bia)

tequila [tɪ'kiːlə] *n* tequila *m*

term [tɜːm] *n* 1. *(word, expression)* término *m* 2. *(at school, university)* trimestre *m* • **in the long term** a largo plazo • **in the short term** a corto plazo • **in terms of** por lo que se refiere a • **in business terms** en términos de negocios • **terms** *npl* 1. *(of contract)* condiciones *fpl* 2. *(price)* precio *m*

terminal ['tɜːmɪnl] ◇ *adj* terminal ◇ *n* 1. *(for buses, at airport)* terminal *f* 2. COMPUT terminal *m*

terminate ['tɜːmɪneɪt] *vi (train, bus)* finalizar el trayecto

terminus ['tɜːmɪnəs] *(pl* **-ni** OR **-nuses)** *n* terminal *f*

terrace ['terəs] *n (patio)* terraza *f* • **the terraces** *(UK) (at football ground)* las gradas

terraced house ['terəst-] *n (UK)* casa *f* adosada

terrible ['terəbl] *adj* 1. *(very bad, very ill)* fatal 2. *(very great)* terrible

terribly ['terəblɪ] *adv* 1. *(extremely)* terriblemente 2. *(very badly)* fatalmente

terrific [tə'rɪfɪk] *adj* 1. *(inf) (very good)* estupendo(da) 2. *(very great)* enorme

terrified ['terɪfaɪd] *adj* aterrorizado(da)

territory ['terətrɪ] *n* 1. *(political area)* territorio *m* 2. *(terrain)* terreno *m*

terror ['terə'] *n (fear)* terror *m*

terrorism ['terərɪzm] *n* terrorismo *m*

terrorist ['terərɪst] *n* terrorista *mf*

terrorize ['terəraɪz] *vt* aterrorizar

test [test] ◇ *n* 1. *(exam)* examen *m* 2. *(check)* prueba *f* 3. *(of blood)* análisis *m inv* 4. *(of eyes)* revisión *f* ◇ *vt* 1. *(check,*

try out) probar 2. *(give exam to)* examinar

testicles ['testɪklz] *npl* testículos *mpl*

tetanus ['tetənəs] *n* tétanos *m inv*

text [tekst] *n* 1. *(written material)* texto *m* 2. *(textbook)* libro *m* de texto

textbook ['tekstbʊk] *n* libro *m* de texto

textile ['tekstaɪl] *n* textil *m*

texting ['tekstɪŋ] *n* envío *m* de mensajes de texto

text message *n* mensaje *m* de texto

texture ['tekstʃə'] *n* textura *f*

Thai [taɪ] *adj* tailandés(esa)

Thailand ['taɪlænd] *n* Tailandia

Thames [temz] *n* • **the Thames** el Támesis

than *(weak form* [ðən]*, strong form* [ðæn]*) prep & conj* que • **you're better than me** eres mejor que yo • **I'd rather stay in than go out** prefiero quedarme en casa antes que salir • **more than ten** más de diez

thank [θæŋk] *vt* • **I thanked her for her help** le agradecí su ayuda ◇ **thanks** ◇ *npl* agradecimiento *m* ◇ *excl* ¡gracias! • **thanks to** gracias a • **many thanks** muchas gracias

Thanksgiving ['θæŋks,gɪvɪŋ] *n* Día *m* de Acción de Gracias

Thanksgiving

El Día de Acción de Gracias, celebrado el cuarto jueves de noviembre, es uno de los principales festivos de los Estados Unidos. Lo tradicional ese día es reunirse con la familia y los amigos y comer un pavo relleno acompañado de puré de patatas, salsa de arándanos y pastel de calabaza.

thank you *excl* ¡gracias! ● **thank you very much** muchísimas gracias ● **no thank you** no gracias

that [ðæt] (*pl* **those**)

◇ *adj* (*referring to thing, person mentioned*) ese(esa), esos(esas); (*referring to thing, person further away*) aquel(aquella), aquellos(aquellas) ● **I prefer this book** prefiero ese libro ● **that book at the back** aquel libro del fondo ● **that one** ése(ésa), aquél(aquélla)

◇ *pron* **1.** (*referring to thing, person mentioned*) ése *m*, ésa *f*, ésos *mpl*, ésas *fpl*; (*indefinite*) eso ● **who's that?** ¿quién es? ● **is that Lucy?** (*on the phone*) ¿eres Lucy?; (*pointing*) ¿es ésa Lucy? ● **what's that?** ¿qué es eso? ● **that's interesting** qué interesante **2.** (*referring to thing, person further away*) aquél *m*, aquélla *f*, aquéllos *mpl*, aquéllas *fpl*; (*indefinite*) aquello ● **I want those at the back** quiero aquéllos del fondo **3.** (*introducing relative clause*) que ● **a shop that sells antiques** una tienda que vende antigüedades ● **the film that I saw** la película que vi ● **the room that I sleep in** el cuarto en (el) que duermo

◇ *adv* (*inf*) tan ● **it wasn't that bad/good** no estuvo tan mal/bien ● **it doesn't cost that much** no cuesta tanto

◇ *conj* que ● **tell him that I'm going to be late** dile que voy a llegar tarde

thatched [θætʃt] *adj* (*building*) con techo de paja

that's [ðæts] = **that is**

thaw [θɔː] ◇ *vi* (*snow, ice*) derretir ◇ *vt* (*frozen food*) descongelar

the (*weak form* [ðə], *before vowel* [ðɪ], *strong form* [ðiː]) *art* **1.** (*gen*) el (la), los(las) ● **the book** el libro ● **the woman** la mujer ● **the girls** las chicas ● **the Wilsons** los Wilson ● **to play the piano** tocar el piano ● **give it to the man** dáselo al hombre ● **the cover of the book** la tapa del libro **2.** (*with an adjective to form a noun*) el(la) ● **the British** los británicos ● **the impossible** lo imposible **3.** (*in dates*) ● **the twelfth of May** el doce de mayo ● **the forties** los cuarenta **4.** (*in titles*) ● **Elizabeth the Second** Isabel segunda

theater ['θiːətə'] *n* (*US*) **1.** (*for plays, drama*) = **theatre 2.** (*for films*) cine *m*

theatre ['θiːətə'] *n* (*UK*) teatro *m*

theft [θeft] *n* robo *m*

their [ðeə'] *adj* su, sus *pl*

theirs [ðeəz] *pron* suyo *m*, -ya *f*, suyos *mpl*, -yas *fpl* ● **a friend of theirs** un amigo suyo

them (*weak form* [ðəm], *strong form* [ðem]) *pron* ● **I know them** los conozco ● **it's them** son ellos ● **send it to them** envíaselo ● **tell them to come** diles que vengan ● **he's worse than them** él es peor que ellos

theme [θiːm] *n* **1.** (*topic*) tema *m* **2.** (*tune*) sintonía *f*

theme park *n* parque *m* temático

theme park

Hay numerosos parques temáticos en los Estados Unidos. Los más conocidos son los diferentes parques de la Disney y también los de Universal Studios. Estos parques contienen un gran número de atraccciones que tienen que ver con un tema específico.

themselves [ðəm'selvz] *pron* **1.** *(reflexive)* se **2.** *(after prep)* sí ● they did it themselves lo hicieron ellos mismos

then [ðen] *adv* **1.** entonces **2.** *(next, afterwards)* luego ● from then on desde entonces ● until then hasta entonces

theory ['θɪərɪ] *n* teoría *f* ● in theory en teoría

therapist ['θerəpɪst] *n* terapeuta *mf*

therapy ['θerəpɪ] *n* terapia *f*

there [ðeəˠ] ◇ *adv* **1.** ahí **2.** *(further away)* allí ◇ *pron* ● there is hay ● there are hay ● is Bob there, please? *(on phone)* ¿está Bob? ● over there por allí ● there you are *(when giving)* aquí lo tienes

thereabouts [ˌðeərə'baʊts] *adv* ● or thereabouts o por ahí

therefore ['ðeəfɔːˠ] *adv* por lo tanto

there's [ðeəz] = there is

thermal underwear [ˌθɜːml-] *n* ropa *f* interior térmica

thermometer [θə'mɒmɪtəˠ] *n* termómetro *m*

Thermos (flask) ® ['θɜːməs-] *n* termo *m*

thermostat ['θɜːməstæt] *n* termostato *m*

these [ðiːz] *pl* > this

they [ðeɪ] *pron* ellos *mpl*, ellas *f* ● they're good son buenos

thick [θɪk] *adj* **1.** *(in size)* grueso(sa) **2.** *(dense)* espeso(sa) **3.** *(inf) (stupid)* necio (cia) ● it's 3 metres thick tiene 3 metros de grosor

thicken ['θɪkn] ◇ *vt* espesar ◇ *vi* espesarse

thickness ['θɪknɪs] *n* espesor *m*

thief [θiːf] *(pl* **thieves** *)* *n* ladrón *m*, -ona *f*

thigh [θaɪ] *n* muslo *m*

thimble ['θɪmbl] *n* dedal *m*

thin [θɪn] *adj* **1.** *(in size)* fino(na) **2.** *(not fat)* delgado(da) **3.** *(soup, sauce)* claro (ra)

thing [θɪŋ] *n* cosa *f* ● the thing is el caso es que ● things *npl (clothes, possessions)* cosas *fpl* ● how are things? *(inf)* ¿qué tal van las cosas?

thingummyjig ['θɪŋəmɪdʒɪg] *n* *(inf)* chisme *m* *(Esp)* cosa *f*

think [θɪŋk] *(pt & pp* **thought** *)* ◇ *vt* **1.** *(believe)* creer, pensar **2.** *(have in mind, expect)* pensar ◇ *vi* pensar ● to think that creer que ● to think about *(have in mind)* pensar en; *(consider)* pensar ● to think of *(have in mind, consider)* pensar en; *(invent)* pensar; *(remember)* acordarse de ● to think of doing sthg pensar en hacer algo ● I think so creo que sí ● I don't think so creo que no ● do you think you could ...? ¿cree que podría ...? ● to think highly of sb apreciar mucho a alguien ●**think over** *vt sep* pensarse ●**think up** *vt sep* idear

third [θɜːd] ◇ *num adj* **1.** *(after noun, as*

ronoun) tercero(ra) **2.** *(before noun)* **this hard** no recordaba que fuera tan
ercer(ra) ◇ *pron* tercero *m*, -ra *f* ◇ difícil
um n (fraction) tercero *m* ◇ *num adv* **thistle** ['θɪsl] *n* cardo *m*
ercero ● **a third (of)** la tercera parte **thorn** [θɔːn] *n* espina *f*
de) ● **the third (of September)** el tres **thorough** ['θʌrə] *adj* **1.** *(check, search)*
de septiembre) exhaustivo(va) **2.** *(person)* minucioso

hird party insurance *n* seguro *m* a (sa)
erceros **thoroughly** ['θʌrəlɪ] *adv (completely)*

Third World *n* ● **the Third World** el completamente
ercer Mundo **those** [ðəʊz] *pl* ➢ that

hirst [θɜːst] *n* sed *f* **though** [ðəʊ] ◇ *conj* aunque ◇ *adv* sin
hirsty ['θɜːstɪ] *adj* ● **to be thirsty** embargo ● **even though** aunque
ener sed **thought** [θɔːt] ◇ *pt & pp* ➢ think ◇ *n*

hirteen [,θɜː'tiːn] *num* trece *(idea)* idea *f* ● **I'll give it some thought**
hirteenth [,θɜː'tiːnθ] *num* decimoter- lo pensaré ● **thoughts** *npl (opinion)*
ero(ra) opiniones *fpl*

hirtieth ['θɜːtɪəθ] *num* trigésimo(ma) **thoughtful** ['θɔːtful] *adj* **1.** *(quiet and*
hirty ['θɜːtɪ] *num* treinta *serious)* pensativo(va) **2.** *(considerate)*

his [ðɪs] *(pl* **these)** considerado(da)
◇ *adj* **1.** *(referring to thing, person)* este **thoughtless** ['θɔːtlɪs] *adj* desconsidera-
esta), estos(estas) ● **I prefer this book** do(da)
refiero este libro ● **these chocolates** **thousand** ['θaʊznd] *num* mil ● **a** OR **one**
re delicious estos bombones son **thousand** mil ● **two thousand** dos mil
iquísimos ● **this morning/week** ● **thousands of** miles de, six
mañana/semana ● **this one** éste(ésta) **thousands of, six**
. *(inf) (when telling a story)* ● **this big** **thrash** [θræʃ] *vt (defeat heavily)* dar una
og appeared apareció un perro gran- paliza a
e **thread** [θred] ◇ *n (of cotton etc)* hilo *m* ◇
◇ *pron* éste *m*, ésta *f*, éstos *mpl*, éstas *fpl*, *vt (needle)* enhebrar
indefinite) esto ● **this is for you** esto es **threadbare** ['θredbeəʳ] *adj* raído(da)
ara ti ● **what are these?** ¿qué son **threat** [θret] *n* amenaza *f*
stas cosas? ● **this is David Gregory** **threaten** ['θretn] *vt* amenazar ● **to**
introducing someone) te presento a **threaten to do sthg** amenazar con
David Gregory; *(on telephone)* soy hacer algo
David Gregory **threatening** ['θretnɪŋ] *adj* amenazador

◇ *adv (inf)* ● **it was this big** era así de (ra)
rande ● **I need this much** necesito un **three** [θriː] ◇ *num adj* tres ◇ *num n* tres
anto así ● **I don't remember it being** *m inv* ● **to be three (years old)** tener
tres años (de edad) ● **it's three**

(o'clock) son las tres ● **a hundred and three** ciento tres ● **three Hill St** Hill St, número tres ● **it's minus three (degrees)** hay tres grados bajo cero ● **three out of ten** tres sobre diez

three-D [-'diː] *adj* en tres dimensiones

three-quarters ['-kwɔːtəz] *n* tres cuartos *mpl* ● **three-quarters of an hour** tres cuartos de hora

threshold ['θreʃhəʊld] *n* (of door) umbral *m*

threw [θruː] *pt* ⟩ throw

thrift shop *n* tienda de artículos de segunda mano en la que el producto de las ventas se destina a obras benéficas

thrift store *n* (US) = thrift shop

thrifty ['θrɪftɪ] *adj* (person) ahorrativo (va)

thrilled [θrɪld] *adj* encantado(da)

thriller ['θrɪlə'] *n* (film) película *f* de suspense (Esp) OR suspenso (Amér)

thrive [θraɪv] *vi* 1. (plant, animal) crecer mucho 2. (person, business, place) prosperar

throat [θrəʊt] *n* garganta *f*

throb [θrɒb] *vi* 1. (head, pain) palpitar 2. (noise, engine) vibrar

throne [θrəʊn] *n* trono *m*

through [θruː] ◇ *prep* 1. (to other side of, by means of) a través de 2. (because of) a causa de 3. (from beginning to end of) durante 4. (across all of) por todo ◇ *adv* (from beginning to end) hasta el final ◇ *adj* ● **to be through (with sthg)** (finished) haber terminado (algo) ● **you're through** (on phone) ya puedes hablar ● **Monday through Thursday** (US) de lunes a jueves ● **to let sb through**

dejar pasar a alguien ● **to go through (sthg)** pasar (por algo) ● **to soak through** penetrar ● **through traffic** tráfico *m* de tránsito ● **a through train** un tren directo ▼ **no through road** (UK) carretera cortada

throughout [θruːˈaʊt] ◇ *prep* 1. (day, morning, year) a lo largo de 2. (place, country, building) por todo ◇ *adv* 1. (all the time) todo el tiempo 2. (everywhere) por todas partes

throw [θrəʊ] (pt threw, pp thrown) *vt* 1. tirar 2. (ball, javelin, person) lanzar 3. (a switch) apretar ● **to throw sthg in the bin** tirar algo a la basura ◆**throw away** *vt sep* (get rid of) tirar ◆**throw out** *vt sep* 1. (get rid of) tirar 2. (person) echar ◆ **throw up** *vi* (inf) (vomit) echar la pastilla

thru [θruː] (US) = through

thrush [θrʌʃ] *n* tordo *m*

thud [θʌd] *n* golpe *m* seco

thug [θʌg] *n* matón *m*

thumb [θʌm] ◇ *n* pulgar *m* ◇ *vt* ● **to thumb a lift** hacer dedo

thumbtack ['θʌmtæk] *n* (US) chincheta *f*

thump [θʌmp] ◇ *n* 1. puñetazo *m* 2. (sound) golpe *m* seco ◇ *vt* dar un puñetazo a

thunder ['θʌndə'] *n* truenos *mpl*

thunderstorm ['θʌndəstɔːm] *n* tormenta *f*

Thurs. (abbr of Thursday) jue (jueves)

Thursday ['θɜːzdɪ] *n* jueves *m inv* ● **it's Thursday** es jueves ● **Thursday morning** el jueves por la mañana ● **on Thursday** el jueves ● **on Thursdays** los jueves ● **last Thursday** el jueves pasado • **this Thursday** este jueves • **next Thursday** el jueves de la semana que viene • **Thursday week, a week on Thursday** del jueves en ocho días

thyme [taɪm] *n* tomillo *m*

tick [tɪk] ⋄ *n* **1.** *(UK) (written mark)* marca *f* de visto bueno **2.** *(insect)* garrapata *f* ⋄ *vt* *(UK)* marcar (con una señal de visto bueno) ⋄ *vi* hacer tictac • **tick off** *vt sep* *(UK) (mark off)* marcar (con una señal de visto bueno)

ticket ['tɪkɪt] *n* **1.** *(for travel)* billete *m* *(Esp)*, boleto *m* *(Amér)* **2.** *(for cinema, theatre, match)* entrada *f* **3.** *(label)* etiqueta *f* **4.** *(speeding ticket, parking ticket)* multa *f*

ticket collector *n* revisor *m*, -ra *f*

ticket inspector *n* revisor *m*, -ra *f*

ticket machine *n* máquina *f* automática de venta de billetes *(Esp)* OR boletos *(Amér)*

ticket office *n* taquilla *f*, boletería *f* *(Amér)*

tickle ['tɪkl] ⋄ *vt* *(touch)* hacer cosquillas ⋄ *vi* hacer cosquillas

ticklish ['tɪklɪʃ] *adj* *(person)* cosquilloso(sa)

tick-tack-toe *n* *(US)* tres *fpl* en raya

tide [taɪd] *n* *(of sea)* marea *f*

tidy ['taɪdɪ] *adj* **1.** *(room, desk, person)* ordenado(da) **2.** *(hair, clothes)* arreglado(da)• **tidy up** *vt sep* ordenar

tie [taɪ] *(pt & pp* **tied,** *cont* **tying)** ⋄ *n* **1.** *(around neck)* corbata *f* **2.** *(draw)* empate *m* **3.** *(US) (on railway track)* traviesa *f* ⋄ *vt* **1.** atar **2.** *(knot)* hacer ⋄ *vi* *(draw)* empatar • **tie up** *vt sep* **1.** atar **2.** *(delay)* retrasar

tier [tɪəʳ] *n* *(of seats)* hilera *f*

tiger ['taɪgəʳ] *n* tigre *m*

tight [taɪt] ⋄ *adj* **1.** *(difficult to move)* apretado(da) **2.** *(clothes, shoes)* estrecho(cha) **3.** *(rope, material)* tirante **4.** *(bend, turn)* cerrado(da) **5.** *(schedule)* ajustado(da) **6.** *(inf) (drunk)* cocido(da) ⋄ *adv* *(hold)* con fuerza • **my chest feels tight** tengo el pecho cogido

tighten ['taɪtn] *vt* apretar

tightrope ['taɪtrəʊp] *n* cuerda *f* floja

tights [taɪts] *npl* medias *fpl* • **a pair of tights** unas medias

tile [taɪl] *n* **1.** *(for roof)* teja *f* **2.** *(for floor)* baldosa *f* **3.** *(for wall)* azulejo *m*

till [tɪl] ⋄ *n* caja *f* registradora ⋄ *prep* hasta ⋄ *conj* hasta que

tilt [tɪlt] ⋄ *vt* inclinar ⋄ *vi* inclinarse

timber ['tɪmbəʳ] *n* **1.** *(wood)* madera *f* *(para construir)* **2.** *(of roof)* viga *f*

time [taɪm] ⋄ *n* **1.** tiempo *m* **2.** *(measured by clock)* hora *f* **3.** *(moment)* momento *m* **4.** *(occasion)* vez *f* **5.** *(in history)* época *f* ⋄ *vt* **1.** *(measure)* cronometrar **2.** *(arrange)* programar • **I haven't got (the) time** no tengo tiempo • **it's time to go** es hora de irse • **what's the time?** ¿qué hora es? • **do you have the time?** ¿tiene hora? • **two times two** dos por dos • **five times as much** cinco veces más • **in a month's time** dentro de un mes • **to have a good time** pasárselo bien • **all the time** todo el tiempo • **every time** cada vez • **from time to time** de vez en cuando • **for the time being** de momento • **in time** *(arrive)* a tiempo • **in good time** con tiempo de sobra • **last time** la última vez •

most of the time la mayor parte del tiempo • **on time** puntualmente • **some of the time** parte del tiempo • **this time** esta vez • **two at a time** de dos en dos

time difference n diferencia f horaria

time limit n plazo m

timer ['taɪməʳ] n temporizador m

time share n copropiedad f

timetable ['taɪm,teɪbl] n 1. horario m 2. *(of events)* programa m

time zone n huso m horario

timid ['tɪmɪd] adj tímido(da)

tin [tɪn] ◇ n 1. *(metal)* estaño m 2. *(container)* lata f ◇ adj de hojalata

tinfoil ['tɪnfɔɪl] n papel m de aluminio

tinned food [tɪnd-] n *(UK)* conservas fpl

tin opener [-,əʊpnəʳ] n *(UK)* abrelatas m inv

tinsel ['tɪnsl] n oropel m

tint [tɪnt] n tinte m

tinted glass [,tɪntɪd-] n cristal m ahumado

tiny ['taɪnɪ] adj diminuto(ta)

tip [tɪp] ◇ n 1. *(point, end)* punta f 2. *(to waiter, taxi driver etc)* propina f 3. *(piece of advice)* consejo m 4. *(UK) (rubbish dump)* vertedero m ◇ vt 1. *(waiter, taxi driver etc)* dar una propina 2. *(tilt)* inclinar 3. *(pour)* vaciar • **tip over** ◇ vt sep volcar ◇ vi volcarse

tipping

En el Reino Unido las propinas no son obligatorias y el cliente decide si quiere dejarlas. En los Estados Unidos las propinas son prácticamente obligatorias, variando del 15% al 20% del precio pagado. Los camareros tiene unos salarios muy bajos, y la mayoría de sus ingresos viene de las propinas.

tire ['taɪəʳ] ◇ vi cansarse ◇ n *(US)* = **tyre**

tired ['taɪəd] adj *(sleepy)* cansado(da) • **to be tired of** estar cansado de

tired out adj agotado(da)

tiring ['taɪərɪŋ] adj cansado(da)

tissue ['tɪʃuː] n *(handkerchief)* pañuelo m de papel

tissue paper n papel m de seda

tit [tɪt] n *(vulg) (breast)* teta f

title ['taɪtl] n 1. título m 2. *(Dr, Mr, Lord etc)* tratamiento m

T-junction ['tiː-] n *(UK)* cruce m (en forma de T)

to [unstressed before consonant tə, unstressed before vowel tʊ, stressed tuː] ◇ prep 1. *(indicating direction, position)* a • **to go to France** ir a Francia • **to go to school** ir a la escuela • **the road to Leeds** la carretera de Leeds • **to the left/right** a la izquierda/derecha 2. *(expressing indirect object)* a • **she gave the letter to her assistant** le dio la carta a su ayudante • **give it to me** dámelo • **to listen to the radio** escuchar la radio 3. *(indicating reaction, effect)* • **to my surprise** para sorpresa mía • **it's to your advantage** va en beneficio tuyo 4. *(until)* hasta • **to count to ten** contar hasta diez • **we work from 9 to 5** trabajamos de 9 a 5 5. *(in stating opinion)* • **to me, he's lying** para mí que

miente **6.** *(indicating change of state)* ● it could lead to trouble puede ocasionar problemas **7.** *(UK) (in expressions of time)* menos ● it's ten to three son las tres menos diez **8.** *(in ratios, rates)* por ● 40 miles to the gallon un galón por cada 40 millas **9.** *(of, for)* ● the key to the car la llave del coche ● a letter to my daughter una carta a mi hija **10.** *(indicating attitude)* con ● to be rude to sb tratar a alguien con grosería
◇ *with inf* **1.** *(forming simple infinitive)* ● to walk andar **2.** *(following another verb)* ● to begin to do sthg empezar a hacer algo ● to try to do sthg intentar hacer algo **3.** *(following an adjective)* de ● difficult to do difícil de hacer ● ready to go listo para marchar **4.** *(indicating purpose)* para ● we came here to look at the castle vinimos a ver el castillo ● I'm phoning to ask you something te llamo para preguntarte algo

toad [təʊd] *n* sapo *m*

toadstool ['təʊdstuːl] *n* seta *f* venenosa

toast [təʊst] ◇ *n* **1.** *(bread)* pan *m* tostado **2.** *(when drinking)* brindis *m inv* ◇ *vt (bread)* tostar ● a piece OR slice of toast una tostada

toasted sandwich ['təʊstɪd-] *n* sandwich *m* (a la plancha)

toaster ['təʊstə^r] *n* tostador *m*

tobacco [tə'bækəʊ] *n* tabaco *m*

tobacconist's [tə'bækənɪsts] *n (shop)* estanco *m (Esp)*, tabaquería *f*

toboggan [tə'bɒgən] *n* tobogán *m (de deporte)*

today [tə'deɪ] ◇ *n* hoy *m* ◇ *adv* hoy

toddler ['tɒdlə^r] *n* niño *m* pequeño, niña pequeña *f*

toe [təʊ] *n (of person)* dedo *m* del pie

toenail ['təʊneɪl] *n* uña *f* del dedo del pie

toffee ['tɒfɪ] *n* tofe *m*

together [tə'geðə^r] *adv* juntos(tas) ● together with junto con

toilet ['tɔɪlɪt] *n* **1.** *(in public place)* servicios *mpl*, baño *m (Amér)* **2.** *(at home)* wáter *m* **3.** *(bowl)* retrete *m* ● to go to the toilet ir al wáter ● where's the toilet? ¿dónde está el servicio?

toilet bag *n* neceser *m*

toilet paper *n* papel *m* higiénico

toiletries ['tɔɪlɪtrɪz] *npl* artículos *mpl* de tocador

toilet roll *n (UK) (paper)* papel *m* higiénico

toilet water *n* agua *f* de colonia

token ['təʊkn] *n (metal disc)* ficha *f*

told [təʊld] *pt & pp* ➤ **tell**

tolerable ['tɒlərəbl] *adj* tolerable

tolerant ['tɒlərənt] *adj* tolerante

tolerate ['tɒləreɪt] *vt* tolerar

toll [təʊl] *n (for road, bridge)* peaje *m*

toll-free *adj (US)* gratuito(ta)

tomato [*(UK)* tə'mɑːtəʊ, *(US)* tə'meɪtəʊ] *(pl* -es*)* *n* tomate *m*

tomato juice *n* zumo *m (Esp)* OR jugo *m (Amér)* de tomate

tomato ketchup *n* ketchup *m*, catsup *m*

tomato puree *n* puré *m* de tomate concentrado

tomato sauce *n* ketchup *m*, catsup *m*

tomb [tuːm] *n* tumba *f*

tomorrow [tə'mɒrəʊ] ◇ *n* mañana *f* ◇ *adv* mañana ● the day after tomorrow pasado mañana • **tomorrow afternoon** mañana por la tarde • **tomorrow morning** mañana por la mañana • **tomorrow night** mañana por la noche

ton [tʌn] *n* **1.** *(in Britain)* = 1016 kilos **2.** *(in US)* = 907 kilos **3.** *(metric tonne)* tonelada *f* • **tons** of *(inf)* un montón de

tone [təʊn] *n* **1.** tono *m* **2.** *(on phone)* señal *f*

tongs [tɒŋz] *npl* **1.** *(for hair)* tenazas *fpl* **2.** *(for sugar)* pinzas *fpl*

tongue [tʌŋ] *n* lengua *f*

tonic [ˈtɒnɪk] *n* **1.** *(tonic water)* tónica *f* **2.** *(medicine)* tónico *m*

tonic water *n* agua *f* tónica

tonight [təˈnaɪt] ◇ *n* esta noche *f* ◇ *adv* esta noche

tonne [tʌn] *n* tonelada *f* (métrica)

tonsillitis [ˌtɒnsɪˈlaɪtɪs] *n* amigdalitis *f inv*

too [tuː] *adv* **1.** *(excessively)* demasiado **2.** *(also)* también • **it's not too good** no está muy bien • **it's too late to go out** es demasiado tarde para salir • **too many** demasiados(das) • **too much** demasiado(da)

took [tʊk] *pt* > take

tool [tuːl] *n* herramienta *f*

tool kit *n* juego *m* de herramientas

tooth [tuːθ] *(pl* **teeth**) *n* diente *m*

toothache [ˈtuːθeɪk] *n* dolor *m* de muelas

toothbrush [ˈtuːθbrʌʃ] *n* cepillo *m* de dientes

toothpaste [ˈtuːθpeɪst] *n* pasta *f* de dientes

toothpick [ˈtuːθpɪk] *n* palillo *m*

top [tɒp] ◇ *adj* **1.** *(highest)* de arriba **2.** *(best, most important)* mejor ◇ *n* **1.** *(highest part)* parte *f* superior **2.** *(best point)* cabeza *f* **3.** *(of box, jar)* tapa *f* **4.** *(of bottle, tube)* tapón *m* **5.** *(of pen)* capuchón *m* **6.** *(garment)* camiseta *f* **7.** *(of street, road)* final *m* • **at the top (of)** *(stairway, pile)* en lo más alto (de); *(list, page)* al principio (de) • **on top of** *(on highest part of)* encima de; *(of hill, mountain)* en lo alto de; *(in addition to)* además de • **at top speed** a toda velocidad • **top gear** directa *f* ◆ **top up** ◇ *vt sep (glass, drink)* volver a llenar ◇ *vi (with petrol)* repostar

top floor *n* último piso *m*

topic [ˈtɒpɪk] *n* tema *m*

topical [ˈtɒpɪkl] *adj* actual

topless [ˈtɒplɪs] *adj* topless *(inv)*

topped [tɒpt] *adj* • **topped with** cubierto(ta) con

topping [ˈtɒpɪŋ] *n* • **with a topping of** cubierto con • **the topping of your choice** los ingredientes que Vd. elija

torch [tɔːtʃ] *n (UK) (electric light)* linterna *f*

tore [tɔːʳ] *pt* > tear

torn [tɔːn] ◇ *pp* > tear ◇ *adj (ripped)* desgarrado(da)

tornado [tɔːˈneɪdəʊ] *(pl* **-es** OR **-s**) *n* tornado *m*

torrential rain [təˌrenʃl-] *n* lluvia *f* torrencial

tortoise [ˈtɔːtəs] *n* tortuga *f* (de tierra)

tortoiseshell [ˈtɔːtəʃel] *n* carey *m*

torture [ˈtɔːtʃəʳ] ◇ *n* tortura *f* ◇ *vt* torturar

Tory ['tɔːrɪ] *n* conservador *m*, -ra *f*

toss [tɒs] *vt* **1.** *(throw)* tirar *2.* *(salad)* mezclar ● **to toss a coin** echar a cara o cruz ● **tossed in butter** con mantequilla

total ['təʊtl] ◇ *adj* total ◇ *n* total *m* ● **in total** en total

touch [tʌtʃ] ◇ *n* **1.** *(sense)* tacto *m* **2.** *(small amount)* pizca *f* **3.** *(detail)* toque *m* ◇ *vt* **1.** tocar **2.** *(move emotionally)* conmover ◇ *vi* tocarse ● **to get in touch (with sb)** ponerse en contacto (con alguien) ● **to keep in touch (with sb)** mantenerse en contacto (con alguien) ● **touch down** *vi* aterrizar

touching ['tʌtʃɪŋ] *adj (moving)* conmovedor(ra)

tough [tʌf] *adj* **1.** *(resilient)* fuerte **2.** *(hard, strong)* resistente **3.** *(meat, regulations, policies)* duro(ra) **4.** *(difficult)* difícil

tour [tʊəʳ] ◇ *n* **1.** *(journey)* viaje *m* **2.** *(of city, castle etc)* recorrido *m* **3.** *(of pop group, theatre company)* gira *f* ◇ *vt* recorrer ● **on tour** en gira

tourism ['tʊərɪzm] *n* turismo *m*

tourist ['tʊərɪst] *n* turista *mf*

tourist class *n* clase *f* turista

tourist information office *n* oficina *f* de turismo

tournament ['tɔːnəmənt] *n* torneo *m*

tour operator *n* touroperador *m*, -ra *f*

tout [taʊt] *n (UK)* revendedor *m*, -ra *f*

tow [təʊ] *vt* remolcar

toward [tə'wɔːd] *(US)* = **towards**

towards [tə'wɔːdz] *prep* **1.** hacia **2.** *(to help pay for)* para

towel ['taʊəl] *n* toalla *f*

toweling ['taʊəlɪŋ] *(US)* = **towelling**

towelling ['taʊəlɪŋ] *n (UK)* toalla *f* *(tejido)*

towel rail *n (UK)* toallero *m*

tower ['taʊəʳ] *n* torre *f*

tower block *n (UK)* bloque *m* alto de pisos *(Esp)*, edificio *m* de apartamentos

Tower Bridge *n* puente *londinense*

Tower of London *n* ● **the Tower of London** la Torre de Londres

Tower Bridge/ Tower of London

La Torre de Londres es una de las principales atracciones turísticas de Londres. En ella están las Joyas de la Corona. Desde que fue construida ha tenido diferentes usos: palacio real, fortaleza, prisión, casa de la moneda o arsenal. La torre está situada al norte del *Tower Bridge*, puente neogótico del s. XIX.

town [taʊn] *n* **1.** *(smaller)* pueblo *m* **2.** *(larger)* ciudad *f* **3.** *(town centre)* centro *m*

town centre *n (UK)* centro *m*

town hall *n* ayuntamiento *m*

towpath ['taʊpɑːθ] *n* camino *m* de sirga

towrope ['təʊrəʊp] *n* cuerda *f* de remolque

tow truck *n (US)* grúa *f*

toxic ['tɒksɪk] *adj* tóxico(ca)

toy [tɔɪ] *n* juguete *m*

toy shop *n* juguetería *f*

trace [treɪs] ◇ *n* **1.** *(sign)* rastro *m* **2.** *(small amount)* pizca *f* ◇ *vt (find)* localizar

tracing paper ['treɪsɪŋ-] *n* papel *m* de calco

track [træk] *n* **1.** *(path)* sendero *m* **2.** *(of railway)* vía *f* **3.** SPORT pista *f* **4.** *(song)* canción *f* ◆ **track down** *vt sep* localizar

tracksuit ['træksu:t] *n* chándal *m* (*Esp*), equipo *m* de deportes

tractor ['træktə^r] *n* tractor *m*

trade [treɪd] ◇ *n* **1.** COMM comercio *m* **2.** *(job)* oficio *m* ◇ *vt* cambiar ◇ *vi* comerciar

trademark ['treɪdmɑːk] *n* marca *f* (comercial)

trader ['treɪdə^r] *n* comerciante *mf*

tradesman ['treɪdzmən] *(pl* **-men)** *n* (*UK*) **1.** *(deliveryman)* repartidor *m* **2.** *(shopkeeper)* tendero *m*

trade union *n* (*UK*) sindicato *m*

tradition [trə'dɪʃn] *n* tradición *f*

traditional [trə'dɪʃənl] *adj* tradicional

traffic ['træfɪk] *(pt & pp* **-ked)** ◇ *n* tráfico *m* ◇ *vi* ● **to traffic in** traficar con

traffic circle *n* (*US*) rotonda *f*

traffic island *n* isla *f* de peatones

traffic jam *n* atasco *m*

traffic lights *npl* semáforos *mpl*

traffic warden *n* (*UK*) ≃ guardia *mf* de tráfico

tragedy ['trædʒədɪ] *n* tragedia *f*

tragic ['trædʒɪk] *adj* trágico(ca)

trail [treɪl] ◇ *n* **1.** *(path)* sendero *m* **2.** *(marks)* rastro *m* ◇ *vi* *(be losing)* ir perdiendo

trailer ['treɪlə^r] *n* **1.** *(for boat, luggage)* remolque *m* **2.** (*US*) *(caravan)* caravana *f* **3.** *(for film, programme)* trailer *m*

train [treɪn] ◇ *n* tren *m* ◇ *vt* *(teach)* enseñar ◇ *vi* SPORT entrenar ● **by train** en tren

train driver *n* maquinista *mf* (*de tren*)

trainee [treɪ'niː] *n* aprendiz *m*, -za *f*

trainer ['treɪnə^r] *n* *(of athlete etc)* entrenador *m*, -ra *f* ◆ **trainers** *npl* (*UK*) zapatillas *fpl* de deporte

training ['treɪnɪŋ] *n* **1.** *(instruction)* formación *f* **2.** *(exercises)* entrenamiento *m*

training shoes *npl* (*UK*) zapatillas *fpl* de deporte

tram [træm] *n* (*UK*) tranvía *m*

tramp [træmp] *n* vagabundo *m*, -da *f*

trampoline ['træmpəliːn] *n* cama *f* elástica

trance [trɑːns] *n* trance *m*

tranquilizer ['træŋkwɪlaɪzər] (*US*) = **tranquillizer**

tranquillizer ['træŋkwɪlaɪzə^r] *n* (*UK*) tranquilizante *m*

transaction [træn'zækʃn] *n* transacción *f*

transatlantic [ˌtrænzət'læntɪk] *adj* transatlántico(ca)

transfer ◇ *n* ['trænsfɜː^r] **1.** *(of money, power)* transferencia *f* **2.** *(of sportsman)* traspaso *m* **3.** *(picture)* calcomanía *f* **4.** (*US*) *(ticket)* clase de billete que permite hacer transbordos durante un viaje ◇ *vt* [træs'fɜː^r] transferir ◇ *vi* *(change bus, plane etc)* hacer transbordo ▼ **transfers** *(in airport)* transbordos

transform [træns'fɔːm] *vt* transformar

transfusion [træns'fjuːʒn] *n* transfusión *f*

transit ['trænzɪt] ◆ **in transit** *adv* de tránsito

transitive ['trænzɪtɪv] *adj* transitivo(va)

transit lounge *n* sala *f* de tránsito

translate [træns'leɪt] *vt* traducir

translation [træns'leɪʃn] *n* traducción *f*

translator [træns'leɪtə'] *n* traductor *m*, -a *f*

transmission [trænz'mɪʃn] *n* transmisión *f*

transmit [trænz'mɪt] *vt* transmitir

transparent [træns'pærənt] *adj* transparente

transplant ['trænsplɑːnt] *n* trasplante *m*

transport ◇ *n* ['trænspɔːt] transporte *m* ◇ *vt* [træn'spɔːt] transportar

transportation [ˌtrænspɔː'teɪʃn] *n* (US) ansporte *m*

trap [træp] ◇ *n* trampa *f* ◇ *vt* ● **to be** apped estar atrapado

ash [træʃ] *n* (US) basura *f*

ashcan ['træʃkæn] *n* (US) cubo *m* de la asura

auma ['trɔːmə] *n* trauma *m*

aumatic [trɔː'mætɪk] *adj* traumático a)

avel ['trævl] ◇ *n* viajes *mpl* ◇ *vt* *istance)* recorrer ◇ *vi* viajar

avel agency *n* agencia *f* de viajes

avel agent *n* empleado *m*, -da *f* de na agencia de viajes ● **travel agent's** *hop)* agencia *f* de viajes

avelcard ['trævlkɑːd] *n* billete, nor-*almente de un día o un mes, para el etro, tren y autobús de Londres*

avel centre *n* (UK) oficina *f* de formación al viajero

aveler ['trævlər] *(US)* = **traveller**

avel insurance *n* seguro *m* de viaje

aveller ['trævlə'] *n* (UK) viajero *m*, -ra

aveller's cheque ['trævləz-] *n* (UK) neque *m* de viaje

travelsick ['trævəlsɪk] *adj* mareado(da) por el viaje

tray [treɪ] *n* bandeja *f*

treacherous ['tretʃərəs] *adj* **1.** *(person)* traidor(ra) **2.** *(roads, conditions)* peligroso(sa)

treacle ['triːkl] *n* (UK) melaza *f*

tread [tred] *(pt* **trod**, *pp* **trodden)** ◇ *n (of tyre)* banda *f* ◇ *vi* ● **to tread on sthg** pisar algo

treasure ['treʒə'] *n* tesoro *m*

treat [triːt] ◇ *vt* tratar ◇ *n* ● **to treat sb to a meal** invitar a alguien a comer

treatment ['triːtmənt] *n* **1.** MED tratamiento *m* **2.** *(of person, subject)* trato *m*

treble ['trebl] *adj* triple

tree [triː] *n* árbol *m*

trek [trek] *n* viaje *m* largo y difícil

tremble ['trembl] *vi* temblar

tremendous [trɪ'mendəs] *adj* **1.** *(very large)* enorme **2.** *(inf) (very good)* estupendo(da)

trench [trentʃ] *n* zanja *f*

trend [trend] *n* **1.** *(tendency)* tendencia *f* **2.** *(fashion)* moda *f*

trendy ['trendɪ] *adj* **1.** *(inf) (person)* moderno(na) **2.** *(clothes, bar)* de moda

trespasser ['trespəsə'] *n* intruso *m*, -sa *f* ▼ **trespassers will be prosecuted** los intrusos serán sancionados por la ley

trial ['traɪəl] *n* **1.** LAW juicio *m* **2.** *(test)* prueba *f* ● **a trial period** un periodo de prueba

triangle ['traɪæŋgl] *n* triángulo *m*

triangular [traɪ'æŋgjʊlə'] *adj* triangular

tribe [traɪb] *n* tribu *f*

trick [trɪk] ◇ *n* **1.** *(deception)* truco *m* **2.** *(in magic)* juego *m* (de manos) ◇ *vt*

engañar ● **to play a trick on sb** gastarle una broma a alguien

trickle ['trɪkl] *vi* resbalar (formando un hilo)

tricky ['trɪkɪ] *adj* difícil

tricycle ['traɪsɪkl] *n* triciclo *m*

trifle ['traɪfl] *n* (*UK*) (*dessert*) postre de bizcocho con frutas, nata, natillas y gelatina

trigger ['trɪgə'] *n* gatillo *m*

trim [trɪm] ◇ *n* (*haircut*) recorte *m* ◇ *vt* recortar

trio ['triːəʊ] (*pl* **-s**) *n* trío *m*

trip [trɪp] ◇ *n* viaje *m* ◇ *vi* tropezar ● **trip up** *vi* tropezar

triple ['trɪpl] *adj* triple

tripod ['traɪpɒd] *n* trípode *m*

triumph ['traɪəmf] *n* triunfo *m*

trivial ['trɪvɪəl] *adj* (*pej*) trivial

trod [trɒd] *pt* ➢ **tread**

trodden ['trɒdn] *pp* ➢ **tread**

trolley ['trɒlɪ] (*pl* **-s**) *n* **1.** (*UK*) (*in supermarket, at airport, for food etc*) carrito *m* **2.** (*US*) (*tram*) tranvía *m*

trombone [trɒm'bəʊn] *n* trombón *m*

troops [truːps] *npl* tropas *fpl*

trophy ['trəʊfɪ] *n* trofeo *m*

tropical ['trɒpɪkl] *adj* tropical

trot [trɒt] ◇ *vi* trotar ◇ *n* ● **three on the trot** (*UK*) (*inf*) tres seguidos

trouble ['trʌbl] ◇ *n* **1.** (*difficulty, problems, malfunction*) problemas *mpl* **2.** (*pain*) dolor *m* **3.** (*illness*) enfermedad *f* ◇ *vt* **1.** (*worry*) preocupar **2.** (*bother*) molestar ● **to be in trouble** tener problemas ● **to get into trouble** meterse en líos ● **to take the trouble to do sthg** tomarse la molestia de hacer algo ● **it's no**

trouble no es molestia

trousers ['traʊzəz] *npl* (*UK*) pantalones *mpl* ● **a pair of trousers** un pantalón

trout [traʊt] (*pl inv*) *n* trucha *f*

trowel ['traʊəl] *n* (*for gardening*) desplantador *m*

truant ['truːənt] *n* ● **to play truant** (*UK*) hacer novillos

truce [truːs] *n* tregua *f*

truck [trʌk] *n* camión *m*

true [truː] *adj* **1.** verdadero(ra) **2.** (*genuine, sincere*) auténtico(ca) ● **it's true** es verdad

truly ['truːlɪ] *adv* ● **yours truly** le saluda atentamente

trumpet ['trʌmpɪt] *n* trompeta *f*

trumps [trʌmps] *npl* triunfo *m*

truncheon ['trʌntʃən] *n* (*UK*) porra *f*

trunk [trʌŋk] *n* **1.** (*of tree*) tronco *m* **2.** (*US*) (*of car*) maletero *m* **3.** (*case, box*) baúl *m* **4.** (*of elephant*) trompa *f*

trunk call *n* (*UK*) llamada *f* interurbana

trunks [trʌŋks] *npl* bañador *m* (*de hombre*) (*Esp*), traje *m* de baño

trust [trʌst] ◇ *n* (*confidence*) confianza *f* ◇ *vt* **1.** (*believe, have confidence in*) confiar en **2.** (*fml*) (*hope*) confiar

trustworthy ['trʌst,wɜːðɪ] *adj* digno (na) de confianza

truth [truːθ] *n* **1.** (*true facts*) verdad *f* **2.** (*quality of being true*) veracidad *f*

truthful ['truːθfʊl] *adj* **1.** (*statement, account*) verídico(ca) **2.** (*person*) sincero(ra)

try [traɪ] ◇ *n* (*attempt*) intento *m* ◇ *vt* **1.** (*attempt*) intentar **2.** (*experiment with, test*) probar **3.** (*seek help from*) acudir a

LAW procesar ◇ *vi* intentar ● **to try do sthg** intentar hacer algo ◆ **try on** *sep* probarse ◆ **try out** *vt sep* poner a rueba

-shirt [ti:-] *n* camiseta *f*

ub [tʌb] *n* **1.** *(of margarine etc)* tarrina *f* *(bath)* bañera *f*, tina *f* (*Amér*)

ube [tju:b] *n* **1.** tubo *m* **2.** *(UK)* *(inf)* *nderground)* metro *m* ● **by tube** en etro

ube station *n* *(UK)* *(inf)* estación *f* de etro

uck [tʌk] ◆ **tuck in** ◇ *vt sep* **1.** *(shirt)* eterse **2.** *(child, person)* arropar ◇ *vi* *nf)* comer con apetito

ues. *(abbr of Tuesday)* mar *(martes)*

uesday ['tju:zdɪ] *n* martes *m inv* ● **it's uesday** es martes ● **Tuesday morning** martes por la mañana ● **on Tuesday** martes ● **on Tuesdays** los martes ● st **Tuesday** el martes pasado ● **this uesday** este martes ● **next Tuesday** el artes de la semana que viene ● **uesday week, a week on Tuesday** del artes en ocho días

uft [tʌft] *n* **1.** *(of grass)* matojo *m* **2.** *(of air)* mechón *m*

ug [tʌg] *vt* tirar de

uition [tju:'ɪʃn] *n* clases *fpl*

ulip ['tju:lɪp] *n* tulipán *m*

umble-dryer ['tʌmbldraɪə'] *n* *(UK)* se-adora *f*

umbler ['tʌmblə'] *n* *(glass)* vaso *m*

ummy ['tʌmɪ] *n* *(inf)* barriga *f*

ummy upset [-'ʌpset] *n* *(inf)* dolor *m* e barriga

umor ['tu:mər] *(US)* = tumour

umour ['tju:mə'] *n* *(UK)* tumor *m*

tuna (fish) [*(UK)* 'tju:nə, *(US)* 'tu:nə] *n* atún *m*

tune [tju:n] ◇ *n* melodía *f* ◇ *vt* **1.** *(radio, TV)* sintonizar **2.** *(engine)* poner a punto **3.** *(instrument)* afinar ● **in tune** afinado ● **out of tune** desafinado

tunic ['tju:nɪk] *n* túnica *f*

Tunisia [tju:'nɪzɪə] *n* Túnez

tunnel ['tʌnl] *n* túnel *m*

turban ['tɜ:bən] *n* turbante *m*

turbulence ['tɜ:bjʊləns] *n* turbulencia *f*

turf [tɜ:f] *n* *(grass)* césped *m*

Turk [tɜ:k] *n* turco *m*, -ca *f*

turkey ['tɜ:kɪ] *n* pavo *m*

Turkey ['tɜ:kɪ] *n* Turquía

Turkish ['tɜ:kɪʃ] ◇ *adj* turco(ca) ◇ *n* *(language)* turco *m* ◇ *npl* ● **the Turkish** los turcos

turn [tɜ:n]

◇ *n* **1.** *(in road)* curva *f* **2.** *(of knob, key, switch)* vuelta *f* **3.** *(go, chance)* turno *m* ◇ *vt* **1.** *(car, page, omelette)* dar la vuelta a, voltear *(Amér)* **2.** *(head)* volver, voltear *(Amér)* **3.** *(knob, key, switch)* girar **4.** *(corner, bend)* doblar **5.** *(become)* volverse **6.** *(cause to become)* poner ◇ *vi* **1.** girar **2.** *(milk)* cortarse ● **he's turned into a fine young man** se ha convertido en un estupendo joven ● **they're turning the play into a film** están convirtiendo la obra en película ● **to turn left/right** torcer a la derecha/izquierda ● **it's your turn** te toca (a ti) ● **at the turn of the century** a finales de siglo ● **to take it in turns to do sthg** hacer algo por turnos ● **to turn a jacket inside out** darle la vuelta a una chaqueta *(de dentro para afuera)*

● **turn back** ◇ *vt sep* hacer volver ◇ *vi* volver

● **turn down** *vt sep* **1.** *(radio, volume, heating)* bajar **2.** *(offer, request)* rechazar

● **turn off** ◇ *vt sep* **1.** *(light, TV)* apagar **2.** *(water, gas, tap)* cerrar **3.** *(engine)* parar ◇ *vi (leave road)* salir

● **turn on** *vt sep* **1.** *(light, TV, engine)* encender **2.** *(water, gas, tap)* abrir

● **turn out** ◇ *vt insep (be in the end)* resultar ◇ *vt sep (light, fire)* apagar ◇ *vi (come, attend)* venir ● **to turn out to be sthg** resultar ser algo

● **turn over** ◇ *vi* **1.** *(in bed)* darse la vuelta, voltearse *(Amér)* **2.** *(UK) (change channels)* cambiar ◇ *vt sep (page, card, omelette)* dar la vuelta a, voltear *(Amér)*

● **turn round** ◇ *vt sep* dar la vuelta a, voltear *(Amér)* ◇ *vi (person)* darse la vuelta, voltearse *(Amér)*

● **turn up** ◇ *vt sep (radio, volume, heating)* subir ◇ *vi* aparecer

turning ['tɜːnɪŋ] *n* bocacalle *f*

turnip ['tɜːnɪp] *n* nabo *m*

turn-up *n (UK) (on trousers)* vuelta *f*

turquoise ['tɜːkwɔɪz] *adj* turquesa *inv*

turtle ['tɜːtl] *n* tortuga *f (marina)*

turtleneck ['tɜːtlnek] *n* jersey *m* de cuello de cisne *(Esp)*, suéter *m* de cuello alto *(Amér)*

tutor ['tjuːtə] *n (private teacher)* tutor *m*, -ra *f*

tuxedo [tʌkˈsiːdəʊ] *(pl* **-s***) n (US)* esmoquin *m*

TV [tiːˈviː] *n (abbr of television)* televisión *f* ● **on TV** en la televisión

tweed [twiːd] *n* tweed *m*

tweezers ['twiːzəz] *npl* pinzas *fpl*

twelfth [twelfθ] ◇ *num adj* duodécimo (ma) ◇ *num n*, -ma *f* ◇ *num n (fraction)* duodécimo *m* ◇ *num adv* duodécimo ● **a twelfth (of)** la duodécima parte (de) ● **the twelfth (of September)** el doce (de septiembre)

twelve [twelv] ◇ *num adj* doce ◇ *num n* doce *m inv* ● **to be twelve (years old)** tener doce años (de edad) ● **it's twelve (o'clock)** son las doce ● **a hundred and twelve** ciento doce ● **twelve Hill St** Hill St, número doce ● **it's minus twelve (degrees)** hay doce grados bajo cero ● **twelve out of twenty** doce sobre veinte

twentieth ['twentɪəθ] *num* vigésimo (ma) ● **the twentieth century** el siglo XX

twenty ['twentɪ] *num* veinte

twice [twaɪs] *adj & adv* dos veces ● **it's twice as good** es el doble de bueno ● **twice as much** el doble

twig [twɪg] *n* ramita *f*

twilight ['twaɪlaɪt] *n* crepúsculo *m*

twin [twɪn] *n* gemelo *m*, -la *f*

twin beds *npl* dos camas *fpl*

twin room *n* habitación *f* con dos camas

twist [twɪst] *vt* **1.** *(wire)* torcer **2.** *(thread, rope)* retorcer **3.** *(hair)* enroscar **4.** *(bottle top, lid, knob)* girar ● **to twist one's ankle** torcerse el tobillo

twisting ['twɪstɪŋ] *adj* con muchos recodos

two [tuː] ◇ *num adj* dos ◇ *num n* dos *m inv* ● **to be two (years old)** tener dos años (de edad) ● **it's two (o'clock)** son

s dos • a hundred and two ciento
os • two Hill St Hill St, número dos
• it's mins two (degrees) hay dos
ados bajo cero • two out of ten dos
bre diez

vo-piece adj de dos piezas

ing ['taɪŋ] *cont* ➤ **tie**

vpe [taɪp] ◇ *n (kind)* tipo *m* ◇ *vt* teclear
vi escribir a máquina

phoid ['taɪfɔɪd] *n* fiebre *f* tifoidea

vpical ['tɪpɪkl] *adj* típico(ca)

re ['taɪəʳ] *n (UK)* neumático *m*, llanta
Amér)

*U*U

[juː] *adj (UK) (film) (abbr of* **universal)** •
ara todos los públicos

CAS ['juːkæs] *n (UK) (abbr of* **Univer-
ies and Colleges Admissions Service)**
*ganismo que se ocupa en gestionar el
oceso de admisión a la Universidad*

FO [juːef'əʊ] *n (abbr of* **unidentified**
ying object) OVNI *m (Objeto Volador
o Identificado)*

gly ['ʌglɪ] *adj* feo(a)

HT [juːeɪt'tiː] *adj (abbr of* **ultra heat**
eated) uperizado(da) *(Esp)*, UHT
**Amér)*

K [juː'keɪ] *n (abbr of* **United Kingdom)** •
the UK el Reino Unido

cer ['ʌlsəʳ] *n* úlcera *f*

ltimate ['ʌltɪmət] *adj* **1.** *(final)* final **2.**
est, greatest) máximo(ma)

ultraviolet [ˌʌltrə'vaɪələt] *adj* ultravioleta

umbrella [ʌm'brelə] *n* paraguas *m inv*

umpire ['ʌmpaɪəʳ] *n* árbitro *m*

UN [juː'en] *n (abbr of* **United Nations)** •
the UN la ONU *(Organización de las
Naciones Unidas)*

unable [ʌn'eɪbl] *adj* • to be unable to
do sthg ser incapaz de hacer algo

unacceptable [ˌʌnək'septəbl] *adj* inaceptable

unaccustomed [ˌʌnə'kʌstəmd] *adj* • to
be unaccustomed to sthg no estar
acostumbrado(da) a algo

unanimous [juː'nænɪməs] *adj* unánime

unattended [ˌʌnə'tendɪd] *adj* desaten-
dido(da)

unattractive [ˌʌnə'træktɪv] *adj* poco
atractivo(va)

unauthorized [ˌʌn'ɔːθəraɪzd] *adj* no
autorizado(da)

unavailable [ˌʌnə'veɪləbl] *adj* no disponible

unavoidable [ˌʌnə'vɔɪdəbl] *adj* inevitable

unaware [ˌʌnə'weəʳ] *adj* inconsciente •
to be unaware of sthg no ser consciente de algo

unbearable [ʌn'beərəbl] *adj* insoportable

unbelievable [ˌʌnbɪ'liːvəbl] *adj* increíble

unbutton [ˌʌn'bʌtn] *vt* desabrocharse

uncertain [ʌn'sɜːtn] *adj* **1.** *(not definite)*
incierto(ta) **2.** *(not sure)* indeciso(sa)

uncertainty [ʌn'sɜːtntɪ] *n* incertidum-
bre *f*

uncle ['ʌŋkl] *n* tío *m*

unclean [ˌʌn'kliːn] *adj* sucio(cia)

unclear [ˌʌn'klɪə'] *adj* **1.** poco claro(ra) **2.** *(not sure)* poco seguro(ra)

uncomfortable [ˌʌn'kʌmftəbl] *adj* incómodo(da)

uncommon [ʌn'kɒmən] *adj* poco común

unconscious [ʌn'kɒnʃəs] *adj* ● **to be unconscious** *(after accident)* estar inconsciente; *(unaware)* ser inconsciente

unconvincing [ˌʌnkən'vɪnsɪŋ] *adj* poco convincente

uncooperative [ˌʌnkəʊ'ɒpərətɪv] *adj* que no quiere cooperar

uncork [ˌʌn'kɔːk] *vt* descorchar

uncouth [ʌn'kuːθ] *adj* grosero(ra)

uncover [ʌn'kʌvə'] *vt* **1.** *(discover)* descubrir **2.** *(swimming pool)* dejar al descubierto **3.** *(car)* descapotar

under ['ʌndə'] *prep* **1.** *(beneath)* debajo de **2.** *(less than)* menos de **3.** *(according to)* según **4.** *(in classification)* en ● **under the water** bajo el agua ● **children under ten** niños menores de diez años ● **under the circumstances** dadas las circunstancias ● **to be under pressure** *(from a person)* estar presionado; *(stressed)* estar en tensión

underage [ʌndər'eɪdʒ] *adj* menor de edad

undercarriage ['ʌndəˌkærɪdʒ] *n* tren *m* de aterrizaje

underdone [ˌʌndə'dʌn] *adj* poco hecho (cha)

underestimate [ˌʌndər'estɪmeɪt] *vt* subestimar

underexposed [ˌʌndərɪk'spəʊzd] *adj* *(photograph)* subexpuesto(ta)

undergo [ˌʌndə'gəʊ] *(pt* **-went**, *pp* **-gone**) *vt* **1.** *(change, difficulties)* sufrir **2.** *(operation)* someterse a

undergraduate [ˌʌndə'grædjʊət] *n* estudiante *m* universitario (no licenciado), estudiante universitaria (no licenciada) *f*

underground ['ʌndəgraʊnd] ◇ *adj* **1.** *(below earth's surface)* subterráneo(a) **2.** *(secret)* clandestino(na) ◇ *n (UK) (railway)* metro *m*

Underground

El metro de Londres, también conocido como *the Tube*, tiene 12 líneas, con una longitud total de 408 kilómetros. Cada línea está identificada por un color diferente. Dentro de los vagones no hay aire acondicionado. Dependiendo de la línea, los trenes funcionan desde las 5 de la mañana hasta la medianoche.

undergrowth ['ʌndəgrəʊθ] *n* maleza *f*

underline [ˌʌndə'laɪn] *vt* subrayar

underneath [ˌʌndə'niːθ] ◇ *prep* debajo de ◇ *adv* debajo ◇ *n* superficie *f* inferior

underpants ['ʌndəpænts] *npl* calzoncillos *mpl*

underpass ['ʌndəpɑːs] *n* paso *m* subterráneo

undershirt ['ʌndəʃɜːt] *n (US)* camiseta *f*

underskirt ['ʌndəskɜːt] *n* enaguas *fpl*

understand [ˌʌndə'stænd] *(pt & pp* **-stood)** ◇ *vt* **1.** entender **2.** *(believe)* tener entendido que ◇ *vi* entender ● I don't understand no entiendo • to make o.s. understood hacerse entender

understanding [ˌʌndəˈstændɪŋ] ◇ *adj* comprensivo(va) ◇ *n* 1. *(agreement)* acuerdo *m* 2. *(knowledge)* entendimiento *m* 3. *(interpretation)* impresión *f* 4. *(sympathy)* comprensión *f* mutua

understatement [ˌʌndəˈsteɪtmənt] *n* • that's an understatement eso es quedarse corto

understood [ˌʌndəˈstʊd] *pt & pp* > understand

undertake [ˌʌndəˈteɪk] (*pt* -took, *pp* -taken) *vt* emprender • to undertake to do sthg comprometerse a hacer algo

undertaker [ˈʌndəˌteɪkə'] *n* director *m*, -ra *f* de funeraria

undertaking [ˌʌndəˈteɪkɪŋ] *n* 1. *(promise)* promesa *f* 2. *(task)* empresa *f*

undertook [ˌʌndəˈtʊk] *pt* > undertake

underwater [ˌʌndəˈwɔːtə'] ◇ *adj* submarino(na) ◇ *adv* bajo el agua

underwear [ˈʌndəweə'] *n* ropa *f* interior

underwent [ˌʌndəˈwent] *pt* > undergo

undo [ˌʌnˈduː] (*pt* -did, *pp* -done) *vt* 1. *(coat, shirt)* desabrocharse 2. *(tie, shoelaces)* desatarse 3. *(parcel)* abrir

undone [ˌʌnˈdʌn] *adj* 1. *(coat, shirt)* desabrochado(da) 2. *(tie, shoelaces)* desatado(da)

undress [ˌʌnˈdres] ◇ *vi* desnudarse ◇ *vt* desnudar

undressed [ˌʌnˈdrest] *adj* desnudo(da) • to get undressed desnudarse

uneasy [ʌnˈiːzɪ] *adj* intranquilo(la)

uneducated [ʌnˈedjʊkeɪtɪd] *adj* inculto(la)

unemployed [ˌʌnɪmˈplɔɪd] ◇ *adj* desem-

pleado(da) ◇ *npl* • the unemployed los parados

unemployment [ˌʌnɪmˈplɔɪmənt] *n* paro *m* (*Esp*), desempleo *m*

unemployment benefit *n* (*UK*) subsidio *m* de desempleo

unequal [ʌnˈiːkwəl] *adj* desigual

uneven [ʌnˈiːvn] *adj* 1. desigual 2. *(road)* lleno(na) de baches

uneventful [ˌʌnɪˈventfʊl] *adj* sin incidentes destacables

unexpected [ˌʌnɪkˈspektɪd] *adj* inesperado(da)

unexpectedly [ˌʌnɪkˈspektɪdlɪ] *adv* inesperadamente

unfair [ʌnˈfeə'] *adj* injusto(ta)

unfairly [ʌnˈfeəlɪ] *adv* injustamente

unfaithful [ʌnˈfeɪθfʊl] *adj* infiel

unfamiliar [ˌʌnfəˈmɪljə'] *adj* desconocido(da) • to be unfamiliar with no estar familiarizado(da) con

unfashionable [ʌnˈfæʃnəbl] *adj* pasado(da) de moda

unfasten [ʌnˈfɑːsn] *vt* 1. *(button, belt)* desabrocharse 2. *(tie, knot)* desatarse

unfavorable (*US*) = unfavourable

unfavourable [ʌnˈfeɪvrəbl] *adj* (*UK*) desfavorable

unfinished [ʌnˈfɪnɪʃt] *adj* incompleto(ta)

unfit [ʌnˈfɪt] *adj* • to be unfit (*not healthy*) no estar en forma • to be unfit for sthg no ser apto(ta) para algo

unfold [ʌnˈfəʊld] *vt* desdoblar

unforgettable [ˌʌnfəˈgetəbl] *adj* inolvidable

unforgivable [ˌʌnfəˈgɪvəbl] *adj* imperdonable

unfortunate [ʌnˈfɔːtʃnət] *adj* **1.** *(unlucky)* desgraciado(da) **2.** *(regrettable)* lamentable

unfortunately [ʌnˈfɔːtʃnətlɪ] *adv* desgraciadamente

unfriendly [ˌʌnˈfrendlɪ] *adj* poco amistoso

unfurnished [ˌʌnˈfɜːnɪʃt] *adj* sin amueblar

ungrateful [ʌnˈgreɪtfʊl] *adj* desagradecido(da)

unhappy [ʌnˈhæpɪ] *adj* **1.** *(sad)* triste **2.** *(wretched)* desgraciado(da) **3.** *(not pleased)* descontento(ta) ● **I'm unhappy about that idea** no me gusta esa idea

unharmed [ˌʌnˈhɑːmd] *adj* ileso(sa)

unhealthy [ʌnˈhelθɪ] *adj* **1.** *(person)* enfermizo(za) **2.** *(food, smoking)* perjudicial para la salud **3.** *(place)* insalubre

unhelpful [ˌʌnˈhelpfʊl] *adj* **1.** *(person)* poco servicial **2.** *(advice)* inútil

unhurt [ˌʌnˈhɜːt] *adj* ileso(sa)

unhygienic [ˌʌnhaɪˈdʒiːnɪk] *adj* antihigiénico(ca)

unification [ˌjuːnɪfɪˈkeɪʃn] *n* unificación *f*

uniform [ˈjuːnɪfɔːm] *n* uniforme *m*

unimportant [ˌʌnɪmˈpɔːtənt] *adj* sin importancia

unintelligent [ˌʌnɪnˈtelɪdʒənt] *adj* poco inteligente

unintentional [ˌʌnɪnˈtenʃənl] *adj* no intencionado(da)

uninterested [ˌʌnˈɪntrəstɪd] *adj* indiferente

uninteresting [ˌʌnˈɪntrestɪŋ] *adj* poco interesante

union [ˈjuːnjən] *n (of workers)* sindicato *m*

Union Jack *n* ● **the Union Jack** *la bandera del Reino Unido*

Union Jack

La *Union Jack* es la bandera oficial del Reino Unido, y fue usada por primera vez en 1801. Es el resultado de la superposición de las banderas de Inglaterra, de Escocia y de Irlanda. También se le suele llamar *Union Flag*.

unique [juːˈniːk] *adj* único(ca) ● **to be unique to** ser peculiar de

unisex [ˈjuːnɪseks] *adj* unisex *(inv)*

unit [ˈjuːnɪt] *n* **1.** unidad *f* **2.** *(department, building)* sección *f* **3.** *(piece of furniture)* módulo *m* **4.** *(group)* equipo *m*

unite [juːˈnaɪt] ◇ *vt* **1.** *(people)* unir **2.** *(country, party)* unificar ◇ *vi* unirse

United Kingdom [juːˈnaɪtɪd-] *n* ● **the United Kingdom** el Reino Unido

United Nations [juːˈnaɪtɪd-] *npl* ● **the United Nations** las Naciones Unidas

United States (of America) [juːˈdnaɪtɪd-] *npl* ● **the United States of America** los Estados Unidos (de América)

unity [ˈjuːnətɪ] *n* unidad *f*

universal [ˌjuːnɪˈvɜːsl] *adj* universal

universe [ˈjuːnɪvɜːs] *n* universo *m*

university [ˌjuːnɪˈvɜːsətɪ] *n* universidad *f*

unjust [ˌʌnˈdʒʌst] *adj* injusto(ta)

unkind [ʌnˈkaɪnd] *adj* desagradable

unknown [ˌʌnˈnəʊn] *adj* desconocido(da)

leaded (petrol) [ˌʌnˈledɪd-] *n* gasolia *f* sin plomo

less [ənˈles] *conj* a menos que

like [ʌnˈlaɪk] *prep* **1.** *(different to)* erente a **2.** *(in contrast to)* a diferencia **3.** *(not typical of)* poco característico

likely [ʌnˈlaɪklɪ] *adj (not probable)* co probable ● **she's unlikely to do** es poco probable que lo haga

limited [ʌnˈlɪmɪtɪd] *adj* ilimitado(da) **unlimited mileage** sin límite de corrido

listed [ʌnˈlɪstɪd] *adj (US) (phone num-* ʾ*)* que no figura en la guía telefónica

load [ʌnˈləʊd] *vt* descargar

lock [ʌnˈlɒk] *vt* abrir *(con llave)*

lucky [ʌnˈlʌkɪ] *adj* **1.** *(unfortunate)* sgraciado(da) **2.** *(bringing bad luck)* la mala suerte

married [ʌnˈmærɪd] *adj* no casado a)

natural [ʌnˈnætʃrəl] *adj* **1.** *(unusual)* co normal **2.** *(behaviour, person)* afeclo(da)

necessary [ʌnˈnesəsərɪ] *adj* innecesa-(ria)

obtainable [ˌʌnəbˈteɪnəbl] *adj* inaseible

occupied [ʌnˈɒkjupaɪd] *adj (place,* ʾ*t)* libre

official [ˌʌnəˈfɪʃl] *adj* extraoficial

pack [ʌnˈpæk] ◇ *vt* deshacer, desem- car *(Amér)* ◇ *vi* deshacer el equipaje, sempacar *(Amér)*

pleasant [ʌnˈpleznt] *adj* **1.** *(smell,* ʾather, surprise etc)* desagradable **2.** ʾerson)* antipático(ca)

unplug [ʌnˈplʌg] *vt* desenchufar

unpopular [ʌnˈpɒpjʊləʳ] *adj* impopular

unpredictable [ˌʌnprɪˈdɪktəbl] *adj* imprevisible

unprepared [ˌʌnprɪˈpeəd] *adj* ● **to be unprepared** no estar preparado(da)

unprotected [ˌʌnprəˈtektɪd] *adj* desprotegido(da)

unqualified [ʌnˈkwɒlɪfaɪd] *adj (person)* no cualificado(da)

unreal [ʌnˈrɪəl] *adj* irreal

unreasonable [ʌnˈriːznəbl] *adj* **1.** *(unfair)* poco razonable **2.** *(excessive)* excesivo (va)

unrecognizable [ˌʌnrekəgˈnaɪzəbl] *adj* irreconocible

unreliable [ˌʌnrɪˈlaɪəbl] *adj* poco fiable

unrest [ʌnˈrest] *n* malestar *m*

unroll [ˌʌnˈrəʊl] *vt* desenrollar

unsafe [ʌnˈseɪf] *adj* **1.** *(dangerous)* peligroso(sa) **2.** *(in danger)* inseguro(ra)

unsatisfactory [ˌʌnsætɪsˈfæktərɪ] *adj* insatisfactorio(ria)

unscrew [ʌnˈskruː] *vt (lid, top)* desenroscar

unsightly [ʌnˈsaɪtlɪ] *adj* feo(a)

unskilled [ʌnˈskɪld] *adj (worker)* no cualificado(da)

unsociable [ʌnˈsəʊʃəbl] *adj* insociable

unsound [ʌnˈsaʊnd] *adj* **1.** *(building, structure)* inseguro(ra) **2.** *(argument, method)* erróneo(a)

unspoiled [ˌʌnˈspɔɪlt] *adj* que no ha sido *estropeado*

unsteady [ʌnˈstedɪ] *adj* **1.** inestable **2.** *(hand)* tembloroso(sa)

unstuck [ʌnˈstʌk] *adj* ● **to come unstuck** despegarse

unsuccessful [ˌʌnsək'sesfʊl] *adj* fracasado(da)

unsuitable [ˌʌn'suːtəbl] *adj* inadecuado(da)

unsure [ˌʌn'ʃɔːʳ] *adj* ● **to be unsure (about)** no estar muy seguro(ra)(de)

unsweetened [ˌʌn'swiːtnd] *adj* no edulcorado(da)

untidy [ʌn'taɪdɪ] *adj* **1.** *(person)* desaliñado(da) **2.** *(room, desk)* desordenado(da)

untie [ˌʌn'taɪ] *(cont* **untying)** *vt* desatar

until [ən'tɪl] ◇ *prep* hasta ◇ *conj* hasta que ● **don't start until I tell you no** empieces hasta que no te lo diga

untrue [ˌʌn'truː] *adj* falso(sa)

untrustworthy [ˌʌn'trʌst,wɜːðɪ] *adj* poco fiable

untying [ˌʌn'taɪɪŋ] *cont* ➤ untie

unusual [ʌn'juːʒl] *adj* **1.** *(not common)* poco común **2.** *(distinctive)* peculiar

unusually [ʌn'juːʒəlɪ] *adv* *(more than usual)* extraordinariamente

unwell [ˌʌn'wel] *adj* indispuesto(ta) ● **to feel unwell** sentirse mal

unwilling [ˌʌn'wɪlɪŋ] *adj* ● **to be unwilling to do sthg** no estar dispuesto(ta) a hacer algo

unwind [ˌʌn'waɪnd] *(pt & pp* **unwound)** ◇ *vt* desenrollar ◇ *vi (relax)* relajarse

unwrap [ˌʌn'ræp] *vt* desenvolver

unzip [ˌʌn'zɪp] *vt* abrir la cremallera OR el cierre *(Amér)* de

up [ʌp]
◇ *adv* **1.** *(towards higher position, level)* hacia arriba ● **we walked up to the top**

fuimos andando hasta arriba del todo ● **to pick sthg up** coger algo ● **prices are going up** los precios están subiendo **2.** *(in higher position)* arriba ● **she's up in her bedroom** está arriba, en su cuarto ● **up there** allí arriba **3.** *(into upright position)* ● **to sit up** sentarse derecho ● **to stand up** ponerse de pie **4.** *(northwards)* ● **we're going up to Dewsbury** vamos a subir a Dewsbury **5.** *(in phrases)* ● **to walk up and down** andar de un lado para otro ● **to jump up and down** dar brincos ● **up to six weeks/ ten people** hasta seis semanas/diez personas ● **are you up to travelling?** ¿estás en condiciones de viajar? ● **what are you up to?** ¿qué andas tramando? ● **it's up to you** depende de ti ● **up until ten o'clock** hasta las diez
◇ *prep* **1.** *(towards higher position)* ● **to walk up a hill** subir por un monte ● **I went up the stairs** subí las escaleras **2.** *(in higher position)* en lo alto de ● **up a hill** en lo alto de una colina **3.** *(at end of)* ● **they live up the road from us** viven al final de nuestra calle
◇ *adj* **1.** *(out of bed)* levantado(da) ● **I was up at six today** hoy, me levanté a las seis **2.** *(at an end)* terminado(da) ● **time's up** se acabó el tiempo **3.** *(rising)* ● **the up escalator** el ascensor que sube
◇ *n* ● **ups and downs** altibajos *mpl*

update [ˌʌp'deɪt] *vt* actualizar

uphill [ˌʌp'hɪl] *adv* cuesta arriba

upholstery [ʌp'həʊlstərɪ] *n* tapicería *f*

upkeep [ˈʌpkiːp] *n* mantenimiento *m*

up-market *adj* *(UK)* de mucha categoría

on [ə'pɒn] *prep (fml) (on)* en, sobre ● **on hearing the news ...** al oír la noticia ...

per ['ʌpəʳ] ◇ *adj* superior ◇ *n (of shoe)* la *f*

per class *n* clase *f* alta

permost ['ʌpəməʊst] *adj (highest)* más :o(ta)

per sixth *n (UK) SCH* segundo año l curso optativo de dos que prepara a s alumnos de 18 años para los A-levels

right ['ʌpraɪt] ◇ *adj* **1.** *(person)* ergui-(da) **2.** *(object)* vertical ◇ *n* derecho (da) ◇ *adv* derecho

set [ʌp'set] *(pt & pp inv)* ◇ *adj* sgustado(da) ◇ *vt* **1.** *(distress)* dis-star **2.** *(cause to go wrong)* estropear (knock over)* volcar ● **to have an set stomach** tener el estómago re-elto

side down [ˌʌpsaɪd-] *adj & adv* al vés

stairs [ˌʌp'steəz] ◇ *adj* de arriba ◇ *adv* riba ● **to go upstairs** ir arriba

-to-date *adj* **1.** *(modern)* moderno a) **2.** *(well-informed)* al día

wards ['ʌpwədz] *adv* hacia arriba ● **wards of 100 people** más de 100 rsonas

ban ['ɜːbən] *adj* urbano(na)

du ['ʊədu:] *n* urdu *m*

ge [ɜːdʒ] *vt* ● **to urge sb to do sthg** citar a alguien a hacer algo

gent ['ɜːdʒənt] *adj* urgente

gently ['ɜːdʒəntlɪ] *adv (immediately)* gentemente

inal [jʊə'raɪnl] *n* **1.** *(apparatus)* orinal **2.** *(fml) (place)* urinario *m*

inate ['jʊərmeɪt] *vi (fml)* orinar

urine ['jʊərɪn] *n* orina *f*

URL [ju:a:'rel] *n COMPUT (abbr of uniform resource locator)* URL *m (uniform resource locator)*

Uruguay ['jʊərəgwaɪ] *n* Uruguay

Uruguayan ['jʊərə'gwaɪən] ◇ *adj* uruguayo(ya) ◇ *n* uruguayo *m*, -ya *f*

us [ʌs] *pron* nos ● **they know us** nos conocen ● **it's us** somos nosotros ● **send it to us** envíanoslo ● **tell us** dinos ● **they're worse than us** son peores que nosotros

US [ju:'es] *n (abbr of* United States) ● **the US** los EEUU

US Education

En los Estados Unidos, los niños de 5 años van a la *Elementary School*. A los 12, pasan a la *Junior High School* y dos años más tarde, a la *High School*. La ceremonia de graduación de la *High School*, a los 18 años, es un acontecimiento muy importante.

US Open

Existen dos Abiertos de Estados Unidos, uno de tenis y otro de golf. En los dos casos, se celebran anualmente y son uno de los torneos más importantes del mundo en cada deporte. El Abierto de tenis se celebra en *Flushing Meadows*, en Nueva York.

USA [ju:es'eɪ] *n (abbr of* United States of

America) ● the USA los EEUU
usable ['juːzəbl] *adj* utilizable
use ◇ *n* [juːs] uso *m* ▷ *vt* [juːz] 1. usar 2. *(exploit)* utilizar ● to be of use ser útil ● to have the use of sthg poder hacer uso de algo ● to make use of sthg aprovechar algo ▽ out of use no funciona ● to be in use usarse ● it's no use es inútil ● what's the use? ¿de qué vale? ● to use a crate as a table usar un cajón como mesa ▽ use before ... consumir preferentemente antes de ... ◆ **use up** *vt sep* agotar

used ◇ *adj* [juːzd] usado(da) ◇ *aux vb* [juːst] ● I used to live near here antes vivía cerca de aquí ● I used to go there every day solía ir allí todos los días ● to be used to sthg estar acostumbrado(da) a algo ● to get used to sthg acostumbrarse a algo

useful ['juːsfʊl] *adj* útil
useless ['juːslɪs] *adj* 1. inútil 2. *(inf)* *(very bad)* pésimo(ma)
user ['juːzəʳ] *n* usuario *m*, -ria *f*
usher ['ʌʃəʳ] *n* *(at cinema, theatre)* acomodador *m*
usual ['juːʒəl] *adj* habitual ● as usual *(in the normal way)* como de costumbre; *(as often happens)* como siempre
usually ['juːʒəlɪ] *adv* normalmente
utensil [juːˈtensl] *n* utensilio *m*
utilize ['juːtəlaɪz] *vt* *(fml)* utilizar
utmost ['ʌtməʊst] ◇ *adj* mayor ◇ *n* ● to do one's utmost hacer todo cuanto sea posible
utter ['ʌtəʳ] ◇ *adj* completo(ta) ◇ *vt* 1. *(word)* pronunciar 2. *(sound)* emitir
utterly ['ʌtəlɪ] *adv* completamente

U-turn *n* giro *m* de 180°

UV [juːˈviː] *adj* *(abbr of* ultra-violet) ultravioleta ● UV rays rayos mpl ultravioleta

Vv

vacancy ['veɪkənsɪ] *n* *(job)* vacante *f* ▽ vacancies hay camas ▽ no vacancies completo
vacant ['veɪkənt] *adj* libre ▽ vacant libre
vacate [vəˈkeɪt] *vt* *(fml)* *(room, house)* desocupar
vacation [vəˈkeɪʃn] ◇ *n* *(US)* vacaciones *fpl* ◇ *vi* *(US)* estar de vacaciones ● to go on vacation *(US)* ir de vacaciones
vaccination [ˌvæksɪˈneɪʃn] *n* vacunación *f*
vaccine [(UK) 'væksiːn, (US) vækˈsiːn] *n* vacuna *f*
vacuum ['vækjʊəm] *vt* pasar la aspiradora por
vacuum cleaner *n* aspiradora *f*
vague [veɪg] *adj* 1. *(plan, letter, idea)* vago(ga) 2. *(memory, outline)* borroso(sa) 3. *(person)* impreciso(sa)
vain [veɪn] *adj* *(pej)* *(conceited)* engreído(da) ● in vain en vano
Valentine card ['væləntaɪn-] *n* tarjeta *f* del día de San Valentín
Valentine's Day ['væləntaɪnz-] *n* día *m* de San Valentín
valid ['vælɪd] *adj* *(ticket, passport)* valedero(ra)

lidate ['vælɪdeɪt] *vt* validar

lley ['vælɪ] (*pl* **-s**) *n* valle *m*

luable ['væljuəbl] *adj* valioso(sa) ◆

luables *npl* objetos *mpl* de valor

lue ['vælju:] *n* **1.** (*financial*) valor *m* **2.**

efulness) sentido *m* ◆ **a value pack**

paquete económico ◆ **to be good**

ue (for money) estar muy bien de

ecio ◆ **values** *npl* valores *mpl* mora-

lve [vælv] *n* válvula *f*

n [væn] *n* furgoneta *f*

ndal ['vændl] *n* vándalo *m*, -la *f*

ndalize ['vændəlaɪz] *vt* destrozar

nilla [və'nɪlə] *n* vainilla *f*

nish ['vænɪʃ] *vi* desaparecer

por ['veɪpər] (*US*) = **vapour**

pour ['veɪpər] *n* (*UK*) vapor *m*

riable ['veəriəbl] *adj* variable

ricose veins ['værɪkəʊs-] *npl* varices

ried ['veərɪd] *adj* variado(da)

riety [və'raɪətɪ] *n* variedad *f*

rious ['veərɪəs] *adj* varios(rias)

rnish ['vɑ:nɪʃ] ◇ *n* (*for wood*) barniz *m*

◆ *n* (*wood*) barnizar

ry ['veərɪ] *vt* & *vi* variar ◆ **regulations**

ry from country to country las

rmas cambian de un país a otro ▼

ces vary los precios varían

se [(*UK*) vɑ:z, (*US*) veɪz] *n* florero *m*

st [vɑ:st] *adj* inmenso(sa)

AT [væt, vi:eɪ'ti:] *n* (*abbr of* value

ded tax) IVA *m* (*impuesto sobre el*

lor añadido)

ult [vɔ:lt] *n* **1.** (*in bank*) cámara *f*

orazada 2. (*in church*) cripta *f* **3.** (*roof*)

veda *f*

VCR [vi:si:'ɑ:r] *n* (*UK*) (*abbr of* video

cassette recorder) vídeo *m* (*Esp*), video

m

VDU [vi:di:'ju:] *n* (*abbr of* visual display

unit) monitor *m*

veal [vi:l] *n* ternera *f*

veg [vedʒ] *n* verdura *f*

vegan ['vi:gən] ◇ *adj* vegano(na) ◇ *n*

vegano *m*, -na *f*

vegetable ['vedʒtəbl] *n* vegetal *m* ◆

vegetables verduras *fpl*

vegetable oil *n* aceite *m* vegetal

vegetarian [,vedʒɪ'teərɪən] ◇ *adj* vegeta-

riano(na) ◇ *n* vegetariano *m*, -na *f*

vegetation [,vedʒɪ'teɪʃn] *n* vegetación *f*

vehicle ['vi:əkl] *n* vehículo *m*

veil [veɪl] *n* velo *m*

vein [veɪn] *n* vena *f*

Velcro ® ['velkrəʊ] *n* velcro® *m*

velvet ['velvɪt] *n* terciopelo *m*

vending machine ['vendɪŋ-] *n* máquina

f de venta automática

venetian blind [vɪ,ni:ʃn-] *n* persiana *f*

veneciana

Venezuela [,venɪz'weɪlə] *n* Venezuela

Venezuelan [,venɪz'weɪlən] ◇ *adj* vene-

zolano(na) ◇ *n* venezolano *m*, -na *f*

venison ['venɪzn] *n* carne *f* de venado

vent [vent] *n* (*for air, smoke etc*) rejilla *f*

de ventilación

ventilation [,ventɪ'leɪʃn] *n* ventilación *f*

ventilator ['ventɪleɪtər] *n* ventilador *m*

venture ['ventʃər] ◇ *n* empresa *f* ◇ *vi* (*go*)

aventurarse a ir

venue ['venju:] *n* lugar *m* (*de un*

acontecimiento)

veranda [və'rændə] *n* porche *m*

verb [vɜ:b] *n* verbo *m*

verdict ['vɜːdɪkt] *n* 1. *LAW* veredicto *m* 2. *(opinion)* juicio *m*

verge [vɜːdʒ] *n* (UK) *(of road, lawn, path)* borde *m* ▼ **soft verges** *señal que avisa del peligro de estancarse en los bordes de la carretera*

verify ['verɪfaɪ] *vt* verificar

vermin ['vɜːmɪn] *n* bichos *mpl*

vermouth ['vɜːməθ] *n* vermut *m*

versa > **vice versa**

versatile ['vɜːsətaɪl] *adj* 1. *(person)* polifacético(ca) 2. *(machine, food)* que tiene muchos usos

verse [vɜːs] *n* 1. *(of song, poem)* estrofa *f* 2. *(poetry)* versos *mpl*

version ['vɜːʃn] *n* versión *f*

versus ['vɜːsəs] *prep* contra

vertical ['vɜːtɪkl] *adj* vertical

vertigo ['vɜːtɪgəʊ] *n* vértigo *m*

very ['verɪ] ◇ *adv* muy ◇ *adj* mismísimo (ma) ● **very much** mucho ● **not very big** no muy grande ● **my very own room** mi propia habitación ● **the very best** el mejor de todos ● **the very person** justo la persona

vessel ['vesl] *n* (fml) *(ship)* nave *f*

vest [vest] *n* 1. (UK) *(underwear)* camiseta *f* 2. (US) *(waistcoat)* chaleco *m*

vet [vet] *n* (UK) veterinario *m*, -ria *f*

veteran ['vetrən] *n* veterano *m*, -na *f*

veterinarian [,vetərɪ'neərɪən] (US) = **vet**

veterinary surgeon ['vetərɪnrɪ-] (UK) = **vet**

VHS [,viːeɪtʃ'es] *n* (*abbr of* video home system) VHS *m*

via ['vaɪə] *prep* 1. *(place)* pasando por 2. *(by means of)* por medio de

viaduct ['vaɪədʌkt] *n* viaducto *m*

vibrate [vaɪ'breɪt] *vi* vibrar

vibration [vaɪ'breɪʃn] *n* vibración *f*

vicar ['vɪkə'] *n* párroco *m*, -ca *f*

vicarage ['vɪkərɪdʒ] *n* casa *f* parroquial

vice [vaɪs] *n* 1. vicio *m*. 2. (UK) *(tool)* torno *m* de banco

vice-president *n* vicepresidente *m*, -ta *f*

vice versa [,vaɪsɪ'vɜːsə] *adv* viceversa

vicinity [vɪ'sɪnətɪ] *n* ● **in the vicinity** en las proximidades

vicious ['vɪʃəs] *adj* 1. *(attack)* brutal 2. *(animal)* sañoso(sa) 3. *(comment)* hiriente

victim ['vɪktɪm] *n* víctima *f*

Victorian [vɪk'tɔːrɪən] *adj* victoriano (na)

victory ['vɪktərɪ] *n* victoria *f*

video ['vɪdɪəʊ] (*pl* -s) ◇ *n* vídeo *m* ◇ *vt* 1. *(using video recorder)* grabar en vídeo 2. *(using camera)* hacer un vídeo de ● **on video** en vídeo

video camera *n* videocámara *f*

video game *n* videojuego *m*

video recorder *n* (UK) vídeo *m* (*Esp*), video *m*

video shop *n* (UK) tienda *f* de vídeos (*Esp*) OR videos

videotape ['vɪdɪəʊteɪp] *n* cinta *f* de vídeo (*Esp*) OR video

Vietnam [,vjet'næm] *n* Vietnam

view [vjuː] ◇ *n* 1. *(scene, line of sight)* vista *f* 2. *(opinion)* opinión *f* 3. *(attitude)* visión *f* ◇ *vt* *(look at)* observar ● **in my view** desde mi punto de vista ● **in view of** *(considering)* en vista de ● **to come into view** aparecer ● **you're**

blocking my view no me dejas ver nada

viewer ['vju:ə'] n (of TV) telespectador m, -ra f

viewfinder ['vju:,faɪndə'] n visor m

viewpoint ['vju:pɔɪnt] n 1. (opinion) punto m de vista 2. (place) mirador m

vigilant ['vɪdʒɪlənt] adj (fml) alerta

villa ['vɪlə] n 1. (in countryside, by sea) casa f de campo 2. (UK) (in town) chalé m

village ['vɪlɪdʒ] n 1. (larger) pueblo m 2. (smaller) aldea f

villager ['vɪlɪdʒə'] n aldeano m, -na f

villain ['vɪlən] n 1. (of book, film) malo m, -la f 2. (criminal) criminal mf

vinaigrette [,vɪnɪ'gret] n vinagreta f

vine [vaɪn] n 1. (grapevine) vid f 2. (climbing plant) parra f

vinegar ['vɪnɪgə'] n vinagre m

vineyard ['vɪnjəd] n viña f

vintage ['vɪntɪdʒ] ◇ adj (wine) añejo(ja) ◇ n (year) cosecha f (de vino)

vinyl ['vaɪnɪl] n vinilo m

viola [vɪ'əʊlə] n viola f

violence ['vaɪələns] n violencia f

violent ['vaɪələnt] adj 1. violento(ta) 2. (storm) fuerte

violet ['vaɪələt] ◇ adj violeta (inv) ◇ n (flower) violeta f

violin [,vaɪə'lɪn] n violín m

VIP [vi:aɪ'pi:] n (abbr of very important person) gran personalidad

virgin ['vɜ:dʒɪn] n virgen mf

Virgo ['vɜ:gəʊ] n Virgo m

virtually ['vɜ:tʃʊəlɪ] adv prácticamente

virtual reality ['vɜ:tʃʊəl-] n realidad f virtual

virus ['vaɪrəs] n virus m inv

visa ['vi:zə] n visado m (Esp), visa m (Amér)

viscose ['vɪskəʊs] n viscosa f

visibility [,vɪzɪ'bɪlətɪ] n visibilidad f

visible ['vɪzəbl] adj visible

visit ['vɪzɪt] ◇ vt visitar ◇ n visita f

visiting hours ['vɪzɪtɪŋ-] npl horas fpl de visita

visitor ['vɪzɪtə'] n 1. (to person) visita f 2. (to place) visitante mf

visitors' book ['vɪzɪtəz-] n libro m de visitas

visor ['vaɪzə'] n visera f

vital ['vaɪtl] adj esencial

vitamin [(UK) 'vɪtəmɪn, (US) 'vaɪtəmɪn] n vitamina f

vivid ['vɪvɪd] adj vivo(va)

V-neck ['vi:-] n (design) cuello m de pico

vocabulary [və'kæbjʊlərɪ] n vocabulario m

vodka ['vɒdkə] n vodka m

voice [vɔɪs] n voz f

voice mail n buzón m de voz ● **to check one's voice mail** escuchar los mensajes del buzón de voz

volcano [vɒl'keɪnəʊ] (pl -es OR -s) n volcán m

volleyball ['vɒlɪbɔ:l] n voleibol m

volt [vəʊlt] n voltio m

voltage ['vəʊltɪdʒ] n voltaje m

volume ['vɒlju:m] n volumen m

voluntary ['vɒləntrɪ] adj voluntario (ria)

volunteer [,vɒlən'tɪə'] ◇ n voluntario m, -ria f ◇ ● **to volunteer to do sthg** ofrecerse voluntariamente a hacer algo

vomit ['vɒmɪt] ◇ n vómito m ◇ vi vomitar

vote [vəʊt] ◇ *n* **1.** *(choice)* voto *m* **2.** *(process)* votación *f* **3.** *(number of votes)* votos *mpl* ◇ *vi* • **to vote (for)** votar (a)

voter ['vəʊtə'] *n* votante *mf*

voucher ['vaʊtʃə'] *n* bono *m*

vowel ['vaʊəl] *n* vocal *f*

voyage ['vɔɪdʒ] *n* viaje *m*

vulgar ['vʌlgə'] *adj* **1.** *(rude)* grosero(ra) **2.** *(in bad taste)* chabacano(na)

vulture ['vʌltʃə'] *n* buitre *m*

W

W *(abbr of west)* O *(oeste)*

wad [wɒd] *n* **1.** *(of paper)* taco *m* **2.** *(of banknotes)* fajo *m* **3.** *(of cotton)* bola *f*

wade [weɪd] *vi* caminar dentro del agua

wading pool ['weɪdɪŋ-] *n (US)* piscina *f* infantil

wafer ['weɪfə'] *n* barquillo *m*

waffle ['wɒfl] ◇ *n (pancake)* gofre *m* *(Esp)*, wafle *m (Amér)* ◇ *vi (UK) (inf)* enrollarse

wag [wæg] *vt* menear

wage [weɪdʒ] *n (weekly)* salario *m* • **wages** *npl (weekly)* salario *m*

wagon ['wægən] *n* **1.** *(vehicle)* carro *m* **2.** *(UK) (of train)* vagón *m*

waist [weɪst] *n* cintura *f*

waistcoat ['weɪskəʊt] *n (UK)* chaleco *m*

wait [weɪt] ◇ *n* espera *f* ◇ *vi* esperar • **to wait for sb to do sthg** esperar a que alguien haga algo • **I can't wait!** ¡me muero de impaciencia! • **wait for** *vt insep* esperar

waiter ['weɪtə'] *n* camarero *m*, mesero *m (Amér)*

waiting room ['weɪtɪŋ-] *n* sala *f* de espera

waitress ['weɪtrɪs] *n* camarera *f*, mesera *f (Amér)*

wake [weɪk] *(pt* woke, *pp* woken*)* ◇ *vt* despertar ◇ *vi* despertarse • **wake up** ◇ *vt sep* despertar ◇ *vi* despertarse

Wales [weɪlz] *n* (el país de) Gales

walk [wɔːk] ◇ *n* **1.** *(journey on foot)* paseo *m* **2.** *(path)* ruta *f* paisajística (a pie) ◇ *vi* **1.** andar *(Esp)*, caminar **2.** *(as hobby)* caminar ◇ *vt* **1.** *(distance)* andar *(Esp)*, caminar **2.** *(dog)* pasear • **to go for a walk** ir a dar un paseo • **it's a short walk** está a poca distancia a pie • **to take the dog for a walk** pasear el perro ▼ **don't walk** *(US)* señal que prohíbe cruzar a los peatones ▼ **walk** *(US)* señal que autoriza a los peatones a cruzar • **walk away** *vi* marcharse • **walk in** *vi* entrar • **walk out** *vi (leave angrily)* marcharse enfurecido

walker ['wɔːkə'] *n* caminante *mf*

walking boots ['wɔːkɪŋ-] *npl* botas *fpl* de montaña

walking stick ['wɔːkɪŋ-] *n* bastón *m*

wall [wɔːl] *n* **1.** *(of building, room)* pared *f* **2.** *(in garden, countryside, street)* muro *m*

wallet ['wɒlɪt] *n* billetero *m*

wallpaper ['wɔːl,peɪpə'] *n* papel *m* de pared

Wall Street *n* Wall Street

Wall Street

Wall Street es una calle en el extremo sur de Manhattan en la que se concentran las principales instituciones financieras y la Bolsa de Nueva York. El nombre de *Wall Street* se usa muchas veces como sinónimo de la Bolsa neoyorquina.

wally ['wɒlɪ] *n* (UK) (inf) imbécil *mf*

walnut ['wɔːlnʌt] *n* (nut) nuez *f* (de nogal)

waltz [wɔːls] *n* vals *m*

wander ['wɒndə⁰] *vi* vagar

want [wɒnt] *vt* 1. (desire) querer 2. (need) necesitar ● to want to do sthg querer hacer algo ● do you want me to help you? ¿quieres que te ayude?

WAP [wæp] *n* (abbr of wireless application protocol) WAP *m*

war [wɔː⁰] *n* guerra *f*

ward [wɔːd] *n* (in hospital) sala *f*

warden ['wɔːdn] *n* (of park) guarda *mf*

wardrobe ['wɔːdrəʊb] *n* armario *m*, guardarropa *m*, ropero *m* (Amér)

warehouse ['weəhaʊs] *n* almacén *m*

warm [wɔːm] ◇ *adj* 1. (pleasantly hot) caliente 2. (lukewarm) templado(da) 3. (day, weather, welcome) caluroso(sa) 4. (clothes, blankets) que abriga 5. (person, smile) afectuoso(sa) ◇ *vt* calentar ● I'm warm tengo calor ● it's warm hace calor ● are you warm enough? no tendrás frío ¿verdad? ● **warm up** ◇ *vt sep* calentar ◇ *vi* 1. (get warmer) entrar en calor 2. (do exercises) hacer ejercicios

de calentamiento 3. (machine, engine) calentarse

warmth [wɔːmθ] *n* calor *m*

warn [wɔːn] *vt* advertir ● we warned them about the risks les prevenimos de los riesgos ● I warned you not to do that te advertí que no lo hicieras

warning ['wɔːnɪŋ] *n* aviso *m*

warranty ['wɒrəntɪ] *n* (fml) garantía *f*

warship ['wɔːʃɪp] *n* buque *m* de guerra

wart [wɔːt] *n* verruga *f*

was [wɒz] *pt* > be

wash [wɒʃ] ◇ *vt* lavar ◇ *vi* lavarse ◇ *n* ● to give sthg a wash lavar algo ● to have a wash lavarse ● to wash one's hands/face lavarse las manos/la cara ● **wash up** *vi* 1. (UK) (do washing-up) fregar los platos 2. (US) (clean o.s.) lavarse

washable ['wɒʃəbl] *adj* lavable

washbasin ['wɒʃ,beɪsn] *n* lavabo *m*

washbowl ['wɒʃbəʊl] *n* (US) lavabo *m*

washer ['wɒʃə⁰] *n* (ring) arandela *f*

washing ['wɒʃɪŋ] *n* (UK) 1. (activity, clean clothes) colada *f* (Esp), ropa *f* lavada 2. (dirty clothes) ropa *f* sucia

washing line *n* (UK) tendedero *m*

washing machine *n* lavadora *f*

washing powder *n* (UK) detergente *m* (en polvo)

washing-up *n* (UK) ● to do the washing-up fregar los platos

washing-up bowl *n* (UK) barreño *m*

washing-up liquid *n* (UK) lavavajillas *m inv*

washroom ['wɒʃrom] *n* (US) aseos *mpl*, baños *mpl* (Amér)

wasn't [wɒznt] = was not

wasp [wɒsp] *n* avispa *f*

waste [weɪst] ◇ *n* **1.** *(rubbish)* desperdicios *mpl* **2.** *(toxic, nuclear)* residuos *mpl* ◇ *vt* **1.** *(energy, opportunity)* desperdiciar **2.** *(money)* malgastar **3.** *(time)* perder ● **a waste of money** un derroche de dinero ● **a waste of time** una pérdida de tiempo

wastepaper basket [ˌweɪst'peɪpəʳ] *n* papelera *f*

watch [wɒtʃ] ◇ *n (wristwatch)* reloj *m* (de pulsera) ◇ *vt* **1.** *(observe)* ver **2.** *(spy on)* vigilar **3.** *(be careful with)* tener cuidado con ● **watch out** *vi (be careful)* tener cuidado ● **watch out for a big hotel** estate al tanto de un hotel grande

watchstrap ['wɒtʃstræp] *n* correa *f* de reloj

water ['wɔːtəʳ] ◇ *n* agua *f* ◇ *vt* regar ◇ *vi* ● **my eyes are watering** me lloran los ojos ● **my mouth is watering** se me está haciendo la boca agua

water bottle *n* cantimplora *f*

watercolor *(US)* = **watercolour**

watercolour ['wɔːtəˌkʌləʳ] *n* (UK) acuarela *f*

watercress ['wɔːtəkres] *n* berro *m*

waterfall ['wɔːtəfɔːl] *n* **1.** *(small)* cascada *f* **2.** *(large)* catarata *f*

watering can ['wɔːtərɪŋ-] *n* regadera *f*

watermelon ['wɔːtəˌmelən] *n* sandía *f*

waterproof ['wɔːtəpruːf] *adj* impermeable

water skiing *n* esquí *m* acuático

watersports ['wɔːtəspɔːts] *npl* deportes *mpl* acuáticos

water tank *n* depósito *m* del agua

watertight ['wɔːtətaɪt] *adj* hermético (ca)

watt [wɒt] *n* vatio *m* ● **a 60-watt bulb** una bombilla de 60 vatios

wave [weɪv] ◇ *n* **1.** *(in sea, of crime)* ola *f* **2.** *(in hair, of light, sound)* onda *f* ◇ *vt* **1.** *(hand)* saludar con **2.** *(flag)* agitar ◇ *vi* **1.** *(when greeting)* saludar con la mano **2.** *(when saying goodbye)* decir adiós con la mano

wavelength ['weɪvleŋθ] *n* longitud *f* de onda

wavy ['weɪvɪ] *adj* ondulado(da)

wax [wæks] *n* cera *f*

way [weɪ] *n* **1.** *(manner, means)* modo *m*, manera *f* **2.** *(route, distance travelled)* camino *m* **3.** *(direction)* dirección *f* ● **it's the wrong way round** es al revés ● **which way is the station?** ¿por dónde se va a la estación? ● **the town is out of our way** la ciudad no nos queda de camino ● **to be in the way** estar en medio ● **to be on the way** *(coming)* estar de camino ● **to get out of the way** quitarse de en medio ● **to get under way** dar comienzo ● **there's a long way to go** nos queda mucho camino ● **a long way away** muy lejos ● **to lose one's way** perderse ● **on the way back** a la vuelta ● **on the way there** a la ida ● **that way** *(like that)* así; *(in that direction)* por allí ● **this way** *(like this)* así; *(in this direction)* por aquí ▼ **give way** ceda el paso ● **no way!** *(inf)* ¡ni hablar! ▼ **way in** entrada ▼ **way out** salida

WC [ˌdʌbljuːˈsiː] *n* (UK) *(abbr of water closet)* aseos *mpl*, baños *mpl* (Amér)

we [wiː] *pron* nosotros *mpl*, -tras *f*
● **we're young** (nosotros) somos jóvenes

weak [wiːk] *adj* **1.** débil **2.** *(not solid)*
frágil **3.** *(drink)* poco cargado(da) **4.**
(soup) líquido(da) **5.** *(poor, not good)*
mediocre

weaken ['wiːkn] *vt* debilitar

weakness ['wiːknɪs] *n* **1.** *(weak point)*
defecto *m* **2.** *(fondness)* debilidad *f*

wealth [welθ] *n* riqueza *f*

wealthy ['welθɪ] *adj* rico(ca)

weapon ['wepən] *n* arma *f*

weapons of mass destruction *n*
armas *fpl* de destrucción masiva

wear [weəʳ] *(pt* **wore***, pp* **worn***)* ◇ *vt*
llevar ◇ *n* *(clothes)* ropa *f* ● **wear and
tear** desgaste *m* ◆ **wear off** *vi* desaparecer ◆ **wear out** *vi* gastarse

weary ['wɪərɪ] *adj* fatigado(da)

weather ['weðəʳ] *n* tiempo *m* ● **what's
the weather like?** ¿qué tiempo hace? ●
to be under the weather *(inf)* no
encontrarse muy bien

weather forecast *n* pronóstico *m* del
tiempo

weather forecaster [-fɔːkɑːstəʳ] *n*
hombre *m* del tiempo, mujer del
tiempo *f*

weather report *n* parte *m* meteorológico

weather vane [-veɪn] *n* veleta *f*

weave [wiːv] *(pt* **wove***, pp* **woven***)* *vt*
tejer

web [web] *n* **1.** telaraña *f* **2.** COMPUT
the web el OR la Web ● **on the web** en
el OR la Web

webcam ['webkæm] *n* webcam *f*

web site *n* COMPUT sitio *m* web, web *m*

Wed. *(abbr of* **Wednesday)** miér.
(miércoles)

wedding ['wedɪŋ] *n* boda *f*

wedding anniversary *n* aniversario *m*
de boda

wedding dress *n* vestido *m* de novia

wedding ring *n* anillo *m* de boda

wedge [wedʒ] *n* **1.** *(of cake)* trozo *m* **2.**
(of wood etc) cuña *f*

Wednesday ['wenzdɪ] *n* miércoles *m inv*
● **it's Wednesday** es miércoles ●
Wednesday morning el miércoles por la
mañana ● **on Wednesday** el miércoles
● **on Wednesdays** los miércoles ● **last
Wednesday** el miércoles pasado ● **this
Wednesday** este miércoles ● **next
Wednesday** el miércoles de la semana
que viene ● **Wednesday week, a week
on Wednesday** del miércoles en ocho días

wee [wiː] *n* *(inf)* pipí *m*

weed [wiːd] *n* mala hierba *f*

week [wiːk] *n* **1.** semana *f* **2.** *(weekdays)*
días *mpl* laborables ● **a week today** de
hoy en ocho días ● **in a week's time**
dentro de una semana

weekday ['wiːkdeɪ] *n* día *m* laborable

weekend [ˌwiːk'end] *n* fin *m* de semana

weekly ['wiːklɪ] ◇ *adj* semanal ◇ *adv*
cada semana ◇ *n* semanario *m*

weep [wiːp] *(pt & pp* **wept***)* *vi* llorar

weigh [weɪ] *vt* pesar ● **how much does
it weigh?** ¿cuánto pesa?

weight [weɪt] *n* peso *m* ● **to lose
weight** adelgazar ● **to put on weight**
engordar ◆ **weights** *npl* *(for weight
training)* pesas *fpl*

weightlifting ['weɪtˌlɪftɪŋ] *n* halterofilia *f*

weight training *n* ejercicios *mpl* de pesas

weird [wɪəd] *adj* raro(ra)

welcome ['welkəm] ◇ *adj* **1.** *(guest)* bienvenido(da) **2.** *(freely allowed)* muy libre **3.** *(appreciated)* grato(ta) ◇ *n* bienvenida *f* ◇ *vt* **1.** *(greet)* dar la bienvenida a **2.** *(be grateful for)* agradecer ◇ *excl* ¡bienvenido! ● **to make sb feel welcome** recibir bien a alguien ● **you're welcome!** de nada

weld [weld] *vt* soldar

welfare ['welfeəʳ] *n* **1.** *(happiness, comfort)* bienestar *m* **2.** *(US) (money)* subsidio *m* de la Seguridad Social

well [wel] *(compar* **better**, *superl* **best)** ◇ *adj & adv* bien ◇ *n* pozo *m* ● **to get well** reponerse ● **to go well** ir bien ● **well before the start** mucho antes del comienzo ● **well done!** ¡muy bien! ● **it may well happen** es muy probable que ocurra ● **it's well worth it** sí que merece la pena ● **as well** también ● **as well as** además de

we'll [wiːl] = we shall, we will

well-behaved [-bɪ'heɪvd] *adj* bien educado(da)

well-built *adj* fornido(da)

well-done *adj* muy hecho(cha)

well-dressed [-'drest] *adj* bien vestido (da)

wellington (boot) ['welɪŋtən-] *n (UK)* bota *f* de agua

well-known *adj* conocido(da)

well-off *adj (rich)* adinerado(da)

well-paid *adj* bien remunerado(da)

welly ['welɪ] *n (UK) (inf)* bota *f* de agua

Welsh [welʃ] ◇ *adj* galés(esa) ◇ *n* *(language)* galés *m* ◇ *npl* ● **the Welsh** los galeses ● **Welsh National Assembly** la Asamblea Nacional de Gales

Welsh National Assembly

La Asamblea Nacional de Gales fue instituida en 1998, cuando Gales consiguió un grado limitado de autonomía con respecto a Londres. Tiene competencias en materia de agricultura, educación, salud y turismo, entre otros asuntos. Su sede está en Cardiff, la capital de Gales.

Welshman ['welʃmən] *(pl* **-men)** *n* galés *m*

Welshwoman ['welʃˌwomən] *(pl* **-women)** *n* galesa *f*

went [went] *pt* > go

wept [wept] *pt & pp* > weep

were [wɜːʳ] *pt* > be

we're [wɪəʳ] = we are

weren't [wɜːnt] = were not

west [west] ◇ *n* oeste *m* ◇ *adv* **1.** *(fly, walk)* hacia el oeste **2.** *(be situated)* al oeste ● **in the west of England** en el oeste de Inglaterra

westbound ['westbaʊnd] *adj* con dirección oeste

West Country *n* ● **the West Country** el sudoeste de Inglaterra, especialmente los condados de Somerset, Devon y Cornualles

western ['westən] ◇ *adj* occidental ◇ *n* película *f* del oeste

West Indies [-'ɪndiːz] *npl* ● **the West Indies** las Antillas

Westminster ['westmɪnstə^r] *n* Westminster

Westminster Abbey *n* la abadía de Westminster

Westminster/ Westminster Abbey

Westminster es un barrio del centro de Londres en el que se encuentra el parlamento británico y la abadía del mismo nombre (*Westminster Abbey*). Durante muchos siglos los monarcas británicos fueron enterrados en la abadía. Con frecuencia, *Westminster* se usa como sinónimo de "el gobierno británico".

westwards ['westwədz] *adv* hacia el oeste

wet [wet] (*pt & pp inv* OR **-ted**) ◇ *adj* **1.** (*soaked*) mojado(da) **2.** (*damp*) húmedo (da) **3.** (*rainy*) lluvioso(sa) ◇ *vt* **1.** (*soak*) mojar **2.** (*dampen*) humedecer ● **to get wet** mojarse ▼ **wet paint** recién pintado

wet suit *n* traje *m* de submarinista

we've [wi:v] = **we have**

whale [weɪl] *n* ballena *f*

wharf [wɔːf] (*pl* **-s** OR **wharves**) *n* muelle *m*

what [wɒt]
◇ *adj* **1.** (*in questions*) qué ● **what colour is it?** ¿de qué color es? ● **what shape is it?** ¿qué forma tiene? ● **he asked me what colour it was** me preguntó de qué color era **2.** (*in exclamations*) qué ● **what a surprise!** ¡qué sorpresa! ● **what a beautiful day!** ¡qué día más bonito!

◇ *pron* **1.** (*in questions*) qué ● **what is going on?** ¿qué pasa? ● **what are they doing?** ¿qué hacen? ● **what is it called?** ¿cómo se llama? ● **what are they talking about?** ¿de qué están hablando? ● **she asked me what happened** me preguntó qué había pasado **2.** (*introducing relative clause*) lo que ● **I didn't see what happened** no vi lo que pasó ● **take what you want** coge lo que quieras **3.** (*in phrases*) ● **what for?** ¿para qué? ● **what about going out for a meal?** ¿qué tal si salimos a cenar?

◇ *excl* ¡qué!

whatever [wɒt'evə^r] *pron* ● **take whatever you want** coge lo que quieras ● **whatever I do, I'll lose** haga lo que haga, saldré perdiendo ● **whatever that may be** sea lo que sea eso

wheat [wi:t] *n* trigo *m*

wheel [wi:l] *n* **1.** rueda *f* **2.** (*steering wheel*) volante *m*

wheelbarrow ['wi:l,bærəʊ] *n* carretilla *f*

wheelchair ['wi:l,tʃeə^r] *n* silla *f* de ruedas

wheelclamp [,wi:l'klæmp] *n* (*UK*) cepo *m*

wheezy ['wi:zɪ] *adj* ● **to be wheezy** resollar

when [wen] ◇ *adv* cuándo ◇ *conj* cuando

whenever [wen'evə^r] *conj* siempre que ● **whenever you like** cuando quieras

where [weə^r] ◇ *adv* dónde ◇ *conj* donde

whereabouts ['weərəbaʊts] ◇ *adv* (por) dónde ◇ *npl* paradero *m*

whereas [weər'æz] *conj* mientras que

wherever [weər'evə^r] *conj* dondequiera

que ● **wherever** that may be dondequiera que esté eso ● **wherever you like** donde quieras

whether ['weðə^r] *conj* si ● **whether you like it or not** tanto si te gusta como si no

which [wɪtʃ]

◇ *adj* qué ● **which room do you want?** ¿qué habitación quieres? ● **she asked me which room I wanted** me preguntó qué habitación quería ● **which one?** ¿cuál?

◇ *pron* **1.** *(in questions)* cuál ● **which is the cheapest?** ¿cuál es el más barato? ● **he asked me which was the best** me preguntó cuál era el mejor **2.** *(introducing relative clause)* que ● **the house which is on the corner** la casa que está en la esquina ● **the television which I bought** la televisión que compré ● **the settee on which I'm sitting** el sofá en el que estoy sentado **3.** *(referring back)* lo cual ● **she denied it, which surprised me** lo negó, lo cual me sorprendió

whichever [wɪtʃ'evə^r] ◇ *pron* el que *m*, la que *f* ◇ *adj* ● **take whichever chocolate you like best** coge el bombón que prefieras ● **whichever way you do it** lo hagas como lo hagas

while [waɪl] ◇ *conj* **1.** *(during the time that)* mientras **2.** *(although)* aunque **3.** *(whereas)* mientras que ◇ *n* ● **a while** un rato ● **a while ago** hace tiempo ● **for a while** un rato ● **in a while** dentro de un rato

whim [wɪm] *n* capricho *m*

whine [waɪn] *vi* **1.** *(make noise)* gimotear

2. *(complain)* quejarse

whip [wɪp] ◇ *n* látigo *m* ◇ *vt* azotar

whipped cream [wɪpt-] *n* nata *f* montada *(Esp)*, crema *f* batida *(Amér)*

whisk [wɪsk] ◇ *n* batidor *m* (de varillas) ◇ *vt* *(eggs, cream)* batir

whiskers ['wɪskəz] *npl* **1.** *(of person)* patillas *fpl* **2.** *(of animal)* bigotes *mpl*

whiskey ['wɪskɪ] *(pl* **-s)** *n* whisky *m (de Irlanda o EEUU)*

whisky ['wɪskɪ] *n (UK)* whisky *m (de Escocia)*

whisper ['wɪspə^r] ◇ *vt* susurrar ◇ *vi* cuchichear

whistle ['wɪsl] ◇ *n* **1.** *(instrument)* silbato *m* **2.** *(sound)* silbido *m* ◇ *vi* silbar

white [waɪt] ◇ *adj* **1.** blanco(ca) **2.** *(coffee, tea)* con leche ◇ *n* **1.** *(colour)* blanco *m* **2.** *(of egg)* clara *f* **3.** *(person)* blanco *m*, -ca *f*

white bread *n* pan *m* blanco

White House *n* ● **the White House** la Casa Blanca

White House

La Casa Blanca, en Washington, es la residencia oficial del presidente de los Estados Unidos. En ella se encuentra el famoso Despacho Oval, que se ha convertido en símbolo de la presidencia. Con frecuencia, Casa Blanca se usa como sinónimo de "el gobierno estadounidense".

white sauce *n* salsa *f* bechamel

whitewash ['waɪtwɒʃ] *vt* blanquear

white wine *n* vino *m* blanco

whiting ['waɪtɪŋ] (*pl inv*) *n* pescadilla *f*

Whitsun ['wɪtsn] *n* Pentecostés *m*

who [huː] *pron* **1.** (*in questions*) quién, quiénes *pl* **2.** (*in relative clauses*) que

whoever [huː'evəʳ] *pron* quienquiera que ● **whoever it is** quienquiera que sea ● **whoever you like** quien quieras

whole [həʊl] ◇ *adj* entero(ra) ◇ *n* ● **the whole of the journey** todo el viaje ● **on the whole** en general

wholefoods ['həʊlfuːdz] *npl* (UK) alimentos *mpl* integrales

wholemeal bread ['həʊlmiːl-] *n* (UK) pan *m* integral

wholesale ['həʊlseɪl] *adv* al por mayor

wholemeal bread ['həʊl,wiːt-] (US) = wholemeal bread

whom [huːm] *pron* **1.** (*fml*) (*in questions*) quién, quiénes *pl* **2.** (*in relative clauses*) que

whooping cough ['huːpɪŋ-] *n* tos *f* ferina

whose [huːz] ◇ *adj* **1.** (*in questions*) de quién **2.** (*in relative clauses*) cuyo(ya) ◇ *pron* de quién ● **whose book is this?** ¿de quién es este libro?

why [waɪ] *adv & conj* por qué ● **this is why we can't do it** esta es la razón por la que no podemos hacerlo ● **explain the reason why** explícame por qué ● **why not?** (*in suggestions*) ¿por qué no?; (*all right*) por supuesto (que sí)

wick [wɪk] *n* mecha *f*

wicked ['wɪkɪd] *adj* **1.** (*evil*) perverso(sa) **2.** (*mischievous*) travieso(sa)

wicker ['wɪkəʳ] *adj* de mimbre

wide [waɪd] ◇ *adj* **1.** (*in distance*) ancho

(cha) **2.** (*range, variety*) amplio(plia) **3.** (*difference, gap*) grande ◇ *adv* ● **open your mouth wide** abre bien la boca ● **how wide is the road?** ¿cómo es de ancha la carretera? ● **it's 12 metres wide** tiene 12 metros de ancho ● **wide open** (*door, window*) abierto de par en par

widely ['waɪdlɪ] *adv* **1.** (*known, found*) generalmente **2.** (*travel*) extensamente

widen ['waɪdn] ◇ *vt* (*make broader*) ensanchar ◇ *vi* (*gap, difference*) aumentar

wide screen *n* (*television, cinema*) pantalla *f* ancha, pantalla *f* panorámica ●

wide-screen *adj* **1.** (*television*) de pantalla ancha OR panorámica **2.** (*film*) para pantalla ancha OR panorámica

wide-screen TV ['waɪdskriːn] *n* televisor *m* panorámico

widespread ['waɪdspred] *adj* general

widow ['wɪdəʊ] *n* viuda *f*

widower ['wɪdəʊəʳ] *n* viudo *m*

width [wɪdθ] *n* **1.** anchura *f* **2.** (*of swimming pool*) ancho *m*

wife [waɪf] (*pl* **wives**) *n* mujer *f*

wig [wɪg] *n* peluca *f*

wild [waɪld] *adj* **1.** (*plant*) silvestre **2.** (*animal*) salvaje **3.** (*land, area*) agreste **4.** (*uncontrolled*) frenético(ca) **5.** (*crazy*) alocado(da) ● **to be wild about** (*inf*) estar loco(ca) por

wild flower *n* flor *f* silvestre

wildlife ['waɪldlaɪf] *n* fauna *f*

will¹ [wɪl] *aux vb* **1.** (*expressing future tense*) ● **I will see you next week** te veré la semana que viene ● **will you be here next Friday?** ¿vas a venir el próximo viernes? ● **yes I will** sí ● **no I won't** no **2.** *(expressing willingness)* ● **I won't do it** no lo haré ● **no one will do it** nadie quiere hacerlo **3.** *(expressing polite question)* ● **will you have some more tea?** ¿le apetece más té? **4.** *(in commands, requests)* ● **will you please be quiet!** ¿queréis hacer el favor de callaros? ● **close the window, will you?** cierra la ventana, por favor

will² [wil] *n (document)* testamento *m* ● **against one's will** contra la voluntad de uno

willing ['wɪlɪŋ] *adj* ● **to be willing (to do sthg)** estar dispuesto(ta) (a hacer algo)

willingly ['wɪlɪŋlɪ] *adv* de buena gana

willow ['wɪləʊ] *n* sauce *m*

Wimbledon ['wɪmbldən] *n torneo de tenis*

Wimbledon

El torneo de tenis de Wimbledon es uno de los más conocidos del mundo. Se celebra todos los años entre finales de junio y comienzos de julio en el barrio londinense del mismo nombre. Es uno de los cuatro torneos que forman el Gran Slam.

win [wɪn] *(pt & pp* **won**) ◇ *n* victoria *f* ◇ *vt & vi* ganar

wind¹ [wɪnd] *n* **1.** viento *m* **2.** *(UK) (in stomach)* gases *mpl*

wind² [waɪnd] *(pt & pp* **wound**) ◇ *vi* serpentear ◇ *vt* ● **to wind a rope**

around a post enrollar una cuerda alrededor de un poste ● **wind up** *vt sep* **1.** *(inf) (annoy)* vacilar **2.** *(car window)* subir **3.** *(clock, watch)* dar cuerda a

windbreak ['wɪndbreɪk] *n* lona *f* de protección contra el viento

windmill ['wɪndmɪl] *n* molino *m* de viento

window ['wɪndəʊ] *n* **1.** ventana *f* **2.** *(of car, plane)* ventanilla *f* **3.** *(of shop)* escaparate *m*

window box *n* jardinera *f* (de ventana)

window cleaner *n* limpiacristales *mf inv (Esp)*, limpiavidrios *mf inv (Amér)*

windowpane ['wɪndəʊ,peɪn] *n* cristal *m* *(Esp)*, vidrio *m (Amér)*

window seat *n* asiento *m* junto a la ventanilla

window-shopping *n* ● **to go window-shopping** mirar los escaparates

windowsill ['wɪndəʊsɪl] *n* alféizar *m*

windscreen ['wɪndskriːn] *n (UK)* parabrisas *m inv*

windscreen wipers *npl (UK)* limpiaparabrisas *m inv*

windshield ['wɪndʃiːld] *n (US)* parabrisas *m inv*

Windsor Castle ['wɪnzə-] *n* el castillo de Windsor

windsurfing ['wɪnd,sɜːfɪŋ] *n* windsurf *m* ● **to go windsurfing** ir a hacer windsurf

windy ['wɪndɪ] *adj (day, weather)* de mucho viento ● **it's windy** hace viento

wine [waɪn] *n* vino *m*

wine bar *n bar de cierta distinción,*

especializado en la venta de vinos y que suele servir comidas

wineglass ['waɪnɡlɑːs] *n* copa *f* (de vino)

wine list *n* lista *f* de vinos

wine tasting [-'teɪstɪŋ] *n* cata *f* de vinos

wine waiter *n* sommelier *m*

wing [wɪŋ] *n* **1.** ala *f* **2.** (UK) (of car) guardabarros *m inv* ◆ **wings** *npl* ● **the wings** los bastidores

wink [wɪŋk] *vi* guiñar el ojo

winner ['wɪnə[r]] *n* ganador *m*, -ra *f*

winning ['wɪnɪŋ] *adj* **1.** (person, team) vencedor(ra) **2.** (ticket, number) premiado(da)

winter ['wɪntə[r]] *n* invierno *m* ● **in (the) winter** en invierno

wintertime ['wɪntətaɪm] *n* invierno *m*

wipe [waɪp] *vt* limpiar ● **to wipe one's feet** limpiarse los zapatos (en el felpudo) ● **to wipe one's hands** limpiarse las manos ◆ **wipe up** ◇ *vt sep* **1.** (liquid) secar **2.** (dirt) limpiar

wiper ['waɪpə[r]] *n* (windscreen wiper) limpiaparabrisas *m inv*

wire ['waɪə[r]] ◇ *n* **1.** alambre *m* **2.** (electrical wire) cable *m* ◇ *vt* (plug) conectar el cable a

wireless ['waɪəlɪs] *adj* inalámbrico(ca)

wiring ['waɪərɪŋ] *n* instalación *f* eléctrica

wisdom tooth ['wɪzdəm-] *n* muela *f* del juicio

wise [waɪz] *adj* **1.** (person) sabio(bia) **2.** (decision, idea) sensato(ta)

wish [wɪʃ] ◇ *n* deseo *m* ◇ *vt* desear ● **I wish I was younger** ¡ojalá fuese más joven! ● **best wishes** un saludo ● **to**

wish for sthg pedir algo (como deseo) ● **to wish to do sthg** (fml) desear hacer algo ● **to wish sb luck/happy birthday** desear a alguien buena suerte/feliz cumpleaños ● **if you wish** (fml) si usted lo desea

witch [wɪtʃ] *n* bruja *f*

with [wɪð] *prep* **1.** (in company of) con ● **I play tennis with her** juego al tenis con ella ● **with me** conmigo ● **with you** contigo ● **with himself/herself** consigo ● **we stayed with friends** estuvimos en casa de unos amigos **2.** (in descriptions) con ● **the man with the beard** el hombre de la barba ● **a room with a bathroom** una habitación con baño **3.** (indicating means, manner) con ● **I washed it with detergent** lo lavé con detergente ● **they won with ease** ganaron con facilidad ● **topped with cream** cubierto de nata ● **to tremble with fear** temblar de miedo **4.** (regarding) con ● **be careful with that!** ¡ten cuidado con eso! **5.** (indicating opposition) contra ● **to argue with sb** discutir con alguien

withdraw [wɪð'drɔː] (*pt* **-drew**, *pp* **-drawn**) ◇ *vt* **1.** (take out) retirar **2.** (money) sacar ◇ *vi* retirarse

withdrawal [wɪð'drɔːəl] *n* (from bank account) reintegro *m*

withdrawn [wɪð'drɔːn] *pp* ➤ **withdraw**

withdrew [wɪð'druː] *pt* ➤ **withdraw**

wither ['wɪðə[r]] *vi* marchitarse

within [wɪ'ðɪn] ◇ *prep* **1.** (inside) dentro de **2.** (certain distance) a menos de **3.** (certain time) en menos de ◇ *adv* dentro ● **it's within ten miles of ...** está a menos de diez millas de ... ● **it's within walking distance** se puede ir andando ● **it arrived within a week** llegó en menos de una semana ● **within the next week** durante la próxima semana

without [wɪð'aʊt] *prep* sin ● **without me knowing** sin que lo supiera

withstand [wɪð'stænd] (*pt & pp* **-stood**) *vt* resistir

witness ['wɪtnɪs] ◇ *n* testigo *mf* ◇ *vt* (*see*) presenciar

witty ['wɪtɪ] *adj* ocurrente

wives [waɪvz] *pl* ➤ **wife**

WMD [dʌblju:em'di:] *n* (*abbr of* **weapons of mass destruction**) armas *fpl* de destrucción masiva

wobbly ['wɒblɪ] *adj* (*table, chair*) cojo(ja)

wok [wɒk] *n* wok *m*

woke [wəʊk] *pt* ➤ **wake**

woken ['wəʊkn] *pp* ➤ **wake**

wolf [wʊlf] (*pl* **wolves**) *n* lobo *m*

woman ['wʊmən] (*pl* **women**) *n* mujer *f*

womb [wu:m] *n* matriz *f*

women ['wɪmɪn] *pl* ➤ **woman**

won [wʌn] *pt & pp* ➤ **win**

wonder ['wʌndəʳ] ◇ *vi* (*ask o.s.*) preguntarse ◇ *n* (*amazement*) asombro *m* ● **to wonder if** preguntarse si ● **I wonder if I could ask you a favour?** ¿le importaría hacerme un favor?

wonderful ['wʌndəfʊl] *adj* maravilloso (sa)

won't [wəʊnt] = **will not**

wood [wʊd] *n* **1.** (*substance*) madera *f* **2.** (*small forest*) bosque *m* **3.** (*golf club*) palo *m* de madera

wooden ['wʊdn] *adj* de madera

woodland ['wʊdlənd] *n* bosque *m*

woodpecker ['wʊd,pekəʳ] *n* pájaro *m* carpintero

woodwork ['wʊdwɜ:k] *n* **1.** (*doors, window frames etc*) carpintería *f* **2.** SCH carpintería *f*

wool [wʊl] *n* lana *f*

woolen ['wʊlən] (*US*) = **woollen**

woollen ['wʊlən] *adj* (*UK*) de lana

woolly ['wʊlɪ] *adj* (*UK*) de lana

wooly ['wʊlɪ] (*US*) = **woolly**

word [wɜ:d] *n* palabra *f* ● **in other words** es decir ● **to have a word with sb** hablar con alguien

wording ['wɜ:dɪŋ] *n* formulación *f*

word processing [-'prəʊsesɪŋ] *n* procesamiento *m* de textos

word processor [-'prəʊsesəʳ] *n* procesador *m* de textos

wore [wɔ:ʳ] *pt* ➤ **wear**

work [wɜ:k] ◇ *n* **1.** trabajo *m* **2.** (*painting, novel etc*) obra *f* ◇ *vi* **1.** trabajar **2.** (*operate, have desired effect*) funcionar **3.** (*take effect*) hacer efecto ◇ *vt* (*machine, controls*) hacer funcionar ● **out of work** desempleado ● **to be at work** (*at workplace*) estar en el trabajo; (*working*) estar trabajando ● **to be off work** estar ausente del trabajo ● **the works** (*inf*) (*everything*) todo ● **how does it work?** ¿cómo funciona? ● **it's not working** no funciona ● **to work as** trabajar de ◆ **work out** ◇ *vt sep* **1.** (*price, total*) calcular **2.** (*solution, reason*) deducir **3.** (*method, plan*) dar con **4.** (*understand*) entender ◇ *vi* **1.** (*result, turn out*) salir **2.** (*be successful*) funcionar **3.** (*do *exercise)* hacer ejercicio • **it works out at £20 each** sale a 20 libras cada uno

worker ['wɜːkəʳ] *n* trabajador *m*, -ra *f*

working class ['wɜːkɪŋ-] *n* • **the working class** la clase obrera

working hours ['wɜːkɪŋ-] *npl* horario *m* de trabajo

working hours

En el Reino Unido, se trabaja de 35 a 40 horas semanales. El horario va de 9 a 5, con una hora para comer. En los Estados Unidos, se trabaja de 40 a 45 horas semanales. El horario va de las 8 a las 5, también con una hora para comer.

workman ['wɜːkmən] *(pl* **-men)** *n* obrero *m*

work of art *n* obra *f* de arte

workout ['wɜːkaʊt] *n* sesión *f* de ejercicios

work permit *n* permiso *m* de trabajo

workplace ['wɜːkpleɪs] *n* lugar *m* de trabajo

workshop ['wɜːkʃɒp] *n* taller *m*

world [wɜːld] ◇ *n* mundo *m* ◇ *adj* mundial • **the best in the world** el mejor del mundo

worldwide [,wɜːld'waɪd] *adv* a escala mundial

World Wide Web *n* COMPUT • **the World Wide Web** el OR la World Wide Web

worm [wɜːm] *n* gusano *m*

worn [wɔːn] ◇ *pp* ≻ **wear** ◇ *adj* gastado (da)

worn-out *adj (tired)* agotado(da) • **to be worn-out** *(clothes, shoes etc)* ya estar para tirar

worried ['wʌrɪd] *adj* preocupado(da)

worry ['wʌrɪ] ◇ *n* preocupación *f* ◇ *vt* preocupar ◇ *vi* • **to worry (about)** preocuparse (por)

worrying ['wʌrɪŋ] *adj* preocupante

worse [wɜːs] *adj & adv* peor • **to get worse** empeorar • **worse off** *(in worse position)* en peor situación; *(poorer)* peor de dinero

worsen ['wɜːsn] *vi* empeorar

worship ['wɜːʃɪp] ◇ *n (church service)* oficio *m* ◇ *vt* adorar

worst [wɜːst] ◇ *adj & adv* peor ◇ *n* • **the worst** *(person)* el peor(la peor); *(thing)* lo peor

worth [wɜːθ] *prep* • **how much is it worth?** ¿cuánto vale? • **it's worth £50** vale 50 libras • **it's worth seeing** merece la pena verlo • **it's not worth it** no vale la pena • **£50 worth of traveller's cheques** cheques de viaje por valor de 50 libras

worthless ['wɜːθlɪs] *adj* sin valor

worthwhile [,wɜːθ'waɪl] *adj* que vale la pena

worthy ['wɜːðɪ] *adj* digno(na) • **to be worthy of sthg** merecer algo

would [wʊd] *aux vb* **1.** *(in reported speech)* • **she said she would come** dijo que vendría **2.** *(indicating condition)* • **what would you do?** ¿qué harías? • **what would you have done?** ¿qué habrías hecho? **3.** *(indicating willingness)* • **I would be most grateful** le estaría muy agradecido **3.** *(indicating willingness)* • **she wouldn't go** no quería irse ● he would do anything for her haría cualquier cosa por ella **4.** *(in polite questions)* ● **would you like a drink?** ¿quieres tomar algo? ● **would you mind closing the window?** ¿te importaría cerrar la ventana? **5.** *(indicating inevitability)* ● **he would say that** y él ¿qué va a decir? **6.** *(giving advice)* ● **I would report it if I were you** yo en tu lugar lo denunciaría **7.** *(expressing opinions)* ● **I would prefer** yo preferiría ● **I would have thought (that) ...** hubiera pensado que ...

wound[1] [wuːnd] ◇ *n* herida *f* ◇ *vt* herir

wound[2] [waʊnd] *pt & pp* ⊳ **wind**[2]

wove [wəʊv] *pt* ⊳ **weave**

woven [ˈwəʊvn] *pp* ⊳ **weave**

wrap [ræp] *vt (package)* envolver ● **to wrap a towel around your waist** enrollar una toalla a la cintura ◆ **wrap up** ◇ *vt sep (package)* envolver ◇ *vi* abrigarse

wrapper [ˈræpəʳ] *n* envoltorio *m*

wrapping [ˈræpɪŋ] *n* envoltorio *m*

wrapping paper *n* papel *m* de envolver

wreath [riːθ] *n* corona *f* (de flores)

wreck [rek] ◇ *n* **1.** *(of plane, car)* restos *mpl* del siniestro **2.** *(of ship)* restos *mpl* del naufragio ◇ *vt* **1.** *(destroy)* destrozar **2.** *(spoil)* echar por tierra ● **to be wrecked** *(ship)* naufragar

wreckage [ˈrekɪdʒ] *n* **1.** *(of plane, car)* restos *mpl* **2.** *(of building)* escombros *mpl*

wrench [rentʃ] *n* **1.** *(UK) (monkey wrench)* llave *f* inglesa **2.** *(US) (spanner)* llave *f* de tuercas

wrestler [ˈresləʳ] *n* luchador *m*, -ra *f*

wrestling [ˈreslɪŋ] *n* lucha *f* libre

wretched [ˈretʃɪd] *adj* **1.** *(miserable)* desgraciado(da) **2.** *(very bad)* pésimo(ma)

wring [rɪŋ] *(pt & pp* wrung*)* *vt* retorcer

wrinkle [ˈrɪŋkl] *n* arruga *f*

wrist [rɪst] *n* muñeca *f*

wristwatch [ˈrɪstwɒtʃ] *n* reloj *m* de pulsera

write [raɪt] *(pt* wrote*, pp* written*)* ◇ *vt* **1.** escribir **2.** *(cheque)* extender **3.** *(prescription)* hacer **4.** *(US) (send letter to)* escribir a ◇ *vi* escribir ● **to write (to sb)** *(UK)* escribir (a alguien) ◆ **write back** *vi* contestar ◆ **write down** *vt sep* apuntar ◆ **write off** ◇ *vt sep (UK) (inf) (car)* cargarse ◇ *vi* ● **to write off for sthg** hacer un pedido de algo (por escrito) ◆ **write out** *vt sep* **1.** *(list, essay)* escribir **2.** *(cheque, receipt)* extender

write-off *n* ● **the car was a write-off** *(UK)* el coche quedó hecho un estropicio

writer [ˈraɪtəʳ] *n (author)* escritor *m*, -ra *f*

writing [ˈraɪtɪŋ] *n* **1.** *(handwriting)* letra *f* **2.** *(written words)* escrito *m* **3.** *(activity)* escritura *f*

writing desk *n* escritorio *m*

writing pad *n* bloc *m*

writing paper *n* papel *m* de escribir

written [ˈrɪtn] ◇ *pp* ⊳ **write** ◇ *adj* **1.** *(exam)* escrito(ta) **2.** *(notice, confirmation)* por escrito

wrong [rɒŋ] ◇ *adj* **1.** *(incorrect)* equivocado(da) **2.** *(unsatisfactory)* malo(la) **3.** *(moment)* inoportuno(na) **4.** *(person)* inapropiado(da) ◇ *adv* mal ● **to be wrong** *(person)* estar equivocado(da); *(immoral)* estar mal ● **what's wrong?** ¿qué pasa? • something's wrong with the car el coche no marcha bien • **to be in the wrong** haber hecho mal • **to get sthg wrong** confundirse con algo • **to go wrong** *(machine)* estropearse ▼ wrong way *señal que indica a los conductores que existe el peligro de ir en la dirección contraria*

wrongly ['rɒŋlɪ] *adv* equivocadamente

wrong number *n* • sorry, I've got the wrong number perdone, me he equivocado de número

wrote [rəʊt] *pt* > write

wrought iron [rɔːt-] *n* hierro *m* forjado

wrung [rʌŋ] *pt & pp* > wring

WTO [dʌbljuːtiːˈəʊ] *n (abbr of* World Trade Organization) OMC f *(Organización Mundial del Comercio)*

WWW [dʌbljuːdʌbljuːˈdʌbljuː] *n* COMPUT *(abbr of* World Wide Web) WWW *m (World Wide Web)*

XL [eks'el] *(abbr of* extra-large) XL

Xmas ['eksməs] *n (inf)* Navidad f

X-ray [eks-] ◇ *n (picture)* radiografía f ◇ *vt* hacer una radiografía a • **to have an X-ray** hacerse una radiografía

yacht [jɒt] *n* **1.** *(for pleasure)* yate *m* **2.** *(for racing)* balandro *m*

Yankee [jæŋkɪ] *n* yanqui *m*

yard [jɑːd] *n* **1.** *(unit of measurement)* = 91,44 cm yarda f **2.** *(enclosed area)* patio *m* **3.** *(US) (behind house)* jardín *m*

yard sale *n (US)* venta de objetos de segunda mano organizada por una sola persona frente a su casa

yarn [jɑːn] *n* hilo *m*

yawn [jɔːn] *vi* bostezar

yd *abbr* = **yard**

yeah [jeə] *adv (inf)* sí

year [jɪəʳ] *n* **1.** año *m* **2.** *(at school)* curso *m* • **next year** el año que viene • **this year** este año • **I'm 15 years old** tengo 15 años • **I haven't seen her for years** *(inf)* hace siglos que no la veo

yearly ['jɪəlɪ] *adj* anual

yeast [jiːst] *n* levadura f

yell [jel] *vi* chillar

yellow ['jeləʊ] ◇ *adj* amarillo(lla) ◇ *n* amarillo *m*

yellow lines *npl* líneas *fpl* amarillas (de tráfico)

yes [jes] *adv* sí • **to say yes** decir que sí

yesterday ['jestədɪ] ◇ *n* ayer *m* ◇ *adv* ayer • **the day before yesterday** anteayer • **yesterday afternoon** ayer por la tarde • **yesterday evening** anoche • **yesterday morning** ayer por la mañana

yet [jet] ◇ *adv* aún, todavía ◇ *conj* sin embargo ● **have they arrived yet?** ¿ya han llegado? ● **the best one yet** el mejor hasta ahora ● **not yet** todavía no ● **I've yet to do it** aún no lo he hecho ● **yet again** otra vez más ● **yet another delay** otro retraso más

yew [juː] *n* tejo *m*

yield [jiːld] ◇ *vt* (*profit, interest*) producir ◇ *vi* (*break, give way*) ceder ▼ **yield** (*US*) *AUT* ceda el paso

YMCA [waɪemsiːˈeɪ] *n* (*abbr of* Young Men's Christian Association) *asociación internacional de jóvenes cristianos*

yob [jɔb] *n* (*UK*) (*inf*) gamberro *m*, -rra *f* (*Esp*), patán *m*

yoga [ˈjəʊɡə] *n* yoga *m*

yoghurt [ˈjɒɡət] *n* yogur *m*

yolk [jəʊk] *n* yema *f*

you [juː] *pron* 1. (*subject: singular*) tú, vos (*Amér*); (*subject: plural*) vosotros *mpl*, -tras *fpl*, ustedes *mf pl* (*Amér*); (*subject: polite form*) usted, ustedes *pl* ● **you French** vosotros los franceses 2. (*direct object: singular*) te; (*direct object: plural*) os, les (*Amér*); (*direct object: polite form*) lo *m*, la *f* ● **I hate you!** te odio 3. (*indirect object: singular*) te; (*indirect object: plural*) os, les (*Amér*); (*indirect object: polite form*) le, les *pl* ● **I told you** te lo dije 4. (*after prep: singular*) ti; (*after prep: plural*) vosotros *mpl*, -tras *fpl*, ustedes *mf pl* (*Amér*); (*after prep: polite form*) usted, ustedes *pl* ● **we'll go without you** iremos sin ti 5. (*indefinite use*) uno *m*, una

f ● **you never know** nunca se sabe

young [jʌŋ] ◇ *adj* joven ◇ *npl* ● **the young** los jóvenes

youngster [ˈjʌŋstə*r*] *n* joven *mf*

your [jɔː*r*] *adj* 1. (*singular subject*) tu; (*plural subject*) vuestro *m*, -tra *f*; (*polite form*) su ● **your dog** tu perro ● **your children** tus hijos 2. (*indefinite subject*) ● **it's good for your teeth** es bueno para los dientes

yours [jɔːz] *pron* 1. (*singular subject*) tuyo *m*, -ya *f* 2. (*plural subject*) vuestro *m*, -tra *f* 3. (*polite form*) suyo *m*, -ya *f* ● **a friend of yours** un amigo tuyo

yourself [jɔːˈself] (*pl* **-selves**) *pron* 1. (*reflexive: singular*) te; (*reflexive: plural*) os; (*reflexive: polite form*) se 2. (*after prep: singular*) ti mismo(ma); (*after prep: plural*) vosotros mismos(vosotras mismas); (*after prep: polite form*) usted mismo(ma), ustedes mismos(mas) *f pl* ● **did you do it yourself?** ¿lo hiciste tú mismo?; (*polite form*) ¿lo hizo usted mismo? ● **did you do it yourselves?** ¿lo hicisteis vosotros/ustedes mismos?

youth [juːθ] *n* 1. juventud *f* 2. (*young man*) joven *m*

youth club *n* club *m* juvenil

youth hostel *n* albergue *m* juvenil

yuppie [ˈjʌpɪ] *n* yuppy *mf*

YWCA [waɪdʌbljuːsiːˈeɪ] *n* (*abbr of* Young Women's Christian Association) *asociación internacional de jóvenes cristianas*

ZZ

zebra [(*UK*) 'zebrə, (*US*) 'zi:brə] *n* cebra *f*

zebra crossing *n* (*UK*) paso *m* de cebra

zero ['zɪərəʊ] (*pl* **-es**) *n* cero *m* ◆ **five degrees below zero** cinco grados bajo cero

zest [zest] *n* (*of lemon, orange*) ralladura *f*

zigzag ['zɪɡzæɡ] *vi* zigzag *m*

zinc [zɪŋk] *n* zinc *m*

zip [zɪp] ◇ *n* (*UK*) cremallera *f*, cierre *m* (*Amér*) ◇ *vt* cerrar la cremallera OR el cierre de ◆ **zip up** *vt sep* subir la cremallera OR el cierre de

zip code *n* (*US*) código *m* postal

zipper ['zɪpər] *n* (*US*) cremallera *f*, cierre *m* (*Amér*)

zit [zɪt] *n* (*inf*) grano *m*

zodiac ['zəʊdɪæk] *n* zodiaco *m*

zone [zəʊn] *n* zona *f*

zoo [zu:] (*pl* **-s**) *n* zoo *m*

zoom (lens) [zu:m-] *n* zoom *m*

zucchini [zu:'ki:nɪ] (*pl inv*) *n* (*US*) calabacín *m*

ENGLISH
IRREGULAR VERBS

CONJUGACIÓN
DE LOS
VERBOS ESPAÑOLES

infinitive	past tense	past participle
arise	arose	arisen
awake	awoke	awoken
be	was	been/were
bear	bore	born(e)
beat	beat	beaten
begin	began	begun
bend	bent	bent
bet	bet/betted	bet/betted
bid	bid	bid
bind	bound	bound
bite	bit	bitten
bleed	bled	bled
blow	blew	blown
break	broke	broken
breed	bred	bred
bring	brought	brought
build	built	built
burn	burnt/burned	burnt/burned
burst	burst	burst
buy	bought	bought
can	could	-
cast	cast	cast
catch	caught	caught
choose	chose	chosen
come	came	come

infinitive	past tense	past participle
cost	cost	cost
creep	crept	crept
cut	cut	cut
deal	dealt	dealt
dig	dug	dug
do	did	done
draw	drew	drawn
dream	dreamed/dreamt	dreamed/dreamt
drink	drank	drunk
drive	drove	driven
eat	ate	eaten
fall	fell	fallen
feed	fed	fed
feel	felt	felt
fight	fought	fought
find	found	found
fling	flung	flung
fly	flew	flown
forget	forgot	forgotten
freeze	froze	frozen
get	got	got
give	gave	given
go	went	gone
grind	ground	ground
grow	grew	grown

infinitive	past tense	past participle
hang	hung/hanged	hung/hanged
have	had	had
hear	heard	heard
hide	hid	hidden
hit	hit	hit
hold	held	held
hurt	hurt	hurt
keep	kept	kept
kneel	knelt/kneeled	knelt/kneeled
know	knew	known
lay	laid	laid
lead	led	led
lean	leant/leaned	leant/leaned
leap	leapt/leaped	leapt/leaped
learn	learnt/learned	learnt/learned
leave	left	left
lend	lent	lent
let	let	let
lie	lay	lain
light	lit/lighted	lit/lighted
lose	lost	lost
make	made	made
may	might	-
mean	meant	meant
meet	met	met

infinitive	past tense	past participle
mow	mowed	mown/mowed
pay	paid	paid
put	put	put
quit	quit/quitted	quit/quitted
read	read	read
rid	rid	rid
ride	rode	ridden
ring	rang	rung
rise	rose	risen
run	ran	run
saw	sawed	sawn
say	said	said
see	saw	seen
seek	sought	sought
sell	sold	sold
send	sent	sent
set	set	set
shake	shook	shaken
shall	should	-
shed	shed	shed
shine	shone	shone
shoot	shot	shot
show	showed	shown
shrink	shrank	shrunk
shut	shut	shut

infinitive	past tense	past participle
sing	sang	sung
sink	sank	sunk
sit	sat	sat
sleep	slept	slept
slide	slid	slid
sling	slung	slung
smell	smelt/smelled	smelt/smelled
sow	sowed	sown/sowed
speak	spoke	spoken
speed	sped/speeded	sped/speeded
spell	spelt/spelled	spelt/spelled
spend	spent	spent
spill	spilt/spilled	spilt/spilled
spin	spun	spun
spit	spat	spat
split	split	split
spoil	spoiled/spoilt	spoiled/spoilt
spread	spread	spread
spring	sprang	sprung
stand	stood	stood
steal	stole	stolen
stick	stuck	stuck
sting	stung	stung
stink	stank	stunk
strike	struck/stricken	struck

infinitive	past tense	past participle
swear	swore	sworn
sweep	swept	swept
swell	swelled	swollen/swelled
swim	swam	swum
swing	swung	swung
take	took	taken
teach	taught	taught
tear	tore	torn
tell	told	told
think	thought	thought
throw	threw	thrown
tread	trod	trodden
wake	woke/waked	woken/waked
wear	wore	worn
weave	wove/weaved	woven/weaved
weep	wept	wept
win	won	won
wind	wound	wound
wring	wrung	wrung
write	wrote	written

acertar :
pres ind : acierto, acertamos, etc. • *pres subj :* acierte, acertemos, etc. • *imperat :* acierta, acertemos, acertad, etc.

adquirir :
pres ind : adquiero, adquirimos, etc. • *pres subj :* adquiera, adquiramos, etc. • *imperat :* adquiere, adquiramos, adquirid, etc.

amar :
pres ind : amo, amas, ama, amamos, amáis, aman • *imperf ind :* amaba, amabas, amaba, amábamos, amabais, amaban • *pret indef :* amé, amaste, amó, amamos, amasteis, amaron • *fut :* amaré, amarás, amará, amaremos, amaréis, amarán • *cond :* amaría, amarías, amaría, amaríamos, amaríais, amarían

• *pres subj :* ame, ames, ame, amemos, améis, amen • *imperf subj :* amara, amaras, amara, amáramos, amarais, amaran • *imperat :* ama, ame, amemos, amad, amen • *ger :* amando • *partic :* amado, -da

andar :
pret indef : anduve, anduvimos, etc. • *imperf subj :* anduviera, anduviéramos, etc.

avergonzar :
pres ind : avergüenzo, avergonzamos, etc. • *pret indef :* avergoncé, avergonzó, avergonzamos, etc. • *pres subj :* avergüence, avergoncemos, etc. • *imperat :* avergüenza, avergüence, avergoncemos, avergonzad, etc.

caber :
pres ind : quepo,

cabe, cabemos, etc. • *pret indef :* cupe, cupimos, etc. • *fut :* cabré, cabremos, etc. • *cond :* cabría, cabríamos, etc. • *pres subj :* quepa, quepamos, etc. • *imperf subj :* cupiera, cupiéramos, etc. • *imperat :* cabe, quepa, quepamos, cabed, etc.

caer :
pres ind : caigo, cae, caemos, etc. • *pret indef :* cayó, caímos, cayeron, etc. • *pres subj :* caiga, caigamos, etc. • *imperf subj :* cayera, cayéramos, etc. • *imperat :* cae, caiga, caigamos, caed, etc. • *ger :* cayendo

conducir :
pres ind : conduzco, conduce, conducimos, etc. • *pret indef :* conduje, condujimos, etc. • *pres subj :* conduzca, conduzca-

347

mos, etc. • *imperf subj*: conduzca, condujéramos, etc. • *imperat*: conduce, conduzca, conduzcamos, conducid, etc.

conocer:
pres ind: conozco, conoce, conocemos, etc. • *pres subj*: conozca, conozcamos, etc. • *imperat*: conoce, conozca, conozcamos, etc.

dar:
pres ind: doy, da, damos, etc. • *pret indef*: di, dio, dimos, etc. • *pres subj*: dé, demos, etc. • *imperf subj*: diera, diéramos, etc. • *imperat*: da, dé, demos, dad, etc.

decir:
pres ind: digo, dice, decimos, etc. • *pret indef*: dije, dijimos, etc. • *fut*: diré, diremos, etc.

• *cond*: diría, diríamos, etc. • *pres subj*: diga, digamos, etc. • *imperf subj*: dijera, dijéramos, etc. • *imperat*: di, diga, digamos, decid, etc. • *ger*: diciendo • *partic*: dicho, -cha

discernir:
pres ind: discierno, discernimos, etc. • *pres subj*: discierna, discernamos, etc. • *imperat*: discierne, discierna, discernamos, discernid, etc.

dormir:
pres ind: duermo, dormimos, etc. • *pret indef*: durmió, dormimos, durmieron, etc. • *pres subj*: duerma, durmamos, etc. • *imperf subj*: durmiera, durmiéramos, etc. • *imperat*: duerme, duerma, durmamos, dormid, etc. • *ger*: durmiendo

errar:
pres ind: yerro, erramos, etc. • *pres subj*: yerre, erremos, etc. • *imperat*: yerra, yerre, erremos, errad, etc.

estar:
pres ind: estoy, estás, está, estamos, estáis, están • *imperf ind*: estaba, estabas, estaba, estábamos, estabais, estaban • *pret indef*: estuve, estuviste, estuvo, estuvimos, estuvisteis, estuvieron • *fut*: estaré, estarás, estará, estaremos, estaréis, estarán • *cond*: estaría, estarías, estaría, estaríamos, estaríais, estarían • *pres subj*: esté, estés, esté, estemos, estéis, estén • *imperf subj*: estuviera, estuvieras, estuviera, estuviéramos, estuvierais, estuvieran • *imperat*: está, esté, estemos,

estad, estén • ger: estando • partic: estado

haber:

pres ind: he, has, ha, hemos, habéis, han • imperf ind: había, habías, había, habíamos, habíais, habían • pret indef: hube, hubiste, hubo, hubimos, hubisteis, hubieron • fut: habré, habrás, habrá, habremos, habréis, habrán • cond: habría, habrías, habría, habríamos, habríais, habrían • pres subj: haya, hayas, haya, hayamos, hayáis, hayan • imperf subj: hubiera, hubieras, hubiera, hubiéramos, hubierais, hubieran • imperat: he, haya, hayamos, habed, hayan • ger: habiendo • partic: habido, -da

nacer:

pres ind: hago,

hace, hacemos, etc. • pret indef: hice, hizo, hicimos, etc. • fut: haré, haremos, etc. • cond: haría, haríamos, etc. • pres subj: haga, hagamos, etc. • imperf subj: hiciera, hiciéramos, etc. • imperat: haz, haga, hagamos, haced, etc. • partic: hecho, -cha

huir:

pres ind: huyo, huimos, etc. • pret indef: huyó, huimos, huyeron, etc. • pres subj: huya, huyamos, etc. • imperf subj: huyera, huyéramos, etc. • imperat: huye, huya, huyamos, huid, etc. • ger: huyendo

ir:

pres ind: voy, va, vamos, etc. • pret indef: fui, fue, fuimos, etc. • pres subj: vaya, vayamos, etc. • im-

perf subj: fuera, fuéramos, etc. • imperat: ve, vaya, vayamos, id, etc. • ger: yendo

leer:

pret indef: leyó, leímos, leyeron, etc. • imperf subj: leyera, leyéramos • ger: leyendo

lucir:

pres ind: luzco, luce, lucimos, etc. • pres subj: luzca, luzcamos, etc. • imperat: luce, luzca, luzcamos, lucid, etc.

mover:

pres ind: muevo, movemos, etc. • pres subj: mueva, movamos, etc. • imperat: mueve, mueva, movamos, moved, etc.

nacer:

pres ind: nazco, nace, nacemos, etc. • pres subj: nazca, nazcamos, etc.

• *imperat* : nace, nazca, nazcamos, naced, etc.

oír :
pres ind : oigo, oye, oímos, etc. • *pret indef* : oyó, oímos, oyeron, etc. • *pres subj* : oiga, oigamos, etc. • *imperf subj* : oyera, oyéramos, etc. • *imperat* : oye, oiga, oigamos, oíd, etc. • *ger* : oyendo

oler :
pres ind : huelo, olemos, etc. • *pres subj* : huela, olamos, etc. • *imperat* : huele, huela, olamos, oled, etc.

parecer :
pres ind : parezco, parece, parecemos, etc. • *pres subj* : parezca, parezcamos, etc. • *imperat* : parece, parezca, parezcamos, pareced, etc.

partir :
pres ind : parto, partes, parte, partimos, partís, parten • *imperf ind* : partía, partías, partía, partíamos, partíais, partían • *pret indef* : partí, partiste, partió, partimos, partisteis, partieron • *fut* : partiré, partirás, partirá, partiremos, partiréis, partirán • *cond* : partiría, partirías, partiría, partiríamos, partiríais, partirían • *pres subj* : parta, partas, parta, partamos, partáis, partan • *imperf subj* : partiera, partieras, partiera, partiéramos, partierais, partieran • *imperat* : parte, parta, partamos, partid, partan • *ger* : partiendo • *partic* : partido, -da

pedir :
pres ind : pido, pedimos, etc. • *pret*

indef : pidió, pedimos, pidieron, etc. • *pres subj* : pida, pidamos, etc. • *imperf subj* : pidiera, pidiéramos, etc. • *imperat* : pide, pida, pidamos, pedid, etc. • *ger* : pidiendo

poder :
pres ind : puedo, podemos, etc. • *pret indef* : pude, pudimos, etc. • *fut* : podré, podremos, etc. • *cond* : podría, podríamos, etc. • *pres subj* : pueda, podamos, etc. • *imperf subj* : pudiera, pudiéramos, etc. • *imperat* : puede, pueda, podamos, poded, etc. • *ger* : pudiendo

poner :
pres ind : pongo, pone, ponemos, etc. • *pret indef* : puse, pusimos, etc. • *fut* : pondré, pondremos, etc. • *cond* : pondría,

pondríamos, etc. • pres subj : ponga, pongamos, etc. • imperf subj : pusiera, pusiéramos, etc. • imperat : pon, ponga, pongamos, poned, etc. • partic : puesto, -ta

querer :
pres ind : quiero, queremos, etc. • pret indef : quise, quisimos, etc. • fut : querré, querremos, etc. • cond : querría, querríamos, etc. • pres subj : quiera, queramos, etc. • imperf subj : quisiera, quisiéramos, etc. • imperat : quiere, quiera, queramos, quered, etc.

reír :
pres ind : río, reímos, etc. • pret indef : rio, reímos, rieron, etc. • pres subj : ría, riamos, etc. • imperf subj : riera, riéramos, etc. • imperat : ríe, ría, riamos, reíd, etc. • ger : riendo

saber :
pres ind : sé, sabe, sabemos, etc. • pret indef : supe, supimos, etc. • fut : sabré, sabremos, etc. • cond : sabría, sabríamos, etc. • pres subj : sepa, sepamos, etc. • imperf subj : supiera, supiéramos, etc. • imperat : sabe, sepa, sepamos, sabed, etc.

salir :
pres ind : salgo, sale, salimos, etc. • fut : saldré, saldremos, etc. • cond : saldría, saldríamos, etc. • pres subj : salga, salgamos, etc. • imperat : sal, salga, salgamos, salid, etc.

sentir :
pres ind : siento, sentimos, etc. • pret indef : sintió, sentimos, sintieron, etc. • pres subj : sienta, sintamos, etc. • imperf subj : sintiera, sintiéramos, etc. • imperat : siente,

sienta, sintamos, sentid, etc. • ger : sintiendo

ser :
pres ind : soy, eres, es, somos, sois, son • imperf ind : era, eras, era, éramos, erais, eran • pret indef : fui, fuiste, fue, fuimos, fuisteis, fueron • fut : seré, serás, será, seremos, seréis, serán • cond : sería, serías, sería, seríamos, seríais, serían • pres subj : sea, seas, sea, seamos, seáis, sean • imperf subj : fuera, fueras, fuera, fuéramos, fuerais, fueran • imperat : sé, sea, seamos, sed, sean • ger : siendo • partic : sido, -da

sonar :
pres ind : sueno, sonamos, etc. • pres subj : suene, sonemos, etc. • imperat : suena, suene, sonemos, sonad, etc.

temer :
pres ind : temo, temes, teme, tememos, teméis, temen • *imperf ind :* temía, temías, temía, temíamos, temíais, temían • *pret indef :* temí, temiste, temió, temimos, temisteis, temieron • *fut :* temeré, temerás, temerá, temeremos, temeréis, temerán • *cond :* temería, temerías, temería, temeríamos, temeríais, temerían • *pres subj :* tema, temas, tema, temamos, temáis, teman • *imperf subj :* temiera, temieras, temiera, temiéramos, temierais, temieran • *imperat :* teme, tema, temamos, temed, teman • *ger :* temiendo • *partic :* temido, -da

tender :
pres ind : tiendo, tendemos, etc. • *pres subj :* tienda, tenda-mos, etc. • *imperat :* tiende, tendamos, etc.

tener :
pres ind : tengo, tiene, tenemos, etc. • *pret indef :* tuve, tuvimos, etc. • *fut :* tendré, tendremos, etc. • *cond :* tendría, tendríamos, etc. • *pres subj :* tenga, tengamos, etc. • *imperf subj :* tuviera, tuviéramos, etc. • *imperat :* ten, tenga, tengamos, tened, etc.

traer :
pres ind : traigo, trae, traemos, etc. • *pret indef :* traje, trajimos, etc. • *pres subj :* traiga, traigamos, etc. • *imperf subj :* trajera, trajéramos, etc. • *imperat :* trae, traiga, traigamos, traed, etc. • *ger :* trayendo

valer :
pres ind : valgo, vale, valemos, etc. • *fut :* valdré, valdremos etc. • *cond :* valdría, valdríamos, etc • *pres subj :* valga valgamos, etc • *imperat :* vale valga, valgamos valed, etc.

venir :
pres ind : vengo viene, venimos, etc • *pret indef :* vine vinimos, etc. • *fut* vendré, vendremos etc. • *cond :* vendría, vendríamos etc. • *pres subj* venga, vengamos etc. • *imperf subj* viniera, viniéramos etc. • *imperat :* ven venga, vengamos venid, etc. • *ger* viniendo

ver :
pres ind : veo, ve vemos, etc. • *pre indef :* vi, vio, vimos etc. • *imperf subj* viera, viéramos, etc • *imperat :* ve, vea veamos, ved, etc • *ger :* viendo, etc • *partic :* visto, -ta

GUÍA
DE
CONVERSACIÓN

Guía práctica

CONVERSATION
GUIDE

Numbers, weights and measures, currency, time

Índice

saludar a alguien	*greeting someone*	356
presentarse	*introducing yourself*	356
presentar a alguien	*making introductions*	357
despedirse	*saying goodbye*	357
agradecer	*saying thank you*	358
deseos y saludos	*wishes and greetings*	358
¿qué tiempo hace?	*what's the weather like?*	359
al expresar preferencias	*expressing likes and dislikes*	360
al teléfono	*on the phone*	361
en el coche	*in the car*	363
al alquilar un coche	*hiring a car (UK) renting a car (US)*	363
en la gasolinera	*at the petrol station (UK) at the gas station (US)*	364
en el garaje	*at the garage*	365
al tomar un taxi	*taking a taxi (UK) taking a cab*	366

Contents

al coger el autobús (Esp) al tomar el bus (Amér)	*taking the bus*	367
al tomar el tren	*taking the train*	368
en el aeropuerto	*at the airport*	370
¿dónde queda?	*asking the way*	371
al circular por la ciudad	*getting around town*	372
deportes	*sports*	373
en el hotel	*at the hotel*	374
en las tiendas	*at the shops*	375
al pedir información	*out and about*	376
en el café	*at the café*	377
en el restaurante	*at the restaurant*	378
en el banco	*at the bank*	379
en la oficina de correos	*at the post office*	380
los negocios	*business*	381
en el consultorio médico	*at the doctor's*	382
en el dentista	*at the dentist's*	383
en la farmacia	*at the chemist's (UK)* *at the drugstore (US)*	384

saludar a alguien	*greeting someone*
Buenos días. Buen día. (Amér)	Good morning.
Buenas tardes.	Good afternoon.
Buenas noches.	Good evening.
¡Hola!	Hello!
¿Cómo estás? ¿Cómo está? [polite form]	How are you?
Muy bien, gracias.	Very well, thank you.
Bien, gracias.	Fine, thank you.
¿Y tú? [to a friend] ¿Y vos? (RP) [to a friend] ¿Y usted? [polite form]	And you?

presentarse	*introducing yourself*
Me llamo Fernando.	My name is Fernando.
Soy español(a).	I am Spanish.
Soy de Madrid.	I come from Madrid.
Hola, soy Eduardo.	Hello, I'm Eduardo
Deja que me presente, soy Ana.	Allow me to introduce myself, I'm Ana.
Me parece que no nos conocemos.	I don't think we've met.

presentar a alguien	*making introductions*
Éste es el Sr. Ortega.	This is Mr. Ortega.
Me gustaría presentarle al Sr. Ortega.	I'd like to introduce Mr. Ortega.
Encantado de conocerlo. [polite form]	Pleased to meet you.
Encantado de conocerte.	Pleased to meet you.
¿Cómo está? [polite form]	How are you?
Espero que hayas tenido un buen viaje.	I hope you had a good trip.
Bienvenido/a.	Welcome.
Dejadme que os presente.	Shall I do the introductions?

despedirse	*saying goodbye*
Hasta luego. Adiós. Chao. Chau. (Amér)	Bye.
Hasta luego.	See you OR so long.
Hasta pronto.	See you soon.
Hasta más tarde.	See you later.
Nos veremos.	See you again sometime.

Que tenga un buen viaje. Que disfrute del viaje. (RP)	Enjoy your trip.
Encantado de conocerlo.	It was nice to meet you.
Me temo que me tengo que ir.	I'm afraid I have to go now.
Dale recuerdos a...	Give my best regards to...
Te deseo lo mejor.	All the best.

agradecer — *saying thank you*

(Muchas) gracias.	Thank you (very much).
Gracias. Igualmente.	Thank you. The same to you.
Gracias por su ayuda.	Thank you for your help.
Gracias por todo.	Thanks a lot for everything.
No sé cómo darte las gracias.	I can't thank you enough.
Te agradezco mucho...	I'm very grateful for...

deseos y saludos — *wishes and greetings*

¡Buena suerte!	Good luck!
¡Que vaya bien!/ ¡Que disfrute!	Have fun!/Enjoy yourself!
¡Que aproveche!/ ¡Buen provecho!	Enjoy your meal!
¡Feliz cumpleaños!	Happy Birthday!

¡Que pases una buena Semana Santa!	Happy Easter!
¡Feliz Navidad! ¡Felices Fiestas! (Esp)	Merry Christmas!
¡Feliz Año Nuevo!	Happy New Year!
¡Que pases un buen fin de semana!	Have a good weekend!
¡Felices vacaciones!	Enjoy your holiday! (UK) Enjoy your vacation! (US)
Un saludo cordial.	Best wishes.
¡Que pases un buen día!	Have a nice day!
¡Salud!	Cheers!
¡A tu salud!	To your health!
¡Te deseo lo mejor!	All the best!
¡Enhorabuena!	Congratulations!
¿qué tiempo hace?	*what's the weather like?*
Hace un día precioso.	It's a beautiful day.
Hace un día agradable. Hace un día lindo. (Amér)	It's nice.
Hace sol.	It's sunny.
Está lloviendo.	It's raining.
Está nublado.	It's cloudy.

Se espera lluvia para mañana.	It's supposed to rain tomorrow.
¡Qué tiempo más horrible!	What horrible weather!
Hace (mucho) calor/frío.	It's (very) hot/cold.
¿Qué tiempo hace?	What's the weather like?
Hay humedad.	It's humid.
Hace bochorno.	It's very oppressive/sultry. It's very close. (UK)
¡Espero que el tiempo mejore!	I hope the weather's going to get better!
al expresar preferencias	*expressing likes and dislikes*
Me gusta.	I like it.
No me gusta.	I don't like it.
¿Quieres tomar/comer algo? ¿Le apetece beber/comer algo? (Esp) ¿Te provoca tomar/comer algo? (Carib) ¿Querés tomar/comer algo? (RP)	Would you like something to drink/eat?
Sí, por favor.	Yes, please.
No, gracias.	No, thanks.
Sí, me encantaría.	Yes, I'd love to.

¿Quieres ir al parque con nosotros?	Would you like to come to the park with us?
¿Te apetecería ir al parque con nosotros? (Esp)	
¿Te provoca ir al parque con nosotros? (Carib)	
¿Querés ir al parque con nosotros? (RP)	
No estoy de acuerdo.	I don't agree.
Estoy completamente de acuerdo contigo.	I totally agree with you.
Es muy tentador.	That sounds very tempting.
Preferiría otra cosa.	I'd prefer something else.
Me encanta la vela.	I have a passion for sailing.
Por lo que a mí respecta...	As far as I'm concerned...

al teléfono	*on the phone*
¿Sí?/¿Dígame?	Hello.
¿Aló? (Andes, Carib & Méx)	
¿Hola? (RP) [person answering]	
¿Oiga? (Esp)	
¡Hola! (Amér) [person phoning]	
Soy Ana Francino.	Ana Francino speaking.

Quería hablar con el Sr. López.	I'd like to speak to Sr. López.
Llamo en nombre de la Sra. Blasco.	I'm calling on behalf of Sra. Blasco.
Le vuelvo a llamar dentro de diez minutos.	I'll call back in ten minutes.
Prefiero esperar.	I'd rather hold the line.
¿Podría dejar un recado? ¿Puedo dejarle razón? (Carib) ¿Puedo dejarle un mensaje? (RP)	Can I leave a message for him?
Perdone, me he equivocado de número.	Sorry, I must have dialled the wrong number. (UK) Sorry, I must have dialed the wrong number. (US)
¿Con quién hablo?	Who's calling?
No cuelgue, ahora le paso.	Hold the line, I'll put you through.
¿Podría volver a llamar dentro de una hora?	Could you call back in an hour?
Ha salido/no volverá hasta mañana.	She's out/won't be back until tomorrow.
Se ha equivocado de número.	I think you've got the wrong number.

en el coche	in the car
¿Cómo se llega al centro de la ciudad/a la autopista?	How do we get to the city centre/motorway?
¿Hay un parking cerca de aquí?	Is there a car park nearby? (UK) Is there a parking lot nearby? (US)
¿Puedo aparcar aquí?/ ¿Se puede aparcar aquí?	Can I park here?
Estoy buscando una gasolinera.	I'm looking for a petrol station. (UK) I'm looking for a gas station. (US)
¿Donde está el taller más cercano?	Where's the nearest garage?
¿Por aquí se va la estación de tren?	Is this the way to the train station?
¿En coche está muy lejos?	Is it very far by car?

al alquilar un coche	hiring a car (UK) renting a car (US)
Quería alquilar un coche con aire acondicionado.	I'd like to hire a car with air-conditioning. (UK)
Quería alquilar un carro con aire acondicionado. (Amér)	I'd like to rent a car with air-conditioning. (US)

¿Cuánto cuesta por día?	What's the cost for one day?
¿Incluye kilometraje ilimitado?	Is the mileage unlimited?
¿Cuánto cuesta el seguro a todo riesgo? (Esp) ¿Cuánto cuesta el seguro contra todo riesgo? (Amér)	How much does it cost for comprehensive insurance?
¿Puedo devolver el coche en el aeropuerto? ¿Puedo devolver el carro en el aeropuerto? (Amér)	Can I leave the car at the airport?
Este es mi carnet de conducir.	Here's my driving license. (UK) Here's my driver's license. (US)
en la gasolinera	*at the petrol station (UK) at the gas station (US)*
Me he quedado sin gasolina.	I've run out of petrol. (UK) I've run out of gas. (US)
Lléneme el depósito, por favor.	Fill it up, please.
El surtidor número tres.	Pump number three.
Quiero comprobar el aire de las ruedas.	I'd like to check the tyre pressure. (UK) I'd like to check the tire pressure. (US)

en el garaje	*at the garage*
Mi coche tiene una avería.	I've broken down.
Se me ha caído el tubo de escape.	The exhaust pipe has fallen off.
Mi coche pierde aceite.	My car has an oil leak.
El motor se calienta mucho.	The engine is overheating.
El motor hace un ruido muy raro.	The engine is making strange noises.
¿Puede comprobar los frenos?	Could you check the brakes?
¿Podría comprobar el nivel del agua?	Could you check the water level?
El coche se ha quedado sin batería./Se me ha agotado la batería.	The battery is flat.
No me funciona el aire acondicionado.	The air-conditioning doesn't work.
Se me ha pinchado una rueda. Me la tendrían que arreglar. (UK)	I've got a puncture. The tyre needs to be repaired. (UK)
Se me ponchó una llanta. Me la tendrían que reparar. (Méx)	I've got a puncture. The tire needs to be repaired. (US)

al tomar un taxi	*taking a taxi (UK)* *taking a cab*
¿Me podría pedir un taxi?	Could you call me a taxi? (UK) Could you call me a cab? (US)
Querría reservar un taxi para las 8 de la mañana.	I'd like to book a cab for 8 a.m.
¿Cuánto cuesta un taxi hasta el centro?	How much does a cab to the city centre cost?
¿Cuánto se tarda hasta el aeropuerto?	How long does it take to get to the airport?
¿Puedo ir delante?	Can I ride up front? (US) Can I travel in the front seat?
A la estación de autobuses/la estación de tren/el aeropuerto, por favor.	To the bus station/train station/airport, please.
Pare aquí/en la señal/ en la esquina, por favor.	Stop here/at the lights/ at the corner, please.
¿Me podría esperar?	Can you wait for me?
¿Cuánto es?	How much is it?
Querría un recibo, por favor?	Can I have a receipt, please?
Quédese el cambio.	Keep the change.

al coger el autobús (Esp) al tomar el bus (Amér)	*taking the bus*
¿A qué hora sale el próximo autobús para Salamanca? (Esp) ¿A qué hora sale el próximo bus para Salamanca? (Amér)	What time is the next bus to Salamanca?
¿Desde qué andén sale el autobús? (Esp) ¿Desde qué plataforma sale el bus? (Amér)	Which platform does the bus go from?
¿Cuánto tarda el autobús hasta Brighton?	How long does the coach take to get to Brighton? (UK) How long does the bus take to get to Brighton? (US)
¿Hay algún descuento?	Do you have any reduced fares? (UK) Do you have any discounts? (US)
¿Cuánto cuesta un billete de ida y vuelta a Chicago? (Esp) ¿Cuánto cuesta un pasaje de ida y vuelta a Chicago? (Amér)	How much is a return ticket to Chicago? (UK) How much is a round-trip ticket to Chicago? (US)

¿El autobús tiene baño?	Is there a toilet on the coach? (UK)
	Is there a bathroom on the bus? (US)
¿El autobús tiene aire acondicionado?	Is the coach air-conditioned? (UK)
	Is the bus air-conditioned? (US
Perdone, ¿está ocupado este asiento?	Excuse me, is this seat taken?
¿Le importa si bajo la persiana?	Would it bother you if I lowered the blind? (UK)
	Would it bother you if I lowered the shade? (US)
¿Tiene un horario?	Do you have a timetable?
¿Puede avisarme de cuándo tengo que bajar?	Can you tell me when to get off?
Próxima parada.	Next stop.
al tomar el tren	*taking the train*
¿Dónde está la taquilla? (Esp)	Where is the ticket office?
¿Dónde está el mostrador de venta de boletos? (Amér)	
¿De dónde sale el próximo tren para París?	When does the next train for Paris leave?

¿De qué andén sale?	Which platform does it leave from?
¿Cuánto cuesta un billete de ida y vuelta para Oporto? (Esp) ¿Cuánto cuesta un boleto de ida y vuelta para Oporto? (Amér)	How much is a return ticket to Porto? (UK) How much is a round-trip ticket to Porto? (US)
¿Hay consigna?	Is there a left-luggage office? (UK) Is there a baggage room? (US)
Un billete de ventanilla en un vagón de no fumadores, por favor. Un boleto de ventanilla en un vagón de no fumadores, por favor. (Amér)	A window seat in a non-smoking coach please.
Quiero reservar una litera en el tren de las 21.00 horas para París.	I'd like to reserve a sleeper on the 9 p.m. train to Paris.
¿Dónde tengo que validar el billete?	Where do I validate my ticket?
Perdone, ¿está libre este asiento?	Excuse me, is this seat free?
¿Dónde está el vagón restaurante?	Where is the dining car?

en el aeropuerto	*at the airport*
¿Dónde está la terminal 1/ la puerta 2?	Where is terminal 1/gate number 2?
¿Dónde está el mostrador de facturación? ¿Dónde es el check-in? (Amér)	Where is the check-in desk?
Quería asiento de pasillo/ventana.	I'd like an aisle/window seat.
¿A qué hora es el embarque?	What time is boarding?
Perdí la tarjeta de embarque.	I've lost my boarding card.
¿Dónde está la recogida de equipajes? ¿Dónde se retira el equipaje?	Where is the baggage reclaim? (UK) Where is the baggage claim? (US)
He perdido mi conexión. ¿Cuándo sale el próximo vuelo para Seattle?	I've missed my connection. When's the next flight to Seattle?
¿Dónde está el autobús de enlace con el centro de la ciudad? ¿Dónde está el bus de enlace con el centro de la ciudad? (Amér)	Where's the shuttle bus to the city centre? (UK) Where's the shuttle bus downtown? (US)

¿dónde queda?	*asking the way*
¿Me podría indicar en el mapa dónde estamos?	Could you show me where we are on the map?
¿Dónde está la estación de autobús/correos? (Esp) ¿Dónde está la estación de buses/correos? (Amér)	Where is the bus station/post office?
Por favor, ¿cómo se va a la Avenida Paulista?	Excuse me, how do I get to Avenida Paulista?
Para ir al museo de arte moderno, ¿sigo adelante?	To get to the museum of modern art, should I continue straight ahead?
¿Está lejos?	Is it far?
¿Se puede ir caminando?	Is it within walking distance?
¿Tengo/tenemos que coger el autobús/metro? (Esp ¿Tengo/tenemos que tomar el autobús/metro? (Amér)	Will I/we have to take the bus/underground? (UK) Will I/we have to take the bus/subway? (US)
¿Me podría ayudar? Creo que me he perdido.	Can you please help me? I think I'm lost.

al circular por la ciudad	*getting around town*
¿Qué autobús va al aeropuerto? (Esp) ¿Qué bus va al aeropuerto? (Amér)	Which bus goes to the airport?
¿Dónde se coge el autobús a la estación? (Esp) ¿Dónde se toma el bus a la estación? (Amér)	Where do I catch the bus for the station?
Quiero un billete de ida/ida y vuelta a Boston. Quiero un pasaje de ida/ida y vuelta a Boston. (Amér)	I'd like a single/return ticket to Boston. (UK) I'd like a one-way/round-trip ticket to Boston. (US)
¿Me podría decir dónde me tengo que bajar?	Could you tell me when we get there?
Parada de autobús. (Esp) Parada de bus. (Amér)	Bus Stop.
¿Este autobús va a la estación de tren?	Does this bus go to the train station?
¿A qué hora es el último tren/tranvía?	What time is the last train/tram?

deportes	sports
Queremos ver un partido fútbol. ¿Hay uno esta noche?	We'd like to see a football match. Is there one on tonight?
¿Dónde está el estadio de fútbol?	Where's the stadium?
¿Dónde podemos alquilar bicicletas?	Where can we hire bicycles? (UK) Where can we rent bicycles? (US)
Quisiéramos reservar una cancha de tenis para las 7 de la tarde. Quisiéramos reservar una pista de tenis para las 7 de la tarde. (Esp)	I'd like to book a tennis court for 7 p.m.
¿Cuánto cuesta una clase de una hora?	How much does a one-hour lesson cost?
¿La piscina abre todos los días?	Is the pool open every day?
¿Dónde podemos cambiarnos?	Where can we change?
¿Hay una estación de esquí por aquí cerca?	Is there a ski resort nearby?
¿Podemos alquilar el equipo?	Can we hire equipment?

¿Alquilan barcos?	Do you rent boats?
¿Dónde podemos ir a jugar a los bolos por aquí?	Where can we go bowling around here?
Me encantaría dar una vuelta en bici.	I'd like to go on a bike ride.

en el hotel	*at the hotel*
Queremos una habitación doble/dos habitaciones individuales.	We'd like a double room/ two single rooms.
Quiero una habitación para dos noches, por favor.	I'd like a room for two nights, please.
Tengo una reserva a nombre de Jones.	I have a reservation in the name of Jones.
He reservado una habitación con ducha/baño.	I reserved a room with a shower/bathroom.
¿Me da la llave de la habitación 121, por favor?	Could I have the key for room 121, please?
Quería una almohada/manta más, por favor.	Could I have an extra pillow/blanket, please?
¿Hay algún mensaje para mí?	Are there any messages for me?
¿A qué hora se sirve el desayuno?	What time is breakfast served?

Quiero tomar el desayuno en la habitación.	I'd like breakfast in my room.
¿Me podría despertar a las 7 de la mañana?	I'd like a wake-up call at 7 a.m., please.
¿Hay un parking para clientes del hotel?	Is there a car park for hotel guests?
Me voy ya. ¿Me prepara la factura?	I'd like to check out now.

en las tiendas — *at the shops*

¿Cuánto es?	How much is this?
Quería comprar gafas de sol/un traje de baño.	I'd like to buy sunglasses/ a swimsuit. (UK) I'd like to buy sunglasses/ a bathing suit (US).
Mi talla es la 38. Mi talle es el 38. (RP)	I'm a size 10.
Calzo el 40.	I take a size 7 shoe.
¿Puedo probármelo?	Can I try this on?
¿Puedo cambiarlo?	Can I exchange it?
¿Dónde están los probadores?	Where are the fitting rooms?

¿Tiene una talla mayor/más pequeña? ¿Tiene un talle más grande/chico? (RP)	Do you have this in a bigger/smaller size?
¿Tiene esto en azul?	Do you have this in blue?
¿Tiene sobres/guías de la ciudad?	Do you sell envelopes/street maps?
Quería comprar una película para mi cámara, por favor. Quería comprar un carrete para mi cámara, por favor. (Esp)	I'd like to buy a film for my camera please.
¿A qué hora cierran?	What time do you close?
al pedir información	*out and about*
¿A qué hora cierra el museo?	What time does the museum close?
¿Dónde está la piscina pública más cercana?	Where is the nearest public swimming pool?
¿Me podría decir dónde está la iglesia (católica/baptista) más cercana?	Could you tell me where the nearest (Catholic/Baptist) church is?
¿Sabe cuál es el horario de misas/cultos?	Do you know what time mass/the next service is?

Hay algún cine cerca de aquí?	Is there a cinema nearby? (UK) Is there a movie theater (US) nearby?
Qué distancia hay de aquí a la playa?	How far is it to the beach?
Me podría recomendar un hotel cerca del centro?	Could you recommend a hotel near the centre? (UK) Could you recommend a hotel near downtown? (US)

En el café	*at the café*
Está libre esta mesa/silla?	Is this table/seat free?
Por favor!	Excuse me!
Nos podría traer la lista de bebidas?	Could you please bring us the drinks list?
Dos cafés/cafés con leche, por favor.	Two cups of black coffee/white coffee, please. (UK) Two cups of coffee with cream, please. (US)
Quiero un café con leche.	I'd like a coffee with cream/milk. (US) I'd like a white coffee. (UK)
Un té/té con limón/té con leche.	A tea/lemon tea/tea with milk.
Me podría traer hielo?	Could I have some ice?

Un zumo de naranja/un agua mineral. Un jugo de naranja/un agua mineral. (Amér)	An orange juice/a mineral water.
¿Me podría traer una cerveza, por favor?	Can I have another beer, please?
¿Dónde están los servicios? ¿Dónde es el baño? (Amér)	Where is the toilet? (UK) Where is the restroom? (US)
¿Hay zona de fumadores?	Is there a smoking section?

en el restaurante	*at the restaurant*
Quisiera reservar una mesa para las 8 de la tarde.	I'd like to reserve a table for 8 p.m.
Una mesa para dos, por favor.	A table for two, please.
¿Nos podría dar una mesa en la zona de no fumadores?	Can we have a table in the non-smoking section?
¿Podría traer la carta/la carta de vinos?	Can we see the menu/wine list?
¿Tiene menú infantil/para vegetarianos?	Do you have a children's/vegetarian menu?
Una botella de vino tinto/blanco de la casa, por favor.	A bottle of house white/red, please.
Quisiéramos un aperitivo.	We'd like an aperitif.

¿Cuál es la especialidad de la casa?	What is the house speciality?
Muy poco hecho/al punto/muy hecho.	Rare/medium/well-done.
¿Qué hay de postre?	What desserts do you have?
¿Me trae la cuenta, por favor?	Can I have the bill, please? (UK) Can I have the check, please? (US)

en el banco	at the bank
Quería cambiar 100 libras en euros, por favor.	I'd like to change £100 into euros please.
En billetes pequeños, por favor. En billetes chicos, por favor. (RP)	In small denominations, please.
¿Cuál es el cambio del dólar?	What is the exchange rate for dollars?
¿Cuánto es la comisión?	How much is the commission?
¿Cuánto es en euros?	How much is that in euros?
Quería transferir dinero.	I'd like to transfer some money.
¿Dónde hay un cajero automático?	Where is the cash dispenser? (UK) Where is the ATM? (US)

en la oficina de correos	*at the post office*
¿Puedo enviar un fax?	Can I send a fax?
¿Cuánto cuesta enviar una carta/una postal a México?	How much is it to send a letter/postcard to Mexico?
Quiero diez sellos para Chile. Quiero diez timbres para Chile. (Méx) Quiero diez estampillas para Chile. (RP)	I'd like ten stamps for Chile.
Quería enviar este paquete por correo certificado. Quería enviar este paquete por correo registrado. (Amér)	I'd like to send this parcel by registered post. (UK) I'd like to send this parcel by registered mail. (US)
¿Cuánto tiempo tardará en llegar? ¿Cuánto tiempo demora en llegar? (Amér)	How long will it take to get there?
Quiero una tarjeta de teléfono de 50 unidades.	I'd like a 50-unit phone card.

Quiero enviar un mensaje por correo electrónico. ¿Dónde puedo encontrar un cibercafé?	I'd like to send an e-mail. Can you tell me where I can find an Internet cafe?

los negocios	*business*
Buenos días. Soy de Biotech Ltd.	Hello. I'm from Biotech Ltd.
Tengo una cita con el Sr. Santiago a las 2.30 de la tarde.	I have an appointment with Sr. Santiago at 2.30 p.m.
Aquí tiene mi tarjeta de empresa.	Here's my business card.
Quisiera ver al director general.	I'd like to see the managing director.
Mi dirección de correo electrónico es paul@easyconnect.com	My e-mail address is paul@easyconnect.com
¿Podría enviarme información/las cifras de ventas por fax, por favor?	Could you fax me some information/the sales figures, please?

en el consultorio médico	*at the doctor's*
Tengo vómitos y diarrea.	I've been vomiting and I have diarrhoea.
Me duele aquí/ahí.	It hurts here/there.
Me duele la cabeza.	I have a headache.
Tengo dolor de garganta.	I have a sore throat.
Tengo dolor de estómago.	My stomach hurts.
Mi hijo tiene tos y fiebre.	My son has a cough and a fever.
Soy alérgico a la penicilina.	I'm allergic to penicillin.
Soy alérgico a los antibióticos.	Antibiotics don't agree with me.
Creo que tengo otitis.	I think I have an ear infection.
Tengo la tensión alta.	I've got high blood pressure.
Soy diabético.	I'm diabetic.
Creo que me he roto la muñeca.	I think I may have broken my wrist.
¿Por cuánto tiempo debo seguir el tratamiento?	How long should I follow the treatment for?

en el dentista	at the dentist's
Tengo dolor de muelas.	I have toothache.
Me duele una muela.	One of my molars hurts.
Se me ha caído un empaste. Se me ha caído una tapadura. (Méx) Se me ha caído una emplomadura (RP).	I've lost a filling.
Me he partido un incisivo.	I've broken an incisor.
Las muelas del juicio me están molestando mucho.	My wisdom teeth are really bothering me.
Necesito/necesitas un puente nuevo.	I/you need a bridge.
He perdido la dentadura postiza.	I've lost my dentures.
¿Me puede poner anestesia local?	Could you give me a local anaesthetic?

en la farmacia	*at the chemist's (UK)* *at the drugstore (US)*
¿Tiene algo para el dolor de cabeza/el dolor de garganta/la diarrea?	Can you give me something for a headache/sore throat/ diarrhoea?
¿Tiene un analgésico/ tiritas ®, por favor? ¿Tiene un analgésico/curitas, por favor? (Amér)	Can I have some aspirin/ Band-Aids ®, please?
Necesito una crema solar de un alto grado de protección.	I need some high protection suntan lotion.
¿Tiene un repelente para insectos?	Do you have any insect repellent?
Tengo una receta de mi médico en el Reino Unido.	I have a prescription from my doctor in the UK.
¿Me podría recomendar un médico?	Could you recommend a doctor?

Índice	*Contents*	
Cardinales	*Cardinal numbers*	386
Ordinales	*Ordinal numbers*	387
Las operaciones	*Mathematical operations*	388
La moneda británica	*British currency*	388
La moneda estadounidense	*American currency*	389
La moneda europea	*European currency*	389
Longitud	*Length*	390
Superficie	*Area*	390
Capacidad	*Capacity*	391
Volumen	*Volume*	391
Peso	*Weight*	391
La hora	*The time*	392

Cardinales/Cardinal numbers

cero	0	zero
uno	1	one
dos	2	two
tres	3	three
cuatro	4	four
cinco	5	five
seis	6	six
siete	7	seven
ocho	8	eight
nueve	9	nine
diez	10	ten
once	11	eleven
doce	12	twelve
trece	13	thirteen
catorce	14	fourteen
quince	15	fifteen
dieciséis	16	sixteen
diecisiete	17	seventeen
dieciocho	18	eighteen
diecinueve	19	nineteen
veinte	20	twenty
veintiuno	21	twenty-one
veintidós	22	twenty-two
veintitrés	23	twenty-three
veinticuatro	24	twenty-four
veinticinco	25	twenty-five
veintiséis	26	twenty-six
veintisiete	27	twenty-seven
veintiocho	28	twenty-eight
veintinueve	29	twenty-nine

treinta	30	thirty
treinta y uno	31	thirty-one
cuarenta	40	forty
cincuenta	50	fifty
sesenta	60	sixty
setenta	70	seventy
ochenta	80	eighty
noventa	90	ninety
cien	100	one hundred
quinientos	500	five hundred
mil	1000	one thousand
un millón	1.000.000	one million

Ordinales/Ordinal numbers

primero	1°/1st	first
segundo	2°/2nd	second
tercero	3°/3rd	third
cuarto	4°/4th	fourth
quinto	5°/5th	fifth
sexto	6°/6th	sixth
séptimo	7°/7th	seventh
octavo	8°/8th	eighth
noveno	9°/9th	ninth
décimo	10°/10th	tenth
undécimo	11°/11th	eleventh
decimosegundo	12°/12th	twelfth
decimotercero	13°/13th	thirteenth
decimocuarto	14°/14th	fourteenth
decimoquinto	15°/15th	fifteenth
decimosexto	16°/16th	sixteenth
decimoséptimo	17°/17th	seventeenth

decimoctavo	18°/18th	eighteenth
decimonoveno	19°/19th	nineteenth
vigésimo	20°/20th	twentieth
vigésimo primer(o)	21°/21st	twenty-first
vigésimo segundo	22°/22nd	twenty-second
vigésimo tercero	23°/23rd	twenty-third
trigésimo	30°/30th	thirtieth
centésimo	100°/100th	one hundredth
milésimo	1000°/1000th	one thousandth

Las operaciones/Mathematical operations

menos uno	-1	minus one
ocho más dos igual a diez	8+2=10	eight plus two equals five
nueve menos tres igual a seis	9-3=6	nine minus three equals six
siete por tres veintiuno	7x3=21	seven times three equals twenty-one/ seven multiplied by three equals twenty-one
veinte entre cuatro igual a cinco	20:4=5	twenty divided by four equals five.
la raíz cuadrada de nueve es tres	$\sqrt{9}=3$	the square root of nine is three
cinco al cuadrado igual a veinticinco	$5^1=25$	five squared equals twenty-five

La moneda británica/British currency

un penique	1p	a penny
dos peniques	2p	two pence
cinco peniques	5p	five pence
diez peniques	10p	ten pence

veinte peniques	20p	twenty pence
cincuenta peniques	50p	fifty pence
una libra	£1	a pound
dos libras	£2	two pounds
cinco libras	£5	five pounds
diez libras	£10	ten pounds
veinte libras	£20	twenty pounds
cincuenta libras	£50	fifty pounds

La moneda estadounidense/American currency

un centavo	1¢	one cent/a penny
cinco centavos	5¢	five cents/a nickel
diez centavos	10¢	ten cents/a dime
veinticinco centavos	25¢	twenty-five cents/a quarter
cincuenta centavos	50¢	fifty cents/a half dollar
un dólar	$1	one dollar
cinco dólares	$5	five dollars
diez dólares	$10	ten dollars
veinte dólares	$20	twenty dollars
cincuenta dólares	$50	fifty dollars
cien dólares	$100	a hundred dollars

La moneda europea/European currency

un céntimo	0,01 €	a cent
dos céntimos	0,02 €	two cents
cinco céntimos	0,05 €	five cents
diez céntimos	0,10 €	ten cents
veinte céntimos	0,20 €	twenty cents
cincuenta céntimos	0,50 €	fifty cents
un euro	1 €	one euro
dos euros	2 €	two euros

cinco euros	5 €	five euros
diez euros	10 €	ten euros
veinte euros	20 €	twenty euros
cincuenta euros	50 €	fifty euros
cien euros	100 €	a hundred euros
doscientos euros	200 €	two hundred euros
quinientos euros	500 €	five hundred euros

Longitud/Length

milímetro	mm	millimetre*
centímetro	cm	centimetre*
metro	m	metre*
kilómetro	km	kilometre*
(* US millimeter, centimeter, meter, kilometer)		
pulgada	in	inch
pie	ft	foot
yarda	yd	yard
milla	mi	mile

Superficie/Area

centímetro cuadrado	cm²	square centimetre*
metro cuadrado	m²	square metre*
kilómetro cuadrado	km²	square kilometre*
hectárea (=10.000m²)	ha	hectare
(* US square centimeter, square meter, square kilometer)		
pulgada cuadrada	in²	square inch
pie cuadrado	ft²	square foot
yarda cuadrada	yd²	square yard
milla cuadrada	mi²	square mile

Capacidad/Capacity

decilitro	dl	decilitre*
litro	l	litre*
	(*US deciliter, liter)	
onza	oz	ounce
pinta	pt	pint
galón	gal	gallon

Volumen/Volume

centímetro cúbico	cm³	cubic centimetre*
metro cúbico	m³	cubic metre*
	(* US cubic centimeter, cubic meter)	
yarda cúbica	yd³	cubic yard
pie cúbico	ft³	cubic feet

Peso/Weight

miligramo	mg	milligram
gramo	g	gram
hectogramo	hg	hectogram
kilo(gramo)	kg	kilogram(me)/kilo
tonelada	t	(metric) ton
onza	oz	ounce
libra	lb	pound

GUÍA PRÁCTICA

La hora/The time		
las cinco		fiveo dock
las siete y cinco		five past seven UK/ five after seven US
las ocho y diez		ten past eight UK/ ten after eight US
las nueve y cuarto		a quarter past nine UK/ a quarter after nine US
las diez y veinte		twenty past ten UK/ twenty after ten US
las once y media		half past eleven
las doce del mediodía		noon/twelve a.m./midday
las doce y media		half past twelve/ twelve thirty
la una		one p.m.
las dos		twoo dock
las cuatro menos cuarto		a quarter to four UK/ a quarter of four US/ fifteen forty-five
las cinco y veintitrés		five twenty-three
las nueve menos veinticinco		eight thirty-five
las doce de la noche		twelve p.m./midnight
la una de la madrugada/ de la mañana		one a.m.

ESPAÑOL-INGLÉS

SPANISH-ENGLISH

A

a [a] *prep* **1.** *(tiempo)* • **a las pocas semanas** a few weeks later • **al mes de casados** a month after marrying • **a las siete** at seven o'clock • **a los once años** at the age of eleven • **dos veces al año** twice a year • **al oír la noticia se desmayó** on hearing the news, she fainted **2.** *(frecuencia)* per, every • **cuarenta horas a la semana** forty hours a week **3.** *(dirección)* to • **voy a Sevilla** I'm going to Seville • **llegó a Barcelona/la fiesta** he arrived in Barcelona/at the party **4.** *(posición, lugar, distancia)* • **a la salida del cine** outside the cinema • **está a cien kilómetros** it's a hundred kilometres away • **a la derecha/izquierda** on the right/left **5.** *(con complemento indirecto)* to • **dáselo a Juan** give it to Juan • **dile a Juan que venga** tell Juan to come **6.** *(con complemento directo)* • **quiere a su hijo** she loves her son **7.** *(cantidad, medida, precio)* • **a cientos/docenas** by the hundred/dozen • **¿a cuánto están las peras?** how much are the pears? • **vende las peras a 1 euro** he's selling pears for 1 euro • **ganaron por tres a cero** they won three nil **8.** *(modo, manera)* • **a la gallega** Galician-style • **escribir a máquina** to type • **a mano** by hand **9.** *(finalidad)* • **entró a pagar** he came in to pay • **aprender a nadar** to learn to swim

abad, desa [a'βaδ, δesa] *m,f* abbot (*f* abbess)

abadía [aβa'δia] *f* abbey

abajo [a'βaxo] *adv* **1.** *(posición)* below **2.** *(en edificio)* downstairs **3.** *(dirección)* down • **allí abajo** down there • **aquí abajo** down here • **más abajo** further down • **para abajo** downwards • **de abajo** *(piso)* downstairs

abalear [aβale'ar] *vt* (*Andes, CAm & Ven*) to shoot

abandonado, da [aβando'naδo, δa] *adj* **1.** abandoned **2.** *(lugar)* deserted

abandonar [aβando'nar] *vt* **1.** *(persona, animal, proyecto)* to abandon **2.** *(coche, lugar, examen)* to leave **3.** *(prueba)* to drop out of • **abandonarse** *vp* to let o. s. go

abandono [aβan'dono] *m* *(dejadez)* neglect

abanicarse [aβani'karse] *vp* to fan o.s.

abanico [aβa'niko] *m* fan

abarcar [aβar'kar] *vt* **1.** *(incluir)* to include **2.** *(ver)* to have a view of

abarrotado, da [aβarro'taδo, δa] *adj* packed

abarrotero, ra [aβarro'tero, ra] *m,f* (*Amér*) grocer

abarrotes [aβa'rotes] *mpl* (*Andes, CAm & Méx*) groceries

abastecer [aβaste'θer] *vt* to supply • **abastecerse de** *v + prep* to get, to buy

abatible [aβa'tiβle] *adj* folding

abatido, da [aβa'tiδo, δa] *adj* *(desanimado)* dejected

abatir [aβa'tir] *vt* **1.** *(muro)* to knock down **2.** *(avión)* to shoot down

abdicar [aβδi'kar] *vi* to abdicate

abdomen [aβ'ðomen] *m* abdomen

abdominales [aβðomi'nales] *mpl* sit-ups

abecedario [aβeθe'ðarjo] *m (alfabeto)* alphabet

abeja [a'βexa] *f* bee

abejorro [aβe'xoro] *m* bumblebee

aberración [aβera'θjon] *f (disparate)* stupid thing

abertura [aβer'tura] *f (agujero)* opening

abeto [a'βeto] *m* fir

abierto, ta [a'βjerto, ta] *adj* **1.** open **2.** *(de ideas)* open-minded **3.** *(camisa, cremallera)* undone • **estar abierto a** to be open to

abismo [a'βizmo] *m* abyss

ablandar [aβlan'dar] *vt* **1.** *(materia)* to soften **2.** *(persona)* to mollify

abofetear [aβofete'ar] *vt* to slap

abogado, da [aβo'γaðo, ða] *m,f* lawyer

abolición [aβoli'θjon] *f* abolition

abolir [aβo'lir] *vt* to abolish

abollar [aβo'ʎar] *vt* to dent

abonado, da [aβo'naðo, ða] *adj (tierra)* fertilized

abonar [aβo'nar] *vt* **1.** *(tierra)* to fertilize **2.** *(cantidad, precio)* to pay • **abonarse a** *v + prep* **1.** *(revista)* to subscribe to **2.** *(teatro, fútbol)* to have a season ticket for

abono [a'βono] *m* **1.** *(del metro, autobús)* season ticket **2.** *(para tierra)* fertilizer

abordar [aβor'ðar] *vt* to tackle

aborrecer [aβore'θer] *vt* to loathe

abortar [aβor'tar] *vi* **1.** *(espontáneamente)* to have a miscarriage **2.** *(intencionadamente)* to have an abortion

aborto [a'βorto] *m* **1.** *(espontáneo)* miscarriage **2.** *(intencionado)* abortion **3.** *(fam) (persona fea)* freak

abrasador, ra [aβrasa'ðor, ra] *adj* burning

abrasar [aβra'sar] *vt* **1.** *(suj: incendio)* to burn down **2.** *(suj: sol)* to burn

abrazar [aβra'θar] *vt* to hug • **abrazarse** *vp* to hug

abrazo [a'βraθo] *m* hug

abrebotellas [ˌaβreβo'teʎas] *m inv* bottle opener

abrecartas [aβre'kartas] *m inv* paper knife

abrelatas [aβre'latas] *m inv* tin opener *(UK)*, can opener *(US)*

abreviar [aβre'βjar] *vt* **1.** *(texto)* to abridge **2.** *(discurso)* to cut

abreviatura [aβreβja'tura] *f* abbreviation

abridor [aβri'ðor] *m* opener

abrigar [aβri'γar] *vt (del frío)* to keep warm • **abrigarse** *vp* to wrap up

abrigo [a'βriγo] *m (prenda)* coat • **al abrigo de** *(roca, árbol)* under the shelter of

abril [a'βril] *m* April • **a principios/mediados/finales de abril** at the beginning/in the middle/at the end of April • **el nueve de abril** the ninth of April • **el pasado/próximo (mes de) abril** last/next April • **en abril** in April • **este (mes de) abril** *(pasado)* last April; *(próximo)* this (coming) April • **para abril** by April

abrillantador [aβriʎanta'ðor] *m* polish

abrillantar [aβriʎan'tar] *vt* to polish

abrir [a'βrir] ◇ *vt* **1.** to open **2.** *(grifo, gas)* to turn on **3.** *(curso)* to start **4.** *(agujero)* to make **5.** *(cremallera)* to undo **6.** *(persiana)* to raise **7.** *(ir delante de)* to lead ◇ *vi (comercio)* to open ● **abrirse** *vp* ● **abrirse a alguien** to open up to sb

abrochar [aβro'tʒar] *vt* to do up ● **abrocharse** *vp* ● **abrocharse el pantalón** to do up one's trousers ● **abróchense los cinturones** please fasten your seatbelts

abrumador, ra [aβruma'ðor, ra] *adj* overwhelming

abrumarse [aβru'marse] *vp (agobiarse)* to be overwhelmed

abrupto, ta [a'βrupto, ta] *adj* **1.** *(accidentado)* rough **2.** *(empinado)* steep

ABS [aβe'ese] *m (abr de* anti-lock braking system*)* ABS *(anti-lock braking system)*

ábside ['aβsiðe] *m* apse

absolución [aβsolu'θjon] *f* **1.** DER acquittal **2.** RELIG absolution

absolutamente [aβso,luta'mente] *adv* absolutely

absoluto, ta [aβso'luto, ta] *adj* absolute ● **en absoluto** *(de ninguna manera)* not at all ● **nada en absoluto** nothing at all

absolver [aβsol'βer] *vt* ● **absolver a alguien (de)** DER to acquit sb (of)

absorbente [aβsor'βente] *adj* **1.** *(material)* absorbent **2.** *(actividad)* absorbing **3.** *(persona)* domineering

absorber [aβsor'βer] *vt* **1.** *(líquido)* to absorb **2.** *(tiempo)* to take up

absorto, ta [aβ'sorto, ta] *adj* ● **absorto (en)** engrossed (in)

abstemio, mia [aβs'temjo, mja] *m,f* teetotaller

abstención [aβsten'θjon] *f* abstention

abstenerse [aβste'nerse] ● **abstenerse**

de *v + prep* to abstain from

abstinencia [aβsti'nenθja] *f* abstinence ● **hacer abstinencia** to fast

abstracto, ta [aβs'trakto] *adj* abstract

absurdo, da [aβ'surðo, ða] *adj* absurd

abuelo, la [a'βwelo, la] *m,f* **1.** *(familiar)* grandfather *(f* grandmother*)* **2.** *(fam) (anciano)* old man *(f* old woman*)* ● **abuelos** *mpl* grandparents

abultado, da [aβul'taðo, ða] *adj* bulky

abultar [aβul'tar] *vi* to be bulky

abundancia [aβun'danθja] *f* abundance

abundante [aβun'dante] *adj* abundant

aburrido, da [aβu'riðo, ða] *adj* **1.** *(que aburre)* boring **2.** *(harto)* bored

aburrimiento [aβuri'mjento] *m* boredom

aburrir [aβu'rir] *vt* to bore ● **aburrirse** *vp* **1.** *(hastiarse)* to get bored

abusar [aβu'sar] ● **abusar de** *v + prep* **1.** *(excederse)* to abuse **2.** *(aprovecharse)* to take advantage of

abusivo, va [aβu'siβo, βa] *adj* **1.** *(precio)* extortionate **2.** *(Amér) (que abusa)* who takes advantage **3.** *(Amér) (descarado)* cheeky

abuso [a'βuso] *m* abuse

acá [a'ka] ◇ *adv (aquí)* here ◇ *pron (Amér)* ● **acá es mi hermana** this is my sister

acabar [aka'βar]
◇ *vt* **1.** *(concluir)* to finish **2.** *(provisiones, dinero, gasolina)* to use up; *(comida)* to finish
◇ *vi* **1.** *(concluir)* to finish ● **acabar de hacer algo** to finish doing sthg ● **acabar bien/mal** to end well/badly ● **acaba en punta** it ends in a point **2.**

(haber ocurrido recientemente) ● **acabar de hacer algo** to have just done sthg **3.** ● **acabar con** *(violencia, etc)* to put an end to; *(salud)* to ruin; *(paciencia)* to exhaust **4.** *(volverse)* to end up ● **acabar loco** to end up mad ◆ **acabarse** *vp (agotarse)* to run out

academia [aka'ðemja] *f* **1.** *(escuela)* school **2.** *(de ciencias, arte)* academy

Real Academia Española

Founded in 1713, the *Real Academia Española* sets lexical and syntactical standards for Spanish. In addition to a Spanish grammar and a periodical including the new words accepted into the language, it publishes the *Diccionario de la Real Academia Española (DRAE)*, the standard reference dictionary for the whole of the Spanish-speaking world.

académico, ca [aka'ðemiko, ka] ◇ *adj* academic ◇ *m,f* academician

acalorado, da [akalo'raðo, ða] *adj* **1.** *(por el calor)* hot **2.** *(enfadado)* worked-up **3.** *(apasionado)* heated

acalorarse [akalo'rarse] *vp* **1.** *(por un esfuerzo)* to get hot **2.** *(enfadarse)* to get worked-up

acampada [akam'paða] *f* camping ● **ir de acampada** to go camping

acampanado, da [akampa'naðo, ða] *adj* flared

acampar [akam'par] *vi* to camp

acantilado [akanti'laðo] *m* cliff

acaparar [akapa'rar] *vt* **1.** *(mercado)* to monopolize **2.** *(comida)* to hoard

acápite [a'kapite] *m (Amér)* paragraph

acariciar [akari'θjar] *vt* to stroke

acaso [a'kaso] *adv* perhaps ● **por si acaso** just in case

acatarrarse [akata'rarse] *vp* to catch a cold

acaudalado, da [akauða'laðo, ða] *adj* well-off

acceder [akθe'ðer] *vi* ● **acceder a un lugar** to enter a place ◆ **acceder a** *v + prep (petición)* to agree to

accesible [akθe'siβle] *adj* **1.** *(lugar)* accessible **2.** *(persona)* approachable

acceso [ak'θeso] *m* **1.** *(a un lugar)* entrance **2.** *(a poder, universidad)* access

accesorio [akθe'sorjo] *m* accessory

accidentado, da [akθiðen'taðo, ða] *adj* **1.** *(viaje)* bumpy **2.** *(carrera)* eventful **3.** *(terreno)* rough

accidental [akθiðen'tal] *adj (encuentro)* chance *(antes de s)*

accidente [akθi'ðente] *m* **1.** accident **2.** *(de avión, coche)* crash ● **por accidente** by accident ● **accidente geográfico** geographical feature ● **accidente laboral** industrial accident

acción [ak'θjon] *f (acto, hecho)* deed, act ◆ **acciones** *fpl (en bolsa)* shares

acechar [aθe'tʒar] *vt* to observe secretly

aceite [a'θeite] *m* oil ● **aceite de girasol** sunflower oil ● **aceite de oliva** olive oil

aceitoso, sa [aθei'toso, sa] *adj* oily

aceituna [aθei'tuna] *f* olive ● **aceitunas rellenas** stuffed olives

acelerador [aθelera'ðor] *m* accelerator

acelerar [aθele'rar] ◇ *vt* to speed up ◇ *vi* to accelerate

acelga [a'θelɣa] *f* chard

acento [a'θento] *m* 1. *(ortográfico)* accent 2. *(al hablar)* stress

acentuación [aθentua'θjon] *f* accentuation

acentuar [aθentu'ar] *vt* 1. *(vocal)* to put an accent on 2. *(destacar)* to stress ◆ **acentuarse** *vp* to be stressed

aceptable [aθep'taβle] *adj* acceptable

aceptación [aθepta'θjon] *f* acceptance

aceptar [aθep'tar] *vt* to accept

acequia [a'θekja] *f* irrigation channel

acera [a'θera] *f* pavement (UK), sidewalk (US)

acerca [a'θerka] ◆ **acerca de** *prep* about

acercamiento [aθerka'mjento] *m* approach

acercar [aθer'kar] *vt* ◆ ¿me podrías acercar la sal? could you pass me the salt? ◆ acerca la silla a la mesa move the chair closer to the table ◆ **acercarse** *vp* 1. *(suj: tiempo)* to be near 2. *(suj: persona, animal)* to come closer ◆ **acercarse a** *(lugar)* to be near ◆ **acercarse a** *v + prep (solución, idea)* to be close to

acero [a'θero] *m* steel ◆ acero inoxidable stainless steel

acertado, da [aθer'taðo, ða] *adj* right

acertar [aθer'tar] *vt (respuesta, solución)* to get right ◆ **acertar con** *v + prep* 1. *(hallar)* to get right 2. *(elegir bien)* to choose well ◆ **acertar en** *v + prep* 1. *(dar en)* to hit 2. *(elegir bien)* to choose well

acertijo [aθer'tixo] *m* riddle

achinado, da [atʃi'naðo, ða] *adj (Amér)* low-class *(used of Indians)*

ácido, da ['aθiðo, ða] ◇ *adj (sabor)* sour ◇ *m* acid

acierto [a'θjerto] *m* 1. *(respuesta, solución)* right answer 2. *(habilidad)* skill

aclamar [akla'mar] *vt* to acclaim

aclarar [akla'rar] ◇ *vt* 1. *(ropa, cabello, platos)* to rinse 2. *(dudas, problemas)* to clear up 3. *(situación)* to clarify ◇ *vi (tiempo)* to clear up ◆ **aclararse** *vp (entender)* to understand

aclimatación [aklimata'θjon] *f* acclimatization

aclimatar [aklima'tar] *vt* to acclimatize ◆ **aclimatarse** *vp* to become acclimatized

acogedor, ra [akoxe'ðor, ra] *adj (lugar)* cosy

acoger [ako'xer] *vt* 1. *(suj: persona)* to welcome 2. *(suj: lugar)* to shelter ◆ **acogerse a** *v + prep* 1. *(ley)* to have recourse to 2. *(excusa)* to resort to

acogida [ako'xiða] *f* welcome

acomodado, da [akomo'ðaðo, ða] *adj (rico)* well-off

acomodador, ra [akomoða'ðor, ra] *m,f* usher (*f* usherette)

acomodarse [akomo'ðarse] *vp (aposentarse)* to make o.s. comfortable ◆ **acomodarse a** *v + prep (adaptarse a)* to adapt to

acompañamiento [akompaɲa'mjento] *m (en música)* accompaniment

acompañante [akompa'ɲante] *mf* companion

acompañar [akompa'ɲar] *vt* 1. *(hacer compañía)* to accompany 2. *(adjuntar)* to enclose ◆ le acompaño en el sentimiento my condolences

acomplejado, da [akomple'xaðo, ða] *adj* with a complex

acondicionado, da [akondiθjo'naðo, ða] *adj* (*establo, desván*) converted

acondicionador [akondiθjona'ðor] *m* (*en peluquería*) conditioner

acondicionar [akondiθjo'nar] *vt* 1. (*establo, desván*) to convert 2. (*local*) to fit out

aconsejable [akonse'xaβle] *adj* advisable

aconsejar [akonse'xar] *vt* to advise

acontecer [akonte'θer] *vi* to happen

acontecimiento [akonteθi'mjento] *m* event

acoplar [ako'plar] *vt* 1. (*encajar*) to fit together 2. (*adaptar*) to adapt

acordado, da [akor'ðaðo, ða] *adj* agreed

acordar [akor'ðar] *vt* to agree on ◆ **acordar hacer algo** to agree to do sthg ◆ **acordarse** *vp* to remember ● **acordarse de hacer algo** to remember to do sthg

acorde [a'korðe] ◇ *adj* (*conforme*) in agreement ◇ *m* chord ● **acorde con** in keeping with

acordeón [akorðe'on] *m* accordion

acortar [akor'tar] *vt* to shorten

acosar [ako'sar] *vt* 1. (*perseguir*) to hound 2. (*molestar*) to harass

acoso [a'koso] *m* harassment

acostar [akos'tar] *vt* to put to bed ◆ **acostarse** *vp* (*irse a dormir*) to go to bed ● **acostarse con alguien** (*fam*) to sleep with sb

acostumbrar [akostum'brar] *vt* ● **lo acostumbraron a levantarse pronto** they got him used to getting up early ● **no acostumbro a hacerlo** I don't usually do it ◆ **acostumbrarse** *vp* ● **acostumbrarse a** to get used to

acreditado, da [akreði'taðo, ða] *adj* (*con buena reputación*) reputable

acreditar [akreði'tar] *vt* (*con documentos*) to authorize

acrílico, ca [a'kriliko, ka] *adj* acrylic

acrobacia [akro'βaθja] *f* acrobatics *pl*

acróbata [a'kroβata] *mf* acrobat

acta ['akta] *f* (*de reunión*) minutes *pl*

actitud [akti'tuð] *f* 1. (*del ánimo*) attitude 2. (*postura*) posture

activar [akti'βar] *vt* to activate

actividad [aktiβi'ðað] *f* activity ◆ **actividades** *fpl* activities

activo, va [ak'tiβo, βa] *adj* active

acto ['akto] *m* act ● **acto seguido** straight after

actor, triz [ak'tor, 'triθ] *m,f* actor (*f* actress)

actuación [aktwa'θjon] *f* 1. (*conducta*) behaviour 2. (*en el cine, teatro*) performance

actual [aktu'al] *adj* current, present

actualidad [aktuali'ðað] *f* (*momento presente*) present time ● **de actualidad** topical ● **en la actualidad** nowadays

actualizar [aktuali'θar] *vt* to bring up to date

actualmente [aktu'al'mente] *adv* 1. (*en este momento*) at the moment 2. (*hoy en día*) nowadays

actuar [aktu'ar] *vi* to act

acuarela [akwa'rela] *f* watercolour

acuario [a'kwarjo] *m* aquarium ◆ **Acuario** *m* Aquarius

:uático, ca [a'kuatiko, ka] *adj* **1.** *(animal, planta)* aquatic **2.** *(deporte)* water *ntes de s)*

:udir [aku'ðir] *vi* **1.** *(ir)* to go **2.** *(venir)* come ● **acudir a alguien** to turn to

:ueducto [akue'ðukto] *m* aqueduct

:uerdo [a'kuerðo] *m* agreement ● **de :uerdo** all right ● **estar de acuerdo** to ʃree ● **ponerse de acuerdo** to agree

:umulación [akumula'θjon] *f* accumulation

:umular [akumu'lar] *vt* to accumulate

:upuntura [akupun'tura] *f* acupuncture

:usación [akusa'θjon] *f* **1.** *(increpación)* ʃcusation **2.** *DER* charge

:usado, da [aku'saðo, ða] *m,f* ● **el/la :usado** the accused

:usar [aku'sar] *vt* ● **acusar a alguien e)** to accuse sb (of)

:ústica [a'kustika] *f* *(de un local)* ʃoustics *pl*

ʃaptación [aðapta'θjon] *f* adaptation

ʃaptador [aðapta'ðor] *m* adapter

ʃaptarse [aðap'tarse] ● **adaptarse a** *v* prep **1.** *(medio, situación)* to adapt to **2.** ʃersona)* to learn to get on with

ʃecuado, da [aðe'kuaðo, ða] *adj* suiʃle, appropriate

ʃecuar [aðe'kuar] *vt* to adapt ● **adeʃarse** *vp (acostumbrarse)* to adjust

de J.C. *(abr de* antes de Jesucristo)

ʃelantado, da [aðelan'taðo, ða] *adj* **1.** 'vanced **2.** *(pago)* advance ● **ir ʃelantado** *(reloj)* to be fast ● **por ʃelantado** in advance

adelantamiento [aðelanta'mjento] *m* overtaking

adelantar [aðelan'tar] ◇ *vt* **1.** *(sobrepasar)* to overtake **2.** *(trabajo, cita, reunión)* to bring forward **3.** *(reloj)* to put forward ◇ *vi (reloj)* to be fast ● **adelantarse** *vp (anticiparse)* to be early

adelante [aðe'lante] ◇ *adv* ahead ◇ *interj (pase)* come in! ● **más adelante** later ● **en adelante** from now on

adelanto [aðe'lanto] *m* **1.** advance **2.** *(en carretera)* overtaking

adelgazante [aðelɣa'θante] *adj* slimming

adelgazar [aðelɣa'θar] ◇ *vt* to lose ◇ *vi* to lose weight

además [aðe'mas] *adv* **1.** *(también)* also **2.** *(encima)* moreover ● **además de** as well as

adentro [a'ðentro] *adv* inside

adherente [aðe'rente] *adj* adhesive

adherir [aðe'rir] *vt* to stick ● **adherirse a** *v + prep* **1.** *(propuesta, idea, opinión, etc)* to support **2.** *(asociación, partido)* to join

adhesión [aðe'sjon] *f* **1.** *(unión)* sticking **2.** *(apoyo)* support **3.** *(afiliación)* joining

adhesivo, va [aðe'siβo, βa] ◇ *adj* adhesive ◇ *m (pegatina)* sticker

adicción [aðik'θjon] *f* addiction

adición [aði'θjon] *f* addition

adicional [aðiθjo'nal] *adj* additional

adicto, ta [a'ðikto, ta] *adj* ● **adicto a** addicted to

adiós [a'ðjos] ◇ *m* goodbye ◇ *interj* goodbye!

adivinanza [aðiβi'nanθa] *f* riddle

adivinar [aðiβi'nar] *vt* **1.** *(solución, respuesta)* to guess **2.** *(futuro)* to foretell

adivino, na [aði'βino, na] *m,f* fortune-teller

adjetivo [aðxe'tiβo] *m* adjective

adjuntar [aðxun'tar] *vt* to enclose

administración [aðministra'θjon] *f* 1. *(de productos)* supply 2. *(de oficina)* administration ◆ **Administración** *f* ◆ la Administración the Government *(UK)*, the Administration *(US)*

administrar [aðminis'trar] *vt* 1. *(organizar, gobernar)* to run 2. *(medicamento)* to give

administrativo, va [aðministra'tiβo, βa] ◇ *adj* administrative ◇ *m,f* office worker

admiración [aðmira'θjon] *f* 1. *(estimación)* admiration 2. *(sorpresa)* amazement

admirar [aðmi'rar] *vt* 1. *(estimar)* to admire 2. *(provocar sorpresa)* to amaze

admisible [aðmi'siβle] *adj* acceptable

admitir [aðmi'tir] *vt* to admit

admón. *(abr de administración)* admin

ADN [aðe'ene] *m (abr de ácido desoxirribonucleico)* DNA *(deoxyribonucleic acid)*

adobe [a'ðoβe] *m* adobe

adolescencia [aðoles'θenθja] *f* adolescence

adolescente [aðoles'θente] *adj & mf* adolescent

adonde [a'ðonde] *adv* where

adónde [a'ðonde] *adv* where

adopción [aðop'θjon] *f (de un hijo)* adoption

adoptar [aðop'tar] *vt* to adopt

adoptivo, va [aðop'tiβo, βa] *adj* 1. *(padre)* adoptive 2. *(hijo)* adopted

adoquín [aðo'kin] *m* cobblestone

adorable [aðo'raβle] *adj* adorable

adoración [aðora'θjon] *f* 1. *(culto)* worship 2. *(amor, pasión)* adoration

adorar [aðo'rar] *vt* 1. *(divinidad)* to worship 2. *(persona, animal, cosa)* to adore

adornar [aðor'nar] *vt* to decorate

adorno [a'ðorno] *m* ornament

adosado, da [aðo'saðo, ða] *adj*

adquirir [aðki'rir] *vt* 1. *(comprar)* to purchase 2. *(conseguir)* to acquire

adquisición [aðkisi'θjon] *f* purchase

adquisitivo, va [aðkisi'tiβo, βa] *adj* purchasing *(antes de s)*

adrede [a'ðreðe] *adv* deliberately

aduana [a'ðwana] *f* customs *sg* ◆ pasar por la aduana to go through customs

aduanero, ra [aðwa'nero, ra] ◇ *adj* customs *(antes de s)* ◇ *m,f* customs officer

adulterio [aðul'terjo] *m* adultery

adúltero, ra [a'ðultero, ra] *adj* adulterous

adulto, ta [a'ðulto, ta] *adj & m,f* adult

adverbio [að'βerβjo] *m* adverb

adversario, ria [aðβer'sarjo, rja] *m* adversary

adverso, sa [að'βerso, sa] *adj* adverse

advertencia [aðβer'tenθja] *f* warning

advertir [aðβer'tir] *vt* 1. *(avisar)* to warn 2. *(notar)* to notice

aéreo, a [a'ereo, a] *adj* air *(antes de s)*

aerobic [ae'roβik] *m* aerobics *sg*

aeromodelismo [aeromoðe'lizmo] *m* airplane modelling

aeromoza [aero'moθa] *f (Amér)* air hostess *(UK)*, flight attendant *(US)*

ronave [aero'naβe] f aircraft

ropuerto [aero'pwerto] m airport

rosol [aero'sol] m aerosol

án [a'fan] m (deseo) urge

ear [afe'ar] vt to make ugly

ección [afek'θjon] f (formal) (enfermedad) complaint

ectado, da [afek'taðo, ða] adj 1. (*ligido*) upset 2. (amanerado) affected ● **afectado de** o **por** (enfermedad) ffering from

ectar [afek'tar] vt to affect ◆ **afectar a** + prep to affect

ectivo, va [afek'tiβo, βa] adj (sensible) nsitive

ecto [a'fekto] m affection

ectuoso, sa [afek'twoso, sa] adj affecnate

eitado, da [afei'taðo, ða] ◇ adj 1. (*arba*) shaven 2. (persona) clean-shav-
◇ m shave

eitarse [afei'tarse] vp to shave

eminado, da [afemi'naðo, ða] adj eminate

iche [a'fitʃe] m (Amér) poster

ición [afi'θjon] f 1. (inclinación) fond-
ss 2. (seguidores) fans pl

icionado, da [afiθjo'naðo, ða] adj *mateur*) amateur ● **aficionado a** (interesado por) fond of

icionarse [afiθjo'narse] ◆ **aficionarse a** ~ prep 1. (interesarse por) to become keen ~ 2. (habituarse a) to become fond of

ilado, da [afi'laðo, ða] adj sharp

ilar [afi'lar] vt to sharpen

iliado, da [afi'ljaðo, ða] adj ● **estar** iliado a un partido to be a member of party

afiliarse [afi'ljarse] ◆ **afiliarse a** v + prep to join

afín [a'fin] adj similar

afinar [afi'nar] ◇ vt 1. (instrumento) to tune 2. (puntería) to perfect ◇ vi to be in tune

afinidad [afini'ðað] f affinity

afirmación [afirma'θjon] f statement

afirmar [afir'mar] vt (decir) to say ◆ **afirmarse en** v + prep (postura, idea) to reaffirm

afirmativo, va [afirma'tiβo, βa] adj affirmative

afligido, da [afli'xiðo, ða] adj upset

afligir [afli'xir] vt (apenar) to upset ◆ **afligirse** vp to get upset

aflojar [aflo'xar] ◇ vt 1. (cuerda) to slacken 2. (nudo) to loosen ◇ vi 1. (en esfuerzo) to ease off 2. (ceder) to die down

afluencia [a'flwenθja] f (de gente) crowds pl

afluente [a'flwente] m tributary

afónico, ca [a'foniko, ka] adj ● **quedar afónico** to lose one's voice

aforo [a'foro] m seating capacity

afortunadamente [afortu'naða'mente] adv fortunately

afortunado, da [afortu'naðo, ða] adj 1. (con suerte) lucky, fortunate 2. (oportuno) happy

África ['afrika] s Africa

africano, na [afri'kano, na] adj & m,f African

afrodisíaco [afroði'siako] m aphrodisiac

afrutado, da [afru'taðo, ða] adj fruity

afuera [a'fwera] adv outside ◆ **afueras** fpl ● **las afueras** the outskirts

agachar [aɣa'tʃaɾ] *vt* to lower, to bend ◆ **agacharse** *vp* (*en cuclillas*) to crouch down 2. (*encorvarse*) to bend down 3. (*para esconderse*) to duck

agarrar [aɣa'raɾ] *vt* 1. (*con las manos*) to grab 2. (*fam*) (*enfermedad*) to catch ◆ **agarrarse** *vp* (*pelearse*) to fight ◆ **agarrarse a** *v + prep* (*oportunidad*) to seize

agencia [a'xenθja] *f* agency ◆ **agencia de viajes** travel agency

agenda [a'xenda] *f* 1. (*de direcciones, teléfono*) address book 2. (*personal*) diary (*UK*), appointment book (*US*) 3. (*actividades*) agenda

agente [a'xente] *mf* agent ◆ **agente de policía** police officer

ágil ['axil] *adj* 1. (*movimiento*) agile 2. (*pensamiento*) quick

agilidad [axili'ðað] *f* 1. (*del cuerpo*) agility 2. (*de la mente*) sharpness

agitación [axita'θjon] *f* restlessness

agitado, da [axi'taðo, ða] *adj* 1. (*líquido*) shaken 2. (*persona*) restless

agitar [axi'taɾ] *vt* 1. (*líquido*) to shake 2. (*multitud*) to stir up ◆ **agitarse** *vp* 1. (*aguas*) to get choppy 2. (*persona*) to get restless

agnóstico, ca [aɣ'nostiko, ka] *adj* agnostic

agobiado, da [aɣo'βjaðo, ða] *adj* overwhelmed

agobiar [aɣo'βjaɾ] *vt* to overwhelm ◆ **agobiarse** *vp* to be weighed down

agosto [a'ɣosto] *m* August ◆ **a principios/mediados/finales de agosto** at the beginning/in the middle/at the end of August ◆ **el nueve de agosto** the ninth of August ◆ **el pasado/próximo (mes de) agosto** last/next August ◆ **en agosto** in August ◆ **este (mes de) agosto** (*pasado*) last August; (*próximo*) this (coming) August ◆ **para agosto** by August

agotado, da [aɣo'taðo, ða] *adj* 1. (*cansado*) exhausted 2. (*edición, existencias*) sold-out

agotador, ra [aɣota'ðoɾ, ra] *adj* exhausting

agotamiento [aɣota'mjento] *m* (*cansancio*) exhaustion

agotar [aɣo'taɾ] *vt* 1. (*cansar*) to exhaust 2. (*dinero, reservas*) to use up 3. (*edición, existencias*) to sell out of ◆ **agotarse** *vp* 1. (*cansarse*) to tire o.s. out 2. (*acabarse*) to run out

agradable [aɣra'ðaβle] *adj* pleasant

agradar [aɣra'ðaɾ] *vi* to be pleasant

agradecer [aɣraðe'θeɾ] *vt* (*ayuda, favor*) to be grateful for ◆ **agradecí su invitación** I thanked her for this invitation

agradecido, da [aɣraðe'θiðo, ða] *adj* grateful

agradecimiento [aɣraðeθi'mjento] *m* gratitude

agredir [aɣre'ðiɾ] *vt* to attack

agregado, da [aɣre'ɣaðo, ða] ◇ *adj* added ◇ *m,f* (*en embajada*) attaché (attachée)

agregar [aɣre'ɣaɾ] *vt* to add

agresión [aɣre'sjon] *f* attack

agresivo, va [aɣre'siβo, βa] *adj* aggressive

agresor, ra [aɣre'soɾ, ra] *m,f* attacker

agreste [a'ɣreste] *adj* (*paisaje*) wild

agrícola [a'ɣrikola] *adj* agricultural

agricultor, ra [aɣrikul'tor, ra] *m,f* farmer

agricultura [aɣrikul'tura] *f* agriculture, farming

agridulce [aɣri'ðulθe] *adj* sweet-and-sour

agrio, agria ['aɣrjo, ɣrja] *adj* sour

agrupación [aɣrupa'θjon] *f* group

agrupar [aɣru'par] *vt* to group

agua ['aɣwa] *f* **1.** (*líquido*) water **2.** (*lluvia*) rain ● **agua de colonia** eau de cologne ● **agua corriente** running water ● **agua mineral** mineral water ● **agua mineral con gas** sparkling mineral water ● **agua mineral sin gas** still mineral water ● **agua oxigenada** hydrogen peroxide ● **agua potable** drinking water ● **agua tónica** tonic water ◆ **aguas** *fpl (mar)* waters

guacate [aɣwa'kate] *m* avocado

guacero [aɣwa'θero] *m* shower

guafiestas [aɣwa'fjestas] *mf inv* wet blanket, party pooper (US)

guamiel [aɣwa'mjel] *f* (*Amér*) *drink of water and cane sugar*

guanieve [aɣwa'njeβe] *f* sleet

guantar [aɣwan'tar] *vt* **1.** (*sostener*) to support **2.** (*soportar*) to bear **3.** (*suj: ropa, zapatos*) to last for ● **no lo aguanto** I can't stand it ◆ **aguantarse** *vp* **1.** (*risa, llanto*) to hold back **2.** (*resignarse*) to put up with it

guardar [aɣwar'ðar] ◇ *vt* to wait for ◇ to wait

guardiente [aɣwar'ðjente] *m* liquor

guarrás [aɣwa'ras] *m* turpentine

gudeza [aɣu'ðeθa] *f* (*de ingenio*) sharpness

agudo, da [a'ɣuðo, ða] *adj* **1.** (*persona, dolor*) sharp **2.** (*sonido*) high **3.** (*ángulo*) acute **4.** (*palabra*) stressed on the last syllable, oxytone **5.** (*ingenioso*) witty

águila ['aɣila] *f* eagle

aguinaldo [aɣi'naldo] *m* Christmas bonus

aguja [a'ɣuxa] *f* **1.** (*de coser*) needle **2.** (*de reloj*) hand **3.** (*de pelo*) hairpin ● **aguja hipodérmica** hypodermic needle

agujerear [aɣuxere'ar] *vt* to make holes in

agujero [aɣu'xero] *m* hole

agujetas [aɣu'xetas] *fpl* ● **tener agujetas** to feel stiff (*after running*)

ahí [a'i] *adv* there ● **por ahí** (*en un lugar indeterminado*) somewhere or other; (*fuera*) out; (*aproximadamente*) something like that ● **de ahí que** that's why

ahijado, da [ai'xaðo, ða] *m,f* **1.** (*de un padrino*) godson (*f* goddaughter) **2.** (*en adopción*) adopted son (*f* adopted daughter)

ahogado, da [ao'ɣaðo, ða] ◇ *adj* (*en el agua*) drowned ◇ *m,f* drowned man (*f* drowned woman)

ahogarse [ao'ɣarse] *vp* **1.** (*en el agua*) to drown **2.** (*jadear*) to be short of breath **3.** (*por calor, gas, presión*) to suffocate

ahora [a'ora] *adv* now ● **por ahora** for the time being ● **ahora bien** however ● **ahora mismo** right now ● **ahora o nunca** it's now or never

ahorcar [aor'kar] *vt* to hang ◆ **ahorcarse** *vp* to hang o.s.

ahorita [ao'rita] *adv* (*Andes, CAm, Carib & Méx*) right now

ahorrar [ao'rar] *vt* to save

ahorro [ao'ro] *m* saving ◆ **ahorros** *mpl* (*dinero*) savings

ahuecar [awe'kar] *vt* **1.** (*vaciar*) to hollow out **2.** (*pelo, colchón, almohada*) to fluff up

ahumado, da [au'maðo, ða] *adj* smoked

airbag ® ['airβay] *m* airbag ®

aire ['aire] *m* **1.** air **2.** (*viento*) wind **3.** (*gracia, garbo*) grace **4.** (*parecido*) resemblance ◆ **al aire** (*descubierto*) exposed ◆ **al aire libre** in the open air ◆ **se da aires de artista** (*despec*) he fancies himself as a bit of an artist ◆ **estar/quedar en el aire** to be in the air ◆ **hace aire** it's windy ◆ **aire acondicionado** air conditioning ◆ **aire puro** fresh air

airear [aire'ar] *vt* to air

airoso, sa [ai'roso, sa] *adj* **1.** (*gracioso*) graceful **2.** (*con éxito*) successful

aislado, da [aiz'laðo, ða] *adj* isolated

aislamiento [aizla'mjento] *m* isolation

aislante [aiz'lante] *adj* insulating

aislar [aiz'lar] *vt* **1.** (*persona, animal*) to isolate **2.** (*local*) to insulate ◆ **aislarse** *vp* to cut o.s. off

ajedrez [axe'ðreθ] *m* chess

ajeno, na [a'xeno, na] *adj* ◆ **eso es ajeno a mi trabajo** that's not part of my job ◆ **ajeno a** (*sin saber*) unaware of; (*sin intervenir*) not involved in

ajetreo [axe'treo] *m* bustle

ají [a'xi] *m* (*Andes, RP & Ven*) (*pimiento picante*) chilli ◆ **ponerse como un ají** (*fam*) (*ruborizarse*) to go red

ajiaco [a'xiako] *m* (*Amér*) chilli, meat and vegetable stew

ajillo [a'xiʎo] *m* ◆ **al ajillo** in a garlic and chilli sauce

ajo ['axo] *m* garlic ◆ **estar en el ajo** (*fam*) to be in on it

ajuar [a'xwar] *m* trousseau

ajustado, da [axus'taðo, ða] *adj* **1.** (*cantidad, precio*) reasonable **2.** (*ropa*) tight-fitting

ajustar [axus'tar] *vt* **1.** (*adaptar*) to adjust **2.** (*puerta, ventana*) to push to **3.** (*precios, condiciones, etc*) to agree ◆ **ajustarse a** *v* + *prep* **1.** (*condiciones*) to comply with **2.** (*circunstancias*) to adjust to

al [al] > **a, el**

ala ['ala] *f* **1.** wing **2.** (*de sombrero*) brim

alabanza [ala'βanθa] *f* praise

alabar [ala'βar] *vt* to praise

alabastro [ala'βastro] *m* alabaster

alacena [ala'θena] *f* recess for storing food

alambrar [alam'brar] *vt* to fence with wire

alambre [a'lambre] *m* **1.** (*de metal*) wire **2.** (*Amér*) (*brocheta*) shish kebab

alameda [ala'meða] *f* (*paseo*) tree-lined avenue

álamo ['alamo] *m* poplar

alardear [alarðe'ar] ◆ **alardear de** *v* + *prep* to show off about

alargar [alar'yar] *vt* **1.** (*falda, pantalón, etc*) to lengthen **2.** (*situación*) to extend **3.** (*acercar*) to pass ◆ **alargarse** *vp* (*en una explicación*) to speak at length

alarma [a'larma] *f* alarm ◆ **dar la (voz de) alarma** to raise the alarm

alarmante [alar'mante] *adj* alarming

alarmar [alar'mar] *vt* to alarm ◆ **alarmarse** *vp* to be alarmed

lba [ˈalβa] *f* dawn

lbañil [alβaˈɲil] *m* bricklayer (*UK*), onstruction worker (*US*)

lbarán [alβaˈran] *m* delivery note

laricoque [alβariˈkoke] *m* apricot

lbatros [alˈβatros] *m inv* albatross

lbedrío [alβeˈðrio] *m* ● **elija el postre su albedrío** choose a dessert of your noice

lberca [alˈβerka] *f* (*Méx*) swimming ool

lbergar [alβerˈɣar] *vt* 1. (*personas*) to ut up 2. (*odio*) to harbour 3. (*esperan-* *a*) to cherish ◆ **albergarse** *vp* to stay t there

lbergue [alˈβerɣe] *m* (*refugio*) shelter ● bergue juvenil youth hostel

lbóndiga [alˈβondiɣa] *f* meatball ● bóndigas a la jardinera *meatballs in a* *mato sauce with peas and carrots*

lbornoz [alβorˈnoθ, θes] (*pl* **-ces**) *m* athrobe

lborotado, da [alβoroˈtaðo, ða] *adj* 1. *persona*) rash 2. (*cabello*) ruffled

lborotar [alβoroˈtar] ◇ *vt* to stir up ◇ *vi*) be rowdy ◆ **alborotarse** *vp* to get worked up

lboroto [alβoˈroto] *m* (*jaleo*) fuss

lbufera [alβuˈfera] *f* lagoon

lbum [ˈalβum] *m* album ● **álbum** amiliar family album

lcachofa [alkaˈtʃofa] *f* 1. (*planta*) arti- noke 2. (*de ducha*) shower head ● cachofas con jamón *artichokes cooked* ver a low heat with chopped "jamón errano"

lcalde, desa [alˈkalde, sa] *m,f* mayor

lcaldía [alkalˈdia] *f* (*cargo*) mayoralty

lcance [alˈkanθe] *m* 1. (*de misil*) range 2.

(*repercusión*) extent ● **a su alcance** within your reach ● **dar alcance a** to catch up ● **fuera del alcance de** out of reach of

alcanfor [alkanˈfor] *m* camphor

alcantarilla [alkantaˈriʎa] *f* 1. (*cloaca*) sewer 2. (*boca*) drain

alcanzar [alkanˈθar] *vt* 1. (*autobús, tren*) to manage to catch 2. (*persona*) to catch up with 3. (*meta, cima, dimensiones*) to reach 4. (*suj: disparo*) to hit ● **alcanzar a** (*lograr*) to be able to ● **¿me alcanzas el pan, por favor?** could you pass me the bread, please? ● **alcanzar para** *v + prep* (*ser suficiente para*) to be enough for

alcaparra [alkaˈpara] *f* caper

alcayata [alkaˈjata] *f* hook

alcázar [alˈkaθar] *m* fortress

alcoba [alˈkoβa] *f* bedroom

alcohol [alkoˈol] *m* alcohol ● **sin alcohol** alcohol-free

alcohólico, ca [alkoˈoliko, ka] *adj & m,f* alcoholic

alcoholismo [alkooˈlizmo] *m* alcoho- lism

alcoholizado, da [alkooliˈθaðo, ða] *adj* alcoholic

alcoholizarse [alkooliˈθarse] *vp* to be- come an alcoholic

alcornoque [alkorˈnoke] *m* cork oak

aldea [alˈdea] *f* small village

aldeano, na [aldeˈano, na] *m,f* villager

alebrestarse [aleβresˈtarse] *vp* 1. (*Col, Méx & Ven*) (*ponerse nervioso*) to get worked up

alegrar [aleˈɣrar] *vt* 1. (*persona*) to cheer up 2. (*fiesta*) to liven up ◆ **alegrarse** *vp* to be pleased ● **alegrarse de** to be pleased about • **alegrarse por** to be pleased for

alegre [a'leɣɾe] *adj* **1.** happy **2.** *(local)* lively **3.** *(color)* bright **4.** *(fam) (borracho)* tipsy **5.** *(decisión, actitud)* reckless

alegremente [a,leɣɾe'mente] *adv* **1.** *(con alegría)* happily **2.** *(sin pensar)* recklessly

alegría [ale'ɣɾia] *f* happiness

alejar [ale'xaɾ] *vt* to move away • **alejarse** *vp* • **alejarse de** to move away from

alemán, ana [ale'man, ana] *adj, m & f* German

Alemania [ale'manja] *s* Germany

alergia [a'lerxja] *f* allergy • **tener alergia a** to be allergic to

alérgico, ca [a'lerxiko, ka] *adj* allergic • **ser alérgico a** to be allergic to

alero [a'leɾo] *m (de tejado)* eaves *pl*

alerta [a'lerta] ◇ *adv & f* alert ◇ *interj* watch out! • **estar alerta** to be on the lookout • **alerta roja** red alert

aleta [a'leta] *f* **1.** *(de pez)* fin **2.** *(de automóvil)* wing *(UK)*, fender *(US)* **3.** *(de nariz)* flared part • **aletas** *fpl (para nadar)* flippers

alevín [ale'βin] *m* **1.** *(de pez)* fry **2.** *(en deportes)* beginner

alfabético, ca [alfa'βetiko, ka] *adj* alphabetical

alfabetización [alfaβetiθa'θjon] *f (de personas)* literacy

alfabetizar [alfaβeti'θaɾ] *vt* **1.** *(personas)* to teach to read and write **2.** *(palabras, letras)* to put into alphabetical order

alfabeto [alfa'βeto] *m* alphabet

alfarero, ra [alfa'reɾo, ra] *m,f* potter

alférez [al'fereθ, θes] *(pl* **-ces)** *m* ≃ second lieutenant

alfil [al'fil] *m* bishop *(in chess)*

alfiler [alfi'ler] *m* **1.** *(aguja)* pin **2.** *(joya)* brooch • **alfiler de gancho** *(Andes, RP & Ven)* safety pin

alfombra [al'fombra] *f* **1.** *(grande)* carpet **2.** *(pequeña)* rug

alfombrilla [alfom'briʎa] *f* **1.** *(de coche)* mat **2.** *(felpudo)* doormat **3.** *(de baño)* bathmat **4.** *(para el ratón)* mouse mat *(UK)*, mouse pad *(US)*

alga [alˈɣa] *f* seaweed

álgebra [ˈalxeβra] *f* algebra

algo [ˈalɣo] ◇ *pron* **1.** *(alguna cosa)* something **2.** *(en interrogativas)* anything ◇ *adv (un poco)* rather • **algo de** a little • **¿algo más?** is that everything? • **por algo** for some reason

algodón [alɣoˈðon] *m* cotton • **de algodón** cotton • **algodón hidrófilo** cotton wool

alguien [ˈalɣjen] *pron* **1.** *(alguna persona)* someone, somebody **2.** *(en interrogativas)* anyone, anybody

algún [alˈɣun] > **alguno**

alguno, na [alˈɣuno, na] ◇ *adj* **1.** *(indeterminado)* some **2.** *(en interrogativas, negativas)* any ◇ *pron* **1.** *(alguien)* somebody, some people *pl* **2.** *(en interrogativas)* anyone, anybody • **no hay mejora alguna** there's no improvement

alhaja [aˈlaxa] *f* **1.** *(joya)* jewel **2.** *(objeto)* treasure

aliado, da [aliˈaðo, ða] *adj* allied

alianza [aˈljanθa] *f* **1.** *(pacto)* alliance **2.** *(anillo de boda)* wedding ring • **alianza matrimonial** marriage

aliarse [aliˈarse] • **aliarse con** *v + prep* to ally o.s. with

alicates [aliˈkates] *mpl* pliers

aliciente [aliˈθjente] *m* incentive

aliento [aˈljento] *m* (*respiración*) breath ● quedarse sin aliento to be out of breath ● tener mal aliento to have bad breath

aligerar [alixeˈrar] *vt* 1. (*peso*) to lighten 2. (*paso*) to quicken

alijo [aˈlixo] *m* contraband

alimentación [alimentaˈθjon] *f* 1. (*acción*) feeding 2. (*régimen alimenticio*) diet

alimentar [alimenˈtar] ◇ *vt* 1. (*persona, animal*) to feed 2. (*máquina, motor*) to fuel ◇ *vi* (*nutrir*) to be nourishing ● alimentarse de *v + prep* to live on

alimenticio, cia [alimenˈtiθjo, θja] *adj* nourishing

alimento [aliˈmento] *m* food

alinear [alineˈar] *vt* to line up ● alinearse *vp* to line up

aliñar [aliˈɲar] *vt* 1. (*carne*) to season 2. (*ensalada*) to dress

aliño [aˈliɲo] *m* 1. (*para carne*) seasoning 2. (*para ensalada*) dressing

alioli [aliˈoli] *m* garlic mayonnaise

aliviar [aliˈβjar] *vt* 1. (*dolor, enfermedad*) to alleviate 2. (*trabajo, carga, peso*) to lighten

alivio [aˈliβjo] *m* relief

allá [aˈʎa] *adv* 1. (*de espacio*) over there 2. (*de tiempo*) back (then) ● allá él that's his problem ● más allá further on ● más allá de beyond

allí [aˈʎi] *adv* (*de lugar*) there

alma [ˈalma] *f* soul

almacén [almaˈθen] *m* 1. (*para guardar*) warehouse 2. (*al por mayor*) wholesaler ● almacenes *mpl* (*comercio grande*) department store *sg*

almacenar [almaθeˈnar] *vt* 1. (*guardar*) to store 2. (*acumular*) to collect

almanaque [almaˈnake] *m* almanac

almejas [alˈmexas] *fpl* clams ● almejas a la marinera *clams cooked in a sauce of onion, garlic and white wine*

almendra [alˈmendra] *f* almond

almendrado [almenˈdraðo] *m* round almond paste sweet

almendro [alˈmendro] *m* almond tree

almíbar [alˈmiβar] *m* syrup ● en almíbar in syrup

almidón [almiˈðon] *m* starch

almidonado, da [almiðoˈnaðo, ða] *adj* starched

almidonar [almiðoˈnar] *vt* to starch

almirante [almiˈrante] *m* admiral

almohada [almoˈaða] *f* 1. (*para dormir*) pillow 2. (*para sentarse*) cushion

almohadilla [almoaˈðiʎa] *f* small cushion

almorranas [almoˈranas] *fpl* piles

almorzar [almorˈθar] ◇ *vt* 1. (*al mediodía*) to have for lunch 2. (*a media mañana*) to have as a mid-morning snack ◇ *vi* 1. (*al mediodía*) to have lunch 2. (*a media mañana*) to have a mid-morning snack

almuerzo [alˈmwerθo] *m* 1. (*al mediodía*) lunch 2. (*a media mañana*) mid-morning snack

aló [aˈlo] *interj* (*Andes, CAm & Carib*) hello! (*on the telephone*)

alocado, da [aloˈkaðo, ða] *adj* crazy

alojamiento [aloxaˈmjento] *m* accommodation

alojar [aloˈxar] *vt* to put up ● alojarse *vp* (*hospedarse*) to stay

alondra [aˈlondra] *f* lark

alpargata [alpar'ɣata] *f* espadrille

Alpes ['alpes] *mpl* • **los Alpes** the Alps

alpinismo [alpi'nizmo] *m* mountaineering (*UK*), mountain climbing (*US*)

alpinista [alpi'nista] *mf* mountaineer (*UK*), mountain climber (*US*)

alpino, na [al'pino, na] *adj* Alpine

alpiste [al'piste] *m* birdseed

alquilar [alki'lar] *vt* 1. (*casa, apartamento, oficina*) to rent 2. (*coche, TV, bicicleta*) to hire (*UK*), to rent (*US*) ▾ **se alquila** to let

alquiler [alki'ler] *m* 1. (*de casa, apartamento, oficina*) renting (*UK*), rental (*US*) 2. (*de coche, TV, bicicleta*) hiring (*UK*), rental (*US*) 3. (*precio de casa, etc*) rent 4. (*precio de TV*) rental 5. (*precio de coche, etc*) hire charge (*UK*), rental rate (*US*) • **de alquiler** (*coche*) hire (*antes de s*); (*casa, apartamento*) rented • **alquiler de coches** car hire

alquitrán [alki'tran] *m* tar

alrededor [alreðe'ðor] *adv* • **alrededor (de)** (*en torno a*) around • **alrededor de** (*aproximadamente*) about • **alrededores** *mpl* • **los alrededores** the surrounding area *sg*

alta ['alta] *f* 1. (*de enfermedad*) (*certificate of*) discharge 2. (*en una asociación*) admission • **dar de alta** to discharge

altar [al'tar] *m* altar

altavoz [alta'βoθ, θes] (*pl* **-ces**) *m* 1. (*para anuncios*) loudspeaker 2. (*de estéreo, ordenador*) speaker

alteración [altera'θjon] *f* 1. (*cambio*) alteration 2. (*trastorno*) agitation

alterado, da [alte'raðo, ða] *adj* (*trastornado*) agitated

alterar [alte'rar] *vt* 1. (*cambiar*) to alter 2. (*trastornar, excitar*) to agitate • **alterarse** *vp* (*excitarse*) to get agitated

altercado [alter'kaðo] *m* argument

alternar [alter'nar] *vt* • **alterna la comedia con la tragedia** it alternates comedy with tragedy • **alternar con** *v + prep* (*relacionarse con*) to mix with

alternativa [alterna'tiβa] *f* alternative

alterno, na [al'terno, na] *adj* alternate

Alteza [al'teθa] *f* • **su Alteza** His/Her Highness

altibajos [alti'βaxos] *mpl* 1. (*de comportamiento, humor*) ups and downs 2. (*de terreno*) unevenness *sg*

altillo [al'tiʎo] *m* 1. (*de vivienda*) mezzanine 2. (*de armario*) small cupboard to use up the space near the ceiling

altitud [alti'tuð] *f* 1. (*altura*) height 2. (*sobre el nivel del mar*) altitude

altivo, va [al'tiβo, βa] *adj* haughty

alto, ta ['alto, ta] ◇ *adj* 1. high 2. (*persona, edificio, árbol*) tall 3. (*voz, sonido*) loud ◇ *m* 1. (*interrupción*) stop 2. (*lugar elevado*) height ◇ *adv* 1. (*hablar*) loud 2. (*encontrarse, volar*) high ◇ *interj* halt! • **a altas horas de la noche** in the small hours • **en lo alto de** at the top of • **mide dos metros de alto** (*cosa*) it's two metres high; (*persona*) he's two metres tall

altoparlante [ˌaltopar'lante] *m* (*Amér*) loudspeaker

altruismo [altru'izmo] *m* altruism

altruista [altru'ista] *adj* altruistic

altura [al'tura] *f* 1. (*medida*) height 2. (*elevación*) altitude • **tiene dos metros de altura** (*cosa*) it's two metres high;

(persona) he's two metres tall ● **estar a la altura de** to match up to ◆ **alturas** *fpl* ● **me dan miedo las alturas** I'm scared of heights ● **a estas alturas** by now

alubias [a'luβjas] *fpl* beans

alucinación [aluθina'θjon] *f* hallucination

alucinar [aluθi'nar] *vi* to hallucinate

alud [a'luð] *m* avalanche

aludido, da [alu'ðiðo, ða] *adj* ● **darse por aludido** *(ofenderse)* to take it personally

aludir [alu'ðir] ◆ **aludir a** *v + prep* to refer to

alumbrado [alum'braðo] *m* lighting

alumbrar [alum'brar] ◇ *vt (iluminar)* to light up ◇ *vi (parir)* to give birth

aluminio [alu'minjo] *m* aluminium

alumno, na [a'lumno, na] *m,f* 1. *(de escuela)* pupil *(UK)*, student *(US)* 2. *(de universidad)* student

alusión [alu'sjon] *f* reference ● **hacer alusión a** to refer to

alza ['alθa] *f* rise ● **en alza** *(que sube)* rising

alzar [al'θar] *vt* to raise ◆ **alzarse** *vp* 1. *(levantarse)* to rise 2. *(sublevarse)* to rise up

a.m. [a'eme] *(abr de* ante meridiem*)* a.m.

amabilidad [amaβili'ðað] *f* kindness

amable [a'maβle] *adj* kind

amablemente [a,maβle'mente] *adv* kindly

amaestrado, da [amaes'traðo, ða] *adj* performing

amaestrar [amaes'trar] *vt* to train

amamantar [amaman'tar] *vt* 1. *(animal)*

to suckle 2. *(bebé)* to breastfeed, to nurse *(US)*

amanecer [amane'θer] ◇ *m* dawn ◇ *vi (en un lugar)* to wake up ◇ *vi* ● **amaneció a las siete** dawn broke at seven

amanerado, da [amane'raðo, ða] *adj* affected

amansar [aman'sar] *vt* 1. *(animal)* to tame 2. *(persona)* to calm down

amante [a'mante] *mf (querido)* lover ● **ser amante de** *(aficionado)* to be keen on

amapola [ama'pola] *f* poppy

amar [a'mar] *vt* to love

amargado, da [amar'yaðo, ða] *adj* bitter

amargar [amar'yar] ◇ *vt* to make bitter ◇ *vi* to taste bitter ◆ **amargarse** *vp* 1. *(alimento, bebida)* to go sour 2. *(persona)* to become embittered

amargo, ga [a'maryo, ya] *adj* bitter

amarillear [amariʎe'ar] *vi* to turn yellow

amarillo, lla [ama'riʎo, ʎa] *adj & m* yellow

amarilloso, sa [amari'ʎoso, sa] *adj (Col, Méx & Ven)* yellowish

amarrar [ama'rar] *vt* 1. *(embarcación)* to moor 2. *(Amér) (zapatos)* to tie, to lace

amarre [a'mare] *m* mooring

amasar [ama'sar] *vt* 1. *(pan)* to knead 2. *(fortuna)* to amass

amateur [ama'ter] *adj & mf* amateur

amazona [ama'θona] *f* horsewoman

Amazonas [ama'θonas] *m* ● **el Amazonas** the Amazon

amazónico, ca [ama'θoniko, ka] *adj* Amazonian

ámbar [ˈambar] *m* amber

ambición [ambiˈθjon] *f* ambition

ambicioso, sa [ambiˈθjoso, sa] *adj* ambitious

ambientador [ambjentaˈðor] *m* air freshener

ambiental [ambjenˈtal] *adj (ecológico)* environmental

ambiente [amˈbjente] *m* **1.** *(aire)* air **2.** *(medio social, personal)* circles *pl* **3.** *(animación)* atmosphere **4.** *(CSur) (habitación)* room

ambigüedad [ambiɣweˈðað] *f* ambiguity

ambiguo, gua [amˈbiɣwo, ɣwa] *adj* ambiguous

ámbito [ˈambito] *m* confines *pl*

ambos, bas [ˈambos, bas] ◇ *adj pl* both ◇ *pron* both (of them)

ambulancia [ambuˈlanθja] *f* ambulance

ambulante [ambuˈlante] *adj* travelling

ambulatorio [ambulaˈtorjo] *m* ≃ out-patient clinic

amén [aˈmen] *adv* amen ● **decir amén (a todo)** to agree (with everything) unquestioningly

amenaza [ameˈnaθa] *f* threat ● **amenaza de bomba** bomb scare

amenazar [amenaˈθar] ◇ *vt* to threaten ◇ *vi* ● **amenaza lluvia** it's threatening to rain ● **amenazaron con despedirlo** they threatened to sack him

amenizar [ameniˈθar] *vt* to liven up

ameno, na [aˈmeno, na] *adj* entertaining

América [aˈmerika] *s* America

americana [ameriˈkana] *f* jacket

americanismo [amerikaˈnizmo] *m* Latin Americanism

americano, na [ameriˈkano, na] ◇ *adj* & *m,f* American

ametralladora [ametraʎaˈðora] *f* machine gun

ametrallar [ametraˈʎar] *vt* to machine-gun

amígdalas [aˈmiɣðalas] *fpl* tonsils

amigo, ga [aˈmiɣo, ɣa] *m,f* friend ● **ser amigos** to be friends

amistad [amisˈtað] *f* friendship ◆ **amistades** *fpl* friends

amnesia [amˈnesja] *f* amnesia

amnistía [amnisˈtia] *f* amnesty

amo, ama [ˈamo, ama] *m,f (dueño)* owner ● **ama de casa** housewife ● **ama de llaves** housekeeper

amodorrado, da [amoðoˈrraðo, ða] *adj* drowsy

amoníaco [amoˈniako] *m* ammonia

amontonar [amontoˈnar] *vt* to pile up ◆ **amontonarse** *vp (problemas, deudas)* to pile up

amor [aˈmor] *m* love ● **hacer el amor** to make love ● **amor propio** pride

amordazar [amorðaˈθar] *vt* **1.** *(persona)* to gag **2.** *(animal)* to muzzle

amoroso, sa [amoˈroso, sa] *adj* loving

amortiguador [amortiɣwaˈðor] *m* shock absorber

amortiguar [amortiˈɣwar] *vt* **1.** *(golpe)* to cushion **2.** *(ruido)* to muffle

amparar [ampaˈrar] *vt* to protect ◆ **ampararse en** *v + prep* to have recourse to

amparo [amˈparo] *m* protection ● **al amparo de** under the protection of

ampliación [ampljaˈθjon] *f* **1.** *(de local)* extension **2.** *(de capital, negocio)*

xpansion **3.** *(de fotografía)* enlarge-
ent

mpliar [ampli'ar] *vt* **1.** *(estudios, conoci-
ientos)* to broaden **2.** *(local)* to add an
xtension to **3.** *(capital, negocio)* to
xpand **4.** *(fotografía)* to enlarge

mplificador [amplifika'ðor] *m* ampli-
er

mplio, plia ['amplio, plia] *adj* **1.** *(ave-
da, calle)* wide **2.** *(habitación, coche)*
acious **3.** *(extenso, vasto)* extensive

mplitud [ampli'tuð] *f* **1.** *(de avenida,
lle)* width **2.** *(de habitación, coche)*
aciousness **3.** *(extensión)* extent

mpolla [am'poʎa] *f* **1.** *(en la piel)* blister
(botella) phial *(UK)*, vial *(US)*

mueblado, da [amue'βlaðo, ða] *adj*
rnished

mueblar [amue'βlar] *vt* to furnish

muermarse [amuer'marse] *vp (fam)* to
t bored

muleto [amu'leto] *m* amulet

murallar [amura'ʎar] *vt* to build a
all around

nalfabetismo [analfaβe'tizmo] *m* illi-
racy

nalfabeto, ta [analfa'βeto, ta] *adj & m,f*
iterate

nalgésico [anal'xesiko] *m* analgesic

nálisis [a'nalisis] *m inv* **1.** analysis ●
nálisis de sangre blood test

nalítico, ca [ana'litiko, ka] *adj* analyti-
l

nalizar [anali'θar] *vt* **1.** *(problema, situa-
ón)* to analyse **2.** *(frase)* to parse

nalogía [analo'xia] *f* similarity

nálogo, ga [a'naloɣo, ɣa] *adj* similar

nanás [ana'nas] *m inv (RP)* pineapple

anaranjado, da [anaran'xaðo, ða] *adj*
orange

anarquía [anar'kia] *f* **1.** *(en política)*
anarchism **2.** *(desorden)* anarchy

anárquico, ca [a'narkiko, ka] *adj* anar-
chic

anarquista [anar'kista] *adj* anarchist

anatomía [anato'mia] *f* anatomy

anatómico, ca [ana'tomiko, ka] *adj*
anatomical

anca ['anka] *f* haunch

ancho, cha ['antʃo, tʃa] ⋄ *adj* wide ⋄ *m*
width ● **tener dos metros de ancho** to
be two metres wide ● **a sus anchas** at
ease ● **quedarse tan ancho** not to bat
an eyelid ● **venir ancho** *(prenda de
vestir)* to be too big

anchoa [an'tʃoa] *f* anchovy

anchura [an'tʃura] *f* width

anciano, na [an'θjano, na] ⋄ *adj* old ⋄ *m*,
f old man *(f* old woman)

ancla ['ankla] *f* anchor

anda ['anda] *interj* gosh!

Andalucía [andalu'θia] *s* Andalusia

andaluz, za [anda'luθ, θa] *adj & m,f*
Andalusian

andamio [an'damjo] *m* scaffold

andar [an'dar]
⋄ *vi* **1.** *(caminar)* to walk **2.** *(moverse)* to
move **3.** *(funcionar)* to work ● **el reloj
no anda** the clock has stopped ● **las
cosas andan mal** things are going badly
4. *(estar)* to be ● **anda atareado** he is
busy ● **creo que anda por ahí** I think
she's around somewhere ● **andar
haciendo algo** to be doing sthg
⋄ *vt (recorrer)* to travel
⋄ *m (de animal, persona)* gait

◆ **andar en** *v + prep (ocuparse)* to be involved in

◆ **andar por** *v + prep* ● anda por los cuarenta he's about forty

◆ **andarse con** *v + prep* ● andarse con cuidado to be careful

◆ **andares** *mpl (actitud)* gait *sg*

ándele ['andele] *interj* **1.** *(Amér) (vale)* all right **2.** *(venga)* come on!

andén [an'den] *m* platform *(UK)*, track *(US)*

Andes ['andes] *mpl* ● los Andes the Andes

andinismo [andi'nizmo] *m (Amér)* mountaineering *(UK)*, mountain climbing *(US)*

andinista [andi'nista] *mf (Amér)* mountaineer *(UK)*, mountain climber *(US)*

andino, na [an'dino, na] *adj* Andean

anécdota [a'neɣðota] *f* anecdote

anecdótico, ca [aneɣ'ðotiko, ka] *adj* incidental

anemia [a'nemja] *f* anaemia

anémico, ca [a'nemiko, ka] *adj* anaemic

anémona [a'nemona] *f* anemone

anestesia [anes'tesja] *f* anaesthesia

anestesista [aneste'sista] *mf* anaesthetist

anexo, xa [a'nekso, sa] ◇ *adj (accesorio)* attached ◇ *m* annexe

anfetamina [anfeta'mina] *f* amphetamine

anfibios [an'fiβjos] *mpl* amphibians

anfiteatro [anfite'atro] *m* **1.** *(de teatro)* circle **2.** *(edificio)* amphitheatre

anfitrión, ona [anfi'trjon, ona] *m,f* host *(f* hostess*)*

ángel ['anxel] *m* angel

angelical [anxeli'kal] *adj* angelic

angina [an'xina] *f* ● tener anginas to have a sore throat ● angina de pecho angina *(pectoris)*

anglosajón, ona [ˌanglosa'xon, ona] *adj & m,f* Anglo-Saxon

anguila [an'gila] *f* eel

angula [an'gula] *f* elver

angular [angu'lar] *adj* angular

ángulo ['angulo] *m* angle

angustia [an'gustja] *f* anxiety

angustiado, da [angus'tjaðo, ða] *adj* distressed

angustiarse [angus'tjarse] *vp* to get worried

angustioso, sa [angus'tjoso, sa] *adj* **1.** *(momentos)* anxious **2.** *(noticia)* distressing

anhelar [ane'lar] *vt (ambicionar)* to long for

anhelo [a'nelo] *m* longing

anidar [ani'ðar] *vi* to nest

anilla [a'niʎa] *f* ring ◆ **anillas** *fpl (en gimnasia)* rings

anillo [a'niʎo] *m* ring

ánima ['anima] *m o f* soul

animación [anima'θjon] *f (alegría)* liveliness

animado, da [ani'maðo, ða] *adj (divertido)* lively ● animado a *(predispuesto)* in the mood for

animal [ani'mal] ◇ *m* animal ◇ *adj* **1.** *(bruto, grosero)* rough **2.** *(exagerado)* gross ● animal de compañía pet ● animal doméstico *(de granja)* domestic animal; *(de compañía)* pet

animar [ani'mar] *vt* **1.** *(alegrar)* to cheer up **2.** *(alentar)* to encourage ◆ **animarse**

p *(alegrarse)* to cheer up ● **animarse a** *(decidirse a)* to finally decide to

nimo ['animo] ◇ *m* **1.** *(humor)* mood **2.** *(valor)* courage ◇ *interj* come on!

niñado, da [ani'naðo, ða] *adj* childish

niquilar [aniki'lar] *vt* to annihilate

nís [a'nis] *m* **1.** *(grano)* aniseed **2.** *(licor)* nisette

niversario [aniβer'sarjo] *m* **1.** *(de acontecimiento)* anniversary **2.** *(cumpleaños)* irthday

no ['ano] *m* anus

noche [a'notʃe] *adv* last night

nochecer [anotʃe'θer] ◇ *m* dusk ◇ *vi* to et dark ● **al anochecer** at dusk

nomalía [anoma'lia] *f* anomaly

nómalo, la [a'nomalo, la] *adj* anomaous

nonimato [anoni'mato] *m* anonimity

nónimo, ma [a'nonimo, ma] ◇ *adj* nonymous ◇ *m* anonymous letter

norak [ano'rak] *m* anorak *(UK)*, parka *US)*

norexia [ano'reksja] *f* anorexia

notar [ano'tar] *vt* to note down

nsia ['ansja] *f* **1.** *(deseo, anhelo)* yearning **2.** *(inquietud)* anxiousness

nsiedad [ansje'ðað] *f (inquietud)* anxety

nsioso, sa [an'sjoso, sa] *adj* ● **ansioso** or impatient for

Antártico [an'tartiko] *m* ● **el Antártico** he Antarctic

nte ['ante] ◇ *prep* **1.** *(en presencia de)* efore **2.** *(frente a)* in the face of ◇ *m piel)* suede

nteanoche [antea'notʃe] *adv* the night efore last

anteayer [antea'jer] *adv* the day before yesterday

antebrazo [ante'βraθo] *m* forearm

antecedentes [anteθe'ðentes] *mpl* ● **tener antecedentes (penales)** to have a criminal record

anteceder [anteθe'ðer] *vt* to precede

antecesor, ra [anteθe'sor, ra] *m,f* predecessor

antelación [antela'θjon] *f* ● **con antelación** in advance

antemano [ante'mano] ● **de antemano** *adv* beforehand

antena [an'tena] *f* **1.** *(de radio, TV)* aerial *(UK)*, antenna *(US)* **2.** *(de animal)* antenna ● **antena parabólica** satellite dish

anteojos [ante'oxos] *mpl (Amér)* glasses

antepasados [ˌantepa'saðos] *mpl* ancestors

antepenúltimo, ma [ˌantepe'nultimo, ma] *adj* second to last

anterior [ante'rjor] *adj* **1.** *(en espacio)* front **2.** *(en tiempo)* previous

antes ['antes]

◇ *adv* **1.** *(en el tiempo)* before ● **antes se vivía mejor** life used to be better ● **¿quién llamó antes?** who rang earlier? ● **mucho/poco antes** much/a bit earlier ● **lo antes posible** as soon as possible ● **antes de hacerlo** before doing it ● **llegó antes de las nueve** she arrived before nine o'clock **2.** *(en el espacio)* in front ● **la farmacia está antes** the chemist's is in front ● **antes de** o **que** in front of ● **la zapatería está antes del cruce** the shoe shop is before the crossroads **3.** *(primero)* first ● **yo la vi antes** I saw her first **4.** *(en locuciones)*

● iría a la cárcel antes que mentir I'd rather go to prison than lie ● **antes (de) que** *(prioridad en el tiempo)* before ● **antes de nada** first of all ◇ *adj* previous ● **llegó el día antes** she arrived on the previous day

antesala [ante'sala] *f* waiting room

antiabortista [ˌantiaβoɾ'tista] *mf* anti-abortionist

antiarrugas [antia'ruɣas] *m inv* anti-wrinkle cream

antibiótico [anti'βjotiko] *m* antibiotic

anticaspa [anti'kaspa] *adj* anti-dandruff

anticiclón [antiθi'klon] *m* anticyclone

anticipado, da [antiθi'paðo, ða] *adj* 1. *(prematuro)* early 2. *(pago)* advance

anticipar [antiθi'paɾ] *vt* 1. *(noticias)* to tell in advance 2. *(pagos)* to pay in advance ◆ **anticiparse** *vp* ● **anticiparse a alguien** to beat sb to it

anticipo [anti'θipo] *m (de dinero)* advance

anticoncepción [ˌantikonθep'θjon] *f* contraception

anticonceptivo [ˌantikonθep'tiβo] *m* contraceptive

anticuado, da [anti'kwaðo, ða] *adj* old-fashioned

anticuario [anti'kwaɾjo] *m* antique dealer

anticuerpo [anti'kweɾpo] *m* antibody

antidepresivo [ˌantidepre'siβo] *m* antidepressant

antier [an'tjeɾ] *adv (Amér) (fam)* the day before yesterday

antifaz [anti'faθ, θes] *(pl* **-ces)** *m* mask

antigrasa [anti'ɣɾasa] *adj (producto)* grease-removing, degreasing ● **un champú antigrasa** a shampoo for greasy hair

antiguamente [anˌtiɣua'mente] *adv* formerly

antigüedad [antiɣue'ðað] *f* 1. *(en el trabajo)* seniority 2. *(época)* ● **en la antigüedad** in the past ● **antigüedades** *fpl (muebles, objetos)* antiques

antiguo, gua [an'tiɣuo, ɣua] *adj* 1. *(viejo)* old 2. *(inmemorial)* ancient 3. *(pasado de moda)* old-fashioned 4. *(anterior)* former

antihistamínico [ˌantiista'miniko] *m* antihistamine

antiinflamatorio [ˌantiinflama'toɾjo] *m* anti-inflammatory drug

Antillas [an'tiʎas] *sf* ● **las Antillas** the West Indies

antílope [an'tilope] *m* antelope

antipatía [antipa'tia] *f* dislike

antipático, ca [anti'patiko, ka] *adj* unpleasant

antirrobo [anti'roβo] ◇ *adj* antitheft ◇ *m* 1. *(en coche)* antitheft device 2. *(en edificio)* burglar alarm

antiséptico [anti'septiko] *m* antiseptic

antitérmico [anti'teɾmiko] *m* antipyretic

antojitos [anto'xitos] *mpl (Méx)* Mexican dishes such as tacos served as snacks

antojo [an'toxo] *m (capricho)* whim ● **tener el antojo de** to have a craving for

antología [antolo'xia] *f* anthology

antorcha [an'toɾtʃa] *f* torch

antro ['antɾo] *m (despec)* dump

anual [anu'al] *adj* annual

anuario [anu'aɾjo] *m* yearbook

anulado, da [anu'laðo, ða] *adj* 1. *(espec-*

táculo) cancelled **2.** *(tarjeta, billete, etc)* void **3.** *(gol)* disallowed

anular [anuˈlar] ◇ *m* ring finger ◇ *vt* **1.** *(espectáculo)* to cancel **2.** *(partido)* to call off **3.** *(tarjeta, billete)* to validate **4.** *(gol)* to disallow **5.** *(personalidad)* to repress

anunciar [anunˈθjar] *vt* **1.** to announce **2.** *(en publicidad)* to advertise

anuncio [aˈnunθjo] *m* **1.** *(notificación)* announcement **2.** *(en publicidad)* advert *(UK)*, commercial *(US)* **3.** *(presagio, señal)* sign

anzuelo [anˈθwelo] *m* (fish) hook

añadidura [aɲaðiˈðura] *f* addition ● por añadidura in addition

añadir [aɲaˈðir] *vt* to add

añicos [aˈɲikos] *mpl* ● hacerse añicos to shatter

año [ˈaɲo] *m* year ● hace años years ago ● ¿cuántos años tienes? how old are you? ● tengo 17 años I'm 17 years old) ● año nuevo New Year ● los años 50 the fifties

añoranza [aɲoˈranθa] *f* **1.** *(del pasado)* nostalgia **2.** *(del hogar)* homesickness

añorar [aɲoˈrar] *vt* to miss

aorta [aˈorta] *f* aorta

apachurrar [apatʃuˈrar] *vt (Amér) (fam)* (achatar) to squash

apacible [apaˈθiβle] *adj* **1.** *(persona, carácter)* gentle **2.** *(lugar)* pleasant **3.** *(tiempo)* mild

apadrinar [apaðriˈnar] *vt* **1.** *(en bautizo)* to act as godparent to **2.** *(proteger, ayudar)* to sponsor

pagado, da [apaˈɣaðo, ða] *adj* **1.** *(luz, fuego)* out **2.** *(aparato)* off **3.** *(persona, color)* subdued **4.** *(sonido)* muffled

apagar [apaˈɣar] *vt* **1.** *(luz, lámpara, televisión, etc)* to turn off **2.** *(fuego, cigarrillo)* to put out ● apagarse *vp (la luz)* to go out

apagón [apaˈɣon] *m* power cut

apaisado, da [apaiˈsaðo, ða] *adj* oblong

apalabrar [apalaˈβrar] *vt* to make a verbal agreement regarding

apalancado, da [apalanˈkaðo, ða] *adj* comfortably installed

apañado, da [apaˈɲaðo, ða] *adj* clever

apañarse [apaˈɲarse] *vp* to manage ● apañárselas to manage

apapachado, da [apapaˈtʒaðo, ða] *adj (Amér)* pampered

apapachar [apapaˈtʒar] *vt (Méx)* to stroke fawningly

aparador [aparaˈðor] *m* sideboard

aparato [apaˈrato] *m* **1.** *(máquina)* machine **2.** *(de radio, televisión)* set **3.** *(dispositivo)* device **4.** *(electrodoméstico)* appliance **5.** *(avión)* plane **6.** *(digestivo, circulatorio, etc)* system **7.** *(ostentación)* ostentation

aparcamiento [aparkaˈmjento] *m* **1.** *(lugar)* car park *(UK)*, parking lot *(US)* **2.** *(hueco)* parking place **3.** *(acción)* parking ▼ aparcamiento público car park

aparcar [aparˈkar] *vt* **1.** *(vehículo)* to park **2.** *(problema, decisión, etc)* to leave to one side ▼ aparcar en batería sign indicating that cars must park at right angles to the pavement

aparecer [apareˈθer] *vi* **1.** *(de forma repentina)* to appear **2.** *(lo perdido)* to turn up **3.** *(publicación)* to come out

aparejador, ra [aparexaˈðor, ra] *m,f* quantity surveyor

aparejar [apare'xar] *vt (embarcación)* to rig

aparejo [apa'rexo] *m (de embarcación)* rigging

aparentar [aparen'tar] *vt* 1. *(fingir)* to feign 2. *(edad)* to look

aparente [apa'rente] *adj* 1. *(fingido)* apparent 2. *(vistoso)* showy

aparición [apari'θjon] *f* 1. appearance 2. *(de lo sobrenatural)* apparition

apariencia [apa'rjenθja] *f* appearance ◆ **en apariencia** outwardly ◆ **guardar las apariencias** to keep up appearances

apartado, da [apar'taðo, ða] ◇ *adj* 1. *(lejano)* remote 2. *(separado)* separated ◇ *m* paragraph ◆ **apartado de correos** P.O. Box

apartamento [aparta'mento] *m* apartment ▼ **apartamentos de alquiler** apartments (to let)

apartar [apar'tar] *vt* 1. *(separar)* to separate 2. *(quitar)* to remove 3. *(quitar de en medio)* to move out of the way 4. *(disuadir)* to dissuade ◆ **apartarse** *vp (retirarse)* to move out of the way ◆ **apartarse de** *(alejarse de)* to move away from

aparte [a'parte] ◇ *adv* 1. *(en otro lugar)* to one side 2. *(separadamente)* separately 3. *(además)* besides ◇ *adj* 1. *(privado)* private 2. *(diferente)* separate ◆ **aparte de** *(además de)* besides; *(excepto)* apart from

aparthotel [aparto'tel] *m* holiday (UK) o vacation (US) apartments *pl*

apasionado, da [apasjo'naðo, ða] *adj* passionate ◆ **apasionado por** *(aficionado)* mad about

apasionante [apasjo'nante] *adj* fascinating

apasionar [apasjo'nar] *vi* ◆ **le apasiona el teatro** he loves the theatre ◆ **apasionarse** *vp (excitarse)* to get excited ◆ **apasionarse por** *v + prep (ser aficionado a)* to love

apdo. (*abr de* apartado) P.O. Box

apechugar [apetʃu'ɣar] *vi* ◆ **apechugar con** *(fam)* to put up with

apego [a'peɣo] *m* ◆ **tener apego a** to be fond of

apellidarse [apeʎi'ðarse] *vp* ◆ **se apellida Gómez** her surname is Gómez

apellido [ape'ʎiðo] *m* surname

apellido

Spanish people's surnames comprise two parts: the surname of their father, followed by the surname of their mother. The full surname must be used for official purposes, but in everyday situations most people just use the first part. Thus, Antonio García Blanco is normally shortened to Antonio García.

apenado, da [ape'naðo, ða] *adj (Andes, CAm, Carib, Col & Méx)* embarrassed

apenar [ape'nar] *vt* to sadden ◆ **apenarse** *vp (Andes, CAm, Carib, Col & Méx) (sentir vergüenza)* to be embarrassed

apenas [a'penas] *adv* 1. hardly 2. *(escasamente)* only 3. *(tan pronto como)* as soon as

péndice [a'pendiθe] *m* appendix

pendicitis [apendi'θitis] *f inv* appendicitis

peritivo [aperi'tiβo] *m* **1.** *(bebida)* aperitif **2.** *(comida)* appetizer

pertura [aper'tura] *f (inauguración)* opening

pestar [apes'tar] *vi* to stink

petecer [apete'θer] *vi* ▪ **¿te apetece n café?** do you fancy a coffee?

petecible [apete'θiβle] *adj* appetizing

petito [ape'tito] *m* appetite ▪ **abrir el petito** to whet one's appetite ▪ **tener petito** to feel hungry

petitoso, sa [apeti'toso, sa] *adj* appetizing

picultura [apikul'tura] *f* beekeeping

piñado, da [api'naðo, ða] *adj* packed

piñarse [api'narse] *vp* to crowd together

pio ['apio] *m* celery

pisonadora [apisona'ðora] *f* steamoller

planadora [apla'nar] *f (Amér)* steamoller

planar [apla'nar] *vt* to level

plastar [aplas'tar] *vt (chafar)* to flatten

plaudir [aplau'ðir] *vt & vi* to applaud

plauso [a'plauso] *m* round of applause ▪ **aplausos** applause *sg*

plazar [apla'θar] *vt* to postpone

plicación [aplika'θion] *f* application

plicado, da [apli'kaðo, ða] *adj* **1.** *(alumno, estudiante)* diligent **2.** *(ciencia, estudio)* applied

plicar [apli'kar] *vt* to apply ◆ **aplicarse** *⟨ ▪* **aplicarse en** to apply o.s. to

plique [a'plike] *m* wall lamp

aplomo [a'plomo] *m* composure

apoderarse [apoðe'rarse] ◆ **apoderarse de** *v + prep* to seize

apodo [a'poðo] *m* nickname

apogeo [apo'xeo] *m* height ◆ **estar en su apogeo** to be at its height

aportación [aporta'θion] *f* contribution

aportar [apor'tar] *vt* to contribute

aposta [a'posta] *adv* on purpose

apostar [apos'tar] *vt & vi* to bet ◆ **apostar por** *v + prep* to bet on

apóstol [a'postol] *m* apostle

apóstrofo [a'postrofo] *m* apostrophe

apoyar [apo'jar] *vt* **1.** *(animar)* to support **2.** *(fundamentar)* to base **3.** *(respaldar)* to lean ◆ **apoyarse** *vp (arrimarse)* ▪ **apoyarse (en)** to lean (on)

apoyo [a'pojo] *m* support

apreciable [apre'θiaβle] *adj* **1.** *(perceptible)* appreciable **2.** *(estimable)* worthy

apreciación [apreθia'θion] *f* appreciation

apreciado, da [apre'θiaðo, ða] *adj (estimado)* esteemed

apreciar [apre'θiar] *vt* **1.** *(sentir afecto por)* to think highly of **2.** *(valorar)* to appreciate **3.** *(percibir)* to make out

aprecio [a'preθio] *m* esteem

apremiar [apre'miar] ◇ *vt (dar prisa)* to urge ◇ *vi (tiempo)* to be short

aprender [apren'der] ◇ *vt* to learn ◇ *vi* ▪ **aprender a** to learn to

aprendiz [apren'diθ, θes] (*pl* **-ces**) *m* apprentice

aprendizaje [aprendi'θaxe] *m (proceso)* learning

aprensión [apren'sion] *f* **1.** *(miedo)* apprehension **2.** *(escrúpulo)* squeamishness

aprensivo, va [apren'siβo, βa] *adj* **1.** *(miedoso)* apprehensive **2.** *(escrupuloso)* squeamish **3.** *(hipocondríaco)* hypochondriac

apresurado, da [apresu'raðo, ða] *adj* hurried

apresurarse [apresu'rarse] *vp* to hurry ● apresurarse a to hurry to

apretado, da [apre'taðo, ða] *adj* **1.** *(cinturón, ropa, etc)* tight **2.** *(victoria, triunfo)* narrow **3.** *(agenda)* full

apretar [apre'tar] ◇ *vt* **1.** *(presionar)* to press **2.** *(gatillo)* to pull **3.** *(ajustar)* to tighten **4.** *(ceñir)* to be too tight for **5.** *(con los brazos)* to squeeze ◇ *vi* *(calor, hambre)* to intensify ● apretarse *vp* *(apiñarse)* to crowd together ● apretarse el cinturón to tighten one's belt

apretujar [apretu'xar] *vt* to squash ● apretujarse *vp* to squeeze together

aprisa [a'prisa] *adv* quickly

aprobado [apro'βaðo] *m* pass

aprobar [apro'βar] *vt* **1.** *(asignatura, examen, ley)* to pass **2.** *(actitud, comportamiento)* to approve of

apropiado, da [apro'piaðo, ða] *adj* suitable

apropiarse [apro'piarse] ● apropiarse de *v + prep* *(adueñarse de)* to appropriate

aprovechado, da [aproβe'tʃaðo, ða] *adj* **1.** *(tiempo)* well-spent **2.** *(espacio)* well-planned

aprovechar [aproβe'tʃar] ◇ *vt* **1.** *(ocasión, oferta)* to take advantage of **2.** *(tiempo, espacio)* to make use of **3.** *(lo inservible)* to put to good use ◇ *vi* ● ¡que aproveche! enjoy your meal! ● aprovecharse de *v + prep* to take

advantage of

aproximación [aproksima'θjon] *f* **1.** *(acercamiento)* approach **2.** *(en cálculo)* approximation

aproximadamente [aproksi,maða'mente] *adv* approximately

aproximar [aproksi'mar] *vt* to move closer ● aproximarse *vp* ● aproximarse a to come closer to

apto, ta ['apto, ta] *adj* ● apto para menores suitable for children ● no apto para menores unsuitable for children

apuesta [a'pwesta] *f* bet

apuesto, ta [a'pwesto, ta] *adj* dashing

apunarse [apu'narse] *vp* (Andes) to get altitude sickness

apuntador, ra [apunta'ðor, ra] *m,f* prompter

apuntar [apun'tar] *vt* **1.** *(escribir)* to note down **2.** *(inscribir)* to put down **3.** *(arma)* to aim **4.** *(con el dedo)* to point at ● apuntarse *vp* *(inscribirse)* to put one's name down ● apuntarse a *v + prep* *(participar en)* to join in with

apunte [a'punte] *m* **1.** *(nota)* note **2.** *(boceto)* sketch ● apuntes *mpl* notes ● tomar apuntes to take notes

apuñalar [apuɲa'lar] *vt* to stab

apurar [apu'rar] *vt* **1.** *(agotar)* to finish off **2.** *(preocupar)* to trouble ● apurarse *vp* *(darse prisa)* to hurry ● apurarse por *(preocuparse por)* to worry about

apuro [a'puro] *m* **1.** *(dificultad)* fix **2.** *(escasez económica)* hardship ● me da apuro (hacerlo) I'm embarrassed (to do it) ● estar en apuros to be in a tight spot

aquel, la [a'kel, ʎa] *adj* that

aquél, la [a'kel, ʎa] *pron* **1.** *(en el espacio)* that one **2.** *(en el tiempo)* that ● **aquél que** anyone who

aquello [a'keʎo] *pron neutro* that ● **aquello de su mujer es mentira** all that about his wife is a lie

aquellos, llas [a'keʎos, ʎas] *adj pl* those

aquéllos, llas [a'keʎos, ʎas] *pron pl* those

aquí [a'ki] *adv* **1.** *(en este lugar)* here **2.** *(ahora)* now ● **aquí arriba** up here ● **aquí dentro** in here

árabe ['araβe] ⋄ *adj & mf* Arab ⋄ *m* *(lengua)* Arabic

Arabia Saudí [a'raβjasau'ði] *s* Saudi Arabia

arado [a'raðo] *m* plough

arandela [aran'dela] *f* washer

araña [a'raɲa] *f* spider

arañar [ara'ɲar] *vt* to scratch

arañazo [ara'ɲaθo] *m* scratch

arar [a'rar] *vt* to plough

arbitrar [arβi'trar] *vt* **1.** *(partido)* to referee **2.** *(discusión)* to arbitrate

árbitro ['arβitro, tra] *m* referee

árbol ['arβol] *m* tree ● **árbol de Navidad** Christmas tree

arbusto [ar'βusto] *m* bush

arca ['arka] *f* *(cofre)* chest

arcada [ar'kaða] *f* arcade ◆ **arcadas** *fpl* *(náuseas)* retching *sg*

arcaico, ca [ar'kaiko, ka] *adj* archaic

arcángel [ar'kanxel] *m* archangel

arcén [ar'θen] *m* **1.** *(en carretera)* verge **2.** *(en autopista)* hard shoulder *(UK)*, shoulder *(US)*

archipiélago [artʃi'pjelaɣo] *m* archipelago

archivador [artʃiβa'ðor] *m* filing cabinet

archivar [artʃi'βar] *vt* to file

archivo [ar'tʃiβo] *m* **1.** *(lugar)* archive **2.** *(documentos)* archives *pl*

arcilla [ar'θiʎa] *f* clay

arcilloso, sa [arθi'ʎoso, sa] *adj* clayey

arco ['arko] *m* **1.** *(de flechas)* bow **2.** *(en arquitectura)* arch **3.** *(en geometría)* arc **4.** *(Amér)* *(en deporte)* goal ● **arco iris** rainbow ● **arco de triunfo** triumphal arch

arder [ar'ðer] *vi* to burn ● **está que arde** *(fam)* he's fuming

ardiente [ar'ðjente] *adj* **1.** *(que arde)* burning **2.** *(líquido)* scalding **3.** *(apasionado)* ardent

ardilla [ar'ðiʎa] *f* squirrel

área ['area] *f* area ▼ **área de descanso** rest area ▼ **área de servicio** service area

arena [a'rena] *f* sand ● **arenas movedizas** quicksand

arenoso, sa [aren'oso, sa] *adj* sandy

arenque [a'renke] *m* herring

aretes [a'retes] *mpl* *(Col & Méx)* earrings

Argelia [ar'xelja] *s* Algeria

Argentina [arxen'tina] *f* ● **(la) Argentina** Argentina

argentino, na [arxen'tino, na] *adj & m,f* Argentinian

argot [ar'ɣot] *m* **1.** *(popular)* slang **2.** *(técnico)* jargon

argumentar [arɣumen'tar] *vt* *(alegar)* to allege

argumento [arɣu'mento] *m* **1.** *(razón)* reason **2.** *(de novela, película, etc)* plot

aria [ˈaɾja] *f* aria

árido, da [ˈaɾiðo, ða] *adj* dry

Aries [ˈaɾjes] *m* Aries

arista [aˈɾista] *f* edge

aristocracia [aɾistoˈkɾaθja] *f* aristocracy

aristócrata [aɾisˈtokɾata] *mf* aristocrat

aritmética [aɾiðˈmetika] *f* arithmetic

arlequín [aɾleˈkin] *m* harlequin

arma [ˈaɾma] *f* weapon ● **ser de armas tomar** *(tener mal carácter)* to be a nasty piece of work

armada [aɾˈmaða] *f* *(fuerzas navales)* navy

armadillo [aɾmaˈðiʎo] *m* armadillo

armadura [aɾmaˈðuɾa] *f* *(coraza)* armour

armamento [aɾmaˈmento] *m* *(armas)* arms *pl*

armar [aɾˈmar] *vt* 1. *(ejército)* to arm 2. *(pistola, fusil)* to load 3. *(mueble)* to assemble 4. *(tienda)* to pitch 5. *(alboroto, ruido)* to make ◆ **armarse** *vp* to arm o.s. ◆ **armarse de** *v + prep (valor, paciencia)* to summon up

armario [aɾˈmaɾjo] *m* 1. *(de cajones)* cupboard *(UK)*, dresser *(US)* 2. *(ropero)* wardrobe ● **armario empotrado** fitted cupboard/wardrobe

armazón [aɾmaˈθon] *f* 1. *(de cama, tienda de campaña)* frame 2. *(de coche)* chassis

armisticio [aɾmisˈtiθjo] *m* armistice

armonía [aɾmoˈnia] *f* harmony

armónica [aɾˈmonika] *f* harmonica

armonizar [aɾmoniˈθaɾ] *vt* to match

aro [ˈaɾo] *m* 1. *(anilla)* ring 2. *(juguete)* hoop

aroma [aˈɾoma] *m* 1. *(olor)* aroma 2. *(de vino)* bouquet ● **aroma artificial** artificial flavouring

arpa [ˈaɾpa] *f* harp

arqueología [aɾkeoloˈxia] *f* archeology

arqueólogo, ga [aɾkeˈoloɣo, ɣa] *m,f* archeologist

arquero [aɾˈkeɾo] *m* *(Amér)* goalkeeper

arquitecto, ta [aɾkiˈtekto, ta] *m,f* architect

arquitectónico, ca [aɾkitekˈtoniko, ka] *adj* architectural

arquitectura [aɾkitekˈtuɾa] *f* architecture

arraigar [araiˈɣaɾ] *vi* to take root

arrancar [aranˈkaɾ] ◇ *vt* 1. *(del suelo)* to pull up 2. *(motor)* to start 3. *(de las manos)* to snatch ◇ *vi* 1. *(iniciar la marcha)* to set off 2. *(vehículo)* to start up ● **arrancar de** to stem from

arranque [aˈranke] *m* 1. *(ímpetu)* drive 2. *(de ira, pasión)* fit

arrasador, ra *adj* 1. *(ciclón, terremoto, incendio)* devastating 2. *(éxito)* phenomenal

arrastrar [arasˈtɾaɾ] *vt* 1. *(por el suelo)* to drag 2. *(convencer)* to win over ◆ **arrastrarse** *vp* 1. *(reptar)* to crawl 2. *(humillarse)* to grovel

arrastre [aˈrastɾe] *m* dragging ● **estar para el arrastre** to have had it

arrebatar [areβaˈtaɾ] *vt* to snatch

arrebato [areˈβato] *m* *(de ira, pasión)* outburst

arreglar [areˈɣlaɾ] *vt* 1. *(ordenar)* to tidy up *(UK)*, to clean up *(US)* 2. *(reparar)* to repair 3. *(casa)* to do up *(UK)*, to decorate ◆ **arreglarse** *vp* 1. *(embellecerse)* to smarten up 2. *(solucionarse)* to sort itself out ● **arreglárselas** to manage

arreglo [aˈrɣeɣlo] *m* **1.** *(reparación)* repair **2.** *(de ropa)* mending **3.** *(acuerdo)* agreement

arrendatario, ria [arendaˈtarjo, rja] *m,f* tenant

arreos [aˈreos] *mpl* harness *sg*

arrepentirse [arepenˈtirse] ◆ **arrepentirse de** *v* + *prep* to regret

arrestar [aresˈtar] *vt* to arrest

arriba [aˈriβa] *adv* **1.** *(de situación)* above **2.** *(de dirección)* up **3.** *(en edificio)* upstairs ● **allí arriba** up there ● **aquí arriba** up here ● **más arriba** further up ● **para arriba** upwards ● **de arriba** *(piso)* upstairs ● **de arriba abajo** *(detenidamente)* from top to bottom; *(con desdén)* up and down

arriesgado, da [arjezˈɣaðo, ða] *adj* risky

arriesgar [arjezˈɣar] *vt* to risk ◆ **arriesgarse** *vp* ● **arriesgarse a** to dare to

arrimar [ariˈmar] *vt* to move closer ● **arrimar el hombro** to lend a hand ◆ **arrimarse** *vp* ● **arrimarse a** to move closer to

arrodillarse [aroðiˈʎarse] *vp* to kneel down

arrogancia [aroˈɣanθja] *f* arrogance

arrogante [aroˈɣante] *adj* arrogant

arrojar [aroˈxar] *vt* **1.** *(lanzar)* to hurl **2.** *(vomitar)* to throw up ● **arrojar a alguien de** *(echar)* to throw sb out of ◆ **arrojarse** *vp* **1.** *(al vacío)* to hurl o.s. **2.** *(sobre una persona)* to leap

arroyo [aˈroʝo] *m* stream

arroz [aˈroθ] *m* rice ● **arroz blanco** boiled rice ● **arroz a la cubana** boiled rice with fried egg, tomatoes and fried banana ● **arroz con leche** rice pudding ● **arroz negro** *rice cooked with squid ink*

arruga [aˈruɣa] *f* **1.** *(en piel)* wrinkle **2.** *(en tejido)* crease

arrugado, da [aruˈɣaðo, ða] *adj* **1.** *(piel)* wrinkled **2.** *(tejido, papel)* creased

arrugar [aruˈɣar] *vt* to crease ◆ **arrugarse** *vp* to get creased

arruinar [aruiˈnar] *vt* to ruin ◆ **arruinarse** *vp* to be ruined

arsénico [arˈseniko] *m* arsenic

arte [ˈarte] *m o f* art ● **tener arte para** to be good at ● **con malas artes** using trickery ● **por arte de magia** as if by magic ● **artes** *fpl* arts

artefacto [arteˈfakto] *m* device

arteria [arˈterja] *f* artery

artesanal [artesaˈnal] *adj* handmade

artesanía [artesaˈnia] *f* craftsmanship ● **de artesanía** handmade

artesano, na [arteˈsano, na] *m,f* craftsman (*f* craftswoman)

ártico [ˈartiko] *adj* arctic ◆ **Ártico** *m* ● **el Ártico** the Arctic

articulación [artikulaˈθjon] *f* **1.** joint **2.** *(de sonidos)* articulation

articulado, da [artikuˈlaðo, ða] *adj* articulated

articular [artikuˈlar] *vt* to articulate

articulista [artikuˈlista] *mf* journalist

artículo [arˈtikulo] *m* **1.** article **2.** *(producto)* product ● **artículos de lujo** luxury goods ● **artículos regalo** gift items

artificial [artifiˈθjal] *adj* artificial

artificio [artiˈfiθjo] *m* **1.** *(dispositivo)*

device **2.** *(habilidades)* trick

artista [ar'tista] *mf* **1.** artist **2.** *(de circo, teatro)* artiste

artístico, ca [ar'tistiko, ka] *adj* artistic

arveja [ar'βexa] *f (Andes, CAm, Carib, Col & RP)* pea

arzobispo [arθo'βispo] *m* archbishop

as [as] *m* ace

asa ['asa] *f* handle

asado, da [a'saðo, ða] *adj & m* roast ◆ **carne asada** *(al horno)* roast meat; *(a la parrilla)* grilled meat ● **pimientos asados** roast peppers

asador [asa'ðor] *m* spit *(UK)*, rotisserie *(US)*

asalariado, da [asala'rjaðo, ða] ◇ *adj* salaried ◇ *m,f* wage earner

asaltar [asal'tar] *vt* **1.** *(robar)* to rob **2.** *(agredir)* to attack

asalto [a'salto] *m* **1.** *(a banco, tienda, persona)* robbery **2.** *(en boxeo, judo, etc)* round

asamblea [asam'blea] *f* **1.** *(de una asociación)* assembly **2.** *(en política)* meeting

asar [a'sar] *vt* **1.** *(al horno)* to roast **2.** *(a la parrilla)* to grill ◆ **asarse** *vp* to be boiling hot

ascendencia [asθen'denθja] *f (antepasados)* ancestors *pl*

ascendente [asθen'dente] *adj* ascending

ascender [asθen'der] ◇ *vt (empleado)* to promote ◇ *vi (subir)* to rise ◆ **ascender a** *v + prep (suj: cantidad)* to come to

ascendiente [asθen'djente] *mf* ancestor

ascenso [as'θenso] *m* **1.** *(de sueldo)* rise *(UK)*, raise *(US)* **2.** *(de posición)* promotion

ascensor [asθen'sor] *m* lift *(UK)*, elevator *(US)*

asco ['asko] *m* revulsion ● **ser un asco** to be awful ● **me da asco** I find it disgusting ● **¡qué asco!** how disgusting! ● **estar hecho un asco** *(fam)* to be filthy

ascua ['askwa] *f* ember ● **estar en ascuas** to be on tenterhooks

aseado, da [ase'aðo, ða] *adj* clean

asear [ase'ar] *vt* to clean ◆ **asearse** *vp* to get washed and dressed

asegurado, da [aseɣu'raðo, ða] ◇ *adj* insured ◇ *m,f* policy-holder

asegurar [aseɣu'rar] *vt* **1.** *(coche, vivienda)* to insure **2.** *(cuerda, nudo)* to secure **3.** *(prometer)* to assure ◆ **asegurarse de** *v + prep* to make sure that

asentir [asen'tir] *vi* to agree

aseo [a'seo] *m* **1.** *(limpieza)* cleaning **2.** *(habitación)* bathroom ▼ **aseos** toilets *(UK)*, restroom *(US)*

aséptico, ca [a'septiko, ka] *adj* aseptic

asequible [ase'kiβle] *adj (precio, producto)* affordable

asesinar [asesi'nar] *vt* to murder

asesinato [asesi'nato] *m* murder

asesino, na [ase'sino, na] *adj* murderer

asesor, ra [ase'sor, ra] ◇ *adj* advisory ◇ *m,f* consultant

asesorar [aseso'rar] *vt* to advise ◆ **asesorarse** *vp* to seek advice

asesoría [aseso'ria] *f* consultant's office

asfaltado, da [asfal'taðo, ða] ◇ *adj* tarmacked, packed *(US)* ◇ *m* road surface

asfaltar [asfal'tar] *vt* to surface *(UK)*, to pave *(US)*

asfalto [as'falto] *m* asphalt

asfixia [as'fiksja] *f* suffocation

asfixiante [asfik'sjante] *adj* **1.** *(olor)* overpowering **2.** *(calor)* suffocating

asfixiar [asfik'sjar] *vt* to suffocate ◆ **asfixiarse** *vp* to suffocate

así [a'si] *adv & adj inv* like this ● **así de grande** this big ● **así como** just as ● **así es** that's right ● **así es como** that is how ● **así no más** *(Amér)* *(fam)* *(regular)* just like that ● **así y todo** even so ● **y así sucedió** and that is exactly what happened

Asia ['asja] *s* Asia

asiático, ca [a'sjatiko, ka] *adj & m,f* Asian

asiento [a'sjento] *m* seat

asignatura [asiɣna'tura] *f* subject

asilo [a'silo] *m* *(para ancianos)* old people's home *(UK)*, retirement home *(US)* ● **asilo político** political asylum

asimilación [asimila'θjon] *f* assimilation

asimilar [asimi'lar] *vt* **1.** *(conocimientos)* to assimilate **2.** *(cambio, situación)* to take in one's stride

asistencia [asis'tenθja] *f* **1.** *(a clase, espectáculo)* attendance **2.** *(ayuda)* assistance **3.** *(público)* audience

asistir [asis'tir] *vt* *(suj: médico, enfermera)* to attend to ◆ **asistir a** *v + prep* *(clase, espectáculo)* to attend

asma ['azma] *f* asthma

asmático, ca [az'matiko, ka] *adj* asthmatic

asno, na ['azno, na] *m,f* ass

asociación [asoθja'θjon] *f* association

asociar [aso'θjar] *vt* to associate ◆ **asociarse a** *v + prep* to become a

member of ◆ **asociarse con** *v + prep* to form a partnership with

asolar [aso'lar] *vt* to devastate

asomar [aso'mar] ◇ *vi* to peep up ◇ *vt* to stick out ◆ **asomarse** *vp* ● **asomarse a** *(ventana)* to stick one's head out of; *(balcón)* to go out onto

asombrar [asom'brar] *vt* **1.** *(causar admiración)* to amaze **2.** *(sorprender)* to surprise ◆ **asombrarse de** *v + prep* **1.** *(sentir admiración)* to be amazed at **2.** *(sorprenderse)* to be surprised at

asombro [a'sombro] *m* **1.** *(admiración)* amazement **2.** *(sorpresa)* surprise

asorocharse [asoro'tʃarse] *vp* *(Chile & Perú)* to get altitude sickness

aspa ['aspa] *f (de molino de viento)* arm

aspecto [as'pekto] *m (apariencia)* appearance ● **tener buen/mal aspecto** *(persona)* to look well/awful; *(cosa)* to look nice/horrible

aspereza [aspe'reθa] *f* roughness

áspero, ra ['aspero, ra] *adj* **1.** *(al tacto)* rough **2.** *(voz)* harsh

aspiradora [aspira'ðora] *f* vacuum cleaner

aspirar [aspi'rar] *vt (aire)* to breathe in ◆ **aspirar a** *v + prep* to aspire to

aspirina [aspi'rina] *f* aspirin

asqueado, da [aske'aðo, ða] *adj* disgusted

asquerosidad [askerosi'ðað] *f* filthiness

asqueroso, sa [aske'roso, sa] *adj* filthy

asta ['asta] *f* **1.** *(de lanza)* shaft **2.** *(de bandera)* flagpole **3.** *(de toro)* horn **4.** *(de ciervo)* antler

asterisco [aste'risko] *m* asterisk

astillero [asti'ʎero] *m* shipyard

astro ['astro] *m* star

astrología [astrolo'xia] *f* astrology

astrólogo, ga [as'troloɣo, ɣa] *m,f* astrologer

astronauta [astro'nauta] *mf* astronaut

astronomía [astrono'mia] *f* astronomy

astronómico, ca [astro'nomiko, ka] *adj* astronomical

astrónomo, ma [as'tronomo, ma] *m,f* astronomer

astuto, ta [as'tuto, ta] *adj* **1.** *(sagaz)* astute **2.** *(ladino)* cunning

asumir [asu'mir] *vt* **1.** *(problema)* to cope with **2.** *(responsabilidad)* to assume

asunto [a'sunto] *m* **1.** *(tema general)* subject **2.** *(tema específico)* matter **3.** *(problema)* issue **4.** *(negocio)* affair

asustar [asus'tar] *vt* to frighten •
asustarse *vp* to be frightened

atacar [ata'kar] *vt* to attack

atajo [a'taxo] *m* **1.** *(camino)* short cut **2.** *(despec) (grupo de personas)* bunch •
un atajo de disparates a string of nonsense

ataque [a'take] *m* **1.** *(agresión)* attack **2.** *(de ira, risa, etc)* fit **3.** *(de fiebre, tos, etc)* bout • **ataque al corazón** heart attack

atar [a'tar] *vt* **1.** *(con cuerda, cadena, etc)* to tie **2.** *(ceñir)* to tie up

atardecer [atar'ðeθer] *m* • **al atardecer** at dusk

atareado, da [atare'aðo, ða] *adj* busy

atasco [a'tasko] *m (de tráfico)* traffic jam

ataúd [ata'uð] *m* coffin

ate ['ate] *m (Amér)* quince jelly

ateísmo [ate'izmo] *m* atheism

atención [aten'θjon] *f* **1.** *(interés)* attention **2.** *(regalo, obsequio)* kind gesture •

atención al cliente customer service •
llamar la atención to be noticeable •
llamar la atención a alguien to tell sb off
• **atenciones** *fpl (cuidados)* attentiveness *sg*

atender [aten'ðer] ◇ *vt* **1.** *(solicitud, petición, negocio)* to attend to **2.** *(clientes)* to serve **3.** *(enfermo)* to look after ◇ *vi (escuchar)* to pay attention • **¿le atienden?** are you being served?

atentado [aten'taðo] *m* terrorist attack

atentamente [a,tenta'mente] *adv (en cartas)* Yours sincerely

atento, ta [a'tento, ta] *adj* **1.** *(con atención)* attentive **2.** *(amable)* considerate

ateo, a [a'teo, a] *m,f* atheist

aterrizaje [ateri'θaxe] *m* landing •
aterrizaje forzoso emergency landing

aterrizar [ateri'θar] *vi* to land

aterrorizar [aterori'θar] *vt* to terrify

ático ['atiko] *m* penthouse

atinar [ati'nar] *vi* to guess correctly

atípico, ca [a'tipiko, ka] *adj* atypical

Atlántico [að'lantiko] *m* • **el Atlántico** the Atlantic

atlas ['aðlas] *m inv* atlas

atleta [að'leta] *mf* athlete

atlético, ca [að'letiko, ka] *adj* athletic

atletismo [aðle'tizmo] *m* athletics

atmósfera [að'mosfera] *f* atmosphere

atmosférico, ca [aðmos'feriko, ka] *adj* atmospheric

atole [a'tole] *m (Méx)* thick drink of maize flour boiled in milk or water

atolondrarse [atolon'drarse] *vp* to get flustered

atómico, ca [a'tomiko, ka] *adj* nuclear

átomo ['atomo] *m* atom

atónito, ta [a'tonito, ta] *adj* astonished

atontado, da [aton'taðo, ða] *adj* dazed

atorado, da [ato'raðo, ða] *adj* **1.** (*Amér*) (*atascado*) blocked **2.** (*agitado, nervioso*) nervous

atorar [ato'rar] *vt* (*Amér*) to block ◆ **atorarse** *vp* **1.** (*Amér*) (*atascarse*) to get blocked **2.** (*atragantarse*) to choke

atorrante [ato'rante] *adj* (*Andes & CSur*) (*despreocupado*) scruffy

atracador, ra [atraka'ðor, ra] *m,f* **1.** (*de banco, tienda*) armed robber **2.** (*de persona*) mugger

atracar [atra'kar] ◇ *vt* **1.** (*banco, tienda*) to rob **2.** (*persona*) to mug ◇ *vi* (*barco*) to dock ◆ **atracarse de** *v + prep* to eat one's fill of

atracción [atrak'θjon] *f* attraction ◆ **atracciones** *fpl* fairground attractions

atraco [a'trako] *m* robbery

atractivo, va [atrak'tiβo, βa] ◇ *adj* attractive ◇ *m* **1.** (*de trabajo, lugar*) attraction **2.** (*de persona*) attractiveness

atraer [atra'er] ◇ *vt* to attract ◇ *vi* to be attractive

atragantarse [atrayan'tarse] *vp* to choke

atrapar [atra'par] *vt* to catch

atrás [a'tras] *adv* **1.** (*de posición*) behind **2.** (*al moverse*) backwards **3.** (*de tiempo*) before

atrasado, da [atra'saðo, ða] *adj* **1.** (*trabajo, tarea, proyecto*) delayed **2.** (*pago*) overdue **3.** (*en estudios*) backward ◆ **ir atrasado** (*reloj*) to be slow

atrasar [atra'sar] ◇ *vt* **1.** (*llegada, salida*) to delay **2.** (*proyecto, cita, acontecimiento*) to postpone **3.** (*reloj*) to put back ◇ *vi* (*reloj*) to be slow ◆ **atrasarse** *vp* **1.** (*persona*) to be late **2.** (*tren, avión, etc*) to be delayed **3.** (*proyecto, acontecimiento*) to be postponed

atraso [a'traso] *m* (*de evolución*) backwardness ◆ **atrasos** *mpl* (*de dinero*) arrears

atravesar [atraβe'sar] *vt* **1.** (*calle, río, puente*) to cross **2.** (*situación difícil, crisis*) to go through **3.** (*objeto, madero, etc*) to penetrate ◆ **atravesarse** *vp* to be in the way

atreverse *vp* to dare to

atrevido, da [atre'βiðo, ða] *adj* **1.** (*osado*) daring **2.** (*insolente*) cheeky (*UK*), sassy (*US*) **3.** (*ropa, libro*) risqué **4.** (*propuesta*) forward

atribución [atriβu'θjon] *f* (*de poder, trabajo*) responsibility

atribuir [atriβu'ir] *vt* **1.** to attribute **2.** (*poder, cargo*) to give

atributo [atri'βuto] *m* attribute

atrio ['atrjo] *m* **1.** (*de palacio*) portico **2.** (*de convento*) cloister

atropellar [atrope'ʎar] *vt* **1.** (*suj: vehículo*) to run over **2.** (*con empujones*) to push out of the way ◆ **atropellarse** *vp* (*hablando*) to trip over one's words

atropello [atro'peʎo] *m* running over

ATS [ate'ese] *mf* (*abr de* **Ayudante Técnico Sanitario**) qualified nurse

atte *abrev* = **atentamente**

atún [a'tun] *m* tuna ◆ **atún en aceite** tuna in oil

audaz [au̯'ðaθ, θes] (*pl* **-ces**) *adj* daring

audiencia [au̯'ðjenθja] *f* audience

audiovisual [aμðjoβi'sμal] ◇ *adj* audiovisual ◇ *m* audiovisual display

auditivo, va [aμði'tiβo, βa] *adj* ear *(antes de s)*

auditor [aμði'tor] *m* auditor

auditoría [aμðito'ria] *f* 1. *(trabajo)* auditing *(UK)*, audit *(US)* 2. *(lugar)* auditor's office

auditorio [aμði'torjo] *m* 1. *(público)* audience 2. *(local)* auditorium

auge ['aμxe] *m* boom ● **en auge** booming

aula ['aμla] *f* 1. *(de universidad)* lecture room *(UK)*, class room *(US)* 2. *(de escuela)* classroom

aullar [aμ'ʎar] *vi* to howl

aullido [aμ'ʎiðo] *m* howl

aumentar [aμmen'tar] *vt* 1. to increase 2. *(peso)* to put on

aumento [aμ'mento] *m* 1. increase 2. *(en óptica)* magnification

aun [aμn] ◇ *adv* even ◇ *conj* ● **aun estando enferma, vino** she came, even though she was ill ● **aun así** even so

aún [a'μn] *adv* still ● **aún no han venido** they haven't come yet

aunque [aμnke] *conj* although

aureola [aμre'ola] *f* 1. *(de santo)* halo 2. *(fama, éxito)* aura

auricular [aμriku'lar] *m* *(de teléfono)* receiver ◆ **auriculares** *mpl* *(de radio, casete)* headphones

ausencia [aμ'senθja] *f* absence

ausente [aμ'sente] *adj* 1. *(de lugar)* absent 2. *(distraído)* absent-minded

austeridad [aμsteri'ðað] *f* austerity

austero, ra [aμs'tero, ra] *adj* austere

Australia [aμs'tralja] *s* Australia

australiano, na [aμstra'ljano, na] *adj & m,f* Australian

Austria ['aμstrja] *s* Austria

austríaco, ca [aμs'triako, ka] *adj & m,f* Austrian

autenticidad [aμtentiθi'ðað] *f* authenticity

auténtico, ca [aμ'tentiko, ka] *adj* 1. *(joya, piel)* genuine 2. *(verdadero, real)* real

auto ['aμto] *m* *(automóvil)* car

autoayuda [aμtoa'juða] *f* self-help

autobiografía [aμtoβjoɣra'fia] *f* autobiography

autobús [aμto'βus] *m* bus

autocar [aμto'kar] *m* coach, bus *(US)* ● **autocar de línea** (long-distance) coach

autocaravana [aμtokara'βana] *f* camper van

autocontrol [aμtokon'trol] *m* self-control

autocorrección [aμtokorek'θjon] *f* auto-correction

autóctono, na [aμ'toktono, na] *adj* indigenous

autoescuela [aμtoes'kμela] *f* driving school

autógrafo [aμ'toɣrafo] *m* autograph

automáticamente [aμto,matika'mente] *adv* automatically

automático, ca [aμto'matiko, ka] *adj* automatic

automóvil [aμto'moβil] *m* car

automovilismo [aμtomoβi'lizmo] *m* motoring *(UK)*, driving *(US)*

automovilista [aμtomoβi'lista] *mf* motorist *(UK)*, driver *(US)*

autonomía [aμtono'mia] *f* autonomy ●

autonomía de vuelo range

autonómico, ca [au̯to'nomiko, ka] *adj* **1.** *(región, gobierno)* autonomous

autónomo, ma [au̯'tonomo, ma] ◇ *adj* **1.** *(independiente)* autonomous **2.** *(trabajador)* freelance ◇ *m,f* freelancer

autopista [au̯to'pista] *f* motorway ● autopista de peaje toll motorway *(UK)*, turnpike *(US)*

autopsia [au̯'topsja] *f* autopsy

autor, ra [au̯'tor, ra] *m,f* **1.** *(de libro)* author **2.** *(de cuadro, escultura)* artist **3.** *(de acción, hecho)* perpetrator

autoridad [au̯tori'ðað] *f* authority ● la autoridad the authorities *pl*

autoritario, ria [au̯tori'tarjo, rja] *adj* authoritarian

autorización [au̯toriθa'θjon] *f* authorization

autorizado, da [au̯tori'θaðo, ða] *adj* authorized

autorizar [au̯tori'θar] *vt* to authorize

autorretrato [au̯tore'trato] *m* self-portrait

autoservicio [au̯toser'βiθjo] *m* self-service

autostop [au̯tos'top] *m* hitch-hiking ● hacer autostop to hitch-hike

autostopista [au̯to'pista] *mf* hitchhiker

autosuficiente [au̯tosufi'θjente] *adj* self-sufficient

autovía [au̯to'βia] *f* dual carriageway *(UK)*, divided road *(US)*

auxiliar [au̯ksi'ljar] ◇ *adj* auxiliary ◇ *mf* assistant ◇ *vt* to assist ● auxiliar administrativo office clerk ● auxiliar de vuelo flight attendant

auxilio [au̯k'siljo] ◇ *m* help ◇ *interj* help! ● primeros auxilios first aid *sg*

aval [a'βal] *m* **1.** *(persona)* guarantor **2.** *(documento)* guarantee

avalador, ra [aβala'ðor, ra] *m,f* guarantor

avalancha [aβa'lantʃa] *f* avalanche

avalar [aβa'lar] *vt* **1.** *(crédito)* to guarantee **2.** *(propuesta, idea)* to endorse

avance [a'βanθe] *m* **1.** *(de tecnología, ciencia, etc)* advance **2.** *(de noticia)* summary **3.** *(de película)* preview

avanzado, da [a'βanθaðo, ða] *adj* advanced

avanzar [aβan'θar] *vi* to advance

avaricioso, sa [aβari'θjoso, sa] *adj* avaricious

avaro, ra [a'βaro, ra] *adj* miserly

Avda (abr de avenida) Ave. *(avenue)*

AVE ['aβe] *m* (abr de Alta Velocidad Española) *Spanish high-speed train*

ave ['aβe] *f* bird

avellana [aβe'ʎana] *f* hazelnut

avellano [aβe'ʎano] *m* hazel tree

avena [a'βena] *f* oats *pl*

avenida [aβe'niða] *f* avenue

aventar [aβen'tar] *vt* (Andes & Méx) to throw ● **aventarse** *vp* (Col & Méx) to throw oneself

aventón [aβen'ton] *m* (Amér) shove ● dar un aventón a alguien to give sb a lift

aventura [aβen'tura] *f* **1.** adventure **2.** *(de amor)* affair

aventurarse [aβen'turarse] *vp* ● aventurarse a hacer algo to risk doing sthg

aventurero, ra [aβen'turero, ra] ◇ *adj* adventurous ◇ *m,f* adventurer (*f* adventuress)

avergonzado, da [aβeɾɣon'θaðo, ða] *adj*
1. *(abochornado)* embarrassed **2.** *(deshonrado)* ashamed

avergonzarse [aβeɾɣon'θaɾse] ◆ **avergonzarse de** *v + prep* **1.** *(por timidez)* to be embarrassed about **2.** *(por deshonra)* to be ashamed of

avería [aβe'ria] *f* **1.** *(de coche)* breakdown **2.** *(de máquina)* fault

averiado, da [aβeri'aðo, ða] *adj* **1.** *(coche)* broken-down **2.** *(máquina)* out of order

averiarse [aβeri'aɾse] *vp* to break down

averiguar [aβeɾi'ɣwaɾ] *vt* to find out

aversión [aβeɾ'sion] *f* aversion

avestruz [aβes'truθ, θes] *(pl* **-ces)** *m* ostrich

aviación [aβia'θion] *f* **1.** *(navegación)* aviation **2.** *(cuerpo militar)* airforce

aviador, ra [aβia'ðoɾ, ɾa] *m,f* aviator

avión [aβi'on] *m* plane ● **en avión** by plane ● **por avión** *(carta)* airmail

avioneta [aβio'neta] *f* light aircraft

avisar [aβi'saɾ] *vt (llamar)* to call ● **avisar de** *v + prep* **1.** *(comunicar)* to inform of **2.** *(prevenir)* to warn of

aviso [a'βiso] *m* **1.** *(noticia)* notice **2.** *(advertencia)* warning **3.** *(en aeropuerto)* call **4.** *(Amér)* *(en periódico)* ad **5.** ● **hasta nuevo aviso** until further notice ● **sin previo aviso** without notice

avispa [a'βispa] *f* wasp

axila [ak'sila] *f* armpit

ay ['aj] *interj* **1.** *(expresa dolor)* ouch! **2.** *(expresa pena)* oh!

ayer [a'jeɾ] *adv* yesterday ● **ayer (por la) noche** last night ● **ayer por la mañana** yesterday morning

ayuda [a'juða] *f* **1.** *(en trabajo, tarea, etc)* help **2.** *(a otros países, etc)* aid

ayudante [aju'ðante] *mf* assistant

ayudar [aju'ðaɾ] *vt* ● **me ayudó a llevar la maleta** he helped me carry the suitcase ● **su hermano le ayuda en los estudios** his brother helps him with his studies

ayunar [aju'naɾ] *vi* to fast

ayuntamiento [ajunta'mjento] *m* **1.** *(edificio)* town hall *(UK)*, city hall *(US)* **2.** *(corporación)* town council

azada [a'θaða] *f* hoe

azafata [aθa'fata] *f* air hostess *(UK)*, flight attendant *(US)* ● **azafata de vuelo** air hostess

azafate [aθa'fate] *m (Andes & RP)* tray

azafrán [aθa'fɾan] *m (condimento)* saffron

azar [a'θaɾ] *m* chance ● **al azar** at random

azotea [aθo'tea] *f* terraced roof

azúcar [a'θukaɾ] *m o f* sugar ● **azúcar glass** icing sugar *(UK)*, confectioner's sugar *(US)* ● **azúcar moreno** brown sugar

azucarado, da [aθuka'ɾaðo, ða] *adj* sweet

azucarera [aθuka'ɾeɾa] *f* sugar bowl

azucena [aθu'θena] *f* white lily

azufre [a'θufɾe] *m* sulphur

azul [a'θul] *adj & m* blue

azulado, da [aθu'laðo, ða] *adj* bluish

azulejo [aθu'lexo] *m* (glazed) tile

azuloso, sa [aθu'loso, sa] *adj (Amér)* bluish

*b*B

baba ['baβa] *f* saliva

babero [ba'βero] *m* bib

babor [ba'βor] *m* port

babosa [ba'βosa] *f* slug

baboso, sa [ba'βoso, sa] *adj* 1. *(caracol)* slimy 2. *(bebé)* dribbling 4. *(Amér) (tonto)* stupid

baca ['baka] *f* roof rack

bacalao [baka'lao] *m* cod ● **bacalao a la vizcaína** Basque dish of salt cod baked with a thick sauce of olive oil, garlic, paprika, onions, tomato and red peppers

bacán [ba'kan] ◇ *adj* (Amér) elegant ◇ *m* (Amér) dandy

bachillerato [batʒiʎe'rato] *m* (former) course of secondary studies for academically orientated 14 to 16-year-olds

bacinica [baθi'nika] *f* (Amér) chamber pot

bacon ['bejkon] *m* bacon

bádminton ['baðminton] *m* badminton

bafle ['bafle] *m* loudspeaker

bahía [ba'ia] *f* bay

bailar [bai'lar] *vt & vi* to dance ● **el pie me baila en el zapato** my shoe is too big for me

bailarín, ina [baila'rin, ina] *m,f* 1. *(de ballet)* ballet dancer 2. *(de otras danzas)* dancer

baile ['baile] *m* 1. *(danza)* dance 2. *(fiesta)* ball

baja ['baxa] *f* *(por enfermedad)* sick leave ● **dar de baja** *(en empresa)* to lay off; *(en asociación, club)* to expel ● **darse de baja** to resign ● **estar de baja** to be on sick leave

bajada [ba'xaða] *f* descent ● **bajada de bandera** minimum fare

bajar [ba'xar] ◇ *vt* 1. *(lámpara, cuadro, etc)* to take down 2. *(cabeza, mano, voz, persiana)* to lower 3. *(música, radio, volumen)* to turn down 4. *(escalera)* to go down 5. *(precios)* to lower ◇ *vi* *(disminuir)* to go down ● **bajar de** *v* + *prep* 1. *(de avión, tren)* to get off 2. *(de coche)* to get out of ● **bajarse** *vp* 1. *(de avión, tren)* to get off 2. *(de coche)* to get out of

bajío [ba'xio] *m* (Amér) low-lying land

bajo, ja ['baxo, xa] ◇ *adj* 1. *(persona)* short 2. *(objeto, cifra, precio)* low 3. *(sonido)* soft ◇ *m* *(instrumento)* bass ◇ *adv* *(hablar)* quietly ◇ *prep* 1. *(físicamente)* under 2. *(con temperaturas)* below ● **bajos** *mpl* *(de un edificio)* ground floor *sg*

bakalao [baka'lao] *m* (fam) rave music

bala ['bala] *f* bullet

balacear [balaθe'ar] *vt* (Amér) to shoot

balacera [bala'θera] *f* (Amér) shootout

balada [ba'laða] *f* ballad

balance [ba'lanθe] *m* 1. *(de asunto, situación)* outcome 2. *(de un negocio)* balance ● **hacer balance de** to take stock of

balancín [balan'θin] *m* 1. *(mecedora)* rocking chair 2. *(en el jardín)* swing hammock

balanza [ba'lanθa] f (para pesar) scales pl

balar [ba'lar] vi to bleat

balcón [bal'kon] m balcony

balde ['balde] m bucket • **de balde** free (of charge) • **en balde** in vain

baldosa [bal'dosa] f **1.** (en la calle) paving stone **2.** (en interior) floor tile

Baleares [bale'ares] fpl • **las (islas) Baleares** the Balearic Islands

balido [ba'liðo] m bleat

ballena [ba'ʎena] f whale

ballet [ba'let] m ballet

balneario [balne'arjo] m **1.** (con baños termales) spa **2.** (Méx) (con piscinas, etc) ≃ lido

balneario

In South America, a *balneario* is a leisure complex comprising several open-air swimming pools together with snack bars and restaurants. In summer, people will often spend all day there sunbathing, swimming and playing sports.

balón [ba'lon] m ball

baloncesto [balon'θesto] m basketball

balonmano [balom'mano] m handball

balonvolea [balombo'lea] m volleyball

balsa ['balsa] f **1.** (embarcación) raft **2.** (de agua) pond

bálsamo ['balsamo] m balsam

bambú [bam'bu] m bamboo

banana [ba'nana] f (Perú & RP) banana

banca ['banka] f **1.** (institución) banks pl **2.** (profesión) banking **3.** (en juegos) bank **4.** (Col, Ven & Méx) (asiento) bench **5.**

(Andes & RP) (en parlamento) seat

banco ['banko] m **1.** (para dinero) bank **2.** (para sentarse) bench **3.** (de iglesia) pew **4.** (de peces) shoal • **banco de arena** sandbank

banda ['banda] f **1.** (cinta) ribbon **2.** (franja) stripe **3.** (lado) side **4.** (en fútbol) touchline **5.** (de músicos) band **6.** (de delincuentes) gang • **banda sonora** soundtrack

bandeja [ban'dexa] f tray

bandera [ban'dera] f flag

banderilla [bande'riʎa] f **1.** (en toros) banderilla, *barbed dart thrust into bull's back* **2.** (para comer) hors d'oeuvre *on a stick*

banderín [bande'rin] m pennant

bandido [ban'diðo] m **1.** (ladrón) bandit **2.** (fam) (pillo) rascal

bando ['bando] m **1.** (en partido) side **2.** (de alcalde) edict

banjo ['banxo] m banjo

banquero [ban'kero] m banker

banqueta [ban'keta] f **1.** (para pedestres) pavement (UK), sidewalk (US)

bañador [baɲa'ðor] m **1.** (para mujeres) swimsuit **2.** (para hombres) swimming trunks pl (UK), swimsuit (US)

bañar [ba'ɲar] vt **1.** (persona) to bath (UK), to give a bath to (US) **2.** (cosa) to soak **3.** (suj: luz) to bathe **4.** (suj: mar) to wash the coast of • **bañarse** vp **1.** (en río, playa, piscina) to go for a swim **2.** (en el baño) to have a bath

bañera [ba'ɲera] f bath (tub)

bañista [ba'ɲista] mf bather (UK), swimmer (US)

baño ['baɲo] *m* **1.** (*en bañera, de vapor, espuma*) bath **2.** (*en playa, piscina*) swim **3.** (*espacio, habitación*) bathroom **4.** (*de oro, pintura*) coat **5.** (*de chocolate*) coating ● **al baño maría** cooked in a bain-marie ● **darse un baño** to have a bath ◆ **baños** *mpl* (*balneario*) spa *sg*

bar ['bar] *m* bar ● **ir de bares** to go out drinking

baraja [ba'raxa] *f* pack (of cards)

barajar [bara'xar] *vt* **1.** (*naipes*) to shuffle **2.** (*posibilidades*) to consider **3.** (*datos, números*) to marshal

baranda [ba'randa] *f* handrail

barandilla [baran'diʎa] *f* handrail

baratija [bara'tixa] *f* trinket

barato, ta [ba'rato, ta] ◇ *adj* cheap ◇ *adv* cheaply

barba ['barβa] *f* beard ● **por barba** per head

barbacoa [barβa'koa] *f* barbecue ● **a la barbacoa** barbecued

barbaridad [barβari'ðað] *f* **1.** (*crueldad*) cruelty **2.** (*disparate*) stupid thing ● **una barbaridad de** loads of ● **¡qué barbaridad!** how terrible!

barbarie [bar'βarje] *f* **1.** (*incultura*) barbarism **2.** (*crueldad*) cruelty

bárbaro, ra ['barβaro, ra] *adj* **1.** (*cruel*) cruel **2.** (*fam*) (*estupendo*) brilliant

barbería [barβe'ria] *f* barber's (shop)

barbero [bar'βero] *m* barber

barbilla [bar'βiʎa] *f* chin

barbudo, da [bar'βuðo, ða] *adj* bearded

barca ['barka] *f* small boat ● **barca de pesca** fishing boat

barcaza [bar'kaθa] *f* lighter

Barcelona [barθe'lona] *s* Barcelona

barco ['barko] *m* **1.** (*más pequeño*) boat **2.** (*más grande*) ship ● **barco de vapor** steamboat ● **barco de vela** sailing ship

bareto [ba'reto] *m* (*fam*) bar

barítono [ba'ritono] *m* baritone

barman ['barman] *m* barman (*UK*), bartender (*US*)

barniz [bar'niθ, θes] (*pl* **-ces**) *m* varnish

barnizado, da [barni'θaðo, ða] *adj* varnished

barnizar [barni'θar] *vt* **1.** (*madera*) to varnish **2.** (*loza, cerámica*) to glaze

barómetro [ba'rometro] *m* barometer

barquillo [bar'kiʎo] *m* cone

barra ['bara] *f* **1.** bar **2.** (*de turrón, helado, etc*) block ● **barra de labios** lipstick ● **barra de pan** baguette ● **barra libre** unlimited drink for a fixed price

barraca [ba'raka] *f* **1.** (*chabola*) shack **2.** (*para feria*) stall (*UK*), stand (*US*)

barranco [ba'ranko] *m* (*precipicio*) precipice

barrendero, ra [baren'dero] *m,f* road sweeper

barreño [ba'reɲo] *m* washing-up bowl

barrer [ba'rer] *vt* to sweep

barrera [ba'rera] *f* **1.** (*obstáculo*) barrier **2.** (*de tren*) crossing gate **3.** (*en toros*) low wall encircling central part of bullring

barriada [bari'aða] *f* area

barriga [ba'riɣa] *f* belly

barril [ba'ril] *m* barrel

barrio ['barjo] *m* **1.** (*de población*) area **2.** (*Méx*) (*suburbio*) poor area ● **barrio chino** red light district ● **barrio comercial** shopping district

barro ['baro] *m* **1.** (*fango*) mud **2.** (*en cerámica*) clay

barroco, ca [ba'roko, ka] *adj & m* baroque

bártulos ['bartulos] *mpl* things, stuff *sg*

barullo [ba'ruʎo] *m (fam)* racket

basarse [ba'sarse] ◆ **basarse en** *v + prep* to be based on

báscula ['baskula] *f* scales *pl*

base ['base] *f* **1.** *(de cuerpo, objeto)* base **2.** *(de edificio)* foundations *pl* **3.** *(fundamento, origen)* basis ● **a base de** by (means of) ● **base de datos** database

básico, ca ['basiko, ka] *adj* basic

basta ['basta] *interj* that's enough!

bastante [bas'tante] ◇ *adv* **1.** *(suficientemente)* enough **2.** *(muy)* quite, pretty ◇ *adj* **1.** *(suficiente)* enough **2.** *(en cantidad)* quite a few

bastar [bas'tar] *vi* to be enough ● **basta con decírselo** it's enough to tell him ● **basta con estos dos** these two are enough ◆ **bastarse** *vp* ● **bastarse para hacer algo** to be able to do sthg o.s.

bastardo, da [bas'tarðo, ða] *adj* bastard

bastidores [basti'ðores] *mpl* ● **entre bastidores** behind the scenes

basto, ta ['basto, ta] *adj* coarse ◆ **bastos** *mpl (naipes)* suit in Spanish deck of cards bearing wooden clubs

bastón [bas'ton] *m* **1.** *(para andar)* walking stick **2.** *(de mando)* baton

basura [ba'sura] *f* rubbish *(UK)*, garbage *(US)*

basurero, ra [basu'rero, ra] ◇ *m,f* dustman *(f* dustwoman) *(UK)*, garbage collector *(US)* ◇ *m* rubbish dump *(UK)*, dump *(UK)*

bata ['bata] *f* **1.** *(de casa)* housecoat **2.** *(para baño, etc)* dressing gown *(UK)*, bathrobe **3.** *(de médico, científico)* coat

batalla [ba'taʎa] *f* battle ● **de batalla** everyday

batería [bate'ria] *f* **1.** battery **2.** *(en música)* drums *pl* ● **batería de cocina** pots and pans *pl*

batido [ba'tiðo] *m* milkshake

batidora [bati'ðora] *f* mixer

batín [ba'tin] *m* short dressing gown *(UK)*, short robe *(US)*

batir [ba'tir] *vt* **1.** *(nata)* to whip **2.** *(marca, huevos)* to beat **3.** *(récord)* to break

batuta [ba'tuta] *f* baton

baúl [ba'ul] *m* **1.** *(caja)* trunk **2.** *(Col & CSur) (maletero)* boot *(UK)*, trunk *(US)*

bautismo [bau'tizmo] *m* baptism

bautizar [bauti'θar] *vt* **1.** *(en religión)* to baptize **2.** *(dar un nombre)* to christen

bautizo [bau'tiθo] *m* **1.** *(ceremonia)* baptism **2.** *(fiesta)* christening party

baya ['baja] *f* berry

bayeta [ba'jeta] *f* cloth

bayoneta [bajo'neta] *f* bayonet

bazar [ba'θar] *m* bazaar

beato, ta [be'ato, ta] *adj* **1.** *(santo)* blessed **2.** *(piadoso)* devout

beba ['beβa] *f (Amér) (fam)* little girl

bebé [be'βe] *m* baby

beber [be'βer] *vt & vi* to drink

bebida [be'βiða] *f* drink

bebido, da [be'βiðo, ða] *adj* drunk

bebito, ta [be'βito, ta] *m,f (Amér)* newborn baby

beca ['beka] *f* **1.** *(del gobierno)* grant **2.** *(de fundación privada)* scholarship

becario, ria [be'kario, ria] *m,f* **1.** *(del*

gobierno) grant holder **2.** *(de fundación privada)* scholarship holder

becerro, rra [be'θero, ra] *m,f* calf

bechamel [betʃa'mel] *f* béchamel sauce

bedel [be'ðel] *m* caretaker *(UK)*, janitor *(US)*

begonia [be'ɣonja] *f* begonia

beige ['beiʃ] *adj inv* beige

béisbol ['beiʒβol] *m* baseball

belén [be'len] *m* crib

belga ['belɣa] *adj & mf* Belgian

Bélgica ['belxika] *s* Belgium

bélico, ca ['beliko, ka] *adj* war *(antes de s)*

belleza [be'ʎeθa] *f* beauty

bello, lla ['beʎo, ʎa] *adj* **1.** *(hermoso)* beautiful **2.** *(bueno)* fine

bellota [be'ʎota] *f* acorn

bencina [ben'θina] *f* *(Andes)* petrol *(UK)*, gas *(US)*

bendecir [bende'θir] *vt* to bless

bendición [bendi'θjon] *f* blessing

bendito, ta [ben'dito, ta] ◇ *adj* holy ◇ *m,f (bobo)* simple soul

beneficencia [benefi'θenθja] *f* charity

beneficiar [benefi'θjar] *vt* to benefit ◆ **beneficiarse de** *v + prep* to do well out of

beneficio [bene'fiθjo] *m* **1.** *(bien)* benefit **2.** *(ganancia)* profit ● **a beneficio de** *(concierto, gala)* in aid of

benéfico, ca [be'nefiko, ka] *adj* **1.** *(gala, rifa)* charity *(antes de s)* **2.** *(institución)* charitable

benevolencia [beneβo'lenθja] *f* benevolence

benévolo, la [be'neβolo, la] *adj* benevolent

bengala [ben'gala] *f* flare

berberechos [berβe'retʃos] *mpl* cockles

berenjena [beren'xena] *f* aubergine *(UK)*, eggplant *(US)* ● **berenjenas rellenas** stuffed aubergines *(usually with mince or rice)*

bermudas [ber'muðas] *mpl* Bermuda shorts

berrinche [be'rintʃe] *m* tantrum

berza ['berθa] *f* cabbage

besar [be'sar] *vt* to kiss ◆ **besarse** *vp* to kiss

beso ['beso] *m* kiss ● **dar un beso a alguien** to give sb a kiss, to kiss sb

bestia ['bestja] ◇ *adj* **1.** *(bruto)* rude **2.** *(ignorante)* thick ◇ *mf* brute ◇ *f (animal)* beast

besugo [be'suɣo] *m* sea bream

betabel [beta'βel] *m* *(Méx)* beetroot *(UK)*, beet *(US)*

betarraga [beta'raɣa] *f* *(Andes)* beetroot *(UK)*, beet *(US)*

betún [be'tun] *m* **1.** *(para calzado)* shoe polish **2.** *(Chile & Méx)* *(para bolo)* icing *(UK)*, frosting *(US)*

biberón [biβe'ron] *m* (baby's) bottle

Biblia ['biβlja] *f* Bible

bibliografía [biβljoɣra'fia] *f* bibliography

biblioteca [biβljo'teka] *f* library

bibliotecario, ria [biβljote'karjo, rja] *m, f* librarian

bicarbonato [bikarβo'nato] *m* baking soda

bíceps ['biθeps] *m inv* biceps

bicho ['bitʃo] *m* **1.** *(animal pequeño)* creature, beast *(UK)* **2.** *(insecto)* bug **3.** *(pillo)* little terror

bici [ˈbiθi] *f* (*fam*) bike

bicicleta [biθiˈkleta] *f* bicycle

bicolor [bikoˈlor] *adj* two-coloured

bidé [biˈðe] *m* bidet

bidón [biˈðon] *m* can

bien [ˈbjen]
◇ *m* 1. (*lo que es bueno*) good 2. (*bienestar, provecho*) good ● **hacer el bien** to do good
◇ *adv* 1. (*como es debido, correcto*) well ● **has actuado bien** you did the right thing ● **habla bien inglés** she speaks English well 2. (*expresa opinión favorable*) well ● **estar bien** (*de salud*) to be well; (*de aspecto*) to be nice; (*de calidad*) to be good; (*de comodidad*) to be comfortable 3. (*suficiente*) ● **estar bien** to be enough 4. (*muy*) very ● **quiero un vaso de agua bien fría** I'd like a nice, cold glass of water 5. (*vale, de acuerdo*) all right
◇ *adj inv* (*adinerado*) well-to-do
◇ *conj* 1. ● **bien ... bien** either ... or ● **entrega el vale bien a mi padre, bien a mi madre** give the receipt to either my father or my mother 2. (*en locuciones*) ● **más bien** rather ● **¡está bien!** (*vale*) all right then!; (*es suficiente*) that's enough ● **¡muy bien!** very good!
● **bienes** *mpl* (*patrimonio*) property *sg*; (*productos*) goods ● **bienes de consumo** consumer goods ● **bienes inmuebles** o **raíces** real estate *sg*

bienal [bjeˈnal] *adj* biennial

bienestar [bjenesˈtar] *m* wellbeing

bienvenida [bjembeˈniða] *f* welcome

bienvenido, da [bjembeˈniðo, ða] ◇ *adj* welcome ◇ *interj* welcome!

bife [ˈbife] *m* (*Andes & RP*) steak

bifocal [bifoˈkal] *adj* bifocal

bigote [biˈɣote] *m* moustache

bigotudo, da [biɣoˈtuðo, ða] *adj* moustachioed

bilingüe [biˈlinɣue] *adj* bilingual

billar [biˈʎar] *m* 1. (*juego*) billiards 2. (*sala*) billiard hall, pool hall (*US*) ● **billar americano** pool

billete [biˈʎete] *m* 1. (*de dinero*) note (*UK*), bill (*US*) 2. (*de transporte*) ticket 3. (*de lotería*) lottery ticket ● **billete de ida y vuelta** return (ticket) (*UK*), round-trip (ticket) (*US*) ● **billete sencillo** single (ticket) (*UK*), one-way (ticket) (*US*)

billetero [biʎeˈtero] *m* wallet

billón [biˈʎon] *m* trillion

bingo [ˈbingo] *m* 1. (*juego*) bingo 2. (*sala*) bingo hall

biodegradable [bioðeɣraˈðaβle] *adj* biodegradable

biografía [bioɣraˈfia] *f* biography

biográfico, ca [bioˈɣrafiko, ka] *adj* biographical

biología [bioloˈxia] *f* biology

biopsia [biˈopsja] *f* biopsy

bioquímica [bioˈkimika] *f* biochemistry

biquini [biˈkini] *m* bikini

birlar [birˈlar] *vt* (*fam*) to swipe

birra [ˈbira] *f* (*fam*) beer

birria [ˈbirja] *f* 1. (*fam*) (*persona*) sight 2. (*fam*) (*cosa*) monstrosity 3. (*Amér*) (*carne*) barbecued meat

birrioso, sa [biˈrjoso, sa] *adj* (*fam*) crappy

bisabuelo, la [bisaˈβuelo, la] *m,f* great-grandfather (*f* great-grandmother)

biscuit [bisˈkuit] *m* sponge ● **biscuit**

glacé ice cream made with eggs, milk, flour and sugar

bisexual [bisek'sual] adj bisexual

bisnieto, ta [biz'njeto, ta] m,f great-grandson (f great-granddaughter)

bisonte [bi'sonte] m bison

bistec [bis'tek] m steak ● **bistec a la plancha** grilled steak ● **bistec de ternera** veal cutlet

bisturí [bistu'ri] m scalpel

bisutería [bisute'ria] f costume jewellery

bíter [biter] m bitters

bizco, ca [biθko, ka] adj cross-eyed

bizcocho [biθ'kotʒo] m sponge cake

blanca ['blanka] f ● **estar sin blanca** (fam) to be broke > blanco

blanco, ca ['blanko, ka] ◇ adj & m,f white ◇ m 1. (color) white 2. (diana, objetivo) target ● **dar en el blanco** (acertar) to hit the nail on the head ● **en blanco** (sin dormir) sleepless; (sin memoria) blank

blando, da ['blando, da] adj 1. soft 2. (carne) tender 3. (débil) weak

blanquear [blanke'ar] vt 1. (pared) to whitewash 2. (ropa) to bleach

blindado, da [blin'daðo, ða] adj 1. (puerta, edificio) armour-plated 2. (coche) armoured

blindar [blin'dar] vt to armour-plate

bloc ['blok] m 1. (de notas) notepad 2. (de dibujo) sketchpad

bloque ['bloke] m block ● **bloque de pisos** block of flats (UK), apartment building (US)

bloquear [bloke'ar] vt 1. (cuenta, crédito) to freeze 2. (por nieve, inundación) to cut

off 3. (propuesta, reforma) to block ◆ **bloquearse** vp 1. (mecanismo) to jam 2. (dirección) to lock 3. (persona) to have a mental block

bloqueo [blo'keo] m 1. (mental) mental block 2. (económico, financiero) blockade.

blusa ['blusa] f blouse

bluyines [blu'jines] mpl (Amér) jeans

bobada [bo'βaða] f stupid thing ● **decir bobadas** to talk nonsense

bobina [bo'βina] f 1. (de automóvil) coil 2. (de hilo) reel

bobo, ba ['boβo, βa] adj 1. (tonto) stupid 2. (ingenuo) naïve

boca ['boka] f mouth ● **boca a boca** mouth-to-mouth resuscitation ● **boca de incendios** hydrant ● **boca de metro** tube entrance (UK), subway entrance (US) ● **boca abajo** face down ● **boca arriba** face up

bocacalle [boka'kaλe] f 1. (entrada) entrance (to a street) 2. (calle) side street

bocadillería [bokaðiλe'ria] f sandwich shop

bocadillo [boka'ðiλo] m sandwich

bocado [bo'kaðo] m 1. (comida) mouthful 2. (mordisco) bite

bocata [bo'kata] m (fam) sarnie (UK), sandwich

boceto [bo'θeto] m 1. (de cuadro, dibujo, edificio) sketch 2. (de texto) rough outline

bochorno [bo'tʒorno] m 1. (calor) stifling heat 2. (vergüenza) embarrassment

bochornoso, sa [botʒor'noso, sa] adj 1. (caluroso) muggy 2. (vergonzoso) embarrassing

bocina [bo'θina] *f* **1.** *(de coche)* horn **2.** *(Amér) (de teléfono)* receiver

boda ['boða] *f* wedding ● **bodas de oro** golden wedding *sg* ● **bodas de plata** silver wedding *sg*

bodega [bo'ðeɣa] *f* **1.** *(para vinos)* wine cellar **2.** *(tienda)* wine shop **3.** *(bar)* bar **4.** *(de avión, barco)* hold **5.** *(Andes, Méx & Ven) (almacén)* warehouse

bodegón [boðe'ɣon] *m (pintura)* still life

bodrio ['boðrjo] *m* **1.** *(despec) (porquería)* rubbish *(UK)*, junk *(US)* **2.** *(comida)* pigswill

bofetada [bofe'taða] *f* slap (in the face)

bogavante [boɣa'βante] *m* lobster

bohemio, mia [bo'emjo, mja] *adj* bohemian

bohío [bo'io] *m (CAm, Col & Ven)* hut

boicot [boi'kot, boi'kots] *(pl* **boicots***) m* boycott ● **hacer boicot a** to boycott

boicotear [boikote'ar] *vt* to boycott

boina ['bojna] *f* beret

bola ['bola] *f* **1.** *(cuerpo esférico)* ball **2.** *(de helado)* scoop **3.** *(fam) (mentira)* fib **4.** *(Amér) (fam) (rumor)* racket **5.** *(Amér) (fam) (lío)* muddle ● **hacerse bolas** *(Amér)* to get into a muddle

bolera [bo'lera] *f* bowling alley

bolero [bo'lero] *m* bolero

boleta [bo'leta] *f* **1.** *(Amér) (comprobante)* ticket stub **2.** *(CSur) (multa)* ticket **3.** *(Méx & RP) (votación)* ballot

boletería [bolete'ria] *f (Amér)* box office

boletín [bole'tin] *m* **1.** *(informativo)* bulletin **2.** *(de suscripción)* subscription form

boleto [bo'leto] *m (Amér)* ticket

boli ['boli] *m (fam)* Biro ® *(UK)*, ball-point pen

bolígrafo [bo'liɣrafo] *m* Biro ® *(UK)*, ball-point pen

bolillo [bo'liʎo] *m (Méx)* bread roll

Bolivia [bo'liβja] *s* Bolivia

boliviano, na [boli'βjano, na] *adj & m,f* Bolivian

bollería [boʎe'ria] *f (tienda)* bakery

bollo ['boʎo] *m* **1.** *(dulce)* bun **2.** *(de pan)* roll

bolos ['bolos] *mpl (juego)* (tenpin) bowling

bolsa ['bolsa] *f* **1.** *(de plástico, papel, tela)* bag **2.** *(en economía)* stock market ● **bolsa de basura** bin liner ● **bolsa de viaje** travel bag

bolsillo [bol'siʎo] *m* pocket ● **de bolsillo** pocket *(antes de s)*

bolso ['bolso] *m (de mujer)* handbag *(UK)*, purse *(US)*

boludez [bolu'ðeθ] *f (Col, RP & Ven)* stupid thing

boludo, da [bo'luðo, ða] *m,f (Col, RP & Ven)* idiot

bomba ['bomba] *f* **1.** *(explosivo)* bomb **2.** *(máquina)* pump ● **bomba atómica** nuclear bomb ● **pasarlo bomba** to have a great time

bombardear [bombarðe'ar] *vt* to bombard

bombardeo [bombar'ðeo] *m* bombardment

bombero [bom'bero] *m* fireman

bombilla [bom'biʎa] *f* light bulb

bombilla [bom'biʎo] *f (CAm, Col & Ven)* light bulb

bombita [bom'bita] *f (RP)* light bulb

bombo ['bombo] *m* **1.** *(de lotería, rifa)* drum **2.** *(tambor)* bass drum ● **a bombo y platillo** with a lot of hype

bombón [bom'bon] *m* **1.** *(golosina)* chocolate **2.** *(fam) (persona)* stunner

bombona [bom'bona] *f* cylinder ● **bombona de butano** gas cylinder

bombonería [bombone'ria] *f* sweetshop (UK), candy store (US)

bonanza [bo'nanθa] *f* **1.** *(de tiempo)* fair weather **2.** *(de mar)* calm at sea **3.** *(prosperidad)* prosperity

bondad [bon'daδ] *f* goodness

bondadoso, sa [bonda'δoso, sa] *adj* kind

bonificación [bonifika'θjon] *f* discount

bonificar [bonifi'kar] *vt* to give a discount of

bonito, ta [bo'nito, ta] ◇ *adj* **1.** *(persona, cosa)* pretty **2.** *(cantidad)* considerable ◇ *m (pescado)* tuna ● **bonito con tomate** tuna in a tomato sauce

bono ['bono] *m (vale)* voucher

bonobús [bono'βus] *m* multiple-journey ticket

bonoloto [bono'loto] *f* Spanish lottery

bonometro [bono'nometro] *m* ten-journey ticket valid on the underground and on buses

bonsai [bon'saj] *m* bonsai

boñiga [bo'niɣa] *f* cowpat

boquerones [boke'rones] *mpl (fresh)* anchovies

boquete [bo'kete] *m* hole

boquilla [bo'kiʎa] *f* **1.** *(del cigarrillo)* cigarette holder **2.** *(de flauta, trompeta, etc)* mouthpiece **3.** *(de tubo, aparato)* nozzle ● **de boquilla** insincere

borda ['borδa] *f* gunwale

bordado, da [bor'δaδo, δa] ◇ *adj* embroidered ◇ *m* embroidery ● **salir bordado** to turn out just right

bordar [bor'δar] *vt* **1.** *(en costura)* to embroider **2.** *(ejecutar perfectamente)* to play to perfection

borde ['borδe] ◇ *m* **1.** *(extremo)* edge **2.** *(de carretera)* side **3.** *(de vaso, botella)* rim ◇ *adj (despec)* grouchy, miserable ● **al borde de** on the verge of

bordear [borδe'ar] *vt (rodear)* to border

bordillo [bor'δiʎo] *m* kerb (UK), curb (US)

bordo ['borδo] *m* ● **a bordo (de)** on board

borla ['borla] *f* **1.** *(adorno)* tassel **2.** *(para maquillaje)* powder puff

borra ['bora] *f* **1.** *(relleno)* stuffing **2.** *(de polvo)* fluff

borrachera [bora'tʒera] *f* drunkenness ● **coger una borrachera** to get drunk

borracho, cha [bo'ratʒo, tʒa] *adj & m,f* drunk

borrador [bora'δor] *m* **1.** *(boceto)* rough draft **2.** *(goma)* rubber (UK), eraser (US)

borrar [bo'rar] *vt* **1.** *(con goma)* to rub out (UK), to erase (US) **2.** *(en ordenador)* to delete **3.** *(en casete)* to erase **4.** *(dar de baja)* to strike off (UK), to expel from a professional organization

borrasca [bo'raska] *f* thunderstorm

borrón [bo'ron] *m* blot

borroso, sa [bo'roso, sa] *adj* blurred

bosque ['boske] *m* **1.** *(pequeño)* wood **2.** *(grande)* forest

bostezar [boste'θar] *vi* to yawn

bostezo [bos'teθo] *m* yawn

bota ['bota] *f* **1.** *(calzado)* boot **2.** *(de vino)* small leather container in which wine is kept ● **botas de agua** wellington boots ● **ponerse las botas** to stuff o.s.

botana [bo'tana] *f* *(Méx)* snack, tapa

botánica [bo'tanika] *f* botany

botar [bo'tar] *vt* *(Amér)* to throw away

bote ['bote] *m* **1.** *(de vidrio)* jar **2.** *(de metal)* can **3.** *(de plástico)* bottle **4.** *(embarcación)* boat **5.** *(salto)* jump ● **bote salvavidas** lifeboat ● **tener a alguien en el bote** to have sb eating out of one's hand

botella [bo'teʎa] *f* bottle

botellín [bote'ʎin] *m* small bottle

botijo [bo'tixo] *m* earthenware jug

botín [bo'tin] *m* **1.** *(calzado)* ankle boot **2.** *(tras un robo, atraco)* loot

botiquín [boti'kin] *m* **1.** *(maletín)* first-aid kit **2.** *(mueble)* medicine cabinet *(UK)* o chest *(US)*

botón [bo'ton] *m* button ● **botones** *m inv* bellboy

bouquet [bu'ket] *m* bouquet

boutique [bu'tik] *f* boutique

bóveda ['boβeða] *f* vault

bovino, na [bo'βino, na] *adj* *(en carnicería)* beef *(antes de s)*

box ['boks] *m* *(CSur & Méx)* boxing

boxear [bokse'ar] *vi* to box

boxeo [bok'seo] *m* boxing

boya ['boja] *f* *(en el mar)* buoy

bragas ['braɣas] *fpl* knickers *(UK)*, panties *(US)*

braguetta [bra'ɣeta] *f* flies *pl* *(UK)*, zipper *(US)*

bramar [bra'mar] *vi* to bellow

brandy ['brandi] *m* brandy

brasa ['brasa] *f* ember ● **a la brasa** barbecued

brasero [bra'sero] *m* brazier

brasier [bra'sjer] *m* *(Carib, Col & Méx)* bra

Brasil [bra'sil] *m* ● **(el) Brazil** Brazil

brasileño, ña [brasi'leɲo, ɲa] *adj & m,f* Brazilian

brasilero, ra [brasi'lero, ra] *adj & m,f* *(Amér)* Brazilian

bravo, va ['braβo, βa] ◇ *adj* **1.** *(toro)* wild **2.** *(persona)* brave **3.** *(mar)* rough ◇ *interj* bravo!

braza ['braθa] *f* *(en natación)* breaststroke

brazalete [braθa'lete] *m* bracelet

brazo ['braθo] *m* **1.** arm **2.** *(de lámpara, candelabro)* branch ● **con los brazos abiertos** with open arms ● **de brazos cruzados** without lifting a finger ● **brazo de gitano** ≃ swiss roll *(UK)*, ≃ jelly roll *(US)*

brebaje [bre'βaxe] *m* concoction

brecha ['bretʃa] *f* **1.** *(abertura)* hole **2.** *(herida)* gash

brécol ['brekol] *m* broccoli

breve ['breβe] *adj* brief ● **en breve** shortly

brevedad [breβe'ðað] *f* shortness

brevemente [,breβe'mente] *adv* briefly

brevet [bre'βet] *m* *(Ecuad & Perú)* driving licence *(UK)*, driver's license *(US)*

brezo ['breθo] *m* heather

bricolaje [briko'laxe] *m* do-it-yourself

brida ['briða] *f* bridle

brigada [bri'ɣaða] *f* **1.** *(de limpieza)* team

2. (de la policía) brigade
brillante [bri'ʎante] ◇ *adj* **1.** (material) shiny **2.** (persona, trabajo, actuación) brilliant ◇ *m* (cut) diamond
brillantina [briʎan'tina] *f* Brylcreem®, brillantine
brillar [bri'ʎar] *vi* to shine
brillo ['briʎo] *m* shine ● sacar brillo to polish
brilloso, sa [bri'ʎoso, sa] *adj* (*Amér*) shiny
brindar [brin'dar] ◇ *vi* to drink a toast ◇ *vt* to offer ● brindar por to drink to ●
brindarse *vp* ● brindarse a to offer to
brindis ['brindis] *m inv* toast
brío ['brio] *m* spirit
brisa ['brisa] *f* breeze
británico, ca [bri'taniko, ka] ◇ *adj* British ◇ *m,f* British person ● los británicos the British
brizna ['briθna] *f* (de hierba) blade
broca ['broka] *f* (drill) bit
brocal [bro'kal] *m* parapet (*of well*)
brocha ['brotʃa] *f* **1.** (para pintar) brush **2.** (para afeitarse) shaving brush
broche ['brotʃe] *m* **1.** (joya) brooch, pin (*US*) **2.** (de vestido) fastener
brocheta [bro'tʃeta] *f* **1.** (plato) shish kebab **2.** (aguja) skewer
broma ['broma] *f* **1.** (chiste) joke **2.** (travesura) prank ● estar de broma to be joking ● gastar una broma a alguien to play a joke on sb ● tomar algo a broma not to take sthg seriously ● broma pesada bad joke
bromear [brome'ar] *vi* to joke
bromista [bro'mista] ◇ *adj* fond of playing jokes ◇ *mf* joker

bronca ['bronka] *f* (jaleo) row (*UK*), quarrel ● echar una bronca a alguien to tell sb off
bronce ['bronθe] *m* bronze
bronceado [bronθe'aðo] *m* tan
bronceador [bronθea'ðor] *m* suntan lotion
broncearse [bronθe'arse] *vp* to get a tan
bronquios ['bronkios] *mpl* bronchial tubes
bronquitis [bron'kitis] *f inv* bronchitis
brotar [bro'tar] *vi* **1.** (plantas) to sprout **2.** (lágrimas, agua) to well up
brote ['brote] *m* **1.** (de planta) bud **2.** (de enfermedad) outbreak
bruja ['bruxa] *f* (fam) (fea y vieja) old hag ➢ brujo
brujería [bruxe'ria] *f* witchcraft
brujo, ja ['bruxo, xa] *m,f* wizard (*f* witch)
brújula ['bruxula] *f* compass
brusco, ca ['brusko, ka] *adj* **1.** (repentino) sudden **2.** (grosero) brusque
brusquedad [bruske'ðað] *f* **1.** (imprevisión) suddenness **2.** (grosería) brusqueness
brutal [bru'tal] *adj* **1.** (salvaje) brutal **2.** (enorme) huge
brutalidad [brutali'ðað] *f* **1.** (brusquedad) brutishness **2.** (salvajada) brutal act
bruto, ta ['bruto, ta] *adj* **1.** (ignorante) stupid **2.** (violento) brutish **3.** (rudo) rude **4.** (peso, precio, sueldo) gross
bucear [buθe'ar] *vi* to dive
buche ['butʃe] *m* (de ave) crop
bucle ['bukle] *m* **1.** (de cabello) curl **2.** (de cinta, cuerda) loop

bucólico, ca [bu'koliko, ka] *adj* country *(antes de s)*

bueno, na, ['bueno, na] *(mejor es el comparativo y el superlativo de bueno)* ◇ *adj* good ◇ *adv (conforme)* all right ◇ *interj (Méx) (al teléfono)* hello! ● ¡**buenas!** hello! ● ¡**buen día!** *(Amér)* hello! ● ¡**buenas noches!** *(despedida)* good night! ● ¡**buenas tardes!** *(hasta las cinco)* good afternoon!; *(después de las cinco)* good evening! ● ¡**buenos días!** *(hola)* hello!; *(por la mañana)* good morning! ● **hace buen día** it's a nice day

buey ['buei] *m* ox ● **buey de mar** spider crab

búfalo ['bufalo] *m* buffalo

bufanda [bu'fanda] *f* scarf

bufete [bu'fete] *m (despacho)* lawyer's practice

buffet [bu'fet] *m* buffet

buhardilla [buar'ðiʎa] *f* **1.** *(desván)* attic **2.** *(ventana)* dormer (window)

búho ['buo] *m* owl

buitre ['buitre] *m* vulture

bujía [bu'xia] *f* **1.** *(de coche)* spark plug **2.** *(vela)* candle

bula ['bula] *f (papal)* bull

bulbo [bul'βo] *m* bulb

bulerías [bule'rias] *fpl Andalusian song with lively rhythm accompanied by clapping*

bulevar [bule'βar] *m* boulevard

Bulgaria [bul'yarja] *s* Bulgaria

búlgaro, ra ['bulgaro, ra] *adj & m,f* Bulgarian

bulla ['buʎa] *f* racket

bullicio [bu'ʎiθjo] *m* **1.** *(actividad)* hustle and bustle **2.** *(ruido)* hubbub

bullicioso, sa [buʎi'θjoso, sa] *adj* **1.** *(persona)* rowdy **2.** *(lugar)* busy

bulto ['bulto] *m* **1.** *(volumen)* bulk **2.** *(paquete)* package **3.** *(en superficie)* bump **4.** *(en piel, cabeza)* lump ▼ **un solo bulto de mano** one item of hand luggage only

bumerang [bume'ran] *m* boomerang

bungalow [bunga'lo] *m* bungalow

buñuelo [bu'ɲuelo] *m* ≃ doughnut ● **buñuelo de viento** ≃ doughnut

buque ['buke] *m* ship

burbuja [bur'βuxa] *f* **1.** *(de gas, aire)* bubble **2.** *(flotador)* rubber ring *(UK)*, lifesaver *(US)*

burdel [bur'ðel] *m* brothel

burgués, esa [bur'yes, esa] ◇ *adj* middle-class ◇ *m,f* middle class person

burguesía [burye'sia] *f* middle class

burla ['burla] *f* taunt

burlar [bur'lar] *vt* **1.** *(eludir)* to evade **2.** *(ley)* to flout ● **burlarse de** *v + prep* to make fun of

buró [bu'ro] *m* **1.** writing desk **2.** *(Amér)* bedside table

burrada [bu'raða] *f* stupid thing

burro, rra ['buro, ra] *m,f* **1.** *(animal)* donkey **2.** *(persona tonta)* dimwit

buscador [buska'ðor] *m INFORM* search engine

buscar [bus'kar] *vt* to look for ● **ir a buscar** *(personas)* to pick up; *(cosas)* to go and get

busto ['busto] *m* **1.** *(en escultura, pintura)* bust **2.** *(parte del cuerpo)* chest

butaca [bu'taka] *f* **1.** *(asiento)* armchair **2.** *(en cine, teatro)* seat

butano [bu'tano] *m* butane (gas)

buzo ['buθo] *m* **1.** *(persona)* diver **2.** *(traje)* overalls *pl*

buzón [bu'θon] *m* letterbox *(UK)*, mailbox *(US)*

Cc

c/ *(abr de* **calle)** St *(street); (abr de* **cuenta)** a/c *(account current))*

cabalgada [kaβal'ɣaða] *f* mounted expedition

cabalgar [kaβal'ɣar] *vi* to ride

cabalgata [kaβal'ɣata] *f* procession

caballa [ka'βaʎa] *f* mackerel

caballería [kaβaʎe'ria] *f* **1.** *(cuerpo militar)* cavalry **2.** *(animal)* mount

caballero [kaβa'ʎero] *m* **1.** *(persona, cortés)* gentleman **2.** *(formal) (señor)* Sir **3.** *(de Edad Media)* knight ▼ caballeros *(en aseos)* gents *(UK)*, men; *(en probadores)* men; *(en tienda de ropa)* menswear

caballete [kaβa'ʎete] *m* **1.** *(para mesa, tabla)* trestle **2.** *(para cuadro, pizarra)* easel

caballito [kaβa'ʎito] *m* ● caballito de totora *(Amér)* small fishing boat made of reeds used by Peruvian and Bolivian Indians ● caballitos *mpl (tiovivo)* merry-go-round *sg*

caballo [ka'βaʎo] *m* **1.** *(animal)* horse **2.** *(en la baraja)* ≃ queen **3.** *(en ajedrez)* knight ● caballos de vapor horsepower

cabaña [ka'βaɲa] *f* cabin

cabaret [kaβa'ret] *m* cabaret

cabecear [kaβeθe'ar] *vi* **1.** *(negando)* to shake one's head **2.** *(afirmando)* to nod one's head **3.** *(durmiéndose)* to nod off **4.** *(barco)* to pitch **5.** *(coche)* to lurch

cabecera [kaβe'θera] *f* **1.** *(de la cama)* headboard **2.** *(en periódico)* headline **3.** *(en libro, lista)* heading **4.** *(parte principal)* head

cabecilla [kaβe'θiʎa] *mf* ringleader

cabellera [kaβe'ʎera] *f* long hair

cabello [ka'βeʎo] *m* hair ● cabello de ángel *sweet consisting of strands of pumpkin coated in syrup*

caber [ka'βer] *vi* **1.** to fit **2.** *(ser posible)* to be possible ● no cabe duda there is no doubt about it ● no me caben los pantalones my trousers are too small for me

cabestrillo [kaβes'triʎo] *m* sling

cabeza [ka'βeθa] *f* head ● cabeza de ajos head of garlic ● cabeza de familia head of the family ● cabeza rapada skinhead ● por cabeza per head ● perder la cabeza to lose one's head ● sentar la cabeza to settle down ● traer de cabeza to drive mad

cabezada [kaβe'θaða] *f* ● dar una cabezada to have a nap

cabida [ka'βiða] *f* ● tener cabida to have room

cabina [ka'βina] *f* booth ● cabina telefónica phone box *(UK)*, phone booth

cable ['kaβle] *m* cable ● por cable by cable ● cable eléctrico electric cable

cabo ['kaβo] *m* **1.** *(en geografía)* cape **2.** *(cuerda)* rope **3.** *(militar, policía)* corporal

● al cabo de after ● atar cabos to put two and two together ● cabo suelto loose end ● de cabo a rabo from beginning to end ● llevar algo a cabo to carry sthg out

cabra ['kaβra] *f* goat ● estar como una cabra to be off one's head

cabrear [kaβre'ar] *vt* (vulg) to piss off ●

cabrearse *vp* (vulg) to get pissed off

cabreo [ka'βreo] *m* (vulg) ● coger un cabreo to get pissed off

cabrito [ka'βrito] *m* kid (goat)

cabrón, brona [ka'βron] *m,f* (vulg) bastard (*f* bitch)

cabronada [kaβro'naða] *f* (vulg) dirty trick

caca ['kaka] *f* 1. (excremento) pooh 2. (suciedad) dirty thing

cacahuate [kaka'wate] *m* (*Méx*) peanut

cacahuete [kaka'wete] *m* peanut

cacao [ka'kao] *m* 1. (chocolate) cocoa 2. (fam) (jaleo) racket 3. (de labios) lip salve

cacarear [kakare'ar] *vi* to cluck

cacería [kaθe'ria] *f* hunt

cacerola [kaθe'rola] *f* pot

cachalote [katʃa'lote] *m* sperm whale

cacharro [ka'tʃaro] *m* 1. (de cocina) pot 2. (fam) (trasto) junk 3. (fam) (coche) banger (*UK*), rattle trap (*US*)

cachear [katʃe'ar] *vt* to frisk

cachemir [katʃe'mir] *m* cashmere

cachetada [katʃe'taða] *f* (*Amér*) (fam) slap

cachete [ka'tʃete] *m* slap

cachivache [katʃi'βatʃe] *m* knick-knack

cacho ['katʃo] *m* 1. (fam) (trozo) piece 2.

(*Andes & Ven*) (cuerno) horn

cachondearse [katʃonde'arse] ● **cachondearse de** *v + prep* (fam) to take the mickey out of (*UK*), to make fun of

cachondeo [katʃon'deo] *m* (fam) ● estar de cachondeo to be joking ● ir de cachondeo to go out on the town

cachondo, da [ka'tʃondo, da] *adj* (fam) (alegre) funny

cachorro, rra [ka'tʃoro, ra] *m,f* puppy

cacique [ka'θike] *m* local political boss

cactus ['kaktus] *m* cactus

cada ['kaða] *adj* 1. (para distribuir) each 2. (en frecuencia) every ● cada vez más more and more ● cada vez más corto shorter and shorter ● cada uno each one

cadáver [ka'ðaβer] *m* corpse

cadena [ka'ðena] *f* 1. chain 2. (de televisión) channel, network (*UK*) 3. (de radio) station 4. (de música) sound system 5. (de montañas) range ● en cadena (accidente) multiple

cadencia [ka'ðenθja] *f* rhythm

cadera [ka'ðera] *f* hip

cadete [ka'ðete] *m* cadet

caducar [kaðu'kar] *vi* 1. (alimento) to pass its sell-by date (*UK*) o best-before date (*US*) 2. (ley, documento, etc) to expire

caducidad [kaðuθi'ðað] *f* expiry

caduco, ca [ka'ðuko, ka] *adj* (persona) very old-fashioned ● de hoja caduca deciduous

caer [ka'er] *vi* 1. to fall 2. (día, tarde, verano) to draw to a close ● caer bien/mal (comentario, noticia) to go down well/badly ● me cae bien/mal *(persona)* I like/don't like him ● cae cerca de aquí it's not far from here ● dejar caer algo to drop sthg ◆ caer en *v + prep* 1. *(respuesta, solución)* to hit on, to find 2. *(día)* to be on 3. *(mes)* to be in ● caer en la cuenta to realize ◆ caerse *vp (persona)* to fall down

café [ka'fe] *m* 1. *(bebida, grano)* coffee 2. *(establecimiento)* cafe ● café descafeinado decaffeinated coffee ● café irlandés Irish coffee ● café con leche white coffee ● café molido ground coffee ● café solo black coffee

café

Strong expresso coffee is the kind most commonly served in Spanish bars and restaurants. A small black expresso is called *un café solo* or just *un solo*. If a dash of milk is added it is called a *cortado*, and this is also served in some South American countries. A large, weak cup of coffee is called *un americano*, but this is mainly for foreign visitors and is rarely drunk by Spanish people. *Café con leche* is traditionally drunk at breakfast and consists of an expresso served with lots of hot milk in a big cup. After dinner, you can have a *carajillo*, which is a *solo* to which alcohol has been added, usually brandy, rum or anisette. Latin Americans also drink *café de olla*, a very sweet coffee made with cinnamon and other spices.

cafebrería [kafeβre'ria] *f (Amér)* cafe cum bookshop

cafeína [kafe'ina] *f* caffeine

cafetera [kafe'tera] *f* 1. *(para servir)* coffee pot 2. *(en bares)* espresso machine 3. *(eléctrica)* coffee maker

cafetería [kafete'ria] *f* cafe

cagar [ka'ɣar] ◇ *vi (vulg)* to shit ◇ *vt (vulg)* to fuck up

caída [ka'iða] *f* fall

caído, da [ka'iðo, ða] *adj (abatido)* downhearted ● los caídos the fallen

caimán [kai'man] *m* alligator

caja ['kaxa] *f* 1. *(recipiente)* box 2. *(para transporte, embalaje)* crate 3. *(de banco)* cashier's desk *(UK)*, (teller) window *(US)* 4. *(de supermercado)* till *(UK)*, checkout *(US)* 5. *(de instrumento musical)* body ● caja de ahorros savings bank ● caja de cambios gearbox ● caja registradora cash register ▼ caja rápida ≃ handbaskets only

cajero, ra [ka'xero, ra] *m,f* 1. *(de banco)* teller 2. *(de tienda)* cashier ● cajero automático cash point

cajetilla [kaxe'tiʎa] ◇ *f* packet *(UK)*, pack *(US)* ◇ *m (Amér) (despec)* city slicker

cajón [ka'xon] *m (de mueble)* drawer ● cajón de sastre muddle

cajonera [kaxo'nera] *f* chest of drawers

cajuela [ka'xwela] *f (Méx)* boot *(UK)*, trunk *(US)*

cal [kal] *f* lime

cala ['kala] *f (ensenada)* cove

calabacín [kalaβa'θin] *m* courgette *(UK)*, zucchini *(US)*

calabaza [kala'βaθa] *f* pumpkin

calabozo [kala'βoθo] *m* cell

calada [ka'laða] *f* drag

calamar [kala'mar] *m* squid ◆ calamares a la plancha grilled squid ◆ calamares en su tinta squid cooked in its own ink

calambre [ka'lambɾe] *m* 1. *(de un músculo)* cramp 2. *(descarga eléctrica)* shock

calamidad [kalami'ðað] *f* calamity ◆ ser una calamidad *(persona)* to be a dead loss

calar [ka'lar] *vt* 1. *(suj: lluvia, humedad)* to soak 2. *(suj: frío)* to penetrate ◆ calar en *v + prep* *(ideas, sentimiento)* to have an impact on ◆ calarse *vp* 1. *(mojarse)* to get soaked 2. *(suj: vehículo)* to stall 3. *(sombrero)* to jam on

calato, ta [ka'lato, ta] *adj* *(Amér)* naked

calaveras [kala'βeras] *fpl* *(Amér)* rear lights *(UK)*, tail lights *(US)*

calcar [kal'kar] *vt* 1. *(dibujo)* to trace 2. *(imitar)* to copy

calcáreo, a [kal'kaɾeo, a] *adj* lime

calcetín [kalθe'tin] *m* sock

calcio ['kalθjo] *m* calcium

calcomanía [kalkoma'nia] *f* transfer

calculador, ra [kalkula'ðor, ɾa] *adj* calculating

calculadora [kalkula'ðora] *f* calculator

calcular [kalku'lar] *vt* 1. *(cantidad)* to calculate 2. *(suponer)* to guess

cálculo ['kalkulo] *m* *(en matemáticas)* calculus

caldear [kalde'ar] *vt* 1. *(local)* to heat 2. *(ambiente)* to liven up

caldera [kal'dera] *f* boiler

calderilla [kalde'riʎa] *f* small change

caldo ['kaldo] *m* broth ◆ caldo gallego *thick soup with meat*

calefacción [kalefak'θjon] *f* heating ◆ calefacción central central heating

calefactor [kalefak'tor] *m* heater

calendario [kalen'darjo] *m* 1. calendar 2. *(de actividades)* timetable

calentador [kalenta'ðor] *m* heater

calentamiento [kalenta'mjento] *m* *(en deporte)* warm-up

calentar [kalen'tar] *vt* 1. *(agua, leche, comida)* to heat up 2. *(fig) (pegar)* to hit 3. *(fig) (incitar)* to incite ◆ calentarse *vp* 1. *(en deporte)* to warm up 2. *(excitarse)* to get turned on

calesitas [kale'sitas] *fpl* *(Amér)* merry-go-round *sg*

calibrar [kali'βɾar] *vt* to gauge

calibre [ka'liβre] *m* *(importancia)* importance

calidad [kali'ðað] *f* 1. quality 2. *(clase)* class ◆ de calidad quality ◆ en calidad de in one's capacity as

cálido, da ['kaliðo, ða] *adj* 1. warm 2. *(agradable, acogedor)* friendly

caliente [ka'ljente] *adj* hot ◆ en caliente in the heat of the moment

calificación [kalifika'θjon] *f* 1. *(en deportes)* score 2. *(de un alumno)* mark, grade *(US)*

calificar [kalifi'kar] *vt* *(trabajo, examen)* to mark, to grade *(US)* ◆ calificar a alguien de algo to call sb sthg

caligrafía [kaliɣra'fia] *f* *(letra)* handwriting

cáliz ['kaliθ] *m* 1. *(de flor)* calyx 2. *(de misa)* chalice

callado, da [ka'ʎaðo, ða] *adj* quiet

callar [ka'ʎar] ◇ *vi* to be quiet ◇ *vt* 1.

(secreto) to keep **2.** *(respuesta)* to keep to o.s. ◆ **callarse** *vp* **1.** *(no hablar)* to keep quiet **2.** *(dejar de hablar)* to be quiet

calle ['kaʎe] *f* **1.** *(de población)* street **2.** *(de carretera, en natación)* lane ⬦ **dejar a alguien en la calle** to put sb out of a job ● **calle abajo/arriba** down/up the street

calleja [ka'ʎexa] *f* alley, small street

callejero, ra [kaʎe'xero, ra] ⬦ *adj* street *(antes de s)* ⬦ *m* street map

callejón [kaʎe'xon] *m* **1.** *(calle estrecha)* alley

callejuela [kaʎe'xwela] *f* side street

callo ['kaʎo] *m* **1.** *(de pies)* corn **2.** *(de manos)* callus ◆ **callos** *mpl* tripe *sg* ● **callos a la madrileña** tripe cooked with black pudding, smoked pork sausage, onion and peppers

calloso, sa [ka'ʎoso, sa] *adj* calloused

calma ['kalma] *f* calm

calmado, da [kal'maðo, ða] *adj* calm

calmante [kal'mante] *m* sedative

calmar [kal'mar] *vt* to calm ◆ **calmarse** *vp* to calm down

calor [ka'lor] *m o f* **1.** *(temperatura elevada, sensación)* heat **2.** *(tibieza, del hogar)* warmth ● **hace calor** it's hot ● **tener calor** to be hot

caloría [kalo'ria] *f* calorie

calumnia [ka'lumnja] *f* **1.** *(oral)* slander **2.** *(escrita)* libel

calumniador, ra [kalumnja'ðor, ra] *adj* slanderous

calumniar [kalum'njar] *vt* **1.** *(oralmente)* to slander **2.** *(por escrito)* to libel

calumnioso, sa [kalum'njoso, sa] *adj* slanderous

caluroso, sa [kalu'roso, sa] *adj* **1.** *(caliente)* hot **2.** *(tibio, afectuoso, cariñoso)* warm

calva ['kalβa] *f* **1.** *(cabeza)* bald head **2.** *(area)* bald patch ➤ **calvo**

calvario [kal'βarjo] *m* *(sufrimiento)* ordeal

calvicie [kal'βiθje] *f* baldness

calvo, va ['kalβo, βa] ⬦ *adj* bald ⬦ *m* bald man

calzada [kal'θaða] *f* road *(surface)* ▼ calzada irregular uneven road surface

calzado [kal'θaðo] *m* footwear ▼ reparación de calzados shoe repairs

calzador [kalθa'ðor] *m* shoehorn

calzar [kal'θar] *vt* *(zapato, bota)* to put on ● **¿qué número calza?** what size *(shoe)* do you take? ◆ **calzarse** *vp* to put on

calzoncillos [kalθon'θiʎos] *mpl* underpants

calzones [kal'θones] *mpl* *(Amér)* knickers *(UK)*, panties *(US)*

cama ['kama] *f* bed ● **guardar cama** to be confined to bed ● **cama individual** single bed ● **cama de matrimonio** double bed

camaleón [kamale'on] *m* chameleon

cámara[1] ['kamara] *f* **1.** *(para filmar)* camera **2.** *(de diputados, senadores)* chamber **3.** *(de neumático)* inner tube ● **cámara digital** digital camera ● **cámara fotográfica** camera ● **cámara de vídeo** video *(camera)*

cámara[2] ['kamara] *m* cameraman *(f* camerawoman)

camarada [kama'raða] *mf* *(en el trabajo)* colleague

camarero, ra [kama'rero, ra] *m,f* **1.** *(de bar, restaurante)* waiter (*f* waitress) **2.** *(de hotel)* steward (*f* chambermaid)

camarón [kama'ron] *m* (*Amér*) shrimp

camarote [kama'rote] *m* cabin

camastro [ka'mastro] *m* rickety bed

cambiar [kam'bjar] ⋄ *vt* **1.** to change **2.** *(ideas, impresiones, etc)* to exchange ⋄ *vi* to change ⋄ **cambiar de** *(coche, vida)* to change; *(domicilio)* to move ◆ **cambiarse** *vp* *(de ropa)* to change ◆ **cambiarse de** *(casa)* to move ◆ **cambiarse de camisa** to change one's shirt

cambio ['kambjo] *m* **1.** change **2.** *(de ideas, propuestas, etc)* exchange **3.** *(valor de moneda)* exchange rate ◆ **en cambio** on the other hand ◆ **cambio de marchas** gear change ▾ **cambio de sentido** *sign indicating a sliproad allowing drivers to change direction on a motorway*

camello [ka'meʎo] *m* camel

camembert ['kamemβer] *m* camembert

camerino [kame'rino] *m* dressing room

camilla [ka'miʎa] *f* (*para enfermo, herido*) stretcher

camillero, ra [kami'ʎero, ra] *m,f* stretcher-bearer

caminante [kami'nante] *mf* walker

caminar [kami'nar] ⋄ *vi* to walk ⋄ *vt* to travel

caminata [kami'nata] *f* long walk

camino [ka'mino] *m* **1.** *(vía)* road **2.** *(recorrido)* path **3.** *(medio)* way ◆ **a medio camino** halfway ◆ **camino de** on the way to ◆ **ir por buen/mal camino** *(ruta)* to be going the right/wrong way ◆ **ponerse en camino** to set off

Camino de Santiago

This is the name of the popular pilgrimage route to Santiago de Compostela in Galicia, where the remains of St James are reputed to lie in the cathedral. The full pilgrimage begins at either Somport or Roncesvalles in Navarre and comprises 31 stages. Pilgrims can stop off at various purpose-built monasteries, churches and hospitals along the way.

camión [kami'on] *m* **1.** *(de mercancías)* lorry (*UK*), truck (*US*) **2.** *(CAm & Méx)* *(autobús)* bus

camionero, ra [ka'mjonero, ra] *m,f* lorry driver (*UK*), truck driver (*US*)

camioneta [kamjo'neta] *f* van

camisa [ka'misa] *f* shirt

camisería [kamise'ria] *f* outfitter's (shop)

camisero, ra [kami'sero, ra] *adj* with buttons down the front

camiseta [kami'seta] *f* **1.** *(de verano)* T-shirt **2.** *(ropa interior)* vest (*UK*), undershirt (*US*)

camisola [kami'sola] *f* (*Amér*) shirt

camisón [kami'son] *m* nightdress (*UK*), nightgown (*US*)

camomila [kamo'mila] *f* camomile

camorra [ka'mora] *f* trouble

camote [ka'mote] *m* (*Andes, CAm & Méx*) sweet potato

campamento [kampa'mento] *m* camp

campana [kam'pana] *f* **1.** *(de iglesia)* bell **2.** *(de chimenea)* chimney breast **3.** *(de cocina)* hood

campanario [kampa'narjo] *m* belfry

campaña [kam'paɲa] *f* campaign

campechano, na [kampe'tʒano, na] *adj* good-natured

campeón, ona [kampe'on, ona] *m,f* champion

campeonato [kampeo'nato] *m* championship ● **de campeonato** terrific

campera [kam'pera] *f (Amér)* jacket

campesino, na [kampe'sino, na] *m,f* **1.** *(agricultor)* farmer **2.** *(muy pobre)* peasant

campestre [kam'pestre] *adj* country

camping ['kampin] *m* **1.** *(lugar)* campsite **2.** *(actividad)* camping ● **ir de camping** to go camping

campista [kam'pista] *mf* camper

campo ['kampo] *m* **1.** field **2.** *(campiña)* countryside **3.** *(de fútbol)* pitch *(UK)*, field *(US)* **4.** *(de golf)* course ● **campo de deportes** sports ground ● **dejar el campo libre** to leave the field open

campus ['kampus] *m* campus

camuflar [kamu'flar] *vt* to camouflage

cana ['kana] *f* grey hair ● **tener canas** to be going grey

Canadá [kana'ða] *m* ● **(el) Canadá** Canada

canadiense [kana'ðjense] *adj & mf* Canadian

canal [ka'nal] *m* **1.** *(para regar)* canal **2.** *(en geografía)* strait **3.** *(de televisión)* channel **4.** *(de desagüe)* pipe

canalla [ka'naʎa] *mf* swine

canapé [kana'pe] *m* canapé

Canarias [ka'narjas] *fpl* ● **las (islas) Canarias** the Canary Islands

canario, ria [ka'narjo, rja] ◇ *adj* of/relating to the Canary Islands ◇ *m,f* Canary Islander ◇ *m (pájaro)* canary

canasta [ka'nasta] *f* **1.** basket **2.** *(en naipes)* canasta

canastilla [kanas'tiʎa] *f (de recién nacido)* layette

cancela [kan'θela] *f* wrought-iron gate

cancelación [kanθela'θjon] *f* cancellation

cancelar [kanθe'lar] *vt* **1.** to cancel **2.** *(cuenta, deuda)* to settle

cáncer ['kanθer] *m* cancer

cancerígeno, na [kanθe'rixeno, na] *adj* carcinogenic

cancha ['kantʒa] *f* court

canciller [kanθi'ʎer] *m* chancellor

cancillería [kanθiʎe'ria] *f (Amér) (ministerio)* ≃ Foreign Office

canción [kan'θjon] *f* song

cancionero [kanθjo'nero] *m* songbook

candado [kan'daðo] *m* padlock

candela [kan'dela] *f (Amér)* fire

candelabro [kande'laβro] *m* candelabra

candidato, ta [kandi'ðato, ta] *m,f* ● **candidato (a)** candidate (for)

candidatura [kandiða'tura] *f* candidacy

candil [kan'dil] *m* **1.** *(lámpara)* oil lamp **2.** *(Amér) (araña)* chandelier

candilejas [kandi'lexas] *fpl* footlights

caneca [ka'neka] *f (Amér)* rubbish bin *(UK)*, trash can *(US)*

canela [ka'nela] *f* cinnamon

canelones [kane'lones] *mpl* cannelloni

cangrejo [kan'grexo] *m* crab

canguro [kan'guro] ◇ *m* **1.** *(animal)* kangaroo **2.** *(para llevar a un niño)* sling ◇ *mf (persona)* babysitter

caníbal [ka'niβal] *mf* cannibal

canica [ka'nika] f marble ◆ **canicas** fpl (juego) marbles

canijo, ja [ka'nixo, xa] adj sickly

canilla [ka'niʎa] f 1. (CSur) (grifo) tap (UK), faucet (US) 2. (espinilla) shinbone

canjeable [kanxe'aβle] adj exchangeable

canjear [kanxe'ar] vt to exchange ● canjear algo por to exchange sthg for

canoa [ka'noa] f canoe

canoso, sa [ka'noso, sa] adj grey-haired

cansado, da [kan'saðo, ða] adj 1. (fatigado, aburrido) tired 2. (pesado) tiring ● estar cansado (de) to be tired (of)

cansador, ra [kan'saðor, ra] adj (Andes & CSur) tiring

cansancio [kan'sanθjo] m tiredness

cansar [kan'sar] vt to tire ◆ cansarse vp ● se cansó de esperar he got tired of waiting

cantábrico, ca [kan'taβriko, ka] adj Cantabrian ◆ Cantábrico m ● el Cantábrico the Cantabrian Sea

cantante [kan'tante] mf singer

cantaor, ra [kanta'or, ra] m.f flamenco singer

cantar [kan'tar] ⋄ vt 1. (canción) to sing 2. (premio) to call (out) ⋄ vi 1. to sing 2. (fig) (confesar) to talk

cántaro ['kantaro] m large pitcher ● llover a cántaros to rain cats and dogs

cantautor, ra [kantau'tor, ra] m.f singer-songwriter

cante ['kante] m ● cante flamenco o jondo flamenco singing

cantera [kan'tera] f 1. (de piedra) quarry 2. (de profesionales) source

cantidad [kanti'ðað] ⋄ f 1. (medida) quantity 2. (importe) sum 3. (número) number ⋄ adv a lot ● en cantidad in abundance

cantimplora [kantim'plora] f water bottle

cantina [kan'tina] f 1. (en fábrica) canteen (UK), cafetería (US) 2. (en estación de tren) buffet, station café

canto ['kanto] m 1. (arte) singing 2. (canción) song 3. (borde) edge ● de canto edgeways ● canto rodado boulder

canturrear [kanture'ar] vt & vi to sing softly

caña ['kaɲa] f 1. (tallo) cane 2. (de cerveza) small glass of beer ● caña de azúcar sugarcane ● caña de pescar fishing rod

cáñamo ['kaɲamo] m hemp

cañaveral [kaɲaβe'ral] m sugar-cane plantation

cañería [kaɲe'ria] f pipe

caño ['kaɲo] m 1. (de fuente) jet 2. (tubo) pipe 3. (Amér) (grifo) tap (UK), faucet (US)

cañón [ka'ɲon] m 1. (arma moderna) gun 2. (arma antigua) cannon 3. (de fusil) barrel 4. (entre montañas) canyon

cañonazo [kaɲo'naθo] m gunshot

caoba [ka'oβa] f mahogany

caos ['kaos] m inv chaos

caótico, ca [ka'otiko, ka] adj chaotic

capa ['kapa] f 1. (manto) cloak 2. (de pintura, barniz, chocolate) coat 3. (de la tierra, sociedad) stratum 4. (de torero) cape ● capa de ozono ozone layer ● capa y espada (defender) tooth and nail ● andar de capa caída to be doing badly

capacidad [kapaθiˈðað] *f* **1.** *(de envase, aforo)* capacity **2.** *(habilidad)* ability

capacitado, da [kapaθiˈtaðo, ða] *adj* ● **estar capacitado para** to be qualified to

caparazón [kaparaˈθon] *m* shell

capataz [kapaˈtaθ, θes] *(pl* **-ces)** *mf* foreman *(f* forewoman*)*

capaz [kaˈpaθ, θes] *(pl* **-ces)** *adj* capable ● **ser capaz de** to be capable of

capazo [kaˈpaθo] *m* large wicker basket

capellán [kapeˈʎan] *m* chaplain

capicúa [kapiˈkua] *adj inv* reversible

capilar [kapiˈlar] *adj* hair *(antes de s)*

capilla [kaˈpiʎa] *f* chapel

capital [kapiˈtal] ◇ *adj (importante)* supreme ◇ *m & f* capital

capitalismo [kapitaˈlizmo] *m* capitalism

capitalista [kapitaˈlista] *adj & mf* capitalist

capitán, ana [kapiˈtan, ana] *m,f* captain

capitanía [kapitaˈnia] *f (edificio)* ≈ field marshal's headquarters

capitel [kapiˈtel] *m* capital *(in architecture)*

capítulo [kaˈpitulo] *m* chapter

capó [kaˈpo] *m* bonnet *(UK)*, hood *(US)*

capón [kaˈpon] *m* **1.** *(animal)* capon **2.** *(golpe)* rap

capota [kaˈpota] *f* hood *(UK)*, top *(US)*

capote [kaˈpote] *m (de torero)* cape

capricho [kaˈpritʃo] *m* whim ● **darse un capricho** to treat o.s.

caprichoso, sa [kapriˈtʃoso, sa] *adj* capricious

Capricornio [kapriˈkornjo] *m* Capricorn

cápsula [ˈkapsula] *f* capsule

captar [kapˈtar] *vt* **1.** *(sonido, rumor)* to hear **2.** *(persona)* to win over **3.** *(explicación, idea)* to grasp **4.** *(señal de radio, TV)* to receive

capturar [kaptuˈrar] *vt* to capture

capucha [kaˈputʃa] *f* **1.** *(de prenda de vestir)* hood **2.** *(de pluma, bolígrafo)* cap

capuchino, na [kapuˈtʃino, na] ◇ *adj & m,f* Capuchin ◇ *m* cappuccino

capullo [kaˈpuʎo] *m* **1.** *(de flor)* bud **2.** *(de gusano)* cocoon

cara [ˈkara] *f* **1.** *(rostro)* face **2.** *(de página, tela, luna, moneda)* side ● **cara a cara** face to face ● **de cara a** *(frente a)* facing ● **cara o cruz** heads or tails ● **echar algo a cara o cruz** to toss a coin for sthg ● **dar la cara** to face the consequences ● **echar en cara algo a alguien** to reproach sb for sthg ● **esta comida no tiene buena cara** this meal doesn't look very good ● **plantar cara a** to stand up to ● **tener (mucha) cara** to have a cheek

carabela [karaˈβela] *f* caravel

carabina [karaˈβina] *f* **1.** *(arma)* rifle **2.** *(fam) (persona)* chaperone

caracol [karaˈkol] *m* snail ● **caracoles a la llauna** snails cooked in a pan with oil, garlic and parsley

caracola [karaˈkola] *f* conch

caracolada [karakoˈlaða] *f* dish made with snails

carácter [kaˈrakter] *m* **1.** *(modo de ser)* character **2.** *(tipo)* nature ● **tener mal/buen carácter** to be bad-tempered/good-natured ● **tener mucho/poco carácter** to have a strong/weak personality

característica [karakteˈristika] *f* characteristic

característico, ca [karakte'ristiko, ka] *adj* characteristic

caracterizar [karakteri'θaɾ] *vt* **1.** *(identificar)* to characterize **2.** *(representar)* to portray ◆ **caracterizarse por** *v + prep* to be characterized by

caradura [kara'ðura] *adj inv (fam)* cheeky *(UK)*, nervy *(US)*

carajillo [kara'xiʎo] *m* coffee with a dash of liqueur

caramba [ka'ramba] *interj* **1.** *(expresa sorpresa)* good heavens! **2.** *(expresa enfado)* for heaven's sake!

carambola [karam'bola] *f* cannon *(in billiards)* ◆ **de carambola** *(de casualidad)* by a fluke; *(de rebote)* indirectly

caramelo [kara'melo] *m* **1.** *(golosina)* sweet *(UK)*, candy *(US)* **2.** *(azúcar fundido)* caramel

carátula [ka'ratula] *f* **1.** *(de libro, revista)* front cover **2.** *(de disco)* sleeve **3.** *(de vídeo, CD)* cover

caravana [kara'βana] *f* **1.** *(atasco)* tailback *(UK)*, backup *(US)* **2.** *(remolque)* caravan ◆ **hacer caravana** to sit in a tailback

caravaning [kara'βanin] *m* caravanning

caray [ka'rai] *interj* **1.** *(expresa sorpresa)* good heavens! **2.** *(expresa enfado, daño)* damn it!

carbón [kar'βon] *m* coal

carboncillo [karβon'θiʎo] *m* charcoal

carbono [kar'βono] *m* carbon

carburador [karβura'ðoɾ] *m* carburettor

carburante [karβu'rante] *m* fuel

carcajada [karka'xaða] *f* guffaw ◆ **reír**

a **carcajadas** to roar with laughter

cárcel ['karθel] *f* prison

carcoma [kar'koma] *f* woodworm

cardenal [karðe'nal] *m* **1.** *(en religión)* cardinal **2.** *(morado)* bruise

cardíaco, ca [kar'ðiako, ka] *adj* cardiac

cardinal [karði'nal] *adj* cardinal

cardiólogo, ga [kar'ðjoloɣo, ɣa] *m,f* cardiologist

cardo ['karðo] *m* **1.** *(planta)* thistle **2.** *(fam) (persona)* prickly customer

carecer [kare'θeɾ] ◆ **carecer de** *v + prep* to lack

carencia [ka'renθja] *f* **1.** *(ausencia)* lack **2.** *(defecto)* deficiency

careta [ka'reta] *f* mask

carey [ka'rei] *m* *(de tortuga)* tortoiseshell

carga ['karɣa] *f* **1.** *(de barco, avión)* cargo **2.** *(de tren, camión)* freight **3.** *(peso)* load **4.** *(para bolígrafo, mechero, pluma)* refill **5.** *(de arma, explosivo, batería)* charge **6.** *(responsabilidad)* burden ▼ **carga y descarga** loading and unloading

cargado, da [kar'ɣaðo, ða] *adj* **1.** *(cielo)* overcast **2.** *(habitación, ambiente)* stuffy **3.** *(bebida, infusión)* strong ◆ **cargado de** *(lleno de)* loaded with

cargador, ra [karɣa'ðoɾ, ra] ◇ *m,f* loader ◇ *m* **1.** *(de arma)* chamber **2.** *(de batería)* charger

cargar [kar'ɣaɾ] ◇ *vt* **1.** *(mercancía, arma)* to load **2.** *(bolígrafo, pluma, mechero)* to refill **3.** *(tener capacidad para)* to hold **4.** *(factura, deudas, batería)* to charge ◇ *vi (molestar)* to be annoying ◆ **cargar algo de** *(llenar)* to fill sthg with ◆ **cargar con** *v + prep* **1.** *(paquete)* to carry **2.**

(*responsabilidad*) to bear **3.** (*consecuencia*) to accept ◆ **cargar contra** *v + prep* to charge ◆ **cargarse** *vp* **1.** (*fam*) (*estropear*) to break **2.** (*fam*) (*matar*) to bump off **3.** (*fam*) (*suspender*) to fail **4.** (*ambiente*) to get stuffy ◆ **cargarse de** *v + prep* (*llenarse de*) to fill up with

cargo ['karɣo] *m* **1.** charge **2.** (*empleo, función*) post ● **estar a cargo de** to be in charge of ● **yo me haré cargo de los niños** I will look after the children ● **se hizo cargo de la empresa** she took over the running of the company ● **me hago cargo de la situación** I understand the situation

cargoso, sa [kar'ɣoso, sa] *adj* (*CSur & Perú*) annoying

cariado, da [ka'rjaðo, ða] *adj* decayed

Caribe [ka'riβe] *m* ● **el Caribe** the Caribbean

caribeño, ña [kari'βeɲo, ɲa] *adj* Caribbean

caricatura [karika'tura] *f* caricature

caricia [ka'riθja] *f* **1.** (*a persona*) caress **2.** (*a animal*) stroke

caridad [kari'ðað] *f* charity

caries ['karjes] *f inv* tooth decay

cariño [ka'riɲo] *m* **1.** (*afecto*) affection **2.** (*cuidado*) loving care **3.** (*apelativo*) love

cariñoso, sa [kari'ɲoso, sa] *adj* affectionate

carisma [ka'rizma] *m* charisma

caritativo, va [karita'tiβo, βa] *adj* charitable

cariz [ka'riθ] *m* appearance

carmín [kar'min] *m* (*para labios*) lipstick

carnal [kar'nal] *adj* (*pariente*) first

Carnaval [karna'βal] *m* (*fiesta*) carnival

Carnaval

In Spain and Latin America, the three days preceding Lent are given over to popular celebrations and festivities. People, especially children, dress up and take part in street processions. The carnival in Tenerife is particularly famous.

carne ['karne] *f* **1.** (*alimento*) meat **2.** (*de persona, fruta*) flesh ● **carne de cerdo** pork ● **carne de cordero** lamb ● **carne de gallina** goose pimples *pl* ● **carne picada** mince (*UK*), ground beef (*US*) ● **carne de ternera** veal ● **carne de vaca** beef

carné [kar'ne] *m* (*de club, partido*) membership card ● **carné de conducir** driving licence (*UK*), driver's license (*US*) ● **carné de identidad** identity card

carnero [kar'nero] *m* ram

carnicería [karniθe'ria] *f* **1.** (*tienda*) butcher's (*shop*) **2.** (*matanza*) carnage

carnicero, ra [karni'θero, ra] *m,f* butcher

carnitas [kar'nitas] *fpl* (*Méx*) snack of spicy, fried meat in taco or bread

caro, ra ['karo, ra] ◇ *adj* expensive ◇ *adv* at a high price ● **costar caro** to be expensive

carpa ['karpa] *f* **1.** (*de circo*) big top **2.** (*para fiestas*) marquee (*UK*), tent (*US*) **3.** (*pez*) carp

carpeta [kar'peta] *f* file

carpintería [karpinte'ria] *f* **1.** (*oficio*) joinery **2.** (*arte*) carpentry **3.** (*taller*) joiner's workshop

carpintero [karpin'tero, ra] *m* **1.** (*profesional*) joiner **2.** (*artista*) carpenter

carrera [ka'rera] *f* **1.** (*competición*) race **2.** (*estudios*) degree course **3.** (*profesión*) career **4.** (*en medias, calcetines*) ladder (*UK*), run (*US*) **5.** (*en taxi*) ride ● **a la carrera** at full speed

carrerilla [kare'riʎa] *f* (*carrera corta*) run-up ● **de carrerilla** (*fam*) by heart

carreta [ka'reta] *f* cart

carrete [ka'rete] *m* **1.** (*de fotografía*) roll **2.** (*de hilo*) reel (*UK*), spool (*US*)

carretera [kare'tera] *f* road ● **carretera de circunvalación** ring road ● **carretera comarcal** minor road (*UK*), state highway (*US*) ● **carretera de cuota** (*Amér*) toll road ● **carretera nacional** ≃ A road (*UK*), interstate highway (*US*)

carretilla [kare'tiʎa] *f* wheelbarrow

carril [ka'ril] *m* **1.** (*de carretera, autopista*) lane **2.** (*de tren*) rail ● **carril de aceleración** fast lane ● **carril bici** cycle lane ● **carril bus** bus lane

carrito [ka'rito] *m* **1.** (*de la compra*) trolley (*UK*), shopping cart (*US*) **2.** (*para bebés*) pushchair (*UK*), stroller (*US*)

carro ['karo] *m* **1.** (*carruaje*) cart **2.** (*Andes, CAm, Carib & Méx*) (*automóvil*) (*coche*) car ● **carro comedor** (*Amér*) dining car ● **carro de la compra** trolley (*UK*), shopping cart (*US*)

carrocería [karoθe'ria] *f* bodywork

carromato [karo'mato] *m* covered wagon

carroña [ka'roɲa] *f* carrion

carroza [ka'roθa] *f* coach, carriage

carruaje [karua'xe] *m* carriage

carrusel [karu'sel] *m* (*de feria*) carousel

carta ['karta] *f* **1.** (*escrito*) letter **2.** (*de restaurante, bar*) menu **3.** (*de la baraja*) card ● **carta de vinos** wine list

La carta

En la esquina superior derecha se coloca la dirección del remitente. Justo debajo se coloca la fecha. El nombre y la dirección del destinatario se coloca debajo de la fecha, pero en el lado izquierdo de la hoja. Cuando se escribe una carta formal, sin conocer el nombre del destinatario, se puede empezar colocando *Dear Sir* o *Dear Madam* (o *Dear Sir/Madam* si no sabemos si se trata de un hombre o de una mujer). Si se conoce el nombre del destinatario, se usa *Dear Mr X, Dear Mrs X, Dear Ms X*, etc. Si se escribe a alguien conocido, se pone *Dear* y el nombre de la persona. La carta continúa en la línea siguiente, comenzando con una mayúscula. Si comenzaste la carta con *Dear Sir, Dear Madam* o *Dear Sir/Madam*, la despedida debe ser *Yours faithfully* con la firma justo debajo. En una carta formal, la despedida puede ser *Yours sincerely* o *Yours truly*. En una carta menos formal puedes usar *Best wishes* o *Kind regards*. Si escribes a alguien que conoces bien puedes despedirte empleando *With love, Love and wishes* o *Looking* forward to seeing you soon. Para dirigirte a amigos o a la familia, puedes usar *Love, Lots of love, With love from* o *Much love*.

cartabón [karta'βon] *m* set square (*UK*), triangle (*US*)

cartearse [karte'arse] *vp* to correspond

cartel [kar'tel] *m* poster

cartelera [karte'lera] *f* **1.** (*de espectáculos*) entertainments section **2.** (*tablón*) hoarding (*UK*), billboard (*US*) • **estar en cartelera** (*película*) to be showing; (*obra de teatro*) to be running

cartera [kar'tera] *f* **1.** (*para dinero*) wallet **2.** (*de colegial*) satchel **3.** (*para documentos*) briefcase **4.** (*sin asa*) portfolio **5.** (*de mujer*) clutch bag

carterista [karte'rista] *mf* pickpocket

cartero, ra [kar'tero, ra] *m,f* postman (*f* postwoman) (*UK*), mail carrier (*US*)

cartilla [kar'tiʎa] *f* (*para aprender a leer*) first reading book, primer (*US*) • **cartilla de ahorros** savings book • **cartilla de la Seguridad Social** ≃ National Insurance card, ≃ Social Security card (*US*)

cartón [kar'ton] *m* **1.** (*material*) cardboard **2.** (*de cigarrillos*) carton

cartucho [kar'tutʃo] *m* cartridge

cartulina [kartu'lina] *f* card (*UK*), stiff paper (*US*)

casa ['kasa] *f* **1.** (*edificio*) house **2.** (*vivienda, hogar*) home **3.** (*familia*) family **4.** (*empresa*) company • **en casa** at home • **ir a casa** to go home • **casa de campo** country house • **casa de huéspedes** guesthouse

Casa Rosada

The *Casa Rosada* is the official residence of the Argentinian president and the seat of the country's government. The building's name (literally Pink House) comes from the colour of its walls. It looks out onto the famous Plaza de Mayo, the scene of many of the most important events in Argentina's history.

casadero, ra [kasa'ðero, ra] *adj* marriageable

casado, da [ka'saðo, ða] *adj* married

casamiento [kasa'mjento] *m* wedding

casar [ka'sar] *vt* to marry • **casar con** *v + prep* (*colores, tejidos*) to go with • **casarse** *vp* • **casarse (con)** to get married (to)

cascabel [kaska'βel] *m* bell

cascada [kas'kaða] *f* waterfall

cascado, da [kas'kaðo, ða] *adj* **1.** (*fam*) (*persona, ropa*) worn-out **2.** (*voz*) hoarse

cascanueces [kaska'nweθes] *m inv* nutcracker

cascar [kas'kar] *vt* **1.** (*romper*) to crack **2.** (*fam*) (*golpear*) to thump (*UK*), to beat up (*US*)

cáscara ['kaskara] *f* **1.** (*de huevo, frutos secos*) shell **2.** (*de plátano, naranja*) peel

casco ['kasko] *m* **1.** (*para la cabeza*) helmet **2.** (*envase*) empty (bottle) **3.** (*de caballo*) hoof **4.** (*de barco*) hull • **casco antiguo** old (part of) town • **casco urbano** town centre • **cascos azules** Blue Berets

caserío [kase'rio] *m* *(casa de campo)* country house

caserita [kase'rita] *f* *(Amér)* housewife, homemaker *(US)*

casero, ra [ka'sero, ra] ◇ *adj* **1.** *(hecho en casa)* home-made **2.** *(hogareño)* home-loving ◇ *m,f* *(propietario)* landlord *(f* landlady*)*

caseta [ka'seta] *f* **1.** *(de feria)* stall, stand *(US)* **2.** *(para perro)* kennel *(UK)*, dog-house *(US)* **3.** *(en la playa)* bathing hut *(UK)*, bath house *(US)* • **caseta de cobro** *(Méx)* toll booth • **caseta telefónica** *(Méx)* phone box *(UK)*, phone booth *(US)*

casete [ka'sete] ◇ *m* *(aparato)* cassette player ◇ *m o f* *(cinta)* cassette, tape

casi ['kasi] *adv* nearly, almost • **casi nada** almost nothing, hardly anything • **casi nunca** hardly ever

casilla [ka'siʎa] *f* **1.** *(de impreso)* box **2.** *(de tablero, juego)* square **3.** *(de mueble, caja, armario)* compartment • **casilla de correos** *(Andes & RP)* P.O. Box

casillero [kasi'ʎero] *m* **1.** *(mueble)* set of pigeonholes **2.** *(casilla)* pigeonhole

casino [ka'sino] *m* casino

caso ['kaso] *m* case • **en caso de** in the event of • **en caso de que venga** if he comes • **en todo caso** in any case • **en cualquier caso** in any case • **hacer caso a alguien** to take notice of sb • **ser un caso** *(fam)* to be a case • **no venir al caso** to be irrelevant

caspa ['kaspa] *f* dandruff

casquete [kas'kete] *m* skullcap

casquillo [kas'kiʎo] *m* **1.** *(de bala)* cartridge case **2.** *(de lámpara)* socket

casta ['kasta] *f* **1.** *(linaje)* stock **2.** *(en la India)* caste

castaña [kas'taɲa] *f* **1.** *(fruto)* chestnut **2.** *(fam)* *(golpe)* bash

castaño, ña [kas'taɲo, ɲa] ◇ *adj (color)* chestnut ◇ *m (árbol)* chestnut tree

castañuelas [kasta'ɲuelas] *fpl* castanets

castellano, na [kaste'ʎano, na] ◇ *adj & m,f* Castilian ◇ *m (lengua)* Spanish

castellanohablante [kasteʎanoa'blante]**, castellanoparlante** [kasteʎanopar'lante] ◇ *adj* Spanish-speaking ◇ *mf* Spanish speaker

castidad [kasti'ðað] *f* chastity

castigar [kasti'ɣar] *vt* to punish

castigo [kas'tiɣo] *m* punishment

castillo [kas'tiʎo] *m* castle

castizo, za [kas'tiθo, θa] *adj* pure

casto, ta ['kasto, ta] *adj* chaste

castor [kas'tor] *m* beaver

castrar [kas'trar] *vt* to castrate

casualidad [kasua̯li'ðað] *f* coincidence • **por casualidad** by chance

catacumbas [kata'kumbas] *fpl* catacombs

catalán, ana [kata'lan, ana] *adj, m & f* Catalan

catalanohablante [katalanoa'blante]**, catalanoparlante** [katalanopar'lante] ◇ *adj* Catalan-speaking ◇ *mf* Catalan speaker

catálogo [ka'taloɣo] *m* catalogue

Cataluña [kata'luɲa] *s* Catalonia

catamarán [katama'ran] *m* catamaran

catar [ka'tar] *vt* to taste

cataratas [kata'ratas] *fpl* **1.** *(de agua)* waterfalls, falls **2.** *(en los ojos)* cataracts

catarro [ka'taro] *m* cold

catástrofe [ka'tastrofe] *f* disaster

catastrófico, ca [katas'trofiko, ka] *adj* disastrous

catear [kate'ar] *vt (fam)* to flunk

catecismo [kate'θizmo] *m* catechism

cátedra ['kateðra] *f* **1.** *(en universidad)* chair **2.** *(en instituto)* post of head of department

catedral [kate'ðral] *f* cathedral

catedrático, ca [kate'ðratiko, ka] *m,f* head of department

categoría [kateɣo'ria] *f* category ● **de categoría** top-class

catequesis [kate'kesis] *f inv* catechesis

cateto, ta [ka'teto, ta] *m,f (despec)* dimwit

catire, ra [ka'tire, ra] *adj (Amér)* blond *(f blonde)*

catolicismo [katoli'θizmo] *m* Catholicism

católico, ca [ka'toliko, ka] *adj & m,f* Catholic

catorce [ka'torθe] *núm* fourteen ≽ **seis**

catre ['katre] *m* campbed *(UK)*, cot *(US)*

cauce ['kauθe] *m* **1.** *(de río)* riverbed **2.** *(acequia)* channel

caucho ['kautʃo] *m* rubber

caudal [kau'ðal] *m (de un río)* volume, flow ● **caudales** *(dinero)* wealth *sg*

caudaloso, sa [kauða'loso, sa] *adj* with a large flow

caudillo [kau'ðiʎo] *m* leader

causa ['kausa] *f* cause ● **a causa de** because of

causante [kau'sante] *m (Amér)* taxpayer

causar [kau'sar] *vt* to cause

cáustico, ca ['kaustiko, ka] *adj* caustic

cautela [kau'tela] *f* caution ● **con cautela** cautiously

cautivador, ra [kautiβa'ðor, ra] *adj* captivating

cautivar [kauti'βar] *vt (seducir)* to captivate

cautiverio [kauti'βerio] *m* captivity

cautivo, va [kau'tiβo, βa] *adj & m,f* captive

cauto, ta ['kauto, ta] *adj* cautious

cava ['kaβa] ◇ *f (bodega)* wine cellar ◇ *m* Spanish champagne-type wine ● **al cava** *in a sauce of single cream, shallots, "cava" and butter*

cavar [ka'βar] *vt* to dig

caverna [ka'βerna] *f* **1.** *(cueva)* cave **2.** *(más grande)* cavern

caviar [kaβi'ar] *m* caviar

cavidad [kaβi'ðað] *f* cavity

cavilar [kaβi'lar] *vi* to ponder

caza ['kaθa] *f* **1.** *(actividad)* hunting **2.** *(presa)* game ● **andar** o **ir a la caza de** to chase ● **dar caza** to hunt down

cazador, ra [kaθa'ðor, ra] *m,f* hunter *(f huntress)*

cazadora [kaθa'ðora] *f (bomber)* jacket ≽ **cazador**

cazar [ka'θar] *vt* **1.** *(animales)* to hunt **2.** *(fam) (marido, esposa)* to get o.s. **3.** *(captar, entender)* to catch

cazo ['kaθo] *m* **1.** *(vasija)* saucepan **2.** *(cucharón)* ladle

cazuela [ka'θuela] *f* **1.** *(de barro)* earthenware pot **2.** *(guiso)* casserole ● **a la cazuela** casseroled

cazurro, rra [ka'θurro, ra] *adj (obstinado)* stubborn

c/c ['θe'θe] (*abr de* **cuenta corriente**) a/c (*account (current)*)

CD [θe'δe] *m* (*abr de* **compact disc**) CD (*compact disc*)

CDI [θeδe'i] *m* (*abr de* **compact disc interactive**) CDI (*compact disc interactive*)

CD-ROM [θeδe'rom] (*abr de* **Compact Disc Read-Only Memory**), **cederrón** [θeδe'ron] *m* **1.** (*disco*) CD-ROM **2.** (*dispositivo*) CD-ROM drive

CE [θe'e] *f* (*abr de* **Comunidad Europea**) EC (*European Community*)

cebar [θe'βar] *vt* (*animales*) to fatten up ◆ **cebarse** *en v + prep* to take it out on

cebo ['θeβo] *m* bait

cebolla [θe'βoʎa] *f* onion

cebolleta [θeβo'ʎeta] *f* spring onion

cebra ['θeβra] *f* zebra

cecear [θeθe'ar] *vi* to lisp

ceder [θe'δer] ◇ *vt* (*sitio, asiento, etc*) to give up ◇ *vi* **1.** (*puente*) to give way **2.** (*cuerda*) to slacken **3.** (*viento, lluvia, etc*) to abate ▼ **ceda el paso** give way

cedro ['θeδro] *m* cedar

cédula ['θeδula] *f* document ● **cédula de identidad** (*Amér*) identity card

cegato, ta [θe'yato, ta] *adj* (*fam*) short-sighted

ceguera [θe'yera] *f* blindness

ceja ['θexa] *f* eyebrow

celda ['θelda] *f* cell

celebración [θeleβra'θjon] *f* celebration

celebrar [θele'βrar] *vt* **1.** (*cumpleaños, acontecimiento, misa*) to celebrate **2.** (*asamblea, reunión*) to hold

célebre ['θeleβre] *adj* famous

celebridad [θeleβri'δaδ] *f* fame ● **ser** una celebridad to be famous

celeste [θe'leste] *adj* (*del cielo*) heavenly ● **azul celeste** sky blue

celestial [θeles'tjal] *adj* celestial, heavenly

celo ['θelo] *m* **1.** (*cinta adhesiva*) Sellotape ® (*UK*), Scotch tape ® (*US*) **2.** (*en el trabajo, etc*) zeal ● **estar en celo** to be on heat ◆ **celos** *mpl* jealousy *sg* ● **tener celos** to be jealous

celofán ® [θelo'fan] *m* Cellophane ®

celoso, sa [θe'loso, sa] *adj* (*en el amor*) jealous

célula ['θelula] *f* cell

celulitis [θelu'litis] *f inv* cellulitis

cementerio [θemen'terjo] *m* cemetery ● **cementerio de coches** breaker's yard (*UK*), junk yard (*US*)

cemento [θe'mento] *m* cement ● **cemento armado** reinforced concrete

cena ['θena] *f* dinner

cenar [θe'nar] ◇ *vt* to have for dinner ◇ *vi* to have dinner

cencerro [θen'θerro] *m* cowbell ● **estar como un cencerro** (*fig*) to be mad

cenefa [θe'nefa] *f* border

cenicero [θeni'θero] *m* ashtray

ceniza [θe'niθa] *f* ash ◆ **cenizas** *fpl* (*restos mortales*) ashes

censado, da [θen'saδo, δa] *adj* recorded

censar [θen'sar] *vt* to take a census of

censo ['θenso] *m* census ● **censo electoral** electoral roll

censor [θen'sor] *m* censor

censura [θen'sura] *f* (*de película, libro, etc*) censorship

censurar [θensu'rar] *vt* **1.** (*película, libro, etc*) to censor **2.** (*conducta, etc*) to censure

cent (*pl* **cents**) *m* (*del euro*) cent

centena [θen'tena] *f* hundred ● **una centena de** a hundred

centenar [θente'nar] *m* hundred ● **un centenar de** a hundred

centenario, ria [θente'narjo, rja] *adj* (*persona*) hundred-year-old ◇ *m* centenary

centeno [θen'teno] *m* rye

centésimo, ma [θen'tesimo, ma] *núm* hundredth > **sexto**

centígrado, da [θen'tiɣraðo, ða] *adj* Centigrade

centímetro [θen'timetro] *m* centimetre

céntimo ['θentimo] *m* (*moneda*) cent ● **no tener un céntimo** not to have a penny

centinela [θenti'nela] *mf* sentry

centollo [θen'toʎo] *m* spider crab

centrado, da [θen'traðo, ða] *adj* **1.** (*en el centro*) in the centre **2.** (*persona*) well-balanced **3.** (*derecho*) straight ● **centrado en** (*trabajo, ocupación*) focussed on

central [θen'tral] ◇ *adj* central ◇ *f* (*oficina*) head office ● **central eléctrica** power station ● **central nuclear** nuclear power station

centralismo [θentra'lizmo] *m* centralism

centralita [θentra'lita] *f* switchboard

centrar [θen'trar] *vt* **1.** (*cuadro, mueble*) to centre **2.** (*miradas, atención*) to be the centre of ● **centrarse en** *v + prep* to focus on

céntrico, ca ['θentriko, ka] *adj* central

centrifugar [θentrifu'ɣar] *vt* (*suj: lavadora*) to spin

centro ['θentro] *m* **1.** centre **2.** (*de ciudad*) (town) centre, downtown (*US*) ● **en el centro de** in the middle of ● **ir al centro** to go to town ● **ser el centro de** to be the centre of ● **centro comercial** shopping centre ● **centro juvenil** youth club ● **centro social** community centre ● **centro turístico** tourist resort ● **centro urbano** town centre

Centroamérica [ˌθentroa'merika] *s* Central America

ceñido, da [θe'ɲiðo, ða] *adj* tight

ceñir [θe'ɲir] *vt* **1.** (*ajustar*) to tighten **2.** (*rodear*) to surround ● **ceñirse a** *v + prep* to stick to

ceño ['θeɲo] *m* frown

cepa ['θepa] *f* (*vid*) vine

cepillar [θepi'ʎar] *vt* **1.** (*pelo, traje, etc*) to brush **2.** (*fam*) (*elogiar*) to butter up ● **cepillarse** *vp* **1.** (*fam*) (*acabar*) to polish off **2.** (*matar*) to bump off

cepillo [θe'piʎo] *m* brush ● **cepillo de dientes** toothbrush

cepo ['θepo] *m* **1.** (*de animales*) trap **2.** (*de coches*) wheelclamp (*UK*), Denver boot (*US*)

cera ['θera] *f* wax

cerámica [θe'ramika] *f* **1.** (*objeto*) piece of pottery **2.** (*arte*) pottery ● **de cerámica** ceramic

ceramista [θera'mista] *mf* potter

cerca ['θerka] ◇ *f* (*valla*) fence ◇ *adv* near ● **cerca de** (*en espacio*) near; (*casi*) nearly ● **son cerca de las cuatro** it's nearly four o'clock ● **de cerca** from close up

cercanías [θerka'nias] *fpl* (*alrededores*) outskirts

cercano, na [θer'kano, na] *adj* **1.** (*en espacio*) nearby **2.** (*en tiempo*) near

cercar [θer'kar] *vt* **1.** (*vallar*) to fence off **2.** (*rodear*) to surround

cerco ['θerko] *m* (*de vallas*) fence

cerda ['θerða] *f* bristle ➤ **cerdo**

cerdo, da ['θerðo, ða] ◇ *m,f* **1.** (*animal*) pig (*f sow*) **2.** (*despec*) (*persona*) pig ◇ *adj* (*despec*) filthy ◇ *m* (*carne*) pork

cereal [θere'al] *m* cereal ◆ **cereales** *mpl* (*para desayuno*) breakfast cereal *sg*

cerebro [θe'reβro] *m* **1.** (*del cráneo*) brain **2.** (*persona inteligente*) brainy person **3.** (*organizador, responsable*) brains *pl* ● **cerebro electrónico** computer

ceremonia [θere'monja] *f* ceremony

ceremonioso, sa [θeremo'njoso, sa] *adj* ceremonious

cereza [θe'reθa] *f* cherry

cerezo [θe'reθo] *m* (*árbol*) cherry tree

cerilla [θe'riʎa] *f* match

cerillo [θe'riʎo] *m* (*CAm & Méx*) match

cero ['θero] *núm* **1.** (*número*) zero, nought (*UK*) **2.** (*en fútbol*) nil (*UK*), zero ● **bajo cero** below zero ● **sobre cero** above zero ➤ **seis**

cerquillo [θer'kiʎo] *m* (*Amér*) fringe (*UK*), bangs (*US*) *pl*

cerrado, da [θe'raðo, ða] *adj* **1.** (*espacio, local, etc*) closed **2.** (*tiempo, cielo*) overcast **3.** (*introvertido*) introverted **4.** (*intransigente*) narrow-minded **5.** (*acento*) broad **6.** (*curva*) sharp ▼ **cerrado por vacaciones** closed for the holidays

cerradura [θera'ðura] *f* lock

cerrajería [θeraxe'ria] *f* locksmith's (shop)

cerrajero [θera'xero, ra] *m* locksmith

cerrar [θe'rar] ◇ *vt* **1.** to close **2.** (*con llave*) to lock **3.** (*grifo, gas*) to turn off **4.** (*local, negocio, fábrica*) to close down **5.** (*ir detrás de*) to bring up the rear of **6.** (*impedir*) to block **7.** (*pacto, trato*) to strike ◇ *vi* (*comercio, museo*) to close ◆ **cerrarse** *vp* (*en uno mismo*) to close o.s. off ◆ **cerrarse a** *v + prep* (*propuestas, innovaciones*) to close one's mind to

cerro ['θero] *m* hill

cerrojo [θe'roxo] *m* bolt

certamen [θer'tamen] *m* **1.** (*concurso*) competition **2.** (*fiesta*) awards ceremony

certeza [θer'teθa] *f* certainty

certidumbre [θerti'ðumbre] *f* certainty

certificado, da [θertifi'kaðo, ða] ◇ *adj* (*carta, paquete*) registered ◇ *m* certificate

certificar [θertifi'kar] *vt* **1.** (*documento*) to certify **2.** (*carta, paquete*) to register

cervecería [θerβeθe'ria] *f* (*establecimiento*) bar

cerveza [θer'βeθa] *f* beer ● **cerveza con gaseosa** ≃ shandy ● **cerveza negra** stout ● **cerveza rubia** lager

cesar [θe'sar] ◇ *vi* to stop ◇ *vt* ● **cesar a alguien de** (*cargo, ocupación*) to sack sb from ● **no cesa de estudiar** he keeps studying ● **sin cesar** non-stop

cesárea [θe'sarea] *f* Caesarean (section)

cese ['θese] *m* **1.** (*de empleo, cargo*) sacking **2.** (*de actividad*) stopping

cesión [θe'sjon] *f* transfer

césped ['θespeð] *m* **1.** (*superficie*) lawn **2.** (*hierba*) grass

cesta ['tʃesta] *f* basket ● **cesta de la compra** shopping basket

cesto ['tʃesto] *m* large basket

cetro ['tʃetro] *m* sceptre

cg (*abr de* centigramo) cg *(centigram)*

chabacano, na [tʃaβa'kano, na] ◇ *adj* vulgar ◇ *m* **1.** (*Méx*) *(fruto)* apricot **2.** *(árbol)* apricot tree

chabola [tʃa'βola] *f* shack ● **barrio de chabolas** shanty town

chacha ['tʃatʃa] *f* **1.** *(fam) (criada)* maid **2.** *(niñera)* nanny

cháchara ['tʃatʃara] *f* chatter

chacra ['tʃakra] *f* (*Andes & RP*) small-holding

chafar [tʃa'far] *vt* **1.** *(aplastar)* to flatten **2.** *(plan, proyecto)* to ruin **3.** *(fam) (desmoralizar)* to depress

chal ['tʃal] *m* shawl

chalado, da [tʃa'laðo, ða] *adj (fam)* crazy ● **estar chalado por** *(estar enamorado)* to be crazy about

chalé [tʃa'le] *m* **1.** *(en ciudad)* detached house **2.** *(en el campo)* cottage **3.** *(en alta montaña)* chalet

chaleco [tʃa'leko] *m* waistcoat *(UK)*, vest *(US)*

chamaco, ca [tʃa'mako, ka] *m,f (CAm & Méx)* kid

chamba ['tʃamba] *f (Méx, Perú & Ven) (fam)* job

chambear [tʃambe'ar] *vi (Méx, Perú & Ven) (fam)* to work

champán [tʃam'pan] *m* champagne

champiñón [tʃampi'non] *m* mushroom ● **champiñones con jamón** *mushrooms fried slowly with garlic and cured ham*

champú [tʃam'pu] *m* shampoo

chamuscado, da [tʃamus'kaðo, ða] *adj (madera)* scorched

chamuscarse [tʃamus'karse] *vp (barba, pelo, tela)* to singe

chamusquina [tʃamus'kina] *f* ● **oler a chamusquina** *(fig)* to smell fishy

chance ['tʃanθe] *f (Amér)* chance

chanchada [tʃan'tʃaða] *f* **1.** *(Andes, CAm & RP) (fig) (grosería)* rude thing **2.** *(porquería)* filth

chancho ['tʃantʃo] *m (Andes, CAm & CSur)* pig

chancleta [tʃan'kleta] *f* **1.** *(de playa)* flip-flop **2.** *(de vestir)* low sandal

chanclo ['tʃanklo] *m* **1.** *(de madera)* clog **2.** *(de goma)* galosh

chándal ['tʃandal] *m* tracksuit *(UK)*, sweatsuit *(US)*

changarro [tʃan'garo] *m (Amér)* small shop

chantaje [tʃan'taxe] *m* blackmail

chantajista [tʃanta'xista] *mf* blackmailer

chapa ['tʃapa] *f* **1.** *(de metal)* plate **2.** *(de botella)* top **3.** *(Amér) (cerradura)* lock ● **chapa de madera** veneer

chapado, da [tʃa'paðo, ða] *adj* **1.** *(con metal)* plated **2.** *(con madera)* veneered ● **chapado a la antigua** old-fashioned

chapapote *m* tar

chapar [tʃa'par] *vt* **1.** *(con metal)* to plate **2.** *(con madera)* to veneer

chaparrón [tʃapa'ron] *m* cloudburst

chapucería [tʃapuθe'ria] *f* botch (job)

chapucero, ra [tʃapu'θero, ra] *adj* **1.** *(trabajo, obra)* shoddy **2.** *(persona)* bungling

chapuza [tʃa'puθa] *f* botch (job)

chaqué [tʃaˈke] *m* morning coat

chaqueta [tʃaˈketa] *f* jacket

chaquetilla [tʃakeˈtiʎa] *f* short jacket

chaquetón [tʃakeˈton] *m* three-quarter length coat

charca [ˈtʃarka] *f* pond

charco [ˈtʃarko] *m* puddle

charcutería [tʃarkuteˈria] *f* 1. *(tienda)* ≃ delicatessen 2. *(productos)* cold cuts *pl* and cheese

charla [ˈtʃarla] *f* 1. *(conversación)* chat 2. *(conferencia)* talk

charlar [tʃarˈlar] *vi* to chat

charlatán, ana [tʃarlaˈtan, ana] *adj* 1. *(hablador)* talkative 2. *(indiscreto)* gossipy

charola [tʃaˈrola] *f* *(Méx)* tray

charro [ˈtʃaro] ◇ *adj* *(Méx)* typical of Mexican cowboys ◇ *m* *(Méx)* Mexican cowboy

charros

Charros are the stereotypical Mexican cowboys, famed for their great horsemanship. Their colourful dress comprises a broad-brimmed *sombrero*, tight-fitting trousers, a short, embroidered jacket and ankle boots. A *charro de agua dulce* is someone who styles himself as a *charro* without really being one.

chárter [ˈtʃarter] *m inv* charter flight

chasco [ˈtʃasko] *m* 1. *(decepción)* disappointment

chasis [ˈtʃasis] *m inv* chassis

chat (*pl* **chats**) *m* chat group, discussion group • **un chat de política/gastronomía** a politics/cookery chat group

chatarra [tʃaˈtara] *f* 1. *(metal)* scrap 2. *(objetos, piezas)* junk

chatarrero, ra [tʃataˈrero, ra] *m,f* scrap dealer

chato, ta [ˈtʃato, ta] ◇ *adj* 1. *(nariz)* snub 2. *(persona)* snub-nosed ◇ *m,f* *(apelativo)* love ◇ *m* *(de vino)* small glass of wine

chau [ˈtʃau] *interj* *(Andes & RP)* bye!

chavo, va [ˈtʃaβo, βa] *m,f* *(Méx)* *(fam)* kid

che [ˈtʃe] *interj* *(RP)* pah!

chef [ˈtʃef] *m* chef

cheque [ˈtʃeke] *m* cheque • **cheque de viaje** traveller's cheque

chequeo [tʃeˈkeo] *m* *(médico)* check-up

chequera [tʃeˈkera] *f* *(Amér)* cheque book

chévere [ˈtʃeβere] *adj* *(Andes & Carib)* great

chic [ˈtʃik] *adj inv* chic

chica [ˈtʃika] *f* 1. *(muchacha)* girl 2. *(novia)* girlfriend 3. *(criada)* maid

chicha [ˈtʃitʃa] *f* 1. *(fam)* meat 2. *(Andes)* *(bebida)* fermented maize liquor

chícharo [ˈtʃitʃaro] *m* *(CAm & Méx)* pea

chicharrones [tʃitʃaˈrones] *mpl* pork crackling *sg*

chichón [tʃiˈtʃon] *m* bump

chicle [ˈtʃikle] *m* chewing gum

chico, ca [ˈtʃiko, ka] ◇ *adj* small ◇ *m* 1. *(muchacho)* boy 2. *(novio)* boyfriend

chifa [ˈtʃifa] *m* *(Amér)* Chinese restaurant

chiflado, da [tʃiˈflaðo, ða] *adj* *(fam)* crazy

chiflar [tʃi'flar] *vi* (*Amér*) (*aves*) to sing ● **me chifla** (*fam*) I love it ● **chiflarse** *vp* (*fam*) to go crazy

chiflido [tʃi'fliðo] *m* (*Amér*) whistle

Chile ['tʃile] *s* Chile

chileno, na [tʃi'leno, na] *adj & m,f* Chilean

chillar [tʃi'ʎar] *vi* (*gritar*) to scream

chillido [tʃi'ʎiðo] *m* scream

chillón, ona [tʃi'ʎon, ona] *adj* **1.** (*voz, sonido*) piercing **2.** (*color*) loud

chimenea [tʃime'nea] *f* **1.** (*de casa*) chimney **2.** (*de barco*) funnel **3.** (*hogar*) hearth

chimpancé [tʃimpan'θe] *m* chimpanzee

china ['tʃina] *f* **1.** (*piedra*) pebble **2.** (*Amér*) (*criada*) Indian maid ● **le tocó la china** he drew the short straw

chinche ['tʃintʃe] ◇ *f* (*insecto*) bedbug ◇ *adj* (*pesado*) annoying

chincheta [tʃin'tʃeta] *f* drawing pin (*UK*), thumbtack (*US*)

chinchín [tʃin'tʃin] ◇ *m* **1.** (*en brindis*) toast **2.** (*sonido*) clash (*of a brass band*) ◇ *interj* cheers!

chingado, da [tʃin'gaðo, ða] *adj* (*Amér*) (*vulg*) (*estropeado*) fucked

chingar [tʃin'gar] *vt* (*Amér*) (*vulg*) (*estropear*) to fuck up

chino, na [tʃino, na] *adj, m & f* Chinese

chip ['tʃip] *m* chip

chipirón [tʃipi'ron] *m* baby squid ● **chipirones en su tinta** baby squid served in its own ink

chirimoya [tʃiri'moja] *f* custard apple

chirucas [tʃi'rukas] *fpl* canvas boots

chisme ['tʃizme] *m* **1.** (*habladuría*) piece of gossip **2.** (*fam*) (*objeto, aparato*) thingy

chismoso, sa [tʃiz'moso, sa] *adj* gossipy

chispa ['tʃispa] *f* **1.** spark **2.** (*pizca*) bit **3.** (*de lluvia*) spot

chiste ['tʃiste] *m* joke

chistorra [tʃis'tora] *f* cured pork and beef sausage typical of Aragon and Navarre

chistoso, sa [tʃis'toso, sa] *adj* funny

chivarse [tʃi'βarse] *vp* **1.** (*fam*) (*niño*) to tell **2.** (*delincuente*) to grass

chivatazo [tʃiβa'taθo] *m* (*fam*) tip-off

chivato, ta [tʃi'βato, ta] ◇ *m,f* **1.** (*fam*) (*niño*) telltale **2.** (*fam*) (*delincuente*) grass ◇ *m* **1.** (*Amér*) (*hombre valioso*) brave man **2.** (*Amér*) (*aprendiz*) apprentice

chocar [tʃo'kar] ◇ *vi* **1.** (*coche, camión, etc*) to crash **2.** (*enfrentarse*) to clash ◇ *vt* **1.** (*las manos*) to shake **2.** (*copas, vasos*) to clink **3.** (*sorprender*) to shock

chocho, cha ['tʃotʃo, tʃa] *adj* **1.** (*viejo*) senile **2.** (*encariñado*) doting

choclo ['tʃoklo] *m* (*CSur & Perú*) maize (*UK*), corn (*US*)

chocolate [tʃoko'late] *m* **1.** (*alimento*) chocolate **2.** (*bebida*) drinking chocolate (*UK*), cocoa (*US*) ● **chocolate amargo** dark chocolate

chocolatería [tʃokolate'ria] *f* bar which serves drinking chocolate

chocolatina [tʃokola'tina] *f* chocolate bar

chófer ['tʃofer] *m* **1.** (*de coche*) chauffeur **2.** (*de autobús*) driver

chollo ['tʃoʎo] *m* **1.** (*fam*) (*ganga*) bargain **2.** (*trabajo*) cushy number

chomba ['tʃomba] (*Andes & Arg*),

chompa ['tʃompa] (*Andes*) *f* jumper (*UK*), sweater

chongo ['tʃongo] *m* (*Amér*) bun

chopo ['tʃopo] *m* poplar

choque ['tʃoke] *m* 1. (*colisión*) crash 2. (*pelea, riña*) clash

chorizo [tʃo'riθo] *m* 1. (*embutido*) spiced, smoked pork sausage 2. (*fam*) (*ladrón*) thief

choro ['tʃoro] *m* (*Andes*) mussel

chorrada [tʃo'raða] *f* (*fam*) stupid thing

chorrear [tʃore'ar] *vi* (*ropa*) to drip

chorro ['tʃoro] *m* (*de líquido*) jet ● **salir a chorros** to gush out

choto, ta ['tʃoto, ta] *m,f* (*cabrito*) kid

choza ['tʃoθa] *f* hut

christma ['krizma] *m* Christmas card

chubasco [tʃu'βasko] *m* (heavy) shower

chubasquero [tʃuβas'kero] *m* raincoat

chúcaro, ra ['tʃukaro, ra] *adj* 1. (*Andes & RP*) (*bravío*) wild 2. (*huraño*) surly

chuchería [tʃutʃe'ria] *f* 1. (*golosina*) sweet (*UK*), candy (*US*) 2. (*trivialidad*) trinket

chucho, cha ['tʃutʃo, tʃa] *m,f* (*fam*) mutt

chueco, ca ['tʃueko, ka] *adj* 1. (*Amér*) (*torcido*) twisted 2. (*patizambo*) bow-legged

chufa ['tʃufa] *f* tiger nut

chuleta [tʃu'leta] *f* 1. (*de carne*) chop 2. (*de examen*) crib note (*UK*) ◇ note (*US*) ● **chuleta de cerdo** pork chop ● **chuleta de ternera** veal cutlet

chuletón [tʃule'ton] *m* large cutlet

chulo, la ['tʃulo, la] ◇ *adj* 1. (*engreído*) cocky 2. (*fam*) (*bonito*) lovely ◇ *m* (*de prostituta*) pimp

chumbera [tʃum'bera] *f* prickly pear

chupachup ® [tʃupa'tʃup] *m* lollipop

chupado, da [tʃu'paðo, ða] *adj* 1. (*fig*) (*flaco*) skinny 2. (*fam*) (*fácil*) dead easy ● **está chupado** (*fam*) it's a cinch

chupar [tʃu'par] *vt* 1. (*caramelo, fruta, etc*) to suck 2. (*suj: esponja, papel*) to soak up ● **chuparle algo a alguien** (*fam*) (*quitar*) to milk sb for sthg

chupe ['tʃupe] *m* (*Andes & Arg*) stew made with potatoes and meat or fish ● **chupe de camarones** thick potato and prawn soup

chupete [tʃu'pete] *m* 1. (*de bebé*) dummy (*UK*), pacifier (*US*)

chupito [tʃu'pito] *m* (*de licor*) tot (*UK*), dram

churrasco [tʃu'rasko] *m* barbecued meat

churrería [tʃure'ria] *f* stall selling churros

churro ['tʃuro] *m* 1. (*dulce*) stick of dough fried in oil, usually eaten with sugar or thick drinking chocolate 2. (*fam*) (*chapuza*) botch

churros

Churros are deep-fried, fluted sticks of dough that are sprinkled with sugar and eaten hot. They are a traditional fairground snack and are also popular for breakfast, dipped in thick drinking chocolate and eaten either at home or in a *churrería*, a kind of snack bar specializing in *churros*.

husma [ˈtʒuzma] *f* mob

hutar [tʒuˈtar] *vi* to kick

hute [ˈtʒute] *m (fam) (en fútbol)* shot

I [θeˈi] *m (abr de coeficiente de*
teligencia) IQ *(intelligence quotient)*

ía [ˈθia] *(abr de compañía)* Co. *(company)*

ibercafé [θiβerkaˈfe] *m* Internet café

iberespacio [θiβeresˈpaθio] *m* cyber-
pace

ibernauta [θiβerˈnauta] *mf* Internet
ser

ibertienda [θiβerˈtjenda] *f* online store

icatriz [θikaˈtriθ, θes] *(pl -ces)* *f* scar

icatrizar [θikatriˈθar] *vi* to form a scar,
o heal ◆ **cicatrizarse** *vp* to heal

iclismo [θiˈklizmo] *m* cycling

iclista [θiˈklista] *mf* cyclist

iclo [ˈθiklo] *m* **1.** *(periodo de tiempo)*
ycle **2.** *(de actos, conferencias)* series

iclomotor [θiklomoˈtor] *m* moped

iclón [θiˈklon] *m* cyclone

iego, ga [ˈθieɣo, ɣa] ◇ *adj* blind ◇ *m,f*
lind person ● **ciego de** *(pasión, ira, etc)*
lined by ● **los ciegos** the blind

ielo [ˈθielo] *m* **1.** *(de la tierra)* sky **2.** *(de
asa, habitación, etc)* ceiling **3.** *(en religión)*
eaven **4.** *(apelativo)* darling ● **como
ovido del cielo** *(fig)* out of the blue ●
ielos *interj* good heavens!

iempiés [θiemˈpies] *m inv* centipede

ien [ˈθien] *núm* one hundred o a
undred ➤ **ciento**

iencia [ˈθienθja] *f* **1.** *(disciplina)* science
, *(saber, sabiduría)* knowledge ● **cien-
a ficción** science fiction ● **ciencias
conómicas** economics *sg* ● **ciencias
aturales** natural sciences ◆ **ciencias**

fpl (en educación) science *sg*

cienciología *f* Scientology

científico, ca [θienˈtifiko, ka] ◇ *adj*
scientific ◇ *m,f* scientist

ciento [ˈθiento] *núm* one hundred o a
hundred ➤ **seis** ● **ciento cincuenta**
one hundred and fifty ● **cien mil** one
hundred thousand ● **por ciento** per-
cent

cierre [ˈθiere] *m* **1.** *(mecanismo)* fastener
2. *(de local, tienda, negociación)* closing **3.**
(de trato) striking **4.** *(de actividad, acto)*
closure ● **cierre centralizado** central
locking ● **cierre relámpago** *(Amér)* zip
(UK), zipper *(US)*

cierto, ta [ˈθierto, ta] *adj* **1.** certain **2.**
(seguro, verdadero) true ● **cierto hombre**
a certain man ● **cierta preocupación** a
degree of unease ● **por cierto** by the
way

ciervo, va [ˈθierβo, βa] *m,f* deer

CIF [ˈθif] *m Spanish tax code*

cifra [ˈθifra] *f* figure

cigala [θiˈɣala] *f* Dublin Bay prawn

cigarra [θiˈɣara] *f* cicada

cigarrillo [θiɣaˈriλo] *m* cigarette

cigarro [θiˈɣaro] *m (cigarrillo)* cigarette

cigüeña [θiˈɣwena] *f* stork

cilindrada [θilinˈdraða] *f* cylinder capacity

cilíndrico, ca [θiˈlindriko, ka] *adj* cylin-
drical

cilindro [θiˈlindro] *m* cylinder

cima [ˈθima] *f (de montaña)* summit

cimiento [θiˈmiento] *m* **1.** *(de edificio)*
foundations *pl* **2.** *(principio, raíz)* basis

cinco [ˈθinko] ◇ *adj inv* five ◇ *m* **1.** five **2.**
(día) fifth ◇ *mpl* **1.** five **2.** *(temperatura)*

five (degrees) ◇ *fpl* ● **(son) las cinco** (it's) six o'clock ● **el cinco de agosto** the fifth of August ● **doscientos cinco** two hundred and five ● **treinta y cinco** thirty-five ● **de cinco en cinco** in fives ● **los cinco** the five of them ● **empataron a cinco** they drew five-all ● **cinco a cero** five-nil

cincuenta [θiŋ'kwenta] *núm* fifty ➤ **seis**

cine ['θine] *m* **1.** *(arte)* cinema, the movies *(US)* **2.** *(edificio)* cinema, movie theater *(US)*

cineasta [θine'asta] *mf* (film) director

cinematografía [θinematoɣra'fia] *f (películas)* films, movies *(US)*

cinematográfico, ca [θinemato'ɣrafiko, ka] *adj* film o movie *(US) (antes de s)*

cínico, ca ['θiniko, ka] *adj* shameless

cinismo [θi'nizmo] *m* shamelessness

cinta ['θinta] *f* **1.** *(de tela)* ribbon **2.** *(de papel, plástico)* strip **3.** *(para grabar, medir)* tape ● **cinta adhesiva** adhesive tape ● **cinta aislante** insulating tape ● **cinta magnética** recording tape ● **cinta de vídeo** videotape

cintura [θin'tura] *f* waist

cinturón [θintu'ron] *m* belt ● **cinturón de seguridad** seat belt

ciprés [θi'pres] *m* cypress

circo ['θirko] *m* circus

circuito [θir'kwito] *m* **1.** *(viaje)* tour **2.** *(en competiciones)* circuit ● **circuito eléctrico** electrical circuit

circulación [θirkula'θjon] *f* **1.** *(de automóviles)* traffic **2.** *(de la sangre)* circulation

circular [θirku'lar] ◇ *adj* & *f* circular ◇ *vi* **1.** *(automóvil)* to drive (along) **2.** *(perso-*

na, grupo) to move along **3.** *(información, noticia)* to circulate

círculo ['θirkulo] *m* circle ● **círculo polar** polar circle

circunferencia [θirkunfe'renθja] *f* circumference

circunscribir [θirkunskri'βir] *vt* ● **circunscribir algo a** to restrict sthg to

circunstancia [θirkuns'tanθja] *f* circumstance ● **las circunstancias** the circumstances

circunstancial [θirkunstan'θjal] *adj* chance

cirio ['θirjo] *m* large candle

cirrosis [θi'rosis] *f inv* cirrhosis

ciruela [θi'rwela] *f* plum

ciruelo [θi'rwelo] *m* plum tree

cirugía [θiru'xia] *f* surgery ● **cirugía estética** cosmetic surgery ● **cirugía plástica** plastic surgery

cirujano, na [θiru'xano, na] *m,f* surgeon

cisma ['θizma] *m (en religión)* schism

cisne ['θizne] *m* swan

cisterna [θis'terna] *f (de agua)* tank

cita ['θita] *f* **1.** *(con médico, jefe, etc)* appointment **2.** *(de novios)* date **3.** *(nota)* quotation

citación [θita'θjon] *f* summons

citar [θi'tar] *vt* **1.** *(convocar)* to summons **2.** *(mencionar)* to quote ● **citarse** *vp* to arrange to meet

cítrico, ca ['θitriko, ka] *adj* citric ● **cítricos** *mpl* citrus fruits

ciudad [θju'ðað] *f* **1.** *(población grande)* city **2.** *(población pequeña)* town ● **ciudad universitaria** (university) campus

ciudadanía [θjuðaða'nia] *f* citizenship

ciudadano, na [θiuða'ðano, na] ◇ *adj* city/town *(antes de s)* ◇ *m,f* citizen

cívico, ca ['θiβiko, ka] *adj* **1.** *(de la ciudad, ciudadano)* civic **2.** *(educado, cortés)* public-spirited

civil [θi'βil] *adj* **1.** civil **2.** *(de la ciudad)* civic

civilización [θiβiliθa'θion] *f* civilization

civilizado, da [θiβili'θaðo, ða] *adj* civilized

civismo [θi'βizmo] *m* *(educación, cortesía)* civility

cl *(abr de centilitro)* cl *(centilitre)*

clan ['klan] *m* clan

clara ['klara] *f* **1.** *(de huevo)* white **2.** *(bebida)* shandy *(UK)*

claraboya [klara'βoja] *f* skylight

clarear [klare'ar] ◇ *vt* to make lighter ◇ *vi* to brighten up ◇ *vi (amanecer)* ● empezaba a clarear dawn was breaking

claridad [klari'ðað] *f* **1.** *(en el hablar)* clarity **2.** *(sinceridad)* sincerity

clarinete [klari'nete] *m* clarinet

clarividencia [klariβi'ðenθia] *f* farsightedness

claro, ra ['klaro, ra] ◇ *adj* **1.** clear **2.** *(con luz)* bright **3.** *(color)* light **4.** *(sincero, franco)* straightforward ◇ *m* **1.** *(de tiempo)* bright spell **2.** *(en el bosque)* clearing ◇ *adv* clearly ◇ *interj* of course! ● poner en claro to clear up ● sacar en claro to make out

clase ['klase] *f* **1.** class **2.** *(variedad, tipo)* kind **3.** *(aula)* classroom ● dar clases to teach ● de primera clase first-class ● toda clase de all sorts of ● clase media middle class ● clase preferente club class ● clase turista tourist class ●

primera/segunda clase first/second class

clásico, ca ['klasiko, ka] *adj* classical

clasificación [klasifika'θion] *f* **1.** *(lista)* classification **2.** *(DEP)* league table

clasificador [klasifika'ðor, ra] *m* **1.** *(carpeta)* divider *(for filing)* **2.** *(mueble)* filing cabinet

clasificar [klasifi'kar] *vt* to classify ● **clasificarse** *vp (en competición)* to qualify

claudicar [klauði'kar] *vi (rendirse)* to give up

claustro ['klaustro] *m* **1.** *(de iglesia, convento, etc)* cloister **2.** *(de profesores)* senate

claustrofobia [klaustro'foβia] *f* claustrophobia

cláusula ['klausula] *f* clause

clausura [klau'sura] *f* **1.** *(de acto)* closing ceremony **2.** *(de curso)* end

clausurar [klausu'rar] *vt* **1.** *(acto, celebración)* to close **2.** *(curso)* to finish **3.** *(local, establecimiento)* to close down

clavado, da [kla'βaðo, ða] *adj (en punto)* on the dot ● ser clavado a *(fam)* to be the spitting image of

clavar [kla'βar] *vt* **1.** *(clavo, palo)* to drive in **2.** *(cuchillo)* to thrust **3.** *(alfiler)* to stick **4.** *(sujetar, fijar)* to fix **5.** *(fam) (en el precio)* to rip off

clave ['klaβe] ◇ *f* **1.** *(explicación, solución)* key **2.** *(de enigma, secreto)* code ◇ *adj inv* key

clavel [kla'βel] *m* carnation

clavícula [kla'βikula] *f* collar bone

clavija [kla'βixa] *f* **1.** *(de madera)* peg **2.** *(de metal)* pin

clavo ['klaβo] *m* **1.** (*para sujetar*) nail **2.** (*especia*) clove ● **dar en el clavo** to hit the nail on the head

claxon ['klakson] *m* horn

cleptomanía [kleptoma'nia] *f* kleptomania

clérigo ['kleriyo] *m* clergyman

clero ['klero] *m* clergy

clicar, cliquear *vi* to click ● **para salir del programa, clica en 'cerrar'** to exit the program, click (on) 'close'

cliché [kli't∫e] *m* **1.** (*de fotografía*) negative **2.** (*frase, actuación*) cliché

cliente [kli'ente] *mf* **1.** (*de médico, abogado*) client **2.** (*de tienda, comercio*) customer **3.** (*de hotel*) guest

clima ['klima] *m* climate

climático, ca [kli'matiko, ka] *adj* climatic

climatizado, da [klimati'θaðo, ða] *adj* air-conditioned

climatología [klimatolo'xia] *f* (*tiempo*) weather

clínica ['klinika] *f* clinic

clínico, ca ['kliniko, ka] *adj* clinical

clip ['klip] *m* **1.** (*para papeles*) paper clip **2.** (*para pelo*) hairclip

cliquear = **clicar**

cloaca [klo'aka] *f* sewer

clonación *f* cloning

cloro ['kloro] *m* chlorine

clorofila [kloro'fila] *f* chlorophyll

club ['kluβ] *m* club ● **club náutico** yacht club

cm (*abr de* centímetro) cm (centimetre)

coacción [koak'θion] *f* coercion

coaccionar [koakθio'nar] *vt* to coerce

coartada [koar'taða] *f* alibi

coba ['koβa] *f* ● **dar coba** to suck up to

cobarde [ko'βarðe] ◇ *adj* cowardly ◇ *mf* coward

cobardía [koβar'ðia] *f* cowardice

cobertizo [koβer'tiθo] *m* **1.** (*tejado*) lean-to **2.** (*barracón*) shed

cobija [ko'βixa] *f* (*Amér*) blanket

cobijar [koβi'xar] *vt* **1.** (*suj: edificio*) to house **2.** (*suj: persona*) to put up **3.** (*proteger*) to shelter ◆ **cobijarse** *vp* to (take) shelter

cobra ['koβra] *f* cobra

cobrador, ra [koβra'ðor, ra] *m,f* (*de autobús*) conductor (*f* conductress)

cobrar [ko'βrar] *vt* **1.** (*dinero*) to charge **2.** (*cheque*) to cash **3.** (*en el trabajo*) to earn **4.** (*importancia, fama*) to acquire ● **¿me cobra, por favor?** could I have the bill, please?

cobre ['koβre] *m* copper ● **no tener un cobre** (*Amér*) not to have a penny

cobro ['koβro] *m* **1.** (*de dinero*) collection **2.** (*de talón*) cashing ● **llamar a cobro revertido** to reverse the charges (*UK*), to call collect (*US*)

coca ['koka] *f* **1.** (*planta*) coca **2.** (*fam*) (*cocaína*) coke

cocaína [koka'ina] *f* cocaine

cocainómano, na [kokai'nomano, na] *m,f* cocaine addict

cocción [kok'θion] *f* **1.** (*en agua*) boiling **2.** (*en horno*) baking

cocear [koθe'ar] *vi* to kick

cocer [ko'θer] ◇ *vt* **1.** (*guisar*) to cook **2.** (*en agua*) to boil **3.** (*en horno*) to bake ◇ *vi* (*hervir*) to boil ◆ **cocerse** *vp* (*fig*) (*idea, plan*) to be brewing

coche ['kot∫e] *m* **1.** (*automóvil*) car **2.** (*de* *tren, caballos*) carriage ● **coche de alquiler** hire (*UK*) ◊ rental (*US*) car ● **coche cama** sleeper ● **coche restaurante** dining car

cochinillo [kotʃi'niʎo] *m*

cochino, na [ko'tʃino, na] ◊ *adj* filthy ◊ *n,f* (*animal*) pig (*f* sow)

cocido, da [ko'θiðo, ða] ◊ *adj* boiled ◊ *m* stew ● **cocido madrileño** *stew made with meat, chickpeas, bacon and root vegetables, typical of Madrid*

cocina [ko'θina] *f* 1. (*estancia, habitación*) kitchen 2. (*aparato*) cooker (*UK*), stove (*US*) 3. (*arte, técnica*) cooking ● **cocina española** Spanish cuisine ● **cocina de butano** butane gas cooker ● **cocina eléctrica** electric cooker ● **cocina de gas** gas cooker

cocinar [koθi'nar] *vt & vi* to cook

cocinero, ra [koθi'nero, ra] *m,f* cook

coco ['koko] *m* 1. (*fruto*) coconut 2. (*árbol*) coconut palm 3. (*fam*) (*cabeza*) nut

cocodrilo [koko'ðrilo] *m* 1. (*animal*) crocodile 2. (*piel*) crocodile skin

cocotero [koko'tero] *m* coconut palm

cóctel ['koktel] *m* 1. (*bebida*) cocktail 2. (*reunión, fiesta*) cocktail party

coctelera [kokte'lera] *f* cocktail shaker

codazo [ko'ðaθo] *m* poke with the elbow

codiciar [koði'θjar] *vt* to covet

codificado, da [koðifi'kaðo, ða] *adj* coded

código ['koðiɣo] *m* code ● **código de barras** bar code ● **código de circulación** highway code ● **código penal** penal code ● **código postal** post code (*UK*), zip code (*US*)

codo ['koðo] *m* elbow ● **codo a codo** side by side

codorniz [koðor'niθ, θes] (*pl* **-ces**) *f* quail

coeficiente [koefi'θjente] *m* coefficient ● **coeficiente intelectual** I.Q.

coetáneo, a [koe'taneo, a] *adj* contemporary

coexistencia [koeksis'tenθja] *f* coexistence

cofia ['kofja] *f* 1. (*de tendero, camarero*) cap 2. (*de monja*) coif

cofradía [kofra'ðia] *f* religious fraternity

cofre ['kofre] *m* (*arca*) chest

coger [ko'xer] ◊ *vt* 1. to take 2. (*ladrón, pez, enfermedad, oír*) to catch 3. (*frutos*) to pick 4. (*objeto caído*) to pick up 5. (*teléfono*) to pick up, to answer 6. (*suj: toro*) to gore 7. (*entender*) to get ◊ *vi* 1. (*planta, árbol*) to take 2. (*caber*) to fit 3. (*contestar al teléfono*) to answer 4. (*Méx, RP & Ven*) (*vulg*) (*copular*) to fuck 5. ● **coger algo a alguien** to take sthg (away) from sb ● **coge cerca de aquí** it's not far from here ● **coger a la derecha** to turn right ◆ **cogerse** *vp* ● **cogerse de** (*agarrarse de*) to hold on to

cogida [ko'xiða] *f* (*de toro*) goring

cogollos [ko'ɣoʎos] *mpl* (*brotes*) shoots

cogote [ko'ɣote] *m* nape (of the neck)

cohabitar [koaβi'tar] *vi* to live together

coherencia [koe'renθja] *f* coherence

coherente [koe'rente] *adj* coherent

cohete [ko'ete] *m* rocket

coima ['koima] *f* (*Andes & RP*) (*fam*) bribe

coincidencia [koinθi'ðenθia] *f* coincidence

coincidir [koinθi'ðir] *vi* **1.** *(en un lugar)* to meet **2.** *(ser igual)* to coincide ◆ **coincidir con** *v + prep* **1.** *(ser de la misma opinión que)* to agree with **2.** *(ocurrir en el mismo momento que)* to coincide with

coito ['koito] *m* (sexual) intercourse

cojear [koxe'ar] *vi* **1.** *(persona)* to limp **2.** *(mueble)* to wobble

cojín [ko'xin] *m* cushion

cojo, ja ['koxo, xa] ◇ *adj* **1.** *(persona, animal)* lame **2.** *(mesa, silla)* wobbly ◇ *m,f* lame person

cojón [ko'xon] *m* (vulg) *(testículo)* ball ◆ **cojones** *interj* (vulg) balls!

cojudez [koxu'ðeθ] *f* *(Amér)* (fam) silly thing

cojudo, da [ko'xuðo, ða] *adj* *(Andes)* (fam) stupid

col ['kol] *f* cabbage ● **col de Bruselas** Brussels sprout

cola ['kola] *f* **1.** *(rabo, de avión)* tail **2.** *(fila)* queue *(UK)*, line *(US)* **3.** *(de tren)* back **4.** *(de vestido)* train **5.** *(para pegar)* glue **6.** *(bebida)* cola ● **cola de caballo** ponytail ● **hacer cola** to queue *(UK)*, to stand in line *(US)* ● **traer cola** *(fig)* to have repercussions

colaboración [kolaβora'θjon] *f* **1.** *(en trabajo, tarea)* collaboration **2.** *(en publicación)* article

colaborador, ra [kolaβora'ðor, ra] *m,f* **1.** *(en trabajo)* collaborator **2.** *(en periódico)* writer

colaborar [kolaβo'rar] *vi* ● **colaborar en una tarea** to collaborate on a task ●

colaborar en un periódico to write for a newspaper

colada [ko'laða] *f* *(de ropa)* laundry

colado, da [ko'laðo, ða] *adj* ● **estar colado por** (fam) to have a crush on

colador [kola'ðor] *m* **1.** *(para líquidos)* strainer **2.** *(para verduras)* colander

colar [ko'lar] ◇ *vt* **1.** *(líquido)* to strain **2.** *(café)* to filter **3.** *(lo falso, lo ilegal)* to slip through ◇ *vi* to wash ● **no cuela** it won't wash ◆ **colarse** *vp* **1.** *(en cine, metro)* to jump the queue *(UK)*, to jump the line *(US)* **2.** *(equivocarse)* to get it wrong

colcha ['kolʧa] *f* bedspread

colchón [kol'ʧon] *m* mattress ● **colchón inflable** air bed

colchoneta [kolʧo'neta] *f* *(en la playa)* beach mat

colección [kolek'θjon] *f* collection

coleccionar [kolekθjo'nar] *vt* to collect

coleccionista [kolekθjo'nista] *mf* collector

colecta [ko'lekta] *f* collection

colectivo, va [kolek'tiβo, βa] ◇ *adj* collective ◇ *m* group

colega [ko'leya] *mf* colleague

colegiado, da [kole'xjaðo, ða] *m,f* referee

colegial, la [kole'xjal, la] *m,f* schoolchild

colegio [ko'lexjo] *m* **1.** *(de estudiantes)* school **2.** *(de profesionales)* professional association

cólera ['kolera] ◇ *m* *(enfermedad)* cholera ◇ *f* *(enfado)* rage

colérico, ca [ko'leriko, ka] *adj* bad-tempered

olesterol [koleste'rol] *m* cholesterol

oleta [ko'leta] *f* pigtail

olgador [kolɣa'ðor] *m* hanger

olgar [kol'ɣar] ◇ *vt* **1.** to hang **2.** *(la ropa)* to hang out **3.** *(fam) (abandonar)* to give up ◇ *vi* **1.** *(pender)* to hang **2.** *(al teléfono)* to hang up ● **colgar el teléfono** to hang up

oliflor [koli'flor] *f* cauliflower

olilla [ko'liʎa] *f* butt

olina [ko'lina] *f* hill

olirio [ko'lirjo] *m* eye drops

olitis [ko'litis] *f inv* colitis

ollage [ko'ʎaxe] *m* collage

ollar [ko'ʎar] *m* **1.** *(joya)* necklace **2.** *(para animales)* collar

ollarín [koʎa'rin] *m* surgical collar

olmado [kol'maðo] *m* grocer's (shop)

olmar [kol'mar] *vt (cuchara, vaso, etc)* to fill to the brim ● **colmar a alguien de elogios** to shower sb with praise

olmena [kol'mena] *f* beehive

olmillo [kol'miʎo] *m* **1.** *(de persona)* eyetooth **2.** *(de elefante)* tusk

olmo ['kolmo] *m* ● **ser el colmo de** to be the height of ● **¡eso es el colmo!** that's the last straw!

olocación [koloka'θjon] *f* position

olocado, da [kolo'kaðo, ða] *adj* **1.** *(fam) (drogado)* high **2.** *(bebido)* plastered

olocar [kolo'kar] *vt* to place ● **colocarse** *vp (fam) (drogarse)* to get stoned

Colombia [ko'lombja] *s* Colombia

olombiano, na [kolom'bjano, na] *adj & n,f* Colombian

olonia [ko'lonja] *f* **1.** *(perfume)* (eau de) cologne **2.** *(grupo de personas, territorio)*

colony **3.** *(Méx) (barrio)* area ● **colonia proletaria** *(Amér)* slum area ● **colonia de verano** summer camp ● **colonias** *fpl (para niños)* holiday camp *sg (UK)*, summer camp *sg (US)* ● **ir de colonias** to go to a holiday camp

colonización [koloniθa'θjon] *f* colonization

colonizar [koloni'θar] *vt* to colonize

colono [ko'lono, na] *m* settler

coloquial [koloki'al] *adj* colloquial

coloquio [kolo'kjo] *m* debate

color [ko'lor] *m* **1.** colour **2.** *(colorante)* dye **3.** *(aspecto)* tone ● **en color** colour *(antes de s)*

colorado, da [kolo'raðo, ða] *adj (rojo)* red ● **ponerse colorado** to go red

colorante [kolo'rante] *m* colouring

colorete [kolo'rete] *m* blusher

colorido [kolo'riðo] *m* **1.** *(conjunto de colores)* colours *pl* **2.** *(animación)* colour

colosal [kolo'sal] *adj* **1.** *(extraordinario)* extraordinary **2.** *(muy grande)* colossal

columna [ko'lumna] *f* **1.** column **2.** *(de objetos)* stack ● **columna vertebral** spinal column

columpiarse [kolum'pjarse] *vp* to swing

columpio [ko'lumpjo] *m* swing

coma ['koma] ◇ *f* **1.** *(signo ortográfico)* comma **2.** *(signo matemático)* decimal point ◇ *m* ● **estar en coma** to be in a coma ● **cinco coma dos** five point two

comadre [ko'maðre] *f (Amér)* female friend (to a woman)

comadreja [koma'ðrexa] *f* weasel

comadrona [koma'ðrona] *f* midwife

comal [ko'mal] *m (CAm & Méx)* metal or ceramic griddle for making tortillas

comandante [koman'dante] *mf* major

comando [ko'mando] *m* commando

comarca [ko'marka] *f* area

comba ['komba] *f (juego)* skipping *(UK)*, jump rope *(US)* • **saltar a la comba** to skip, to jump rope *(US)*

combate [kom'bate] *m* fight • **combates** *mpl* fighting *sg*

combatir [komba'tir] ◇ *vi* to fight ◇ *vt* to combat

combinación [kombina'θjon] *f* **1.** combination **2.** *(de transportes)* connections *pl* **3.** *(prenda femenina)* slip

combinado [kombi'naðo] *m (cóctel)* cocktail

combinar [kombi'nar] ◇ *vt* **1.** *(unir, mezclar)* to combine **2.** *(bebidas)* to mix ◇ *vi* • **combinar (con)** *(colores, ropa etc)* to go together (with) • **combinar algo con** *(compaginar)* to combine sthg with

combustible [kombus'tiβle] *m* fuel

combustión [kombus'tjon] *f* combustion

comecocos [kome'kokos] *m inv (juego)* brainteaser

comedia [ko'meðja] *f* **1.** *(obra humorística)* comedy **2.** *(obra en general)* play • **hacer comedia** *(fam)* to pretend

comediante [kome'ðjante] *mf* **1.** *(actor)* actor *(f* actress*)* **2.** *(farsante)* fraud

comedor [kome'ðor] *m* **1.** *(habitación)* dining room **2.** *(muebles)* dining room furniture

comensal [komen'sal] *mf* fellow diner

comentar [komen'tar] *vt* to comment on

comentario [komen'tarjo] *m* **1.** *(observación)* comment **2.** *(análisis)* commentary

comentarista [komenta'rista] *mf* commentator

comenzar [komen'θar] *vt* & *vi* to begin, to start • **comenzó a llover** it began to rain, it started to rain

comer [ko'mer] ◇ *vt* to eat ◇ *vi* **1.** *(alimentarse)* to eat **2.** *(almorzar)* to have lunch

comercial [komer'θjal] ◇ *adj* commercial ◇ *m (Amér)* TV advert *(UK)*, commercial *(US)*

comercializar [komerθjali'θar] *vt* to market

comerciante [komer'θjante] *mf* **1.** *(negociante)* trader **2.** *(tendero)* shopkeeper

comerciar [komer'θjar] *vi* to trade • **comerciar con armas** to trade in arms

comercio [ko'merθjo] *m* **1.** *(negocio)* trade **2.** *(tienda)* shop **3.** *(actividad comercial)* business

comestible [komes'tiβle] *adj* edible

cometa [ko'meta] ◇ *m (astro)* comet ◇ *f (juguete)* kite

cometer [kome'ter] *vt* **1.** *(delito)* to commit **2.** *(error)* to make

cometido [kome'tiðo] *m* task

cómic ['komik] *m* comic *(UK)*, comic book *(US)*

comicios [ko'miθjos] *mpl (formal)* elections

cómico, ca ['komiko, ka] ◇ *adj* **1.** *(gracioso)* comical **2.** *(de la comedia)* comedy *(antes de s)* ◇ *m,f* comedian *(f* comedienne*)*

comida [ko'miða] *f* **1.** *(alimento)* food **2.** *(almuerzo, cena, etc)* meal **3.** *(almuerzo)* lunch • **comida basura** junk food • **comida rápida** fast food • **comidas**

caseras home-made food _sg_ • comidas para llevar takeaway food _sg_

comienzo [ko'mjenθo] _m_ beginning, start • a comienzos de año at the beginning of the year

comillas [ko'miʎas] _fpl_ inverted commas (_UK_), parantheses (_US_) • entre comillas in inverted commas

comilón, ona [komi'lon, ona] _adj_ greedy

comilona [komi'lona] _f_ (_fam_) blow-out (_UK_), feast

comino [ko'mino] _m_ cumin • me importa un comino (_fam_) I couldn't care less

comisaría [komisa'ria] _f_ police station

comisario, ria [komi'sarjo, rja] _m,f_ **1.** (_de policía_) police superintendent **2.** (_de exposición, museo_) curator

comisión [komi'sjon] _f_ **1.** (_grupo de personas_) committee **2.** (_cantidad de dinero_) commission

comisura [komi'sura] _f_ (_de labios_) corner of the mouth

comité [komi'te] _m_ committee

comitiva [komi'tiβa] _f_ retinue

como ['komo] ◇ _adv_ **1.** as **2.** (_comparativo_) like **3.** (_aproximadamente_) roughly, more or less ◇ _conj_ **1.** (_ya que_) as **2.** (_si_) if • como ...como ... as ... as ... • como si as if

cómo ['komo] ◇ _adv_ how ◇ _m_ • el cómo y el porqué the whys and wherefores • ¿cómo es? what's it like? • ¿cómo? (_¿qué dices?_) sorry? • ¡cómo no! of course!

cómoda ['komoða] _f_ chest of drawers

cómodamente [ˌkomoða'mente] _adv_ comfortably

comodidad [komoði'ðað] _f_ comfort • **comodidades** _fpl_ (_ventajas_) advantages • con todas las comodidades all mod cons

comodín [komo'ðin] _m_ joker

cómodo, da ['komoðo, ða] _adj_ comfortable

comodón, ona [komo'ðon, ona] _adj_ comfort-loving

compacto, ta [kom'pakto, ta] ◇ _adj_ compact ◇ _m_ compact disc

compadecer [kompaðe'θer] _vt_ to feel sorry for • **compadecerse de** _v + prep_ to feel sorry for

compadre [kom'paðre] _m_ (_CAm & Méx_) mate (_UK_), buddy (_US_)

compadrear [kompaðre'ar] _vi_ (_Amér_) (_fam_) to brag

compadreo [kompa'ðreo] _m_ (_Amér_) (_fam_) friendship

compaginar [kompaxi'nar] _vt_ • compagina el trabajo con los estudios she combines her job with her studies

compañerismo [kompaɲe'rizmo] _m_ comradeship

compañero, ra [kompa'ɲero, ra] _m,f_ **1.** (_acompañante_) companion **2.** (_de clase_) classmate **3.** (_de trabajo_) colleague **4.** (_de juego_) partner **5.** (_amigo_) partner

compañía [kompa'ɲia] _f_ company • de compañía (_animal_) pet • hacer compañía a alguien to keep sb company

comparación [kompara'θjon] _f_ comparison

comparar [kompa'rar] _vt_ to compare • **compararse** _vp_ • compararse con to compare with

comparsa [kom'parsa] ◇ _f_ **1.** (_de fiesta_)

group of masked revellers at carnival **2.** *(de teatro)* extras *pl* ◇ *mf* extra

compartimento *m* compartment

compartir [kompar'tir] *vt* to share ● compartir algo con alguien to share sthg with sb

compás [kom'pas] *m* **1.** *(en dibujo)* pair of compasses **2.** *(ritmo)* beat

compasión [kompa'sion] *f* compassion

compasivo, va [kompa'siβo, βa] *adj* compassionate

compatible [kompa'tiβle] *adj* compatible ● compatible con compatible with

compatriota [kompa'triota] *mf* compatriot

compenetrarse [kompene'trarse] *vp* to be in tune

compensación [kompensa'θion] *f* compensation

compensar [kompen'sar] ◇ *vt* to compensate for ◇ *vi* (satisfacer) to be worthwhile ● compensar algo con con to make up for sthg with

competencia [kompe'tenθja] *f* **1.** *(rivalidad)* competition **2.** *(incumbencia)* area of responsibility **3.** *(aptitud)* competence

competente [kompe'tente] *adj* competent

competición [kompeti'θion] *f* competition

competir [kompe'tir] *vi* to compete

competitivo, va [kompeti'tiβo, βa] *adj* competitive

complacer [kompla'θer] ◇ *vt* to please ◇ *vi* to be pleasing ● complacerse *vp* complacerse en to take pleasure in

complaciente [kompla'θjente] *adj* obliging

complejidad [komplexi'ðað] *f* complexity

complejo, ja [kom'plexo, xa] *adj & m* complex

complementar [komplemen'tar] *vt* to complement ● complementarse *vp* to complement one another

complementario, ria [komplemen'tarjo, rja] *adj* complementary

complemento [komple'mento] *m* **1.** *(accesorio)* complement **2.** *(en gramática)* complement, object

completamente [kom,pleta'mente] *adv* completely

completar [komple'tar] *vt* **1.** to complete **2.** *(Amér) (rellenar)* to fill out

completo, ta [kom'pleto, ta] *adj* **1.** *(con todas sus partes)* complete **2.** *(lleno)* full ● por completo completely ▼ completo no vacancies

complexión [komplek'sion] *f* build

complicación [komplika'θion] *f* complication

complicado, da [kompli'kaðo, ða] *adj* complicated

complicar [kompli'kar] *vt* (hacer difícil) to complicate ● complicar a alguien en (implicar) to involve sb in ◆ complicarse *vp* **1.** *(situación, problema)* to get complicated **2.** *(enfermedad)* to get worse

cómplice ['kompliθe] *mf* accomplice

complot [kom'plot] *m* plot

componente [kompo'nente] *m* component

componer [kompo'ner] *vt* **1.** *(obra literaria)* to write **2.** *(obra musical)* to compose **3.** *(lo roto)* to repair **4.** *(lo desordenado)* to tidy up (UK), to clean up (US) ● **componerse de** v + prep to consist of ● **componérselas** to manage

comportamiento [komporta'miento] m behaviour

comportar [kompor'tar] vt to involve ◆ **comportarse** vp to behave ● **portarse bien/mal** to behave well/badly

composición [komposi'θjon] f composition

compositor, ra [komposi'tor, ɾa] m,f composer

compostura [kompos'tuɾa] f (buena educación) good behaviour

compota [kom'pota] f stewed fruit (UK), compote ● **compota de manzana** stewed apple

compra ['kompɾa] f purchase ● **hacer la compra** to do the shopping ● **ir de compras** to go shopping ● **compra a plazos** hire purchase (UK), installment plan (US)

comprador, ra [kompɾa'ðor, ɾa] m,f buyer

comprar [kom'pɾaɾ] vt to buy ● **le compraron una cámara digital** they bought him a digital camera

comprender [kompɾen'der] vt **1.** (entender) to understand **2.** (abarcar) to comprise

comprensible [kompɾen'siβle] adj understandable

comprensión [kompɾen'sjon] f **1.** (de ejercicio, texto) comprehension **2.** (de problema, situación) understanding

comprensivo, va [kompɾen'siβo, βa] adj understanding

compresa [kom'pɾesa] f **1.** (para higiene femenina) sanitary towel (UK) o napkin (US) **2.** (para uso médico) compress

compresor [kompɾe'sor] m (máquina) compressor

comprimido, da [kompɾi'miðo, ða] ◇ adj compressed ◇ m pill

comprimir [kompɾi'mir] vt to compress

comprobación [kompɾoβa'θjon] f checking

comprobar [kompɾo'βar] vt **1.** (verificar) to check **2.** (demostrar) to prove

comprometer [kompɾome'ter] vt to compromise ◆ **comprometerse** vp (novios) to get engaged ● **comprometerse (a)** to commit o.s. (to) ● **comprometerse (con)** to commit o.s. (to)

comprometido, da [kompɾome'tiðo, ð a] adj (empeñado) committed

compromiso [kompɾo'miso] m **1.** (obligación) commitment **2.** (acuerdo) compromise **3.** (apuro) difficult situation ● **sin compromiso** without obligation

compuerta [kom'pwerta] f sluice gate

compuesto, ta [kom'pwesto, ta] ◇ adj **1.** (por varios elementos) composed **2.** (reparado) repaired ◇ m compound

compungido, da [kompun'xiðo, ða] adj remorseful

comulgar [komul'ɣar] vi to take communion ● **comulgar con** v + prep (ideas, sentimientos) to agree with

común [ko'mun] adj **1.** (frecuente) common **2.** (compartido) shared

comuna [ko'muna] f (CSur & Perú) municipality

comunicación [komunika'θjon] f **1.** (entre personas, animales) communication **2.**

(escrito) communiqué **3.** *(por carretera, tren, etc)* communications *pl* ● se cortó la comunicación I was cut off

comunicado, da [komuniˈkaðo, ða] ◇ *adj* connected ◇ *m* ● statement ● **bien/mal comunicado** *(pueblo, ciudad)* with good/bad connections

comunicar [komuniˈkar] ◇ *vt* to communicate ◇ *vi* *(al teléfono)* to get through ● **está comunicando** *(teléfono)* the line's engaged

comunicativo, va [komunikaˈtiβo, βa] *adj* communicative

comunidad [komuniˈðað] *f* community ● **comunidad autónoma** *Spanish autonomous region* ● **Comunidad Europea** European Community

comunidad autónoma

Devolution is more advanced in Spain than in Britain. The 1978 Constitution created 17 autonomous communities, including Ceuta and Melilla, with their own directly elected parliaments, governments and high courts. While some policy areas are still controlled by central government, the autonomous communities are responsible for matters ranging from taxation to housing and education, although these powers vary from one region to another.

comunión [komuˈnjon] *f* communion
comunismo [komuˈnizmo] *m* communism

comunista [komuˈnista] *mf* communist
comunitario, ria [komuniˈtarjo, rja] *adj* community *(antes de s)*

con [kon] *prep* **1.** *(modo, medio)* with ● **hazlo con el martillo** do it with the hammer ● **lo ha conseguido con su esfuerzo** he has achieved it through his own efforts **2.** *(compañía)* with ● **trabaja con su padre** he works with his father **3.** *(junto a)* with ● **una cartera con varios documentos** a briefcase containing several documents **4.** *(a pesar de)* in spite of ● **con lo aplicado que es lo han suspendido** for all his hard work, they still failed him ● **con todo iremos a su casa** we'll go to her house anyway **5.** *(condición)* by ● **con salir a las cinco será suficiente** if we leave at five we'll have plenty of time **6.** *(en locuciones)* ● **con (tal) que** as long as

conato [koˈnato] *m* **1.** *(de agresión)* attempt **2.** *(de incendio)* beginnings *pl*
cóncavo, va [ˈkonkaβo, βa] *adj* concave
concebir [konθeˈβir] *vt* to conceive ● **no concibo cómo pudiste hacer eso** I can't believe you did that
conceder [konθeˈðer] *vt* **1.** *(dar)* to grant **2.** *(premio)* to award **3.** *(asentir)* to admit
concejal, la [konθeˈxal, la] *m,f* councillor
concentración [konθentraˈθjon] *f* **1.** *(de personas)* gathering **2.** *(de líquido)* concentration
concentrado, da [konθenˈtraðo, ða] ◇ *adj* **1.** *(reunido)* gathered **2.** *(espeso)* concentrated ◇ *m* ● **concentrado de ...** concentrated ...

concentrar [konθen'trar] *vt* **1.** *(interés, atención)* to concentrate **2.** *(lo desunido)* to bring together ● **concentrarse** *vp* concéntrate en los estudios concentrate on your studies ● se concentraron en el centro de la ciudad they gathered in the center of town

concepción [konθep'θjon] *f* conception

concepto [kon'θepto] *m* **1.** *(idea)* concept **2.** *(opinión)* opinion ● en concepto de by way of

concernir [konθer'nir] ● **concernir a** *v + prep* to concern

concertación [konθerta'θjon] *f* agreement

concertado, da [konθer'taðo, ða] *adj* agreed

concertar [konθer'tar] *vt* **1.** *(precio)* to agree on **2.** *(cita, entrevista)* to arrange **3.** *(acuerdo)* to reach

concesión [konθe'sjon] *f* award

concesionario, ria [konθesjo'narjo, rja] ◇ *adj* concessionary ◇ *m* licensee

concha ['kontʃa] *f* **1.** *(caparazón)* shell **2.** *(material)* tortoiseshell

conciencia [kon'θjenθja] *f* **1.** *(conocimiento)* awareness **2.** *(moral)* conscience ● con conciencia conscientiously ● tener conciencia de to be aware of

concienzudo, da [konθjen'θuðo, ða] *adj* conscientious

concierto [kon'θjerto] *m* **1.** *(actuación musical)* concert **2.** *(composición musical)* concerto **3.** *(convenio)* agreement

conciliación [konθilja'θjon] *f* reconciliation

conciliar [konθi'ljar] *vt* to reconcile ● conciliar el sueño to get to sleep ●

conciliarse con *v + prep* to be reconciled with

concisión [konθi'sjon] *f* conciseness

conciso, sa [kon'θiso, sa] *adj* concise

concluir [konklu'ir] ◇ *vt* to conclude ◇ *vi* to (come to an) end

conclusión [konklu'sjon] *f* conclusion

concordancia [konkor'ðanθja] *f* agreement

concordar [konkor'ðar] ◇ *vt* to reconcile ◇ *vi* **1.** *(de género)* to agree **2.** *(de número)* to tally ● concordar con *(coincidir con)* to agree with

concordia [kon'korðja] *f* harmony

concretar [konkre'tar] *vt* **1.** *(especificar)* to specify **2.** *(reducir)* to cut down

concreto, ta [kon'kreto, ta] ◇ *adj* **1.** *(no abstracto)* concrete **2.** *(específico)* specific ◇ *m* ● concreto armado *(Amér)* concrete

concubina [konku'βina] *f* concubine

concurrencia [konku'renθja] *f* **1.** *(público)* audience **2.** *(de hechos)* concurrence **3.** *(asistencia)* attendance

concurrente [konku'rente] *adj* concurrent

concurrido, da [konku'riðo, ða] *adj* crowded

concurrir [konku'rir] *vi* **1.** *(asistir)* to attend **2.** *(coincidir)* to meet

concursante [konkur'sante] *mf* contestant

concursar [konkur'sar] *vi* to compete

concurso [kon'kurso] *m* **1.** *(de deportes, literatura)* competition **2.** *(en televisión)* game show

condado [kon'daðo] *m* county

condal [kon'dal] *adj* county *(antes de s)*

conde, desa ['konde, 'desa] *m,f* count (*f* countess)

condecoración [kondekora'θjon] *f* medal

condena [kon'dena] *f* sentence

condenado, da [konde'naðo, ða] ◇ *adj* convicted ◇ *m,f* convicted criminal

condenar [konde'nar] *vt* **1.** (*suj: juez*) to sentence **2.** (*desaprobar*) to condemn

condensación [kondensa'θjon] *f* condensation

condensar [konden'sar] *vt* to condense

condición [kondi'θjon] *f* **1.** (*supuesto*) condition **2.** (*modo de ser*) nature **3.** (*estado social*) status ◆ **condiciones** *fpl* (*situación*) conditions ● **estar en buenas/malas condiciones** to be/not to be in a fit state

condicional [kondiθjo'nal] *adj* conditional

condimentar [kondimen'tar] *vt* to season

condimento [kondi'mento] *m* seasoning

condominio [kondo'minjo] *m* **1.** (*Amér*) (*viviendas*) block of flats (*UK*), apartment building (*US*) **2.** (*oficinas*) office block (*UK*) ○ building (*US*)

conducción [konduk'θjon] *f* **1.** (*de vehículos*) driving **2.** (*cañerías*) pipes *pl*

conducir [kondu'θir] ◇ *vt* **1.** (*vehículo*) to drive **2.** (*llevar*) to lead **3.** (*dirigir*) to conduct ◇ *vi* to drive

conducta [kon'dukta] *f* behaviour

conducto [kon'dukto] *m* **1.** (*tubo*) pipe **2.** (*vía*) channel

conductor, ra [konduk'tor, ra] *m,f* driver

conectar [konek'tar] *vt* to connect ◆ **conectar con** *v + prep* **1.** (*contactar con*) to get in touch with **2.** (*comprender*) to get on well with

conejera [kone'xera] *f* (*madriguera*) warren

conejo, ja [ko'nexo, xa] *m,f* rabbit ● **conejo a la cazadora** *rabbit cooked in olive oil, with onion, garlic and parsley*

conexión [konek'sjon] *f* connection

confección [konfek'θjon] *f* (*de vestido*) dressmaking ◆ **confecciones** *fpl* (*tienda*) clothes shop *sg*

confederación [konfeðera'θjon] *f* confederation

conferencia [konfe'renθja] *f* **1.** (*disertación*) lecture **2.** (*por teléfono*) long-distance call

conferenciante [konferen'θjante] *mf* speaker (*at conference*)

confesar [konfe'sar] *vt* to confess ◆ **confesarse** *vp* to take confession

confesión [konfe'sjon] *f* **1.** (*de los pecados*) confession **2.** (*religión*) religion

confesionario [konfesjo'narjo] *m* confessional

confesor [konfe'sor] *m* confessor

confeti [kon'feti] *m* confetti

confiado, da [kon'fjaðo, ða] *adj* (*crédulo*) trusting

confianza [kon'fjanθa] *f* **1.** (*seguridad*) confidence **2.** (*fe*) faith **3.** (*trato familiar*) familiarity

confiar [konfi'ar] *vt* **1.** (*secreto*) to confide **2.** (*persona, cosa*) to entrust ◆ **confiar en** *v + prep* **1.** (*persona*) to trust **2.** (*esperar en*) to have faith in ● **confiar en que** to be confident that

confiarse *vp* to be overconfident

confidencia [konfi'ðenθja] *f* confidence

confidencial [konfiðen'θjal] *adj* confidential

confidente [konfi'ðente] *mf* **1.** *(de un secreto)* confidante **2.** *(de la policía)* informer

configuración [konfiɣura'θjon] *f* configuration

configurar [konfiɣu'rar] *vt* to shape

confirmación [konfirma'θjon] *f* confirmation

confirmar [konfir'mar] *vt* to confirm

confiscar [konfis'kar] *vt* to confiscate

confitado, da [konfi'taðo, ða] *adj* crystallized

confite [kon'fite] *m* sweet *(UK)*, candy *(US)*

confitería [konfite'ria] *f* *(tienda)* sweet shop *(UK)*, candy store *(US)*

confitura [konfi'tura] *f* preserve

conflictivo, va [konflik'tiβo, βa] *adj* difficult

conflicto [kon'flikto] *m* **1.** *(desacuerdo)* conflict **2.** *(situación difícil)* difficulty

confluencia [kon'fluenθja] *f* **1.** *(lugar)* intersection **2.** *(de ríos)* confluence

confluir [konflu'ir] ◆ **confluir en** *v + prep* to meet at

conformarse [konfor'marse] ◆ **conformarse con** *v + prep* to settle for

conforme [kon'forme] ◇ *adj* in agreement ◇ *adv* as ● **conforme a** o **con** in accordance with

conformidad [konformi'ðað] *f* ● **dar la conformidad** to give one's consent

conformismo [konfor'mizmo] *m* conformism

conformista [konfor'mista] *mf* conformist

confort [kon'for] *m* comfort ▼ **todo confort** all mod cons

confortable [konfor'taβle] *adj* comfortable

confrontación [konfronta'θjon] *f* confrontation

confundir [konfun'dir] *vt* to confuse ● **me están confundiendo con otro** they're confusing me with someone else ◆ **confundirse** *vp* **1.** *(equivocarse)* to make a mistake **2.** *(al teléfono)* to get the wrong number ● **confundirse de casa** to get the wrong house ◆ **confundirse con** *v + prep (mezclarse con)* to merge into

confusión [konfu'sjon] *f* **1.** *(equivocación)* mix-up **2.** *(desorden)* confusion

confuso, sa [kon'fuso, sa] *adj* **1.** *(perplejo)* confused **2.** *(no diferenciado)* unclear

congelación [konxela'θjon] *f* freezing

congelado, da [konxe'laðo, ða] *adj* **1.** *(alimentos, productos)* frozen **2.** *(persona)* freezing ● **congelados** *mpl (alimentos)* frozen foods

congelador [konxela'ðor] *m* freezer

congelar [konxe'lar] *vt* to freeze ◆ **congelarse** *vp (persona)* to be freezing

congénito, ta [kon'xenito, ta] *adj* congenital

congestión [konxes'tjon] *f* congestion

conglomerado [konglome'raðo] *m (de madera)* hardboard

congregar [kongre'ɣar] *vt* to gather together ◆ **congregarse** *vp* to gather

congresista [kongre'sista] *mf* delegate

congreso [kon'greso] *m* **1.** *(de especialis-*

tas) conference **2.** (*de diputados*) parliament, congress ● **el congreso de diputados** *the lower house of the Spanish Parliament*

conjetura [konxe'tura] *f* conjecture

conjugación [konxuɣa'θion] *f* **1.** (*de verbos*) conjugation **2.** (*de colores, estilos, etc*) combination

conjugar [konxu'ɣar] *vt* **1.** (*verbos*) to conjugate **2.** (*unir*) to combine

conjunción [konxun'θion] *f* **1.** GRAM conjunction **2.** (*unión*) combining

conjuntamente [kon,xunta'mente] *adv* jointly

conjuntivitis [konxunti'βitis] *f inv* conjunctivitis

conjunto [kon'xunto] *m* **1.** (*grupo, de rock*) group **2.** (*ropa*) outfit **3.** (*en matemáticas*) set ● **en conjunto** as a whole

conmemoración [kommemora'θion] *f* commemoration

conmemorar [kommemo'rar] *vt* to commemorate

conmigo [kom'miɣo] *pron* with me

conmoción [kommo'θion] *f* shock ● **conmoción cerebral** concussion

conmover [kommo'βer] *vt* (*impresionar*) to move, to touch

conmutador [kommuta'ðor] *m* **1.** (*de electricidad*) switch **2.** (*Amér*) (*centralita*) switchboard

cono ['kono] *m* cone

conocer [kono'θer] *vt* **1.** to know **2.** (*persona por primera vez*) to meet **3.** (*distinguir*) to recognize ◆ **conocerse** *vp* **1.** (*tratarse*) to know one another **2.** (*por primera vez*) to meet **3.** (*reconocerse*) to

recognize one another **4.** (*uno mismo*) to know o.s.

conocido, da [kono'θiðo, ða] ◇ *adj* well-known ◇ *m,f* acquaintance

conocimiento [konoθi'miento] *m* **1.** (*entendimiento*) knowledge **2.** MED consciousness ● **conocimientos** *mpl* knowledge *sg*

conque [konke] *conj* so

conquista [kon'kista] *f* conquest

conquistador, ra [konkista'ðor, ra] ◇ *adj* seductive ◇ *m,f* conqueror

conquistar [konkis'tar] *vt* **1.** (*país, territorio*) to conquer **2.** (*puesto, trabajo, etc*) to obtain **3.** (*persona*) to win over

consagrado, da [konsa'ɣraðo, ða] *adj* **1.** (*en religión*) consecrated **2.** (*dedicado*) dedicated

consagrar [konsa'ɣrar] *vt* **1.** (*monumento, calle, etc*) to dedicate **2.** (*acreditar*) to confirm

consciente [kons'θiente] *adj* ● **estar consciente** to be conscious ● **soy consciente de la situación** I'm aware of the situation

consecuencia [konse'kuenθia] *f* consequence ● **en consecuencia** consequently

consecuente [konse'kuente] *adj* **1.** (*persona*) consistent **2.** (*hecho*) resultant (*antes de s*)

consecutivo, va [konseku'tiβo, βa] *adj* consecutive

conseguir [konse'ɣir] *vt* **1.** (*lograr*) to obtain **2.** (*objetivo*) to achieve

consejo [kon'sexo] *m* **1.** (*advertencias*) advice **2.** (*advertencia concreta*) piece of advice **3.** (*organismo*) council **4.** (*reunión*) meeting

consenso [kon'senso] _m_ consensus

consentido, da [konsen'tiðo, ða] _adj_ spoilt (_UK_), spoiled (_US_)

consentir [konsen'tir] _vt_ (_permitir_) to allow

conserje [kon'serxe] _m_ caretaker

conserjería [konserxe'ria] _f_ reception (desk)

conserva [kon'serβa] _f_ ◆ **en conserva** tinned (_UK_), canned ◆ **conservas** _fpl_ tinned food _sg_ (_UK_), canned food _sg_ (_US_)

conservador, ra [konserβa'ðor, ra] _adj_ 1. (_en ideología_) conservative 2. (_en política_) Conservative

conservadurismo [konserβaðu'rizmo] _m_ conservatism

conservante [konser'βante] _m_ preservative

conservar [konser'βar] _vt_ 1. (_mantener, cuidar_) to preserve 2. (_guardar_) to keep ◆ **conservarse** _vp_ 1. (_persona_) to look after o.s. 2. (_alimentos, productos_) to keep

conservatorio [konserβa'torjo] _m_ conservatoire

considerable [konsiðe'raβle] _adj_ 1. (_grande_) considerable 2. (_hecho_) notable

consideración [konsiðera'θjon] _f_ (_respeto_) respect ◆ **de consideración** considerable

considerar [konsiðe'rar] _vt_ 1. to consider 2. (_valorar_) to value

consigna [kon'siɣna] _f_ 1. (_orden_) instructions _pl_ 2. (_depósito_) left-luggage office (_UK_), baggage room (_US_) ◆ **consigna automática** (left-)luggage locker

consignación [konsiɣna'θjon] _f_ consignment

consigo [kon'siɣo] _pron_ 1. (_con él, con ella_) with him (_f_ with her) 2. (_con usted_) with you 3. (_con uno mismo_) with o.s.

consiguiente [konsiɣi'ente] ◆ **por consiguiente** _adv_ therefore

consistencia [konsis'tenθja] _f_ consistency

consistente [konsis'tente] _adj_ (_sólido_) solid

consistir [konsis'tir] ◆ **consistir en** _v_ + _prep_ 1. (_componerse de_) to consist of 2. (_estar fundado en_) to be based on

consistorio [konsis'torjo] _m_ town council (_UK_), city hall (_US_)

consola [kon'sola] _f_ 1. (_mesa_) console table 2. (_de videojuegos_) console

consolar [konso'lar] _vt_ to console ◆ **consolarse** _vp_ to console o.s.

consolidación [konsoliða'θjon] _f_ consolidation

consolidar [konsoli'ðar] _vt_ to consolidate

consomé [konso'me] _m_ consommé ◆ **consomé al jerez** _consommé made with sherry_

consonante [konso'nante] _f_ consonant

consorcio [kon'sorθjo] _m_ consortium

consorte [kon'sorte] _mf_ spouse

conspiración [konspira'θjon] _f_ conspiracy

conspirar [konspi'rar] _vi_ to conspire

constancia [kons'tanθja] _f_ (_tenacidad_) perseverance

constante [kons'tante] ◇ _adj_ 1. (_que dura_) constant 2. (_tenaz_) persistent ◇ _f_ constant ◆ **constantes vitales** vital signs

constantemente [kons,tante'mente] _adv_ constantly

constar [kons'tar] ◆ **constar de** *v + prep* to be made up of ◆ **constar en** *v + prep* (*figurar en*) to appear in ● **me consta que** I know that ● **que conste que estoy en contra del proyecto** let there be no doubt that I'm against the project

constelación [konstela'θjon] *f* constellation

constipado [konsti'paðo] *m* cold

constiparse [konsti'parse] *vp* to catch a cold

constitución [konstitu'θjon] *f* 1. (*forma*) make-up 2. (*ley*) constitution

constitucional [konstituθjo'nal] *adj* constitutional

constituir [konstitu'ir] *vt* 1. (*formar*) to make up 2. (*componer, fundar*) to form 3. (*ser*) to form ● **constituirse** *vp* (*formarse*) to form ● **constituirse de** (*estar compuesto de*) to be made up of

construcción [konstruk'θjon] *f* 1. (*edificio*) building 2. (*arte*) construction

constructivo, va [konstruk'tiβo, βa] *adj* constructive

constructor [konstruk'tor] *m* builder

constructora [konstruk'tora] *f* construction company

construir [konstru'ir] *vt* 1. to build 2. (*máquina*) to manufacture

consuelo [kon'swelo] *m* consolation

cónsul ['konsul] *mf* consul

consulado [konsu'laðo] *m* 1. (*lugar*) consulate

consulta [kon'sulta] *f* 1. (*aclaración, examen médico*) consultation 2. (*pregunta*) question ● **consulta (médica)** surgery

consultar [konsul'tar] *vt* 1. (*persona, libro*) to consult 2. (*dato*) to look up ●

consultarle algo a alguien to consult sb about sthg

consultorio [konsul'torjo] *m* 1. (*de médico*) surgery (*UK*), doctor's office (*US*) 2. (*de revista*) problem page

consumición [konsumi'θjon] *f* 1. (*alimento*) food 2. (*bebida*) drink ▼ **consumición obligatoria** minimum charge

consumidor, ra [konsumi'ðor, ra] *m,f* consumer

consumir [konsu'mir] ◇ *vt* 1. (*gastar*) to use 2. (*acabar totalmente*) to use up ◇ *vi* (*gastar dinero*) to spend ● **consumirse** *vp* (*extinguirse*) to burn out

consumismo [konsu'mizmo] *m* consumerism

consumo [kon'sumo] *m* consumption

contabilidad [kontaβili'ðað] *f* (*cuentas*) accounts *pl*

contable [kon'taβle] *mf* accountant

contacto [kon'takto] *m* 1. contact 2. (*de coche*) ignition

contador, ra [konta'ðor, ra] ◇ *m,f* 1. (*Amér*) (*prestamista*) moneylender 2. (*contable*) accountant ◇ *m* meter

contagiar [konta'xjar] *vt* 1. (*persona*) to infect 2. (*enfermedad*) to pass on, to give

contagio [kon'taxjo] *m* infection ● **transmitirse por contagio** to be contagious

contagioso, sa [konta'xjoso, sa] *adj* infectious

container [kontai'ner] *m* 1. (*de mercancías*) container 2. (*de basuras*) wheely bin *for rubbish from blocks of flats etc*, Dumpster ® (*US*)

contaminación [kontamina'θjon] *f* pollution

contaminado, da [kontami'naðo, ða] *adj* polluted

contaminar [kontami'nar] *vt* to pollute

◆ **contaminarse** *vp* to become polluted

contar [kon'tar] ◇ *vt* **1.** to count **2.** *(explicar)* to tell ◇ *vi* to count ◆ **contar con** *v + prep* **1.** *(tener en cuenta)* to take into account **2.** *(tener)* to have **3.** *(confiar en)* to count on

contemplaciones [kontempla'θiones] *fpl* indulgence *sg* ● **sin contemplaciones** without standing on ceremony

contemplar [kontem'plar] *vt* to contemplate

contemporáneo, a [kontempo'raneo, a] *adj* contemporary

contenedor [kontene'ðor] *m* container ● **contenedor de basura** *wheely bin for rubbish from blocks of flats etc,* Dumpster ® *(US)*

contener [konte'ner] *vt* **1.** *(llevar)* to contain **2.** *(impedir)* to hold back ◆ **contenerse** *vp* to hold back

contenido, da [konte'niðo, ða] ◇ *adj* restrained ◇ *m* contents *pl*

contentar [konten'tar] *vt* to please ◆ **contentarse con** *v + prep* to make do with

contento, ta [kon'tento, ta] *adj* **1.** *(alegre)* happy **2.** *(satisfecho)* pleased

contestación [kontesta'θion] *f* answer

contestador [kontesta'ðor] *m* ● **contestador (automático)** answering machine

contestar [kontes'tar] ◇ *vt* to answer ◇ *vi* **1.** *(responder)* to answer **2.** *(responder mal)* to answer back

contexto [kon'teksto] *m* context

contigo [kon'tiyo] *pron* with you

contiguo, gua [kon'tiyuo, yua] *adj* adjacent

continental [kontinen'tal] *adj* continental

continente [konti'nente] *m* continent

continuación [kontinua'θion] *f* continuation ● **a continuación** then

continuamente [kon,tinua'mente] *adv* **1.** *(sin interrupción)* continuously **2.** *(repetidamente)* continually

continuar [kontinu'ar] *vt* to continue ● **continúa en la casa** it's still in the house

continuo, nua [kon'tinuo, nua] *adj* **1.** *(sin interrupción)* continuous **2.** *(repetido)* continual

contorno [kon'torno] *m* *(silueta)* outline

contra ['kontra] ◇ *prep* against ◇ *m* ● **los pros y los contras** the pros and cons ● **en contra** against ● **en contra de** against

contrabajo [kontra'βaxo] *m* *(instrumento)* double bass

contrabandista [kontraβan'dista] *mf* smuggler

contrabando [kontra'βando] *m* **1.** *(de mercancías, droga)* smuggling **2.** *(mercancías)* contraband

contracorriente [,kontrako'riente] *f* cross current ● **a contracorriente** against the flow

contradecir [kontraðe'θir] *vt* to contradict ◆ **contradecirse** *vp* to be inconsistent

contradicción [kontraðik'θion] *f* contradiction

contradictorio, ria [kontraðik'torio,

ria] *adj* contradictory

contraer [kontra'er] *vt* **1.** to contract **2.** *(deuda)* to run up ● **contraer matrimonio** to marry

contraindicado, da [ˌkontraindi'kaðo, ða] *adj* not recommended

contraluz [kontra'luθ] *m* picture taken against the light ● **a contraluz** against the light

contrapartida [ˌkontrapar'tiða] *f* compensation ● **en contrapartida** as compensation

contrapelo [kontra'pelo] *m* ● **a contrapelo** against the grain

contrapeso [kontra'peso] *m* counterbalance

contrariar [kontrari'ar] *vt (disgustar)* to upset

contrario, ria [kon'trario, ria] ◇ *adj* **1.** *(opuesto)* opposite **2.** *(equipo, etc)* opposing **3.** *(negativo)* contrary ◇ *m,f* opponent ● **al contrario** on the contrary ● **por el contrario** on the contrary ● **llevar la contraria** to always take an opposing view

contraseña [kontra'seɲa] *f* password

contrastar [kontras'tar] ◇ *vt* **1.** *(comparar)* to contrast **2.** *(comprobar)* to check ◇ *vi* to contrast

contraste [kon'traste] *m* contrast

contratar [kontra'tar] *vt* to hire

contratiempo [kontra'tjempo] *m* mishap

contrato [kon'trato] *m* contract

contribuir [kontriβu'ir] *vi* to contribute ● **contribuir a** to contribute to ● **contribuyó con cien euros** he contributed one hundred euros

contrincante [kontrin'kante] *mf* opponent

control [kon'trol] *m* **1.** *(comprobación)* inspection **2.** *(dominio)* control ● **control de pasaportes** passport control

controlar [kontro'lar] *vt* **1.** *(comprobar)* to check **2.** *(dominar)* to control ● **controlarse** *vp* to control o.s.

contusión [kontu'sjon] *f* bruise

convalidar [kombali'ðar] *vt (estudios)* to recognize

convencer [komben'θer] *vt* to convince ● **convencerse de** *v + prep* to convince o.s. of

convención [komben'θjon] *f* convention

convencional [kombenθjo'nal] *adj* conventional

conveniente [kombe'njente] *adj* **1.** *(oportuno)* suitable **2.** *(hora)* convenient **3.** *(aconsejable)* advisable **4.** *(útil)* useful

convenio [kom'benjo] *m* agreement

convenir [kombe'nir] ◇ *vt* to agree on ◇ *vi (ser adecuado)* to be suitable ● **conviene hacerlo** it's a good idea to do it

convento [kom'bento] *m* **1.** *(de monjas)* convent **2.** *(de monjes)* monastery

conversación [kombersa'θjon] *f* conversation

conversar [komber'sar] *vi* to have a conversation

convertir [komber'tir] *vt* ● **convertir algo/a alguien en** to turn sthg/sb into ● **convertirse** *vp* ● **se convirtió al cristianismo** he converted to Christianity ● **se convirtió en una rana** he turned into a frog

convicción [kombik'θjon] *f* conviction

convincente [kombin'θente] *adj* convincing

convivencia [kombi'βenθja] *f* living together

convivir [kombi'βir] ● **convivir con** *v* + *prep* to live with

convocar [kombo'kar] *vt* **1.** *(reunión)* to convene **2.** *(huelga, elecciones)* to call

convocatoria [komboka'torja] *f* ● **la convocatoria de junio** the June exams

convulsión [kombul'sjon] *f* **1.** *(espasmo)* convulsion **2.** *(conmoción, revolución)* upheaval

cónyuge ['konjuxe] *mf* spouse

coña ['koɲa] *f (vulg) (guasa)* joke ● **estar de coña** to be pissing around (*UK*), to be kidding around (*US*)

coñac [ko'nak] *m* brandy

coñazo [ko'naθo] *m (vulg)* pain in the arse (*UK*) ◇ ass (*US*)

coño ['koɲo] *interj (vulg)* fuck!

cooperar [koope'rar] *vi* to cooperate

cooperativa [koopera'tiβa] *f* cooperative

coordinación [koorðina'θjon] *f* coordination

coordinar [koorði'nar] *vt* to coordinate

copa ['kopa] *f* **1.** *(para beber)* glass **2.** *(trofeo)* cup **3.** *(de árbol)* top ● **invitar a lguien a una copa** to buy sb a drink ● **tomar una copa** to have a drink ● **ir de copas** to go out drinking ● **copas** *fpl (de la baraja)* suit with pictures of goblets in Spanish deck of cards

copeo [ko'peo] *m* ● **ir de copeo** *(fam)* to go out drinking

copia ['kopja] *f* copy

copiar [ko'pjar] *vt* to copy

copiloto [kopi'loto] *m* copilot

copioso, sa [ko'pjoso, sa] *adj* copious

copla ['kopla] *f* **1.** *(estrofa)* verse **2.** *(canción)* popular song

copo ['kopo] *m* flake

coquetear [kokete'ar] *vi* to flirt

coqueto, ta [ko'keto, ta] *adj (que flirtea)* flirtatious

coraje [ko'raxe] *m (valor)* courage ● **dar coraje** to make angry

coral [ko'ral] ◇ *m* coral ◇ *f (coro)* choir

coraza [ko'raθa] *f (de soldado)* cuirass

corazón [kora'θon] *m* **1.** heart **2.** *(de fruta)* core ● **corazones** *(de la baraja)* hearts

corbata [kor'βata] *f* tie

corchete [kor'tʃete] *m* **1.** *(cierre)* hook and eye **2.** *(signo)* square bracket

corcho ['kortʃo] *m* cork

cordel [kor'ðel] *m* cord

cordero, ra [kor'ðero, ra] *m,f* lamb

cordial [kor'ðjal] *adj* cordial

cordialmente [kor'ðjal'mente] *adv* cordially

cordillera [korði'ʎera] *f* mountain range ● **la cordillera Cantábrica** the Cantabrian Mountains *pl*

cordón [kor'ðon] *m* **1.** *(cuerda)* cord **2.** *(de zapato)* lace **3.** *(cable eléctrico)* flex (*UK*), cord (*US*) **4.** *(policial)* cordon ● **cordón umbilical** umbilical cord

Corea [ko'rea] *s* Korea ● **Corea del Norte** North Korea ● **Corea del Sur** South Korea

coreografía [koreoɣra'fia] *f* choreography

corista [ko'rista] *mf* chorus singer

cornada [kor'naða] *f* goring

cornamenta [korna'menta] *f* **1.** *(de toro)*

horns *pl* **2.** *(de ciervo)* antlers *pl*

córnea ['kornea] *f* cornea

corneja [kor'nexa] *f* crow

córner ['korner] *m* corner (kick)

cornete [kor'nete] *m* cone

cornisa [kor'nisa] *f* cornice

coro ['koro] *m* choir ● **a coro** in unison

corona [ko'rona] *f* **1.** *(de rey)* crown **2.** *(fig) (trono)* crown **3.** *(de flores)* garland

coronar [koro'nar] *vt* to crown

coronel [koro'nel] *m* colonel

coronilla [koro'niʎa] *f* crown *(of the head)* ● **estar hasta la coronilla** to be fed up to the back teeth

corporal [korpo'ral] *adj (olor)* body *(antes de s)*

corpulento, **ta** [korpu'lento, ta] *adj* corpulent

Corpus ['korpus] *m* Corpus Christi

corral [ko'ral] *m (para animales)* pen

correa [ko'rea] *f* **1.** *(de bolso, reloj)* strap **2.** *(de pantalón)* belt **3.** *(de animal)* lead *(UK)*, leash *(US)*

corrección [korek'θjon] *f* **1.** *(de errores)* correction **2.** *(de comportamiento)* correctness

correctamente [ko rekta'mente] *adv* correctly

correcto, **ta** [ko'rekto, ta] *adj* **1.** *(sin errores)* correct **2.** *(educado)* polite

corredor, **ra** [kore'ðor, ra] ◇ *m,f* **1.** *(en deporte)* runner **2.** *(intermediario)* agent ◇ *m (pasillo)* corridor

corregir [kore'xir] *vt* **1.** *(error, comportamiento)* to correct **2.** *(exámenes)* to mark, to grade *(US)* ● **corregirse** *vp* to mend one's ways

correo [ko'reo] *m* post, mail ● **correo aéreo** airmail ● **correo certificado** ≃ registered post ● **correo electrónico** e-mail ● **correo de voz** voice mail ◆ **Correos** *m inv* the Post Office ▼ *Correos y Telégrafos sign outside a major post office indicating telegram service*

El correo electrónico

Cuando te diriges a alguien que no conoces, lo mejor es usar la misma fórmula que en una carta formal, como por ejemplo *Dear Professor Williams* o *Dear Julie Barker*. Muchos usan *Dear* incluso cuando escriben a amigos y colegas. El comienzo más común usado en cartas a amigos y colegas es *Hi* seguido por el nombre de la persona. En mensajes enviados en el trabajo, es bastante común poner únicamente el nombre de la persona y nada más. Para la despedida de un mensaje a alguien que no conoces, puedes usar frases como *I look forward to hearing from you* seguido de *Best wishes* o *Kind regards* o *Best regards* y tu nombre. En mensajes enviados entre colegas de trabajo lo normal es no poner ninguna despedida y simplemente colocar tu nombre. Entre amigos no hay ninguna fórmula fija, puedes usar expresiones como *Take care, Love, Jane, See you Friday, lots of love* o *Mark.*

correr [ko'rer] ◇ *vi* **1.** *(persona, animal)* to run **2.** *(río)* to flow **3.** *(tiempo)* to pass **4.**

(noticia, rumor) to go around ◇ *vt* **1.** *(mesa, silla, etc)* to move up **2.** *(cortinas)* to draw ● **dejar correr algo** to let sth go ◆ **correrse** *vp* **1.** *(tintas, colores)* to run **2.** *(Amér) (medias)* to ladder *(UK),* to run *(US)*

correspondencia [korespon'denθja] *f* **1.** correspondence **2.** *(de transporte)* connection ▼ **correspondencias** *(en metro)* to other lines

corresponder [korespon'der] *vi* ● **corresponder a alguien (con algo)** to repay sb (with sthg) ● **te corresponde hacerlo** it's your responsibility to do it

correspondiente [korespon'djente] *adj* corresponding

corresponsal [korespon'sal] *mf* correspondent

corrida [ko'riða] *f (de toros)* bullfight

corriente [ko'rjente] ◇ *adj* **1.** *(agua)* running **2.** *(común)* ordinary **3.** *(día, mes, año)* current ◇ *f* **1.** *(de aire)* draught **2.** *(de mar)* current ● **estar al corriente de** to be up to date with ● **ponerse al corriente de** to bring o.s. up to date with ● **corriente (eléctrica)** (electric) current

corro [ˈkoro] *m* circle

corromper [korom'per] *vt* **1.** *(pervertir)* corrupt **2.** *(sobornar)* to bribe **3.** *(pudrir)* to rot

corrupción [korup'θjon] *f* **1.** *(perversión)* corruption **2.** *(soborno)* bribery

corsé [kor'se] *m* corset

cortacésped [korta'θespeð] *m* lawnmower

cortado, da [kor'taðo, ða] ◇ *adj* **1.** *(leche)* off **2.** *(salsa)* curdled **3.** *(labios,*

manos) chapped **4.** *(carretera)* closed **5.** *(fam) (persona)* inhibited ◇ *m* small coffee with a drop of milk

cortante [kor'tante] *adj* **1.** *(cuchilla, etc)* sharp **2.** *(persona)* cutting **3.** *(viento, frío)* bitter

cortar [kor'tar] *vt* **1.** to cut **2.** *(calle)* to close **3.** *(conversación)* to cut short **4.** *(luz, gas, etc)* to cut off **5.** *(piel)* to chap **6.** *(hemorragia)* to stop ◆ **cortarse** *vp* **1.** *(herirse)* to cut o.s. **2.** *(avergonzarse)* to become tongue-tied **3.** *(leche, salsa)* to curdle

cortaúñas [korta'uɲas] *m inv* nailclippers *pl*

corte [ˈkorte] *m* **1.** *(herida)* cut **2.** *(en vestido, tela, etc)* tear **3.** *(de corriente eléctrica)* power cut **4.** *(vergüenza)* embarrassment ● **corte y confección** *(para mujeres)* dressmaking ● **corte de pelo** haircut

Cortes [ˈkortes] *fpl* ● **las Cortes** the Spanish parliament

cortés [kor'tes] *adj* polite

cortesía [korte'sia] *f* politeness

corteza [kor'teθa] *f* **1.** *(de árbol)* bark **2.** *(de pan)* crust **3.** *(de queso, limón)* rind **4.** *(de naranja)* peel ● **cortezas de cerdo** pork scratchings

cortijo [kor'tixo] *m* farm

cortina [kor'tina] *f* curtain

corto, ta [ˈkorto, ta] *adj* **1.** *(breve)* short **2.** *(fam) (tonto)* thick ● **quedarse corto** *(al calcular)* to underestimate ● **corto de vista** short-sighted

cortometraje [ˌkortome'traxe] *m* short (film)

cosa [ˈkosa] *f* thing ● **¿alguna cosa**

más? anything else? • **ser cosa de alguien** to be sb's business • **como si tal cosa** as if nothing had happened

coscorrón [kosko'ron] *m* bump on the head

cosecha [ko'setʃa] *f* **1.** harvest **2.** *(de vino)* vintage

cosechar [kose'tʃar] ◇ *vt* to harvest ◇ *vi* to bring in the harvest

coser [ko'ser] *vt & vi* to sew

cosmopolita [kozmopo'lita] *adj* cosmopolitan

cosmos ['kozmos] *m* cosmos

coso ['koso] *m* *(CSur) (objeto, aparato)* thingy

cosquillas [kos'kiʎas] *fpl* • **hacer cosquillas** to tickle • **tener cosquillas** to be ticklish

cosquilleo [koski'ʎeo] *m* tickling sensation

costa ['kosta] *f (orilla)* coast • **a costa de** at the expense of

costado [kos'taðo] *m* side

costar [kos'tar] *vi (valer)* to cost • **me cuesta (mucho) hacerlo** it's (very) difficult for me to do it • **¿cuánto cuesta?** how much is it?

Costa Rica [ˌkosta'rika] *s* Costa Rica

costarriqueño, ña [ˌkostari'keɲo, ɲa] *adj & m,f* Costa Rican

coste ['koste] *m* **1.** *(de producción)* cost **2.** *(de producto, mercancía)* price

costero, ra [kos'tero, ra] *adj* coastal

costilla [kos'tiʎa] *f* rib • **costillas de cordero** lamb chops

costo ['kosto] *m* **1.** *(de producción)* cost **2.** *(de producto, mercancía)* price

costoso, sa [kos'toso, sa] *adj* expensive

costra ['kostra] *f (de herida)* scab

costumbre [kos'tumbre] *f* habit • **tener la costumbre de** to be in the habit of

costura [kos'tura] *f* **1.** *(labor)* sewing **2.** *(de vestido)* seam

costurera [kostu'rera] *f* seamstress

costurero [kostu'rero] *m* sewing box

cota ['kota] *f (altura)* height (above sea level)

cotejo [ko'texo] *m* comparison

cotidiano, na [koti'ðjano, na] *adj* daily

cotilla [ko'tiʎa] *mf (fam)* gossip

cotilleo [koti'ʎeo] *m (fam)* gossip

cotillón [koti'ʎon] *m* New Year's Eve party

cotización [kotiθa'θjon] *f (de la moneda)* price

cotizar [koti'θar] *vt* **1.** *(en la Bolsa)* to price **2.** *(cuota)* to pay

coto ['koto] *m (terreno)* reserve • **coto (privado) de caza** (private) game preserve

cotorra [ko'tora] *f* **1.** *(pájaro)* parrot **2.** *(fam) (charlatán)* chatterbox

COU ['kou] *m (abr de curso de orientación universitaria) formerly, year of Spanish secondary education in which 17-18 year olds prepared for university entrance exams*

coyuntura [kojun'tura] *f* current situation

coz ['koθ] *f* tick

cráneo ['kraneo] *m* skull

cráter ['krater] *m* crater

crawl ['krol] *m* crawl

creación [krea'θjon] *f* creation

creador, ra [krea'ðor, ra] *m,f* creator

crear [kre'ar] *vt* 1. *(inventar)* to create 2. *(fundar)* to found

creatividad [kreatiβi'ðað] *f* creativity

creativo, va [krea'tiβo, βa] *adj* creative

crecer [kre'θer] *vi* 1. to grow 2. *(río)* to rise 3. *(luna)* to wax

crecimiento [kreθi'mjento] *m* growth

credencial [kreðen'θjal] *f* identification

crédito ['kreðito] *m* 1. *(préstamo)* loan 2. *(disponibilidad)* credit 3. *(confianza)* confidence

credo ['kreðo] *m (oración)* Creed

creencia [kre'enθja] *f* 1. *(en religión)* faith 2. *(convicción)* belief

creer [kre'er] *vt* 1. *(dar por verdadero)* to believe 2. *(suponer)* to think ● **¡ya lo creo!** I should say so! ◆ **creer en** *v + prep* to believe in

creído, da [kre'iðo, ða] *adj (presuntuoso)* vain

crema ['krema] *f* 1. *(nata, cosmético)* cream 2. *(betún)* polish ● **crema de belleza** beauty cream ● **crema de cangrejos** crab bisque ● **crema de marisco** seafood bisque ● **crema (pastelera)** custard

cremallera [krema'ʎera] *f* zip *(UK)*, zipper *(US)*

crepe ['krep] *f* crepe

cresta ['kresta] *f* crest

cretino, na [kre'tino, na] *adj (estúpido)* stupid

creyente [kre'jente] *mf* believer

cría ['kria] *f* 1. *(de ganado)* breeding 2. *(hijo de animal)* young ➤ **crío**

criadero [kria'ðero] *m* farm

criadillas [kria'ðiʎas] *fpl* bull's testicles

criado, da [kri'aðo, ða] *m,f* servant (*f* maid)

crianza [kri'anθa] *f* 1. *(de animales)* breeding 2. *(educación)* bringing up 3. *(de vino)* vintage

criar [kri'ar] ◆ *vt* 1. *(animales)* to breed 2. *(educar)* to bring up ◆ *vi* to breed

criatura [kria'tura] *f* creature

cricket ['kriket] *m* cricket

crimen ['krimen] *m* crime

criminal [krimi'nal] *mf* criminal

crío, a ['krio, a] *m,f* kid

criollo, lla [kri'oʎo, ʎa] *m,f* Latin American of Spanish extraction

crisis ['krisis] *f inv* 1. *(en política, economía)* crisis 2. *(en enfermedad)* breakdown

cristal [kris'tal] *m* 1. *(sustancia)* glass 2. *(vidrio fino)* crystal 3. *(de ventana)* pane

cristalería [kristale'ria] *f* 1. *(tienda)* glassware shop 2. *(objetos)* glassware

cristalino, na [krista'lino, na] *adj* crystalline

cristianismo [kristja'nizmo] *m* Christianity

cristiano, na [kris'tjano, na] *adj & m,f* Christian

Cristo ['kristo] *m* Christ

criterio [kri'terjo] *m* 1. *(regla, norma)* criterion 2. *(opinión)* opinion

crítica ['kritika] *f* 1. *(de arte, cine, etc)* review 2. *(censura)* criticism ➤ **crítico**

criticar [kriti'kar] ◆ *vt* 1. *(obra, película, etc)* to review 2. *(censurar)* to criticize ◆ *vi* to criticize

crítico, ca ['kritiko, ka] ◆ *adj* critical ◆ *m,f* critic

croar [kro'ar] *vi* to croak

croissant [krua'san] *m* croissant

croissantería [kruasante'ria] *f shop selling filled croissants*

crol ['krol] *m* (front) crawl

cromo ['kromo] *m* (estampa) transfer

crónica ['kronika] *f* 1. (de historia) chronicle 2. (en periódico) column

cronometrar [kronome'trar] *vt* to time

cronómetro [kro'nometro] *m* stop-watch

croqueta [kro'keta] *f* croquette

croquis ['krokis] *m inv* sketch

cruce ['kruθe] *m* 1. (de calles, caminos) crossroads 2. (en el teléfono) crossed line

crucero [kru'θero] *m* 1. (en barco) cruise 2. (de iglesia) transept

crucial [kru'θial] *adj* crucial

crucifijo [kruθi'fixo] *m* crucifix

crucigrama [kruθi'γrama] *m* crossword

crudo, da ['kruðo, ða] *adj* 1. (no cocido) raw 2. (novela, película) harshly realistic 3. (clima) harsh

cruel [kru'el] *adj* cruel

crueldad [kruel'dað] *f* cruelty

crujido [kru'xiðo] *m* creak

crujiente [kru'xiente] *adj* (alimento) crunchy

crustáceo [krus'taθeo] *m* crustacean

cruz ['kruθ] *f* 1. cross 2. (de la moneda) tails 3. (fig) (carga) burden

cruzada [kru'θaða] *f* crusade

cruzar [kru'θar] *vt* to cross ◆ **cruzarse** *vp* ● **cruzarse de brazos** (fig) to twiddle one's thumbs ◆ **cruzarse con** *v + prep* (persona) to pass

cta. (abr de cuenta) a/c (account (current))

cte. (abr de corriente) inst. (instant)

cuaderno [kua'ðerno] *m* 1. (libreta) notebook 2. (de colegial) exercise book

cuadra ['kuaðra] *f* 1. (lugar, conjunto) stable 2. (Amér) (esquina) corner 3. (Amér) (de casas) block

cuadrado, da [kua'ðraðo, ða] *adj & m* square

cuadriculado, da [kuaðriku'laðo, ða] *adj* squared

cuadrilla [kua'ðriʎa] *f* group, team

cuadro ['kuaðro] *m* 1. (cuadrado) square 2. (pintura) picture, painting 3. (gráfico) diagram ● **a o de cuadros** checked

cuajada [kua'xaða] *f* curd ● **cuajada con miel** dish of curd covered in honey

cual ['kual] *pron* ● **el/la cual** (persona) who; (cosa) which ● **lo cual** which ● **sea cual sea su nombre** whatever his name may be

cuál ['kual] *pron* 1. (qué) what 2. (especificando) which ● **¿cuál te gusta más?** which do you prefer?

cualidad [kuali'ðað] *f* quality

cualificado, da [kualifi'kaðo, ða] *adj* skilled

cualquier [kual'kier] *adj* > cualquiera

cualquiera [kual'kiera] ◇ *adj* any ◇ *pron* anybody ◇ *mf* nobody ● **cualquier día iré a verte** I'll drop by one of these days

cuando ['kuando] ◇ *adv* when ◇ *conj (si)* if ◇ *prep* ● **cuando la guerra** when the war was on ● **de cuando en cuando** from time to time ● **de vez en cuando** from time to time

cuándo ['kuando] *adv* when

cuantía [kuan'tia] *f* amount

cuanto, ta ['kuanto, ta] ◇ *adj* 1. (todo) ● **despilfarra cuanto dinero gana** he squanders all the money he earns **2.** *(compara cantidades)* ● **cuantas más mentiras digas, menos te creerán** the more you lie, the less people will believe you

◇ *pron* **1.** *(de personas)* everyone who ● **dio las gracias a todos cuantos le ayudaron** he thanked everyone who helped him **2.** *(todo lo que)* everything ● **come cuanto/cuantos quieras** eat as much/as many as you like ● **todo cuanto dijo era verdad** everything she said was true **3.** *(compara cantidades)* ● **cuanto más se tiene, más se quiere** the more you have, the more you want **4.** *(en locuciones)* ● **cuanto antes** as soon as possible ● **en cuanto** *(tan pronto como)* as soon as ● **en cuanto a** as regards ● **unos cuantos** a few

cuánto, ta ['kṷanto, ta] ◇ *adj* **1.** *(interrogativo singular)* how much **2.** *(interrogativo plural)* how many **3.** *(exclamativo)* what a lot of ◇ *pron* **1.** *(interrogativo singular)* how much **2.** *(interrogativo plural)* how many ● **¿cuánto quieres?** how much do you want?

cuarenta [kṷa'renta] *núm* forty ➤ **seis**

cuaresma [kṷa'rezma] *f* Lent

cuartel [kṷar'tel] *m* barracks *pl* ● **cuartel de la Guardia Civil** post of the *Guardia Civil*

cuartelazo [kṷarte'laθo] *m* *(Amér)* military uprising

cuarteto [kṷar'teto] *m* quartet

cuartilla [kṷar'tiʎa] *f* sheet of (quarto) paper

cuarto, ta ['kṷarto, ta] ◇ *adj* fourth ◇ *m* **1.** *(parte, período)* quarter **2.** *(habitación)* room ◇ *m,f* ● **el cuarto, la cuarta** *(persona, cosa)* the fourth; *(piso, planta)* the fourth floor ● **llegar el cuarto** to come fourth ● **capítulo cuarto** chapter four ● **el cuarto día** the fourth day ● **en cuarto lugar, en cuarta posición** fourth place ● **cuarto de baño** bathroom ● **cuarto de estar** living room ● **un cuarto de hora** a quarter of an hour ● **un cuarto de kilo** a quarter of a kilo ● **la cuarta parte** a quarter

cuarzo ['kṷarθo] *m* quartz

cuate, ta ['kṷate, ta] *m,f* *(CAm & Méx)* *(fam)* mate *(UK)*, buddy *(US)*

cuatro ['kṷatro] ◇ *adj inv* four ◇ *m* **1.** four **2.** *(día)* fourth ◇ *mpl* **1.** four **2.** *(temperatura)* four (degrees) ◇ *fpl* ● **(son) las cuatro** (it's) four o'clock ● **el cuatro de agosto** the fourth of August ● **doscientos cuatro** two hundred and four ● **treinta y cuatro** thirty-four ● **de cuatro en cuatro** in fours ● **los cuatro** the four of them ● **empataron a cuatro** they drew four-all ● **cuatro a cero** four-nil

cuatrocientos, tas [kṷatro'θjentos, tas] *núm* four hundred ➤ **seis**

Cuba ['kuβa] *s* Cuba

cubano, na [ku'βano, na] *adj & m,f* Cuban

cubertería [kuβerte'ria] *f* cutlery

cubeta [ku'βeta] *f* *(Amér)* bucket

cúbico, ca ['kuβiko, ka] *adj* cubic

cubierta [ku'βjerta] *f* **1.** *(de libro)* cover **2.** *(de barco)* deck

cubierto, ta [ku'βjerto, ta] ◇ *pp* ▷ **cubrir** ◇ *adj* **1.** *(tapado)* covered **2.** *(cielo)* overcast ◇ *m* **1.** *(pieza para comer)* piece of cutlery **2.** *(para comensal)* place setting • **a cubierto** under cover

cubito [ku'βito] *m* • **cubito de hielo** ice cube

cúbito ['kuβito] *m* ulna

cubo ['kuβo] *m* **1.** *(recipiente)* bucket **2.** *(en geometría, matemáticas)* cube • **cubo de la basura** rubbish bin *(UK)*, trash can *(US)* • **cubo de la ropa** laundry basket

cubrir [ku'βrir] *vt* **1.** to cover **2.** *(proteger)* to protect • **cubrirse** *vp* to cover o. s.

cucaracha [kuka'ratʃa] *f* cockroach

cuchara [ku'tʃara] *f* spoon

cucharada [kutʃa'raða] *f* spoonful

cucharilla [kutʃa'riʎa] *f* teaspoon

cucharón [kutʃa'ron] *m* ladle

cuchilla [ku'tʃiʎa] *f* blade • **cuchilla de afeitar** razor blade

cuchillo [ku'tʃiʎo] *m* knife

cuclillas [ku'kliʎas] *fpl* • **en cuclillas** squatting

cucurucho [kuku'rutʃo] *m* cone

cuelgue *m* *(fam)* high • **¡lleva un buen cuelgue!** hes (as) high as a kite!

cuello ['kweʎo] *m* **1.** *(del cuerpo)* neck **2.** *(de la camisa)* collar

cuenca ['kwenka] *f (de río, mar)* basin

cuenco ['kwenko] *m* bowl

cuenta ['kwenta] *f* **1.** *(cálculo)* sum **2.** *(factura)* bill, check *(US)* **3.** *(en banco)* account **4.** *(de collar)* bead • **la cuenta, por favor** could I have the bill, please? • **caer en la cuenta** to catch on • **darse cuenta de** to notice • **tener en cuenta** to take into account

cuentagotas [kwenta'ɣotas] *m inv* dropper • **en cuentagotas** in dribs and drabs

cuentakilómetros [ˌkwentaki'lometros] *m inv* **1.** *(de distancia)* ≃ mileometer *(UK)*, ≃ odometer *(US)* **2.** *(de velocidad)* speedometer

cuento ['kwento] *m* **1.** *(relato)* short story **2.** *(mentira)* story

cuerda ['kwerða] *f* **1.** *(fina, de instrumento)* string **2.** *(gruesa)* rope **3.** *(del reloj)* spring • **cuerdas vocales** vocal cords • **dar cuerda a** *(reloj)* to wind up

cuerno ['kwerno] *m* **1.** horn **2.** *(de ciervo)* antler

cuero ['kwero] *m (piel)* leather • **cuero cabelludo** scalp • **en cueros** stark naked

cuerpo ['kwerpo] *m* **1.** body **2.** *(de policía)* force **3.** *(militar)* corps

cuervo ['kwerβo] *m* raven

cuesta ['kwesta] *f* slope • **cuesta arriba** uphill • **cuesta abajo** downhill • **a cuestas** on one's back

cuestión [kwes'tjon] *f* question • **ser cuestión de** to be a question of

cuestionario [kwestjo'narjo] *m* questionnaire

cueva ['kweβa] *f* cave

cuidado [kui'ðaðo] ◇ *m* care ◇ *interj* be careful! • **¡cuidado con la cabeza!** mind your head! • **de cuidado** dangerous • **estar al cuidado de** to be responsible for • **tener cuidado** to be careful

cuidadosamente [kuiðaˌðosa'mente] *adv* carefully

cuidadoso, sa [kuiða'ðoso, sa] *adj* careful

cuidar [kui'ðar] ◇ *vt* to look after ◇ *vi* •

cuidar de to look after ◆ **cuidarse** *vp* to look after o.s. ◆ **cuidarse de** *v + prep (encargarse de)* to look after

culata [ku'lata] *f* 1. *(de arma)* butt 2. *(de motor)* cylinder head

culebra [ku'leβra] *f* snake

culebrón [kule'βron] *m (fam)* soap opera

culo ['kulo] *m* 1. *(fam) (de persona)* bum *(UK)*, butt *(US)* 2. *(de botella, etc)* bottom

culpa ['kulpa] *f* fault ● **echar la culpa a alguien** to blame sb ● **tener la culpa** to be to blame

culpabilidad [kulpaβili'ðað] *f* guilt

culpable [kul'paβle] ◇ *mf* guilty party ◇ *adj* ● **culpable de** guilty of

culpar [kul'par] *vt* 1. *(echar la culpa)* to blame 2. *(acusar)* to accuse ● **culpar a alguien de** to blame sb for

cultivar [kulti'βar] *vt* 1. *(plantas)* to grow 2. *(tierra)* to farm

cultivo [kul'tiβo] *m (plantas)* crop

culto, ta ['kulto, ta] ◇ *adj* 1. *(persona)* educated 2. *(estilo)* refined 3. *(lenguaje)* literary ◇ *m* worship

cultura [kul'tura] *f* 1. *(actividades)* culture 2. *(conocimientos)* knowledge

cultural [kultu'ral] *adj* cultural

culturismo [kultu'rizmo] *m* bodybuilding

cumbre ['kumbre] *f* summit

cumpleaños [kumple'aɲos] *m inv* birthday

cumplido [kum'pliðo] *m* compliment

cumplir [kum'plir] ◇ *vt* 1. *(ley, orden)* to obey 2. *(promesa)* to keep 3. *(condena)* to serve ◇ *vi (plazo)* to expire ● **cumplió**
con el deber he did his duty ● **cumplió su promesa** she kept her promise ● **hoy cumple 21 años** he's 21 today

cúmulo ['kumulo] *m* 1. *(de cosas)* pile 2. *(de nubes)* cumulus

cuna ['kuna] *f* 1. *(cama)* cot *(UK)*, crib *(UK)* 2. *(origen)* cradle 3. *(patria)* birthplace

cuneta [ku'neta] *f* 1. *(en carretera)* ditch 2. *(en la calle)* gutter

cuña ['kuɲa] *f* 1. *(calza)* wedge 2. *(en radio, televisión)* commercial break

cuñado, da [ku'ɲaðo, ða] *m,f* brother-in-law *(f* sister-in-law*)*

cuota ['kwota] *f* 1. *(a club, etc)* membership fee 2. *(a Hacienda)* tax *(payment)* 3. *(precio)* fee

cuplé [ku'ple] *m type of popular song*

cupo ['kupo] ◇ *v* ⟩ **caber** ◇ *m* 1. *(cantidad máxima)* quota 2. *(cantidad proporcional)* share

cupón [ku'pon] *m* 1. *(vale)* coupon 2. *(de sorteo, lotería)* ticket

cúpula ['kupula] *f (de edificio)* dome

cura¹ ['kura] *m (sacerdote)* priest

cura² ['kura] *f* 1. *(restablecimiento)* recovery 2. *(tratamiento)* cure ● **cura de reposo** rest cure

curandero, ra [kuran'dero, ra] *m,f* quack

curar [ku'rar] *vt* 1. to cure 2. *(herida)* to dress 3. *(pieles)* to tan ◆ **curarse** *vp* to recover

curiosidad [kurjosi'ðað] *f* curiosity ● **tener curiosidad por** to be curious about

curioso, sa [ku'rjoso, sa] ◇ *adj* 1. *(de noticias, habladurías, etc)* curious 2. *(inte-*

resante, raro) strange ◇ *m,f* onlooker

curita [ku'rita] *f (Amér)* (sticking) plaster *(UK)*, Band-Aid ® *(US)*

curry ['kuri] *m* curry ● **al curry** curried

cursi ['kursi] *adj* 1. *(persona)* pretentious 2. *(vestido, canción)* naff *(UK)*, cheesy *(US)*

cursillo [kur'siʎo] *m* 1. *(curso breve)* short course 2. *(de conferencias)* series of talks

curso ['kurso] *m* 1. course 2. *(año académico, alumnos)* year ● **en curso** *(año)* current

cursor [kur'sor] *m* cursor

curva ['kurβa] *f* 1. curve 2. *(de camino, carretera, etc)* bend

curvado, da [kur'βaðo, ða] *adj* curved

custodia [kus'toðja] *f* 1. *(vigilancia)* safe-keeping 2. *(de los hijos)* custody

cutis ['kutis] *m inv* skin, complexion

cutre ['kutre] *adj* 1. *(fam) (sucio)* shabby 2. *(fam) (pobre)* cheap and nasty

cuy ['kuj] *m (Andes & RP)* guinea-pig

cuyo, ya ['kujo, ja] *adj* 1. *(de quien)* whose 2. *(de que)* of which

CV *m (abr de currículum vitae)* CV *(curriculum vitae)*

*d*D

D. *abrev = don*

dado ['daðo] *m* dice

daga ['daɣa] *f* dagger

dalia ['dalja] *f* dahlia

dama ['dama] *f* lady ● **damas** *fpl (juego)* draughts *sg*

damasco [da'masko] *m (Andes & RP)* apricot

danés, esa [da'nes, esa] ◇ *adj & m* Danish ◇ *m,f* Dane

danza ['danθa] *f* dance

danzar [dan'θar] *vt & vi* to dance

dañar [da'ɲar] *vt* 1. *(persona)* to harm 2. *(cosa)* to damage

dañino, na [da'ɲino, na] *adj* 1. *(sustancia)* harmful 2. *(animal)* dangerous

daño ['daɲo] *m* 1. *(dolor)* pain 2. *(perjuicio)* damage 3. *(a persona)* harm ● **hacer daño** *(producir dolor)* to hurt ● **la cena me hizo daño** the meal didn't agree with me

dar ['dar]

◇ *vt* 1. *(entregar, regalar, decir)* to give ● **da clases en la universidad** he teaches at the university ● **me dio las gracias/los buenos días** she thanked me/said good morning to me 2. *(producir)* to produce 3. *(causar, provocar)* to give ● **me da vergüenza** I'm embarrassed ● **me da risa/sueño** it makes me laugh/sleepy 4. *(suj: reloj)* to strike ● **el reloj ha dado las diez** the clock struck ten 5. *(encender)* to turn on ● **por favor, da la luz** turn on the lights, please 6. *(comunicar, emitir)* to give 7. *(película, programa)* to show; *(obra de teatro)* to put on 8. *(mostrar)* to show ● **su aspecto daba señales de cansancio** she was showing signs of weariness 9. *(expresa acción)* to give ● **dar un grito** to give a cry ● **le dio un golpe** he hit him 10. *(banquete, baile)* to hold ● van a dar una fiesta they're going to throw a party **11.** *(considerar)* ● **dio la discusión por terminada** she considered the discussion to be over

◇ *vi* **1.** *(horas)* to strike ● **han dado las tres en el reloj** the clock's struck three **2.** *(golpear)* ● **le dieron en la cabeza** they hit her on the head ● **la piedra dio contra el cristal** the stone hit the glass **3.** *(sobrevenir)* ● **le dieron varios ataques al corazón** he had several heart attacks **4.** ● **dar a** *(balcón, ventana)* to look out onto; *(pasillo)* to lead to; *(casa, fachada)* to face **5.** *(proporcionar)* ● **dar de comer** to feed ● **dar de beber a alguien** to give somebody something to drink **6.** ● **dar en** *(blanco)* to hit **7.** *(en locuciones)* ● **dar de sí** to stretch ● **dar que hablar** to set people talking ● **da igual o lo mismo** it doesn't matter ● **¡qué más da!** what does it matter!

● **dar a** *v + prep (llave)* to turn

● **dar con** *v + prep (encontrar)* to find

● **darse** *vp (suceder)* to happen; *(dilatarse)* to stretch ● **darse contra** to bump into ● **se le da bien/mal el latín** she is good/bad at Latin ● **darse prisa** to hurry ● **se las da de listo** he likes to make out that he's clever ● **darse por vencido** to give in

● **darse a** *v + prep (entregarse)* to take to

dardo ['darðo] *m* dart ● **dardos** *mpl (juego)* darts *sg*

dátil ['datil] *m* date

dato ['dato] *m* fact, piece of information ● **datos** information *sg* ● **datos personales** personal details

---

para dar los datos personales

Da tu nombre seguido del número de la casa y el nombre de la calle, el nombre de la ciudad, y el código postal [*9 Grosvenor Avenue, London, N5 2NP*]. El número de teléfono se lee diciendo cada número por separado, con el prefijo primero [*0131 3150256; 0207 3541710*]. Se hace una pequeña pausa entre el prefijo y el número. En el Reino Unido el *0* se lee *oh*, y en los Estados Unidos *zero* [*oh-two-oh-seven.../zero-two-zero-seven*]. Cuando des tu dirección de correo electrónico, el punto se dice *dot* y la arroba *at* [*lucy-dot-kyle-at-hotmail-dot-com*].

dcha. *(abr de* derecha*)* right

d. de J.C. *(abr de* después de Jesucristo*)* AD *(Anno Domini)*

de [de] *prep* **1.** *(posesión, pertenencia)* of ● **el coche de mi padre/mis padres** my father's/parents' car ● **la casa es de ella** the house is hers **2.** *(materia)* (made) of ● **un reloj de oro** a gold watch **3.** *(contenido)* of ● **un vaso de agua** a glass of water **4.** *(en descripciones)* ● **de fácil manejo** user-friendly ● **la señora de verde** the lady in green ● **difícil de creer** hard to believe ● **una bolsa de deporte** a sports bag **5.** *(asunto)* about ● **háblame de ti** tell me about yourself ● **libros de historia** history books **6.** *(en calidad de)* ● **trabaja de bombero** he works as a fireman **7.**

(tiempo) ● **trabaja de nueve a cinco** she works from nine to five ● **trabaja de noche y duerme de día** he works at night and sleeps during the day ● **a las tres de la tarde** at three in the afternoon ● **llegamos de madrugada** we arrived early in the morning ● **de pequeño** as a child **8.** *(procedencia, distancia)* from ● **vengo de mi casa** I've come from home ● **soy de Zamora** I'm from Zamora ● **del metro a casa voy a pie** I walk home from the underground **9.** *(causa, modo)* with ● **morirse de frío** to freeze to death ● **llorar de alegría** to cry with joy ● **de una (sola) vez** in one go **10.** *(con superlativos)* ● **el mejor de todos** the best of all **11.** *(cantidad)* ● **más/menos de** more/less than **12.** *(condición)* if ● **de querer ayudarme, lo haría** if she wanted to help me, she would

debajo [de'βaxo] *adv* underneath ● **debajo de** under

debate [de'βate] *m* debate

debatir [deβa'tir] *vt* to debate

deber [de'βer] ◇ *m* duty ◇ *vt* **1.** *(expresa obligación)* ● **debes dominar tus impulsos** you should control your impulses ● **nos debemos ir a casa a las diez** we must go home at ten **2.** *(adeudar)* to owe **3.** *(en locuciones)* ● **debido a** due to ● **me debes cincuenta euros** you owe me fifty euros ● **¿cuánto le debo?** how much does it come to? ◆ **deber de** *v + prep* ● **debe de llegar a las nueve** she should arrive at nine ● **deben de ser las doce** it must be twelve o'clock ◆ **deberse a** *v + prep* **1.** *(ser consecuencia de)* to be due to **2.** *(dedicarse a)* to have a responsibility towards ● **deberes** *mpl* *(trabajo escolar)* homework *sg*

debido, da [de'βiðo, ða] *adj* proper ● **debido a** due to

débil ['deβil] *adj* **1.** *(sin fuerzas)* weak **2.** *(voz, sonido)* faint **3.** *(luz)* dim

debilidad [deβili'ðað] *f* weakness

debilitar [deβili'tar] *vt* to weaken

debut [de'βut] *m* *(de artista)* debut

década ['dekaða] *f* decade

decadencia [deka'ðenθja] *f* *(declive)* decline

decadente [deka'ðente] *adj* decadent

decaer [deka'er] *vi* **1.** *(fuerza, energía)* to fail **2.** *(esperanzas, país)* to decline **3.** *(ánimos)* to flag

decaído, da [deka'iðo, ða] *adj* *(deprimido)* gloomy

decano, na [de'kano, na] *m,f* **1.** *(de universidad)* dean **2.** *(el más antiguo)* senior member

decena [de'θena] *f* ten

decente [de'θente] *adj* **1.** *(honesto)* decent **2.** *(limpio)* clean

decepción [deθep'θjon] *f* disappointment

decepcionar [deθepθjo'nar] *vt* to disappoint ● **decepcionarse** *vp* to be disappointed

decidido, da [deθi'ðiðo, ða] *adj* determined

decidir [deθi'ðir] *vt* to decide ◆ **decidirse** *vp* ● **decidirse a** to decide to

decimal [deθi'mal] *adj* decimal

décimo, ma ['deθimo, ma] ◇ *adj* tenth ◇ *m* *(en lotería)* tenth share in a lottery ticket ◇ *m,f* ● **el décimo, la décima**

(persona, cosa) the tenth; *(piso, planta)* the tenth floor ● **llegar el décimo** to come tenth ● **capítulo décimo** chapter ten ● **el décimo día** the tenth day ● **en décimo lugar, en décima posición** in tenth place ● **la décima parte** a tenth

decir [deˈθir] *vt* **1.** *(enunciar)* to say **2.** *(contar)* to tell ● **decir a alguien que haga algo** to tell sb to do sthg ● **decir que sí** to say yes ● **¿diga?, ¿dígame?** *(al teléfono)* hello? ● **es decir** that is ● **¿cómo se dice ...?** how do you say ...? ● **se dice ...** they say ...

decisión [deθiˈsjon] *f* **1.** *(resolución)* decision **2.** *(de carácter)* determination ● **tomar una decisión** to take a decision

declaración [deklaraˈθjon] *f* **1.** statement **2.** *(de amor)* declaration ● **prestar declaración** to give evidence ● **tomar declaración** to take a statement ● **declaración de la renta** tax return

declarado, da [deklaˈraðo, ða] *adj* declared

declarar [deklaˈrar] ◇ *vt* **1.** to state **2.** *(afirmar, bienes, riquezas)* to declare ◇ *vi* *(dar testimonio)* to give evidence ◆ **declararse** *vp* **1.** *(incendio, epidemia, etc)* to break out **2.** *(en el amor)* to declare o. s. ● **me declaro a favor de ...** I'm in favour of ...

declinar [dekliˈnar] *vt* to decline

decoración [dekoraˈθjon] *f* **1.** *(de casa, habitación)* décor **2.** *(adornos)* decorations *pl*

decorado [dekoˈraðo] *m* *(en teatro, cine)* set

decorar [dekoˈrar] *vt* to decorate

decretar [dekreˈtar] *vt* to decree

decreto [deˈkreto] *m* decree

dedal [deˈðal] *m* thimble

dedicación [deðikaˈθjon] *f* dedication

dedicar [deðiˈkar] *vt* **1.** *(tiempo, dinero, energía)* to devote **2.** *(obra)* to dedicate ◆ **dedicarse** a *v + prep (actividad, tarea)* to spend time on ● **¿a qué se dedica Vd?** what do you do for a living?

dedo [ˈdeðo] *m* **1.** *(de mano, bebida)* finger **2.** *(de pie)* toe **3.** *(medida)* centimetre ● **hacer dedo** *(fam)* to hitchhike ● **dedo corazón** middle finger ● **dedo gordo** thumb

deducción [deðukˈθjon] *f* deduction

deducir [deðuˈθir] *vt* **1.** *(concluir)* to deduce **2.** *(restar)* to deduct

defecar [defeˈkar] *vi* *(formal)* to defecate

defecto [deˈfekto] *m* **1.** *(físico)* defect **2.** *(moral)* fault

defender [defenˈder] *vt* to defend ◆ **defenderse** *vp* *(protegerse)* to defend o. s. ● **defenderse de** *(ataque, insultos)* to defend o.s against

defensa [deˈfensa] *f* defence

defensor, ra [defenˈsor, ra] *m,f* **1.** defender **2.** *(abogado)* counsel for the defence

deficiencia [defiˈθjenθja] *f* **1.** *(defecto)* deficiency **2.** *(falta, ausencia)* lack

deficiente [defiˈθjente] *adj* *(imperfecto)* deficient

déficit [ˈdefiθit] *m inv* **1.** *(en economía)* deficit **2.** *(escasez)* shortage

definición [definiˈθjon] *f* definition

definir [defiˈnir] *vt* to define ◆ **definirse** *vp* *(fig)* to take a position

definitivo, va [defini'tiβo, βa] *adj* **1.** *(final, decisivo)* definitive **2.** *(terminante)* definite ● **en definitiva** in short

deformación [deforma'θjon] *f* deformation

deformar [defor'mar] *vt* to deform

defraudar [defrau'ðar] *vt* **1.** *(decepcionar)* to disappoint **2.** *(estafar)* to defraud

defunción [defun'θjon] *f (formal)* death

degenerado, da [dexene'raðo, ða] *m,f* degenerate

degenerar [dexene'rar] *vi* to degenerate

degustación [deɣusta'θjon] *f* tasting

dejadez [dexa'ðeθ] *f* neglect

dejar [de'xar]
◇ *vt* **1.** *(colocar, poner)* to leave ▼ **deje aquí su compra** *sign indicating lockers where bags must be left when entering a supermarket* **2.** *(prestar)* to lend ● **me dejó su pluma** she lent me her pen **3.** *(no tomar)* to leave ● **deja lo que no quieras** leave whatever you don't want ● **deja un poco de café para mí** leave a bit of coffee for me **4.** *(dar)* to give ● **déjame la llave** give me the key ● **dejé el perro a mi madre** I left the dog with my mother **5.** *(vicio, estudios)* to give up; *(casa, novia)* to leave; *(familia)* to abandon ● **dejó su casa** he left home **6.** *(producir)* to leave ● **este perfume deja mancha en la ropa** this perfume stains your clothing **7.** *(permitir)* to allow, to let ● **dejar a alguien hacer algo** to let sb do sthg ▼ **dejen salir antes de entrar** *(en metro, tren)* let the passengers off the train first, please ● **sus gritos no me dejaron**

dormir his cries prevented me from sleeping **8.** *(olvidar, omitir)* to leave out ● **dejar algo por o sin hacer** to fail to do sthg ● **déjalo para otro día** leave it for another day **9.** *(no molestar)* to leave alone ● **¡déjame!** let me be! **10.** *(esperar)* ● **dejó que acabara de llover para salir** she waited until it stopped raining before going out **11.** *(en locuciones)* ● **dejar algo aparte** to leave sthg to one side ● **dejar algo/a alguien atrás** to leave sthg/sb behind ● **dejar caer algo** *(objeto)* to drop sthg
◇ *vi* **1.** *(parar)* ● **dejar de hacer algo** to stop doing sthg **2.** *(no olvidar)* ● **no dejar de hacer algo** to be sure to do sthg

● **dejarse** *vp (olvidarse)* to leave; *(descuidarse, abandonarse)* to let o.s. go ● **dejarse llevar por** to get carried away with ● **apenas se deja ver** we hardly see anything of her

● **dejarse de** *v + prep* ● **¡déjate de tonterías!** stop that nonsense!

del [del] > **de, el**

delantal [delan'tal] *m* apron

delante [de'lante] *adv* **1.** *(en primer lugar)* in front **2.** *(en la parte delantera)* at the front **3.** *(enfrente)* opposite ● **delante de** in front of

delantera [delan'tera] *f (de coche, avión, etc)* front ● **coger o tomar la delantera** to take the lead

delantero, ra [delan'tero, ra] ◇ *adj* front ◇ *m (en deporte)* forward

delatar [dela'tar] *vt* **1.** *(persona)* to denounce **2.** *(suj: gesto, acto)* to betray

delco ® ['delko] *m* distributor

delegación [deleɣa'θjon] *f* **1.** *(oficina)* (local) office **2.** *(representación)* delegation **3.** *(Méx) (distrito municipal)* borough *(UK)*, district *(US)* **4.** *(Méx) (de policía)* police station

delegado, da [dele'ɣaðo, ða] *m,f* delegate ● **delegado de curso** *student elected to represent his/her classmates*

delegar [dele'ɣar] *vt* to delegate

deletrear [deletre'ar] *vt* to spell

delfín [del'fin] *m* dolphin

delgado, da [del'ɣaðo, ða] *adj* **1.** thin **2.** *(esbelto)* slim

deliberadamente [deliβeˌraða'mente] *adv* deliberately

deliberado, da [deliβe'raðo, ða] *adj* deliberate

deliberar [deliβe'rar] *vt* to deliberate

delicadeza [delika'ðeθa] *f* **1.** *(atención, miramiento)* consideration **2.** *(finura)* delicacy **3.** *(cuidado)* care

delicado, da [deli'kaðo, ða] *adj* **1.** delicate **2.** *(respetuoso)* considerate

delicia [de'liθja] *f* delight

delicioso, sa [deli'θjoso, sa] *adj* **1.** *(exquisito)* delicious **2.** *(agradable)* lovely

delincuencia [delin'kwenθja] *f* crime

delincuente [delin'kwente] *mf* criminal ● **delincuente común** common criminal

delirante [deli'rante] *adj* **1.** *(persona)* delirious **2.** *(idea)* mad

delirar [deli'rar] *vi* **1.** *(por la fiebre)* to be delirious **2.** *(decir disparates)* to talk rubbish *(UK)* ◇ nonsense *(US)*

delirio [de'lirjo] *m (perturbación)* ravings *pl*

delito [de'lito] *m* crime

delta ['delta] *m* delta

demanda [de'manda] *f* **1.** *(petición)* request **2.** *(reivindicación, de mercancías)* demand **3.** *(en un juicio)* action

demandar [deman'dar] *vt* **1.** *(pedir)* to request **2.** *(reivindicar)* to demand **3.** *(en un juicio)* to sue

demás [de'mas] ◇ *adj* other ◇ *pron* ● **los/las demás** the rest ● **lo demás** the rest ● **por lo demás** apart from that

demasiado, da [dema'sjaðo, ða] ◇ *adj* **1.** *(con sustantivos singulares)* too much **2.** *(con sustantivos plurales)* too many ◇ *adv* too much ● **demasiado rápido** too fast ● **hace demasiado frío** it's too cold

demencia [de'menθja] *f* insanity

demente [de'mente] *adj (formal)* insane

democracia [demo'kraθja] *f* democracy

demócrata [de'mokrata] ◇ *adj* democratic ◇ *mf* democrat

democráticamente [demoˌkratika-'mente] *adv* democratically

democrático, ca [demo'kratiko, ka] *adj* democratic

demoledor, ra [demole'ðor, ra] *adj* **1.** *(máquina, aparato)* demolition *(antes de s)* **2.** *(argumento, crítica)* devastating

demoler [demo'ler] *vt* to demolish

demonio [de'monjo] *m* devil ● **¿qué demonios ...?** what the hell ...?

demora [de'mora] *f* delay

demostración [demostra'θjon] *f* **1.** *(de hecho)* proof **2.** *(de afecto, sentimiento, etc)* demonstration

demostrar [demos'trar] *vt* **1.** *(probar)* to prove **2.** *(indicar)* to demonstrate, to show

denominación [denomina'θjon] *f* • **denominación de origen** *certification that a product, especially wine, comes from a particular region*

densidad [densi'ðað] *f* density

denso, sa ['denso, sa] *adj* dense

dentadura [denta'ðura] *f* teeth *pl* • **dentadura postiza** dentures *pl*

dentífrico [den'tifriko] *m* toothpaste

dentista [den'tista] *mf* dentist

dentro ['dentro] *adv* (en el interior) inside • **dentro de** (en el interior) in; (en el plazo de) in, within

denunciante [denun'θjante] *mf* person who reports a crime

denunciar [denun'θjar] *vt* 1. (delito, persona) to report 2. (situación irregular, escándalo) to reveal

departamento [departa'mento] *m* 1. (de empresa, organismo) department 2. (de armario, maleta) compartment 3. (Amér) (vivienda) flat (UK), apartment (US)

dependencia [depen'denθja] *f* 1. (subordinación) dependence 2. (habitación) room 3. (sección, departamento) branch

depender [depen'der] *vi* • **depende ...** it depends ... • **depender de** *v + prep* to depend on

dependiente, ta [depen'djente, ta] *m,f* shop assistant (UK), sales associate (US)

depilarse [depi'larse] *vp* to remove hair from • **depilarse las cejas** to pluck one's eyebrows

depilatorio, ria [depila'torjo, rja] *adj* hair-removing

deporte [de'porte] *m* sport • **hacer deporte** to do sport • **deportes de invierno** winter sports

deportista [depor'tista] *mf* sportsman (f sportswoman)

deportivo, va [depor'tiβo, βa] ◇ *adj* 1. (zapatillas, pantalón, prueba) sports (antes de s) 2. (persona) sporting ◇ *m* sports car

depositar [deposi'tar] *vt* 1. (en un lugar) to place 2. (en el banco) to deposit

depósito [de'posito] *m* 1. (almacén) store 2. (de dinero) deposit 3. (recipiente) tank • **depósito de agua** water tank • **depósito de gasolina** petrol tank (UK), gas tank (US)

depre (fam) ◇ *adj* • **estar depre** to be on a downer ◇ *f* • **tener la depre** to be on a downer

depresión [depre'sjon] *f* depression

depresivo, va [depre'siβo, βa] *adj* MED depressive

deprimido, da [depri'miðo, ða] *adj* depressed

deprimir [depri'mir] *vt* to depress • **deprimirse** *vp* to get depressed

deprisa [de'prisa] *adv* quickly

depuradora [depura'ðora] *f* purifier

depurar [depu'rar] *vt* (sustancia) to purify

derecha [de'retʃa] *f* • **la derecha** (mano derecha) one's right hand; (lado derecho, en política) the right • **a la derecha** on the right • **gira a la derecha** turn right • **ser de derechas** to be right wing

derecho, cha [de'retʃo, tʃa] ◇ *adj* 1. (lado, mano, pie) right 2. (recto) straight ◇ *m* 1. (privilegio, facultad) right 2. (estudios) law 3. (de tela, prenda) right side ◇ *adv* straight • **todo derecho** straight on • **¡no hay derecho!** it's not fair!

derivar [deri'βar] ◆ **derivar de** *v + prep* to derive from ◆ **derivar en** *v + prep* to end in

dermoprotector, ra [ˌdermoprotek'tor, ra] *adj* skin-protecting *(antes de s)*

derramar [dera'mar] *vt* **1.** *(por accidente)* to spill **2.** *(verter)* to pour ◆ **derramarse** *vp* to spill

derrame [de'rame] *m* spillage ◆ **derrame cerebral** brain haemorrhage

derrapar [dera'par] *vi* to skid

derretir [dere'tir] *vt* to melt ◆ **derretirse** *vp* **1.** *(hielo, mantequilla)* to melt **2.** *(persona)* to go weak at the knees

derribar [deri'βar] *vt* **1.** *(casa, muro, adversario)* to knock down **2.** *(gobierno)* to overthrow

derrochar [dero'tʃar] *vt* to waste

derroche [de'rotʃe] *m* **1.** *(de dinero)* waste **2.** *(de esfuerzo, simpatía)* excess

derrota [de'rota] *f* defeat

derrotar [dero'tar] *vt* to defeat

derrumbar [derum'bar] *vt* (casa, muro) to knock down ◆ **derrumbarse** *vp* **1.** *(casa, muro)* to collapse **2.** *(moralmente)* to be devastated

desabrochar [desaβro'tʃar] *vt* to undo ◆ **desabrocharse** *vp* ◆ **desabrocharse la camisa** to unbutton one's shirt

desaconsejable *adj* inadvisable

desacreditar [desakreði'tar] *vt* to discredit

desacuerdo [desa'kwerðo] *m* disagreement

desafiar [desafi'ar] *vt* **1.** *(persona)* to challenge **2.** *(elementos, peligros)* to defy ◆ **desafiar a alguien a** to challenge sb to

desafinar [desafi'nar] *vi* to be out of tune ◆ **desafinarse** *vp* to go out of tune

desafío [desa'fio] *m* challenge

desafortunadamente [desafortuˌnaða'mente] *adv* unfortunately

desafortunado, da [desafortu'naðo, ða] *adj* **1.** *(sin suerte)* unlucky **2.** *(inoportuno)* unfortunate

desagradable [desaɣra'ðaβle] *adj* unpleasant

desagradecido, da [desaɣraðe'θiðo, ða] *adj* **1.** *(persona)* ungrateful **2.** *(trabajo, tarea)* thankless

desagüe [de'saɣwe] *m* **1.** *(de bañera, fregadero, piscina)* drain **2.** *(cañería)* drainpipe

desahogarse [desao'ɣarse] *vp* to pour one's heart out

desaire [de'saire] *m* snub

desajuste [desa'xuste] *m* ◆ **desajuste horario** jet lag

desaliñado, da [desali'ɲaðo, ða] *adj (persona)* unkempt

desalojar [desalo'xar] *vt* **1.** *(por incendio, etc)* to evacuate **2.** *(por la fuerza)* to evict ◆ lo desalojaron de su propia casa he was evicted from his own home

desamparado, da [desampa'raðo, ða] *adj* abandoned

desangrarse [desan'grarse] *vp* to lose a lot of blood

desanimar [desani'mar] *vt* to discourage ◆ **desanimarse** *vp* to be discouraged

desaparecer [desapare'θer] *vi* to disappear

desaparecido, da [desapare'θiðo, ða] *m, f* missing person

desaparición [desapari'θi̯on] *f* disappearance

desapercibido, da [desaperθi'βiðo, ða] *adj* • **pasar desapercibido** to go unnoticed

desaprovechar [desaproβe'tʒar] *vt* to waste

desarmador [desarma'ðor] *m* (*Méx*) screwdriver

desarrollado, da [desaro'ʎaðo, ða] *adj* **1.** developed **2.** (*persona*) well-developed

desarrollar [desaro'ʎar] *vt* to develop • **desarrollarse** *vp* **1.** to develop **2.** (*suceder*) to take place

desarrollo [desa'roʎo] *m* development

desasosiego [desaso'si̯eɣo] *m* anxiety

desastre [de'sastre] *m* **1.** disaster **2.** (*objeto de mala calidad*) useless thing

desatar [desa'tar] *vt* **1.** to untie **2.** (*sentimiento*) to unleash

desatino [desa'tino] *m* (*equivocación*) mistake

desatornillar [desator'niʎar] *vt* (*Amér*) to unscrew

desavenencia [desaβe'nenθi̯a] *f* disagreement

desayunar [desaju'nar] ◇ *vt* to have for breakfast ◇ *vi* to have breakfast

desayuno [desa'juno] *m* breakfast

desbarajuste [dezβara'xuste] *m* disorder

desbaratar [dezβara'tar] *vt* to ruin

desbordarse [dezβor'ðarse] *vp* **1.** (*río, lago*) to overflow **2.** (*sentimiento, pasión*) to erupt

descabellado, da [deskaβe'ʎaðo, ða] *adj* mad

descafeinado [deskafei̯'naðo] ◇ *adj* de-

caffeinated ◇ *m* decaffeinated coffee • **café descafeinado** decaffeinated coffee

descalificar [deskalifi'kar] *vt* **1.** (*jugador*) to disqualify **2.** (*desacreditar*) to discredit

descalzarse [deskal'θarse] *vp* to take one's shoes off

descalzo, za [des'kalθo, θa] *adj* barefoot • **ir descalzo** to go barefoot

descampado [deskam'paðo] *m* open ground

descansar [deskan'sar] *vi* **1.** (*reposar*) to rest **2.** (*dormir*) to sleep

descansillo [deskan'siʎo] *m* landing

descanso [des'kanso] *m* **1.** (*reposo*) rest **2.** (*pausa*) break **3.** (*intermedio*) interval **4.** (*alivio*) relief

descapotable [deskapo'taβle] *m* convertible

descarado, da [deska'raðo, ða] *adj* **1.** (*persona*) cheeky (*UK*), shameless (*US*) **2.** (*intento, mentira*) blatant

descarga [des'karɣa] *f* (*de mercancías*) unloading • **descarga eléctrica** electric shock

descargar [deskar'ɣar] *vt* **1.** (*camión, mercancías, equipaje*) to unload **2.** (*arma*) to fire • **descargarse** *vp* **1.** (*batería*) to go flat (*UK*), to die (*US*) **2.** (*encendedor*) to run out **3.** (*desahogarse*) to vent one's frustration

descaro [des'karo] *m* cheek

descarrilar [deskarri'lar] *vi* to be derailed

descartar [deskar'tar] *vt* **1.** (*ayuda*) to reject **2.** (*posibilidad*) to rule out

descendencia [desθen'denθi̯a] *f* (*hijos*) offspring

descender [desθen'der] *vi* to go down

descendiente [desθen'djente] *mf* descendent

descenso [des'θenso] *m* **1.** *(bajada)* drop **2.** *(de un río, montaña)* descent

descifrar [desθi'frar] *vt* to decipher

descolgar [deskol'ɣar] ◇ *vt* **1.** *(cortina, ropa, cuadro)* to take down **2.** *(teléfono)* to take off the hook ◇ *vi* to pick up the receiver

descolorido, da [deskolo'riðo, ða] *adj* faded

descomponer [deskompo'ner] *vt (Amér)* to break ◆ **descomponerse** *vp (Amér)* to break down

descomposición [deskomposi'θjon] *f (de un alimento)* decomposition ◆ **descomposición (de vientre)** diarrhea

descompuesto, ta [deskom'pwesto, ta] ◇ *pp* ➤ **descomponer** ◇ *adj (Amér)* broken

desconcertante [deskonθer'tante] *adj* disconcerting

desconcertar [deskonθer'tar] *vt* to disconcert

desconfianza [deskon'fjanθa] *f* distrust

desconfiar [deskonfi'ar] ◆ **desconfiar de** *v + prep* to distrust

descongelar [deskonxe'lar] *vt* **1.** *(alimentos)* to thaw **2.** *(nevera)* to defrost ◆ **descongelarse** *vp* **1.** *(alimentos)* to thaw **2.** *(nevera)* to defrost

descongestionarse [deskonxestjo'narse] *vp* to clear

desconocer [deskono'θer] *vt* not to know

desconocido, da [deskono'θiðo, ða] *m,f* stranger

desconocimiento [deskonoθi'mjento] *m* ignorance

desconsiderado, da [deskonsiðe'raðo, ð a] *adj* inconsiderate

desconsolado, da [deskonso'laðo, ða] *adj* distressed

desconsuelo [deskon'swelo] *m* distress

descontar [deskon'tar] *vt* to deduct

descrédito [des'kreðito] *m* discredit

describir [deskri'βir] *vt* to describe

descripción [deskrip'θjon] *f* description

descuartizar [deskwarti'θar] *vt* to quarter

descubierto, ta [desku'βjerto, ta] ◇ *pp* ➤ **descubrir** ◇ *adj* **1.** *(sin tapar)* uncovered **2.** *(sin nubes)* clear ◆ **al descubierto** in the open

descubrimiento [deskuβri'mjento] *m* discovery

descubrir [desku'βrir] *vt* **1.** to discover **2.** *(averiguar, destapar)* to uncover

descuento [des'kwento] *m* discount

descuidado, da [deskui'ðaðo, ða] *adj* **1.** *(persona, aspecto)* untidy *(UK)*, messy *(US)* **2.** *(lugar)* neglected

descuidar [deskui'ðar] *vt* to neglect ◆ **descuidarse de** *v + prep (olvidarse de)* to forget to

descuido [des'kuiðo] *m* **1.** *(imprudencia)* carelessness **2.** *(error)* mistake

desde [dezðe] *prep* **1.** *(en el tiempo)* since **2.** *(en el espacio)* from ◆ **desde ... hasta** ... from ... to ... ◆ **vivo aquí desde hace dos años** I've been living here for two years ◆ **desde luego** of course ◆ **desde que** since

desdén [dez'ðen] *m* disdain

desdentado, da [dezðen'taðo, ða] *adj* toothless

desdicha [dez'ðitʃa] *f* (*pena*) misfortune

desdoblar [dezðo'βlar] *vt* (*papel, servilleta*) to unfold

desear [dese'ar] *vt* 1. (*querer*) to want 2. (*anhelar*) to wish for 3. (*amar*) to desire ◆ ¿qué desea? what can I do for you?

desechable [dese'tʃaβle] *adj* disposable

desechar [dese'tʃar] *vt* (*tirar*) to throw away

desembarcar [desembar'kar] *vi* to disembark

desembocadura [desemboka'ðura] *f* 1. (*de río*) mouth 2. (*de calle*) opening

desembocar [desembo'kar] ◆ **desembocar en** *v* + *prep* 1. (*río*) to flow into 2. (*calle*) to lead into 3. (*situación, problema*) to end in

desempeñar [desempe'ɲar] *vt* 1. (*funciones*) to carry out 2. (*papel*) to play 3. (*objeto empeñado*) to redeem

desempleo [desem'pleo] *m* unemployment

desencadenar [desenkaðe'nar] *vt* (*provocar*) to unleash ◆ **desencadenarse** *vi* 1. (*tormenta*) to break 2. (*tragedia*) to strike

desencajarse [desenka'xarse] *vp* 1. (*piezas*) to come apart 2. (*rostro*) to become distorted

desencanto [desen'kanto] *m* disappointment

desenchufar [desentʃu'far] *vt* to unplug

desenfadado, da [desenfa'ðaðo, ða] *adj* 1. (*persona*) easy-going 2. (*ropa*) casual 3. (*estilo*) light

desenfrenado, da [desenfre'naðo, ða] *adj* (*ritmo*) frantic

desengañar [desenga'ɲar] *vt* to reveal the truth to ◆ **desengañarse** *vp* ◆ desengáñate stop kidding yourself

desengaño [desen'gaɲo] *m* disappointment

desenlace [desen'laθe] *m* ending

desenmascarar [desemmaska'rar] *vt* to expose

desenredar [desenre'ðar] *vt* 1. (*pelo, madeja, ovillo*) to untangle 2. (*situación*) to unravel

desentenderse [desenten'derse] ◆ **desentenderse de** *v* + *prep* ◆ se desentendió de ello he refused to have anything to do with it

desenvolver [desembol'βer] *vt* to unwrap ◆ **desenvolverse** *vp* (*persona*) to cope

deseo [de'seo] *m* desire

desequilibrado, da [desekili'βraðo, ða] *adj* (*formal*) (*loco*) (mentally) unbalanced

desesperación [desespera'θjon] *f* desperation

desesperarse [desespe'rarse] *vp* to lose hope

desfachatez [desfatʃa'teθ] *f* cheek (*UK*), nerve (*US*)

desfallecer [desfaʎe'θer] *vi* 1. (*debilitarse*) to flag 2. (*desmayarse*) to faint

desfigurarse [desfiɣu'rarse] *vp* to be disfigured

desfiladero [desfila'ðero] *m* (mountain) pass

desfile [des'file] *m* 1. (*de militares*) parade 2. (*de carrozas, etc*) procession 3. (*de modelos*) fashion show

desgana [dez'ɣana] *f* 1. (*falta de apetito*) lack of appetite 2. (*falta de interés*) lack of enthusiasm • **con desgana** unwillingly

desgastar [dezɣas'tar] *vt* **1.** *(objeto)* to wear out **2.** *(fuerza)* to wear down

desgracia [dez'ɣraθja] *f* **1.** *(suerte contraria)* bad luck **2.** *(suceso trágico)* disaster • **por desgracia** unfortunately

desgraciadamente [dezɣra'θjaða'mente] *adv* unfortunately

desgraciado, da [dezɣra'θjaðo, ða] *m,f* poor wretch

desgraciar [dezɣra'θjar] *vt (estropear)* to spoil

desgreñado, da [dezɣre'naðo, ða] *adj* tousled • **ir desgreñado** to be dishevelled

deshacer [desa'θer] *vt* **1.** *(lo hecho)* to undo **2.** *(cama)* to mess up **3.** *(quitar las sábanas de)* to strip **4.** *(las maletas)* to unpack **5.** *(destruir)* to ruin **6.** *(disolver)* to dissolve • **deshacerse** *vp* **1.** *(disolverse)* to dissolve **2.** *(derretirse)* to melt **3.** *(destruirse)* to be destroyed • **deshacerse de** *v + prep (desprenderse de)* to get rid of

deshecho, cha [de'setʃo, tʃa] *pp* ➤ **deshacer** ◇ *adj* **1.** *(nudo, paquete)* undone **2.** *(cama)* unmade **3.** *(maletas)* unpacked **4.** *(estropeado)* ruined **5.** *(triste, abatido)* shattered

desheredar [desere'ðar] *vt* to disinherit

deshidratarse [desiðra'tarse] *vp* to be dehydrated

deshielo [dez'jelo] *m* thaw

deshonesto, ta [deso'nesto, ta] *adj* **1.** *(inmoral)* indecent **2.** *(poco honrado)* dishonest

deshonra [de'sonra] *f* dishonour

deshuesar [dezwe'sar] *vt* **1.** *(carne)* to bone **2.** *(fruta)* to stone *(UK)*, to pit *(US)*

desierto, ta [de'sjerto, ta] ◇ *adj (lugar)* deserted ◇ *m* desert

designar [desiɣ'nar] *vt* **1.** *(persona)* to appoint **2.** *(lugar)* to decide on

desigual [desi'ɣwal] *adj* **1.** *(no uniforme)* different **2.** *(irregular)* uneven

desigualdad [desiɣual'daθ] *f* inequality

desilusión [desilu'sjon] *f* disappointment

desilusionar [desilusjo'nar] *vt* to disappoint

desinfectante [desinfek'tante] *m* disinfectant

desinfectar [desinfek'tar] *vt* to disinfect

desinflar [desin'flar] *vt (balón, globo, rueda)* to let down

desintegración [desinteɣra'θjon] *f* disintegration

desinterés [desinte'res] *m* lack of interest

desinteresado, da [desintere'saðo, ða] *adj* unselfish

desistir [desis'tir] • **desistir de** *v + prep* to give up

desliz [dez'liθ, θes] *(pl* **-ces)** *m* slip

deslizar [dezli'θar] *vt* to slide • **deslizarse** *vp (resbalar)* to slide

deslumbrar [dezlum'brar] *vt* to dazzle

desmadrarse [dezma'ðrarse] *vp (fam)* to go over the top

desmaquillador [dezmakiʎa'ðor] *m* make-up remover

desmaquillarse [dezmaki'ʎarse] *vp* to take one's make-up off

desmayarse [dezma'jarse] *vp* to faint

desmayo [dez'majo] *m (desvanecimiento)* fainting fit

desmentir [dezmen'tir] *vt (negar)* to deny

desmesurado, da [dezmesu'raðo, ða] *adj* excessive

desmontar [dezmon'tar] ◇ *vt* **1.** *(estructura)* to take down **2.** *(aparato)* to take apart ◇ *vi* to dismount

desmoralizar [dezmorali'θar] *vt* to demoralize

desnatado, da [dezna'taðo, ða] *adj* **1.** *(leche)* skimmed **2.** *(yogur)* low-fat

desnivel [dezni'βel] *m (del terreno)* unevenness

desnudar [deznu'ðar] *vt* to undress ● **desnudarse** *vp* to get undressed

desnudo, da [dez'nuðo, ða] *adj* **1.** *(sin ropa)* naked **2.** *(sin adorno)* bare

desnutrición [deznutri'θjon] *f* undernourishment

desobedecer [desoβeðe'θer] *vt* to disobey

desobediente [desoβe'ðjente] *adj* disobedient

desodorante [desoðo'rante] *m* deodorant

desorden [de'sorðen] *m (de objetos, papeles)* mess ● **en desorden** in disarray

desordenar [desorðe'nar] *vt* to mess up

desorganización [desorɣaniθa'θjon] *f* disorganization

desorientar [desorjen'tar] *vt (confundir)* to confuse ● **desorientarse** *vp* **1.** *(perderse)* to lose one's bearings **2.** *(confundirse)* to get confused

despachar [despa'tʃar] *vt* **1.** *(vender)* to sell **2.** *(despedir)* to sack *(UK)*, to fire *(US)*

despacho [des'patʃo] *m* **1.** *(oficina)* office **2.** *(estudio)* study ● **despacho de billetes** ticket office

despacio [des'paθjo] ◇ *adv* slowly ◇ *interj* slow down!

despampanante [despampa'nante] *adj* stunning

desparpajo [despar'paxo] *m* self-assurance

despecho [des'petʃo] *m* bitterness

despectivo, va [despek'tiβo, βa] *adj* disdainful

despedida [despe'ðiða] *f* goodbye

despedir [despe'ðir] *vt* **1.** *(decir adiós)* to say goodbye to **2.** *(del trabajo)* to sack *(UK)*, to fire *(US)* **3.** *(arrojar)* to fling **4.** *(producir)* to give off ● **despedirse** *vp* **1.** *(decir adiós)* to say goodbye **2.** *(del trabajo)* to hand in one's notice

despegar [despe'ɣar] ◇ *vt* to remove ◇ *vi (avión)* to take off

despegue [des'peɣe] *m* take-off

despeinarse [despei'narse] *vp* to mess up one's hair

despejado, da [despe'xaðo, ða] *adj* **1.** *(cielo, día, camino)* clear **2.** *(persona)* alert **3.** *(espacio)* spacious

despejar [despe'xar] *vt* **1.** *(lugar)* to clear **2.** *(incógnita, dudas)* to clear up ● **despejarse** *vp* **1.** *(cielo, día, noche)* to clear up **2.** *(persona)* to clear one's head

despensa [des'pensa] *f* larder

despeñadero [despeɲa'ðero] *m* precipice

desperdiciar [desperði'θjar] *vt* to waste

desperdicio [desper'ðiθjo] *m* waste ● **desperdicios** *mpl* **1.** *(basura)* waste *sg* **2.** *(de cocina)* scraps

desperezarse [despere'θarse] *vp* to stretch

desperfecto [desper'fekto] *m* 1. *(daño)* damage 2. *(defecto)* fault

despertador [desperta'ðor] *m* alarm clock

despertar [desper'tar] *vt* 1. *(persona)* to wake up 2. *(sentimiento)* to arouse ◆ **despertarse** *vp* to wake up

despido [des'piðo] *m* dismissal

despierto, ta [des'pierto, ta] *adj* 1. *(que no duerme)* awake 2. *(listo)* alert

despistado, da [despis'taðo, ða] *adj* absent-minded

despistarse [despis'tarse] *vp* 1. *(desorientarse)* to get lost 2. *(distraerse)* to get confused

despiste [des'piste] *m* 1. *(olvido)* absent-mindedness 2. *(error)* mistake

desplazarse [despla'θarse] *vp* 1. *(moverse)* to move 2. *(viajar)* to travel

desplegar [desple'ɣar] *vt* 1. *(tela, periódico, mapa)* to unfold 2. *(bandera)* to unfurl 3. *(alas)* to spread 4. *(cualidad)* to display

desplomarse [desplo'marse] *vp* to collapse

despojos [des'poxos] *mpl* 1. *(de animal)* offal *sg* 2. *(de persona)* remains 3. *(sobras)* leftovers

despreciar [despre'θjar] *vt* 1. *(persona, cosa)* to despise 2. *(posibilidad, propuesta)* to reject

desprecio [des'preθjo] *m* contempt

desprender [despren'der] *vt* 1. *(desenganchar)* to unfasten 2. *(soltar)* to give off ◆ **desprenderse** *vp* (soltarse) to come off ◆ **desprenderse de** *v* + *prep* 1.

(deshacerse de) to get rid of 2. *(deducirse de)* to be clear from

desprendimiento [desprendi'mjento] *m* *(de tierra)* landslide

desprevenido, da [despreβe'niðo, ða] *adj* unprepared

desproporcionado, da [desproporθjo'ðnaðo, ða] *adj* disproportionate

después [des'pwes] *adv* 1. *(más tarde)* afterwards; *(entonces)* then; *(justo lo siguiente)* next ● **lo haré después** I'll do it later ● **yo voy después** it's my turn next ● **años después** years later ● **poco/mucho después** soon/a long time after 2. *(en el espacio)* next ● **¿qué calle viene después?** which street comes next? ● **hay una farmacia y después está mi casa** there's a chemist's and then you come to my house 3. *(en una lista)* further down 4. *(en locuciones)* ● **después de** after ● **después de que** after ● **después de todo** after all

destacar [desta'kar] ◇ *vt* to emphasize ◇ *vi* (resaltar) to stand out

destajo [des'taxo] *m* ● **trabajar a destajo** to do piecework

destapador [desta'paðor] *m* (Amér) bottle opener

destapar [desta'par] *vt* (caja, botella, etc) to open

destello [des'teʎo] *m* (de luz) flash

destemplado, da [destem'plaðo, ða] *adj* (persona) out of sorts

desteñir [deste'ɲir] ◇ *vt* to bleach ◇ *vi* to run

desternillante *adj* (fam) hilarious

desterrar [deste'rar] *vt* 1. *(persona)* to

exile 2. (pensamiento, sentimiento) to banish

destierro [des'tjero] *m* exile

destilación [destila'θjon] *f* distillation

destilar [desti'lar] *vt* to distil

destilería [destile'ria] *f* distillery

destinar [desti'nar] *vt* 1. (objeto) to earmark 2. (persona) to appoint 3. (programa, medidas) to aim

destinatario, ria [destina'tarjo, rja] *m,f* addressee

destino [des'tino] *m* 1. (azar) destiny 2. (de viaje) destination 3. (finalidad) use 4. (trabajo) job ● **vuelos con destino a Londres** flights to London

destornillador [destorniʎa'ðor] *m* screwdriver

destornillar [destorni'ʎar] *vt* to unscrew

destrozar [destro'θar] *vt* 1. (objeto) to smash 2. (plan, proyecto) to ruin 3. (persona) to shatter

destrucción [destruk'θjon] *f* destruction

destruir [destru'ir] *vt* 1. to destroy 2. (plan, proyecto) to ruin

desuso [de'suso] *m* disuse ● **caer en desuso** to become obsolete

desvalijar [dezβali'xar] *vt* 1. (persona) to rob 2. (casa) to burgle

desván [dez'βan] *m* attic

desvanecimiento [dezβaneθi'mjento] *m* (desmayo) fainting fit

desvariar [dezβari'ar] *vi* to rave

desvelar [dezβe'lar] *vt* 1. (persona) to keep awake 2. (secreto) to reveal ● **desvelarse** *vp* 1. (no dormir) to be unable to sleep 2. (CAm & Méx) (motivar)

(quedarse levantado) to have a late night

desventaja [dezβen'taxa] *f* disadvantage

desvergonzado, da [dezβerɣon'θaðo, ða] *adj* shameless

desvestirse [dezβes'tirse] *vp* to get undressed

desviar [dezβi'ar] *vt* (de un camino) to divert ● **desviarse** *vp* ● **desviarse de** (camino) to turn off; (propósito) to be diverted from

desvío [dez'βio] *m* diversion

detallar [deta'ʎar] *vt* to describe in detail

detalle [de'taʎe] *m* 1. (pormenor, minucia) detail 2. (delicadeza) kind gesture ● **al detalle** (minuciosamente) in detail

detallista [deta'ʎista] *adj* (minucioso) painstaking

detectar [detek'tar] *vt* to detect

detective [detek'tiβe] *mf* detective

detener [dete'ner] *vt* 1. (parar) to stop 2. (retrasar) to hold up 3. (arrestar) to arrest ● **detenerse** *vp* (pararse) to stop

detenido, da [dete'niðo, ða] *m,f* prisoner

detergente [deter'xente] *m* detergent

determinación [determina'θjon] *f* (decisión) decision ● **tomar una determinación** to take a decision

determinado, da [determi'naðo, ða] *adj* 1. (concreto) specific 2. (en gramática) definite

determinante [determi'nante] ◇ *adj* decisive ◇ *m* determiner

determinar [determi'nar] *vt* 1. (fijar) to fix 2. (decidir) to decide 3. (causar, motivar) to cause

detestable [detes'taβle] *adj* detestable

detestar [detes'tar] *vt* to detest

detrás [de'tras] *adv* **1.** *(en el espacio)* behind **2.** *(en el orden)* then ● **el interruptor está detrás** the switch is at the back ● **detrás de** behind ● **por detrás** at/on the back

deuda ['deuða] *f* debt ● **contraer deudas** to get into debt

devaluación [deβalwa'θjon] *f* devaluation

devaluar [deβalu'ar] *vt* to devalue

devoción [deβo'θjon] *f* devotion

devolución [deβolu'θjon] *f* **1.** *(de dinero)* refund **2.** *(de objeto)* return

devolver [deβol'βer] ◇ *vt* **1.** *(objeto, regalo comprado, favor)* to return **2.** *(dinero)* to refund **3.** *(cambio, objeto prestado)* to give back **4.** *(vomitar)* to bring up ◇ *vi* to be sick ▼ **devuelve cambio** change given

devorar [deβo'rar] *vt* to devour

devoto, ta [de'βoto, ta] *adj* **1.** *(en religión)* devout **2.** *(aficionado)* devoted

dg *(abr de* decigramo*)* dg. *(decigram)*

día ['dia] *m* day ● **es de día** it's daytime ● **de día** in the daytime ● **al día siguiente** the next day ● **del día** *(fresco)* fresh ● **el día seis** the sixth ● **por día** daily ● **¿qué tal día hace?** what's the weather like today? ● **día azul** *day for cheap travel on trains* ● **día del espectador** *day on which cinema tickets are sold at a discount* ● **día festivo** (public) holiday ● **Día de los Inocentes** *(Esp)* 28 December, ≃ April Fools' Day ● **día laborable** working day ● **día libre** day off ● **Día de los Muertos** *(Méx)* Day of the Dead ● **día del santo** saint's day

Día de los Inocentes

Herod's massacre of the innocent children is commemorated on 28 December. It is traditional for children and adults in Spain and Latin America to play practical jokes on each other on this day, much like the pranks played by British people on April Fools' Day. However, unlike in the UK, the most common prank is for people to stick a paper doll on somebody's back without them realizing.

Día de los Muertos

The Day of the Dead is a major festival in Mexico and is celebrated on 2 November although the festivities begin the day before. Dead people's graves are colourfully decorated by their families who may also build altars in their homes decorated with pictures of them and things they liked while they were alive. Having remembered the dead, people then celebrate life with parties, various cakes and sweets, and by dressing up as skeletons, vampires, etc.

diabetes [dja'βetes] *f inv* diabetes

diabético, ca [dja'βetiko, ka] *m,f* diabetic

diablo [di'aβlo] *m* devil

diablura [dia'βlura] *f* prank

diabólico, ca [dia'βoliko, ka] *adj* diabolical

diadema [dia'ðema] *f* hairband

diagnosticar [diaɣnosti'kar] *vt* to diagnose

diagnóstico [diaɣ'nostiko] *m* diagnosis

dialecto [dia'lekto] *m* dialect

diálogo [di'aloɣo] *m* (*conversación*) conversation

diamante [dia'mante] *m* diamond ◆ **diamantes** *mpl* (*palo de la baraja*) diamonds

diana ['diana] *f* (*blanco*) bull's-eye

diapositiva [diaposi'tiβa] *f* slide

diario, ria [di'arjo, rja] ◇ *adj* daily ◇ *m* (*daily*) newspaper ● **a diario** every day

diarrea [dia'rea] *f* diarrhea

dibujar [diβu'xar] *vt* to draw

dibujo [di'βuxo] *m* drawing ● **dibujos animados** cartoons

diccionario [dikθjo'narjo] *m* dictionary

dicha ['ditʃa] *f* (*felicidad*) joy

dicho, cha ['ditʃo] ◇ *pp* → **decir** ◇ *m* saying ◇ *adj* ● **dicho y hecho** no sooner said than done ● **mejor dicho** rather

diciembre [di'θjembre] *m* December ● **a principios/mediados/finales de diciembre** at the beginning/in the middle/at the end of December ● **el nueve de diciembre** the ninth of December ● **el pasado/próximo (mes de) diciembre** last/next December ● **en diciembre** in December ● **este (mes de) December** (*pasado*) last December; (*próximo*) this (coming) December ●

para diciembre by December

dictado [dik'taðo] *m* dictation

dictador [dikta'ðor] *m* dictator

dictadura [dikta'ðura] *f* dictatorship

dictamen [dik'tamen] *m* opinion

dictar [dik'tar] *vt* **1.** (*texto*) to dictate **2.** (*decreto*) to issue **3.** (*ley*) to enact

dictatorial [diktato'rjal] *adj* dictatorial

diecinueve [djeθi'nueβe] *núm* nineteen → **seis**

dieciocho [dje'θjotʃo] *núm* eighteen → **seis**

dieciséis [djeθi'seis] *núm* sixteen → **seis**

diecisiete [djeθi'sjete] *núm* seventeen → **seis**

diente ['djente] *m* tooth ● **diente de ajo** clove of garlic ● **diente de leche** milk tooth

diéresis ['djeresis] *f inv* diaeresis

diesel ['djesel] *m* diesel

diestro, tra [di'estro, tra] ◇ *adj* **1.** (*de la derecha*), right-hand **2.** (*experto*) skilful ◇ *m* matador

dieta ['djeta] *f* diet ◆ **dietas** *fpl* (*honorarios*) expenses

dietética [dje'tetika] *f* dietetics *sg* ● **tienda de dietética** health food shop

diez ['djeθ] ◇ *adj inv* ten ◇ *m* **1.** ten **2.** (*día*) tenth ◇ *mpl* **1.** ten **2.** (*temperatura*) ten (degrees) ◇ *fpl* ● **(son) las diez** (it's) ten o'clock ● **el diez de agosto** the tenth of August ● **doscientos diez** two hundred and ten ● **de seis en diez** in sixes ● **los diez** the ten of them ● **empataron a diez** they drew ten-all ● **diez a cero** ten-nil

diferencia [dife'renθja] *f* difference ●

a diferencia de in contrast to

diferenciar [diferen'θjar] *vt* to distinguish

diferente [dife'rente] ◇ *adj* different ◇ *adv* differently

diferido, da [dife'riðo, ða] *adj* ● en diferido recorded

diferir [dife'rir] *vt* to defer ● diferir de *v* + *prep* to differ from

difícil [di'fiθil] *adj* difficult

dificultad [difikul'taõ] *f* 1. *(complejidad)* difficulty 2. *(obstáculo)* problem

difundir [difun'dir] *vt* 1. *(calor, luz)* to diffuse 2. *(noticia, idea)* to spread 3. *(programa)* to broadcast

difunto, ta [di'funto, ta] *m,f* ● el difunto the deceased

difusión [difu'sjon] *f* 1. *(de noticia, idea)* dissemination 2. *(de programa)* broadcasting

digerir [dixe'rir] *vt* to digest

digestión [dixes'tjon] *f* digestion ● hacer la digestión to digest

digital [dixi'tal] *adj* 1. *(en electrónica)* digital 2. *(de los dedos)* finger *(antes de s)*

dígito ['dixito] *m* digit

dignarse [diɣ'narse] *vp* to deign

dignidad [diɣni'ðaõ] *f* 1. *(decoro)* dignity 2. *(carga)* office

digno, na ['diɣno, na] *adj* 1. *(merecedor)* worthy 2. *(apropiado)* appropriate 3. *(honrado)* honourable

dilema [di'lema] *m* dilemma

diligente [dili'xente] *adj* diligent

diluviar [dilu'βjar] *vi* ● diluvió it poured with rain

diluvio [di'luβjo] *m* flood

dimensión [dimen'sjon] *f* 1. *(medida)* dimension 2. *(importancia)* extent

diminuto, ta [dimi'nuto, ta] *adj* tiny

dimitir [dimi'tir] *vi* ● dimitir (de) to resign (from)

Dinamarca [dina'marka] *s* Denmark

dinámico, ca [di'namiko, ka] *adj* dynamic

dinamita [dina'mita] *f* dynamite

dinastía [dinas'tia] *f* dynasty

dinero [di'nero] *m* money ● dinero de bolsillo pocket money ● dinero suelto loose change

diócesis ['djoθesis] *f inv* diocese

dios ['djos] *m* god ◆ **Dios** *m* God ● como Dios manda properly ● ¡Dios mío! my God! ● ¡por Dios! for God's sake!

diploma [di'ploma] *m* diploma

diplomacia [diplo'maθja] *f* diplomacy

diplomado, da [diplo'maðo, ða] *m,f* qualified man *(f* qualified woman) ◆ **diplomarse** [diplo'marse] ● diplomarse en *v* + *prep* to get a qualification in

diplomático, ca [diplo'matiko, ka] ◇ *adj* diplomatic ◇ *m,f* diplomat

diplomatura [diploma'tura] *f* degree awarded after three years of study

diptongo [dip'tongo] *m* diphthong

diputación [diputa'θjon] *f* *(edificio)* building that houses the diputación provincial ● diputación provincial governing body of each province of an autonomous region in Spain, ≃ county council *(UK)*, ≃ state assembly *(US)*

diputado, da [dipu'taðo, ða] *m,f* ≃ MP *(UK)*, ≃ representative *(US)*

dique ['dike] *m* dike ● dique seco dry dock

dirección [direk'θjon] *f* **1.** (*rumbo*) direction **2.** (*domicilio*) address **3.** (*de empresa*) management **4.** (*de vehículo*) steering ● **dirección de correo electrónico** e-mail address ● **calle de dirección única** one-way street ● **Dirección General de Tráfico** *Spanish traffic department*

para dar la dirección por escrito

Pon primero tu nombre, seguido del cargo en la empresa. Después, el nombre del departamento y la dirección de la empresa (como si fuera un sobre: número de la calle, nombre de la calle, ciudad y código postal). Luego, el número de teléfono, comenzando por el símbolo +, el prefijo (con el cero entre paréntesis, porque no se marca cuando se llama desde el extranjero. Así, un número de Londres, por ejemplo, se escribiría +44 (0) 20 con el número después). Finalmente, coloca el número de fax y la dirección de correo electrónico.

direccionales [direkθjo'nales] *mpl* (*Col & Méx*) indicators

directa [di'rekta] *f* (*en el coche*) top gear

directo, ta [di'rekto, ta] *adj* direct ● **en directo** live

director, ra [direk'tor, ra] *m,f* **1.** (*de empresa*) director (*UK*), CEO (*US*) **2.** (*de hotel*) manager (*f* manageress) **3.** (*de orquesta*) conductor **4.** (*de colegio*) head (*UK*), principal (*US*)

directorio [direk'torjo] *m* directory ● **directorio telefónico** (*Amér*) phone book

dirigente [diri'xente] *mf* **1.** (*de partido*) leader **2.** (*de empresa*) manager

dirigir [diri'xir] *vt* **1.** (*destinar*) to address **2.** (*conducir, llevar*) to steer **3.** (*gobernar*) to run **4.** (*película, obra de teatro, enfocar*) to direct **5.** (*orquesta*) to conduct **6.** (*periódico*) to edit **7.** (*guiar, orientar*) to guide ● **dirigir la palabra a alguien** to speak to sb ◆ **dirigirse a** *v + prep* **1.** (*ir, marchar*) to head for **2.** (*hablar a*) to speak to

discapacidad *f* disability

discapacitado, da ◇ *adj* disabled ● **las personas discapacitadas** people with disabilities ◇ *m,f* disabled person ● **los discapacitados** people with disabilities

discar [dis'kar] *vt* (*Amér*) to dial

disciplina [disθi'plina] *f* discipline

discípulo, la [dis'θipulo, la] *m,f* disciple

disco ['disko] *m* **1.** (*en música*) record **2.** (*cilindro*) disc **3.** (*semáforo*) (traffic) light **4.** (*en informática*) disk **5.** (*en deporte*) discus ● **disco compacto** compact disc

disconformidad [diskonformi'ðað] *f* disagreement

discoteca [disko'teka] *f* disco

discotequero, ra [diskote'kero, ra] *adj* (*fam*) disco (*antes de s*)

discreción [diskre'θjon] *f* discretion

discrepancia [diskre'panθja] *f* difference

discreto, ta [dis'kreto, ta] *adj* **1.** (*diplomático*) discreet **2.** (*mediano*) modest

discriminación [diskrimina'θjon] *f* discrimination

discriminar [diskrimi'nar] *vt* to discriminate against

disculpa [dis'kulpa] *f* 1. *(pretexto)* excuse 2. *(al pedir perdón)* apology ◆ **pedir disculpas** to apologize

disculpar [diskul'par] *vt* to excuse ◆ **disculparse** *vp* to apologize ◆ **se disculpó por llegar tarde** he apologized for arriving late

discurrir [disku'rir] *vi (pensar)* to reflect

discurso [dis'kurso] *m* speech

discusión [disku'sjon] *f* 1. *(debate)* discussion 2. *(riña)* argument

discutible [disku'tiβle] *adj* debatable

discutir [disku'tir] ◇ *vt* 1. *(debatir)* to discuss 2. *(contradecir)* to dispute ◇ *vi (reñir)* to argue

disecar [dise'kar] *vt* 1. *(planta)* to dry 2. *(animal)* to stuff

diseñador, ra [diseɲa'ðor, ra] *m,f* designer

diseñar [dise'ɲar] *vt* to design

diseño [di'seɲo] *m* design ◆ **de diseño** designer

disfraz [dis'fraθ, θes] *(pl* **-ces***) m* disguise

disfrazar [disfra'θar] *vt* to disguise ◆ **disfrazarse** *vp* ◆ **disfrazarse (de)** to dress up (as)

disfrutar [disfru'tar] *vi* to enjoy o.s. ◆ **disfrutar de** *v + prep* to enjoy

disgustar [disɣus'tar] *vt* to upset ◆ **disgustarse** *vp* to get upset

disgusto [dis'ɣusto] *m* annoyance ◆ **llevarse un disgusto** to be upset

disidente [disi'ðente] *mf* dissident

disimular [disimu'lar] ◇ *vt* to hide ◇ *vi* to pretend

disminución [disminu'θjon] *f* decrease

disminuir [dizminu'ir] *vt* to decrease

disolvente [disol'βente] *m* solvent

disolver [disol'βer] *vt* to dissolve

disparar [dispa'rar] *vt & vi* to shoot ◆ **dispararse** *vp* 1. *(actuar precipitadamente)* to go over the top 2. *(precios)* to shoot up

disparate [dispa'rate] *m* stupid thing

disparo [dis'paro] *m* shot

dispensar [dispen'sar] *vt* ◆ **lo dispensaron de presentarse el examen** he was excused from sitting the exam

dispersar [disper'sar] *vt* to scatter

disponer [dispo'ner] *vt* 1. *(colocar)* to arrange 2. *(preparar)* to lay on 3. *(suj: ley)* to stipulate ◆ **disponer de** *v + prep* 1. *(tener)* to have 2. *(usar)* to make use of ◆ **disponerse** *vp* ◆ **disponerse a** to get ready to

disponible [dispo'niβle] *adj* available

disposición [disposi'θjon] *f* 1. *(colocación)* arrangement 2. *(estado de ánimo)* mood 3. *(orden)* order ◆ **a disposición de** at the disposal of

dispositivo [disposi'tiβo] *m* device

dispuesto, ta [dis'pwesto, ta] ◇ *pp* > **disponer** ◇ *adj (preparado)* ready ◆ **dispuesto a** prepared to

disputa [dis'puta] *f* dispute

disputar [dispu'tar] ◇ *vt* 1. *(competición)* to compete in 2. *(premio)* to compete for ◇ *vi* to argue ◆ **disputarse** *vp (competir por)* to dispute

disquete [dis'kete] *m* diskette

disquetera [diske'tera] *f* disk drive

distancia [dis'tanθja] *f* 1. distance 2. *(en tiempo)* gap ◆ **¿a qué distancia?** how far away?

distanciarse [distanˈθjarse] *vp (perder afecto)* to grow apart

distante [disˈtante] *adj* 1. *(lugar)* far away 2. *(persona)* distant

distinción [distinˈθjon] *f* 1. *(diferencia)* distinction 2. *(elegancia)* refinement

distinguido, da [distinˈgiðo, ða] *adj* 1. *(elegante)* refined 2. *(notable, destacado)* distinguished

distinguir [distinˈgir] *vt* 1. *(diferenciar)* to distinguish 2. *(lograr ver)* to make out 3. *(destacar)* to pick out

distintivo [distinˈtiβo] *m* distinctive

distinto, ta [disˈtinto, ta] *adj* different

distracción [distrakˈθjon] *f* 1. *(falta de atención)* absent-mindedness 2. *(descuido)* slip 3. *(diversión)* entertainment

distraer [distraˈer] *vt (entretener)* to entertain ◆ **distraerse** *vp* 1. *(descuidarse)* to get distracted 2. *(no prestar atención)* to let one's mind wander 3. *(entretenerse)* to enjoy o.s.

distraído, da [distraˈiðo, ða] *adj* 1. *(entretenido)* entertaining 2. *(despistado)* absent-minded

distribución [distriβuˈθjon] *f* 1. *(de correo, mercancías)* delivery 2. *(comercial)* distribution

distribuir [distriβuˈir] *vt* 1. *(repartir)* to distribute 2. *(correo, mercancías)* to deliver

distrito [disˈtrito] *m* district ◆ **distrito postal** postal district

disturbio [disˈturβjo] *m* 1. *(tumulto)* disturbance 2. *(del orden público)* riot

diurno, na [diˈurno, na] *adj* daytime

diva [ˈdiβa] *f* diva

diván [diˈβan] *m* couch

diversidad [diβersiˈðað] *f* diversity

diversión [diβerˈsjon] *f* entertainment

diverso, sa [diˈβerso, sa] *adj* diverse ◆ **diversos** various

divertido, da [diβerˈtiðo, ða] *adj* 1. *(entretenido)* enjoyable 2. *(que hace reír)* funny

divertirse [diβerˈtirse] *vp* to enjoy o.s.

dividir [diβiˈðir] *vt* to divide

divino, na [diˈβino, na] *adj* divine

divisar [diβiˈsar] *vt* to spy

divisas [diˈβisas] *fpl* foreign exchange *sg*

división [diβiˈsjon] *f* division

divorciado, da [diβorˈθjaðo, ða] *m,f* divorcé (*f* divorcée)

divorciarse [diβorˈθjarse] *vp* to get divorced

divorcio [diˈβorθjo] *m* divorce

divulgar [diβulˈɣar] *vt* 1. *(secreto)* to reveal 2. *(rumor)* to spread 3. *(información)* to disseminate

DNI [ˈdeeneˈi] *m (abr de documento nacional de identidad)* ID card

dobladillo [doβlaˈðiʎo] *m* hem

doblaje [doˈβlaxe] *m* dubbing

doblar [doˈβlar] *vt* 1. *(plegar)* to fold 2. *(duplicar)* to double 3. *(flexionar)* to bend 4. *(en cine)* to dub ◆ **doblar la esquina** to go round the corner

doble [ˈdoβle] ◇ *adj & mf* double ◇ *m* ◆ **el doble (de)** twice as much ◆ **dobles** *mpl (en tenis)* doubles

doce [ˈdoθe] ◇ *adj inv* twelve ◇ *m* 1. twelve 2. *(día)* twelfth ◇ *mpl* 1. twelve 2. *(temperatura)* twelve (degrees) ◇ *fpl* ◆ **(son) las seis** (it's) twelve o'clock ◆ **el**

doce de agosto the twelfth of August ● **de doce en doce** in twelves ● **los doce** the twelve of them ● **empataron a doce** they drew twelve-all ● **doce a cero** twelve-nil

docena [do'θena] *f* dozen

docente [do'θente] *adj* teaching

dócil ['doθil] *adj* obedient

doctor, ra [dok'tor, ra] *m,f* doctor

doctorado [dokto'raðo] *m* doctorate

doctorarse [dokto'rarse] *vp* to get a doctorate

doctrina [dok'trina] *f* doctrine

documentación [dokumenta'θion] *f* papers *pl* ● **documentación del coche** registration documents *pl*

documental [dokumen'tal] *m* documentary

documento [doku'mento] *m* 1. *(escrito)* document 2. *(de identidad)* identity card 3. *(en historia)* record

dogma ['doɣma] *m* dogma

dogmático, ca [doɣ'matiko, ka] *adj* dogmatic

dólar ['dolar] *m* dollar

doler [do'ler] *vi* to hurt ● **me duele la pierna** my leg hurts ● **me duele la garganta** I have a sore throat

dolor [do'lor] *m* 1. *(daño)* pain 2. *(pena)* sorrow ● **tener dolor de cabeza** to have a headache ● **tener dolor de estómago** to have a stomachache ● **tener dolor de muelas** to have toothache

doloroso, sa [dolo'roso, sa] *adj* painful

domador, ra [doma'ðor, ra] *m,f* tamer

domar [do'mar] *vt* to tame

domesticar [domesti'kar] *vt* to tame

doméstico, ca [do'mestiko, ka] *adj* domestic

domicilio [domi'θilio] *m* 1. *(casa)* residence 2. *(dirección)* address ● **servicio a domicilio** home delivery

dominante [domi'nante] *adj* dominant

dominar [domi'nar] ◇ *vt* 1. *(persona, panorama)* to dominate 2. *(nación)* to rule 3. *(situación)* to be in control of 4. *(nervios, pasiones, etc)* to control 5. *(incendio)* to bring under control 6. *(idioma)* to be fluent in 7. *(divisar)* to overlook ◇ *vi* 1. *(sobresalir, destacar)* to stand out 2. *(ser característico)* to predominate ● **dominarse** *vp* to control o.s.

domingo [do'mingo] *m* Sunday ● **cada domingo, todos los domingos** every Sunday ● **caer en domingo** to be on a Sunday ● **el próximo domingo, el domingo que viene** next Sunday ● **viene el domingo** she's coming on Sunday ● **el domingo pasado** last Sunday ● **el domingo por la mañana/tarde/noche** (on) Sunday morning/afternoon/night ● **este domingo** *(pasado)* last Sunday; *(próximo)* this (coming) Sunday ● **los domingos** (on) Sundays ● **domingo de Pascua** Easter Sunday ● **domingo de Ramos** Palm Sunday

dominguero, ra [domin'gero, ra] *m,f* *(fam)* Sunday tripper

dominical [domini'kal] *m* Sunday supplement

dominio [do'minio] *m* 1. *(control)* control 2. *(autoridad)* authority 3. *(de una lengua)* command 4. *(territorio)* domain

5. *(ámbito)* realm

dominó [domi'no] *m (juego)* dominoes *sg*

don ['don] *m* **1.** *(regalo, talento)* gift **2.** *(tratamiento)* ≃ Mr.

donante [do'nante] *mf* donor

donativo [dona'tiβo] *m* donation

donde ['donde] ◇ *adv* where ● *pron* where ● el bolso está donde lo dejaste your bag is where you left it ● de/ desde donde from where ● por donde wherever ● la casa donde nací the house where I was born ● la ciudad de donde vengo the town I come from ● por donde where

dónde ['donde] *adv* where ● de dónde from where ● por dónde where

donut ® ['donut] *m (ring)* doughnut

dopaje [do'paxe] *m* doping

doparse [do'parse] *vp* to take artificial stimulants

doping ['dopin] *m* doping

dorado, da [do'raðo, ða] *adj* golden

dormir [dor'mir] ◇ *vi* to sleep ◇ *vt (niño)* to put to bed ● dormir con alguien to sleep with sb ◆ **dormirse** *vp* **1.** *(persona)* to fall asleep **2.** *(parte del cuerpo)* to go to sleep

dormitorio [dormi'torjo] *m* **1.** *(habitación)* bedroom **2.** *(mobiliario)* bedroom suite

dorsal [dor'sal] *adj* back *(antes de s)*

dorso ['dorso] *m* back ● dorso de la mano back of the hand

dos ['dos] ◇ *adj inv* two ◇ *m* **1.** two **2.** *(día)* second ◇ *mpl* **1.** two **2.** *(temperatura)* two *(degrees)* ◇ *fpl* ● **(son) las dos** (it's) two o'clock ● el dos de agosto the second of August ● doscientos dos two hundred and two ● treinta y dos thirty-two ● de dos en dos in twos ● los dos the two of them ● empataron a dos they drew two-all ● dos a cero two-nil ● cada dos por tres every five minutes

doscientos [dos'θjentos] *núm* two hundred ➤ **seis**

dosis ['dosis] *f inv* dose

dotado, da [do'taðo, ða] *adj* gifted ● dotado de paciencia blessed with patience ● dotado de ordenadores equipped with computers

dotar [do'tar] *vt* **1.** *(equipar, proveer)* to provide **2.** *(suj: naturaleza)* to endow

Dr. *(abr de doctor)* Dr. *(Doctor)*

Dra. *(abr de doctora)* Dr. *(Doctor)*

dragón [dra'yon] *m* dragon

drama ['drama] *m* **1.** *(obra)* play **2.** *(género)* drama **3.** *(desgracia)* tragedy

dramático, ca [dra'matiko, ka] *adj* dramatic

dramaturgo, ga [drama'turyo, ya] *m,f* playwright

droga ['droya] *f* drug ● la droga drugs *pl*

drogadicción [droyaðik'θjon] *f* drug addiction

drogadicto, ta [droya'ðikto, ta] *m,f* drug addict

droguería [droye'ria] *f shop selling paint, cleaning materials etc*

dto. *abrev* = descuento

dual [du'al] *adj (emisión) that can be listened to either dubbed or in the original language version*

ducha ['dutʃa] *f* shower ● darse una

ducha to have a shower

ducharse [du't3arse] *vp* to have a shower

duda ['duða] *f* doubt ● **sin duda alguna** without a doubt

dudar [du'ðar] *vi* to be unsure ● **dudar de** *v* + *prep* to have one's doubts about

duelo ['dµelo] *m* **1.** *(pelea)* duel **2.** *(en deporte)* contest **3.** *(pena)* grief

duende ['dµende] *m* **1.** *(de cuentos infantiles)* goblin **2.** *(gracia, encanto)* charm ● **tener duende** to have a certain something

dueño, ña ['dµeno, na] *m,f* **1.** *(propietario)* owner **2.** *(de piso)* landlord *(f* landlady)

dulce ['dulθe] ◇ *adj* **1.** sweet **2.** *(agua)* fresh ◇ *m* **1.** *(caramelo, postre)* sweet, candy *(US)* **2.** *(pastel)* cake ● **dulce de membrillo** quince jelly

dulzura [dul'θura] *f* sweetness

duna ['duna] *f* dune

dúo ['dµo] *m* duet

dúplex ['dupleks] *m inv* duplex

duplicar [dupli'kar] *vt* to double

duración [dura'θjon] *f* length

durante [du'rante] *adv* during ● **durante toda la semana** all week ● **lo estuve haciendo durante dos horas** I was doing it for two hours

durar [du'rar] *vi* **1.** *(prolongarse)* to last **2.** *(resistir)* to wear well

durazno [du'raθno] *m (Amér)* peach

durex ® [du'reks] *m (Amér)* Sellotape *(UK)*, Scotch tape *(US)*

dureza [du'reθa] *f* **1.** hardness **2.** *(callosidad)* callus **3.** *(de carácter)* harshness

duro, ra ['duro, ra] ◇ *adj* **1.** hard **2.** *(carácter, persona, clima)* harsh **3.** *(carne)* tough **4.** *(pan)* stale ◇ *adv* hard

DVD *(abr de* Digital Video Disc *o* Digital Versatile Disc) *m* **1.** *(disco)* DVD **2.** *(aparato)* DVD drive

DVD-ROM *m (abr de* Disco Versátil Digital Read-Only Memory) DVD-ROM *(Digital Video or Disc read only memory)*

DYA *m (Esp) (abr de* detente y ayuda) *voluntary organisation giving assistance to motorists*

E

E *(abr de* este) E *(east)*

ébano ['eβano] *m* ebony

ebrio, ebria ['eβrjo, 'eβrja] *adj (formal)* drunk

ebullición [eβuʎi'θjon] *f* boiling

echado, da [e'tʒaðo, ða] *adj (acostado)* lying down

echar [e'tʒar] ◇ *vt* **1.** *(tirar)* to throw ● **echó la pelota** she threw the ball **2.** *(añadir)* ● **echar sal a la sopa** to add salt to the soup ● **echar vino en la copa** to pour wine into the glass **3.** *(reprimenda, discurso)* to give ● **me echaron la buenaventura** I had my fortune told **4.** *(carta, postal)* to post *(UK)*, to mail *(US)* **5.** *(expulsar)* to throw out; *(del trabajo)* to sack ● **lo echaron del colegio** they threw him out of school **6.** *(humo, vapor, chispas)* to give off **7.** *(accionar)* ● **echar la llave/el**

cerrojo to lock/bolt the door ● **echar el freno** to brake **8.** *(flores, hojas)* to sprout **9.** *(acostar)* to lie (down) ● **echa al niño en el sofá** lie the child down on the sofa **10.** *(calcular)* ● **¿cuántos años me echas?** how old would you say I am? **11.** *(fam) (en televisión, cine)* to show ● **¿qué echan esta noche en la tele?** what's on telly tonight? **12.** *(en locuciones)* ● **echar abajo** *(edificio)* to pull down; *(gobierno)* to bring down; *(proyecto)* to ruin ● **echar de menos** to miss

◇ *vi* **1.** *(dirigirse)* ● **echó por el camino más corto** he took the shortest route **2.** *(empezar)* ● **echar a hacer algo** to begin to do sthg ● **echar a correr** to break into a run

● **echarse** *vp (lanzarse)* to throw o.s.; *(acostarse)* to lie down ● **nos echamos a la carretera** we set out on the road ● **echarse a hacer algo** *(empezar)* to begin to do sthg

eclesiástico, ca [ekle'sjastiko, ka] *adj* ecclesiastical

eclipse [e'klipse] *m* eclipse

eco ['eko] *m* echo ● **tener eco** to arouse interest

ecología [ekolo'xia] *f* ecology

ecológico, ca [eko'loxiko, ka] *adj* ecological

economía [ekono'mia] *f* **1.** *(administración)* economy **2.** *(ciencia)* economics ◆ **economías** *fpl (ahorros)* savings

económico, ca [eko'nomiko, ka] *adj* **1.** *(situación, crisis)* economic **2.** *(barato)* cheap **3.** *(motor, dispositivo)* economical

economista [ekono'mista] *mf* economist

ecosistema [ekosis'tema] *m* ecosystem

ecotasa *f* environmental tax, green tax

ecu ['eku] *m* ecu

ecuación [ekɥa'θjon] *f* equation

ecuador [ekɥa'ðor] *m* equator

Ecuador [ekɥa'ðor] *s* Equador

ecuatoriano, na [ekɥato'rjano, na] *adj & m,f* Equadorian

edad [e'ðað] *f* age ● **tengo 15 años de edad** I'm 15 (years old) ● **la Edad Media** the Middle Ages *pl*

edición [eði'θjon] *f* **1.** *(publicación)* publication **2.** *(ejemplares)* edition

edificante [eðifi'kante] *adj* exemplary

edificar [eðifi'kar] *vt* to build

edificio [eði'fiθjo] *m* building

editar [eði'tar] *vt* **1.** *(publicar)* to publish **2.** *(disco)* to release

editor, ra [eði'tor, ra] *m,f* publisher

editorial [eðito'rjal] *f* publishing house

edredón [eðre'ðon] *m* duvet

educación [eðuka'θjon] *f* **1.** *(formación)* education **2.** *(cortesía, urbanidad)* good manners *pl*

educado, da [eðu'kaðo, ða] *adj* polite ● **bien educado** polite ● **mal educado** rude

educar [eðu'kar] *vt* **1.** *(hijos)* to bring up **2.** *(alumnos)* to educate **3.** *(sensibilidad, gusto)* to refine

educativo, va [eðuka'tiβo, βa] *adj* **1.** educational **2.** *(sistema)* education *(antes de s)*

EEUU *mpl (abr de Estados Unidos)* USA *(United States of America)*

efectivo [efek'tiβo] *m* cash ● **en efectivo** in cash

efecto [e'fekto] *m* **1.** *(resultado)* effect **2.** *(impresión)* impression ● **en efecto** indeed ● **efectos personales** personal belongings ● **efecto secundarios** side effects

efectuar [efektu'ar] *vt* **1.** *(realizar)* to carry out **2.** *(compra, pago, viaje)* to make

eficacia [efi'kaθja] *f* **1.** *(de persona)* efficiency **2.** *(de medidas, plan)* effectiveness

eficaz [efi'kaθ, θes] *(pl* **-ces***) adj* **1.** *(persona)* efficient **2.** *(medidas, plan)* effective

eficiente [efi'θjente] *adj* **1.** *(medicamento, solución, etc)* effective **2.** *(trabajador)* efficient

EGB [exeβ'e] *f (abr de* **Enseñanza General Básica***) former Spanish primary education system for pupils aged 6-14*

Egipto [e'xipto] *s* Egypt

egoísmo [eɣo'izmo] *m* selfishness

egoísta [eɣo'ista] *adj* selfish

egresado, da [eɣre'saðo, ða] *m,f (Amér)* graduate

egresar [eɣre'sar] *vi (Amér)* to graduate

ej. *(abr de* **ejemplo***)* eg. *(exempli gratia)*

eje ['exe] *m* **1.** *(de rueda)* axle **2.** *(centro, en geometría)* axis

ejecución [exeku'θjon] *f (de condenado)* execution

ejecutar [exeku'tar] *vt* **1.** *(realizar)* to carry out **2.** *(matar)* to execute

ejecutivo, va [exeku'tiβo, βa] *m,f* executive

ejemplar [exem'plar] ◇ *adj* exemplary ◇ *m* **1.** *(de especie, raza)* specimen **2.** *(de libro)* copy **3.** *(de revista)* issue

ejemplo [e'xemplo] *m* example ● **poner un ejemplo** to give an example ● **por ejemplo** for example

ejercer [exer'θer] *vt* **1.** *(profesión, actividad)* to practise **2.** *(influencia, autoridad)* to have

ejercicio [exer'θiθjo] *m* **1.** exercise **2.** *(de profesión, actividad)* practising ● **ejercicio físico** physical exercise

ejército [e'xerθito] *m* army

ejote [e'xote] *m (Amér)* green bean

el, la [el, la] *(pl* **los, las***) art* **1.** *(con sustantivo genérico)* the ● **el coche** the car ● **las niñas** the girls ● **el agua/hacha/águila** the water/axe/eagle **2.** *(con sustantivo abstracto)* ● **el amor** love ● **la vida** life ● **los celos** jealousy *sg* **3.** *(indica posesión, pertenencia)* ● **se rompió la pierna** he broke his leg ● **tiene el pelo oscuro** she has dark hair **4.** *(con días de la semana)* ● **vuelven el sábado** they're coming back on Saturday **5.** *(antes de adj)* ● **prefiero la blanca** I prefer the white one **6.** *(en locuciones)* ● **cogeré el de atrás** I'll take the one at the back ● **mi hermano y el de Juan** my brother and Juan's ● **el que** *(persona)* whoever; *(cosa)* whichever (one) ● **el que más me gusta** the one I like best

él, ella ['el, 'eʎa] *(pl* **ellos, ellas***) pron* **1.** *(sujeto, predicado)* he *(f* she), they *pl*; *(animal, cosa)* it, they *pl* ● **la culpa la tiene él** he's to blame ● **ella es una amiga de la familia** she's a friend of the family **2.** *(complemento)* him *(f* her), them *pl*; *(animal, cosa)* it, them *pl* ● **voy a ir de vacaciones con ellos** I'm going on holiday with them **3.** *(posesivo)* ● **de él** his ● **de ella** hers

elaborar [elaβo'rar] *vt* **1.** *(preparar)* to make **2.** *(idea)* to work out **3.** *(plan, lista)* to draw up

elasticidad [elastiθi'ðað] *f* elasticity

elástico, ca [e'lastiko, ka] *adj* elastic ● **elásticos** *mpl (para pantalones)* braces (UK), suspenders (US)

elección [elek'θjon] *f* **1.** *(de regalo, vestido, etc)* choice **2.** *(de presidente, jefe, etc)* election ● **elecciones** *fpl* elections

electricidad [elektriθi'ðað] *f* electricity

electricista [elektri'θista] *mf* electrician

eléctrico, ca [e'lektriko, ka] *adj* electric

electrocutar [elektroku'tar] *vt* to electrocute

electrodoméstico [elektroðo'mestiko] *m* electrical household appliance

electrónica [elek'tronika] *f* electronics

electrónico, ca [elek'troniko, ka] *adj* electronic

elefante [ele'fante] *m* elephant

elegancia [ele'ɣanθja] *f* **1.** elegance **2.** *(de comportamiento)* dignity

elegante [ele'ɣante] *adj* **1.** elegant **2.** *(comportamiento)* dignified

elegir [ele'xir] *vt* **1.** *(escoger)* to choose **2.** *(en votación)* to elect

elemental [elemen'tal] *adj* **1.** *(sencillo)* obvious **2.** *(fundamental)* basic

elemento [ele'mento] *m* **1.** element **2.** *(factor)* factor ● **elementos** *mpl (fuerzas de la naturaleza)* elements

elevación [eleβa'θjon] *f* rise

elevado, da [ele'βaðo, ða] *adj* **1.** high **2.** *(edificio, monte)* tall

elevador [eleβa'ðor] *m (CAm & Méx)*

lift (UK), elevator (US)

elevadorista [eleβaðo'rista] *mf (CAm & Méx)* lift attendant (UK), elevator operator (US)

elevar [ele'βar] *vt* **1.** to raise **2.** *(ascender)* to promote ● **elevarse** *vp (subir)* to rise

eliminación [elimina'θjon] *f* elimination

eliminar [elimi'nar] *vt* to eliminate

élite ['elite] *f* elite

ella ['eʎa] > **él**

ello ['eʎo] *pron neutro* it

ellos, ellas ['eʎos, 'eʎas] *pron pl* **1.** *(sujeto)* they **2.** *(complemento)* them ● **de ellos/ellas** theirs

elocuencia [elo'kwenθja] *f* eloquence

elocuente [elo'kwente] *adj* eloquent

elogiar [elo'xjar] *vt* to praise

elogio [e'loxjo] *m* praise

elote [e'lote] *m (Méx & CAm)* cob

eludir [elu'ðir] *vt* to avoid

emancipado, da [emanθi'paðo, ða] *adj* emancipated

emanciparse [emanθi'parse] *vp* to become emancipated

embajada [emba'xaða] *f* **1.** *(lugar)* embassy

embajador, ra [embaxa'ðor, ra] *m,f* ambassador

embalar [emba'lar] *vt* to wrap up ● **embalarse** *vp* to race away

embalsamar [embalsa'mar] *vt* to embalm

embalse [em'balse] *m* reservoir

embarazada [embara'θaða] *adj f* pregnant

embarazo [emba'raθo] *m* **1.** *(de mujer)* pregnancy **2.** *(dificultad)* obstacle

embarcación [embarka'θjon] *f* boat

embarcadero [embarka'ðero] *m* jetty

embarcar [embar'kar] *vi* to board ◆ **embarcarse** *vp* **1.** *(pasajeros)* to board **2.** *(en asunto, negocio)* to get involved

embargar [embar'ɣar] *vt (bienes, propiedades)* to seize

embargo [em'barɣo] *m (de bienes)* seizure ● **sin embargo** however

embarque [em'barke] *m* **1.** *(de pasajeros)* boarding **2.** *(de equipaje)* embarkation

embestir [embes'tir] *vt* to attack

emblema [em'blema] *m* **1.** *(símbolo)* symbol **2.** *(distintivo)* emblem

emborracharse [embora'tʃarse] *vp* to get drunk

emboscada [embos'kaða] *f* ambush

embotellado, da [embote'ʎaðo, ða] *adj* **1.** *(vino, licor)* bottled **2.** *(calle, circulación)* blocked

embotellamiento [emboteʎa'mjento] *m* **1.** *(de tráfico)* traffic jam **2.** *(de vino, agua)* bottling

embotellar [embote'ʎar] *vt (líquido)* to bottle

embrague [em'braɣe] *m* clutch

embrión [embri'on] *m* embryo

embrujar [embru'xar] *vt* to bewitch

embudo [em'buðo] *m* funnel

embustero, ra [embus'tero, ra] *m,f* liar

embutidos [embu'tiðos] *mpl* cold meat *sg* (UK), cold cuts (US)

emergencia [emer'xenθja] *f* emergency

emigración [emiɣra'θjon] *f* **1.** *(de familia, pueblo)* emigration **2.** *(de animales)* migration

emigrante [emi'ɣrante] *mf* emigrant

emigrar [emi'ɣrar] *vi* **1.** *(persona, pueblo)* to emigrate **2.** *(animal)* to migrate

eminente [emi'nente] *adj* eminent

emisión [emi'sjon] *f* **1.** *(de sonido)* emission **2.** *(del mensaje)* transmission **3.** *(programa)* broadcast **4.** *(de juicio, opinión, etc)* expression

emisor, ra [emi'sor, ra] *adj* broadcasting

emisora [emi'sora] *f* radio station

emitir [emi'tir] *vt* **1.** *(palabras)* to utter **2.** *(sonido)* to emit **3.** *(programa, música, etc)* to broadcast **4.** *(juicio, opinión, etc)* to express

emoción [emo'θjon] *f* emotion ● **¡qué emoción!** how exciting!

emocionado, da [emoθjo'naðo, ða] *adj* excited

emocionante [emoθjo'nante] *adj* exciting

emocionarse [emoθjo'narse] *vp* to get excited

empacar [empa'kar] *vi (Amér)* to pack

empacho [em'patʃo] *m (de comida)* upset stomach

empanada [empa'naða] *f* pasty (UK), turnover (US) ● **empanada gallega** *pasty containing tomato, tuna and peppers*

empanadilla [empana'ðiʎa] *f* small pasty (UK), small turnover (US)

empapado, da [empa'paðo, ða] *adj (mojado)* soaked

empapar [empa'par] *vt (mojar)* to soak ◆ **empaparse** *vp* to get soaked

empapelar [empape'lar] *vt* to paper

empaquetar [empake'tar] *vt* to pack ▼ empaquetado para regalo gift-wrapped

empastar [empas'tar] *vt* to fill

empaste [em'paste] *m* filling

empatar [empa'tar] ◇ *vi* to draw ◇ *vt* (*Andes & Ven*) to connect

empate [em'pate] *m* **1.** (*en juego, deporte*) draw (*UK*), tie **2.** (*Andes & Ven*) (*empalme*) connection ● **empate a dos** two-two draw

empeñar [empe'ɲar] *vt* (*joyas, bienes*) to pawn ● **empeñarse** *vp* (*endeudarse*) to get into debt ◆ **empeñarse en** *v + prep* (*insistir en*) to insist on

empeño [em'peɲo] *m* (*constancia*) determination

empeorar [empeo'rar] ◇ *vt* to make worse ◇ *vi* to get worse

emperador, triz [empera'ðor, 'triθ] (*fpl -ces*) ◇ *m,f* emperor (*f* empress) ◇ *m* (*pez*) swordfish

empezar [empe'θar] *vt & vi* to begin, to start ● **empezar a hacer algo** to begin to do sthg, to start to do sthg

epidermis [epi'ðermis] *f inv* epidermis

empinado, da [empi'naðo, ða] *adj* steep

empleado, da [emple'aðo, ða] *m,f* employee ● **empleado de banco** bank clerk

emplear [emple'ar] *vt* **1.** (*trabajador*) to employ **2.** (*objeto, herramienta*) to use **3.** (*dinero, tiempo*) to spend ● **emplearse en** *v + prep* (*empresa, oficina*) to get a job in

empleo [em'pleo] *m* **1.** (*trabajo en general*) employment **2.** (*puesto*) job **3.** (*uso*) use

empotrado, da [empo'traðo, ða] *adj* built-in ● **armario empotrado** fitted wardrobe (*UK*), built-in closet (*US*)

emprender [empren'der] *vt* **1.** (*tarea, negocio, etc*) to start **2.** (*viaje*) to set off on

empresa [em'presa] *f* company

empresario, ria [empre'sarjo, rja] *m,f* businessman (*f* businesswoman)

empujar [empu'xar] *vt* to push ● **empujar a alguien a hacer algo** to push sb into doing sthg

empujón [empu'xon] *m* shove ● **a empujones** by pushing

en [en] *prep* **1.** (*en el interior de*) in ● **viven en la capital** they live in the capital **2.** (*sobre la superficie de*) on ● **en el plato/la mesa** on the plate/table **3.** (*en un punto concreto de*) at ● **en casa/el trabajo** at home/work **4.** (*dirección*) into ● **el avión cayó en el mar** the plane fell into the sea ● **entraron en la habitación** they came into the room **5.** (*tiempo*) in; (*día*) on; (*período, momento*) at ● **llegará en mayo/Navidades** she will arrive in May/at Christmas ● **nació en 1940/sábado** he was born in 1940/on a Saturday ● **en un par de días** in a couple of days **6.** (*medio de transporte*) by ● **ir en coche/tren/avión/barco** to go by car/train/plane/boat **7.** (*modo*) in ● **lo dijo en inglés** she said it in English ● **todo se lo gasta en ropa** he spends it all on clothes ● **en voz baja** in a low voice ● **aumentar en un 10%** to increase by 10% **8.** (*precio*) in ● **las ganancias se calculan en millones** profits are calculated in millions ● **te lo dejo en 500 euros** I'll let you have it for 500 euros **9.** (*tema*) ● **es un experto en matemáticas** he's an expert on mathematics ● **es doctor en medicina** he's a doctor of medicine **10.** (*cualidad*) ● **rápido en actuar** quick to act ● **le**

supera en inteligencia she is more intelligent than he is

enaguas [e'naɣuas] *fpl* underskirt *sg*, slip *sg* (US)

enamorado, da [enamo'raðo, ða] *adj* ◆ **enamorado (de)** in love (with)

enamorarse [enamo'rarse] *vp* ◆ **enamorarse (de)** to fall in love (with)

enano, na [e'nano, na] ◇ *adj* (*verdura*) baby (*antes de s*) ◇ *m,f* dwarf

encabezar [enkaβe'θar] *vt* 1. (*lista, carta, escrito*) to head 2. (*grupo*) to lead

encadenar [enkaðe'nar] *vt* 1. (*atar*) to chain 2. (*enlazar*) to link ◆ **encadenarse** *vp* (*hechos, sucesos*) to happen one after the other

encajar [enka'xar] ◇ *vt* 1. (*meter*) to fit 2. (*aceptar*) to take ◇ *vi* 1. (*caber*) to fit 2. (*cuadrar*) to square

encaje [en'kaxe] *m* 1. (*tejido*) lace 2. (*de vestido, camisa*) lace trim

encalar [enka'lar] *vt* to whitewash

encantado, da [enkan'taðo, ða] ◇ *adj* 1. (*satisfecho*) delighted 2. (*lugar, edificio*) haunted 3. (*persona*) bewitched ◇ *interj* ◆ **encantado (de conocerle)** pleased to meet you

encantador, ra [enkanta'ðor, ra] *adj* delightful

encantar [enkan'tar] *vt* (*hechizar*) to cast a spell on ◆ **me encanta bailar** I love dancing ◆ **¡me encanta!** I love it! ◆ **encantarse** *vp* (*distraerse*) to be entranced

encanto [en'kanto] *m* 1. (*atractivo*) charm 2. (*hechizo*) spell

encapotado, da [enkapo'taðo, ða] *adj* overcast

encapricharse [enkapri'tʒarse] *vp* ◆ **encapricharse con** (*obstinarse*) to set one's mind on

encarar [enka'rar] *vt* (*problema, riesgo*) to face up to ◆ **encararse** *vp* ◆ **encararse a** to confront

encarcelar [enkarθe'lar] *vt* to imprison

encarecer [enkare'θer] *vt* (*precio*) to make more expensive

encargado, da [enkar'ɣaðo, ða] *m,f* 1. (*responsable*) person in charge 2. (*de tienda, negocio*) manager (*f* manageress)

encargar [enkar'ɣar] *vt* 1. (*pedir*) to order 2. (*poner al cuidado*) to put in charge ◆ **encargarse de** *v + prep* to see to, to take care of

encargo [en'karɣo] *m* 1. (*pedido*) order 2. (*tarea*) task 3. (*recado*) errand

encariñarse [enkari'narse] ◆ **encariñarse con** *v + prep* to become fond of

encarnado, da [enkar'naðo, ða] *adj* 1. (*rojo*) red 2. (*personificado*) incarnate

encausar [enkau'sar] *vt* to prosecute

encendedor [enθende'ðor] *m* lighter

encender [enθen'der] *vt* 1. (*fuego, cigarrillo*) to light 2. (*luz, gas, aparato eléctrico*) to turn on 3. (*motor*) to start up

encendido [enθen'diðo] *m* (*de motor*) ignition

encerado [enθe'raðo] *m* 1. (*pizarra*) blackboard 2. (*del suelo*) polishing

encerrar [enθe'rar] *vt* 1. (*recluir*) to lock up 2. (*contener*) to contain ◆ **encerrarse** *vp* to shut o.s. away

encestar [enθes'tar] *vi* to score a basket

enchilarse [entʒi'larse] *vp* 1. (*Amér*) (*con chile*) to eat a mouthful of very hot food **2.** *(fig)* *(enfadarse)* to get angry

enchinar [entʃi'nar] *vt* *(Amér)* to curl

enchufar [entʃu'far] *vt* **1.** *(conectar)* to plug in **2.** *(encender)* to turn on **3.** *(fam)* *(a una persona)* to pull strings for

enchufe [en'tʃufe] *m* **1.** *(de aparato)* plug **2.** *(de pared)* socket **3.** *(fam)* *(recomendación)* connections *pl*

encía [en'θia] *f* gum

enciclopedia [enθiklo'peðja] *f* encyclopedia

encierro [en'θjero] *m* **1.** *(de personas)* sit-in **2.** *(de toros)* running of the bulls to the enclosure where they are kept before a bullfight

encima [en'θima] *adv* **1.** *(arriba)* on top **2.** *(en edificio)* upstairs **3.** *(además)* on top of that ● **no llevo dinero encima** I haven't got any money on me ● **encima de** *(en lugar superior)* above; *(en edificio)* upstairs from; *(sobre)* on (top of) ● **por encima** *(superficialmente)* superficially ● **por encima de** *(más arriba de)* over ● **por encima de sus posibilidades** beyond his means ● **por encima de todo** more than anything

encimera [enθi'mera] *f* worktop *(UK)*, counter *(US)*

encina [en'θina] *f* holm oak

encinta [en'θinta] *adj f* pregnant

encoger [enko'xer] ◇ *vt* *(piernas)* to pull in ◇ *vi* to shrink ● **encogerse** *vp* **1.** *(tejido, ropa)* to shrink **2.** *(persona)* to get scared ● **encogerse de hombros** to shrug one's shoulders

encolar [enko'lar] *vt* *(pegar)* to glue

encolerizarse [enkoleri'θarse] *vp* to get angry

encomienda [enkomi'enða] *f* *(Amér)* parcel *(UK)*, package *(US)*

encontrar [enkon'trar] *vt* **1.** *(hallar)* to find **2.** *(persona)* to meet ● **encontrar trabajo** to find work ● **encontrarse** *vp* **1.** *(coincidir)* to meet **2.** *(hallarse)* to be

encrespado, da [enkres'paðo, ða] *adj* **1.** *(pelo)* curly **2.** *(mar)* rough

encrucijada [enkruθi'xaða] *f* crossroads *sg*

encuadernar [enkwaðer'nar] *vt* to bind

encuadre [en'kwaðre] *m* *(de foto)* composition

encubrir [enku'βrir] *vt* to conceal

encuentro [en'kwentro] *m* **1.** *(con persona)* meeting **2.** *(partido)* match *(UK)*, game

encuesta [en'kwesta] *f* survey

encuestador, ra [enkwesta'ðor, ra] *m,f* pollster

enderezar [endere'θar] *vt* **1.** *(lo torcido)* to straighten **2.** *(lo caído)* to put upright **3.** *(persona, negocio, trabajo)* to set right

endeudado, da [endeu'ðaðo, ða] *adj* in debt

endivia [en'diβja] *f* endive ● **endivias al roquefort** endives in a Roquefort sauce

enemigo, ga [ene'miyo, ya] *m,f* enemy ● **ser enemigo de** to hate

energía [ener'xia] *f* **1.** *(en física, etc)* energy **2.** *(de persona)* strength ● **energía atómica** nuclear power

enérgico, ca [e'nerxiko, ka] *adj* energetic

enero [e'nero] *m* January ➤ **setiembre**

enfadado, da [enfa'ðaðo, ða] *adj* angry

enfadarse [enfa'ðarse] *vp* to get angry

enfado [en'faðo] *m* anger

enfermar [enfer'mar] *vi* to fall ill (UK), to get sick (US) ◆ **enfermarse** *vp* (Amér) to fall ill (UK), to get sick (US)

enfermedad [enferme'ðað] *f* **1.** (caso concreto) illness **2.** (morbo) disease

enfermería [enferme'ria] *f* sick bay

enfermero, ra [enfer'mero, ra] *m,f* nurse

enfermizo, za [enfer'miθo, θa] *adj* unhealthy

enfermo, ma [en'fermo, ma] ◇ *adj* ill, sick ◇ *m,f* **1.** (persona enferma) sick person **2.** (en el hospital) patient ● **ponerse enfermo** to fall ill (UK), to get sick (US)

enfocar [enfo'kar] *vt* **1.** (luz, foco) to shine **2.** (cámara) to focus **3.** (tema, cuestión, problema) to look at

enfoque [en'foke] *m* **1.** (de cámara) focus **2.** (de cuestión, problema) approach

enfrentamiento [enfrenta'miento] *m* confrontation

enfrentarse [enfren'tarse] *vp* to clash ● **enfrentarse a** (oponerse a) to confront

enfrente [en'frente] *adv* opposite ● **enfrente de** opposite ● **la casa de enfrente** the house across the road

enfriamiento [enfria'miento] *m* cold

enfriarse [enfri'arse] *vp* **1.** (comida, bebida) to get cold **2.** (relación) to cool down **3.** (resfriarse) to catch a cold

enganchar [engan'tʃar] *vt* **1.** (objeto, papel) to hang up **2.** (caballos, caravana, coche) to hitch up ◆ **engancharse** *vp* (ropa, persona) to get caught

enganche [en'gantʃe] *m* **1.** (Méx) (depósito) deposit **2.** (mecanismo, pieza) hook

● **$50 de enganche** (Amér) a \$50 deposit

engañar [enga'ɲar] *vt* **1.** (decir mentiras a) to deceive **2.** (timar) to cheat **3.** (a cónyuge) to cheat on ◆ **engañarse** *vp* (equivocarse) to be wrong

engaño [en'gaɲo] *m* **1.** (mentira) deceit **2.** (timo) swindle **3.** (infidelidad) cheating

engañoso, sa [enga'ɲoso, sa] *adj* **1.** (apariencia) deceptive **2.** (mirada, palabra) deceitful

engendrar [enxen'drar] *vt* **1.** (persona, animal) to give birth to **2.** (sentimiento) to give rise to

englobar [englo'βar] *vt* to bring together

engordar [engor'ðar] *vi* **1.** (persona) to put on weight **2.** (alimento) to be fattening ◆ **engordarse** *vp* to put on weight

engranaje [engra'naxe] *m* (de coche) gears *pl*

engrapadora [engrapa'ðora] *f* (Amér) stapler

engrapar [engra'par] *f* (Amér) to staple

engrasar [engra'sar] *vt* **1.** (mecanismo, pieza) to lubricate **2.** (ensuciar) to make greasy

engreído, da [engre'iðo, ða] *adj* conceited

enhorabuena [enora'βuena] ◇ *f* congratulations *pl* ◇ *interj* congratulations! ● **dar la enhorabuena** to congratulate

enigma [e'niɣma] *m* enigma

enjabonar [enxaβo'nar] *vt* **1.** (ropa) to soap **2.** (fig) (persona) to butter up ◆ **enjabonarse** *vp* to soap o.s. down

enjuagar [enxua'ɣar] *vt* to rinse ◆

enjuagarse *vp (boca)* to rinse out one's mouth

enlace [en'laθe] ◇ *m* 1. *(de trenes)* connection 2. *(de carreteras)* link 3. *INFORM* link 4. *(formal) (matrimonio)* marriage ◇ *mf (intermediario)* go-between

enlazar [enla'θar] ◇ *vt* 1. *(conectar)* to tie 2. *(relacionar)* to connect ◇ *vi* ◦ **enlazar con** to connect with

enlosar [enlo'sar] *vt* to pave

enmendar [emmen'dar] *vt (corregir)* to correct ◦ **enmendarse** *vp* to mend one's ways

enmienda [em'mjenda] *f* 1. *(corrección)* correction 2. *(de ley)* amendment

enmudecer [emmuðe'θer] *vi* to be struck dumb

enojado, da [eno'xaðo, ða] *adj* annoyed

enojar [eno'xar] *vt* 1. *(enfadar)* to anger 2. *(molestar)* to annoy ◦ **enojarse** *vp* 1. *(enfadarse)* to get angry 2. *(molestarse)* to get annoyed

enojo [e'noxo] *m* 1. *(enfado)* anger 2. *(molestia)* annoyance

enorme [e'norme] *adj* huge

enredadera [enreða'ðera] *f* creeper

enredar [enre'ðar] *vt (lana, hilo, pelo)* to tangle ◦ **enredar a alguien en** *(complicar)* to involve sb in

enredo [en'reðo] *m* 1. *(de lana, hilo, etc)* tangle 2. *(situación difícil, desorden)* mess

enriquecer [enrike'θer] *vt* to make rich ◦ **enriquecerse** *vp* to get rich

enrojecer [enroxe'θer] ◇ *vt* to redden ◇ *vi (sonrojarse)* to blush

enrollar [enro'ʎar] *vt* to roll up ◦ **enrollarse** *vp* 1. *(fam) (hablar mucho)* to go on and on 2. *(ligar)* to get off with each other *(UK)*, to hook up *(US)*

ensaimada [ensai'maða] *f* cake made of sweet, coiled pastry

ensalada [ensa'laða] *f* salad ◦ **ensalada de lechuga** lettuce salad ◦ **ensalada mixta** mixed salad ◦ **ensalada variada o del tiempo** *salad of lettuce, tomato, carrot and onion* ◦ **ensalada verde** green salad

ensaladera [ensala'ðera] *f* salad bowl

ensaladilla [ensala'ðiʎa] *f* ◦ **ensaladilla (rusa)** Russian salad

ensanchar [ensan'tʃar] *vt* 1. *(camino)* to widen 2. *(falda, pantalón)* to let out

ensayar [ensa'jar] *vt* 1. *(espectáculo)* to rehearse 2. *(mecanismo, invento)* to test

ensayo [en'sajo] *m* 1. *(de espectáculo)* rehearsal 2. *(de mecanismo, invento)* test 3. *(escrito)* essay

enseguida [ense'ɣiða] *adv* 1. *(inmediatamente)* immediately 2. *(pronto)* very soon

ensenada [ense'naða] *f* cove

enseñanza [ense'naɲθa] *f* 1. *(método, sistema)* education 2. *(profesión)* teaching

enseñar [ense'ɲar] *vt* 1. *(en escuela, universidad)* to teach 2. *(indicar, mostrar)* to show

enseres [en'seres] *mpl* belongings

ensopar [enso'par] *vt (Col, RP & Ven)* to soak

ensuciar [ensu'θjar] *vt* to make dirty ◦ **ensuciarse** *vp* to get dirty

ente ['ente] *m* 1. *(ser)* being 2. *(asociación)* organization

entender [enten'der] ◇ *vt* 1. to understand **2.** *(opinar)* to think ◇ *vi* to understand ● **entender de** *v + prep (saber de)* to be an expert on ● **entenderse** *vp* **1.** *(comprenderse)* to understand each other **2.** *(llegar a un acuerdo)* to reach an agreement **3.** *(fam) (estar liado)* to be involved ● **entenderse bien/mal con** to get on well/badly with

entendido, da [enten'diðo, ða] *m,f* expert

enterarse [ente'rarse] ● **enterarse de** *v + prep* **1.** *(noticia, suceso)* to find out about **2.** *(fam) (darse cuenta de)* to realize

entero, ra [en'tero, ra] *adj* **1.** whole **2.** *(de carácter)* composed ● **por entero** entirely

enterrar [ente'rar] *vt* to bury

entidad [enti'ðað] *f (asociación)* body

entierro [en'tjero] *m* burial

entlo *abrev* = **entresuelo**

entonces [en'tonθes] *adv* then ● **desde entonces** since then

entrada [en'traða] *f* **1.** *(acción)* entry **2.** *(lugar)* entrance **3.** *(puerta)* doorway **4.** *(de espectáculo)* ticket **5.** *(plato)* starter *(UK)*, appetizer *(US)* **6.** *(anticipo)* down payment ● **de entrada** *(en principio)* from the beginning ● **¿qué quiere de entrada?** what would you like for starters? ▼ **entrada** way in ▼ **entrada libre** admission free ● **entrada por la otra puerta** enter by other door ▼ **prohibida la entrada** no entry

entrantes [en'trantes] *mpl (entremeses)* hors d'oeuvres

entrañable [entra'ɲaβle] *adj* **1.** *(digno de afecto)* likeable **2.** *(afectuoso)* affectionate

entrañas [en'traɲas] *fpl (vísceras)* entrails

entrar [en'trar]

◇ *vt* **1.** *(introducir)* to bring in ● **están entrando el carbón** they're bringing in the coal ● **ya puedes entrar el coche en el garaje** now you can put your car in the garage **2.** *INFORM* to enter

◇ *vi* **1.** *(introducirse)* to enter, to come/go in ● **la pelota entró por la ventana** the ball came in through the window ● **entramos en el bar** we went into the bar **2.** *(penetrar)* to go in ● **el enchufe no entra** the plug won't go in ● **el clavo ha entrado en la pared** the nail went into the wall **3.** *(caber)* to fit ● **este anillo no te entra** this ring doesn't fit you ● **en el garaje entran dos coches** you can fit two cars in the garage **4.** *(incorporarse)* to join ● **para entrar has de hacer un test** you have to do a test to get in ● **entró en el partido en abril** she joined the party in April ● **entró de secretaria** she started out as a secretary **5.** *(entender)* ● **no le entra la geometría** he can't get the hang of geometry **6.** *(estado físico o de ánimo)* ● **me entró mucha pena** I was filled with pity ● **me entraron ganas de hablar** I suddenly felt like talking **7.** *(estar incluido)* ● **entrar (en)** to be included (in) ● **la consumición no entra** *(en discoteca)* drinks are not included **8.** *(participar)* ● **entrar (en)** to participate (in) **9.** *(cantidad)* ● **¿cuántas peras entran en un kilo?** how many pears do you get to the kilo? **10.** *AUTO* to engage ● **no entra la quinta** you can't get into fifth **11.** *(empezar)* ● **entrar a hacer algo** to start doing sthg

entre ['entre] *prep* **1.** *(en medio de dos términos)* between ● **aparcar entre dos coches** to park between two cars ● **vendré entre las tres y las cuatro** I'll come between three and four **2.** *(en medio de muchos)* among ● **estaba entre los asistentes** she was among those present ● **entre hombres y mujeres somos cien** there are a hundred of us, counting men and women **3.** *(participación, cooperación)* between ● **entre todos lo consiguieron** between them they managed it ● **entre nosotros** *(en confianza)* between you and me **4.** *(lugar)* among ● **encontré tu carta entre los libros** I found your letter among the books ● **entre tanto** meanwhile

entreacto [entre'akto] *m* interval

entrecejo [entre'θexo] *m* space between the brows ● **fruncir el entrecejo** to frown

entrecot [entre'kot] *m* entrecôte ● **entrecot a la pimienta verde** *entrecôte in a green peppercorn sauce* ● **entrecot al roquefort** *entrecôte in a Roquefort sauce*

entrega [en'treɣa] *f* **1.** *(acto)* handing over **2.** *(de pedido)* delivery **3.** *(de premio)* presentation **4.** *(dedicación)* devotion **5.** *(fascículo)* instalment **6.** *(de seriado)* episode

entregar [entre'ɣar] *vt* **1.** *(dar)* to hand over **2.** *(pedido, paquete)* to deliver ◆ **entregarse a** *v + prep* **1.** *(rendirse)* to

surrender to **2.** *(abandonarse a)* to surrender to **3.** *(dedicarse a)* to devote o.s. to

entrelazar [entrela'θar] *vt* to interlace

entremeses [entre'meses] *mpl* hors d'oeuvres

entrenador, ra [entrena'ðor, ra] *m,f* coach

entrenamiento [entrena'mjento] *m* training

entrenar [entre'nar] *vt* to train ◆ **entrenarse** *vp* to train

entrepierna [entre'pjerna] *f* crotch

entreplanta [entre'planta] *f* mezzanine

entresuelo [entre'swelo] *m* mezzanine

entretanto [entre'tanto] *adv* meanwhile

entretecho [entre'tetʒo] *m* (*Amér*) attic

entretener [entrete'ner] *vt* **1.** *(divertir)* to entertain **2.** *(hacer retrasar)* to hold up ◆ **entretenerse** *vp* **1.** *(divertirse)* to amuse o.s. **2.** *(retrasarse)* to be held up

entretenido, da [entrete'niðo, ða] *adj* **1.** *(divertido)* entertaining **2.** *(que requiere atención)* time-consuming

entretenimiento [entreteni'mjento] *m* *(diversión)* entertainment

entretiempo [entre'tjempo] *m* ● **de entretiempo** mild-weather

entrever [entre'βer] *vt* **1.** *(ver)* to glimpse **2.** *(sospechar)* to suspect

entrevista [entre'βista] *f* interview

entrevistador, ra [entreβista'ðor, ra] *m, f* interviewer

entrevistar [entreβis'tar] *vt* to interview

entrevisto, ta [entre'βisto, ta] *pp* ➣ entrever

entristecer [entriste'θer] *vt* to make sad
• **entristecerse** *vp* to become sad

entrometerse [entrome'terse] *vp* to interfere

entusiasmado, da [entusjaz'maðo, ða] *adj* full of enthusiasm

entusiasmar [entusjaz'mar] *vt* • **me entusiasma** I love it • **entusiasmarse** *vp* to get excited

entusiasmo [entu'sjazmo] *m* enthusiasm

entusiasta [entu'sjasta] *adj* enthusiastic

envasar [emba'sar] *vt* to pack

envase [em'base] *m* (*recipiente*) container • **envase sin retorno** non-returnable bottle

envejecer [embexe'θer] *vi* to grow old

envenenamiento [embenena'mjento] *m* poisoning

envenenar [embene'nar] *vt* to poison

envergadura [emberɣa'ðura] *f* (*importancia*) extent

enviar [embi'ar] *vt* to send

envidia [em'biðja] *f* envy

envidiar [embi'ðjar] *vt* to envy

envidioso, sa [embi'ðjoso, sa] *adj* envious

envío [em'bio] *m* 1. (*acción*) delivery 2. (*paquete*) package

enviudar [embiu'ðar] *vi* to be widowed

envolver [embol'βer] *vt* (*regalo, paquete*) to wrap (up)

enyesar [enje'sar] *vt* 1. (*pared, muro*) to plaster 2. (*pierna, brazo*) to put in plaster

epidemia [epi'ðemja] *f* epidemic

epidural *f* (*anestesia*) epidural

episodio [epi'soðjo] *m* 1. (*suceso*) event 2. (*capítulo*) episode

época ['epoka] *f* 1. (*periodo*) period 2. (*estación*) season

equilibrado, da [ekili'βraðo, ða] *adj* balanced

equilibrar [ekili'βrar] *vt* to balance

equilibrio [eki'liβrjo] *m* 1. balance 2. (*de persona*) level-headedness

equilibrista [ekili'βrista] *mf* tightrope walker

equipaje [eki'paxe] *m* luggage (*UK*), baggage (*US*) • **equipaje de mano** hand luggage

equipar [eki'par] *vt* (*proveer*) to equip

equipo [e'kipo] *m* 1. (*de personas*) team 2. (*de objetos*) equipment 3. (*de prendas*) kit (*UK*), gear (*US*)

equitación [ekita'θjon] *f* horse riding

equivalente [ekiβa'lente] *adj* & *m* equivalent

equivaler [ekiβa'ler] • **equivaler a** *v* + *prep* to be equivalent to

equivocación [ekiβoka'θjon] *f* mistake

equivocado, da [ekiβo'kaðo, ða] *adj* wrong

equivocar [ekiβo'kar] *vt* (*confundir*) to mistake • **equivocarse** *vp* 1. (*cometer un error*) to make a mistake 2. (*no tener razón*) to be wrong • **equivocarse de nombre** to get the wrong name • **me he equivocado** (*al teléfono*) sorry, wrong number

era ['era] ◇ *v* ⊳ **ser** ◇ *f* era

erguido, da [er'ɣiðo, ða] *adj* erect

erizo [e'riθo] *m* hedgehog • **erizo de mar** sea urchin

ermita [er'mita] *f* hermitage

erótico, ca [e'rotiko, ka] *adj* erotic

erotismo [ero'tizmo] *m* eroticism

errante [e'rante] *adj* wandering

errar [e'rar] *vi (equivocarse)* to make a mistake

erróneo, a [e'rroneo, a] *adj* wrong

error [e'rror] *m* mistake, error

eructar [eruk'tar] *vi* to belch

eructo [e'rukto] *m* belch

erudito, ta [eru'ðito, ta] *m,f* erudite

erupción [erup'θjon] *f* **1.** *(de la piel)* rash **2.** *(de volcán)* eruption

esbelto, ta [ez'βelto, ta] *adj* slim

esbozo [ez'βoθo] *m* **1.** *(dibujo)* sketch **2.** *(resumen, guión)* outline

escabeche [eska'βetʒe] *m* ◆ **en escabeche** marinated

escala [es'kala] *f* **1.** scale **2.** *(de barco, avión)* stopover ◆ **a gran escala** *(fam)* on a large scale ◆ **escala musical** scale ◆ **hacer escala en** to stop over at

escalador, ra [eskala'ðor, ra] *m,f* climber

escalar [eska'lar] *vt* to climb

escalera [eska'lera] *f* **1.** *(de casa, edificio)* staircase, stairs *pl* **2.** *(portátil)* ladder ◆ **escalera de caracol** spiral staircase ◆ **escalera de incendios** fire escape ◆ **escalera mecánica** escalator ◆ **escaleras** *fpl* stairs

escalerilla [eskale'riʎa] *f* stairs *pl*

escalibada *f* Catalan dish of roasted vegetables

escalofrío [eskalo'frio] *m* shiver

escalón [eska'lon] *m* step

escalope [eska'lope] *m* escalope

escalopín [eskalo'pin] *m* ◆ **escalopines de ternera** escalope of veal *sg* (UK), veal scallopini *sg* (US)

escama [es'kama] *f* **1.** *(de pez, reptil)* scale **2.** *(en la piel)* flake

escampar [eskam'par] *vi* to clear up

escandalizar [eskandali'θar] *vt* to shock ◆ **escandalizarse** *vp* to be shocked

escándalo [es'kandalo] *m* **1.** *(inmoralidad)* scandal **2.** *(alboroto)* uproar

escaño [es'kaɲo] *m (de diputado)* seat *(in parliament)*

escapar [eska'par] *vi* ◆ **escapar (de)** to escape (from) ◆ **escaparse** *vp* **1.** *(persona)* to escape **2.** *(líquido, gas)* to leak

escaparate [eskapa'rate] *m (shop)* window

escape [es'kape] *m* **1.** *(de líquido, gas)* leak **2.** *(de coche)* exhaust ◆ **a escape** in a rush

escarabajo [eskara'βaxo] *m* beetle

escarbar [eskar'βar] *vt* to scratch

escarcha [es'kartʒa] *f* frost

escarmentar [eskarmen'tar] ◇ *vi* to learn (one's lesson) ◇ *vt* ◆ **escarmentar a alguien** to teach sb a lesson

escarola [eska'rola] *f* endive

escasear [eskase'ar] *vi* to be scarce

escasez [eska'seθ] *f* **1.** *(insuficiencia)* shortage **2.** *(pobreza)* poverty

escaso, sa [es'kaso, sa] *adj* **1.** *(recursos, número)* limited **2.** *(víveres)* scarce **3.** *(tiempo)* short **4.** *(visibilidad)* poor ◆ **un metro escaso** barely a metre ◆ **andar escaso de dinero** to be short of money

escayola [eska'jola] *f* plaster

escayolar [eskajo'lar] *vt* to put in plaster

escena [es'θena] *f* **1.** scene **2.** *(escenario)* stage

escenario [esθe'narjo] *m* **1.** *(de teatro)* stage **2.** *(de un suceso)* scene

escepticismo [esθepti'θizmo] *m* scepticism

escéptico, ca [es'θeptiko, ka] *adj* sceptical

esclavitud [esklaβi'tuð] *f* slavery

esclavo, va [es'klaβo, βa] *m,f* slave

esclusa [es'klusa] *f* lock

escoba [es'koβa] *f* broom

escobilla [esko'βiʎa] *f* **1.** brush **2.** *(Andes) (para dientes)* toothbrush

escocer [esko'θer] *vi* to sting

escocés, esa [esko'θes, esa] ◇ *adj* Scottish ◇ *m,f* Scot

Escocia [es'koθja] *s* Scotland

escoger [esko'xer] ◇ *vt* to choose ◇ *vi* **escoger entre** to choose between

escolar [esko'lar] ◇ *adj* school *(antes de s)* ◇ *mf* schoolboy *(f schoolgirl)*

escolaridad [eskolari'ðað] *f* schooling

escollo [es'koʎo] *m (roca)* reef

escolta [es'kolta] *f* escort

escombros [es'kombros] *mpl* rubble *sg*

esconder [eskon'der] *vt* to hide ◆ **esconderse** *vp* to hide

escondite [eskon'dite] *m* **1.** *(lugar)* hiding place **2.** *(juego)* hide-and-seek

escopeta [esko'peta] *f* shotgun

escorpión [eskor'pjon] *m* scorpion

escotado, da [esko'taðo, ða] *adj* low-cut

escote [es'kote] *m (de vestido)* neckline

escotilla [esko'tiʎa] *f* hatch

escribir [eskri'βir] *vt & vi* to write ◆ **escribir a mano** to write by hand ◆ **escribir a máquina** to type ◆ **escribirse** *vp (tener correspondencia)* to write to one another ◆ **¿cómo se escribe ...?** how do you spell ...?

escrito, ta [es'krito] ◇ *pp* ➤ **escribir** ◇ *m* **1.** *(texto)* text **2.** *(documento)* document

escritor, ra [eskri'tor, ra] *m,f* writer

escritorio [eskri'torjo] *m* desk

escritura [eskri'tura] *f* **1.** *(letra)* script **2.** *(documento)* deed

escrúpulo [es'krupulo] *m* scruple ◆ **escrúpulos** *mpl (reservas)* qualms

escuadra [es'kuaðra] *f* **1.** *(en dibujo)* set square *(UK)*, triangle *(US)* **2.** *(de barcos)* squadron **3.** *(del ejército)* squad

escuchar [esku'tʃar] ◇ *vt* to listen to ◇ *vi* to listen ◆ **escuchar la radio** to listen to the radio

escudo [es'kuðo] *m* **1.** *(arma defensiva)* shield

escuela [es'kuela] *f* school ◆ **escuela privada/pública** private/state school ◆ **escuela universitaria** *university which awards degrees after three years' study*

esculpir [eskul'pir] *vt* to sculpt

escultor, ra [eskul'tor, ra] *m,f* sculptor *(f sculptress)*

escultura [eskul'tura] *f* sculpture

escupir [esku'pir] ◇ *vt* to spit out ◇ *vi* to spit

escurrir [esku'rir] *vt* **1.** *(ropa)* to wring out **2.** *(platos)* to drain **3.** *(deslizar)* to slide ◆ **escurrirse** *vp (deslizarse)* to slip

ese, esa ['ese, 'esa] *adj* that

ése, ésa ['ese, 'esa] *pron* that one

esencia [e'senθja] *f* essence

esencial [esen'θjal] *adj* essential

esfera [es'fera] *f* **1.** *(en geometría)* sphere **2.** *(del reloj)* face **3.** *(ámbito)* circle

esférico, ca [es'feriko, ka] *adj* spherical

esforzarse [esfor'θarse] *vp* to make an effort

esfuerzo [es'fu̯erθo] *m* effort

esfumarse [esfu'marse] *vp* to vanish

esgrima [ez'ɣrima] *f* fencing

esguince [ez'ɣinθe] *m* sprain

eslabón [ezla'βon] *m* link

eslálom [ez'lalom] *m* slalom

eslip [ez'lip, ez'lips] (*pl* **eslips**) *m* **1.** (*pieza interior*) briefs *pl* **2.** (*bañador*) swimming trunks *pl* (*UK*), swimsuit (*US*)

Eslovaquia [ezlo'βakja] *s* Slovakia

esmalte [ez'malte] *m* enamel ● **esmalte de uñas** nail varnish (*UK*) o polish (*US*)

esmeralda [ezme'ralda] *f* emerald

esmerarse [ezme'rarse] *vp* to take great pains

esmero [ez'mero] *m* great care

esmoquin [ez'mokin] *m* dinner jacket (*UK*), tuxedo (*US*)

esnob [ez'noβ, ez'noβs] (*pl* **esnobs**) *mf* person who wants to be trendy

eso ['eso] *pron neutro* that ● **eso que tienes en la mano** that thing in your hand ● **a eso de** (at) around ● **por eso te lo digo** that's why I'm telling you ● **y eso que** even though

ESO (*abr de* Enseñanza Secundaria Obligatoria) *f* (*Esp*) *compulsory secondary education for pupils aged 12-16*

esos, esas ['esos, 'esas] *adj pl* those

espaciador *m* space bar

espacial [espa'θi̯al] *adj* space (*antes de s*)

espacio [es'paθi̯o] *m* **1.** space **2.** (*de tiempo*) period **3.** (*programa*) programme ● **espacio aéreo** air space ● **espacio publicitario** advertising spot

espacioso, sa [espa'θi̯oso, sa] *adj* spacious

espada [es'paða] *f* sword ● **espadas** *fpl* (*naipes*) *suit in Spanish deck of cards bearing swords*

espaguetis [espa'ɣetis] *mpl* spaghetti *sg*

espalda [es'palda] ◇ *f* back ◇ *f inv* (*en natación*) backstroke ● **espaldas** *fpl* back *sg*

espantapájaros [espanta'paxaros] *m inv* scarecrow

espanto [es'panto] *m* fright

espantoso, sa [espan'toso, sa] *adj* **1.** (*que asusta*) horrific **2.** (*muy feo, desagradable*) horrible **3.** (*enorme*) terrible

España [es'paɲa] *s* Spain

español, la [espa'ɲol, la] ◇ *adj & m* Spanish ◇ *m,f* Spaniard

esparadrapo [espara'ðrapo] *m* (sticking) plaster (*UK*), Band-Aid ® (*US*)

esparcir [espar'θir] *vt* **1.** (*extender*) to spread **2.** (*azúcar*) to sprinkle **3.** (*semillas, papeles*) to scatter

espárrago [es'paraɣo] *m* asparagus ● **espárragos trigueros** wild asparagus

espasmo [es'pazmo] *m* spasm

espátula [es'patula] *f* (*en cocina*) spatula

especia [es'peθi̯a] *f* spice

especial [espe'θi̯al] *adj* **1.** special **2.** (*fam*) (*persona*) odd ● **especial para** specially for

especialidad [espeθi̯ali'ðað] *f* speciality (*UK*), specialty (*US*) ● **especialidad de la casa** house speciality

especialista [espeθi̯a'lista] *mf* specialist

especializado, da [espeθi̯ali'θaðo, ða] *adj* specialized

especialmente [espe,θi̯al'mente] *adv* especially

especie [es'peθi̯e] *f* **1.** (*familia*) species **2.**

(fig) (tipo) type ● **en especie** in kind ●

especie protegida protected species

especificar [espeθifi'kar] *vt* to specify

específico, ca [espe'θifiko, ka] *adj* specific

espectáculo [espek'takulo] *m (en teatro, circo, etc)* performance, show

espectador, ra [espekta'ðor, ra] *m,f* **1.** *(en deporte)* spectator **2.** *(en cine, teatro)* member of the audience

especulación [espekula'θjon] *f* speculation

espejismo [espe'xizmo] *m* mirage

espejo [es'pexo] *m* mirror

espera [es'pera] *f* wait ● **en espera de** waiting for

esperanza [espe'ranθa] *f* **1.** *(deseo)* hope **2.** *(confianza)* expectation

esperar [espe'rar] ◇ *vt* **1.** *(aguardar)* to wait for **2.** *(confiar)* to expect **3.** *(recibir, buscar)* to meet **4.** *(en el futuro)* to await ◇ *vi (aguardar)* to wait ● **esperar que** to hope (that) ● **¡eso espero!** I hope so! ● **¡espera y verás!** wait and see! ● **espérate sentado** *(fig)* you're in for a long wait ● **esperarse** *vp* **1.** *(figurarse)* to expect **2.** *(aguardar)* to wait

esperma [es'perma] *m* sperm

espeso, sa [es'peso, sa] *adj* thick

espesor [espe'sor] *m* **1.** *(grosor)* thickness **2.** *(densidad)* density

espía [es'pia] *mf* spy

espiar [espi'ar] *vt* to spy on

espiga [es'piɣa] *f (de trigo)* ear

espina [es'pina] *f* **1.** *(de planta)* thorn **2.** *(de pez)* bone

espinacas [espi'nakas] *fpl* spinach *sg*

espinilla [espi'niʎa] *f* **1.** *(de la pierna)* shin **2.** *(en la piel)* blackhead

espionaje [espio'naxe] *m* espionage

espiral [espi'ral] *f* spiral ● **en espiral** spiral

espirar [espi'rar] *vi* to breathe out

espiritismo [espiri'tizmo] *m* spiritualism

espíritu [es'piritu] *m* **1.** *(alma)* spirit **2.** *(en religión)* soul

espiritual [espiritu'al] *adj* spiritual

espléndido, da [es'plendiðo, ða] *adj* **1.** *(magnífico)* splendid **2.** *(generoso)* lavish

esplendor [esplen'dor] *m* splendour

espliego [es'pljeɣo] *m* lavender

esponja [es'ponxa] *f* sponge

esponjoso, sa [espon'xoso, sa] *adj* spongy

espontaneidad [espontanei'ðað] *f* spontaneity

espontáneo, a [espon'taneo, a] ◇ *adj* spontaneous ◇ *m spectator who takes part in bullfight on the spur of the moment*

esposas [es'posas] *fpl* handcuffs

esposo, sa [es'poso, sa] *m,f* husband *(f* wife*)*

espray [es'prai] *m* spray

esprint [es'prin] *m* sprint

esprínter [es'printer] *mf* sprinter

espuma [es'puma] *f* **1.** *(burbujas)* foam **2.** *(de jabón)* lather **3.** *(de cerveza)* head ● **espuma para el pelo** *(styling)* mousse

esquash [es'kuaʃ] *m* squash

esqueleto [eske'leto] *m* skeleton

esquema [es'kema] *m* **1.** *(esbozo)* outline **2.** *(gráfico)* diagram

esquematizar [eskemati'θar] *vt* to outline

esquí [es'ki] *m* **1.** *(patín)* ski **2.** *(deporte)* skiing ● **esquí acuático** water skiing

esquiador, ra [eskia'ðor, ra] *m,f* skier

esquiar [eski'ar] *vi* to ski

esquilar [eski'lar] *vt* to shear

esquimal [eski'mal] *adj & mf* Eskimo

esquina [es'kina] *f* corner

esquivar [eski'βar] *vt* to avoid

estabilidad [estaβili'ðað] *f* stability

estable [es'taβle] *adj* stable

establecer [estaβle'θer] *vt* **1.** *(fundar)* to establish **2.** *(suj: ley, decreto)* to stipulate ● **establecerse** *vp* *(con residencia)* to settle

establecimiento [estaβleθi'mjento] *m* **1.** *(acto)* setting up **2.** *(local)* establishment

establo [es'taβlo] *m* stable

estaca [es'taka] *f* *(de tienda de campaña)* peg

estación [esta'θjon] *f* **1.** *(de tren, autobús, etc)* station **2.** *(del año, temporada)* season ▼ **estación de servicio** service station ● **estación de tren** train station

estacionamiento [estaθjona'mjento] *m* *(aparcamiento)* parking ● **estacionamiento indebido** parking offence ▼ **estacionamiento limitado** restricted parking

estacionar [estaθjo'nar] *vt* to park ▼ **no estacionar** no parking ● **estacionarse** *vp* to park

estadía [esta'ðia] *f* *(Amér)* stay

estadio [es'taðjo] *m* *(de deporte)* stadium

estadística [esta'ðistika] *f* *(censo)* statistics *pl*

estado [es'taðo] *m* state ● **estar en estado** to be expecting ● **en buen/mal estado** in good/bad condition ● **estado civil** marital status ● **estado físico** physical condition ● **Estado** *m* ● **el Estado** the State

Estados Unidos [es'taðosu'niðos] *mpl* ● **(los) Estados Unidos** the United States

estadounidense [es.taðouni'ðense] ◇ *adj* United States ◇ *mf* United States citizen

estafa [es'tafa] *f* swindle

estafador, ra [estafa'ðor, ra] *m,f* swindler

estafar [esta'far] *vt* **1.** *(engañar)* to swindle **2.** *(robar)* to defraud

estalactita [estalak'tita] *f* stalactite

estalagmita [estalaɣ'mita] *f* stalagmite

estallar [esta'ʎar] *vi* **1.** *(bomba)* to explode **2.** *(guerra, revolución)* to break out ● **estallar en sollozos** to burst into tears

estallido [esta'ʎiðo] *m* *(explosión)* explosion

estambre [es'tambre] *m* stamen

estamento [esta'mento] *m* class

estampado, da [estam'paðo, ða] ◇ *adj* printed ◇ *m* *(estampado)* print

estampida [estam'piða] *f* stampede

estampilla [estam'piʎa] *f* **1.** *(Amér)* *(sello)* stamp **2.** *(cromo)* transfer

estancado, da [estan'kaðo, ða] *adj* **1.** *(agua, río, etc)* stagnant **2.** *(mecanismo)* jammed

estancarse [estan'karse] *vp* **1.** *(agua, río, etc)* to stagnate **2.** *(mecanismo)* to jam

estanco [es'tanko] *m* tobacconist's (shop)

estand [es'tan, es'tans] (*pl* **estands**) *m* stand, stall

estándar [es'tandar] *adj* standard

estanque [es'tanke] *m* **1.** *(alberca)* pond **2.** *(para riego)* reservoir

estante [es'tante] *m* shelf

estantería [estante'ria] *f* **1.** *(estantes)* shelves *pl* **2.** *(para libros)* bookcase

estaño [es'taɲo] *m* tin

estar [es'tar]

◇ *vi* **1.** *(hallarse)* to be ● ¿está Juan? is Juan in? ● estaré allí a la hora convenida I'll be there at the agreed time **2.** *(con fechas)* ● ¿a qué estamos hoy? what's the date today? ● hoy estamos a martes 13 de julio today is Tuesday the 13th of July ● estamos en febrero/primavera it's February/spring **3.** *(quedarse)* to stay ● estaré un par de horas y me iré I'll stay a couple of hours and then I'll go ● estuvo toda la tarde en casa he was at home all afternoon **4.** *(hallarse listo)* to be ready ● la comida estará a las tres the meal will be ready at three **5.** *(expresa duración)* to be ● están golpeando la puerta they're banging on the door **6.** *(expresa valores, grados)* ● la libra está a 1,4 euros the pound is at 1.4 euros ● estamos a 20 grados it's 20 degrees here **7.** *(servir)* ● estar para to be (there) for **8.** *(faltar)* ● eso está por descubrir we have yet to discover that **9.** *(hallarse a punto de)* ● estar por hacer algo to be on the verge of doing sthg

◇ *v cop* **1.** *(expresa cualidad, estado)* to be ● ¿cómo estás? how are you? ● esta

calle está sucia this street is dirty ● estar bien/mal *(persona)* to be well/unwell ● el cielo está con nubes the sky is cloudy ● estoy sin dinero I've got no money ● el jefe está que muerde the boss is furious **2.** *(sentar)* ● el traje te está muy bien the suit looks good on you **3.** *(expresa situación, ocupación, acción)* ● estar como camarero to be a waiter ● estar de suerte to be in luck ● estar de viaje to be on a trip **4.** *(expresa permanencia)* ● estar en uso to be in use **5.** *(consistir)* ● estar en to lie in

◆ **estarse** *vp (permanecer)* to stay

estárter [es'tarter] *m* starter

estatal [esta'tal] *adj* state

estático, ca [es'tatiko, ka] *adj (inmóvil)* stock-still

estatua [es'tatwa] *f* statue

estatura [esta'tura] *f* height

estatus [es'tatus] *m* status

estatuto [esta'tuto] *m* **1.** *(de compañía)* article (of association) **2.** *(de comunidad autónoma)* by-law

este¹, esta ['este, 'esta] *adj* this

este² ['este] *m* east ◆ **Este** *m* ● el Este *(de Europa)* Eastern Europe

éste, ésta ['este, 'esta] *pron* **1.** *(cercano en espacio)* this one **2.** *(cercano en el tiempo)* this

estera [es'tera] *f* mat

estéreo [es'tereo] *m* stereo

estéril [es'teril] *adj* **1.** *(persona, animal)* sterile **2.** *(envase, jeringuilla)* sterilized

esterilizar [esterili'θar] *vt* to sterilize

esternón [ester'non] *m* breastbone

estética [es'tetika] *f (aspecto)* look

estibador, ra [estiβaˈðor, ra] *m,f* stevedore

estiércol [esˈtjerkol] *m* **1.** (*excremento*) dung **2.** (*abono*) manure

estilo [esˈtilo] *m* **1.** style **2.** (*de natación*) stroke ● **algo por el estilo** something of the sort

estilográfica [estiloˈɣrafika] *f* fountain pen

estima [esˈtima] *f* esteem

estimación [estimaˈθjon] *f* **1.** (*aprecio*) esteem **2.** (*valoración*) valuation

estimado, da [estiˈmaðo, ða] *adj* **1.** (*querido*) esteemed **2.** (*valorado*) valued ● **Estimado señor** Dear Sir

estimulante [estimuˈlante] ◇ *adj* (*alentador*) encouraging ◇ *m* stimulant

estimular [estimuˈlar] *vt* **1.** (*animar*) to encourage **2.** (*excitar*) to stimulate

estímulo [esˈtimulo] *m* incentive

estirado, da [estiˈraðo, ða] *adj* **1.** (*orgulloso*) haughty **2.** (*ropa*) stretched

estirar [estiˈrar] ◇ *vt* to stretch ◇ *vi* to pull ● **estirarse** *vp* (*desperezarse*) to stretch

estirpe [esˈtirpe] *f* stock

esto [ˈesto] *pron neutro* this ● **esto que dices** what you're saying

estofado [estoˈfaðo] *m* stew

estoicismo [estoiˈθizmo] *m* stoicism

estoico, ca [esˈtoiko, ka] *adj* stoical

estómago [esˈtomaɣo] *m* stomach

estorbar [estorˈβar] ◇ *vt* **1.** (*obstaculizar*) to hinder **2.** (*molestar*) to bother ◇ *vi* **1.** (*estar en medio*) to be in the way **2.** (*molestar*) to be a bother

estorbo [esˈtorβo] *m* (*obstáculo*) hindrance

estornudar [estornuˈðar] *vi* to sneeze

estornudo [estorˈnuðo] *m* sneeze

estos, tas [ˈestos, tas] *adj pl* these

éstos, tas [ˈestos, tas] *pron pl* **1.** (*cercano en espacio*) these (ones) **2.** (*cercano en tiempo*) these

estrafalario, ria [estrafaˈlario, ria] *adj* (*fam*) eccentric

estrangulador, ra [estrangulaˈðor, ra] *m,f* strangler

estrangular [estranguˈlar] *vt* to strangle

estrategia [estraˈtexia] *f* strategy

estratégico, ca [estraˈtexiko, ka] *adj* strategic

estrechar [estreˈtʃar] *vt* **1.** (*camino, calle*) to narrow **2.** (*ropa*) to take in **3.** (*amistad, relación*) to make closer ● **estrechar la mano a alguien** to shake sb's hand ● **estrecharse** *vp* (*apretarse*) to squeeze up

estrecho, cha [esˈtretʃo, tʃa] ◇ *adj* **1.** (*calle, camino, etc*) narrow **2.** (*zapato, ropa, etc*) tight **3.** (*amistad*) close ◇ *m* strait ● **estar estrecho** (*en un lugar*) to be cramped

estrella [esˈtreʎa] *f* star ● **estrella de cine** film star ● **estrella fugaz** shooting star ● **estrella de mar** starfish

estrellarse [estreˈʎarse] *vp* (*chocar*) to crash

estremecerse [estremeˈθerse] ● **estremecerse de** *v + prep* to tremble with

estrenar [estreˈnar] *vt* **1.** (*ropa*) to wear for the first time **2.** (*espectáculo*) to première **3.** (*coche, vajilla, sábanas*) to use for the first time

estreno [esˈtreno] *m* **1.** (*de espectáculo*) première **2.** (*de cosa*) first use

estreñimiento [estreɲiˈmjento] *m* constipation

estrepitoso, sa [estrepiˈtoso, sa] *adj (ruido, caída, etc)* noisy

estrés [esˈtres] *m* stress

estría [esˈtria] *f* groove

estribillo [estriˈβiʎo] *m (de canción)* chorus

estribo [esˈtriβo] *m* **1.** *(del jinete)* stirrup **2.** *(del automóvil)* step ● **perder los estribos** to fly off the handle

estribor [estriˈβor] *m* starboard

estricto, ta [esˈtrikto, ta] *adj* strict

estrofa [esˈtrofa] *f* verse

estropajo [estroˈpaxo] *m* scourer

estropeado, da [estropeˈaðo, ða] *adj* **1.** *(coche)* broken down **2.** *(máquina)* out of order

estropear [estropeˈar] *vt* **1.** *(proyecto, plan, comida, etc)* to spoil **2.** *(averiar)* to break **3.** *(dañar)* to damage ● **estropearse** *vp (máquina, aparato)* to break down

estructura [estrukˈtura] *f* structure

estuario [esˈtwarjo] *m* estuary

estuche [esˈtutʃe] *m* case

estudiante [estuˈðjante] *mf* student

estudiar [estuˈðjar] *vt & vi* to study

estudio [esˈtuðjo] *m* **1.** study **2.** *(de artista)* studio **3.** *(piso)* studio apartment ● **estudios** *mpl* **1.** *(de radio, televisión)* studios **2.** *(educación)* education *sg*

estudioso, sa [estuˈðjoso, sa] *adj* studious

estufa [esˈtufa] *f* heater

estupefacto, ta [estupeˈfakto, ta] *adj* astonished

estupendo, da [estuˈpendo, da] ◇ *adj* great ◇ *interj* great!

estupidez [estupiˈðeθ] *f* **1.** *(calidad)* stupidity **2.** *(dicho, acto)* stupid thing

estúpido, da [esˈtupiðo, ða] *adj* stupid

ETA [ˈeta] *f (abr de* Euskadi ta Askatasuna*)* ETA *(terrorist Basque separatist organization)*

etapa [eˈtapa] *f* stage

etarra [eˈtara] *mf* member of ETA

etc. *(abr de* etcétera*)* etc *(etcetera)*

etcétera [etˈθetera] *adv* etcetera

eternidad [eterniˈðað] *f* eternity ● **una eternidad** *(fam)* ages *pl*

eterno, na [eˈterno, na] *adj* **1.** *(perpetuo)* eternal **2.** *(fam) (que dura mucho, que se repite)* interminable

ética [ˈetika] *f* ethics *pl*

ético, ca [ˈetiko, ka] *adj* ethical

etimología [etimoloˈxia] *f* etymology

etiqueta [etiˈketa] *f* **1.** *(de paquete, vestido)* label **2.** *(normas)* etiquette ● **de etiqueta** formal

étnico, ca [ˈeðniko, ka] *adj* ethnic

ETS [eteˈese] *f* **1.** *(abr de* Escuela Técnica Superior*)* technical college offering degree courses **2.** *(abr de* enfermedad de transmisión sexual*)* STD

eucalipto [eukaˈlipto] *m* eucalyptus

eucaristía [eukarisˈtia] *f* Eucharist

eufemismo [eufeˈmizmo] *m* euphemism

eufórico, ca [euˈforiko, ka] *adj* elated

euro [ˈeuro] *m* euro

Europa [euˈropa] *s* Europe

europeo, a [euroˈpeo, a] *adj & m,f* European

Euskadi [eusˈkaði] *s* the Basque Country

euskera [eusˈkera] *adj & m* Basque

eutanasia [euta'nasia] *f* euthanasia

evacuación [eβakua'θion] *f* evacuation

evacuar [eβa'kuar] *vt* to evacuate

evadir [eβa'ðir] *vt* to avoid ◆ **evadirse** *vp* ● evadirse de to escape from

evaluación [eβalua'θion] *f* 1. *(de trabajo, examen, etc)* assessment 2. *(de casa, terreno, etc)* valuation

evaluar [eβalu'ar] *vt* 1. *(trabajo, examen, etc)* to assess 2. *(casa, terreno, etc)* to value

evangelio [eβan'xelio] *m* gospel

evangelización [eβanxeliθa'θion] *f* evangelization

evaporarse [eβapo'rarse] *vp* to evaporate

evasión [eβa'sion] *f* 1. *(distracción)* amusement 2. *(fuga)* escape ● evasión de capitales capital flight

eventual [eβentu'al] *adj* 1. *(posible)* possible 2. *(trabajador)* casual

eventualidad [eβentuali'ðað] *f* *(posibilidad)* possibility

evidencia [eβi'ðenθia] *f* 1. *(seguridad)* obviousness 2. *(prueba)* evidence

evidente [eβi'ðente] *adj* evident

evidentemente [eβi,ðente'mente] *adv* evidently

evitar [eβi'tar] *vt* 1. to avoid 2. *(desastre, peligro)* to avert

evocar [eβo'kar] *vt* to evoke

evolución [eβolu'θion] *f* 1. *(desarrollo)* development 2. *(cambio)* evolution 3. *(movimiento)* manoeuvre

evolucionar [eβoluθio'nar] *vi* 1. *(progresar)* to evolve 2. *(cambiar)* to change 3. *(hacer movimientos)* to carry out manoeuvres

exactamente [ek,sakta'mente] *adv* exactly

exactitud [eksakti'tuð] *f* 1. *(fidelidad)* accuracy 2. *(rigurosidad)* exactness

exacto, ta [e'ksakto, ta] *adj* 1. *(riguroso)* exact 2. *(preciso)* accurate 3. *(correcto)* correct 4. *(cantidad, hora, etc)* precise 5. *(igual)* exactly the same

exageración [eksaxera'θion] *f* exaggeration

exagerado, da [eksaxe'raðo, ða] *adj* 1. *(poco razonable)* exaggerated 2. *(precio)* exorbitant

exagerar [eksaxe'rar] *vt & vi* to exaggerate

exaltarse [eksal'tarse] *vp* to get excited

examen [ek'samen] *m* 1. *(prueba, ejercicio)* exam 2. *(inspección)* examination

examinar [eksami'nar] *vt* to examine ◆ **examinarse** *vp* ● examinarse (de) to take an exam (in)

excavación [ekskaβa'θion] *f* *(en arqueología)* dig

excavadora [ekskaβa'ðora] *f* *(mechanical)* digger

excavar [ekska'βar] *vt* *(en arqueología)* to excavate

excedencia [eksθe'ðenθia] *f* leave (of absence)

exceder [eksθe'ðer] *vt* to exceed ◆ **excederse** *vp* *(propasarse)* to go too far

excelencia [eksθe'lenθia] *f* 1. *(calidad superior)* excellence 2. *(tratamiento)* Excellency ● por excelencia par excellence

excelente [eksθe'lente] *adj* excellent

excentricidad [eksθentriθi'ðað] *f* eccentricity

excéntrico, ca [eks'θentriko, ka] *m,f* eccentric

excepción [eksθep'θion] *f* exception ● **a** o **con excepción de** except for ● **de excepción** exceptional

excepcional [eksθepθio'nal] *adj* exceptional

excepto [eks'θepto] *adv* except (for)

excesivo, va [eksθe'siβo, βa] *adj* excessive

exceso [eks'θeso] *m* excess ● **en exceso** excessively ● **exceso de equipaje** excess baggage ● **exceso de peso** excess weight ● **exceso de velocidad** speeding ◆ **excesos** *mpl* (*abusos*) excesses

excitar [eksθi'tar] *vt* **1.** (*provocar nerviosismo*) to agitate **2.** (*ilusionar*) to excite ◆ **excitarse** *vp* **1.** (*ponerse nervioso*) to get agitated **2.** (*ilusionarse*) to get excited

exclamación [eksklama'θion] *f* (*grito*) cry

excluir [eksklu'ir] *vt* **1.** (*descartar*) to rule out **2.** (*no admitir*) to exclude

exclusiva [eksklu'siβa] *f* **1.** (*periódico*) exclusive **2.** COM exclusive rights ● **en exclusiva** exclusive ≻ **exclusivo**

exclusivo, va [eksklu'siβo, βa] *adj* exclusive

excursión [ekskur'sion] *f* trip ◆ **excursiones** day trips

excusa [eks'kusa] *f* **1.** (*pretexto*) excuse **2.** (*disculpa*) apology

excusar [eksku'sar] *vt* (*disculpar*) to excuse ◆ **excusarse** *vp* to apologize

exento, ta [ek'sento, ta] *adj* exempt

exhaustivo, va [eksaus'tiβo, βa] *adj* exhaustive

exhibición [eksiβi'θion] *f* **1.** (*demostración*) display **2.** (*deportiva, artística*) exhibition **3.** (*de películas*) showing

exhibir [eksi'βir] *vt* **1.** (*productos*) to display **2.** (*cuadros, etc*) to exhibit **3.** (*película*) to show

exigencia [eksi'xenθia] *f* **1.** (*petición*) demand **2.** (*pretensión*) fussiness

exigente [eksi'xente] *adj* demanding

exigir [eksi'xir] *vt* **1.** (*pedir*) to demand **2.** (*requerir*) to require

exiliar [eksi'liar] *vt* to exile ◆ **exiliarse** *vp* to go into exile

exilio [ek'silio] *m* exile

existencia [eksis'tenθia] *f* existence ◆ **existencias** *fpl* stock *sg*

existir [eksis'tir] *vi* to exist ● **existen varias razones** there are several reasons

éxito ['eksito] *m* **1.** success **2.** (*canción*) hit ● **tener éxito** to be successful

exitoso, sa [eksi'toso, sa] *adj* (*Amér*) successful

exótico, ca [ek'sotiko, ka] *adj* exotic

expedición [ekspeði'θion] *f* **1.** expedition **2.** (*de carné*) issuing

expediente [ekspe'ðiente] *m* **1.** (*de trabajador, empleado*) file **2.** (*documentación*) documents *pl* **3.** (*de alumno*) record, transcript (*US*)

expedir [ekspe'ðir] *vt* **1.** (*paquete, mercancía, etc*) to send **2.** (*documento*) to draw up **3.** (*pasaporte, carné*) to issue

expendedor, ra [ekspende'ðor, ra] *m,f* **1.** (*comerciante*) dealer **2.** (*de lotería*) vendor ◆ **expendedor automático** vending machine ▼ **expendedora de billetes** ticket machine

expensas [eks'pensas] *fpl* expenses ● **a expensas de** at the expense of

experiencia [ekspe'rienθja] *f* 1. experience 2. *(experimento)* experiment

experimentado, da [eksperimen'taðo, ða] *adj* experienced

experimental [eksperimen'tal] *adj* experimental

experimentar [eksperimen'tar] *vt* 1. *(en ciencia)* to experiment with 2. *(probar)* to test 3. *(sensación, sentimiento)* to experience

experimento [experi'mento] *m* experiment

experto, ta [eks'perto, ta] *m,f* expert ● **experto en** expert on

expirar [ekspi'rar] *vi (formal)* to expire

explicación [eksplika'θjon] *f* explanation

explicar [ekspli'kar] *vt* 1. to explain 2. *(enseñar)* to teach ● **explicarse** *vp* 1. *(hablar)* to explain o.s. 2. *(comprender)* to understand

explícito, ta [eks'pliθito, ta] *adj* explicit

explorador, ra [eksplora'ðor, ra] *m,f* explorer

explorar [eksplo'rar] *vt* to explore

explosión [eksplo'sjon] *f* 1. *(de bomba, artefacto)* explosion 2. *(de alegría, tristeza)* outburst

explosivo, va [eksplo'siβo, βa] *adj & m* explosive

explotación [eksplota'θjon] *f* 1. *(de petróleo)* drilling 2. *(agrícola)* farming 3. *(de mina)* mining 4. *(de negocio)* running 5. *(de trabajador, obrero)* exploitation ● **explotación agrícola** *(instalación)* farm

explotar [eksplo'tar] ◇ *vi* to explode ◇ *vt* 1. *(mina)* to work 2. *(negocio)* to run 3. *(terreno)* to farm 4. *(obreros)* to exploit

expo *f* Expo, world exhibition

exponente [ekspo'nente] *m (ejemplo)* example

exponer [ekspo'ner] *vt* 1. *(explicar)* to explain 2. *(exhibir)* to display 3. *(arriesgar)* to risk ● **exponerse a** *v + prep* to expose o.s. to

exportación [eksporta'θjon] *f* export

exportar [ekspor'tar] *vt* to export

exposición [eksposi'θjon] *f* 1. *(de pinturas)* exhibition 2. *(en fotografía)* exposure 3. *(en escaparate)* display 4. *(de automóviles)* show 5. *(de tema, asunto)* explanation ● **exposición de arte** art exhibition

expositor, ra [eksposi'tor, ra] ◇ *m,f (persona)* exhibitor ◇ *m (mueble)* display cabinet

exprés [eks'pres] *adj* 1. *(tren)* express 2. *(café)* espresso

expresar [ekspre'sar] *vt* to express ● **expresarse** *vp* to express o.s.

expresión [ekspre'sjon] *f* expression

expresivo, va [ekspre'siβo, βa] *adj* 1. *(elocuente)* expressive 2. *(afectuoso)* affectionate

expreso, sa [eks'preso, sa] ◇ *adj* 1. *(claro)* clear 2. *(tren)* express ◇ *m (tren)* express train

exprimidor [eksprimi'ðor] *m* squeezer

exprimir [ekspri'mir] *vt (limón, naranja)* to squeeze

expuesto, ta [eks'pwesto, ta] ◇ *pp* > **exponer** ◇ *adj* ● **estar expuesto a** to be exposed to

expulsar [ekspul'sar] *vt* **1.** (de clase, local) to throw out **2.** (de colegio) to expel **3.** (jugador) to send off

expulsión [ekspul'sjon] *f* **1.** (de local) throwing-out **2.** (de colegio) expulsion **3.** (de jugador) sending-off

exquisito, ta [ekski'sito, ta] *adj* (comida) delicious

éxtasis ['ekstasis] *m inv* ecstasy

extender [eksten'der] *vt* **1.** (desplegar) to spread (out) **2.** (brazos, piernas) to stretch **3.** (influencia, dominio) to extend **4.** (documento) to draw up **5.** (cheque) to make out **6.** (pasaporte) to issue ◆ **extenderse** *vp* **1.** (ocupar) to extend **2.** (durar) to last **3.** (hablar mucho) to talk at length **4.** (difundirse) to spread

extensión [eksten'sjon] *f* **1.** (en espacio) area **2.** (en tiempo) length **3.** (alcance) extent **4.** (de teléfono) extension

extenso, sa [eks'tenso, sa] *adj* **1.** (espacio) extensive **2.** (duración) long

exterior [ekste'rjor] ◇ *adj* **1.** (de fuera) outside **2.** (capa) outer **3.** (extranjero) foreign ◇ *m* (parte exterior) outside

exterminar [ekstermi'nar] *vt* to exterminate

externo, na [eks'terno, na] ◇ *adj* outer ◇ *m,f* day boy (*f* day girl) (*UK*), day student (*US*) ▼ *uso externo* for external use only

extinguirse [ekstin'girse] *vp* **1.** (luz, fuego) to go out **2.** (vida, amor) to come to an end

extintor [ekstin'tor] *m* fire extinguisher

extirpar [ekstir'par] *vt* (formal) (órgano) to remove

extra ['ekstra] ◇ *adj* **1.** (de calidad superior) top-quality **2.** (de más) extra ◇ *m* extra

extracción [ekstrak'θjon] *f* **1.** (formal) (de órgano) removal **2.** (de petróleo) drilling **3.** (de mineral) mining

extracto [eks'trakto] *m* **1.** (resumen) summary **2.** (sustancia) extract ● **extracto de cuenta** bank statement

extractor [ekstrak'tor] *m* extractor (fan)

extradición [ekstraði'θjon] *f* extradition

extraer [ekstra'er] *vt* **1.** (formal) (órgano) to remove **2.** (petróleo) to drill for

extranjero, ra [ekstran'xero, ra] ◇ *adj* foreign ◇ *m,f* foreigner ◇ *m* foreign countries *pl* ● **en el/al extranjero** abroad

extrañar [ekstra'nar] *vt* **1.** (echar de menos) to miss **2.** (sorprender) to surprise ◆ **extrañarse de** *v + prep* to be surprised at

extrañeza [ekstra'neθa] *f* surprise

extraño, ña [eks'trano, na] ◇ *adj* strange ◇ *m,f* stranger

extraordinario, ria [ekstraorði'narjo, ri_a] *adj* extraordinary

extraterrestre [ekstrate'restre] *mf* extraterrestrial

extravagante [ekstraβa'yante] *adj* eccentric

extraviar [ekstraβi'ar] *vt* (formal) (perder) to mislay ◆ **extraviarse** *vp* **1.** (formal) (objeto) to go missing **2.** (persona) to get lost

extremar [ekstre'mar] *vt* to go to extremes with

extremaunción [ekstremaun'θjon] *f* extreme unction

extremidades [ekstremi'ðaðes] *fpl* extremities

extremista [ekstre'mista] *mf* extremist

extremo, ma [eks'tremo, ma] ◇ *adj* **1.** (*último*) furthest **2.** (*exagerado*) extreme ◇ *m* **1.** (*final*) end **2.** (*punto máximo*) extreme ● **en extremo** extremely

extrovertido, da [ekstroßer'tiðo, ða] *adj* extrovert (*UK*), extroverted (*US*)

F

F (*abr de* Fahrenheit) F (*Fahrenheit*)

fabada [fa'βaða] *f* ● **fabada (asturiana)** *Asturian stew made of beans, pork sausage and bacon*

fábrica ['faβrika] *f* factory

fabricante [faβri'kante] *mf* manufacturer

fabricar [faβri'kar] *vt* to make, to manufacture ▼ **fabricado en** made in

fábula ['faβula] *f* (*relato*) fable

fabuloso, sa [faβu'loso, sa] *adj* **1.** (*extraordinario*) fabulous **2.** (*irreal*) mythical

faceta [fa'θeta] *f* facet

fachada [fa'tʒaða] *f* (*de edificio*) façade

fácil ['faθil] *adj* **1.** easy **2.** (*dócil*) easy-going **3.** (*probable*) likely

facilidad [faθili'ðað] *f* **1.** (*aptitud*) aptitude **2.** (*sencillez*) ease ● **tener facilidad para** to have a gift for ● **facilidades de pago** easy (*payment*) terms

facilitar [faθili'tar] *vt* **1.** (*hacer fácil*) to make easy **2.** (*hacer posible*) to make

possible **3.** (*proporcionar*) to provide

factor [fak'tor] *m* **1.** (*elemento, condición*) factor

factura [fak'tura] *f* **1.** (*de gas, teléfono, hotel*) bill **2.** (*por mercancías, etc*) invoice

facturación [faktura'θion] *f* **1.** (*de equipaje*) checking-in **2.** (*de empresa*) turnover ▼ **facturación** check-in

facturar [faktu'rar] *vt* **1.** (*equipaje*) to check in **2.** (*cobrar*) to bill

facultad [fakul'tað] *f* **1.** faculty **2.** (*poder*) right ● **facultad de ciencias/letras** faculty (*UK*) o college (*US*) of science/arts

faena [fa'ena] *f* **1.** (*tarea, trabajo*) task **2.** (*en los toros*) bullfighter's performance

faisán [fai'san] *m* pheasant

faja ['faxa] *f* **1.** (*ropa interior*) girdle **2.** (*para cintura*) sash

fajo ['faxo] *m* (*de billetes*) wad

falange [fa'lanxe] *f* (*hueso*) phalanx

falda ['falda] *f* **1.** (*prenda de vestir*) skirt **2.** (*de montaña*) mountainside **3.** (*de persona*) lap ● **faldas** *fpl* (*fam*) (*mujeres*) girls

falla ['faʎa] *f* **1.** (*de terreno*) fault **2.** (*de cartón*) cardboard figure burned during *Fallas* ● **Fallas** *fpl* celebrations in Valencia on 19 March during which fallas are burned

Fallas de San José

Valencia celebrates its best-known festival, the *fallas*, on 19 March. *Fallas* are grotesque papier-mâché giants built by the local people that are surrounded by smaller figures called *ninots*, creating satirical scenes. They are displayed publicly from 15 March before being judged to decide which of the *ninots* will be burned in the *cremà* on the night of 19 March.

fallar [faˈʎar] *vi* **1.** *(equivocarse)* to get it wrong **2.** *(no acertar)* to miss **3.** *(fracasar, no funcionar)* to fail

fallecer [faʎeˈθer] *vi* *(formal)* to pass away

fallo [ˈfaʎo] *m* **1.** *(equivocación)* mistake **2.** *(de frenos, etc)* failure **3.** *(sentencia)* verdict

falsedad [falseˈðað] *f* falseness

falsete [falˈsete] *m* falsetto

falsificar [falsifiˈkar] *vt* to forge

falso, sa [ˈfalso, sa] *adj* **1.** *(afirmación, noticia)* false **2.** *(puerta, salida)* hidden **3.** *(joya, piel)* fake **4.** *(dinero, cuadro)* forged **5.** *(hipócrita)* deceitful

falta [ˈfalta] *f* **1.** *(carencia)* lack **2.** *(necesidad)* need **3.** *(error)* mistake **4.** *(de asistencia, puntualidad)* absence **5.** *(en fútbol, etc)* foul **6.** *(en tenis)* fault **7.** *(infracción)* offence • **echar en falta algo/a alguien** *(echar de menos)* to miss sthg/sb; *(notar la ausencia de)* to notice sthg/sb is missing • **hacer falta to be** necessary • **me hace falta suerte** I need some luck • **falta de educación** rudeness

faltar [falˈtar] *vi* **1.** *(no haber)* to be lacking **2.** *(estar ausente)* to be absent • **falta aire** there isn't enough air • **falta sal** it needs some salt • **me falta un lápiz** I need a pencil • **le falta interés** she lacks interest • **falta una**

semana there's a week to go • **faltan 15 km para Londres** we're 15 km away from London • **faltar a clase** not to attend one's classes • **¡no faltaba más!** that's all I/we *etc* needed! • **faltar a** *v + prep* **1.** *(obligación)* to neglect **2.** *(palabra, promesa)* to break **3.** *(cita, trabajo)* not to turn up at **4.** *(ofender)* to offend

fama [ˈfama] *f* **1.** *(renombre)* fame **2.** *(reputación)* reputation

familia [faˈmilja] *f* family • **familia numerosa** large family

familiar [famiˈljar] ◇ *adj* **1.** *(de familia)* family *(antes de s)* **2.** *(conocido)* familiar **3.** *(llano)* informal ◇ *mf* relative

familiarizarse [familjariˈθarse] • **familiarizarse con** *v + prep* to familiarize o. s. with

famoseo *m* *(fam)* celebrities *pl*

famoso, sa [faˈmoso, sa] *adj* famous

fanatismo [fanaˈtizmo] *m* fanaticism

fandango [fanˈdango] *m* fandango

fanfarrón, ona [fanfaˈron, ona] *adj* boastful

fantasía [fantaˈsia] *f* **1.** *(imaginación)* imagination **2.** *(imagen, ilusión)* fantasy

fantasma [fanˈtazma] *m* **1.** *(aparición)* ghost **2.** *(fam)* *(persona presuntuosa)* show-off

fantástico, ca [fanˈtastiko, ka] *adj* fantastic

farmacéutico, ca [farmaˈθeu̯tiko, ka] *m, f* chemist

farmacia [farˈmaθja] *f* chemist's (shop) *(UK)*, pharmacy *(US)* ▼ **farmacia de guardia** duty chemist's

faro [ˈfaro] *m* *(torre)* lighthouse • **faros** *mpl* *(de coche)* headlights

farol [fa'rol] *m* **1.** (*lámpara*) street light **3.** (*en el juego*) bluff

farola [fa'rola] *f* **1.** (*poste*) lamppost **2.** (*farol*) street light

farolillo [faro'liʎo] *m* paper lantern

farsa ['farsa] *f* farce

farsante [far'sante] *adj* **1.** (*impostor*) fraudulent **2.** (*hipócrita*) deceitful

fascismo [fas'θizmo] *m* fascism

fascista [fas'θista] *mf* fascist

fase ['fase] *f* phase

fastidiar [fasti'ðjar] *vt* **1.** (*molestar*) to annoy **2.** (*fiesta, planes*) to ruin **3.** (*máquina, objeto*) to break ◆ **fastidiarse** *vp* **1.** (*fam*) (*persona*) to put up with it **2.** (*plan, proyecto*) to be ruined

fastidio [fas'tiðjo] *m* (*molestia*) bother

fatal [fa'tal] ◇ *adj* **1.** (*trágico*) fatal **2.** (*inevitable*) inevitable **3.** (*malo*) awful ◇ *adv* (*fam*) awfully ● **me siento fatal** I feel awful

fatalidad [fatali'ðað] *f* **1.** (*desgracia*) misfortune **2.** (*destino, suerte*) fate

fatiga [fa'tiɣa] *f* (*cansancio*) fatigue

fatigarse [fati'ɣarse] *vp* to get tired

fauna ['fauna] *f* fauna

favor [fa'βor] *m* favour ● **estar a favor de** to be in favour of ● **hacer un favor a alguien** to do sb a favour ● **pedir un favor a alguien** to ask sb a favour ● **por favor** please

favorable [faβo'raβle] *adj* favourable

favorecer [faβore'θer] *vt* **1.** (*quedar bien*) to suit **2.** (*beneficiar*) to favour

favorito, ta [faβo'rito, ta] *adj* favourite

fax ['faks] *m inv* fax ● **mandar algo por fax** to fax sth

fayuquero [faju'kero] *m* (*CAm & Méx*) contraband dealer

fe ['fe] *f* faith ● **de buena/mala fe** (*fig*) in good/bad faith

fealdad [feal'dað] *f* ugliness

febrero [fe'βrero] *m* February ➤ **se-tiembre**

fecha ['fetʃa] *f* date ● **fecha de caducidad** (*de carné etc*) expiry date; (*de alimentos*) sell-by date (*UK*), best-before date (*US*); (*de medicamentos*) use-by date (*UK*), expiration date (*US*) ● **fecha de nacimiento** date of birth ◆ **fechas** *fpl* (*período, época*) time *sg*

fechar [fe'tʃar] *vt* to date

fecundo, da [fe'kundo, da] *adj* **1.** (*mujer*) fertile **2.** (*productivo, creativo*) prolific

federación [feðera'θjon] *f* federation

felicidad [feliθi'ðað] *f* happiness ◆ **felicidades** *interj* **1.** (*enhorabuena*) congratulations! **2.** (*en cumpleaños*) happy birthday!

felicitación [feliθita'θjon] *f* **1.** (*de palabra*) congratulations *pl* **2.** (*tarjeta*) greetings card

felicitar [feliθi'tar] *vt* to congratulate

feligrés, esa [feli'ɣres, esa] *m,f* parishioner

feliz [fe'liθ] *adj* **1.** happy ● **¡felices Pascuas!** Happy Easter ● **¡feliz Año Nuevo!** Happy New Year ● **¡feliz cumpleaños!** Happy Birthday ● **¡feliz Navidad!** Merry Christmas

felpudo [fel'puðo] *m* doormat

femenino, na [feme'nino, na] *adj* feminine

feminismo [femi'nizmo] *m* feminism

feminista [femi'nista] *mf* feminist

fémur ['femur] *m* thighbone

fenomenal [fenome'nal] *adj* **1.** *(estupendo)* wonderful **2.** *(fam) (muy grande)* huge

fenómeno [fe'nomeno] ◇ *m* phenomenon ◇ *adv (fam)* brilliantly

feo, a ['feo, a] *adj* **1.** *(rostro, decoración)* ugly **2.** *(actitud, comportamiento, tiempo)* nasty

féretro ['feretro] *m* coffin

feria ['ferja] *f* fair ● **feria de muestras** trade fair ◆ **ferias** *fpl (fiestas)* festival *sg*

feria de abril

Seville's *feria de abril* is the most famous festival in Spain and includes important bullfights. The week-long festivities take place a fortnight after Easter in an open-air compound with hundreds of stalls where people eat, drink and dance *sevillanas* round the clock.

feriado [fe'rjaðo] *m (Amér)* (public) holiday

fermentación [fermenta'θjon] *f* fermentation

feroz [fe'roθ, θes] *(pl* **-ces)** *adj* **1.** *(animal)* fierce **2.** *(cruel)* savage

ferretería [ferete'ria] *f* ironmonger's (shop) *(UK)*, hardware store *(US)*

ferrocarril [feroka'ril] *m* railway *(UK)*, railroad *(US)*

ferroviario, ria [fero'βjarjo, rja] *adj* rail *(antes de s)*

ferry ['feri] *m* ferry

fértil ['fertil] *adj* fertile

fertilidad [fertili'ðað] *f* fertility

festival [festi'βal] *m* festival ● **festival de cine** film festival

festividad [festiβi'ðað] *f* festivity

festivo, va [fes'tiβo, βa] *adj* **1.** *(traje)* festive **2.** *(humorístico)* funny

feto ['feto] *m* foetus

fiambre ['fjambre] *m* cold meat *(UK)*, cold cut *(US)*

fiambrera [fjam'brera] *f* lunch box

fianza ['fjanθa] *f* **1.** *(de alquiler, venta)* deposit **2.** *(de preso)* bail

fiar [fi'ar] *vt (vender a crédito)* to sell on credit ◆ **fiarse de** *v + prep* to trust

fibra ['fiβra] *f* fibre

ficción [fik'θjon] *f* fiction

ficha ['fitʃa] *f* **1.** *(de datos)* card **2.** *(de datos personales)* file **3.** *(de guardarropa, parking)* ticket **4.** *(de casino)* chip **5.** *(de dominó, parchís, etc)* counter **6.** *(de deportista)* contract

fichar [fi'tʃar] ◇ *vt* **1.** *(contratar)* to sign up **2.** *(delincuente)* to put on police files ◇ *vi (empleado)* to clock in/out

fichero [fi'tʃero] *m* file

ficticio, cia [fik'tiθjo, θja] *adj* fictitious

fidelidad [fiðeli'ðað] *f* **1.** *(lealtad)* loyalty **2.** *(exactitud)* accuracy

fideos [fi'ðeos] *mpl* noodles

fiebre ['fjeβre] *f* fever ● **tener fiebre** to have a temperature

fiel ['fjel] ◇ *adj* **1.** *(amigo, seguidor)* loyal **2.** *(cónyuge)* faithful **3.** *(exacto)* accurate ◇ *m (cristiano)* believer

fieltro ['fjeltro] *m* felt

fiera ['fjera] *f (animal)* wild animal

fiero, ra ['fjero, ra] *adj* savage

fierro ['fjero] *m (Amér)* iron

fiesta ['fjesta] *f* **1.** *(de pueblo, etc)*

festivities *pl* **2.** *(reunión)* party **3.** *(día festivo)* public holiday **4.** *(alegría)* delight ● **fiesta mayor** *local celebrations for the festival of a town's patron saint*

fiestas patronales

From the smallest village to the biggest city, everywhere in Spain has a festival in honour of its patron saint. Lasting between two days and a week, the celebrations involve various cultural and sporting activities not to mention much dancing and merrymaking in the streets at night.

fiestas patrias

The Spanish-speaking countries of Latin America all have their own *fiestas patrias*, marking the day that each country gained independence from Spain. The celebrations usually last two days and are the most important national festival.

figura [fi'ɣura] *f* **1.** *(forma exterior)* shape **2.** *(representación)* figure

figurar [fiɣu'rar] ◇ *vt* **1.** *(representar)* to represent **2.** *(simular)* to feign ◇ *vi* **1.** *(constar)* to appear **2.** *(ser importante)* to be important ◆ **figurarse** *vp* *(imaginarse)* to imagine

figurativo, va [fiɣura'tiβo, βa] *adj* figurative

figurín [fiɣu'rin] *m* **1.** *(dibujo)* fashion sketch **2.** *(revista)* fashion magazine

fijador [fixa'ðor] *m* **1.** *(de pelo)* hairspray **2.** *(crema)* hair gel

fijar [fi'xar] *vt* to fix ◆ **fijarse** *vp* *(prestar atención)* to pay attention ● **fijarse en** *(darse cuenta de)* to notice

fijo, ja [fixo, xa] *adj* **1.** fixed **2.** *(sujeto)* secure **3.** *(fecha)* definite

fila ['fila] *f* *(hilera)* line

filatelia [fila'telja] *f* philately

filete [fi'lete] *m* **1.** fillet **2.** *(de carne)* steak ● **filete de ternera** fillet of veal ● **filete de lenguado** fillet of sole

filiación [filja'θjon] *f* **1.** *(datos personales)* record **2.** *(procedencia)* relationship

filial [fi'ljal] ◇ *adj* filial ◇ *f* subsidiary

Filipinas [fili'pinas] *fpl* ● **(las) Filipinas** the Philippines

filmar [fil'mar] *vt & vi* to film

filoso, sa [fi'loso, sa] *adj* *(Amér)* sharp

filosofar [filoso'far] *vi* *(fam)* to philosophize

filosofía [filoso'fia] *f* philosophy

filósofo, fa [fi'losofo, fa] *m,f* philosopher

filtrar [fil'trar] *vt* **1.** *(líquido)* to filter **2.** *(noticia, información)* to leak

filtro [filtro] *m* filter ● **filtro solar** sun filter

fin ['fin] *m* **1.** end **2.** *(objetivo)* aim ● **a fin de que** in order that ● **a fines de** at the end of ● **en fin** anyway ● **por fin** finally ● **sin fin** endless ● **fin de año** New Year's Eve ● **fin de semana** weekend

final [fi'nal] ◇ *adj & f* final ◇ *m* end

finalidad [finali'ðað] *f* purpose

finalista [fina'lista] *mf* finalist

finalizar [finali'θar] *vt & vi* to finish

financiación [finanθia'θjon] *f* financing

financiar [finan'θjar] *vt* to finance

financista [finan'θista] *mf* (*Amér*) financier

finanzas [fi'nanθas] *fpl* finance *sg*

finca ['finka] *f* **1.** (*bienes inmuebles*) property **2.** (*casa de campo*) country residence

finde *m* (*fam*) weekend

finger ['finger] *m* (*de aeropuerto*) jetway

fingir [fin'xir] *vt* to feign

finlandés, esa [finlan'des, esa] ◇ *adj* Finnish ◇ *m,f* Finn

Finlandia [fin'landja] *s* Finland

fino, na ['fino, na] ◇ *adj* **1.** (*delgado*) thin **2.** (*suave*) smooth **3.** (*esbelto*) slim **4.** (*restaurante, hotel*) posh **5.** (*persona*) refined **6.** (*de calidad, sabor, olor*) fine **7.** (*sutil*) subtle ◇ *m* dry sherry ● **finas hierbas** fines herbes

fiordo ['fjorðo] *m* fjord

firma ['firma] *f* **1.** (*de persona*) signature **2.** (*empresa*) firm

firmar [fir'mar] *vt* to sign

firme ['firme] *adj* **1.** firm **2.** (*bien sujeto*) stable **3.** (*carácter*) resolute

firmemente [,firme'mente] *adv* firmly

firmeza [fir'meθa] *f* **1.** (*solidez*) stability **2.** (*constancia*) firmness **3.** (*de carácter*) resolution

fiscal [fis'kal] ◇ *adj* tax (*antes de s*) ◇ *mf* public prosecutor (*UK*), district attorney (*US*)

fiscalía [fiska'lia] *f* **1.** (*oficio*) post of public prosecutor (*UK*), post of district attorney (*US*) **2.** (*oficina*) public prosecutor's office (*UK*), district attorney's office (*US*)

física ['fisika] *f* physics *sg* ➤ **físico**

físico, ca ['fisiko, ka] ◇ *adj* physical ◇ *m, f* physicist ◇ *m* (*aspecto exterior*) physique

fisioterapeuta [fisjotera'peuta] *mf* physiotherapist

fisonomía [fisono'mia] *f* appearance

fisonomista [fisono'mista] *adj* good at remembering faces

flaco, ca ['flako, ka] *adj* thin

flamante [fla'mante] *adj* **1.** (*llamativo*) resplendent **2.** (*nuevo*) brand-new

flamenco, ca [fla'menko, ka] ◇ *m* **1.** (*ave*) flamingo **2.** (*cante andaluz*) flamenco

flamenco

The term *flamenco* originates from Andalusia and refers not only to the famous dance but also to the traditional folk songs and the style of guitar playing. It is the result of a mixture of influences from various cultures. The different styles of flamenco are called *palos*.

flan ['flan] *m* crème caramel (*UK*), flan (*US*) ● **flan con nata** crème caramel with whipped cream

flaqueza [fla'keθa] *f* weakness

flash ['flas] *m* (*en fotografía*) flash

flauta ['flauta] *f* flute

flecha ['fletʃa] *f* arrow

fleco ['fleko] *m* (*de cortina, mantel*) fringe ◆ **flecos** *mpl* (*de pantalón, camisa*) frayed edges

flemón [fle'mon] *m* gumboil

flequillo [fleˈkiʎo] *m* fringe

flexibilidad [fleksiβiliˈðað] *f* flexibility

flexible [flekˈsiβle] *adj* flexible

flexión [flekˈsjon] *f (ejercicio)* press-up (*UK*), push-up (*US*)

flojera [floˈxera] *f (fam)* lethargy

flojo, ja [ˈfloxo, xa] *adj* **1.** *(cuerda, clavo)* loose **2.** *(carácter, persona)* weak **3.** *(de poca calidad)* poor

flor [ˈflor] *f* flower

flora [ˈflora] *f* flora

florecer [floreˈθer] *vi* **1.** *(planta)* to flower **2.** *(prosperar)* to flourish

florero [floˈrero] *m* vase

florido, da [floˈriðo, ða] *adj* **1.** *(árbol)* blossoming **2.** *(jardín)* full of flowers

florista [floˈrista] *mf* florist

floristería [floristeˈria] *f* florist's (shop)

flota [ˈflota] *f* fleet

flotador [flotaˈðor] *m* **1.** *(para la cintura)* rubber ring (*UK*), life saver (*US*) **2.** *(para los brazos)* arm band (*UK*), water wing (*US*)

flotar [floˈtar] *vi* to float

flote [ˈflote] ◆ **a flote** *adv* afloat ● **salir a flote** *(fig)* to get back on one's feet

fluido, da [ˈflwiðo, ða] ◇ *adj* **1.** *(líquido)* fluid **2.** *(lenguaje, estilo)* fluent ◇ *m* fluid

fluir [ˈfluˈir] *vi* to flow

flúor [ˈfluor] *m (en dentífrico)* fluoride

FM [efeˈeme] *f (abr de frecuencia modulada)* FM *(frequency modulation)*

foca [ˈfoka] *f* seal

foco [ˈfoko] *m* **1.** *(en teatro)* spotlight **2.** *(en campo de fútbol)* floodlight **3.** *(de infección, epidemia)* centre **4.** *(Andes & Méx) (bombilla)* light bulb

foi-gras [fwaˈɣras] *m inv* foie-gras

foja [ˈfoxa] *f (Amér) (folio)* sheet

folio [ˈfoljo] *m* sheet (of paper)

folklórico, ca [folˈkloriko, ka] *adj* **1.** *(tradición, baile)* traditional, popular **2.** *(fam) (ridículo)* absurd

follaje [foˈʎaxe] *m* foliage

folleto [foˈʎeto] *m* **1.** *(turístico, publicitario)* brochure **2.** *(explicativo, de instrucciones)* leaflet

fomentar [fomenˈtar] *vt* to encourage

fonda [ˈfonda] *f* boarding house

fondo [ˈfondo] *m* **1.** bottom **2.** *(de dibujo, fotografía)* background **3.** *(dimensión)* depth ● **a fondo** thoroughly ● **al fondo de la calle** at the end of the street ● **al fondo de la habitación** at the back of the room ◆ **fondos** *mpl* **1.** *(dinero)* funds **2.** *(de archivo, biblioteca)* catalogue *sg*

fono [ˈfono] *m (Amér)* receiver

fontanero, ra [fontaˈnero, ra] *m,f* plumber

footing [ˈfutin] *m* jogging ● **hacer footing** to go jogging

forastero, ra [forasˈtero, ra] *m,f* stranger

forense [foˈrense] *mf* pathologist

forestal [foresˈtal] *adj* forest *(antes de s)*

forfait [forˈfe] *f* ski pass

forjar [forˈxar] *vt* **1.** *(hierro)* to forge **2.** *(crear)* to build up

forma [ˈforma] *f* **1.** *(figura externa)* shape **2.** *(modo, manera)* way ● **en forma de** in the shape of ◆ **formas** *fpl (modales)* social conventions

formación [formaˈθjon] *f* **1.** formation **2.** *(educación)* training ● **formación profesional** Spanish vocational training

formal [for'mal] *adj* **1.** *(de forma)* formal **2.** *(de confianza)* reliable **3.** *(serio)* serious

formalidad [formali'ðað] *f* **1.** *(seriedad)* seriousness **2.** *(requisito)* formality

formar [for'mar] *vt* **1.** *(crear)* to form **2.** *(educar)* to train ● **formarse** *vp (educarse)* to be trained

formidable [formi'ðaβle] *adj* **1.** *(estupendo)* amazing **2.** *(grande)* tremendous

fórmula ['formula] *f* formula

formular [formu'lar] *vt* to formulate

formulario [formu'larjo] *m* form

forrar [fo'rar] *vt* **1.** *(libro)* to cover **2.** *(ropa)* to line ● **forrarse** *vp (fam)* to make a pile of money

forro ['foro] *m* **1.** *(de prenda de vestir)* lining **2.** *(de libro)* cover

fortaleza [forta'leθa] *f* **1.** *(fuerza)* strength **2.** *(recinto)* fortress

fortuna [for'tuna] *f* **1.** *(suerte)* (good) luck **2.** *(riqueza)* fortune

forzado, da [for'θaðo, ða] *adj* forced

forzar [for'θar] *vt* to force ● **forzar a alguien a hacer algo** to force sb to do sthg

forzosamente [for,θosa'mente] *adv* necessarily

fósforo ['fosforo] *m (cerilla)* match

fósil ['fosil] *m* fossil

foso ['foso] *m* **1.** *(de castillo)* moat **2.** *(de orquesta)* pit **3.** *(hoyo)* ditch

foto ['foto] *f* photo ● **sacar una foto** to take a photo

fotocopia [foto'kopja] *f* photocopy

fotocopiadora [fotokopja'ðora] *f* photocopier

fotocopiar [fotoko'pjar] *vt* to photocopy

fotografía [fotoɣra'fia] *f* **1.** *(imagen)* photograph **2.** *(arte)* photography

fotografiar [fotoɣrafi'ar] *vt* to photograph

fotográfico, ca [foto'ɣrafiko, ka] *adj* photographic

fotógrafo, fa [fo'toɣrafo, fa] *m,f* photographer

fotomatón [,fotoma'ton] *m* passport photo machine

fra. *(abr de factura)* invoice

fracasar [fraka'sar] *vi* to fail

fracaso [fra'kaso] *m* failure

fracción [frak'θjon] *f* fraction

fractura [frak'tura] *f* fracture

frágil ['fraxil] *adj* ▽ **frágil** fragile

fragmento [fraɣ'mento] *m* **1.** *(pedazo)* fragment **2.** *(de obra)* excerpt

fraile ['fraile] *m* friar

frambuesa [fram'bɣesa] *f* raspberry

francamente [,franka'mente] *adv* **1.** *(sinceramente)* frankly **2.** *(muy)* really

francés, esa [fran'θes, esa] ◇ *adj & m* French ◇ *m,f* Frenchman *(f* Frenchwoman*)* ● **los franceses** the French

Francia ['franθja] *s* France

franco, ca ['franko, ka] ◇ *adj* **1.** *(sincero)* frank **2.** *(sin obstáculos)* free ◇ *m (moneda)* franc

francotirador, ra [,frankotira'ðor, ra] *m,f* sniper

franela [fra'nela] *f* flannel

franqueo [fran'keo] *m* postage

frasco ['frasko] *m* small bottle

frase ['frase] *f* sentence

fraternal [frater'nal] *adj* fraternal

fraternidad [fraterni'ðað] *f* brotherhood

fraude [ˈfrauðe] *m* fraud

fray [frai] *m* brother

frazada [fraˈθaða] *f* (*Amér*) blanket ● **frazada eléctrica** electric blanket

frecuencia [freˈkwenθja] *f* frequency ● **con frecuencia** often

frecuente [freˈkwente] *adj* **1.** (*repetido*) frequent **2.** (*usual*) common

fregadero [freɣaˈðero] *m* (kitchen) sink

fregado, da [freˈɣaðo, ða] *adj* (*Amér*) (*fam*) annoying

fregar [freˈɣar] *vt* **1.** (*limpiar*) to wash **2.** (*frotar*) to scrub **3.** (*Amér*) (*fam*) (*molestar*) to bother ● **fregar los platos** to do the dishes

fregona [freˈɣona] *f* **1.** (*utensilio*) mop **2.** (*despec*) (*mujer*) skivvy

freír [freˈir] *vt* to fry

frenar [freˈnar] ◇ *vt* **1.** (*parar*) to brake **2.** (*contener*) to check ◇ *vi* to brake

frenazo [freˈnaθo] *m* ● **dar un frenazo** to slam on the brakes

frenético, ca [freˈnetiko, ka] *adj* **1.** (*rabioso*) furious **2.** (*exaltado*) frantic

freno [ˈfreno] *m* brake ● **pisar el freno** to step on the brakes ● **freno de mano** hand brake (*UK*), parking brake (*US*)

frente[1] [ˈfrente] *m* front ● **estar al frente de** (*dirigir*) to be at the head of

frente[2] [ˈfrente] *f* (*de la cara*) forehead ● **de frente** head on ● **frente a** opposite ● **frente a frente** face to face

fresa [ˈfresa] *f* strawberry

fresco, ca [ˈfresko, ka] ◇ *adj* **1.** fresh **2.** (*frío*) cool **3.** (*desvergonzado*) cheeky (*UK*), fresh (*US*) **4.** (*tejido, ropa*) light ◇ *m,f* (*desvergonzado*) cheeky (*UK*) o impudent (*US*) person ◇ *m* (*frío*

suave) cool **2.** (*pintura*) fresco ● **hace fresco** it's chilly ● **tomar el fresco** to get a breath of fresh air

fresno [ˈfrezno] *m* ash (tree)

fresón [freˈson] *m* large strawberry

fricandó [frikanˈdo] *m* fricandeau

frigorífico [friɣoˈrifiko] *m* refrigerator

frijol [friˈxol] *m* **1.** (*judía*) bean **2.** (*Amér*) (*tipo de judía*) pinto bean

frío, a [ˈfrio, a] *adj & m* cold ● **hace frío** it's cold ● **tener frío** to be cold

fritada [friˈtaða] *f* fried dish ● **fritada de pescado** dish of fried fish

frito, ta [ˈfrito, ta] ◇ *pp* ➤ **freír** ◇ *adj* fried

fritura [friˈtura] *f* fried dish

frívolo, la [ˈfriβolo, la] *adj* frivolous

frondoso, sa [fronˈdoso, sa] *adj* leafy

frontera [fronˈtera] *f* border

fronterizo, za [fronteˈriθo, θa] *adj* **1.** (*cerca de la frontera*) border (*antes de s*) **2.** (*vecino*) neighbouring

frontón [fronˈton] *m* **1.** (*juego*) pelota, jai alai **2.** (*de edificio*) pediment

frotar [froˈtar] *vt* to rub

frustración [frustraˈθjon] *f* frustration

frustrar [frusˈtrar] *vt* (*plan, proyecto*) to thwart ● **frustrarse** *vp* **1.** (*persona*) to get frustrated **2.** (*plan, proyecto*) to fail

fruta [ˈfruta] *f* fruit ● **fruta del tiempo** fruit in season

frutal [fruˈtal] *m* fruit tree

frutería [fruteˈria] *f* fruit shop

frutero, ra [fruˈtero, ra] ◇ *m,f* (*persona*) fruiterer ◇ *m* (*plato*) fruit bowl

frutilla [fruˈtiʎa] *f* (*Andes & RP*) strawberry

fruto [ˈfruto] *m* **1.** fruit **2.** (*nuez, avellana,*

etc) nut ◆ **frutos** *mpl* produce *sg* ●
frutos del bosque fruits of the forest ●
frutos secos dried fruit and nuts

fuego ['fweɣo] *m* fire ● **a fuego lento**
over a low heat ● **¿tienes fuego?** do
you have a light? ● **fuegos artificiales**
fireworks

fuelle ['fweʎe] *m* 1. *(de aire)* bellows *pl* 2.
(entre vagones) concertina vestibule

fuente ['fwente] *f* 1. *(manantial)* spring 2.
(en la calle) fountain 3. *(recipiente)*
(serving) dish 4. *(origen)* source

fuera ['fwera] ◇ *v* ⊳ **ir, ser** ◇ *adv* 1. *(en el
exterior)* outside 2. *(en otro lugar)* away ◇
interj get out! ● **sal fuera** go out ● **por
fuera** (on the) outside ● **fuera borda**
outboard motor ● **fuera de** *(a excepción
de)* except for ● **fuera de combate** *(en
boxeo)* knocked out ▼ **fuera de servicio**
out of order

fuerte ['fwerte] ◇ *adj* 1. strong 2. *(frío,
dolor)* intense 3. *(lluvia)* heavy 4. *(golpe,
colisión)* hard 5. *(alimento)* rich 6. *(voz,
sonido)* loud ◇ *m* 1. *(fortaleza)* fort 2.
(afición) strong point ◇ *adv* 1. *(con fuerza,
intensidad)* hard 2. *(gritar)* loudly

fuerza ['fwerθa] *f* 1. force 2. *(de persona,
animal, resistencia)* strength ● **a fuerza
de** by dint of ● **a la fuerza** by force ●
por fuerza *(por obligación)* by force; *(por
necesidad)* of necessity ● **las fuerzas
armadas** the armed forces

fuga ['fuɣa] *f* 1. *(de persona)* escape 2. *(de
gas)* leak

fugarse [fu'ɣarse] *vp* to escape ●
fugarse de casa to run away (from
home)

fugaz [fu'ɣaθ] *(pl* **-ces)** *adj* fleeting

fugitivo, va [fuxi'tiβo, βa] *m,f* fugitive

fulana [fu'lana] *f* tart *(UK)*, hussy *(US)*
⊳ **fulano**

fulano, na [fu'lano, na] *m,f* what's his/
her name

fulminante [fulmi'nante] *adj (muy rápido)* sudden

fumador, ra [fuma'ðor, ra] *m,f* smoker
● **¿fumador o no fumador?** smoking or
nonsmoking? ▼ **fumadores** smokers ▼
no fumadores nonsmokers

fumar [fu'mar] *vt & vi* to smoke ●
fumar en pipa to smoke a pipe ▼ **no
fumar** no smoking

función [fun'θjon] *f* 1. *(utilidad)* function
2. *(de teatro)* show

funcionar [funθjo'nar] *vi* to work ●
funciona con diesel it runs on diesel ▼
no funciona out of order

funcionario, ria [funθjo'narjo, rja] *m,f*
civil servant

funda ['funda] *f* 1. *(cubierta)* cover 2. *(de
almohada)* pillowcase

fundación [funda'θjon] *f* foundation

fundador, ra [funda'ðor, ra] *m,f* foun-
der

fundamental [fundamen'tal] *adj* fundamental

fundamento [funda'mento] *m (base)*
basis ◆ **fundamentos** *mpl (conocimientos)* basics

fundar [fun'dar] *vt* 1. *(crear)* to found 2.
(apoyar) to base ◆ **fundarse en** *v + prep*
to be based on

fundición [fundi'θjon] *f* 1. *(de metal)*
smelting 2. *(fábrica)* foundry

fundir [fun'dir] *vt* 1. *(derretir)* to melt 2.
(aparato) to fuse 3. *(bombilla, dinero)* to

blow **4.** *(unir)* to merge ● **fundirse** *vp* *(derretirse)* to melt

funeral [fune'ral] *m* funeral

fungir [fun'xir] *vi* *(Amér)* to act

funicular [funiku'lar] *m* **1.** *(por tierra)* funicular railway **2.** *(por aire)* cable car

furgón [fur'ɣon] *m* **1.** *(coche grande)* van **2.** *(vagón de tren)* wagon *(UK)*, boxcar *(US)*

furgoneta [furɣo'neta] *f* van

furia ['furja] *f* fury

furioso, sa [fu'rjoso, sa] *adj* **1.** *(lleno de ira)* furious **2.** *(intenso)* intense

furor [fu'ror] *m* *(furia)* rage ● **hacer furor** *(fam)* to be all the rage

fusible [fu'siβle] *m* fuse

fusil [fu'sil] *m* rifle

fusilar [fusi'lar] *vt* to shoot

fusión [fu'sjon] *m* **1.** *(de metal, cuerpo sólido)* melting **2.** *(de empresas)* merger

fustán [fus'tan] *m* **1.** *(Perú & Ven)* *(enaguas)* underskirt, slip *(US)* **2.** *(falda)* skirt

fútbol ['fuðβol] *m* football *(UK)*, soccer *(US)* ● **fútbol sala** indoor five-a-side *(UK)*, indoor soccer *(US)*

futbolín [fuðβo'lin] *m* table football *(UK)*, foosball *(US)*

futbolista [fuðβo'lista] *mf* footballer *(UK)*, soccer player *(US)*

futuro, ra [fu'turo, ra] *adj* & *m* future

g *(abr de gramo)* g *(gram)*

g/ *abrev* = giro

gabán [ga'βan] *m* overcoat

gabardina [gaβar'ðina] *f* raincoat

gabinete [gaβi'nete] *m* **1.** *(sala)* study **2.** *(gobierno)* cabinet

gafas ['gafas] *fpl* glasses ● **gafas de sol** sunglasses

gaita ['gajta] *f* bagpipes *pl* ● **ser una gaita** *(fam)* to be a pain in the neck

gala ['gala] *f (actuación)* show ● **de gala** black tie *(antes de s)* ● **galas** *fpl* *(vestidos)* best clothes

galán [ga'lan] *m* **1.** *(hombre atractivo)* handsome man **2.** *(actor)* leading man **3.** *(mueble)* clothes stand

galaxia [ga'laksja] *f* galaxy

galería [gale'ria] *f* **1.** gallery **2.** *(corredor descubierto)* verandah ● **galería de arte** art gallery ● **galerías** *fpl* *(tiendas)* shopping arcade *sg*

Gales ['gales] *s* ● **(el País de) Gales** Wales

galés, esa [ga'les, esa] ◇ *adj* & *m* Welsh ◇ *m,f* Welshman *(f* Welshwoman*)* ● **los galeses** the Welsh

Galicia [ga'liθja] *s* Galicia

gallego, ga [ga'ʎeɣo, ɣa] *adj* & *m,f* Galician

galleta [ga'ʎeta] *f* biscuit *(UK)*, cookie *(US)*

gallina [ga'ʎina] ◇ *f (animal)* hen ◇ *mf* *(cobarde)* chicken

gallinero [gaʎi'nero] *m* **1.** *(corral)* hen-house **2.** *(de teatro)* gods *pl* (UK), gallery (US)

gallo ['gaʎo] *m* **1.** *(ave)* cock (UK), rooster (US) **2.** *(pescado)* John Dory **3.** *(fam)* (nota falsa) false note

galopar [galo'par] *vi* to gallop

galope [ga'lope] *m* gallop

gama ['gama] *f* range

gamba ['gamba] *f* prawn (UK), shrimp (US) ● **gambas al ajillo** *prawns cooked in an earthenware dish in a sauce of oil, garlic and chilli* ● **gambas a la plancha** *grilled prawns*

gamberro, rra [gam'bero, ra] *m,f* hooligan

gamuza [ga'muθa] *f* **1.** (piel, para limpiar el coche, etc) chamois **2.** (para quitar el polvo) duster

gana ['gana] *f* (apetito) appetite ● **de buena gana** willingly ● **de mala gana** unwillingly ● **no me da la gana de hacerlo** I don't feel like doing it ◆ **ganas** *fpl* ● **tener ganas de** to feel like

ganadería [ganaðe'ria] *f* **1.** (ganado) livestock **2.** (actividad) livestock farming **3.** (en toros) breed

ganadero, ra [gana'ðero, ra] *m,f* **1.** (dueño) livestock farmer **2.** (cuidador) cattle hand

ganado [ga'naðo] *m* **1.** (animales de granja) livestock **2.** (vacuno) cattle ● **ganado bovino** cattle ● **ganado ovino** sheep ● **ganado porcino** pigs

ganador, ra [gana'ðor, ra] *m,f* winner

ganancias [ga'nanθjas] *fpl* profit *sg*

ganar [ga'nar] ◇ *vt* **1.** (vencer) to win **2.** (obtener) to earn **3.** (beneficio) to make **4.** (au-mentar) to gain **5.** (derrotar) to beat ◇ *vi* **1.** (ser vencedor) to win **2.** (mejorar) to benefit ◆ **ganarse** *vp* (conseguir) to earn ● **ganarse la vida** to earn a living

ganchillo [gan'tʃiʎo] *m* **1.** (aguja) crochet hook **2.** (labor) crochet

gancho ['gantʃo] *m* **1.** (para colgar) hook **2.** (atractivo) sex appeal **3.** (Amér) (percha) coat hanger

gandul, la [gan'dul, la] *adj* lazy

ganga ['ganga] *f* bargain

ganso ['ganso, sa] *m* goose

garabato [gara'βato] *m* scribble

garaje [ga'raxe] *m* garage

garantía [garan'tia] *f* guarantee

garbanzo [gar'βanθo] *m* chickpea

garfio ['garfjo] *m* hook

garganta [gar'ɣanta] *f* **1.** (de persona) throat **2.** (entre montañas) gorge

gargantilla [garɣan'tiʎa] *f* (short) neck-lace, choker

gárgaras ['garɣaras] *fpl* ● **hacer gárga-ras** to gargle

garra ['gara] *f* (de animal) claw

garrafa [ga'rafa] *f* large bottle usually in a wicker holder

garrapata [gara'pata] *f* tick

garúa [ga'rua] *f* (Amér) drizzle

gas ['gas] *m* gas ◆ **gases** *mpl* (del estómago) wind *sg*

gasa ['gasa] *f* gauze

gaseosa [gase'osa] *f* lemonade (UK), lemon-lime soda (US)

gaseoso, sa [gase'oso, sa] *adj* fizzy

gasfitería [gasfite'ria] *f* (Andes) plumbing

gasfitero [gasfi'tero] *m* (Andes) plumber

gasóleo [ga'soleo] *m* diesel oil

gasolina [gaso'lina] *f* petrol (*UK*), gas (*US*) ● **gasolina normal** ≃ two-star petrol (*UK*), ≃ leaded gas (*US*) ● **gasolina sin plomo** unleaded petrol (*UK*), ≃ regular gas (*US*) ● **gasolina súper** ≃ four-star petrol (*UK*), ≃ premium unleaded gas (*US*)

gasolinera [gasoli'nera] *f* petrol station (*UK*), gas station (*US*)

gastar [gas'tar] *vt* **1.** (*dinero*) to spend **2.** (*usar*) to use **3.** (*talla, número*) to take **4.** (*acabar*) to use up ● **gastarse** *vp* **1.** (*acabarse*) to run out **2.** (*desgastarse*) to wear out

gasto ['gasto] *m* **1.** (*acción de gastar*) expenditure **2.** (*cosa que pagar*) expense ● **gastos** *mpl* expenditure *sg*

gastritis [gas'tritis] *f inv* gastritis

gastronomía [gastrono'mia] *f* gastronomy

gastronómico, ca [gastro'nomiko, ka] *adj* gastronomic

gatear [gate'ar] *vi* to crawl

gatillo [ga'tiʎo] *m* trigger

gato, ta ['gato, ta] ◇ *m,f* cat ◇ *m* (*aparato*) jack ● **a gatas** on all fours

gaucho ['gautʃo] *m* gaucho

gaucho

The poncho-clad *gaucho* is a stereotypical figure of South America, a free-spirited but rather melancholy cowboy who roamed the *pampas* on horseback, herding cattle from one area of pasture to another. They were famed for their bravery during the 19th century wars of independence, but have since disappeared.

gavilán [gaβi'lan] *m* sparrowhawk

gaviota [ga'βjota] *f* seagull

gazpacho [gaθ'patʃo] *m* ● **gazpacho (andaluz)** gazpacho

Gb (*abr escrita de gigabyte*) *m* Gb, GB (*gigabyte*)

GB (*abr de Gran Bretaña*) GB (*Great Britain*)

gel ['xel] *m* gel

gelatina [xela'tina] *f* **1.** (*para cocinar*) gelatine **2.** (*postre*) jelly (*UK*), Jell-o® (*US*)

gemelo, la [xe'melo, la] ◇ *adj & m,f* twin ◇ *m* (*músculo*) calf ● **gemelos** *mpl* **1.** (*botones*) cufflinks **2.** (*anteojos*) binoculars

gemido [xe'miðo] *m* moan

Géminis ['xeminis] *m inv* Gemini

gemir [xe'mir] *vi* to moan

generación [xenera'θjon] *f* generation

generador [xenera'ðor] *m* generator

general [xene'ral] *adj & m* general ● **en general** in general ● **por lo general** generally

generalizar [xenerali'θar] ◇ *vt* to make widespread ◇ *vi* to generalize

generalmente [xene,ral'mente] *adv* generally

generar [xene'rar] *vt* to generate

género ['xenero] *m* **1.** (*clase, especie*) type **2.** *GRAM* gender **3.** (*en literatura*) genre **4.** (*mercancía*) goods *pl* ● **géneros de punto** knitwear

generosidad [xenerosi'ðað] *f* generosity

generoso, sa [xene'roso, sa] *adj* generous

genial [xe'nial] *adj* brilliant

genio ['xenjo] *m* **1.** *(carácter)* character **2.** *(mal carácter)* bad temper **3.** *(persona inteligente)* genius **4.** *(ser fantástico)* genie
● **tener mal genio** to be bad-tempered

genitales [xeni'tales] *mpl* genitals

gente ['xente] *f* **1.** people *pl* **2.** *(fam) (familia)* folks *pl*

gentil [xen'til] *adj* **1.** *(cortés)* kind **2.** *(elegante)* elegant

gentileza [xenti'leθa] *f* **1.** *(cortesía)* kindness **2.** *(elegancia)* elegance

genuino, na [xe'nuino, na] *adj* genuine

geografía [xeoɣra'fia] *f* geography ● **por toda la geografía nacional** throughout the country

geográficamente [xeo,ɣrafika'mente] *adv* geographically

geometría [xeome'tria] *f* geometry

geométrico, ca [xeo'metriko, ka] *adj* geometric

geranio [xe'ranjo] *m* geranium

gerente [xe'rente] *mf* manager (*f* manageress)

germen [ˈxermen] *m* germ

gestión [xes'tjon] *f* **1.** *(diligencia)* step **2.** *(administración)* management

gestionar [xestjo'nar] *vt* **1.** *(tramitar)* to work towards **2.** *(administrar)* to manage

gesto ['xesto] *m* **1.** *(con las manos)* gesture **2.** *(mueca)* grimace, face

gestor, ra [xes'tor, ra] *m,f* **1.** *(de gestoría) agent who deals with public bodies on behalf of private individuals* **2.** *(de empresa)* manager

gestoría [xesto'ria] *f (establecimiento) office of a gestor*

GHz *m (abr escrita de gigahercio)* GHz *(gigahertz)*

Gibraltar [xiβral'tar] *s* Gibraltar

gibraltareño, na [xiβralta'reɲo, ɲa] *adj & m,f* Gibraltarian

gigahercio *m* gigahertz

gigante, ta [xi'ɣante] *adj & m,f* giant

gigantesco, ca [xiɣan'tesko, ka] *adj* gigantic

gimnasia [xim'nasia] *f* **1.** *(deporte)* gymnastics *sg* **2.** *(ejercicio)* exercises *pl*

gimnasio [xim'nasjo] *m* gymnasium

gimnasta [xim'nasta] *mf* gymnast

ginebra [xi'neβra] *f* gin

ginecólogo, ga [xine'koloɣo, ɣa] *m,f* gynaecologist

gin tonic [jin'tonik] *m* gin and tonic

gira ['xira] *f* tour

girar [xi'rar] ◇ *vt* **1.** *(hacer dar vueltas)* to turn **2.** *(rápidamente)* to spin **3.** *(letra, cheque)* to draw **4.** *(paquete)* to send **5.** *(dinero)* to transfer ◇ *vi* **1.** *(dar vueltas)* to turn **2.** *(rápidamente)* to spin ● **girarse** *vp* to turn round

girasol [xira'sol] *m* sunflower

giro ['xiro] *m* **1.** turn **2.** *(de letra, cheque)* draft **3.** *(expresión, dicho)* saying ● **giro postal** postal order

gis [xis] *m (Méx)* chalk

gitano, na [xi'tano, na] *adj & m,f* gypsy

glaciar [gla'θjar] *m* glacier

gladiolo [gla'ðjolo] *m* gladiolus

glándula ['glandula] *f* gland

global [glo'βal] *adj* **1.** *(aumento)* overall **2.** *(mundial)* global

globalización *f* globalization

globo ['gloβo] *m* **1.** *(para jugar, volar)* balloon **2.** *(cuerpo esférico)* sphere **3.** *(la Tierra, de lámpara)* globe ● **globo aerostático** hot-air balloon ● **globo terráqueo** globe

glóbulo ['gloβulo] *m* corpuscle

gloria ['gloɾja] *f* **1.** glory **2.** *(fam) (placer)* bliss **3.** *(persona)* star

glorieta [glo'ɾjeta] *f* **1.** *(plaza)* square **2.** *(redonda)* ≃ roundabout (UK), ≃ traffic circle (US) **3.** *(de jardín)* bower

glorioso, sa [glo'ɾjoso, sa] *adj* glorious

glucosa [glu'kosa] *f* glucose

gluten ['gluten] *m* gluten

gobernador, ra [goβeɾna'ðoɾ, ra] *m,f* governor

gobernante [goβeɾ'nante] *mf* leader

gobernar [goβeɾ'naɾ] *vt* **1.** *(nación, país)* to govern **2.** *(nave, vehículo)* to steer

gobierno [go'βjeɾno] *m* **1.** *(de país)* government **2.** *(edificio)* governor's office **3.** *(de nave, vehículo)* steering

goce ['goθe] *m* pleasure

gol ['gol] *m* goal

goleador, ra [golea'ðoɾ, ra] *m,f* scorer

golf ['golf] *m* golf

golfo, fa ['golfo, fa] ◇ *m,f* **1.** *(gamberro)* lout **2.** *(pillo)* rascal ◇ *m* *(en geografía)* gulf

golondrina [golon'drina] *f* swallow

golosina [golo'sina] *f* *(dulce)* sweet (UK), candy (US)

goloso, sa [go'loso, sa] *adj* sweet-toothed

golpe ['golpe] *m* **1.** *(puñetazo, desgracia)* blow **2.** *(bofetada)* smack, slap **3.** *(en puerta)* knock **4.** *(choque)* bump **5.** DEP shot **6.** *(gracia)* witticism **7.** *(atraco,*

asalto) raid ● **de golpe** suddenly ● **golpe de Estado** coup

golpear [golpe'aɾ] ◇ *vt* to hit ◇ *vi* to bang

golpiza [gol'piθa] *f* *(Amér)* beating

goma ['goma] *f* **1.** *(pegamento)* gum **2.** *(material)* rubber **3.** *(banda elástica)* elastic **4.** *(gomita)* elastic band (UK), rubber band (US) ● **goma de borrar** rubber (UK), eraser (US)

gomina [go'mina] *f* hair gel

gordo, da ['goɾðo, ða] ◇ *adj* **1.** *(obeso)* fat **2.** *(grueso)* thick **3.** *(grave)* big **4.** *(importante)* important ◇ *m,f* fat person ◇ *m* ● **el gordo** *(de la lotería)* first prize

gordura [goɾ'ðura] *f* fatness

gorila [go'ɾila] *m* **1.** *(animal)* gorilla **2.** *(fam) (guardaespaldas)* bodyguard **3.** *(fam) (en discoteca)* bouncer

gorjeo [goɾ'xeo] *m* chirping

gorra ['goɾa] *f* cap ● **de gorra** for free

gorrión [go'ɾjon] *m* sparrow

gorro ['goɾo] *m* cap

gota ['gota] *f* **1.** drop **2.** *(enfermedad)* gout ● **no veo ni gota** I can't see anything ● **gotas** *fpl* *(para nariz, ojos)* drops

gotera [go'teɾa] *f* **1.** leak **2.** *(mancha)* stain *(left by leaking water)*

gótico, ca ['gotiko, ka] ◇ *adj* Gothic ◇ *m* *(en arte)* Gothic *(art)*

gozar [go'θaɾ] *vi* to enjoy o.s. ● **gozar de** *v + prep (disponer de)* to enjoy

gozo ['goθo] *m* joy

gr *(abr de grado)* deg. *(degree)*

grabación [graβa'θjon] *f* recording

grabado [gra'βaðo] *m* **1.** *(arte)* engraving **2.** *(lámina)* print

grabar [gra'βar] *vt* **1.** to engrave **2.** *(canción, voz, imágenes, etc)* to record

gracia ['graθja] *f* **1.** *(humor)* humour **2.** *(atractivo)* grace **3.** *(don)* talent **4.** *(chiste)* joke ● **no me hace gracia** *(no me gusta)* I'm not keen on it ● **tener gracia** to be funny ● **gracias** ◇ *fpl* thanks ◇ *interj* thank you ● **dar las gracias a** to thank ● **gracias a** thanks to ● **gracias por** thank you for ● **muchas gracias** thank you very much

gracioso, sa [gra'θjoso, sa] *adj* **1.** *(que da risa)* funny **2.** *(con encanto)* graceful

grada ['graða] *f* **1.** *(de plaza de toros)* row **2.** *(peldaño)* step ● **las gradas** the terraces *(UK)*, the stands *(US)*

gradería [graðe'ria] *f* **1.** *(de plaza de toros)* rows *pl* **2.** *(de estadio)* terraces *pl*, stands *pl (US)* **3.** *(público)* crowd

grado ['graðo] *m* **1.** *(medida)* degree **2.** *(fase)* stage **3.** *(de enseñanza)* level **4.** *(del ejército)* rank ● **de buen grado** willingly

graduación [graðwa'θjon] *f* **1.** *(de bebida)* ≃ proof **2.** *(de militar)* rank **3.** *(acto)* grading

graduado, da [gra'ðwaðo, ða] ◇ *adj* **1.** *(persona)* graduate **2.** *(regla, termómetro)* graduated ◇ *m,f (persona)* graduate ◇ *m (título)* degree ● **graduado escolar** *qualification received on completing primary school*

gradual [gra'ðwal] *adj* gradual

gradualmente [graðwal'mente] *adv* gradually

graduar [graðu'ar] *vt (calefacción, calentador)* to regulate ● **graduarse** *vp (militar)* to receive one's commission

● **graduarse (en)** *(estudiante)* to graduate (in)

graffiti [gra'fiti] *m* graffiti

grafía [gra'fia] *f* written symbol

gráfica ['grafika] *f (curva)* graph ➤ **gráfico**

gráfico, ca ['grafiko, ka] ◇ *adj* graphic ◇ *m o f (dibujo)* graph

gragea [gra'xea] *f* pill

gramática [gra'matika] *f* grammar

gramatical [gramati'kal] *adj* grammatical

gramo ['gramo] *m* gram

gran ['gran] *adj* ➤ **grande**

granada [gra'naða] *f* **1.** *(fruto)* pomegranate **2.** *(proyectil)* grenade

granadilla [grana'ðiʎa] *f (Amér)* passion fruit

granate [gra'nate] ◇ *adj inv* deep red ◇ *m* garnet

Gran Bretaña ['grambre'taɲa] *s* Great Britain

grande ['grande] ◇ *adj* **1.** *(de tamaño)* big **2.** *(de altura)* tall **3.** *(importante)* great ◇ *m (noble)* grandee ● **le va grande** *(vestido, zapato)* it's too big for him ● **grandes almacenes** department store *sg*

grandeza [gran'deθa] *f* **1.** *(importancia)* grandeur **2.** *(tamaño)* (great) size

grandioso, sa [gran'djoso, sa] *adj* grand

granel [yra'nel] ● **a granel** *adv* **1.** *(arroz, judías, etc)* loose **2.** *(líquidos)* by volume **3.** *(en abundancia)* in abundance

granero [gra'nero] *m* granary

granito [gra'nito] *m* granite

granizada [grani'θaða] *f* hailstorm

granizado [grani'θaðo] *m* ≃ Slush-Puppie ®, *drink consisting of crushed* *ice with lemon juice, coffee etc*

granizar [grani'θar] *vi* ● **está granizando** it's hailing

granja ['granxa] *f* **1.** *(en el campo)* farm **2.** *(bar)* milk bar *(UK)*, ≃ snack bar *(US)*

granjero, ra [gran'xero, ra] *m,f* farmer

grano ['grano] *m* **1.** *(de cereal)* grain **2.** *(de la piel)* spot **3.** *(de fruta, planta)* seed **4.** *(de café)* bean ● **ir al grano** *(fam)* to get straight to the point

granuja [gra'nuxa] *mf (chiquillo)* rascal

grapa ['grapa] *f* staple

grapadora [grapa'ðora] *f* stapler

grapar [gra'par] *vt* to staple

grasa ['grasa] *f* **1.** grease **2.** *(de persona, animal)* fat

grasiento, ta [gra'sjento, ta] *adj* greasy

graso, sa ['graso, sa] *adj* greasy

gratificar [gratifi'kar] *vt (recompensar)* to reward ▼ **se gratificará** reward

gratinado [grati'naðo] *m* gratin

gratinar [grati'nar] *vt* to cook au gratin

gratis ['gratis] *adv* free

gratitud [grati'tuð] *f* gratitude

grato, ta ['grato, ta] *adj* pleasant

gratuito, ta [gratu'ito, ta] *adj* **1.** *(gratis)* free **2.** *(sin fundamento)* unfounded

grave ['graβe] *adj* **1.** serious **2.** *(voz)* deep **3.** *(tono)* low **4.** *(palabra)* with the stress on the penultimate syllable

gravedad [graβe'ðað] *f* **1.** *(importancia)* seriousness **2.** *(de la Tierra)* gravity

gravilla [gra'βiʎa] *f* gravel

Grecia ['greθja] *s* Greece

gremio ['gremjo] *m (profesión)* profession, trade

greña ['grena] *f* mop of hair

griego, ga ['grjeɣo, ɣa] *adj & m,f* Greek

grieta ['grjeta] *f* crack

grifero, ra [gri'fero, ra] *m,f (Perú)* petrol-pump attendant *(UK)*, gas station attendant *(US)*

grifo ['grifo] *m* **1.** *(Esp) (de agua)* tap *(UK)*, faucet *(US)* **2.** *(Perú) (gasolinera)* petrol station *(UK)*, gas station *(US)*

grill ['gril] *m* grill

grillo ['griʎo] *m* cricket

gripa ['gripa] *f (Col & Méx)* flu

gripe ['gripe] *f* flu

gris ['gris] *adj & m* grey

gritar [gri'tar] *vi* **1.** *(hablar alto)* to shout **2.** *(chillar)* to scream

grito ['grito] *m* **1.** *(de dolor, alegría)* cry **2.** *(palabra)* shout ● **a gritos** at the top of one's voice

grosella [gro'seʎa] *f* redcurrant ● **grosella negra** blackcurrant

grosería [grose'ria] *f* **1.** *(dicho)* rude word **2.** *(acto)* rude thing

grosero, ra [gro'sero, ra] *adj* **1.** *(poco refinado)* coarse **2.** *(maleducado)* rude

grosor [gro'sor] *m* thickness

grotesco, ca [gro'tesko, ka] *adj* grotesque

grúa ['grua] *f* **1.** *(máquina)* crane **2.** *(para averías)* breakdown truck **3.** *(para aparcamientos indebidos)* towaway truck

grueso, sa ['grweso, sa] ◇ *adj* **1.** *(persona)* fat **2.** *(objeto)* thick ◇ *m* **1.** *(espesor, volumen)* thickness **2.** *(parte principal)* bulk

grumo ['grumo] *m* lump

gruñido [gru'niðo] *m* grunt

gruñir [gru'nir] *vi* to grunt

grupa ['grupa] *f* hindquarters *pl*

grupo ['grupo] *m* group ● **en grupo** in

a group • **grupo de riesgo** high risk group • **grupo sanguíneo** blood group

gruta [ˈgruta] *f* grotto

guacamole [gwakaˈmole] *m* (*Amér*) guacamole

guachimán [gwatʃiˈman] *m* (*Amér*) security guard

guagua [ˈgwaɣwa] *f* **1.** (*Carib*) (*fam*) (*autobús*) bus **2.** (*Andes*) (*bebé*) baby

guante [ˈgwante] *m* glove

guantera [gwanˈtera] *f* glove compartment

guapo, pa [ˈgwapo, pa] *adj* **1.** (*mujer*) pretty **2.** (*hombre*) handsome **3.** (*fam*) (*objeto, ropa, etc*) nice

guardabarros [gwarðaˈβaros] *m inv* mudguard (*UK*), fender (*US*)

guardacoches [gwarðaˈkotʃes] *m inv* car park attendant

guardaespaldas [ˌgwarðaesˈpaldas] *m inv* bodyguard

guardameta [gwarðaˈmeta] *m* goalkeeper

guardapolvo [gwarðaˈpolβo] *m* **1.** (*prenda*) overalls *pl* **2.** (*funda*) dust cover

guardar [gwarˈðar] *vt* **1.** to keep **2.** (*poner*) to put (away) **3.** (*cuidar*) to look after **4.** (*suj: guardia*) to guard **5.** (*ley*) to observe ◆ **guardarse** *vp* ◆ **guardarse de** (*abstenerse de*) to be careful not to

guardarropa [gwarðaˈropa] *m* **1.** (*de local*) cloakroom **2.** (*armario*) wardrobe

guardería [gwarðeˈria] *f* **1.** (*escuela*) nursery (school) **2.** (*en el trabajo*) crèche (*UK*), day care center (*US*)

guardia [ˈgwarðja] ◇ *mf* (*policía*) police officer ◇ *f* **1.** (*vigilancia*) guard **2.** (*turno*) duty • **guardia civil** *member of the* Guardia Civil • **guardia municipal** o **urbano** *local police officer who deals mainly with traffic offences* • **guardia de seguridad** security guard • **farmacia de guardia** duty chemist's ◆ **Guardia Civil** *f Spanish police who patrol rural areas, highways and borders*

guardián, ana [gwarˈðjan, ana] *m,f* guardian

guarida [gwaˈriða] *f* lair

guarnición [gwarniˈθjon] *f* **1.** (*de comida*) garnish **2.** (*del ejército*) garrison

guarro, rra [ˈgwaro, ra] *adj* (*despec*) filthy

guasa [ˈgwasa] *f* **1.** (*fam*) (*ironía*) irony **2.** (*gracia*) humour

Guatemala [gwateˈmala] *s* Guatemala

guatemalteco, ca [gwatemalˈteko, ka] *adj & m,f* Guatemalan

guateque [gwaˈteke] *m* party

guayaba [gwaˈjaβa] *f* guava

guayabo [gwaˈjaβo] *m* guava tree

güero, ra [ˈgwero, ra] *adj* (*Méx*) (*fam*) blond (*f* blonde)

guerra [ˈgera] *f* war • **guerra civil** civil war • **guerra mundial** world war

guerrera [geˈrera] *f* (*chaqueta*) military-style jacket • **guerrero**

guerrero, ra [geˈrero, ra] *m,f* warrior

guerrilla [geˈriʎa] *f* guerilla group

guerrillero, ra [geriˈʎero, ra] *m,f* guerrilla

guía [ˈgia] ◇ *mf* (*persona*) guide ◇ *f* (*libro, folleto, indicación*) guide • **guía de carreteras** road atlas • **guía de ferrocarriles** train timetable • **guía telefónica** telephone directory • **guía turística** tourist guide

guiar [gi'ar] *vt* **1.** *(mostrar dirección)* to guide **2.** *(vehículo)* to steer ◆ **guiarse por** *v + prep* to be guided by

guijarro [gi'xaro] *m* pebble

guillotina [giʎo'tina] *f* guillotine

guinda ['ginda] *f* morello cherry

guindilla [gin'diʎa] *f* chilli pepper

guiñar [gi'nar] *vt* ◆ **guiñar un ojo to** wink

guiñol [gi'nol] *m* puppet theatre

guión [gi'on] *m* **1.** *(argumento)* script **2.** *(esquema)* outline **3.** *(signo)* hyphen

guionista [gio'nista] *mf* scriptwriter

guiri ['giri] *mf (fam)* foreigner

guirnalda [gir'nalda] *f* garland

guisado [gi'saðo] *m* stew

guisante [gi'sante] *m* pea ● **guisantes salteados** o **con jamón** peas fried with jamón serrano

guisar [gi'sar] *vt & vi* to cook

guiso ['giso] *m* dish *(food)*

guitarra [gi'tara] *f* guitar

guitarrista [gita'rista] *mf* guitarist

gusa *f (fam)* ● **tener gusa** to be peckish ● **a estas horas me entra una gusa que no veas** I get really peckish around this time

gusano [gu'sano] *m* worm

gustar [gus'tar] *vi* ● **me gusta** I like it ● **me gustas** I like you ● **me gustan los pasteles** I like cakes ● **no me gusta ese libro** I don't like that book ● **me gusta ir al cine** I like going to the cinema

gusto ['gusto] *m* **1.** taste **2.** *(placer)* pleasure ● **a tu gusto** as you wish ● **vivir a gusto** *(bien)* to live comfortably ● **un filete al gusto** a steak done the way you like it ● **con mucho gusto** with pleasure ● **mucho gusto** pleased to meet you

h H

h. *(abr de hora)* hr *(hour)*

haba ['aβa] *f* broad bean *(UK)*, fava bean *(US)* ● **habas a la catalana** stew of broad beans, bacon, butifarra and wine

habano [a'βano] *m* Havana cigar

haber [a'βer]

◇ *m (bienes)* assets *pl* ● **tiene tres pisos en su haber** he owns three flats

◇ *v aux* **1.** *(en tiempos compuestos)* to have ● **los niños han comido** the children have eaten ● **habían desayunado antes** they'd had breakfast earlier **2.** *(expresa reproche)* ● **¡haberlo dicho!** why didn't you say so?

◇ *vi* **1.** *(existir, estar, tener lugar)* ● **hay** there is, there are *pl* ● **¿qué hay hoy para comer?** what's for dinner today? ● **¿no hay nadie en casa?** isn't anyone at home? ● **el jueves no habrá reparto** there will be no delivery on Thursday **2.** *(expresa obligación)* ● **haber que hacer algo** to have to do sthg ● **habrá que soportarlo** we'll have to put up with it **3.** *(en locuciones)* ● **habérselas con alguien** to confront sb ● **¡hay que ver!** honestly! ● **no hay de qué** don't mention it

◆ **haber de** *v* + *prep* to have to

habichuela [aβi't͡ʃuela] *f* bean

hábil ['aβil] *adj* 1. *(diestro)* skilful 2. *(astuto)* clever ● **día hábil** working day

habilidad [aβili'ðað] *f* 1. *(destreza)* skill 2. *(astucia)* cleverness

habiloso, sa [aβi'loso, sa] *adj* *(Amér)* shrewd

habitación [aβita'θ͡jon] *f* 1. *(cuarto)* room 2. *(dormitorio)* bedroom ● **habitación doble** *(con cama de matrimonio)* double room; *(con dos camas)* twin room ● **habitación individual** single room

habitante [aβi'tante] *mf* inhabitant

habitar [aβi'tar] ◇ *vi* to live ◇ *vt* to live in

hábito ['aβito] *m* habit

habitual [aβitu'al] *adj* 1. *(acostumbrado)* habitual 2. *(cliente, lector)* regular

habitualmente [aβitu,al'mente] *adv* 1. *(generalmente)* usually 2. *(siempre)* regularly

hablador, ra [aβla'ðor, ra] *adj* talkative

habladurías [aβlaðu'rias] *fpl* gossip *sg*

hablar [a'βlar] ◇ *vi* 1. to talk 2. *(pronunciar discurso)* to speak ◇ *vt* 1. *(saber)* to speak 2. *(tratar)* to discuss ● **hablar de** to talk about ● **hablar por hablar** to talk for the sake of it ● **¡ni hablar!** no way! ● **hablarse** *vp* *(relacionarse)* to speak (to each other) ▼ **se habla inglés** English spoken

hacer [a'θer]

◇ *vt* 1. *(elaborar, crear, cocinar)* to make ● **hacer planes/un vestido** to make plans/a dress ● **hacer un poema** to write a poem ● **hacer la comida** to make lunch/dinner etc 2. *(construir)* to build 3. *(generar)* to produce ● **la carretera hace una curva** there's a bend in the road ● **el fuego hace humo** fire produces smoke ● **llegar tarde hace mal efecto** arriving late makes a bad impression 4. *(realizar)* to make ● **hizo un gesto de dolor** he grimaced with pain ● **le hice una señal con la mano** I signalled to her with my hand ● **estoy haciendo segundo** I'm in my second year ● **haremos una excursión** we'll go on a trip 5. *(practicar)* to do ● **deberías hacer deporte** you should start doing some sport 6. *(colada)* to do; *(cama)* to make 7. *(dar aspecto)* ● **este traje te hace más delgado** this suit makes you look slimmer 8. *(transformar)* to make ● **hizo pedazos el papel** she tore the paper to pieces ● **hacer feliz a alguien** to make sb happy 9. *(en cine y teatro)* to play ● **hace el papel de reina** she plays (the part of) the queen 10. *(mandar)* ● **haré que tiñan el traje** I'll have this dress dyed 11. *(comportarse como)* ● **hacer el tonto** to act the fool 12. *(ser causa de)* to make ● **no me hagas reír/llorar** don't make me laugh/cry 13. *(en cálculo, cuentas)* to make ● **éste hace cien** this one makes (it) a hundred

◇ *vi* 1. *(intervenir)* ● **déjame hacer a mí** let me do it 2. *(en cine y teatro)* ● **hacer de malo** to play the villain 3. *(trabajar, actuar)* ● **hacer de cajera** to be a checkout girl 4. *(aparentar)* ● **hacer como si** to act as if

◇ *vi* 1. *(tiempo meteorológico)* ● **hace**

frío/calor/sol it's cold/hot/sunny • **hace buen/mal tiempo** the weather is good/bad **2.** *(tiempo transcurrido)* • **hace un año que no lo veo** it's a year since I saw him • **no nos hablamos desde hace un año** we haven't spoken for a year

◆ **hacerse** *vp (convertirse en)* to become; *(formarse)* to form; *(desarrollarse, crecer)* to grow; *(cocerse)* to cook; *(resultar)* to get, to become • **hacerse el rico** to pretend to be rich

◆ **hacerse a** *v + prep (acostumbrarse)* to get used to

◆ **hacerse con** *v + prep (apropiarse)* to take

◆ **hacerse de** *v + prep (Amér) (adquirir, obtener)* to get

hacha ['atʃa] *f* axe

hachís [xa'tʃis] *m* hashish

hacia ['aθja] *prep* **1.** *(de dirección)* towards **2.** *(en el tiempo)* about • **hacia abajo** downwards • **hacia arriba** upwards • **gira hacia la izquierda** turn left

hacienda [a'θjenda] *f* **1.** *(finca)* farm **2.** *(bienes)* property • **Hacienda** *f* the Spanish Treasury

hacker ['xaker] *mf* hacker

hada ['aða] *f* fairy

Haití [ai'ti] *s* Haiti

hala ['ala] *interj* **1.** *(para dar prisa)* hurry up! **2.** *(expresa incredulidad)* you're joking!

halago [a'laɣo] *m* flattery

halcón [al'kon] *m* falcon

hall ['xol] *m* foyer

hallar [a'ʎar] *vt* **1.** *(encontrar)* to find **2.** *(inventar)* to discover • **hallarse** *vp* to be

halógeno, na [a'loxeno, na] *adj* halogen *(antes de s)*

halterofilia [altero'filja] *f* weightlifting

hamaca [a'maka] *f* **1.** *(en árbol, etc)* hammock **2.** *(en la playa)* deck chair

hambre ['ambre] *f* hunger • **tener hambre** to be hungry

hambriento, ta [am'brjento, ta] *adj* starving

hamburguesa [ambur'ɣesa] *f* hamburger

hamburguesería [amburɣese'ria] *f* hamburger joint

hámster ['xamster] *m* hamster

hangar [an'ɡar] *m* hangar

hardware [xar'war] *m* hardware

harina [a'rina] *f* flour

hartar [ar'tar] *vt* **1.** *(saciar)* to fill up **2.** *(cansar)* to annoy • **hartarse de** *v + prep (cansarse de)* to get fed up with • **hartarse de algo** *(hacer en exceso)* to do sthg non-stop

harto, ta ['arto, ta] *adj (saciado)* full • **estar harto de** *(cansado)* to be fed up with

hasta ['asta] ◇ *prep* **1.** *(en el espacio)* as far as **2.** *(en el tiempo)* until ◇ *adv (incluso)* even • **el agua llega hasta el borde** the water comes up to the edge • **desde ... hasta ...** from ... to ... • **hasta la vista** see you • **hasta luego** see you later • **hasta mañana** see you tomorrow • **hasta pronto** see you soon • **hasta que** until

haya ['aja] ◇ *v* ➤ **haber** ◇ *f* beech

haz ['aθ] *(pl* **-ces)** ◇ *v* ➤ **hacer** ◇ *m* **1.** *(de luz)* beam **2.** *(de hierba, leña)* bundle

hazaña [a'θaɲa] *f* exploit

hebilla [e'βiʎa] *f* buckle

hebra ['eβra] *f* 1. *(de hilo)* thread 2. *(de legumbres)* string

hebreo, a [e'βreo, a] *adj & m,f* Hebrew

hechizar [etʃi'θar] *vt* to bewitch

hechizo [e'tʃiθo] *m* 1. *(embrujo)* spell 2. *(fascinación)* charm

hecho, cha ['etʃo, tʃa] ◇ *pp* ➤ hacer ◇ *adj (carne)* done ◇ *m* 1. *(suceso)* event 2. *(dato)* fact 3. *(acto)* action ● **muy hecho** well-done ● **poco hecho** rare ● **hecho de** *(material)* made of

hectárea [ek'tarea] *f* hectare

helada [e'laða] *f* frost

heladería [elaðe'ria] *f* 1. *(tienda)* ice-cream parlour 2. *(quiosco)* ice-cream stall *(UK)*, ice-cream stand *(US)*

helado, da [e'laðo, ða] ◇ *adj* 1. *(muy frío)* freezing 2. *(congelado)* frozen 3. *(pasmado)* astonished ◇ *m* ice-cream ▼ **helados variados** assorted ice-creams

helar [e'lar] ◇ *vt* to freeze ◇ *vi* ● **heló** there was a frost ● **helarse** *vp* to freeze

hélice [e'liθe] *f (de barco, avión)* propeller

helicóptero [eli'koptero] *m* helicopter

hematoma [ema'toma] *m* bruise

hembra ['embra] *f* 1. *(animal)* female 2. *(de enchufe)* socket

hemorragia [emo'raxja] *f* haemorrhage

heno ['eno] *m* hay

hepatitis [epa'titis] *f inv* hepatitis

herboristería [erβoriste'ria] *f* herbalist's (shop)

heredar [ere'ðar] *vt* to inherit

heredero, ra [ere'ðero, ra] *m,f* heir *(f heiress)*

hereje [e'rexe] *mf* heretic

herejía [ere'xia] *f* 1. *(en religión)* heresy 2. *(disparate)* silly thing

herencia [e'renθja] *f* inheritance

herida [e'riða] *f* 1. *(lesión)* injury 2. *(en lucha, atentado)* wound ➤ **herido**

herido, da [e'riðo, ða] ◇ *adj* 1. *(lesionado)* injured 2. *(en lucha, atentado)* wounded 3. *(ofendido)* hurt ◇ *m,f* ● **hubo 20 heridos** 20 people were injured

herir [e'rir] *vt* 1. *(causar lesión)* to injure 2. *(en lucha, atentado)* to wound 3. *(ofender)* to hurt

hermanastro, tra [erma'nastro, tra] *m,f* stepbrother *(f stepsister)*

hermano, na [er'mano, na] *m,f* brother *(f sister)*

hermético, ca [er'metiko, ka] *adj* airtight

hermoso, sa [er'moso, sa] *adj* 1. *(bello)* beautiful 2. *(hombre)* handsome 3. *(fam) (grande)* large

hermosura [ermo'sura] *f* 1. beauty 2. *(de hombre)* handsomeness

héroe ['eroe] *m* hero

heroico, ca [e'roiko, ka] *adj* heroic

heroína [ero'ina] *f* 1. *(persona)* heroine 2. *(droga)* heroin

heroinómano, na [eroi'nomano, na] *m,f* heroin addict

heroísmo [ero'izmo] *m* heroism

herradura [era'ðura] *f* horseshoe

herramienta [era'mjenta] *f* tool

herrero [e'rero] *m* blacksmith

hervir [er'βir] *vt & vi* to boil

heterosexual [eterosek'sal] *mf* heterosexual

hidalgo [i'ðalɣo] *m* nobleman

hidratante [iðra'tante] *adj* moisturizing

hidratar [iðra'tar] *vt* to moisturize

hiedra ['jeðra] *f* ivy

hielo ['jelo] *m* ice

hiena ['jena] *f* hyena

hierba ['jerβa] *f* **1.** *(césped)* grass **2.** *(planta)* herb ● **mala hierba** weed

hierbabuena [jerβa'βwena] *f* mint

hierro ['jero] *m* iron

hígado ['iɣaðo] *m* liver

higiene [i'xjene] *f* **1.** *(aseo)* hygiene **2.** *(salud)* health

higiénico, ca [i'xjeniko, ka] *adj* hygienic

higo ['iɣo] *m* fig

higuera [i'ɣera] *f* fig tree

hijastro, tra [i'xastro, tra] *m,f* stepson *(f* stepdaughter)

hijo, ja ['ixo, xa] *m,f* son *(f* daughter) ●
hijo de la chingada *(Amér) (vulg)* son of a bitch ● **hijo político** son-in-law ●
hija política daughter-in-law ● **hijo de puta** *(vulg)* son of a bitch ◆ **hijos** *mpl* children

hilera [i'lera] *f* row

hilo ['ilo] *m* **1.** *(de coser, de conversación)* thread **2.** *(tejido)* linen **3.** *(alambre, cable)* wire ● **hilo musical** piped music

hilvanar [ilβa'nar] *vt (coser)* to tack *(UK),* to baste *(US)*

hincapié [inka'pje] *m* ● **hacer hincapié en algo** *(insistir)* to insist on sthg; *(subrayar)* to emphasize sthg

hinchado, da [in'tʃaðo, ða] *adj* **1.** *(globo, colchón)* inflated **2.** *(parte del cuerpo)* swollen

hinchar [in'tʃar] *vt* to blow up ◆
hincharse *vp (parte del cuerpo)* to swell up ◆ **hincharse de** *v + prep (hartarse de)* to stuff o.s. with

hinchazón [intʃa'θon] *f* swelling

híper ['iper] *m (fam)* hypermarket *(UK),* superstore *(US)*

hipermercado [ipermer'kaðo] *m* hypermarket *(UK),* superstore *(US)*

hipermetropía [ipermetro'pia] *f* long-sightedness

hipertensión [iperten'sjon] *f* high blood pressure

hipertenso, sa [iper'tenso, sa] *adj* suffering from high blood pressure

hipervínculo *m* hyperlink

hípica ['ipika] *f* **1.** *(carreras de caballos)* horseracing **2.** *(de obstáculos)* showjumping

hipnotizar [ipnoti'θar] *vt* to hypnotize

hipo ['ipo] *m* hiccups *pl*

hipocresía [ipokre'sia] *f* hypocrisy

hipócrita [i'pokrita] *adj* hypocritical

hipódromo [i'poðromo] *m* racecourse *(UK),* racetrack *(US)*

hipopótamo [ipo'potamo] *m* hippopotamus

hipoteca [ipo'teka] *f* mortgage

hipótesis [i'potesis] *f inv (supuesto)* theory

hipotético, ca [ipo'tetiko, ka] *adj* hypothetical

hippy ['xipi] *mf* hippy

hispánico, ca [is'paniko, ka] *adj* Hispanic, Spanish-speaking

hispano, na [is'pano, na] *adj* **1.** *(hispanoamericano)* Spanish-American **2.** *(español)* Spanish

Hispanoamérica [is panoa'merika] *s* Spanish America

hispanoamericano, na [is panoameri'kano, na] *adj* & *m,f* Spanish-American, Hispanic

hispanohablante [is,panoa'βlante], **hispanoparlante** [is,panopar'lante] ◇ *adj* Spanish-speaking ◇ *mf* Spanish speaker

histeria [is'terja] *f* hysteria

histérico, ca [is'teriko, ka] *adj* hysterical

historia [is'torja] *f* **1.** *(hechos pasados)* history **2.** *(narración)* story

histórico, ca [is'toriko, ka] *adj* **1.** *(real, auténtico)* factual **2.** *(de importancia)* historic

historieta [isto'rjeta] *f* **1.** *(relato)* anecdote **2.** *(cuento con dibujos)* comic strip

hobby ['xoβi] *m* hobby

hocico [o'θiko] *m* **1.** *(de cerdo)* snout **2.** *(de perro, gato)* nose

hockey ['xokei] *m* hockey

hogar [o'γar] *m* **1.** *(casa)* home **2.** *(de chimenea)* fireplace

hogareño, ña [oγa'reɲo, ɲa] *adj (persona)* home-loving

hoguera [o'γera] *f* bonfire

hoja ['oxa] *f* **1.** *(de plantas)* leaf **2.** *(de papel)* sheet **3.** *(de libro)* page **4.** *(de cuchillo)* blade ● **hoja de afeitar** razor blade

hojalata [oxa'lata] *f* tinplate

hojaldre [o'xaldre] *m* puff pastry

hola ['ola] *interj* hello!

Holanda [o'landa] *s* Holland

holandés, esa [olan'des, esa] ◇ *adj* & *m* Dutch ◇ *m,f* Dutchman (*f* Dutchwoman) ● **los holandeses** the Dutch

holgado, da [ol'γaðo, ða] *adj* **1.** *(ropa)* loose-fitting **2.** *(vida, situación)* comfortable

holgazán, ana [olγa'θan, ana] *adj* lazy

hombre ['ombre] ◇ *m* man ◇ *interj* wow! ● **hombre de negocios** businessman ● **hombre del tiempo** weatherman

hombrera [om'brera] *f (almohadilla)* shoulder pad

hombro ['ombro] *m* shoulder

homenaje [ome'naxe] *m* tribute ● **en homenaje a** in honour of

homeopatía [omeopa'tia] *f* homeopathy

homicida [omi'θiða] *mf* murderer

homicidio [omi'θiðjo] *m* murder

homosexual [omoseksu'al] *mf* homosexual

hondo, da ['ondo, da] *adj* **1.** *(profundo)* deep **2.** *(intenso)* deep

Honduras [on'duras] *s* Honduras

hondureño, ña [ondu'reɲo, ɲa] *adj* & *m,* *f* Honduran

honestidad [onesti'ðað] *f (sinceridad)* honesty

honesto, ta [o'nesto, ta] *adj (honrado)* honest

hongo ['ongo] *m* **1.** *(comestible)* mushroom **2.** *(no comestible)* toadstool

honor [o'nor] *m* honour ● **en honor de** in honour of

honorario [ono'rarjo] *adj* honorary ◆ **honorarios** *mpl* fees

honra ['onra] *f* honour ● **¡a mucha honra!** and (I'm) proud of it!

honradez [onra'ðeθ] *f* honesty

honrado, da [on'raðo, ða] *adj* honest

honrar [on'rar] *vt* to honour

hora ['ora] *f* **1.** *(período de tiempo)* hour **2.** *(momento determinado)* time ● **¿a qué**

hora ...? what time ...? • ¿qué hora es? what's the time? • media hora half an hour • pedir hora para to ask for an appointment for • tener hora (con) to have an appointment (with) • a última hora at the last minute • horas de visita visiting times • hora punta rush hour

horario [o'rarjo] *m* timetable ▼ horario comercial opening hours

horca ['orka] *f* 1. *(de ejecución)* gallows *pl* 2. *(en agricultura)* pitchfork

horchata [or'tʒata] *f* cold drink made from ground tiger nuts, milk and sugar

horizontal [oriθon'tal] *adj* horizontal

horizonte [ori'θonte] *m* horizon

horma ['orma] *f* 1. *(molde)* mould 2. *(para zapatos)* last

hormiga [or'miɣa] *f* ant

hormigón [ormi'ɣon] *m* concrete • hormigón armado reinforced concrete

hormigonera [ormiɣo'nera] *f* concrete mixer

hormiguero [ormi'ɣero] *m* anthill

hormona [or'mona] *f* hormone

hornear [orne'ar] *vt* to bake

horno ['orno] *m* oven • al horno *(carne)* roast; *(pescado)* baked

horóscopo [o'roskopo] *m* horoscope

horquilla [or'kiʎa] *f (para el pelo)* hairgrip *(UK)*, bobby pin *(US)*

hórreo ['oreo] *m* type of granary, on stilts, found in Galicia and Asturias

horrible [o'riβle] *adj* 1. *(horroroso)* horrible 2. *(pésimo)* awful

horror [o'ror] *m* terror • ¡qué horror! that's awful!

horrorizar [orori'θar] *vt* to terrify

horroroso, sa [oro'roso, sa] *adj* horrible

hortaliza [orta'liθa] *f* (garden) vegetable

hortelano, na [orte'lano, na] *m,f* market gardener *(UK)*, truck farmer *(US)*

hortensia [or'tensja] *f* hydrangea

hortera [or'tera] *adj (fam)* tacky

hospedarse [ospe'ðarse] *vp* to stay

hospital [ospi'tal] *m* hospital

hospitalario, ria [ospita'larjo, rja] *adj (persona)* hospitable

hospitalidad [ospitali'ðað] *f* hospitality

hospitalizar [ospitali'θar] *vt* to put in hospital

hostal [os'tal] *m* ≃ two-star hotel

hostelería [ostele'ria] *f* hotel trade

hostia ['ostja] ◇ *f* 1. *(en religión)* host 2. *(vulg) (golpe)* whack ◇ *interj (vulg)* bloody hell! • darse una hostia *(vulg)* to have a smash-up

hostil [os'til] *adj* hostile

hotel [o'tel] *m* hotel • hotel de lujo luxury hotel

hotelero, ra [ote'lero, ra] *adj* hotel *(antes de s)*

hoy ['oj] *adv* 1. *(día presente)* today 2. *(momento actual)* nowadays • hoy en día nowadays • hoy por hoy at the moment

hoyo ['ojo] *m* hole

hoz ['oθ] *f* sickle

huachafería [watʒafe'ria] *f (Amér)* tacky thing

huachafo, fa [wa'tʒafo, fa] *adj (Perú)* tacky

hucha ['utʒa] *f* moneybox

hueco, ca ['weko, ka] ◇ *adj (vacío)*

hollow ◇ *m* 1. *(agujero)* hole 2. *(de tiempo)* spare moment

huelga ['welɣa] *f* strike

huella ['weʎa] *f* 1. *(de persona)* footprint 2. *(de animal)* track ● **huellas dactilares** fingerprints

huérfano, na ['werfano, na] *m,f* orphan

huerta ['werta] *f* market garden (UK), truck farm (US)

huerto ['werto] *m* 1. *(de hortalizas)* vegetable patch 2. *(de frutales)* orchard

hueso ['weso] *m* 1. *(del esqueleto)* bone 2. *(de una fruta)* stone

huésped, da ['wespeð, ða] *m,f* guest

huevada [we'βaða] *f (Andes) (fam)* stupid thing

huevear [weβe'ar] *vi (Chile & Perú) (fam)* to mess about (UK), to goof off (US)

huevo ['weβo] *m* egg ● **huevo de la copa** o **tibio** *(Amér)* hard-boiled egg ● **huevo duro** hard-boiled egg ● **huevo escalfado** poached egg ● **huevo estrellado** *(Amér)* fried egg ● **huevo frito** fried egg ● **huevo pasado por agua** soft-boiled egg ● **huevos a la flamenca** *huevos al plato with fried pork sausage, black pudding and a tomato sauce* ● **huevos al plato** *eggs cooked in the oven in an earthenware dish* ● **huevos revueltos** scrambled eggs

huevón [we'βon] *m (Andes & Ven)* idiot

huida [u'iða] *f* escape

huir [u'ir] *vi* 1. *(escapar)* to flee 2. *(de cárcel)* to escape ● **huir de algo/alguien** *(evitar)* to avoid sthg/sb

humanidad [umani'ðað] *f* humanity ◆ **humanidades** *fpl* humanities

humanitario, ria [umani'tarjo, rja] *adj* humanitarian

humano, na [u'mano, na] ◇ *adj* 1. *(del hombre)* human 2. *(benévolo, compasivo)* humane ◇ *m* human (being)

humareda [uma'reða] *f* cloud of smoke

humedad [ume'ðað] *f* 1. *(de piel)* moisture 2. *(de atmósfera)* humidity 3. *(en la pared)* damp

humedecer [umeðe'θer] *vt* to moisten

húmedo, da ['umeðo, ða] *adj* 1. *(ropa, toalla, etc)* damp 2. *(clima, país)* humid 3. *(piel)* moist

humilde [u'milde] *adj* humble

humillación [umiʎa'θjon] *f* humiliation

humillante [umi'ʎante] *adj* humiliating

humillar [umi'ʎar] *vt* to humiliate

humo ['umo] *m* 1. *(gas)* smoke 2. *(de coche)* fumes *pl* ◆ **humos** *mpl* airs

humor [u'mor] *m* 1. *(estado de ánimo)* mood 2. *(gracia)* humour ● **estar de buen humor** to be in a good mood ● **estar de mal humor** to be in a bad mood

humorismo [umo'rizmo] *m* comedy

humorista [umo'rista] *mf* comedian (f comedienne)

humorístico, ca [umo'ristiko, ka] *adj* humorous

hundir [un'dir] *vt* 1. *(barco)* to sink 2. *(edificio)* to knock down 3. *(techo)* to knock in 4. *(persona)* to devastate ◆ **hundirse** *vp* 1. *(barco)* to sink 2. *(edificio, techo)* to collapse 3. *(persona)* to be devastated

húngaro, ra ['ungaro, ra] *adj & m,f* Hungarian

Hungría [un'gria] *s* Hungary

huracán [ura'kan] *m* hurricane

hurtadillas [urta'ðiʎas] ● **a hurtadillas** *adv* stealthily

hurto ['urto] *m* theft

i I

IBERIA [i'βerja] *f* IBERIA (*Spanish national airline*)

ibérico, ca [i'βeriko, ka] *adj* Iberian

Ibiza [i'βiθa] *s* Ibiza

iceberg [iθe'βer] *m* iceberg

icono [i'kono] *m* icon

ida ['iða] *f* outward journey ● (**billete de**) **ida y vuelta** return (ticket)

idea [i'ðea] *f* **1.** idea **2.** (*propósito*) intention **3.** (*opinión*) impression ● **no tengo ni idea** I've no idea

ideal [iðe'al] *adj & m* ideal

idealismo [iðea'lizmo] *m* idealism

idealista [iðea'lista] *mf* idealist

idéntico, ca [i'ðentiko, ka] *adj* identical

identidad [iðenti'ðað] *f* identity

identificación [iðentifika'θjon] *f* identification

identificar [iðentifi'kar] *vt* to identify

identificarse *vp* (*mostrar documentación*) to show one's identification

ideología [iðeolo'xia] *f* ideology

idilio [i'ðiljo] *m* love affair

idioma [i'ðjoma] *m* language

idiota [i'ðjota] ◇ *adj* (*despec*) stupid ◇ *mf* idiot

ídolo ['iðolo] *m* idol

idóneo, a [i'ðoneo, a] *adj* suitable

iglesia [i'ɣlesja] *f* church

ignorancia [iɣno'ranθja] *f* ignorance

ignorante [iɣno'rante] *adj* ignorant

ignorar [iɣno'rar] *vt* **1.** (*desconocer*) not to know **2.** (*no hacer caso*) to ignore

igual [i'ɣual] ◇ *adj* **1.** (*idéntico*) the same **2.** (*parecido*) similar **3.** (*cantidad, proporción*) equal **4.** (*ritmo*) steady ◇ *adv* the same ● **ser igual que** to be the same as ● **da igual** it doesn't matter ● **me da igual** I don't care ● **es igual** it doesn't matter ● **al igual que** just like ● **por igual** equally

igualado, da [iɣua'laðo, ða] *adj* level

igualdad [iɣual'dað] *f* equality

igualmente [i,ɣual'mente] *adv* likewise

ilegal [ile'ɣal] *adj* illegal

ilegalizar *vt* to outlaw

ilegítimo, ma [ile'xitimo, ma] *adj* illegitimate

ileso, sa [i'leso, sa] *adj* unhurt

ilimitado, da [ilimi'taðo, ða] *adj* unlimited

ilocalizable *adj* ● **está ilocalizable** he cant be found

ilógico, ca [i'loxiko, ka] *adj* illogical

iluminación [ilumina'θjon] *f* (*alumbrado*) lighting

iluminar [ilumi'nar] *vt* (*suj: luz, sol*) to light up

ilusión [ilu'sjon] *f* **1.** (*esperanza*) hope **2.** (*espejismo*) illusion ● **el regalo me ha hecho ilusión** I liked the present ● **me hace ilusión la fiesta** I'm looking forward to the party ● **hacerse ilusiones** to get one's hopes up

ilusionarse [ilusjo'narse] *vp* **1.** (*esperan-*

zarse) to get one's hopes up **2.** *(emocio-narse)* to get excited

ilustración [ilustra'θi̯on] *f* illustration

ilustrar [ilus'trar] *vt* to illustrate

ilustre [i'lustre] *adj* illustrious

imagen [i'maxen] *f* **1.** image **2.** *(en televisión)* picture

imaginación [imaxina'θi̯on] *f* imagination

imaginar [imaxi'nar] *vt* **1.** *(suponer)* to imagine **2.** *(inventar)* to think up ◆ **imaginarse** *vp* to imagine

imaginario, ria [imaxi'nario, ri̯a] *adj* imaginary

imaginativo, va [imaxina'tiβo, βa] *adj* imaginative

imán [i'man] *m* magnet

imbécil [im'beθil] ◇ *adj (despec)* stupid ◇ *mf* idiot

imitación [imita'θi̯on] *f* **1.** *(de persona)* impression **2.** *(de obra de arte)* imitation

imitar [imi'tar] *vt* to imitate

impaciencia [impa'θi̯enθi̯a] *f* impatience

impaciente [impa'θi̯ente] *adj* impatient ● **impaciente por** impatient to

impar [im'par] *adj* odd

imparable [impa'raβle] *adj* unstoppable

imparcial [impar'θi̯al] *adj* impartial

impasible [impa'siβle] *adj* impassive

impecable [impe'kaβle] *adj* impeccable

impedimento [impeði'mento] *m* obstacle

impedir [impe'ðir] *vt* **1.** *(no permitir)* to prevent **2.** *(obstaculizar)* to hinder

impensable [impen'saβle] *adj* unthinkable

imperativo [impera'tiβo] *m (en gramática)* imperative

imperceptible [imperθep'tiβle] *adj* imperceptible

imperdible [imper'ðiβle] *m* safety pin

imperdonable [imperðo'naβle] *adj* unforgivable

imperfecto, ta [imper'fekto, ta] ◇ *adj* **1.** *(incompleto)* imperfect **2.** *(defectuoso)* faulty ◇ *m* imperfect tense

imperial [impe'ri̯al] *adj* imperial

imperio [im'perio] *m* **1.** *(territorio)* empire **2.** *(dominio)* rule

impermeable [imperme'aβle] ◇ *adj* waterproof ◇ *m* raincoat

impersonal [imperso'nal] *adj* impersonal

impertinencia [imperti'nenθi̯a] *f* **1.** *(insolencia)* impertinence **2.** *(comentario)* impertinent remark

impertinente [imperti'nente] *adj* impertinent

ímpetu ['impetu] *m (energía)* force

implicar [impli'kar] *vt* **1.** to involve **2.** *(significar)* to mean

implícito, ta [im'pliθito, ta] *adj* implicit

imponer [impo'ner] ◇ *vt* **1.** *(obligación, castigo, impuesto)* to impose **2.** *(obediencia, respeto)* to command ◇ *vi* to be imposing

importación [importa'θi̯on] *f (producto)* import

importancia [impor'tanθi̯a] *f* importance

importante [impor'tante] *adj* **1.** *(destacado)* important **2.** *(cantidad)* large

importar [impor'tar] ◇ *vt (mercancías)* to import ◇ *vi (interesar)* to matter ● **¿le importa que fume?** do you mind if I smoke? ● ¿le importaría venir? would you mind coming? ● no importa it doesn't matter ● no me importa I don't care

importe [im'porte] *m* **1.** *(precio)* price **2.** *(en cuenta, factura)* total ▼ **importe del billete** ticket price

imposibilidad [imposiβili'ðað] *f* impossibility

imposible [impo'siβle] ◇ *adj* impossible ◇ *interj* never! ◇ *m* ● **pedir un imposible** to ask the impossible

impostor, ra [impos'tor, ra] *m,f* impostor

impotencia [impo'tenθja] *f* impotence

impotente [impo'tente] *adj* impotent

impreciso, sa [impre'θiso, sa] *adj* vague

impregnar [impreɣ'nar] *vt (humedecer)* to soak

imprenta [im'prenta] *f* **1.** *(arte)* printing **2.** *(taller)* printer's (shop)

imprescindible [impresθin'diβle] *adj* indispensable

impresión [impre'sjon] *f* **1.** *(de un libro)* edition **2.** *(sensación)* feeling **3.** *(opinión)* impression

impresionante [impresjo'nante] *adj* impressive

impresionar [impresjo'nar] ◇ *vt* to impress ◇ *vi (causar admiración)* to be impressive

impreso, sa [im'preso] ◇ *pp* ➤ **imprimir** ◇ *m (formulario)* form

impresora [impre'sora] *f* printer ● **impresora de chorro de tinta** inkjet printer ● **impresora láser** láser printer

imprevisto [impre'βisto] *m* unexpected event

imprimir [impri'mir] *vt* to print

improvisación [improβisa'θjon] *f* improvisation

improvisado, da [improβi'saðo, ða] *adj* improvised

improvisar [improβi'sar] *vt* to improvise

imprudente [impru'ðente] *adj* rash

impuesto, ta [im'pu̯esto] ◇ *pp* ➤ **imponer** ◇ *m* tax

impulsar [impul'sar] *vt (empujar)* to drive ● **impulsar a alguien a** to drive sb to

impulsivo, va [impul'siβo, βa] *adj* impulsive

impulso [im'pulso] *m* **1.** *(empuje)* momentum **2.** *(estímulo)* stimulus

impuro, ra [im'puro, ra] *adj* impure

inaceptable [inaθep'taβle] *adj* unacceptable

inadecuado, da [inaðe'ku̯aðo, ða] *adj* unsuitable

inadmisible [inaðmi'siβle] *adj* unacceptable

inaguantable [inaɣu̯an'taβle] *adj* unbearable

inauguración [inauɣura'θjon] *f* inauguration, opening

inaugurar [inauɣu'rar] *vt* to inaugurate, to open

incapacidad [inkapaθi'ðað] *f* **1.** *(incompetencia)* incompetence **2.** *(por enfermedad)* incapacity

incapaz [inka'paθ, θes] *(pl* **-ces***) adj* incapable ● **ser incapaz de** to be unable to

incendio [in'θendjo] *m* fire ● **contra incendios** *(medidas)* fire-fighting; *(segu-*

ro, brigada) fire *(antes de s)*
incentivo [inθen'tiβo] *m* incentive
incidente [inθi'ðente] *m* incident
incineradora [inθinera'ðora] *f* incinerator
incinerar [inθine'rar] *vt* to incinerate
incitar [inθi'tar] *vt* 1. *(animar)* to encourage 2. *(a la violencia)* to incite
inclinación [inklina'θion] *f* 1. *(saludo)* bow 2. *(tendencia)* tendency 3. *(afecto)* fondness
incluido, da [inklu'iðo, ða] *adj* included
incluir [inklu'ir] *vt* 1. *(contener)* to include 2. *(adjuntar)* to enclose
inclusive [inklu'siβe] *adv* inclusive
incluso [in'kluso] *adv* even
incógnita [in'koɣnita] *f (cosa desconocida)* mystery
incoherente [inkoe'rente] *adj (contradictorio)* inconsistent
incoloro, ra [inko'loro, ra] *adj* colourless
incómodo, da [in'komoðo, ða] *adj* uncomfortable
incomparable [inkompa'raβle] *adj* incomparable
incompatibilidad [inkompatiβili'ðað] *f* incompatibility
incompetente [inkompe'tente] *adj* incompetent
incomprensible [inkompren'siβle] *adj* incomprehensible
incomunicado, da [inkomuni'kaðo, ða] *adj (pueblo)* cut off
incondicional [inkondiθio'nal] *adj* 1. *(apoyo, ayuda)* wholehearted 2. *(amigo)* staunch
inconfundible [inkonfun'diβle] *adj* unmistakable

inconsciencia [inkons'θienθia] *f (irresponsabilidad)* thoughtlessness
inconsciente [inkons'θiente] *adj* 1. *(sin conocimiento)* unconscious 2. *(insensato)* thoughtless
incontable [inkon'taβle] *adj* countless
inconveniente [inkombe'njente] *m* 1. *(dificultad)* difficulty 2. *(desventaja)* disadvantage
incorporación [inkorpora'θion] *f (unión)* inclusion
incorporar [inkorpo'rar] *vt* 1. *(agregar)* to incorporate 2. *(levantar)* to sit up ◆ **incorporarse** *vp (levantarse)* to sit up ● incorporarse a un equipo to join a team
incorrecto, ta [inko'rekto, ta] *adj* 1. *(erróneo)* incorrect 2. *(descortés)* impolite
incorregible [inkorre'xiβle] *adj* incorrigible
incrédulo, la [in'kreðulo, la] *adj* sceptical
increíble [inkre'iβle] *adj* 1. *(inverosímil)* hard to believe 2. *(extraordinario)* incredible
incremento [inkre'mento] *m* increase
incubadora [inkuβa'ðora] *f* incubator
incubar [inku'βar] *vt* to incubate
inculpado, da [inkul'paðo, ða] *m,f* accused
inculto, ta [in'kulto, ta] *adj (persona)* uneducated
incumbir [inkum'bir] *vi* ● no te incumbe hacerlo it's not for you to do it
incurable [inku'raβle] *adj* incurable
incurrir [inku'rir] ◆ **incurrir en** *v + prep* 1. *(error)* to make 2. *(delito)* to commit
indecente [inde'θente] *adj* indecent

indeciso, sa [inde'θiso, sa] *adj* **1.** *(falta de iniciativa)* indecisive **2.** *(falto de decisión)* undecided **3.** *(poco claro)* inconclusive

indefenso, sa [inde'fenso, sa] *adj* defenceless

indefinido, da [indefi'niðo, ða] *adj* **1.** indefinite **2.** *(impreciso)* vague

indemnización [indemniθa'θjon] *f* compensation

indemnizar [indemni'θar] *vt* to compensate

independencia [indepen'denθja] *f* independence

independiente [indepen'djente] *adj* independent

independizarse [independi'θarse] ♦ **independizarse de** *v + prep* to become independent of

indeterminado, da [indetermi'naðo, ð a] *adj* indefinite

India ['indja] *f* ● **(la) India** India

indicación [indika'θjon] *f (señal)* sign ♦ **indicaciones** *fpl* **1.** *(instrucciones)* instructions **2.** *(para llegar a un sitio)* directions

indicador [indika'ðor] *m* indicator ● **indicador de dirección** indicator

indicar [indi'kar] *vt* **1.** *(señalar)* to indicate **2.** *(lugar, dirección)* to show **3.** *(suj: señal, reloj)* to read

indicativo, va [indika'tiβo, βa] *adj* indicative

índice ['indiθe] *m* **1.** *(de libro, precios)* index **2.** *(de natalidad, mortalidad)* rate **3.** *(de la mano)* index finger

indicio [in'diθjo] *m (señal)* sign

indiferencia [indife'renθja] *f* indifference

indiferente [indife'rente] *adj* indifferent ● **es indiferente** it makes no difference

indígena [in'dixena] *mf* native

indigerible *adj* **1.** *(alimento)* stodgy **2.** *(libro)* ● **ser indigerible** to be heavy going

indigestión [indixes'tjon] *f* indigestion

indigesto, ta [indi'xesto, ta] *adj* hard to digest

indignación [indiɣna'θjon] *f* indignation

indignado, da [indiɣ'naðo, ða] *adj* indignant

indignante [indiɣ'nante] *adj* outrageous

indio, dia ['indjo, dja] *adj & m,f* Indian

indirecta [indi'rekta] *f* hint

indirecto, ta [indi'rekto, ta] *adj* indirect

indiscreto, ta [indis'kreto, ta] *adj* indiscreet

indiscriminado, da [indiskrimi'naðo, ð a] *adj* indiscriminate

indiscutible [indisku'tiβle] *adj* indisputable

indispensable [indispen'saβle] *adj* indispensable

indispuesto, ta [indis'puesto, ta] *adj* unwell

individual [indiβiðu'al] *adj* **1.** *(del individuo)* individual **2.** *(cama, habitación)* single ● **individuales** *DEP* singles

individuo [indi'βiðuo] *m* individual

índole ['indole] *f (tipo)* type

Indonesia [indo'nesja] *s* Indonesia

indudablemente [indu,ðaβle'mente] *adv* undoubtedly

indumentaria [indumen'tarja] *f* clothes *pl*

industria [in'dustria] *f* **1.** *(actividad)* industry **2.** *(fábrica)* factory

industrial [indus'trial] ◇ *adj* industrial ◇ *mf* industrialist

industrializado, da [industriali'θaðo, ð a] *adj* industrialized

inédito, ta [i'neðito, ta] *adj (desconocido)* unpredented

inepto, ta [i'nepto, ta] *adj* inept

inequívoco, ca [ine'kiβoko, ka] *adj* **1.** *(clarísimo)* unequivocal **2.** *(inconfundible)* unmistakable

inesperado, da [inespe'raðo, ða] *adj* unexpected

inestable [ines'taβle] *adj* unstable

inevitable [ineβi'taβle] *adj* inevitable

inexperto, ta [ineks'perto, ta] *adj (sin experiencia)* inexperienced

infalible [infa'liβle] *adj* infallible

infancia [in'fanθja] *f* childhood

infanta [in'fanta] *f* princess

infantería [infante'ria] *f* infantry

infantil [infan'til] *adj* **1.** *(para niños)* children's **2.** *(despec) (inmaduro)* childish

infarto [in'farto] *m* heart attack

infección [infek'θjon] *f* infection

infeccioso, sa [infek'θjoso, sa] *adj* infectious

infectar [infek'tar] *vt* to infect ◆ **infectarse** *vp* to become infected

infelicidad [infeliθi'ðað] *f* unhappiness

infeliz [infe'liθ, θes] *(pl* **-ces***)* ◇ *adj* unhappy ◇ *mf* **1.** *(desgraciado)* wretch **2.** *(fam) (ingenuo)* naive person

inferior [infe'rior] ◇ *adj* **1.** *(de abajo, menos importante, cantidad)* lower **2.** *(de menos calidad)* inferior ◇ *mf* inferior

inferioridad [inferiori'ðað] *f* inferiority

infidelidad [infiðeli'ðað] *f* infidelity

infiel [in'fjel] ◇ *adj (a la pareja)* unfaithful ◇ *mf (no cristiano)* infidel

infierno [in'fjerno] *m* hell

ínfimo, ma ['infimo, ma] *adj* very low

infinito, ta [infi'nito, ta] ◇ *adj* infinite ◇ *m* infinity

inflación [infla'θjon] *f* inflation

inflar [in'flar] *vt* **1.** *(de aire)* to inflate **2.** *(globo)* to blow up ◆ **inflarse de** *v + prep (comer, beber)* to stuff o.s. with

inflexible [inflek'siβle] *adj* inflexible

influencia [influ'enθja] *f* influence ◆ **tener influencia** to have influence

influenciar [influen'θjar] *vt* to influence

influir [influ'ir] ◆ **influir en** *v + prep* to influence

influjo [in'fluxo] *m* influence

influyente [influ'jente] *adj* influential

información [informa'θjon] *f* **1.** *(datos)* information **2.** *(noticias)* news **3.** *(oficina)* information office **4.** *(mostrador)* information desk **5.** *(de teléfono)* directory enquiries *pl (UK)*, directory assistance *(US)*

informal [infor'mal] *adj* **1.** *(persona)* unreliable **2.** *(lenguaje, traje)* informal

informalidad [informali'ðað] *f (irresponsabilidad)* unreliability

informar [infor'mar] *vt* to tell ◆ **informarse** *vp* to find out

informática [infor'matika] *f* information technology, computing ➢ **informático**

informático, ca [infor'matiko, ka] *m,f* computer expert

informativo [informa'tiβo] *m* news bulletin

informe [in'forme] *m* report ◆ **informes** *mpl (referencias)* references

infracción [infrak'θjon] *f (delito)* offence

infundir [infun'dir] *vt* to inspire

infusión [infu'sjon] *f* infusion ● **infusión de manzanilla** camomile tea ● **infusión de tila** lime blossom tea

ingeniería [inxenje'ria] *f* engineering

ingeniero, ra [inxe'njero, ra] *m,f* engineer

ingenio [in'xenjo] *m* 1. *(agudeza)* wit 2. *(inteligencia)* ingenuity 3. *(máquina)* device

ingenioso, sa [inxe'njoso, sa] *adj* 1. *(agudo)* witty 2. *(inteligente)* ingenious

ingenuidad [inxenui'ðað] *f* naivety

ingenuo, nua [in'xenuo, nua] *adj* naive

Inglaterra [ingla'tera] *s* England

ingle ['ingle] *f* groin

inglés, esa [in'gles, esa] ◇ *adj & m* English ◇ *m,f* Englishman (*f* Englishwoman) ● **los ingleses** the English

ingrato, ta [in'grato, ta] *adj* 1. *(trabajo)* thankless 2. *(persona)* ungrateful

ingrediente [ingre'ðjente] *m* ingredient

ingresar [ingre'sar] ◇ *vt (dinero)* to deposit ◇ *vi* 1. *(en hospital)* to be admitted 2. *(en sociedad)* to join 3. *(en universidad)* to enter (UK), to enroll (US)

ingreso [in'greso] *m* 1. *(entrada, en universidad)* entry (UK), enrollment (US) 2. *(de dinero)* deposit 3. *(en hospital)* admission 4. *(en sociedad)* joining ◆ **ingresos** *mpl (sueldo)* income *sg*

inhabitable [inaβi'taβle] *adj* uninhabitable

inhalar [ina'lar] *vt* to inhale

inhibición [iniβi'θjon] *f* inhibition

inhumano, na [inu'mano, na] *adj* inhumane

iniciación [iniθja'θjon] *f (comienzo)* beginning

inicial [ini'θjal] *adj & f* initial

iniciar [ini'θjar] *vt (empezar)* to begin, to start ◆ **iniciarse en** *v + prep (conocimiento, práctica)* to learn

iniciativa [iniθja'tiβa] *f* initiative ● **tener iniciativa** to have initiative

inicio [i'niθjo] *m* beginning, start

inimaginable [inimaxi'naβle] *adj* unimaginable

injerto [in'xerto] *m* graft

injusticia [inxus'tiθja] *f* injustice

injusto, ta [in'xusto, ta] *adj* unfair

inmaduro, ra [imma'ðuro, ra] *adj* 1. *(persona)* immature 2. *(fruta)* unripe

inmediatamente [imme,ðjata'mente] *adv* immediately

inmediato, ta [imme'ðjato, ta] *adj* 1. *(tiempo)* immediate 2. *(contiguo)* next ● **de inmediato** immediately

inmejorable [immexo'raβle] *adj* unbeatable

inmenso, sa [im'menso, sa] *adj* immense

inmigración [immiɣra'θjon] *f* immigration

inmigrante [immi'ɣrante] *mf* immigrant

inmigrar [immi'ɣrar] *vi* to immigrate

inmobiliaria [immoβi'ljarja] *f* estate agency (UK), real-estate office (US)

inmoral [immo'ral] *adj* immoral

inmortal [immor'tal] *adj* immortal

inmóvil [im'moβil] *adj* 1. *(persona)* motionless **2.** *(coche, tren)* stationary

inmovilizar [immoβili'θar] *vt* to immobilize

inmueble [im'mueβle] *m* building

inmune [im'mune] *adj* immune

inmunidad [immuni'ðað] *f* immunity

innato, ta [in'nato, ta] *adj* innate

innecesario, ria [inneθe'sarjo, rja] *adj* unnecessary

innovación [innoβa'θjon] *f* innovation

inocencia [ino'θenθja] *f* innocence

inocentada [inoθen'taða] *f* **2.** *(broma)* practical joke

inocente [ino'θente] *adj* innocent

inofensivo, va [inofen'siβo, βa] *adj* harmless

inolvidable [inolβi'ðaβle] *adj* unforgettable

inoportuno, na [inopor'tuno, na] *adj* **1.** *(inadecuado)* inappropriate **2.** *(molesto)* inconvenient **3.** *(en mal momento)* untimely

inoxidable [inoksi'ðaβle] *adj* **1.** *(material)* rustproof **2.** *(acero)* stainless

inquietarse [inkie'tarse] *vp* to worry

inquieto, ta [inki'eto, ta] *adj* **1.** *(preocupado)* worried **2.** *(aventurero)* restless

inquietud [inkie'tuð] *f* worry

inquilino, na [inki'lino, na] *m,f* tenant

Inquisición [inkisi'θjon] *f* ◆ la Inquisición the (Spanish) Inquisition

insaciable [insa'θjaβle] *adj* insatiable

insalubre [insa'luβre] *adj* unhealthy

insatisfacción [insatisfak'θjon] *f* dissatisfaction

insatisfecho, cha [insatis'fetʒo, tʒa] *adj* dissatisfied

inscribir [inskri'βirse] ◆ **inscribirse en** *v*

+ *prep* to enrol on

inscripción [inskrip'θjon] *f* **1.** *(de moneda, piedra, etc)* inscription **2.** *(en registro)* enrolment

insecticida [insekti'θiða] *m* insecticide

insecto [in'sekto] *m* insect

inseguridad [inseɣuri'ðað] *f* **1.** *(falta de confianza)* insecurity **2.** *(peligro)* lack of safety

inseguro, ra [inse'ɣuro, ra] *adj* **1.** *(sin confianza)* insecure **2.** *(peligroso)* unsafe

insensato, ta [insen'sato, ta] *adj* foolish

insensible [insen'siβle] *adj* **1.** *(persona)* insensitive **2.** *(aumento, subida, bajada)* imperceptible

inseparable [insepa'raβle] *adj* inseparable

insertar [inser'tar] *vt* to insert ◆ insertar algo en to insert sthg into

inservible [inser'βiβle] *adj* useless

insignia [in'siɣnja] *f* **1.** *(distintivo)* badge **2.** *(de militar)* insignia **3.** *(estandarte)* flag

insignificante [insiɣnifi'kante] *adj* insignificant

insinuar [insinu'ar] *vt* to hint at ◆ insinuarse *vp* to make advances

insípido, da [in'sipiðo, ða] *adj* insipid

insistencia [insis'tenθja] *f* insistence

insistir [insis'tir] *vi* ◆ **insistir (en)** to insist (on)

insolación [insola'θjon] *f* *(indisposición)* sunstroke

insolencia [inso'lenθja] *f* *(dicho, hecho)* insolent thing

insolente [inso'lente] *adj* **1.** *(desconsiderado)* insolent **2.** *(orgulloso)* haughty

insólito, ta [in'solito, ta] *adj* unusual

insolvente [insol'βente] *adj* insolvent

insomnio [in'somnjo] *m* insomnia

insonorización [insonoriθa'θjon] *f* soundproofing

insoportable [insopor'taβle] *adj* unbearable

inspeccionar [inspekθjo'nar] *vt* to inspect

inspector, ra [inspek'tor, ra] *m,f* inspector • **inspector de aduanas** customs official • **inspector de Hacienda** tax inspector

inspiración [inspira'θjon] *f* **1.** *(de aire)* inhalation **2.** *(de un artista)* inspiration

inspirar [inspi'rar] *vt* **1.** *(aire)* to inhale **2.** *(ideas)* to inspire • **inspirarse en** *v* + *prep* to be inspired by

instalación [instala'θjon] *f* **1.** *(acto)* installation **2.** *(equipo)* installations *pl* • **instalación eléctrica** wiring • **instalaciones** *fpl (edificios)* facilities • **instalaciones deportivas** sports facilities

instalar [insta'lar] *vt* **1.** *(teléfono, antena, etc)* to install **2.** *(gimnasio, biblioteca, etc)* to set up **3.** *(alojar)* to settle • **instalarse** *vp (en nueva casa)* to move in

instancia [ins'tanθja] *f (solicitud)* application

instantánea [instan'tanea] *f* snapshot

instantáneo, a [instan'taneo, a] *adj* instantaneous

instante [ins'tante] *m* instant • **al instante** straight away

instintivo, va [instin'tiβo, βa] *adj* instinctive

instinto [ins'tinto] *m* instinct

institución [institu'θjon] *f* institution •

instituciones *fpl* institutions

institucional [instituθjo'nal] *adj* institutional

instituir [institu'ir] *vt* to set up

instituto [insti'tuto] *m* **1.** institute **2.** *(centro de enseñanza)* state secondary school, ≃ high school (*US*)

institutriz [institu'triθ, θes] *(pl* **-ces**) *f* governess

instrucción [instruk'θjon] *f (formación)* education • **instrucciones** *fpl (indicaciones)* instructions

instruir [instru'ir] *vt* **1.** *(enseñar)* to teach **2.** *(enjuiciar)* to prepare

instrumental [instrumen'tal] *m* instruments *pl*

instrumento [instru'mento] *m* instrument

insuficiente [insufi'θjente] ◇ *adj* insufficient ◇ *m* fail

insufrible [insu'friβle] *adj* insufferable

insultante [insul'tante] *adj* insulting

insultar [insul'tar] *vt* to insult • **insultarse** *vp* to insult each other

insulto [in'sulto] *m* insult

insuperable [insupe'raβle] *adj* **1.** *(inmejorable)* unsurpassable **2.** *(problema)* insurmountable

intacto, ta [in'takto, ta] *adj* intact

integración [inteɣra'θjon] *f* integration

integrarse [inte'ɣrarse] • **integrarse en** *v* + *prep* to become integrated in

íntegro, gra ['inteɣro, ɣra] *adj* **1.** *(cosa)* whole **2.** *(persona)* honourable

intelectual [intelektu'al] *mf* intellectual

inteligencia [inteli'xenθja] *f* intelligence

inteligente [inteli'xente] *adj* intelligent

intemperie [intem'perje] *f* • **a la intemperie** in the open air

intención [inten'θjon] *f* intention •

con la intención de with the intention of • tener la intención de to intend to

intencionado, da [inten'θjo'naðo, ða] *adj* deliberate • **bien intencionado** well-meaning • **mal intencionado** ill-intentioned

intensivo, va [inten'siβo, βa] *adj* intensive

intenso, sa [in'tenso, sa] *adj* 1. intense 2. *(luz)* bright 3. *(lluvia)* heavy

intentar [inten'tar] *vt* to try • **intentar hacer algo** to try to do sthg

intento [in'tento] *m* 1. *(propósito)* intention 2. *(tentativa)* try

intercalar [interka'lar] *vt* to insert

intercambio [inter'kambjo] *m* exchange

interceder [interθe'ðer] • **interceder por** *v + prep* to intercede on behalf of

interceptar [interθep'tar] *vt* to intercept

interés [inte'res] *m* 1. interest 2. *(provecho)* self-interest • **intereses** *mpl* 1. *(dinero)* interest *sg* 2. *(fortuna, aspiraciones)* interests

interesado, da [intere'saðo, ða] *adj* 1. *(que tiene interés)* interested 2. *(egoísta)* self-interested

interesante [intere'sante] *adj* interesting

interesar [intere'sar] *vi* to be of interest • **¿te interesa la música?** are you interested in music? • **interesarse en** *v + prep* to be interested in • **interesarse por** *v + prep* to take an interest in

interferencia [interfe'renθja] *f* interference

interina [inte'rina] *f (criada)* cleaning lady

interino, na [inte'rino, na] *adj (trabajador)* temporary

interior [inte'rjor] ◇ *adj* 1. inner 2. *(mercado, política)* domestic ◇ *m* 1. *(parte de dentro)* inside 2. *(fig) (mente)* inner self 3. *(en deporte)* inside forward • **el interior de España** inland Spain

interlocutor, ra [interloku'tor, ra] *m,f* speaker

intermediario, ria [interme'ðjarjo, rja] *m,f* middleman

intermedio, dia [inter'meðjo, ðja] ◇ *adj* intermediate ◇ *m* interval

interminable [intermi'naβle] *adj* endless

intermitente [intermi'tente] *m* indicator

internacional [internaθjo'nal] *adj* international

internacionalmente [internaθjo nal'mente] *adv* internationally

internado [inter'naðo] *m* boarding school

Internet [inter'net] *m* Internet • **en Internet** on the Internet

interno, na [in'terno, na] ◇ *adj* internal ◇ *m,f* 1. *(en colegio)* boarder 2. *(en hospital)* intern

interponerse [interpo'nerse] *vp* to intervene

interpretación [interpreta'θjon] *f* 1. *(en teatro, cine, etc)* performance 2. *(traducción)* interpreting

interpretar [interpre'tar] *vt* 1. *(en teatro, cine, etc)* to perform 2. *(traducir)* to interpret

intérprete [in'terprete] *mf* 1. *(en teatro, cine, etc)* performer 2. *(traductor)* interpreter

interrogación [interoɣa'θi̯on] *f* **1.** *(pregunta)* question **2.** *(signo)* question mark

interrogante [intero'ɣante] *m o f* question mark

interrogar [intero'ɣar] *vt* to question

interrogatorio [interoɣa'tori̯o] *m* questioning

interrumpir [interum'pir] *vt* to interrupt

interrupción [interup'θi̯on] *f* interruption

interruptor [interup'tor] *m* switch

interurbano, na [interur'βano, na] *adj* long-distance

intervalo [inter'βalo] *m* **1.** *(tiempo)* interval **2.** *(espacio)* gap

intervención [interβen'θi̯on] *f* *(discurso)* speech ● **intervención quirúrgica** operation

intervenir [interβe'nir] ◇ *vt* **1.** *(en medicina)* to operate on **2.** *(confiscar)* to seize ◇ *vi* *(tomar parte)* to participate

interviú [inter'βi̯u] *f* interview

intestino [intes'tino] *m* intestine

intimidad [intimi'ðað] *f* *(vida privada)* private life

íntimo, ma ['intimo, ma] *adj* **1.** *(cena, pensamiento, etc)* private **2.** *(amistad, relación)* close **3.** *(ambiente, restaurante)* intimate

intocable [into'kaβle] *adj* untouchable

intolerable [intole'raβle] *adj* intolerable

intolerante [intole'rante] *adj* intolerant

intoxicación [intoksika'θi̯on] *f* poisoning ● **intoxicación alimenticia** food poisoning

intoxicarse [intoksi'karse] *vp* to be poisoned

intranet *f* intranet

intranquilo, la [intran'kilo, la] *adj* **1.** *(nervioso)* restless **2.** *(preocupado)* worried

intransigente [intransi'xente] *adj* intransigent

intransitable [intransi'taβle] *adj* impassable

intrépido, da [in'trepiðo, ða] *adj* intrepid

intriga [in'triɣa] *f* **1.** *(maquinación)* intrigue **2.** *(trama)* plot

intrigar [intri'ɣar] *vt & vi* to intrigue

introducción [introðuk'θi̯on] *f* introduction

introducir [introðu'θir] *vt* **1.** to introduce **2.** *(meter)* to put in ▼ **introducir monedas** insert coins

introvertido, da [introβer'tiðo, ða] *adj* introverted

intruso, sa [in'truso, sa] *m,f* intruder

intuición [intu̯i'θi̯on] *f* intuition

inundación [inunda'θi̯on] *f* flood

inundar [inun'dar] *vt* to flood

inusual [inusu'al] *adj* unusual

inútil [i'nutil] *adj* **1.** useless **2.** *(no provechoso)* unsuccessful **3.** *(inválido)* disabled

invadir [imba'ðir] *vt* **1.** *(país, territorio)* to invade **2.** *(suj: alegría, tristeza)* to overwhelm

inválido, da [im'baliðo, ða] *m,f* disabled person

invasión [imba'si̯on] *f* invasion

invasor, ra [imba'sor, ra] *m,f* invader

invención [imben'θi̯on] *f* invention

inventar [imben'tar] *vt* to invent

inventario [imben'tarjo] *m* inventory

invento [im'bento] *m* invention

invernadero [imberna'ðero] *m* greenhouse

inversión [imber'sjon] *f* **1.** *(de dinero)* investment **2.** *(de orden)* reversal

inverso, sa [im'berso, sa] *adj* opposite ● **a la inversa** the other way round

invertir [imber'tir] *vt* **1.** *(dinero, tiempo)* to invest **2.** *(orden)* to reverse

investigación [imbestiɣa'θjon] *f* **1.** *(de delito, crimen)* investigation **2.** *(en ciencia)* research

investigador, ra [imbestiɣa'ðor, ra] *m,f* researcher

investigar [imbesti'ɣar] *vt* **1.** *(delito, crimen)* to investigate **2.** *(en ciencia)* to research

invidente [imbi'ðente] *mf* blind person

invierno [im'bjerno] *m* winter ● **en invierno** in (the) winter

invisible [imbi'siβle] *adj* invisible

invitación [imbita'θjon] *f* invitation ● **es invitación de la casa** it's on the house

invitado, da [imbi'taðo, ða] *m,f* guest

invitar [imbi'tar] *vt* (a fiesta, boda, etc) to invite ● **os invito a café, copa, etc)** it's my treat ● **te invito a cenar fuera** I'll take you out for dinner

involucrar [imbolu'krar] *vt* to involve ◆ **involucrarse en** *v + prep* to get involved in

invulnerable [imbulne'raβle] *adj* invulnerable

inyección [injek'θjon] *f* injection

ir ['ir] *vi* **1.** *(desplazarse)* to go ● **fuimos**

andando we went on foot ● **iremos en coche** we'll go by car ● **¡vamos!** let's go! **2.** *(asistir)* to go ● **nunca va a las reuniones** he never goes to meetings **3.** *(extenderse)* to go ● **la carretera va hasta Valencia** the road goes as far as Valencia **4.** *(funcionar)* to work ● **la televisión no va** the television's not working **5.** *(desenvolverse)* to go ● **le va bien en su trabajo** things are going well (for him) in his job ● **los negocios van mal** business is bad ● **¿cómo te va?** how are you doing? **6.** *(vestir)* ● **ir en** o **con** to wear ● **ir de azul/de uniforme** to wear blue/a uniform **7.** *(tener aspecto físico)* to look like ● **tal como voy no puedo entrar** I can't go in looking like this **8.** *(valer)* to be ● **¿a cuánto va el pollo?** how much is the chicken? **9.** *(expresa duración gradual)* ● **ir haciendo algo** to be doing sthg ● **voy mejorando mi estilo** I'm working on improving my style **10.** *(sentar)* ● **le va fatal el color negro** black doesn't suit him at all ● **le irían bien unas vacaciones** she could do with a holiday **11.** *(referirse)* ● **ir por** o **con alguien** to go for sb **12.** *(en locuciones)* ● **ni me va ni me viene** *(fam)* I'm not bothered ● **¡qué va!** you must be joking! ● **vamos, no te preocupes** come on, don't worry ● **¿vamos bien a Madrid?** is this the right way to Madrid?

◆ **ir a** *v + prep (expresa intención)* to be going to

◆ **ir de** *v + prep (película, libro)* to be about

◆ **ir por** *v + prep (buscar)* to go and fetch

• **voy por la mitad del libro** I'm halfway through the book • **irse** *vp* to go • **irse abajo** *(edificio)* to fall down; *(negocio)* to collapse; *(proyecto)* to fall through

ira ['ira] *f* fury, rage

Irak [i'rak] *m* • (el) Iraq Iraq

Irán [i'ran] *m* • (el) Irán Iran

Irlanda [ir'landa] *s* Ireland • **Irlanda del Norte** Northern Ireland

irlandés, esa [irlan'des, esa] ◇ *adj* Irish ◇ *m,f* Irishman *(f* Irishwoman*)* • **los irlandeses** the Irish

ironía [iro'nia] *f* irony

irónico, ca [i'roniko, ka] *adj* ironic

IRPF [i,erepe'efe] *m* *(abr de* Impuesto sobre la Renta de las Personas Físicas*)* *Spanish income tax*

irracional [iraθjo'nal] *adj* irrational

irrecuperable [irekupe'raβle] *adj* irretrievable

irregular [ireγu'lar] *adj* **1.** irregular **2.** *(objeto, superficie)* uneven

irregularidad [ireγulari'ðað] *f* **1.** irregularity **2.** *(de superficie, contorno)* unevenness

irresistible [iresis'tiβle] *adj* **1.** *(inaguantable)* unbearable **2.** *(apetecible)* irresistible

irresponsable [irespon'saβle] *adj* irresponsible

irreversible [ireβer'siβle] *adj* irreversible

irrigar [iri'γar] *vt* to irrigate

irritable [iri'taβle] *adj* **1.** *(persona)* irritable **2.** *(piel, ojos)* itchy

irritación [irita'θjon] *f* irritation

irritante [iri'tante] *adj* irritating

irritar [iri'tar] *vt* to irritate • **irritarse** *vp* to get irritated

isla ['izla] *f* island

islam [iz'lam] *m* Islam

islandés, esa [izlan'des, esa] ◇ *adj* Icelandic ◇ *m,f* Icelander

Islandia [iz'landja] *s* Iceland

islote [iz'lote] *m* islet

Israel [izra'el] *s* Israel

istmo ['izðmo] *m* isthmus

Italia [i'talja] *s* Italy

italiano, na [ita'ljano, na] *adj, m & f* Italian

itinerario [itine'rarjo] *m* itinerary

IVA ['iβa] *m* **1.** *(abr de* impuesto sobre el valor añadido*)* VAT *(Value Added Tax)* **2.** *(Amér)* *(abr de* impuesto sobre el valor agregado*)* VAT *(Value Added Tax)*

izda *(abr de* izquierda*)* left

izquierda [iθ'kjerða] *f* • **la izquierda** *(lado opuesto)* the left; *(mano izquierda)* one's left hand • **a la izquierda** on the left • **girar a la izquierda** to turn left • **ser de izquierdas** to be left-wing

izquierdo, da [iθ'kjerðo, ða] *adj* left

jJ

jabalí [xaβa'li] *m* wild boar

jabalina [xaβa'lina] *f* javelin

jabón [xa'βon] *m* soap

jabonera [xaβo'nera] *f* soap dish

jacuzzi ® [ja'kusi] *m* Jacuzzi ®

jade ['xaðe] *m* jade

ji

jaguar [xaˈɣwar] *m* jaguar

jalar [xaˈlar] *vt* (*Andes, CAm, Carib & Méx*) (*tirar hacia sí*) to pull

jalea [xaˈlea] *f* jelly ● **jalea real** royal jelly

jaleo [xaˈleo] *m* 1. (*barullo*) row (*UK*), racket 2. (*lío*) mess

Jamaica [xaˈmajka] *s* Jamaica

jamás [xaˈmas] *adv* never ● **lo mejor que he visto jamás** the best I've ever seen ● **nunca jamás** never ever

jamón [xaˈmon] *m* ham ● **jamón de bellota** *cured ham from pigs fed on acorns* ● **jamón de Jabugo** *type of top-quality cured ham from Jabugo* ● **jamón serrano** cured ham, Parma ham ● **jamón (de) York** boiled ham

Japón [xaˈpon] *m* ● (**el**) **Japón** Japan

japonés, esa [xapoˈnes, esa] *adj, m & f* Japanese

jarabe [xaˈraβe] *m* syrup ● **jarabe para la tos** cough mixture (*UK*) o syrup (*US*)

jardín [xarˈðin] *m* garden ● **jardín botánico** botanical gardens *pl* ● **jardín de infancia** nursery school ● **jardín público** park

jardinera [xarðiˈnera] *f* (*recipiente*) plant pot holder (*UK*), cachepot (*US*) ➤ jardinero

jardinero, ra [xarðiˈnero, ra] *m,f* gardener ● **a la jardinera** garnished with vegetables

jarra [ˈxara] *f* jug (*UK*), pitcher (*US*) ● **en jarras** (*posición*) hands on hips

jarro [ˈxaro] *m* jug (*UK*), pitcher (*US*)

jarrón [xaˈron] *m* vase

jaula [ˈxaula] *f* cage

jazmín [xaθˈmin] *m* jasmine

jazz [ˈjas] *m* jazz

jefatura [xefaˈtura] *f* 1. (*lugar*) headquarters *pl* 2. (*cargo*) leadership ● **jefatura de policía** police headquarters

jefe, fa [ˈxefe, fa] *m,f* 1. (*de trabajador*) boss 2. (*de empresa*) manager 3. (*de partido, asociación*) leader 4. (*de departamento*) head ● **jefe de gobierno** head of state

jerez [xeˈreθ] *m* sherry

jerga [ˈxerɣa] *f* 1. (*argot*) slang 2. (*lenguaje difícil*) jargon

jeringuilla [xerinˈɡiʎa] *f* syringe

jeroglífico [xeroˈɣlifiko] *m* 1. (*escritura*) hieroglyphic 2. (*pasatiempo*) rebus

jersey [xerˈsei] *m* sweater ● **jersey de cuello alto** polo neck (*UK*), turtle neck (*US*)

Jesucristo [xesuˈkristo] *s* Jesus Christ

jesús [xeˈsus] *interj* 1. (*después de estornudo*) bless you! 2. (*de asombro*) good heavens!

jinete [xiˈnete] *m* rider

jirafa [xi'rafa] *f* giraffe

jirón [xi'ron] *m* (*Perú*) avenue

jitomate [xito'mate] *m* (*CAm & Méx*) tomato

joder [xo'ðer] ◇ *vt* (*vulg*) (*fastidiar*) to fuck up ◇ *vi* (*vulg*) (*copular*) to fuck ◇ *interj* (*vulg*) fucking hell!

Jordania [xor'ðanja] *s* Jordan

jornada [xor'naða] *f* 1. (*de trabajo*) working day 2. (*de viaje, trayecto*) day's journey

jornal [xor'nal] *m* day's wage

jornalero, ra [xorna'lero, ra] *m,f* day labourer

jota ['xota] *f* (*baile*) popular dance of Aragon and Galicia

joven ['xoβen] ◇ *adj* young ◇ *mf* young man (*f* young woman) ◆ **jóvenes** *mpl* (*juventud*) ● **los jóvenes** young people

joya ['xoja] *f* 1. jewel 2. (*fig*) (*persona*) gem

joyería [xoje'ria] *f* jeweller's (shop)

joyero, ra [xo'jero, ra] ◇ *m,f* jeweller ◇ *m* jewellery box

joystick ['jojstik] *m* joystick

jubilación [xuβila'θjon] *f* 1. (*retiro*) retirement 2. (*pensión*) pension

jubilado, da [xuβi'laðo, ða] *m,f* pensioner (*UK*), retiree (*US*)

jubilarse [xuβi'larse] *vp* to retire

judaísmo [xuða'izmo] *m* Judaism

judía [xu'ðia] *f* bean ● **judía tierna** young, stringless bean ● **judías blancas** haricot beans (*UK*), navy beans (*US*) ● **judías pintas** kidney beans ● **judías verdes** green beans > **judío**

judío, a [xu'ðio, a] ◇ *adj* Jewish ◇ *m,f* Jew

judo ['xuðo] *m* judo

juego ['xweɣo] *m* 1. (*entretenimiento, en tenis*) game 2. (*acción*) play 3. (*con dinero*) gambling 4. (*conjunto de objetos*) set ● hacer juego (con algo) to match (sthg) ● juego de azar game of chance ● juego de manos (*conjuring*) trick ● juegos de sociedad parlour games ● juegos olímpicos Olympic Games

juerga ['xwerɣa] *f* party ● irse de juerga to go out on the town

jueves ['xweβes] *m inv* Thursday ● Jueves Santo Maundy Thursday > sábado

juez ['xweθ, θes] (*pl* -ces) *mf* judge ● juez de línea (*en fútbol*) linesman

jugador, ra [xuɣa'ðor, ra] *m,f* 1. (*participante*) player 2. (*de dinero*) gambler

jugar [xu'ɣar] ◇ *vi* 1. (*entretenerse*) to play 2. (*con dinero*) to gamble ◇ *vt* to play ◆ jugar a *v + prep* (*fútbol, parchís, etc*) to play ◆ jugar con *v + prep* (*no tomar en serio*) to play with ◆ jugarse *vp* 1. (*arriesgar*) to risk 2. (*apostar*) to bet

jugo ['xuɣo] *m* 1. (*líquido*) juice 2. (*interés*) substance

jugoso, sa [xu'ɣoso, sa] *adj* juicy

juguete [xu'ɣete] *m* toy

juguetería [xuɣete'ria] *f* toy shop

juguetón, ona [xuɣe'ton, ona] *adj* playful

juicio ['xwiθjo] *m* 1. (*sensatez*) judgment 2. (*cordura*) sanity 3. (*ante juez, tribunal*) trial 4. (*opinión*) opinion ● a mi juicio in my opinion

julio ['xuljo] *m* July > setiembre

junco ['xunko] *m* reed

jungla ['xungla] *f* jungle

junio ['xunjo] *m* June ⪢ **setiembre**

junta ['xunta] *f* 1. committee 2. *(sesión)* meeting

juntar [xun'tar] *vt* 1. *(dos cosas)* to put together 2. *(personas)* to bring together 3. *(fondos, provisiones)* to get together ◆

juntarse *vp* 1. *(ríos, caminos)* to meet 2. *(personas)* to get together 3. *(pareja)* to live together

junto, ta ['xunto, ta] ◇ *adj (unido)* together ◇ *adv* at the same time ● **junto a** *(al lado de)* next to; *(cerca de)* near ● **todo junto** all together

jurado [xu'raðo] *m* 1. *(de juicio)* jury 2. *(de concurso, oposición)* panel of judges

jurar [xu'rar] *vt & vi* to swear

jurídico, ca [xu'riðiko, ka] *adj* legal

justicia [xus'tiθja] *f* 1. justice 2. *(organismo)* law

justificación [xustifika'θjon] *f* justification

justificar [xustifi'kar] *vt* 1. to justify 2. *(persona)* to make excuses for 3. *(demostrar)* to prove ● **justificarse** *vp (excusarse)* to excuse o.s.

justo, ta ['xusto, ta] ◇ *adj* 1. *(equitativo)* fair 2. *(exacto)* exact 3. *(adecuado)* right 4. *(apretado)* tight ◇ *adv* just ● **justo en medio** right in the middle

juvenil [xuβe'nil] *adj (persona)* youthful

juventud [xuβen'tuð] *f* 1. *(etapa de la vida)* youth 2. *(jóvenes)* young people *pl*

juzgado [xuθ'gaðo] *m* 1. court 2. *(territorio)* jurisdiction

juzgar [xuθ'gar] *vt* 1. *(procesar)* to try 2. *(considerar, opinar)* to judge

K

karaoke [kara'oke] *m* 1. *(juego)* karaoke 2. *(lugar)* karaoke bar

kárate ['karate] *m* karate

Kb *(abr escrita de* kilobyte*) m* Kb, KB *(kilobyte)*

kg *(abr de* kilogramo*)* kg *(kilogram)*

kilo ['kilo] *m (fam)* kilo ● **un cuarto de kilo de ...** a quarter of a kilo of ...

kilobyte [kilo'βait] *m* kilobyte

kilogramo [kilo'γramo] *m* kilogram

kilómetro [ki'lometro] *m* kilometre ● **kilómetros por hora** kilometres per hour

kimono [ki'mono] *m* kimono

kiwi ['kiwi] *m* kiwi fruit

kleenex ® ['kleneks] *m inv* tissue

km *(abr de* kilómetro*)* km *(kilometre)*

KO ['kao] *m (abr de* knock-out*)* KO *(knock-out)*

L

l *(abr de* litro*)* l *(litre)*

la [la] ⪢ el, lo

laberinto [laβe'rinto] *m* labyrinth

labio ['laβjo] *m* lip

labor [la'βor] *f* **1.** *(trabajo)* work **2.** *(tarea)* task **3.** *(en agricultura)* farmwork **4.** *(de costura)* needlework

laborable [laβo'raβle] ◇ *adj (día)* working ◇ *m* ▼ sólo laborables working days only

laboral [laβo'ral] *adj* labour *(antes de s)*

laboratorio [laβora'torjo] *m* laboratory ● laboratorio fotográfico developer's (shop)

laborioso, sa [laβo'rjoso, sa] *adj* **1.** *(trabajador)* hard-working **2.** *(complicado, difícil)* laborious

labrador, ra [laβra'ðor, ra] *m,f (agricultor)* farmer

labrar [la'βrar] *vt* **1.** *(tierra)* to farm **2.** *(madera, piedra, etc)* to carve

laca ['laka] *f* **1.** *(de cabello)* hairspray **2.** *(barniz)* lacquer

lacio, cia ['laθjo, θja] *adj (cabello)* straight

lacón [la'kon] *m* shoulder of pork ● lacón con grelos Galician dish of shoulder of pork with turnip tops

lácteo, a ['lakteo, a] *adj* **1.** *(de leche)* milk *(antes de s)* **2.** *(producto)* dairy *(antes de s)*

ladera [la'ðera] *f* **1.** *(de cerro)* slope **2.** *(de montaña)* mountainside

lado ['laðo] *m* **1.** side **2.** *(sitio)* place ● al lado *(cerca)* nearby ● al lado de beside ● al otro lado de on the other side of ● de lado to one side ● en otro lado somewhere else ● la casa de al lado the house next door

ladrar [la'ðrar] *vi* to bark

ladrido [la'ðriðo] *m* bark

ladrillo [la'ðriʎo] *m* brick

ladrón, ona [la'ðron, ona] ◇ *m,f* **1.** *(de coches)* thief **2.** *(de casas)* burglar **3.** *(de bancos)* robber ◇ *m (enchufe)* adapter

lagartija [laɣar'tixa] *f* (small) lizard

lagarto [la'ɣarto] *m* lizard

lago ['laɣo] *m* lake

lágrima ['laɣrima] *f* tear

laguna [la'ɣuna] *f* **1.** *(de agua)* lagoon **2.** *(de ley)* loophole **3.** *(de memoria)* gap

lamentable [lamen'taβle] *adj* pitiful

lamentar [lamen'tar] *vt* to be sorry about ◆ lamentarse *vp* ● lamentarse (de) to complain (about)

lamer [la'mer] *vt* to lick

lámina ['lamina] *f* **1.** *(de papel, metal, etc)* sheet **2.** *(estampa)* plate

lámpara ['lampara] *f* lamp

lampista [lam'pista] *m* plumber

lana ['lana] *f* **1.** wool **2.** *(Amér) (fam) (dinero)* dough

lancha ['lantʃa] *f* boat ● lancha motora motorboat

langosta [lan'gosta] *f* **1.** *(crustáceo)* lobster **2.** *(insecto)* locust

langostino [langos'tino] *m* king prawn ● langostinos al ajillo king prawns cooked in an earthenware dish in garlic and chilli sauce ● langostinos a la plancha grilled king prawns

lanza ['lanθa] *f (arma)* spear

lanzar [lan'θar] *vt* **1.** *(pelota, dardo, etc)* to throw **2.** *(producto, novedad)* to launch ◆ lanzarse *vp* **1.** *(al mar, piscina, etc)* to dive **2.** *(precipitarse)* to rush into it

lapa ['lapa] *f* limpet

lapicera [lapi'θera] *f (CSur)* pen

lapicero [lapi'θero] *m* **1.** *(lápiz)* pencil **2.**

(*CAm & Perú*) (*de tinta*) pen

lápida [ˈlapiða] *f* memorial stone

lápiz [ˈlapiθ, θes] (*pl* **-ces**) *m* pencil ◆ **lápiz de labios** lipstick ◆ **lápiz de ojos** eyeliner

largavistas [larɣaˈbistas] *m inv* (*CSur*) binoculars

largo, ga [ˈlarɣo, ɣa] ◇ *adj* long ◇ *m* length ● **tiene 15 metros de largo** it's 15 metres long ● **a la larga** in the long run ● **a lo largo de** (*playa, carretera, etc*) along; (*en el transcurso de*) throughout ● **de largo recorrido** long-distance

largometraje [larɣomeˈtraxe] *m* feature film

laringe [laˈrinxe] *f* larynx

lástima [ˈlastima] *f* **1.** (*compasión*) pity **2.** (*disgusto, pena*) shame ● **¡qué lástima!** what a pity!

lata [ˈlata] *f* **1.** (*envase, lámina*) tin (*UK*), can **2.** (*de bebidas*) can ● **ser una lata** (*fam*) to be a pain

latido [laˈtiðo] *m* beat

látigo [ˈlatiɣo] *m* whip

latín [laˈtin] *m* Latin

Latinoamérica [latinoaˈmerika] *s* Latin America

latinoamericano, na [laˌtinoameriˈkano, na] *adj & m,f* Latin American

latir [laˈtir] *vi* to beat

laurel [lauˈrel] *m* **1.** (*hoja*) bay leaf **2.** (*árbol*) laurel

lava [ˈlaβa] *f* lava

lavabo [laˈβaβo] *m* **1.** (*cuarto de baño*) toilet (*UK*), bathroom (*US*) **2.** (*pila*) washbasin (*UK*), sink (*US*)

lavadero [laβaˈðero] *m* (*de coches*) car-wash

lavado [laˈβaðo] *m* wash ● **lavado automático** automatic wash

lavadora [laβaˈðora] *f* washing machine

lavanda [laˈβanda] *f* lavender

lavandería [laβandeˈria] *f* **1.** (*establecimiento*) launderette (*UK*), laundromat (*US*) **2.** (*de hotel, residencia*) laundry

lavaplatos [laβaˈplatos] ◆ *m inv* (*máquina*) dishwasher ◇ *mf inv* (*persona*) dishwasher

lavar [laˈβar] *vt* **1.** to wash **2.** ● **lavar la ropa** to do the washing o laundry (*US*) **3.** ● **lavar los platos** to do the dishes o washing-up ● **lavarse** *vp* to wash ● **lavarse las manos** to wash one's hands ● **lavarse los dientes** to brush one's teeth

lavavajillas [ˌlaβaβaˈxiʎas] *m inv* **1.** (*máquina*) dishwasher **2.** (*detergente*) washing-up liquid (*UK*), dish-washing detergent (*US*)

laxante [lakˈsante] *m* laxative

lazo [ˈlaθo] *m* **1.** (*nudo*) bow **2.** (*para animales*) lasso **3.** (*vínculo*) tie, link

le [le] *pron* **1.** (*a él*) him **2.** (*a ella*) her **3.** (*a usted*) you

leal [leˈal] *adj* loyal

lealtad [lealˈtað] *f* loyalty

lección [lekˈθjon] *f* lesson

lechal [leˈtʃal] *adj* ● **cordero lechal** baby lamb

leche [ˈletʃe] ◇ *f* **1.** milk **2.** (*vulg*) (*golpe*) whack ◇ *interj* shit! ● **leche condensada** condensed milk ● **leche desnatada** o **descremada** skimmed milk ● **leche semidesnatada** semiskimmed milk (*UK*), low-fat milk (*US*) ● **leche entera**

full-cream milk (*UK*), whole milk ● **leche frita** *sweet made from fried milk, cornflour and lemon rind* ● **leche limpiadora** cleansing milk (*UK*), cleansing cream (*US*)

lechera [le'tʒera] *f* (*jarra*) milk jug ➤ lechero

lechería [letʒe'ria] *f* dairy

lechero, ra [le'tʒero, ra] *m,f* milkman (*f* milkwoman)

lecho ['letʒo] *m* bed

lechuga [le'tʒuɣa] *f* lettuce

lechuza [le'tʒuθa] *f* owl

lector, ra [lek'tor, ra] ◇ *m,f* **1.** (*persona*) reader **2.** (*profesor*) language assistant ◇ *m* (*aparato*) reader ● **lector de DVD** DVD player

lectura [lek'tura] *f* reading

leer [le'er] *vt* & *vi* to read

legal [le'ɣal] *adj* legal

legalidad [leɣali'ðað] *f* **1.** (*cualidad*) legality **2.** (*conjunto de leyes*) law

legible [le'xiβle] *adj* legible

legislación [lexizla'θjon] *f* legislation

legislatura [lexizla'tura] *f* term (of office)

legítimo, ma [le'xitimo, ma] *adj* **1.** (*legal*) legitimate **2.** (*auténtico*) genuine

legumbre [le'ɣumbre] *f* pulse, legume

lejano, na [le'xano, na] *adj* distant

lejía [le'xia] *f* bleach

lejos ['lexos] *adv* **1.** (*en el espacio*) far (away) **2.** (*en el pasado*) long ago **3.** (*en el futuro*) far away ● **lejos de** far from ● **a lo lejos** in the distance

lencería [lenθe'ria] *f* **1.** (*ropa interior*) lingerie **2.** (*tienda*) draper's (shop) (*UK*), dry goods store (*US*)

lengua ['lengwa] *f* **1.** (*órgano*) tongue **2.** (*idioma*) language ● **lengua de gato** ≃ chocolate finger (biscuit) ● **lengua materna** mother tongue ● **lengua oficial** official language

lenguas amerindias

Although Spanish is the official language of all the Spanish-speaking countries of Latin America, the indigenous communities in many rural areas continue to speak pre-Columbian languages. The most widespread include *Náhuatl* (spoken in Mexico and El Salvador), *Aymara* (Bolivia and Peru) and *Quechua* (Bolivia, Peru and Ecuador).

lenguas oficiales

Although Spanish is the official language of the whole of Spain, some autonomous communities have a second official language (Catalan in Catalonia, the Balearics and Valencia, Galician in Galicia, and Basque in the Basque Country). These are often the language of choice for inhabitants of these regions and are also used in official settings. Spanish is the official language in most of Latin America.

lenguado [len'gwaðo] *m* sole ● **lenguado menier** sole meunière

lenguaje [len'gwaxe] *m* language

lengüeta [len'gueta] *f* tongue

lentamente [,lenta'mente] *adv* slowly

lente ['lente] *m o f* lens ♦ **lentes de contacto** contact lenses ♦ **lentes** *mpl* (*formal*) (*gafas*) spectacles

lenteja [len'texa] *f* lentil ● **lentejas estofadas** *lentil stew with wine*

lentitud [lenti'tuð] *f* slowness

lento, ta ['lento, ta] ◇ *adj* slow ◇ *adv* slowly

leña ['leɲa] *f* firewood

leñador, ra [leɲa'ðor, ra] *m,f* woodcutter

leño ['leɲo] *m* log

Leo ['leo] *m* Leo

león, ona [le'on, 'ona] *m,f* lion (*f* lioness)

leopardo [leo'parðo] *m* **1.** (*animal*) leopard **2.** (*piel*) leopard skin

leotardos [leo'tarðos] *mpl* thick tights

lesbiana [lez'βjana] *f* lesbian

lesión [le'sjon] *f* (*herida*) injury

letal [le'tal] *adj* lethal

letra ['letra] *f* **1.** (*signo*) letter **2.** (*de persona*) handwriting **3.** (*de canción*) lyrics *pl* **4.** (*de una compra*) bill of exchange ♦ **letra de cambio** bill of exchange ♦ **letras** *fpl* (*en enseñanza*) arts

letrero [le'trero] *m* sign

levantamiento [leβanta'mjento] *m* (*sublevación*) uprising ● **levantamiento de pesos** weightlifting

levantar [leβan'tar] *vt* **1.** to raise **2.** (*caja, peso, prohibición*) to lift **3.** (*edificio*) to build ♦ **levantarse** *vp* **1.** (*de la cama*) to get up **2.** (*ponerse de pie*) to stand up **3.** (*sublevarse*) to rise up

levante [le'βante] *m* **1.** (*este*) east **2.** (*viento*) east wind ♦ **Levante** *m the east coast of Spain between Castellón and Cartagena*

léxico ['leksiko] *m* vocabulary

ley ['lei] *f* **1.** law **2.** (*parlamentaria*) act

leyenda [le'jenda] *f* legend

liar [li'ar] *vt* **1.** (*atar*) to tie up **2.** (*envolver*) to roll up **3.** (*fam*) (*complicar*) to muddle up ♦ **liarse** *vp* (*enredarse*) to get muddled up ● **liarse a** (*comenzar a*) to start to

Líbano ['liβano] *m* ● **(el) Líbano** Lebanon

libélula [li'βelula] *f* dragonfly

liberal [liβe'ral] *adj* liberal

liberar [liβe'rar] *vt* to free

libertad [liβer'tað] *f* freedom ♦ **libertades** *fpl* (*atrevimiento*) liberties

libertador, ra [liβerta'ðor, ra] *m,f* liberator

Libia ['liβja] *s* Libya

libra ['liβra] *f* (*moneda, unidad de peso*) pound ● **libra esterlina** pound (sterling)

librar [li'βrar] ◇ *vt* **1.** (*de trabajo*) to free **2.** (*de peligro*) to save **3.** (*letra, orden de pago*) to make out ◇ *vi* (*tener fiesta*) to be off work ♦ **librarse de** *v + prep* (*peligro, obligación*) to escape from

libre ['liβre] *adj* **1.** free **2.** (*no ocupado*) vacant **3.** (*soltero*) available ● **libre de** free from ● **libre de impuestos** tax-free ▼ **libre** (*taxi*) for hire

librería [liβre'ria] *f* **1.** (*establecimiento*) bookshop **2.** (*mueble*) bookcase

librero [li'βrero] *m* (*Chile & Méx*) bookshelf

libreta [li'βreta] *f* **1.** (*cuaderno*) notebook **2.** *(de ahorros)* savings book

libro ['liβɾo] *m* book ● **libro de bolsillo** paperback ● **libro de cheques** cheque book ● **libro de reclamaciones** complaints book ● **libro de texto** textbook

licencia [li'θenθja] *f* licence ● **licencia de conducir** o **manejar** *(Amér)* driving licence *(UK)*, driver's license *(US)*

licenciado, da [liθen'θjaðo, ða] *m,f* graduate

licenciarse [liθen'θjarse] *vp* **1.** *(en universidad)* to graduate **2.** *(de servicio militar)* to be discharged

licenciatura [liθenθja'tura] *f* degree

liceo [li'θeo] *m (CSur & Ven)* secondary school *(UK)*, high school *(US)*

licor [li'kor] *m* liquor

licorería [likore'ria] *f (tienda)* ≃ off-licence *(UK)*, ≃ liquor store *(US)*

licuadora [likwa'ðora] *f* liquidizer *(UK)*, blender *(US)*

líder ['liðer] *mf* leader

lidia ['liðja] *f (corrida)* bullfight ● **la lidia** bullfighting

liebre ['ljeβɾe] *f* hare

lienzo ['ljenθo] *m* **1.** *(tela)* canvas **2.** *(pintura)* painting

liga ['liɣa] *f* **1.** league **2.** *(para medias)* suspender *(UK)*, garter *(US)*

ligar [li'ɣar] ◇ *vt* **1.** *(atar)* to tie **2.** *(relacionar)* to link ◇ *vi* ● **ligar con** *(fam)* to get off with *(UK)*, to hook up with *(US)*

ligeramente [li,xera'mente] *adv (poco)* slightly

ligero, ra [li'xero, ra] *adj* **1.** light **2.** *(rápido)* quick **3.** *(ágil)* agile **4.** *(leve)*

slight **5.** *(vestido, tela)* thin ● **a la ligera** lightly

light ['lait] *adj inv* **1.** *(comida)* low-calorie, light **2.** *(bebida)* diet *(antes de s)* **3.** *(cigarrillo)* light

ligue ['liɣe] *m (fam) (relación)* fling ● **ir de ligue** to go out on the pull *(UK)*, to go out on the make *(US)*

liguero [li'ɣero] *m* suspender belt *(UK)*, garter belt *(US)*

lija ['lixa] *f (papel)* sandpaper

lijar [li'xar] *vt* to sandpaper

lila ['lila] *adj inv & f* lilac

lima ['lima] *f* **1.** *(herramienta)* file **2.** *(fruto)* lime ● **lima para uñas** nail file

límite ['limite] *m* **1.** limit **2.** *(línea de separación)* boundary ● **límite de velocidad** speed limit

limón [li'mon] *m* lemon

limonada [limo'naða] *f* lemonade

limonero [limo'nero] *m* lemon tree

limosna [li'mozna] *f* alms *pl* ● **dar limosna** to give money ● **pedir limosna** to beg

limpiabotas [limpja'βotas] *m inv* shoeshine *(UK)*, boot black *(US)*

limpiacristales [,limpjakris'tales] ◇ *m inv (detergente)* window-cleaning fluid ◇ *mf inv (persona)* window cleaner

limpiador, ra [limpja'ðor, ra] *m,f* cleaner

limpiaparabrisas [,limpjapara'βrisas] ◇ *m inv (de automóvil)* windscreen wiper *(UK)*, windshield wiper *(US)* ◇ *mf inv (persona)* windscreen cleaner *(UK)*, windshield cleaner *(US)*

limpiar [lim'pjar] *vt* **1.** *(quitar suciedad)* to clean **2.** *(zapatos)* to polish **3.** *(con trapo)* to wipe **4.** *(mancha)* to wipe away **5.** *(fam)* *(robar)* to pinch ● **limpiar la casa** to do the housework

limpieza [lim'pieθa] *f* **1.** *(cualidad)* cleanliness **2.** *(acción)* cleaning **3.** *(destreza)* skill **4.** *(honradez)* honesty ● **hacer la limpieza** to do the cleaning

limpio, pia ['limpio, pia] *adj* **1.** *(sin suciedad)* clean **2.** *(pulcro)* neat **3.** *(puro)* pure **4.** *(correcto)* honest **5.** *(dinero)* net ● **en limpio** *(escrito)* fair

linaje [li'naxe] *m* lineage

lince ['linθe] *m* lynx

lindo, da ['lindo, da] *adj* **1.** pretty **2.** *(Amér)* *(agradable)* lovely **3.** ● **de lo lindo** a great deal

línea ['linea] *f* **1.** line **2.** *(pauta)* course **3.** *(aspecto)* shape ● **línea aérea** airline ● **línea telefónica** (telephone) line

lingote [lin'gote] *m* ingot ● **lingote de oro** gold ingot

lingüística [lin'guistika] *f* linguistics *sg*

lingüístico, ca [lin'guistiko, ka] *adj* linguistic

lino ['lino] *m* **1.** *(tejido)* linen **2.** *(planta)* flax

linterna [lin'terna] *f* *(utensilio)* torch *(UK)*, flashlight *(US)*

lío ['lio] *m* **1.** *(paquete)* bundle **2.** *(fam)* *(desorden, embrollo)* mess **3.** *(fam)* *(relación amorosa)* affair ● **hacerse un lío** to get muddled up

liquidación [likiða'θion] *f* **1.** *(de cuenta)* settlement **2.** *(de mercancías, género)* clearance sale ▼ **liquidación total** closing down sale

liquidar [liki'ðar] *vt* **1.** *(cuenta)* to settle **2.** *(mercancías, existencias)* to sell off **3.**

(fam) *(matar)* to bump off

líquido ['likiðo] *m* liquid

lira ['lira] *f* *(instrumento)* lyre

lirio ['lirio] *m* iris

liso, sa ['liso, sa] ◇ *adj* **1.** *(llano)* flat **2.** *(sin asperezas)* smooth **3.** *(vestido, color)* plain **4.** *(pelo)* straight ◇ *m,f* *(Amér)* rude person

lista ['lista] *f* **1.** *(enumeración)* list **2.** *(de tela)* strip ● **lista de boda** wedding list ● **lista de correos** poste restante ● **lista de espera** waiting list ● **lista de precios** price list ● **lista de vinos** wine list

listín [lis'tin] *m* directory ● **listín telefónico** telephone directory

listo, ta ['listo, ta] ◇ *adj* **1.** *(inteligente, astuto)* clever **2.** *(preparado)* ready ◇ *interj* I'm/we're/it's ready!

listón [lis'ton] *m* **1.** *(de madera)* lath **2.** *(en deporte)* bar

lisura [li'sura] *f* *(Amér)* swearword

litera [li'tera] *f* **1.** *(de tren)* couchette **2.** *(de barco)* berth **3.** *(mueble)* bunk (bed)

literal [lite'ral] *adj* literal

literario, ria [lite'rario, ria] *adj* literary

literatura [litera'tura] *f* literature

litro ['litro] *m* litre

llaga ['ʎaɣa] *f* wound

llama ['ʎama] *f* **1.** *(de fuego)* flame **2.** *(animal)* llama

llamada [ʎa'maða] *f* call ● **hacer una llamada a cobro revertido** to reverse the charges *(UK)*, to call collect *(US)* ● **llamada en espera** call waiting ● **llamada interprovincial** national call ● **llamada interurbana** long-distance call ● **llamada local** local call ● **llamada**

metropolitana local call • **llamada provincial** ≃ local area call (*UK*), ≃ regional toll call (*US*) • **llamada telefónica** telephone call

llamada telefónica

Al responder al teléfono, lo normal es decir *hello*. Algunas personas dicen también su número de teléfono: *Hello. 842157*. En un ambiente de trabajo, lo normal es decir *hello* y el nombre de la persona que ha respondido la llamada. Si la persona que llama dice *can I speak to...?* y esa persona eres tú, respondes diciendo *speaking* en inglés británico y *this is she/he* en inglés americano. La persona que ha recibido la llamada dice *thanks for calling*. Para terminar una llamada de una forma más informal se puede decir *speak to you soon*, y cuando hablas con amigos o familiares, *lots of love*.

llamar [ʎa'mar] ◇ vt to call ◇ vi **1.** (a la puerta) to knock **2.** (al timbre) to ring • **llamar por teléfono** to phone • **llamarse** vp to be called • **¿cómo te llamas?** what's your name?

llano, na ['ʎano, na] ◇ adj **1.** (superficie, terreno) flat **2.** (amable) straightforward ◇ m plain

llanta ['ʎanta] f **1.** (de rueda) rim **2.** (Amér) (rueda de coche, camión) wheel, tyre

llanura [ʎa'nura] f plain

llave ['ʎaβe] f **1.** key **2.** (para tuercas) spanner (*UK*), wrench (*US*) **3.** (signo ortográfico) curly bracket • **echar la llave** to lock up • **llave de contacto** ignition key • **llave inglesa** monkey wrench • **llave maestra** master key • **llave de paso** mains tap

llegada [ʎe'ɣaða] f **1.** (de viaje, trayecto, etc) arrival **2.** (en deporte) finish • **llegadas** fpl (de tren, avión, etc) arrivals ▼ **llegadas internacionales** international arrivals

llegar [ʎe'ɣar] vi **1.** (a un lugar) to arrive **2.** (fecha, momento) to come **3.** (ser suficiente) to be enough • **llegar a** o **hasta** (extenderse) to reach • **no llegué a verla** I didn't manage to see her • **llegar a** v + prep (presidente, director) to become **2.** (edad, altura, temperatura) to reach • **llegar a conocer** to get to know • **llegar a ser** to become

llenar [ʎe'nar] vt **1.** (recipiente, espacio) to fill **2.** (impreso) to fill out • **llenarse** vp **1.** (lugar) to fill up **2.** (hartarse) to be full • **llenarse de** v + prep (cubrirse) to get covered with

lleno, na ['ʎeno, na] ◇ adj **1.** (ocupado) full **2.** (espectáculo, cine) sold out ◇ m (en espectáculo) full house • **de lleno** (totalmente) completely

llevar [ʎe'βar] ◇ vt **1.** (transportar) to carry • **el barco lleva carga y pasajeros** the boat carries cargo and passengers **2.** (acompañar) to take • **llevó al niño a casa** she took the child home • **me llevaron en coche** they drove me there **3.** (prenda, objeto personal) to wear • **lleva gafas** he wears glasses • **no llevamos dinero**

we don't have any money on us **4.** *(coche, caballo)* to handle **5.** *(conducir)* **llevar a alguien a** to lead sb to **6.** *(ocuparse, dirigir)* to be in charge of ● **lleva muy bien sus estudios** he's doing very well in his studies **7.** *(tener)* to have ● **llevar el pelo largo** to have long hair ● **llevas las manos sucias** your hands are dirty **8.** *(soportar)* to deal with **9.** *(con tiempo)* ● **lleva tres semanas de viaje** he's been travelling for three weeks ● **me llevó mucho tiempo hacer el trabajo** I took a long time to get the work done **10.** *(sobrepasar)* ● **te llevo seis puntos** I'm six points ahead of you ● **le lleva seis años** she's six years older than him ◇ *vi* **1.** *(dirigirse)* to lead ● **este camino lleva a Madrid** this road leads to Madrid **2.** *(haber)* ● **llevo leída media novela** I'm halfway through the novel **3.** *(estar)* ● **lleva viniendo cada día** she's been coming every day ● **llevarse** *vp (coger)* to take; *(conseguir, recibir)* to get; *(estar de moda)* to be in (fashion) ● **llevarse bien/mal (con)** to get on well/badly (with)

llorar [ʎo'rar] ◇ *vi* to cry ◇ *vt* to mourn

llorón, ona [ʎo'ron, ona] *m,f* crybaby

llover [ʎo'βer] ◇ *vi* ● **está lloviendo** it's raining ◇ *vi (ser abundante)* to rain down ● **llover a cántaros** to rain cats and dogs

llovizna [ʎo'βiθna] *f* drizzle

lloviznar [ʎoβiθ'nar] *vi* ● **está lloviznando** it's drizzling

lluvia ['ʎuβja] *f* **1.** rain **2.** *(fig) (de preguntas)* barrage

lluvioso, sa [ʎu'βjoso, sa] *adj* rainy

lo, la [lo, la] ◇ *pron* **1.** *(cosa)* it, them *pl* **2.** *(persona)* him *(f* her*)*, them *pl* **3.** *(usted, ustedes)* you ◇ *pron neutro* it ◇ *art* ● **lo mejor** the best ● **lo bueno del asunto** the good thing about it ● **ella es guapa, él no lo es** she's good-looking, he isn't ● **siento lo de tu padre** I'm sorry about your father ● **lo que** what

lobo, ba ['loβo, βa] *m,f* wolf

local [lo'kal] ◇ *adj* local ◇ *m (lugar)* premises *pl*

localidad [lokali'ðað] *f* **1.** *(población)* town **2.** *(asiento)* seat **3.** *(entrada)* ticket

localización [lokaliθa'θjon] *f* location

localizar [lokali'θar] *vt* **1.** *(encontrar)* to locate **2.** *(limitar)* to localize ● **localizarse** *vp (situarse)* to be located

loción [lo'θjon] *f* lotion ● **loción broncadora** suntan lotion

loco, ca ['loko, ka] ◇ *adj* mad ◇ *m,f* madman *(f* madwoman*)* ● **loco por** *(aficionado)* mad (UK) o crazy (US) about ● **a lo loco** *(sin pensar)* hastily ● **volver loco a alguien** to drive sb crazy

locomotora [lokomo'tora] *f* engine, locomotive

locura [lo'kura] *f* **1.** *(falta de juicio)* madness **2.** *(acción insensata)* folly

locutor, ra [loku'tor, ra] *m,f* presenter

locutorio [loku'torjo] *m* **1.** *(de emisora)* studio **2.** *(de convento)* visiting room

lodo ['loðo] *m* mud

lógica ['loxika] *f* logic

lógico, ca ['loxiko, ka] *adj* logical

logrado, da [lo'ɣraðo, ða] *adj (bien hecho)* accomplished

lograr [lo'ɣɾaɾ] *vt* **1.** *(resultado, objetivo)* to achieve **2.** *(beca, puesto)* to obtain ● **lograr hacer algo** to manage to do sthg ● **lograr que alguien haga algo** to manage to get sb to do sthg

logro ['loɣɾo] *m* achievement

lombriz [lom'bɾiθ, θes] *(pl* **-ces)** *f* earthworm

lomo ['lomo] *m* **1.** *(de animal)* back **2.** *(carne)* loin **3.** *(de libro)* spine ● **lomo de cerdo** pork loin ● **lomo embuchado** *pork loin stuffed with seasoned mince* ● **lomo ibérico** *cold, cured pork sausage* ● **lomos de merluza** hake steak *sg*

lona ['lona] *f* canvas

loncha ['lontʃa] *f* slice

lonche ['lontʃe] *m (Amér)* lunch

Londres ['londɾes] *s* London

longaniza [longa'niθa] *f* type of spicy, cold pork sausage

longitud [lonxi'tuð] *f* length

lonja ['lonxa] *f* **1.** *(edificio)* exchange **2.** *(loncha)* slice

loro ['loɾo] *m* parrot

lote ['lote] *m (porción)* share

lotería [lote'ɾia] *f* lottery ● **lotería primitiva** *twice-weekly state-run lottery*

lotero, ra [lo'teɾo, ɾa] *m,f* lottery ticket seller

loza [lo'θa] *f* **1.** *(material)* earthenware **2.** *(porcelana)* china **3.** *(vajilla)* crockery

ltda. *(abr de limitada)* Ltd. *(limited)*

lubina [lu'βina] *f* sea bass

lubricante [luβɾi'kante] *m* lubricant

lucha ['lutʃa] *f* **1.** *(pelea)* fight **2.** *(oposición)* struggle ● **lucha libre** all-in wrestling

luchador, ra [lutʃa'ðoɾ, ɾa] *m,f* fighter

luchar [lu'tʃaɾ] *vi* **1.** *(pelear)* to fight **2.** *(esforzarse)* to struggle

luciérnaga [lu'θjeɾnaɣa] *f* glow-worm

lucir [lu'θiɾ] ◇ *vt (llevar puesto)* to wear ◇ *vi* **1.** to shine **2.** *(Amér) (verse bien)* to look good ● **lucirse** *vp* **1.** *(quedar bien)* to shine **2.** *(exhibirse)* to be seen **3.** *(fam) (hacer el ridículo)* to mess things up

lucro ['lukɾo] *m* profit

lúdico, ca ['luðiko, ka] *adj* ● **actividades lúdicas** fun and games

luego ['lweɣo] ◇ *adv* **1.** *(justo después)* then **2.** *(más tarde)* later **3.** *(Amér) (pronto)* soon ◇ *conj* so ● **desde luego** *(sin duda)* of course; *(para reprochar)* for heaven's sake ● **luego luego** *(Chile & Méx)* straight away

lugar [lu'ɣaɾ] *m* place ● **tener lugar** to take place ● **en lugar de** instead of

lujo ['luxo] *m* **1.** luxury **2.** *(abundancia)* profusion ● **de lujo** luxury *(antes de s)*

lujoso, sa [lu'xoso, sa] *adj* luxurious

lujuria [lu'xuɾja] *f* lust

lumbago [lum'baɣo] *m* lumbago

luminoso, sa [lumi'noso, sa] *adj* bright

luna ['luna] *f* **1.** *(astro)* moon **2.** *(de vidrio)* window *(pane)*

lunar [lu'naɾ] *m (de la piel)* mole ◇ **lunares** *mpl (estampado)* spots *(UK)*, polka dots *(US)*

lunes ['lunes] *m inv* Monday ➢ **sábado**

luneta [lu'neta] *f (de coche)* windscreen *(UK)*, windshield *(US)* ● **luneta térmica** demister *(UK)*, defogger *(US)*

lupa ['lupa] *f* magnifying glass

lustrabotas [lustɾa'βotas] *m inv (Andes & RP)* bootblack

lustrador [lustra'ðor] *m* (*Andes & RP*) bootblack

luto ['luto] *m* mourning

luz ['luθ, θes] (*pl* **-ces**) *f* **1.** light **2.** (*electricidad*) electricity ● **luz solar** sunlight ● **dar a luz** to give birth ● **luces** *fpl* (*de coche*) lights

lycra ® ['likra] *f* Lycra ®

m **M**

m (*abr de* metro) m (*metre*)

macanudo [maka'nuðo] *adj* (*CSur & Perú*) (*fam*) great

macarrones [maka'rones] *mpl* macaroni *g*

macedonia [maθe'ðonja] *f* ● **macedonia** (*de frutas*) fruit salad

maceta [ma'θeta] *f* flowerpot

machacar [matʃa'kar] *vt* to crush

machismo [ma'tʃizmo] *m* machismo

machista [ma'tʃista] *mf* male chauvinist

macho ['matʃo] ◇ *adj* **1.** (*animal, pieza*) male **2.** (*hombre*) macho ◇ *m* **1.** (*animal*) male **2.** (*de enchufe*) male plug

macizo, za [ma'θiθo, θa] ◇ *adj* solid ◇ *m* **1.** (*de montañas*) massif **2.** (*de flores*) flowerbed

macramé [makra'me] *m* macramé

macuto [ma'kuto] *m* backpack

madeja [ma'ðexa] *f* hank

madera [ma'ðera] *f* **1.** wood **2.** (*pieza*) piece of wood ● **de madera** wooden

madrastra [ma'ðrastra] *f* stepmother

madre ['maðre] *f* mother ● **madre política** mother-in-law ● **madre soltera** single mother ● **¡madre mía!** Jesus!

madreselva [maðre'selβa] *f* honeysuckle

Madrid [ma'ðrið] *s* Madrid

madriguera [maðri'ɣera] *f* **1.** (*de tejón*) den **2.** (*de conejo*) burrow

madrileño, ña [maðri'leɲo, ɲa] ◇ *adj* of/relating to Madrid ◇ *m,f* native/inhabitant of Madrid

madrina [ma'ðrina] *f* **1.** (*de bautizo*) godmother **2.** (*de boda*) bridesmaid **3.** (*de fiesta, acto*) patroness

madrugada [maðru'ɣaða] *f* **1.** (*noche*) early morning **2.** (*amanecer*) dawn

madrugador, ra [maðruɣa'ðor, ra] *adj* early-rising

madrugar [maðru'ɣar] *vi* to get up early

madurar [maðu'rar] ◇ *vt* (*proyecto, plan, idea*) to think through ◇ *vi* **1.** (*fruto*) to ripen **2.** (*persona*) to mature

madurez [maðu'reθ] *f* **1.** (*sensatez*) maturity **2.** (*edad adulta*) adulthood **3.** (*de fruto*) ripeness

maduro, ra [ma'ðuro, ra] *adj* **1.** (*fruto, grano*) ripe **2.** (*sensato, mayor*) mature **3.** (*proyecto, plan, idea*) well thought-out

maestría [maes'tria] *f* (*habilidad*) mastery

maestro, tra [ma'estro, tra] *m,f* **1.** (*de escuela*) teacher **2.** (*de arte, oficio*) master **3.** (*músico*) maestro

mafia ['mafja] *f* mafia

magdalena [maɣða'lena] *f* fairy cake (*UK*), cupcake (*US*)

magia ['maxia] *f* magic

mágico, ca ['maxiko, ka] *adj* **1.** *(maravilloso)* magical **2.** *(de la magia)* magic

magistrado, da [maxis'traðo, ða] *m,f (de justicia)* judge

magistratura [maxistra'tura] *f* **1.** *(tribunal)* tribunal **2.** *(cargo)* judgeship

magnate [may'nate] *m* magnate

magnesio [may'nesjo] *m* magnesium

magnético, ca [may'netiko, ka] *adj* magnetic

magnetófono [mayne'tofono] *m* tape recorder

magnífico, ca [may'nifiko, ka] *adj* magnificent

magnitud [mayni'tuð] *f* magnitude

magnolia [may'nolja] *f* magnolia

mago, ga ['mayo, ya] *m,f* **1.** *(en espectáculo)* magician **2.** *(personaje fantástico)* wizard

magro, gra ['mayro, yra] *adj (carne)* lean

maicena [mai'θena] *f* cornflour *(UK)*, cornstarch *(US)*

maillot [ma'ʎot] *m* **1.** *(de ballet, deporte)* maillot **2.** *(de ciclista)* jersey

maíz [ma'iθ] *m* maize *(UK)*, corn *(US)*

majestuoso, sa [maxes'tuoso, sa] *adj* majestic

majo, ja ['maxo, xa] *adj* **1.** *(agradable)* nice **2.** *(bonito)* pretty

mal ['mal] ◇ *m* **1.** *(daño)* harm **2.** *(enfermedad)* illness ◇ *adv* **1.** *(incorrectamente)* wrong **2.** *(inadecuadamente)* badly ◇ *adj* ➤ **malo** ● **el mal** evil ● **encontrarse mal** to feel ill ● **oír/ver mal** to have poor hearing/eyesight ● **oler mal** to smell bad ● **saber mal** to

taste bad ● **sentar mal a alguien** *(ropa)* not to suit sb; *(comida)* to disagree with sb; *(comentario)* to upset sb ● **ir de mal en peor** to go from bad to worse

Malasia [ma'lasja] *s* Malaysia

malcriar [malkri'ar] *vt* to spoil

maldad [mal'dað] *f* **1.** *(cualidad)* evil **2.** *(acción)* evil thing

maldición [maldi'θjon] *f* curse

maldito, ta [mal'dito, ta] *adj* damned ● **¡maldita sea!** damn it!

maleable [male'aβle] *adj* malleable

malecón [male'kon] *m* **1.** *(atracadero)* jetty **2.** *(rompeolas)* breakwater **3.** *(Amér) (passeo marítimo)* seafront promenade

maleducado, da [maleðu'kaðo, ða] *adj* rude

malentendido [ˌmalenten'diðo] *m* misunderstanding

malestar [males'tar] *m* **1.** *(inquietud)* uneasiness **2.** *(dolor)* discomfort

maleta [ma'leta] *f* suitcase ● **hacer las maletas** to pack (one's bags)

maletero [male'tero] *m* boot *(UK)*, trunk *(US)*

maletín [male'tin] *m* briefcase

malformación [ˌmalforma'θjon] *f* malformation

malgastar [malyas'tar] *vt (dinero, esfuerzo, tiempo)* to waste

malhablado, da [malaˈβlaðo, ða] *adj* foul-mouthed

malhechor, ra [male'tʒor, ra] *adj* criminal

malhumorado, da [ˌmalumo'raðo, ða] *adj* bad-tempered

malicia [ma'liθja] *f* **1.** *(maldad)* wickedness **2.** *(mala intención)* malice **3.** *(astucia)* sharpness

malintencionado, da [ˌmalintenθjoˈnaðo, ða] *adj* malicious

malla [ˈmaʎa] *f* **1.** *(tejido)* mesh **2.** *(traje)* leotard ◆ **mallas** *fpl* *(pantalones)* leggings

Mallorca [maˈʎorka] *s* Majorca

malo, la [ˈmalo, la] *(peor es el comparativo y el superlativo de malo) adj* **1.** bad **2.** *(travieso)* naughty ● **estar malo** *(enfermo)* to be ill ● **estar de malas** to be in a bad mood ● **por las malas** by force

malograr [maloˈɣrar] *vt* *(Amér)* to waste ◆ **malograrse** *vp* *(Amér)* to fail

malpensado, da [malpenˈsaðo, ða] *m,f* malicious person

maltratador, ra *m,f* domestic abuser

maltratar [maltraˈtar] *vt* **1.** *(persona)* to ill-treat **2.** *(objeto)* to damage

mamá [maˈma] *f* *(fam)* mum *(UK)*, mom *(US)* ● **mamá grande** *(Amér)* grandma

mamadera [mamaˈðera] *f* **1.** *(CSur & Perú) (biberón)* (baby's) bottle **2.** *(tetilla)* teat *(UK)*, nipple *(US)*

mamar [maˈmar] *vt & vi* to suckle

mamífero [maˈmifero] *m* mammal

mamila [maˈmila] *f* *(Cuba, Méx & Ven)* baby bottle

mampara [mamˈpara] *f* screen

manada [maˈnaða] *f* *(de vacas)* herd

mánager [ˈmanaxer] *m* manager

manantial [manan'tjal] *m* spring

mancha [ˈmantʃa] *f* stain

manchar [manˈtʃar] *vt* **1.** *(ensuciar)* to make dirty **2.** *(con manchas)* to stain ◆ **mancharse** *vp* to get dirty

manco, ca [ˈmanko, ka] *adj* one-handed

mancuerna [manˈkwerna] *f* *(Amér)* cuff-link

mandar [manˈdar] *vt* **1.** *(suj: ley, orden)* to decree **2.** *(ordenar)* to order **3.** *(dirigir)* to be in charge of **4.** *(enviar)* to send ● **mandar hacer algo** to have sthg done ● **¿mande?** *(Amér)* eh? *(UK)*, excuse me? *(US)*

mandarina [mandaˈrina] *f* mandarin, tangerine

mandíbula [manˈdiβula] *f* jaw

mando [ˈmando] *m* **1.** *(autoridad)* command **2.** *(jefe)* leader **3.** *(instrumento)* control ● **mando a distancia** remote control

manecilla [maneˈθiʎa] *f* hand *(of clock)*

manejable [maneˈxaβle] *adj* manageable

manejar [maneˈxar] *vt* **1.** *(herramienta, persona)* to handle **2.** *(aparato)* to operate **3.** *(dinero)* to manage **4.** *(Amér) (conducir)* to drive

manejo [maˈnexo] *m* **1.** *(de instrumento)* handling **2.** *(de aparato)* operation **3.** *(de dinero)* management **4.** *(engaño, astucia)* intrigue

manera [maˈnera] *f* way ● **lo hizo de cualquier manera** he did it any old how ● **de cualquier manera, no me queda dinero** anyway, I don't have any money left ● **de esta manera** *(así)* this way ● **de ninguna manera** certainly not ● **de manera que** *(así que)* so (that) ◆ **maneras** *fpl* *(comportamiento)* manners

manga [ˈmanga] *f* **1.** *(de vestido)* sleeve **2.**

(tubo flexible) hosepipe *(UK)*, hose *(US)* **3.** *(de campeonato)* round

mango ['mango] *m* **1.** *(asa)* handle **2.** *(fruto)* mango

manguera [man'gera] *f* hosepipe *(UK)*, hose *(US)*

maní [ma'ni] *m (Andes, CAm & RP)* peanut

manía [ma'nia] *f* **1.** *(obsesión)* obsession **2.** *(afición exagerada)* craze **3.** *(antipatía)* dislike

maniático, ca [mani'atiko, ka] ◇ *adj (tiquismiquis)* fussy ◇ *m.f* ● **es un maniático del fútbol** he's football crazy

manicomio [mani'komjo] *m* mental hospital

manicura [mani'kura] *f* manicure ● **hacerse la manicura** to have a manicure

manifestación [manifesta'θjon] *f* **1.** *(de personas)* demonstration **2.** *(muestra)* display **3.** *(declaración)* expression

manifestante [manifes'tante] *mf* demonstrator

manifestar [manifes'tar] *vt* **1.** *(declarar)* to express **2.** *(mostrar)* to show ◆ **manifestarse** *vp* to demonstrate

manifiesto, ta [mani'fjesto, ta] ◇ *adj* clear ◇ *m* manifesto

manillar [mani'ʎar] *m* handlebars *pl*

maniobra [ma'njoβra] *f* **1.** *(de coche, barco, tren)* manoeuvre **2.** *(astucia)* trick

manipular [manipu'lar] *vt* **1.** *(con las manos)* to handle **2.** *(persona, información)* to manipulate

maniquí [mani'ki] ◇ *m (muñeco)* dummy ◇ *mf (persona)* model

manito [ma'nito] *m (Amér) (fam)* pal

manivela [mani'βela] *f* crank

mano ['mano] ◇ *f* **1.** hand **2.** *(capa)* coat ◇ *m (CAm & Méx)* pal ● **tuve que escribirlo a mano** I had to write it by hand ● **¿tienes una calculadora a mano?** do you have a calculator to hand? ● **a mano derecha** on the right ● **de segunda mano** second-hand ● **dar la mano a alguien** to shake hands with sb ● **echar una mano a alguien** to lend sb a hand ● **mano de obra** *(trabajadores)* workforce

manoletina [manole'tina] *f (zapato) type of open, low-heeled shoe, often with a bow*

manopla [ma'nopla] *f* mitten

manosear [manose'ar] *vt* to handle roughly

mansión [man'sjon] *f* mansion

manso, sa ['manso, sa] *adj* **1.** *(animal)* tame **2.** *(persona)* gentle

manta ['manta] *f* blanket

manteca [man'teka] *f* **1.** *(de animal)* fat **2.** *(de cerdo)* lard **3.** *(de cacao, leche)* butter

mantecado [mante'kaðo] *m* **1.** *(dulce)* shortcake **2.** *(sorbete)* ice-cream made of milk, eggs and sugar

mantel [man'tel] *m* tablecloth

mantelería [mantele'ria] *f* table linen

mantener [mante'ner] *vt* **1.** to keep **2.** *(sujetar)* to support **3.** *(defender)* to maintain **4.** *(relación, correspondencia)* to have ◆ **mantenerse** *vp* **1.** *(edificio)* to be standing **2.** *(alimentarse)* to support o.s.

mantenimiento [manteni'mjento] *m* **1.** *(de persona)* sustenance **2.** *(de edificio, coche)* maintenance

mantequería [manteke'ria] *f* dairy

mantequilla [mante'kiʎa] *f* butter

mantero, ra *m,f* (*fam*) (*vendedor callejero*) *person who sells bootleg CDs displayed on a cloth on the pavement*

mantilla [man'tiʎa] *f* (*de mujer*) mantilla

mantón [man'ton] *m* shawl

manual [ma'nwal] *adj* & *m* manual

manuscrito [manus'krito] *m* manuscript

manzana [man'θana] *f* 1. (*fruto*) apple 2. (*de casas*) block • **manzana al horno** baked apple

manzanilla [manθa'niʎa] *f* 1. (*infusión*) camomile tea 2. (*vino*) manzanilla (sherry)

manzano [man'θano] *m* apple tree

mañana [ma'nana] ◇ *f* morning ◇ *adv* & *m* tomorrow • **las dos de la mañana** two o'clock in the morning • **mañana por la mañana** tomorrow morning • **por la mañana** in the morning

mapa ['mapa] *m* map

maqueta [ma'keta] *f* model

maquillaje [maki'ʎaxe] *m* 1. (*producto*) make-up 2. (*acción*) making-up

maquillar [maki'ʎar] *vt* to make up • **maquillarse** *vp* to put on one's make up

máquina ['makina] *f* 1. (*aparato*) máchine 2. (*locomotora*) engine 3. (*Amér*) (*coche*) car • **a máquina** by machine • **máquina de afeitar** electric razor • **máquina de coser** sewing machine • **máquina de escribir** typewriter • **máquina fotográfica** camera • **máquina tragaperras** slot machine

maquinaria [maki'narja] *f* (*conjunto de máquinas*) machinery

maquinilla [maki'niʎa] *f* razor

maquinista [maki'nista] *mf* (*de metro, tren*) engine driver (*UK*), engineer (*US*)

mar ['mar] *m o f* sea • **Mar** *m* • **el Mar del Norte** the North Sea

maracas [ma'rakas] *fpl* maracas

maratón [mara'ton] *m* 1. marathon

maravilla [mara'βiʎa] *f* 1. (*cosa extraordinaria*) marvel 2. (*impresión*) wonder

maravilloso, sa [maraβi'ʎoso, sa] *adj* marvellous

marca ['marka] *f* 1. (*señal, huella*) mark 2. (*nombre*) brand 3. (*en deporte*) record • **de marca** (*ropa, producto*) designer (*antes de s*) • **marca registrada** registered trademark

marcado, da [mar'kaðo, ða] *adj* marked

marcador [marka'ðor] *m* 1. (*panel*) scoreboard 2. (*rotulador*) marker (pen)

marcapasos [marka'pasos] *m inv* pacemaker

marcar [mar'kar] *vt* 1. (*poner señal*) to mark 2. (*anotar*) to note down 3. (*un tanto*) to score 4. (*suj: termómetro, contador*) to read 5. (*suj: reloj*) to say 6. (*número de teléfono*) to dial 7. (*pelo*) to set 8. (*con el precio*) to price • **marcar un gol** to score a goal • **marcar un número** to dial a number

marcha ['martʃa] *f* 1. (*partida*) departure 2. (*de vehículo*) gear 3. (*desarrollo*) progress 4. (*fam*) (*animación*) life 5. (*pieza musical*) march • **dar marcha atrás** to reverse • **en marcha** (*motor*) running • **poner en marcha** to start

marchar [mar'tʃar] *vi* 1. (*aparato, mecanismo*) to work 2. (*asunto, negocio*) to go

well **3.** *(soldado)* to march ◆ **marcharse**
vp **1.** *(irse)* to go **2.** *(partir)* to leave

marchitarse [martʃi'tarse] *vp* to wither

marchoso, sa [mar'tʃoso, sa] *adj (fam)*
lively

marciano, na [mar'θjano, na] *m,f* **1.** *(de
Marte)* Martian **2.** *(extraterrestre)* alien

marco ['marko] *m* **1.** frame **2.** *(límite)*
framework

marea [ma'rea] *f* tide ● **marea negra**
oil slick

mareado, da [mare'aðo, ða] *adj* **1.** *(con
náuseas)* sick **2.** *(en coche)* carsick **3.** *(en
barco)* seasick **4.** *(en avión)* airsick **5.**
(aturdido) dizzy

marearse [mare'arse] *vp* **1.** *(en coche)* to
be carsick **2.** *(en barco)* to be seasick **3.**
(en avión) to be airsick **4.** *(aturdirse)* to
get dizzy

marejada [mare'xaða] *f* heavy sea

marejadilla [marexa'ðiʎa] *f* slight swell

maremoto [mare'moto] *m* tidal wave

mareo [ma'reo] *m* **1.** *(náuseas)* sickness
2. *(aturdimiento)* dizziness

marfil [mar'fil] *m* ivory

margarina [marɣa'rina] *f* margarine

margarita [marɣa'rita] *f* daisy

margen ['marxen] ◇ *m* **1.** *(de página,
beneficio)* margin **2.** *(de camino)* side **3.**
(tiempo, de actuar) leeway ◇ *f* *(de río)*
bank

marginación [marxina'θjon] *f* exclusion

marginado, da [marxi'naðo, ða] *m,f*
outcast

mariachi [ma'rjatʃi] *m (Méx) (orquesta)*
mariachi band

maricón [mari'kon] *m (vulg)* poof

marido [ma'riðo] *m* husband

marihuana [mari'wana] *f* marijuana

marina [ma'rina] *f* **1.** *(armada)* navy **2.**
(cuadro) seascape

marinero, ra [mari'nero, ra] *adj (ropa)*
sailor *(antes de s)* ● **a la marinera**
cooked in a white wine and garlic sauce

marino [ma'rino] *m* sailor

marioneta [marjo'neta] *f (muñeco)* puppet ◆ **marionetas** *fpl (teatro)* puppet
show *sg*

mariposa [mari'posa] *f* butterfly

mariquita [mari'kita] *f* ladybird *(UK)*,
ladybug *(US)*

mariscada [maris'kaða] *f* seafood dish

marisco [ma'risko] *m* seafood

marisma [ma'risma] *f* salt marsh

marítimo, ma [ma'ritimo, ma] *adj* **1.**
(paseo) seaside *(antes de s)* **2.** *(barco)*
seagoing

mármol ['marmol] *m* marble

marqués, esa [mar'kes, sa] *m,f* marquis
(f marchioness*)*

marquesina [marke'sina] *f* **1.** *(de puerta,
andén)* glass canopy **2.** *(parada de auto-*

bús) bus shelter

marrano, **na** [ma'rano, na] ◇ *adj* **1.** *(sucio)* filthy **2.** *(innoble)* contemptible ◇ *m.f (cerdo)* pig

marrón [ma'ron] *adj inv* brown

marroquí [maro'ki] *adj & mf* Moroccan

Marruecos [ma'ruekos] *s* Morocco

martes ['martes] *m inv* Tuesday ➤ sábado

martillo [mar'tiʎo] *m* hammer

mártir ['martir] *mf* martyr

marzo ['marθo] *m* March ➤ setiembre

más ['mas]

◇ *adv* **1.** *(comparativo)* more ● Pepe es más ambicioso Pepe is more ambitious ● tengo más hambre I'm hungrier ● más de/que more than ● más ... que ... more ... than ... ● de más *(de sobra)* left over **2.** *(superlativo)* ● el/la más ... the most ... ● el más listo the cleverest **3.** *(en frases negativas)* any more ● no necesitas más trabajo you don't need any more work **4.** *(con pron interrogativo o indefinido)* else ● ¿quién/qué más? who/what else? ● nadie más no one else **5.** *(indica intensidad)* ● ¡qué día más bonito! what a lovely day! ● ¡es más tonto! he's so stupid! **6.** *(indica suma)* plus ● dos más dos igual a cuatro two plus two is four **7.** *(indica preferencia)* ● más vale que te quedes en casa it would be better for you to stay at home **8.** *(en locuciones)* ● es más what is more ● más bien rather ● más o menos more or less ● poco más little more ● por más que however much ● por más que lo intente however hard she tries ● ¿qué más

da? what difference does it make?

◇ *m inv* ● tiene sus más y sus menos it has its good points and its bad points

masa ['masa] *f* **1.** mass **2.** *(de pan, bizcocho)* dough **3.** *(Amér) (dulce)* small cake

masaje [ma'saxe] *m* massage

masajista [masa'xista] *mf* masseur *(f* masseuse)

mascar [mas'kar] *vt* to chew

máscara ['maskara] *f* mask

mascarilla [maska'riʎa] *f* **1.** *(crema, loción)* face pack *(UK)* o mask *(US)* **2.** *(para nariz y boca)* mask

mascota [mas'kota] *f* mascot

masculino, **na** [masku'lino, na] *adj* **1.** *(sexo)* male **2.** *(viril)* manly **3.** *(en gramática)* masculine

masía [ma'sia] *f* farm *(in Aragon or Catalonia)*

masticar [masti'kar] *vt* to chew

mástil ['mastil] *m (de barco)* mast

matadero [mata'ðero] *m* slaughterhouse

matador [mata'ðor] *m* matador

matamoscas [mata'moskas] *m inv* **1.** *(palo)* flyswatter **2.** *(espray)* flyspray

matanza [ma'tanθa] *f* **1.** *(de personas, animales)* slaughter **2.** *(de cerdo)* pig-killing

matar [ma'tar] *vt* **1.** to kill **2.** *(hacer sufrir)* to drive mad **3.** *(brillo, color)* to tone down **4.** *(en cartas)* to beat **5.** *(en ajedrez)* to take ● **matarse** *vp (tomarse interés, trabajo)* to go to great lengths

matarratas [mata'ratas] *m inv* **1.** *(insecticida)* rat poison **2.** *(bebida mala)* rotgut

matasellos [mata'seʎos] *m inv* postmark

mate ['mate] ◇ *adj* matt ◇ *m* **1.** *(en ajedrez)* mate **2.** *(planta, infusión)* maté

mate

Mate is a herbal tea popular across much of Latin America and especially in Argentina. The term *mate* actually refers to the plant used to make the infusion and the hollowed-out gourd from which it is drunk as well as to the tea itself. It is drunk with sugar through a kind of metal straw.

matemáticas [mate'matikas] *fpl* mathematics

matemático, ca [mate'matiko, ka] *adj* mathematical

materia [ma'terja] *f* **1.** *(sustancia, tema)* matter **2.** *(material)* material **3.** *(asignatura)* subject ● **materia prima** raw material

material [mate'rjal] ◇ *adj* **1.** *(de materia)* material **2.** *(físico)* physical ◇ *m* **1.** *(componente)* material **2.** *(instrumento)* equipment

maternidad [materni'ðað] *f* **1.** *(cualidad)* motherhood **2.** *(clínica)* maternity hospital

materno, na [ma'terno, na] *adj* **1.** *(de madre)* maternal **2.** *(lengua)* mother *(antes de s)*

matinal [mati'nal] *adj* morning *(antes de s)*

matiz [ma'tiθ, θes] *(pl* **-ces)** *m* **1.** *(de color)* shade **2.** *(leve diferencia)* nuance

matizar [mati'θar] *vt* **1.** *(colores)* to tinge

2. *(concepto, idea, proyecto)* to explain in detail

matón [ma'ton] *m* **1.** *(guardaespaldas)* bodyguard **2.** *(asesino)* hired assassin

matorral [mato'ral] *m* thicket

matrícula [ma'trikula] *f* **1.** *(de colegio)* registration **2.** *(de universidad)* matriculation *(UK)*, enrollment *(US)* **3.** *(de vehículo)* numberplate *(UK)*, license plate *(US)* ● **matrícula de honor** top marks *pl (UK)*, honor roll *(US)*

matricular [matriku'lar] *vt* to register ◆

matricularse *vp* to register

matrimonio [matri'monjo] *m* **1.** *(ceremonia)* marriage **2.** *(pareja)* married couple

matutino, na [matu'tino, na] *adj* morning *(antes de s)*

maullar [mau'ʎar] *vi* to miaow

maullido [mau'ʎiðo] *m* miaow

máxima ['maksima] *f* **1.** *(temperatura)* highest temperature **2.** *(frase)* maxim

máximo, ma ['maksimo, ma] ◇ *adj* **1.** *(triunfo, pena, frecuencia)* greatest **2.** *(temperatura, puntuación, galardón)* highest ◇ *m* maximum ● **como máximo** at the most

maya ['maja] ◇ *adj* Mayan ◇ *mf* Maya Indian ◇ *m* *(lengua)* Maya

mayo ['majo] *m* May ➢ **setiembre**

mayonesa [majo'nesa] *f* mayonnaise

mayor [ma'jor] ◇ *adj* **1.** *(en tamaño)* bigger **2.** *(en número)* higher **3.** *(en edad)* older **4.** *(en importancia)* greater **5.** *(adulto)* grown-up **6.** *(anciano)* elderly ◇ *m* *(en el ejército)* major ● **el/la mayor** *(en tamaño)* the biggest; *(en número)* highest; *(en edad)* the oldest; *(en impor-*

tancia) the greatest ● **al por mayor** wholesale ● **la mayor parte (de)** most (of) ● **ser mayor de edad** to be an adult ◆ **mayores** *mpl* ● **los mayores** *(adultos)* grown-ups; *(ancianos)* the elderly

mayoreo [majo'reo] *m (Amér)* wholesale

mayoría [majo'ria] *f* majority ● **la mayoría de** most of

mayúscula [ma'juskula] *f* capital letter ● **en mayúsculas** in capitals

mazapán [maθa'pan] *m* marzipan

mazo ['maθo] *m* **1.** *(de madera)* mallet **2.** *(Amér) (baraja)* pack of cards

me [me] *pron* **1.** *(complemento directo)* me **2.** *(complemento indirecto)* (to) me **3.** *(reflexivo)* myself

mear [me'ar] *vi (fam)* to piss

mecánica [me'kanika] *f (mecanismo)* mechanics *pl*

mecánico, ca [me'kaniko, ka] ◇ *adj* mechanical ◇ *m* mechanic

mecanismo [meka'nizmo] *m* **1.** *(funcionamiento)* procedure **2.** *(piezas)* mechanism

mecanografía [mekanoɣra'fia] *f* typing

mecanógrafo, fa [meka'noɣrafo, fa] *m,f* typist

mecedora [meθe'ðora] *f* rocking chair

mecer [me'θer] *vt* to rock

mecha ['metʃa] *f* **1.** *(de vela)* wick **2.** *(de explosivo)* fuse **3.** *(de pelo)* highlight **4.** *(de tocino)* strip of meat used as stuffing for chicken etc

mechero [me'tʃero] *m (cigarette)* lighter

mechón [me'tʃon] *m (de pelo)* lock

medalla [me'ðaʎa] *f* medal

medallón [meða'ʎon] *m* medallion ● **medallones de rape** medallions of monkfish ● **medallones de solomillo** medallions of sirloin steak

media ['meðja] *f* **1.** *(calcetín)* stocking **2.** *(punto)* average ◆ **medias** *fpl* tights, panty hose *(US)*

mediado, da [me'ðjaðo, ða] *adj* ● **a mediados de** in the middle of

mediana [me'ðjana] *f (de autopista)* central reservation *(UK)*, median *(US)*

mediano, na [me'ðjano, na] *adj* **1.** *(en tamaño)* medium **2.** *(en calidad)* average

medianoche [meðja'notʃe] *f* midnight

mediante [me'ðjante] *prep* by means of

mediar [me'ðjar] *vi* **1.** *(llegar a la mitad)* to be halfway through **2.** *(transcurrir)* to pass **3.** *(interceder)* to intercede ● **mediar entre** to be between

medicamento [meðika'mento] *m* medicine

medicina [meði'θina] *f* medicine

medicinal [meðiθi'nal] *adj* medicinal

médico, ca ['meðiko, ka] *m,f* doctor ● **médico de familia** GP ● **médico de guardia** duty doctor

medida [me'ðiða] *f* **1.** *(dimensión)* measurement **2.** *(cantidad, disposición)* measure **3.** *(intensidad)* extent ● **tomar medidas** to take measures ● **medidas de seguridad** safety measures ● **a la medida** *(ropa)* made-to-measure ● **a medida que** as ● **en cierta medida** to some extent

medieval [meðje'βal] *adj* medieval

medio, dia ['meðjo, ðja] ◇ *adj* **1.** half **2.** *(tamaño, estatura)* medium **3.** *(posición,* *punto, clase)* middle **4.** *(de promedio)* average ◇ *m* **1.** *(centro)* middle **2.** *(entorno, ambiente)* environment **3.** *(manera, medida, de transporte)* means **4.** *(en matemáticas)* average ◇ *adv* half ● **medio de** *(entre dos)* between; *(entre varios, en mitad de)* in the middle of ● **a medias** *(partido entre dos)* half each ● **hacer algo a medias** to half-do something ● **medio ambiente** environment ● **media hora** half an hour ● **medio kilo (de)** half a kilo (of) ● **media docena/libra (de)** half a dozen/pound (of) ● **un vaso y medio** a glass and a half ● **media pensión** half board ● **medios** *mpl (económicos)* resources ● **los medios de comunicación** the media

mediocre [me'ðiokre] *adj* mediocre

mediocridad [meðiokri'ðað] *f* mediocrity

mediodía [meðio'ðia] *m* midday

mediopensionista [ˌmeðiopensio'nista] *mf* child who has lunch at school

medir [me'ðir] *vt* **1.** *(dimensión, intensidad)* to measure **2.** *(comparar)* to weigh up **3.** *(fuerzas)* to compare **4.** *(palabras, acciones)* to weigh ● **¿cuánto mides?** how tall are you?

meditar [meði'tar] ◇ *vt* to ponder ◇ *vi* to meditate

mediterráneo, a [meðite'raneo, a] *adj* Mediterranean ◆ **Mediterráneo** *m* ● **el (mar) Mediterráneo** the Mediterranean (Sea)

médium ['meðium] *mf inv* medium

medusa [me'ðusa] *f* jellyfish

megáfono [me'ɣafono] *m* megaphone

mejilla [me'xiʎa] *f* cheek

mejillón [mexi'ʎon] *m* mussel ● **mejillones a la marinera** moules marinières

mejor [me'xor] *adj & adv* better ● **el/la mejor** the best ● **a lo mejor** maybe

mejora [me'xora] *f* improvement

mejorar [mexo'rar] ◇ *vt* **1.** to improve **2.** *(superar)* to be better than **3.** *(enfermo)* to make better ◇ *vi* **1.** *(enfermo)* to get better **2.** *(tiempo, clima)* to improve ◆ **mejorarse** *vp* **1.** *(persona)* to get better **2.** *(tiempo, clima)* to improve

mejoría [mexo'ria] *f* improvement

melancolía [melanko'lia] *f* melancholy

melancólico, ca [melan'koliko, ka] *adj* melancholic

melena [me'lena] *f* **1.** *(de persona)* long hair **2.** *(de león)* mane

mella ['meʎa] *f* **1.** *(en metal)* nick **2.** *(en diente)* chip ● **hacer mella** *(causar impresión)* to make an impression

mellizo, za [me'ʎiθo, θa] *adj* twin *(antes de s)* ◆ **mellizos** *mpl* twins

melocotón [meloko'ton] *m* peach ● **melocotón en almíbar** peaches *pl* in syrup

melocotonero [melokoto'nero] *m* peach tree

melodía [melo'ðia] *f* tune

melodrama [melo'ðrama] *m* melodrama

melodramático, ca [meloðra'matiko, ka] *adj* melodramatic

melón [me'lon] *m* melon ● **melón con jamón** *melon with serrano ham*

membrillo [mem'briʎo] *m* **1.** *(fruto)* quince **2.** *(dulce)* quince jelly

memorable [memo'raβle] *adj* memorable

memoria [me'morja] *f* **1.** memory **2.** *(estudio)* paper **3.** *(informe)* report • **de memoria** by heart • **memorias** *fpl (de persona)* memoirs

memorizar [memori'θar] *vt* to memorize

menaje [me'naxe] *m (de cocina)* kitchenware

mención [men'θjon] *f* mention

mencionar [menθjo'nar] *vt* to mention

mendigo, ga [men'diɣo, ɣa] *m.f* beggar

menestra [me'nestra] *f* • **menestra (de verduras)** vegetable stew

menor [me'nor] ◇ *adj* **1.** *(en edad)* younger **2.** *(en tamaño)* smaller **3.** *(en número)* lower **4.** *(en calidad)* lesser ◇ *m (persona)* minor • **el/la menor** *(en tamaño)* the smallest; *(en edad)* the youngest; *(en número)* the lowest • **menor de edad** under age

Menorca [me'norka] *s* Minorca

menos ['menos]

◇ *adv* **1.** *(comparativo)* less • **está menos gordo** he's not as fat • **tengo menos hambre** I'm not as hungry • **menos leche** less milk • **menos manzanas** fewer apples • **menos de/que** fewer/less than • **menos ... que ...** fewer/less ... than ... • **me han dado 2 euros de menos** they've given me 2 euros too little **2.** *(superlativo)* • **el/la menos ...** the least ... • **lo menos que puedes hacer** the least you can do **3.** *(indica resta)* minus • **tres menos dos igual a uno** three minus two is one **4.** *(con las horas)* • **son las cuatro menos diez** it is ten to four **5.** *(en locuciones)* • **a menos que** unless • **poco menos de** just under • **¡menos mal!** thank God! • **eso es lo de menos** that's the least of it ◇ *prep (excepto)* except (for) • **acudieron todos menos él** everyone came except him • **todo menos eso** anything but that ◇ *m inv* • **al** o **por lo menos** at least

menospreciar [menospre'θjar] *vt* **1.** *(despreciar)* to despise **2.** *(apreciar poco)* to undervalue

menosprecio [menos'preθjo] *m* **1.** *(desprecio)* scorn **2.** *(poco aprecio)* undervaluing

mensaje [men'saxe] *m* message

mensajero, ra [mensa'xero, ra] *m.f* **1.** *(de paquetes, cartas)* courier **2.** *(de comunicados)* messenger

menstruación [menstrwa'θjon] *f* menstruation

mensual [men'swal] *adj* monthly

menta ['menta] *f* mint • **a la menta** with mint

mental [men'tal] *adj* mental

mente ['mente] *f* **1.** *(inteligencia)* mind **2.** *(forma de pensar)* mentality

mentir [men'tir] *vi* to lie

mentira [men'tira] *f* lie

mentiroso, sa [menti'roso, sa] *m.f* liar

mentón [men'ton] *m* chin

menú [me'nu] *m* **1.** menu **2.** *(de precio reducido)* set menu • **menú de degustación** *meal consisting of several small portions of different dishes* • **menú (del día)** set meal

menudeo [menu'ðeo] *m (Amér)* retail

menudo, da [me'nuðo, ða] *adj* small • **a menudo** often • **¡menudo gol!** what a goal!

meñique [me'ɲike] *m* little finger

mercadillo [merka'ðiʎo] *m* flea market

mercado [mer'kaðo] *m* market

mercancía [merkan'θia] *f* merchandise

mercantil [merkan'til] *adj* commercial

mercería [merθe'ria] *f* haberdasher's (shop) (*UK*), notions store (*US*)

mercurio [mer'kurjo] *m* mercury

merecer [mere'θer] *vt* to deserve ◆ **merecerse** *vp* to deserve

merendar [meren'dar] ◇ *vt* ≃ to have for tea (*UK*) ◇ *vi* ≃ to have tea (*UK*) ◇ supper

merendero [meren'dero] *m* open air café or bar in the country or on the beach

merengue [me'renge] *m* meringue

meridiano, na [meri'ðjano, na] ◇ *adj* **1.** (*evidente*) crystal-clear **2.** (*del mediodía*) midday (*antes de s*) ◇ *m* meridian

meridional [meriðjo'nal] *adj* southern

merienda [me'rjenda] *f* **1.** (*de media tarde*) tea (*UK*) (*light afternoon meal*) **2.** (*para excursión*) picnic

mérito ['merito] *m* merit

merluza [mer'luθa] *f* hake ◆ **merluza a la plancha** grilled hake ◆ **merluza a la romana** hake fried in batter

mermelada [merme'laða] *f* jam

mero ['mero] *m* grouper ◆ **mero a la plancha** grilled grouper

mes ['mes] *m* **1.** month **2.** (*salario mensual*) monthly salary ◆ **en el mes de** in (the month of)

mesa ['mesa] *f* **1.** table **2.** (*escritorio*) desk **3.** (*de personas*) committee ◆ **poner la mesa** to lay the table ◆ **quitar la mesa** to clear the table

mesero, ra [me'sero, ra] *m,f* (*Amér*) waiter (*f* waitress)

meseta [me'seta] *f* plateau

mesilla [me'siʎa] *f* ◆ **mesilla de noche** bedside table

mesón [me'son] *m* (*restaurante*) old, country-style restaurant and bar

mestizo, za [mes'tiθo, θa] *m,f* person of mixed race

meta ['meta] *f* **1.** goal **2.** (*de carrera*) finishing line

metáfora [me'tafora] *f* metaphor

metal [me'tal] *m* metal

metálico, ca [me'taliko, ka] ◇ *adj* (*de metal*) metal ◇ *m* cash ◆ **en metálico** in cash

meteorito [meteo'rito] *m* meteorite

meteorología [meteorolo'xia] *f* meteorology

meter [me'ter] *vt* **1.** (*introducir, ingresar, invertir*) to put in ◆ **meter algo en algo** to put sthg in sthg ◆ **lo han metido en la cárcel** they've put him in prison **2.** (*hacer participe*) ◆ **meter a alguien en algo** to get sb into sthg **3.** (*fam*) (*hacer soportar*) ◆ **nos meterá su discurso** she'll make us listen to her speech **4.** (*fam*) (*imponer, echar*) ◆ **me han metido una multa** they've given me a fine ◆ **le metieron una bronca** they told him off **5.** (*causar*) ◆ **meter miedo/prisa a alguien** to scare/rush sb ◆ **meterse** *vp* (*entrar*) to get in; (*estar*) to get to; (*entrometerse*) to meddle ◆ **meterse a** (*dedicarse a*) to become; (*empezar*) to start ◆ **meterse en** (*mezclarse con*) to get involved in ◆ **meterse con** *v + prep* (*molestar*) to hassle; *(atacar)* to go for

método ['metoðo] *m* **1.** *(modo ordenado)* method **2.** *(de enseñanza)* course

metralla [me'traʎa] *f* **1.** *(munición)* shrapnel

metro ['metro] *m* **1.** *(unidad de longitud)* metre **2.** *(transporte)* underground *(UK)*, subway *(US)* **3.** *(instrumento)* tape measure

metrópoli [me'tropoli] *f* metropolis

mexicano, na [mexi'kano, na] *adj* & *m,f* Mexican

México ['mexiko] *s* Mexico

mezcla ['meθkla] *f* mixture

mezclar [meθ'klar] *vt* **1.** to mix **2.** *(confundir, involucrar)* to mix up ◆ **mezclarse en** *v* + *prep* to get mixed up in

mezquino, na [meθ'kino, na] *adj* mean

mezquita [meθ'kita] *f* mosque

mg *(abr de miligramo)* mg *(milligram)*

mi [mi, mis] *(pl* **mis)** *adj* my

mí ['mi] *pron* **1.** *(después de preposición)* me **2.** *(reflexivo)* myself ◆ **¡a mí qué!** so what! ◆ **por mí ...** as far as I'm concerned ...

mico ['miko] *m* monkey

microbio [mi'kroβjo] *m* germ

micrófono [mi'krofono] *m* microphone

microondas [mikro'ondas] *m inv* microwave (oven)

microscopio [mikros'kopjo] *m* microscope

miedo ['mjeðo] *m* fear ◆ **tener miedo de** to be afraid of

miedoso, sa [mje'ðoso, sa] *adj* fearful

miel ['mjel] *f* honey

miembro ['mjembro] *m* **1.** *(de grupo, asociación)* member **2.** *(extremidad)* limb

mientras ['mjentras] *conj (a la vez)* while ◆ **mientras no se apruebe** until it has been approved ◆ **mientras (que)** whilst ◆ **mientras (tanto)** in the meantime

miércoles ['mjerkoles] *m inv* Wednesday ➤ **sábado**

mierda ['mjerða] ◇ *f (vulg)* shit ◇ *interj (vulg)* shit!

miga ['miya] *f* **1.** crumb **2.** *(parte sustanciosa)* substance ◆ **migas** *fpl (guiso)* fried breadcrumbs

migaja [mi'yaxa] *f* crumb

migra *f (Amér) (fam)* ◆ **la migra** *the US immigration police on the Mexican border*

mil ['mil] *núm* a thousand ◆ **dos mil** two thousand ➤ **seis**

milagro [mi'layro] *m* miracle ◆ **de milagro** miraculously

milenario, ria [mile'narjo, rja] ◇ *adj* ancient ◇ *m* millennium

milenio [mi'lenjo] *m* millennium

milésimo, ma [mi'lesimo, ma] *adj* thousandth

mili ['mili] *f (fam)* military service ◆ **hacer la mili** *(fam)* to do one's military service

miligramo [mili'yramo] *m* milligram

mililitro [mili'litro] *m* millilitre

milímetro [mi'limetro] *m* millimetre

militante [mili'tante] *mf* militant

militar [mili'tar] ◇ *adj* military ◇ *m* soldier

milla ['miʎa] *f* **1.** *(en tierra)* mile **2.** *(en mar)* nautical mile

millar [mi'ʎar] *m* thousand

millón [mi'ʎon] *núm* million ● **dos millones** two million, **seis millones** two million, six

millonario, ria [miʎo'narjo, rja] *m,f* millionaire (*f* millionairess)

mimado, da [mi'maðo, ða] *adj* spoilt (*UK*), spoiled (*US*)

mimar [mi'mar] *vt* to spoil

mímica [ˈmimika] *f* mime

mimosa [mi'mosa] *f* mimosa

min (*abr de* minuto) min *(minute)*

mina [ˈmina] *f* **1.** mine **2.** (*de lápiz*) lead

mineral [mine'ral] *adj & m* mineral

minero, ra [mi'nero, ra] *m,f* miner

miniatura [minja'tura] *f* miniature

minifalda [mini'falda] *f* mini skirt

mínimo, ma [ˈminimo, ma] *adj & m* minimum ● **como mínimo** at the very least

ministerio [minis'terjo] *m* ministry

ministro, tra [mi'nistro, tra] *m,f* minister

minoría [mino'ria] *f* minority

minoritario, ria [minori'tarjo, rja] *adj* minority (*antes de s*)

minucioso, sa [minu'θjoso, sa] *adj* **1.** (*persona*) meticulous **2.** (*trabajo*) very detailed

minúscula [mi'nuskula] *f* small letter ● **en minúscula** in lower-case letters

minúsculo, la [mi'nuskulo, la] *adj* (*muy pequeño*) minute

minusválido, da [minuz'βaliðo, ða] *m,f* disabled person

minutero [minu'tero] *m* minute hand

minuto [mi'nuto] *m* minute

mío, mía [ˈmio, ˈmia] ◇ *adj* mine ◇ *pron* ● **el mío, la mía** mine ● **lo mío** (*lo que me gusta*) my thing ● **un amigo mío** a

friend of mine

miope [mi'ope] *adj* shortsighted

miopía [mio'pia] *f* shortsightedness

mirada [mi'raða] *f* **1.** look **2.** (*rápida*) glance ● **echar una mirada a** to have a quick look at

mirador [mira'ðor] *m* **1.** (*lugar*) viewpoint **2.** (*balcón cerrado*) enclosed balcony

mirar [mi'rar] ◇ *vt* **1.** (*ver*) to look at **2.** (*observar, vigilar*) to watch **3.** (*considerar*) to consider ◇ *vi* (*buscar*) to look ● **mirar a** (*estar orientado*) to face ● **estoy mirando** (*en tienda*) I'm just looking ● **mirarse** *vp* to look at o.s.

mirilla [mi'riʎa] *f* spyhole

mirlo [ˈmirlo] *m* blackbird

mirón, ona [mi'ron, ona] *m,f* (*espectador*) onlooker

misa [ˈmisa] *f* mass ● **misa del gallo** midnight mass

miserable [mise'raβle] *adj* **1.** (*muy pobre*) poor **2.** (*desgraciado, lastimoso*) wretched **3.** (*mezquino*) mean

miseria [mi'serja] *f* **1.** (*pobreza*) poverty **2.** (*poca cantidad*) pittance

misericordia [miseri'korðja] *f* compassion

misil [mi'sil] *m* missile

misión [mi'sjon] *f* **1.** mission **2.** (*tarea*) task

misionero, ra [misjo'nero, ra] *m,f* missionary

mismo, ma [ˈmizmo, ma] ◇ *adj* (*igual*) same ◇ *pron* ● **el mismo, la misma** the same ● **el mismo que vi ayer** the same one I saw yesterday ● **ahora mismo** right now ● **lo mismo (que)** the same thing (as) ● **da lo mismo** it doesn't matter ● **en este mismo cuarto** in this very room ● **yo mismo** I myself

misterio [mis'terjo] *m* **1.** *(secreto)* mystery **2.** *(sigilo)* secrecy

misterioso, sa [miste'rjoso, sa] *adj* mysterious

mitad [mi'tað] *f* **1.** *(parte)* half **2.** *(centro, medio)* middle ● **a mitad de camino** halfway there ● **a mitad de precio** half-price ● **en mitad de** in the middle of

mitin ['mitin] *m* rally

mito ['mito] *m* myth

mitología [mitolo'xia] *f* mythology

mixto, ta ['miksto, ta] ◇ *adj* **1.** *(colegio, vestuario)* mixed **2.** *(comisión, agrupación)* joint ◇ *m* ham and cheese toasted sandwich

ml *(abr de mililitro)* ml *(millilitre)*

mm *(abr de milímetro)* mm *(millimetre)*

mobiliario [moβi'ljarjo] *m* furniture

mocasín [moka'sin] *m* moccasin

mochila [mo'tʃila] *f* backpack

mocho ['motʃo] *m* *(fregona)* mop

mochuelo [mo'tʃwelo] *m* little owl

moco ['moko] *m* mucus ● **tener mocos** to have a runny nose

moda ['moða] *f* fashion ● **a la moda** fashionable ● **estar de moda** to be fashionable ● **pasado de moda** unfashionable

modalidad [moðali'ðað] *f* **1.** *(variante)* type **2.** *(en deporte)* discipline

modelo [mo'ðelo] ◇ *m* **1.** model **2.** *(vestido)* number ◇ *mf* model

módem ['moðem] *(pl* **modems***) m* modem

moderno, na [mo'ðerno, na] *adj* modern

modestia [mo'ðestja] *f* modesty

modesto, ta [mo'ðesto, ta] *adj* modest

modificación [moðifika'θjon] *f* alteration

modificar [moðifi'kar] *vt* to alter

modisto, ta [mo'ðisto, ta] *m,f* *(sastre)* tailor *(f* dressmaker*)*

modo ['moðo] *m* **1.** *(manera)* way **2.** *(en gramática)* mood ● **de modo que** *(de manera que)* in such a way that ● **de ningún modo** in no way ● **de todos modos** in any case ● **en cierto modo** in some ways ● **modo de empleo** instructions *pl*

moflete [mo'flete] *m* chubby cheek

mogollón [moɣo'ʎon] *m* *(fam)* *(cantidad)* loads *pl*

moho ['moo] *m* *(hongo)* mould

mojado, da [mo'xaðo, ða] *adj* **1.** *(empapado)* wet **2.** *(húmedo)* damp

mojar [mo'xar] *vt* **1.** *(empapar)* to wet **2.** *(humedecer)* to dampen **3.** *(pan)* to dunk ● **mojarse** *vp* to get wet

molde ['molde] *m* mould

moldeado [molde'aðo] *m* *(en peluquería)* soft perm

moldear [molde'ar] *vt* **1.** *(dar forma)* to mould **2.** *(en peluquería)* to give a soft perm to

mole ['mole] *m* *(Méx)* dish featuring a spicy sauce made from ground chillies, spices, nuts and sometimes chocolate.

molestar [moles'tar] *vt* **1.** *(incordiar)* to annoy **2.** *(disgustar)* to bother **3.** *(doler)* to hurt ● **molestarse** *vp* **1.** *(enfadarse, ofenderse)* to take offence **2.** *(darse trabajo)* to bother

molestia [mo'lestja] *f* **1.** *(fastidio)* nuisance **2.** *(dolor)* discomfort

molesto, ta [mo'lesto, ta] *adj (fastidioso)* annoying ● **estar molesto** *(enfadado)* to be annoyed

molino [mo'lino] *m* mill ● **molino de viento** windmill

molusco [mo'lusko] *m* mollusc

momento [mo'mento] *m* **1.** moment **2.** *(época)* time ● **hace un momento** a moment ago ● **por el momento** for the moment ● **al momento** straight-away ● **de un momento a otro** any minute now ● **¡un momento!** just a moment!

momia ['momja] *f* mummy

monada [mo'naða] *f* **1.** *(fam) (cosa)* lovely thing **2.** *(niño)* little darling

monaguillo [mona'ɣiλo] *m* altar boy

monarca [mo'narka] *m* monarch

monarquía [monar'kia] *f* monarchy

monasterio [monas'terjo] *m* monastery

Moncloa [mon'kloa] *f* ● **la Moncloa** the Moncloa palace

Palacio de la Moncloa

The Moncloa Palace is the official residence of the Spanish premier and the seat of the country's government. The term *la Moncloa* also refers to the Spanish government. Situated in a complex of government buildings in the northwest of Madrid, a series of important social and economic agreements known as the *pactos de la Moncloa* were signed at the palace in 1977-78.

moneda [mo'neða] *f* **1.** *(pieza)* coin **2.** *(divisa)* currency

monedero [mone'ðero] *m* purse

monitor, ra [moni'tor, ra] ◇ *m,f (persona)* instructor ◇ *m* monitor

monja ['monxa] *f* nun

monje ['monxe] *m* monk

mono, na ['mono, na] ◇ *adj* lovely ◇ *m,f (animal)* monkey ◇ *m* **1.** *(con peto)* dungarees *pl (UK)*, overalls *pl (US)* **2.** *(con mangas)* overalls *pl (UK)*, coveralls *pl (US)* ● **¡qué mono!** how lovely!

monólogo [mo'noloɣo] *m* monologue

monopatín [monopa'tin] *m* skateboard

monopolio [mono'poljo] *m* monopoly

monótono, na [mo'notono, na] *adj* monotonous

monovolumen [monoβo'lumen] *m* people carrier

monstruo ['monstruo] *m* monster

montacargas [monta'karɣas] *m inv* goods lift *(UK)*, freight elevator *(US)*

montaje [mon'taxe] *m* **1.** *(de una máquina)* assembly **2.** *(de espectáculo)* staging **3.** *(de película)* editing **4.** *(estafa)* put-up job *(UK)*, con job *(US)*

montaña [mon'taɲa] *f* mountain ● **montaña rusa** roller coaster

montañismo [monta'ɲizmo] *m* mountaineering

montañoso, sa [monta'ɲoso, sa] *adj* mountainous

montar [mon'tar] ◇ *vt* **1.** *(caballo, burro)* to ride **2.** *(tienda de campaña)* to put up **3.** *(máquina, instalación)* to assemble **4.** *(negocio, tienda)* to set up **5.** *(clara de huevo)* to beat **6.** *(nata)* to whip **7.** *(película)* to edit ◇ *vi (subir)* ● **montar**

en *(animal, bicicleta)* to get on; *(coche)* to get into ● **montar en bicicleta** to ride a bicycle ● **montar a caballo** to ride a horse

monte ['monte] *m* **1.** *(montaña)* mountain **2.** *(bosque)* woodland

montera [mon'tera] *f* bullfighter's cap

montón [mon'ton] *m* heap ● **un montón de** *(fam)* loads of

montura [mon'tura] *f* **1.** *(de gafas)* frame **2.** *(caballo, burro, etc)* mount

monumental [monumen'tal] *adj* **1.** *(lugar, ciudad)* famous for its monuments **2.** *(enorme)* monumental

monumento [monu'mento] *m* monument

moño ['moɲo] *m* bun

moqueta [mo'keta] *f* (fitted) carpet *(UK)*, wall-to-wall carpet *(US)*

mora ['mora] *f* blackberry ➢ **moro**

morado, da [mo'raðo, ða] ◇ *adj* purple ◇ *m* **1.** *(color)* purple **2.** *(herida)* bruise

moral [mo'ral] ◇ *adj* moral ◇ *f* **1.** morality **2.** *(ánimo)* morale

moraleja [mora'lexa] *f* moral

moralista [mora'lista] *mf* moralist

morcilla [mor'θiʎa] *f* ≃ black pudding *(UK)*, ≃ blood sausage *(US)*

mordaza [mor'ðaθa] *f* gag

mordedura [morðe'ðura] *f* bite

morder [mor'ðer] *vt* to bite

mordida [mor'ðiða] *f (Méx) (fam)* bribe

mordisco [mor'ðisko] *m* bite

moreno, na [mo'reno, na] *adj* **1.** *(por el sol)* tanned **2.** *(piel, pelo)* dark

moribundo, da [mori'βundo, da] *adj* dying

morir [mo'rir] *vi* to die ● **morirse** *vp* **1.** *(fallecer)* to die **2.** *(fig) (tener deseo fuerte)* to be dying

moro, ra ['moro, ra] ◇ *adj* Moorish ◇ *m, f* Moor

morocho, cha [mo'rotʒo, tʒa] *adj* **1.** *(Amér) (fam) (robusto)* tough **2.** *(moreno)* dark

moroso, sa [mo'roso, sa] *m,f* defaulter

morralla [mo'raʎa] *f (Amér)* change

morro ['moro] *m* **1.** *(de animal)* snout **2.** *(vulg) (de persona)* thick lips *pl* ● **por el morro** *(fam)* without asking ● **¡qué morro!** what a cheek! *(UK)*, what a nerve! *(US)*

morsa ['morsa] *f* walrus

mortadela [morta'ðela] *f* Mortadella, *type of cold pork sausage*

mortal [mor'tal] *adj* **1.** *(vida)* mortal **2.** *(herida, accidente)* fatal **3.** *(fig) (aburrido)* deadly

mortero [mor'tero] *m* mortar

mosaico [mo'saiko] *m* mosaic

mosca ['moska] *f* fly ● **por si las moscas** just in case

moscatel [moska'tel] *m* Muscatel

mosquito [mos'kito] *m* mosquito

mostaza [mos'taθa] *f* mustard

mostrador [mostra'ðor] *m* **1.** *(en tienda)* counter **2.** *(en bar)* bar ▼ **mostrador de facturación** check-in desk

mostrar [mos'trar] *vt* to show ◆ **mostrarse** *vp* ● **se mostró muy interesado** he expressed great interest

motel [mo'tel] *m* motel

motivación [motiβa'θjon] *f (motivo)* motive

motivar [moti'βar] *vt (causar)* to cause

motivo [mo'tiβo] *m* **1.** *(causa, razón)* reason **2.** *(en música, pintura)* motif ●

con motivo de *(a causa de)* because of; *(con ocasión de)* on the occasion of

moto ['moto] *f* motorbike, motorcycle ● **moto acuática** jet-ski

motocicleta [motoθi'kleta] *f* motorbike, motorcycle

motociclismo [motoθi'klizmo] *m* motorcycling

motociclista [motoθi'klista] *mf* motorcyclist

motocross [moto'kros] *m inv* motocross

motoneta [moto'neta] *f (Amér)* moped

motor [mo'tor] *m* engine, motor ● **motor de arranque** starter

motora [mo'tora] *f* motorboat

motorista [moto'rista] *mf* motorcyclist

mountain bike ['mountaim'baik] *f* mountain biking

mousse ['mus] *f* mousse ● **mousse de chocolate/limón** chocolate/lemon mousse ● **mousse de limón** lemon mousse

mover [mo'βer] *vt* **1.** to move **2.** *(hacer funcionar)* to drive ◆ **moverse** *vp (fam) (realizar gestiones)* to make an effort

movida [mo'βiða] *f (fam)* scene

movida madrileña

The *movida madrileña* was a cultural and artistic movement born in Madrid in the 1980s as a reaction to the repression of the Franco years. The movement was spearheaded by provocative, liberal artists such as the film director Pedro Almodóvar, the singer and actor Miguel Bosé and bands such as Alaska and Mecano.

movido, da [mo'βiðo, ða] *adj (persona)* restless

móvil ['moβil] ◇ *adj* mobile ◇ *m* **1.** *(motivo)* motive **2.** *(teléfono)* mobile *(UK)*, cell phone *(US)*

movimiento [moβi'mjento] *m* **1.** movement **2.** *(circulación)* activity **3.** *(de cuenta corriente)* transactions *pl*

mozo, za ['moθo, θa] ◇ *m,f* young boy *(f* young girl) ◇ *m* **1.** *(de hotel, estación)* porter **2.** *(recluta)* conscript **3.** *(Andes & RP) (camarero)* waiter

MP3 *m* **1.** *(formato)* MP3 **2.** *(archivo)* MP3 (file)

mucamo, ma [mu'kamo, ma] *m,f (Amér)* servant

muchacha [mu'tʃatʃa] *f (fam) (criada)* maid ➤ **muchacho**

muchachada [mutʃa'tʃaða] *f (Amér)* crowd of young people

muchacho, cha [mu'tʃatʃo, tʃa] *m,f* boy *(f* girl)

muchedumbre [mutʃe'ðumbre] *f* crowd

mucho, cha ['mutʃo, tʃa] ◇ *adj* a lot of ◇ *pron* a lot ◇ *adv* **1.** a lot **2.** *(indica comparación)* much ● **tengo mucho sueño** I'm very sleepy ● **mucho antes** long before ● **mucho gusto** *(saludo)* pleased to meet you ● **como mucho** at most ● **¡con mucho gusto!** *(encantado)* with pleasure! ● **vinieron muchos** a lot of people came ● **ni mucho menos** by no means ● **por mucho que** no matter how much

mudanza [mu'ðanθa] *f (de casa)* move

mudar [mu'ðar] *vt (piel, plumas)* to moult ◆ **mudarse** *vp (de ropa)* to change ● **mudarse (de casa)** to move (house)

mudo, da ['muðo, ða] ◇ adj **1.** *(que no habla)* dumb **2.** *(película, letra)* silent ◇ *m, f* mute

mueble ['mweβle] *m* piece of furniture ● los muebles the furniture

mueca ['mweka] *f* **1.** *(gesto)* face **2.** *(de dolor)* grimace

muela ['mwela] *f (diente)* tooth

muelle ['mweʎe] *m* **1.** *(de colchón)* spring **2.** *(de puerto)* dock

muerte ['mwerte] *f* **1.** *(fallecimiento)* death **2.** *(homicidio)* murder

muerto, ta ['mwerto, ta] ◇ *pp* ➙ morir ◇ adj dead ◇ *m,f* dead person ● muerto de frío freezing ● muerto de hambre starving

muestra ['mwestra] *f* **1.** *(de mercancía)* sample **2.** *(señal)* sign **3.** *(demostración)* demonstration **4.** *(exposición)* show **5.** *(prueba)* proof

mugido [mu'xiðo] *m* moo

mugir [mu'xir] *vi* to moo

mujer [mu'xer] *f* **1.** woman **2.** *(esposa)* wife

mulato, ta [mu'lato, ta] *m,f* mulatto

muleta [mu'leta] *f* **1.** *(bastón)* crutch **2.** *(de torero)* muleta, *red cape hanging from a stick used to tease the bull*

mulo, la ['mulo, la] *m,f* mule

multa ['multa] *f* fine

multar [mul'tar] *vt* to fine

multicine [multi'θine] *m* multiscreen cinema *(UK)*, multiplex *(US)*

multinacional [,multinaθjo'nal] *f* multinational

múltiple ['multiple] *adj* multiple ◆ **múltiples** *adj pl (numerosos)* numerous

multiplicación [multiplika'θjon] *f* multiplication

multiplicar [multipli'kar] *vt* to multiply ◆ **multiplicarse** *vp (persona)* to do lots of things at the same time

múltiplo ['multiplo] *m* multiple

multitud [multi'tuð] *f (de personas)* crowd

mundial [mundi'al] *adj* world *(antes de s)*

mundo ['mundo] *m* world ● un hombre de mundo a man of the world ● el mundo es un pañuelo it's a small world ● todo el mundo everyone

munición [muni'θjon] *f* ammunition

municipal [muniθi'pal] ◇ adj municipal ◇ *m,f* local police officer who deals mainly with traffic offences

municipio [muni'θipjo] *m* **1.** *(territorio)* town **2.** *(organismo)* town council *(UK)*, city hall *(US)*

muñeca [mu'neka] *f (de la mano)* wrist ➙ muñeco

muñeco, ca [mu'neko, ka] *m,f* doll

muñeira [mu'neira] *f* type of music and dance from Galicia

muñequera [mune'kera] *f* wristband

mural [mu'ral] *m* mural

muralla [mu'raʎa] *f* wall

murciélago [mur'θjelaɣo] *m* bat

muro ['muro] *m* wall

musa ['musa] *f* muse

músculo ['muskulo] *m* muscle

museo [mu'seo] *m* museum ● museo de arte art gallery

musgo ['muzɣo] *m* moss

música ['musika] *f* music ● música ambiental background music ● música clásica classical music ● música pop pop music ➙ músico

musical [musi'kal] *adj* musical

musicalmente [musi̱kal'mente] *adv* musically

músico, ca ['musiko, ka] *m,f* musician

muslo ['muzlo] *m* thigh ● **muslo de pollo** chicken thigh

musulmán, ana [musul'man, ana] *adj & m,f* Muslim

mutilado, da [muti'laðo, ða] *m,f* cripple

mutua ['mutu̯a] *f* mutual benefit society

muy ['mui̯] *adv* very

N (*abr de* **Norte**) N (*North*)

nabo ['naβo] *m* turnip

nacer [na'θer] *vi* **1.** (*persona, animal*) to be born **2.** (*vegetal*) to sprout **3.** (*arroyo, río*) to rise

nacimiento [naθi'mi̯ento] *m* **1.** (*de persona, animal*) birth **2.** (*de vegetal*) sprouting **3.** (*de río, arroyo*) source **4.** (*belén*) Nativity scene

nación [na'θi̯on] *f* nation

nacional [naθi̯o'nal] *adj* **1.** national **2.** (*vuelo, mercado*) domestic

nacionalidad [naθi̯onali'ðað] *f* nationality

nada ['naða] ◇ *pron* **1.** (*ninguna cosa*) nothing **2.** (*en negativas*) anything ◇ *adv* ● **no me gustó nada** I didn't like it at all ● **de nada** (*respuesta a "gracias"*) you're welcome ● **nada más** nothing

else ● **nada más llegar** as soon as he arrived

nadador, ra [naða'ðor, ra] *m,f* swimmer

nadar [na'ðar] *vi* to swim

nadie ['naðie] *pron* nobody ● **no se lo dije a nadie** I didn't tell anybody

nailon ® ['nai̯lon] *m* nylon

naipe ['nai̯pe] *m* (*playing card*)

nalga ['nalɣa] *f* buttock ◆ **nalgas** *fpl* backside *sg*

nana ['nana] *f* **1.** lullaby **2.** (*Amér*) (*para niño*) nanny

naranja [na'ranxa] *adj inv, m & f* orange ● **naranja exprimida** freshly-squeezed orange juice

naranjada [naran'xaða] *f* orangeade

naranjo [na'ranxo] *m* orange tree

narco *mf* drug trafficker ● **una red de narcos** a drug trafficking ring

narcotraficante [ˌnarkotrafi'kante] *mf* drug trafficker

narcotráfico [narko'trafiko] *m* drug trafficking

nariz [na'riθ, θes] (*pl* **-ces**) *f* nose

narración [nara'θi̯on] *f* (*relato*) story

narrador, ra [nara'ðor, ra] *m,f* narrator

narrar [na'rar] *vt* to tell

narrativa [nara'tiβa] *f* narrative

nata ['nata] *f* cream ● **nata montada** whipped cream

natación [nata'θi̯on] *f* swimming

natillas [na'tiʎas] *fpl* custard *sg*

nativo, va [na'tiβo, βa] *m,f* native

natural [natu'ral] *adj* **1.** natural **2.** (*alimento*) fresh ● **ser natural de** to come from ● **al natural** (*fruta*) in its own juice

naturaleza [natura'leθa] *f* nature ◆ **por naturaleza** by nature

naufragar [naufra'ɣar] *vi* to be wrecked

naufragio [nau'fraxjo] *m* shipwreck

náuseas ['nauseas] *fpl* nausea *sg* ◆ **tener náuseas** to feel sick

náutico, ca ['nautiko, ka] *adj* 1. *(de navegación)* nautical 2. *DEP* water *(antes de s)*

navaja [na'βaxa] *f* 1. *(pequeña)* penknife 2. *(más grande)* jackknife 3. *(de afeitar)* razor 4. *(molusco)* razor clam

naval [na'βal] *adj* naval

nave ['naβe] *f* 1. *(barco)* ship 2. *(de iglesia)* nave 3. *(en una fábrica)* plant ◆ **nave espacial** spaceship

navegable [naβe'ɣaβle] *adj* navigable

navegador [naβeɣa'ðor] *m* INFORM browser

navegar [naβe'ɣar] *vi (en barco)* to sail ◆ **navegar por Internet** to surf the Net

Navidad [naβi'ðað] *f* Christmas (Day) ◆ **Navidades** *fpl* Christmas *sg*

nazareno [naθa'reno] *m* man dressed in hood and tunic who takes part in Holy Week processions

NB *(abr de nota bene)* N.B. *(nota bene)*

neblina [ne'βlina] *f* mist

necedad [neθe'ðað] *f* 1. *(cualidad)* stupidity 2. *(dicho)* stupid thing

necesario, ria [neθe'sarjo, rja] *adj* necessary

neceser [neθe'ser] *m* toilet bag

necesidad [neθesi'ðað] *f* need ◆ **de primera necesidad** essential ◆ **necesidades** *fpl* ◆ **hacer sus necesidades** to

necesitar [neθesi'tar] *vt* to need ▼ **se**

necesita ... ... wanted

necio, cia ['neθjo, θja] *adj* foolish

nécora ['nekora] *f* fiddler crab

necrológicas [nekro'loxikas] *fpl* obituaries

negación [neɣa'θjon] *f* 1. *(desmentido)* denial 2. *(negativa)* refusal

negado, da [ne'ɣaðo, ða] *adj* useless

negar [ne'ɣar] *vt* to deny ◆ **negarse** *vp* ◆ **negarse (a)** to refuse (to)

negativa [neɣa'tiβa] *f* 1. *(negativa)* refusal 2. *(desmentido)* denial

negativo, va [neɣa'tiβo, βa] *adj & m* negative

negociable [neɣo'θjaβle] *adj* negotiable

negociación [neɣoθja'θjon] *f* negotiation

negociador, ra [neɣoθja'ðor, ra] *m,f* negotiator

negociar [neɣo'θjar] ◇ *vt* to negotiate ◇ *vi (comerciar)* to do business ◆ **negociar en** to deal in

negocio [ne'ɣoθjo] *m* 1. business 2. *(transacción)* deal 3. *(beneficio)* good deal ◆ **hacer negocios** to do business

negro, gra ['neɣro, ɣra] ◇ *adj & m* black ◇ *m,f (persona)* black man *(f* black woman*)*

nene, na ['nene, na] *m,f (fam)* baby

nenúfar [ne'nufar] *m* water lily

nervio ['nerβjo] *m* 1. *(de persona)* nerve 2. *(de planta)* vein 3. *(de carne)* sinew 4. *(vigor)* energy ◆ **nervios** *mpl (estado mental)* nerves

nerviosismo [nerβjo'sizmo] *m* nerves *pl*

nervioso, sa [ner'βjoso, sa] *adj* 1. nervous 2. *(irritado)* worked-up

neto, ta ['neto, ta] *adj* 1. *(peso, precio)*

net 2. (*contorno, línea*) clean

neumático [neu'matiko] *m* tyre

neura (*fam*) *m* **1.** (*obsesión*) obsession **2.** (*depresión*) ● **estar con la neura** to be on a real downer

neurosis [neu'rosis] *f inv* neurosis

neutral [neu'tral] *adj* neutral

neutro, tra [neutro, tra] *adj* neutral

nevada [ne'βaða] *f* snowfall

nevado, da [ne'βaðo, ða] *adj* snowy

nevar [ne'βar] *vi* ● **está nevando** it's snowing

nevera [ne'βera] *f* fridge (*UK*)

ni [ni] ◇ *conj* ● **no ... ni ...** neither ... nor ... ● **no es alto ni bajo** he's neither tall nor short ● **ni mañana ni pasado** neither tomorrow nor the day after ● **ni un/una ...** not a single ... ● **ni siquiera lo ha probado** she hasn't even tried it ● **ni que** as if ◇ *adv* not even ● **está tan atareado que ni come** he's so busy he doesn't even eat

Nicaragua [nika'raɣwa] *s* Nicaragua

nicaragüense [nikara'ɣwense] *adj & mf* Nicaraguan

nicho ['nitʃo] *m* niche

nido ['niðo] *m* nest

niebla ['nieβla] *f* **1.** (*densa*) fog **2.** (*neblina*) mist ● **hay niebla** it's foggy

nieto, ta ['nieto, ta] *m,f* grandson (*f* granddaughter)

nieve ['nieβe] *f* snow

NIF ['nif] *m* (*abr de* número de identificación fiscal) tax reference number (*UK*), TIN (*US*)

ningún [nin'gun] *adj* > ninguno

ninguno, na [nin'guno, na] ◇ *adj* no ◇ *pron* **1.** (*ni uno*) none **2.** (*nadie*) nobody ●

● **no tengo ningún abrigo** I don't have a coat ● **ninguno me gusta** I don't like any of them ● **ninguno de los dos** neither of them

niña ['niɲa] *f* (*del ojo*) pupil > niño

niñera [ni'ɲera] *f* nanny

niñez [ni'ɲeθ] *f* childhood

niño, ña ['niɲo, ɲa] *m,f* **1.** (*crío*) child, boy (*f* girl) **2.** (*bebé*) baby ● **los niños** the children

níquel ['nikel] *m* nickel

níspero ['nispero] *m* medlar

nítido, da ['nitiðo, ða] *adj* clear

nitrógeno [ni'troxeno] *m* nitrogen

nivel [ni'βel] *m* level ● **al nivel de** level with ● **nivel de vida** standard of living

no ['no] *adv* **1.** (*de negación*) not **2.** (*en respuestas*) no ● **¿no vienes?** aren't you coming? ● **estamos de acuerdo ¿no?** so, we're agreed then, are we? ● **no sé** I don't know ● **no veo nada** I can't see anything ● **¿cómo no?** of course ● **eso sí que no** certainly not ● **¡qué no!** I said no!

nº (*abr de* número) no. (*number*)

noble ['noβle] ◇ *adj* **1.** (*metal*) precious **2.** (*honrado*) noble ◇ *mf* noble

nobleza [no'βleθa] *f* nobility

noche ['notʃe] *f* **1.** (*más tarde*) night **2.** (*atardecer*) evening ● **ayer por la noche** last night ● **esta noche** tonight ● **por la noche** at night ● **las diez de la noche** ten o'clock at night

Nochebuena [notʃe'βwena] *f* Christmas Eve

Nochevieja [notʃe'βiexa] *f* New Year's Eve

Nochevieja

On New Year's Eve in Spain it is traditional to eat twelve grapes, one for each of the chimes of midnight. It is thought that this brings good luck for the coming year. The chimes are broadcast live from the clock at the Puerta del Sol in Madrid, where huge crowds congregate to see in the New Year.

---

noción [no'θion] *f* notion ◆ **nociones** *fpl* ● **tener nociones de** to have a smattering of

nocivo, va [no'θiβo, βa] *adj* harmful

noctámbulo, la [nok'tambulo, la] *m,f* night owl

nocturno, na [nok'turno, rna] *adj* **1.** *(tren, vuelo, club)* night *(antes de s)* **2.** *(clase)* evening *(antes de s)*

nogal [no'γal] *m* walnut

nómada ['nomaða] *mf* nomad

nombrar [nom'brar] *vt* **1.** *(mencionar)* to mention **2.** *(para un cargo)* to appoint

nombre ['nombre] *m* **1.** name **2.** *(en gramática)* noun ● **a nombre de** *(cheque)* on behalf of; *(carta)* addressed to ● **nombre de pila** first name ● **nombre y apellidos** full name

nomeolvides [,nomeol'βiðes] *m inv* forget-me-not

nómina ['nomina] *f* **1.** *(lista de empleados)* payroll **2.** *(sueldo)* wages *pl*

nórdico, ca ['norðiko, ka] *adj* **1.** *(del norte)* northern

noreste [no'reste] *m* north-east

noria ['noria] *f (de feria)* Ferris wheel, big wheel *(UK)*

norma ['norma] *f* **1.** *(principio)* standard **2.** *(regla)* rule

normal [nor'mal] *adj* normal

normalmente [nor,mal'mente] *adv* normally

noroeste [noro'este] *m* north-west

norte ['norte] *m* north

Norteamérica [,nortea'merika] *s* North America

norteamericano, na [,norteameri'kano, na] *adj & m,f* (North) American

Noruega [no'rueγa] *s* Norway

noruego, ga [no'rueγo, γa] *adj, m & f* Norwegian

nos [nos] *pron* **1.** *(complemento directo)* us **2.** *(complemento indirecto)* (to) us **3.** *(reflexivo)* ourselves **4.** *(recíproco)* each other ● **nos vamos** we're going

nosotros, tras [no'sotros, tras] *pron* **1.** *(sujeto)* we **2.** *(complemento)* us

nostalgia [nos'talxia] *f (de país, casa)* homesickness

nostálgico, ca [nos'talxiko, ka] *adj (de país, casa)* homesick

nota ['nota] *f* **1.** note **2.** *(en educación)* mark, grade *(US)* **3.** *(cuenta)* bill *(UK)*, check *(US)* ● **tomar nota de** to note down

notable [no'taβle] *adj* remarkable

notar [no'tar] *vt* **1.** *(darse cuenta de)* to notice **2.** *(sentir)* to feel

notario, ria [no'tario, ria] *m,f* notary

noticia [no'tiθia] *f* piece of news ◆ **noticias** *fpl (telediario)* news *sg*

novatada [noβa'taða] *f (broma)* joke *(played on new arrivals)*

novato, ta [no'βato, ta] *m,f* beginner

novecientos, tas [noθe'θjentos, tas] *núm* nine hundred ➤ **seis**

novedad [noβe'ðað] *f* **1.** *(cualidad)* newness **2.** *(suceso)* new development **3.** *(cosa)* new thing ▼ **novedades** *(discos)* new releases; *(ropa)* latest fashion *sg*

novela [no'βela] *f* novel ● **novela de aventuras** adventure story ● **novela policíaca** detective story ● **novela rosa** romantic novel

novelesco, ca [noβe'lesko, ka] *adj* fictional

novelista [noβe'lista] *mf* novelist

noveno, na [no'βeno, na] *núm* ninth ➤ **sexto**

noventa [no'βenta] *núm* ninety ➤ **seis**

noviazgo [no'βjaθɣo] *m* engagement

noviembre [no'βjembre] *m* November ➤ **setiembre**

novillada [noβi'ʎaða] *f* bullfight with young bulls

novillero [noβi'ʎero] *m* apprentice bullfighter

novillo, lla [no'βiʎo, ʎa] *m,f* young bull *(f* young cow) *(2-3 years old)*

novio, via [no'βjo, βja] *m,f* **1.** *(prometido)* fiancé *(f* fiancée) **2.** *(amigo)* boyfriend *(f* girlfriend) ◆ **novios** *mpl (recién casados)* newlyweds ● **¡vivan los novios!** to the bride and groom!

nubarrón [nuβa'ron] *m* storm cloud

nube ['nuβe] *f* cloud

nublado, da [nu'βlaðo, ða] *adj* cloudy

nublarse [nu'βlarse] *vi* ● **se está nublando** it's clouding over

nubosidad [nuβosi'ðað] *f* cloudiness

nuboso, sa [nu'βoso, sa] *adj* cloudy

nuca ['nuka] *f* nape

nuclear [nukle'ar] *adj* nuclear

núcleo ['nukleo] *m (parte central)* centre

nudillos [nu'ðiʎos] *mpl* knuckles

nudismo [nu'ðizmo] *m* nudism

nudista [nu'ðista] *mf* nudist

nudo [nuðo] *m* **1.** *(de cuerda, hilo)* knot **2.** *(de comunicaciones)* major junction **3.** *(en argumento)* crux

nuera ['nwera] *f* daughter-in-law

nuestro, tra ['nwestro, tra] ◇ *adj* our ◇ *pron* ● **el nuestro, la nuestra** ours ● **lo nuestro** *(lo que nos gusta)* our thing ● **un amigo nuestro** a friend of ours

nuevamente [nweβa'mente] *adv* again

Nueva Zelanda ['nweβaθe'landa] *s* New Zealand

nueve ['nweβe] *núm* nine ➤ **seis**

nuevo, va ['nweβo, βa] *adj* new ● **de nuevo** again

nuez ['nweθ, θes] *(pl* **-ces**) *f* **1.** *(fruto seco en general)* nut **2.** *(de nogal)* walnut **3.** *(del cuello)* Adam's apple

nulidad [nuli'ðað] *f* **1.** *(anulación)* nullity **2.** *(persona)* useless idiot

nulo, la ['nulo, la] *adj* **1.** *(sin valor legal)* null and void **2.** *(inepto)* useless

núm. *(abr de número)* no. *(number)*

numerado, da [nume'raðo, ða] *adj* numbered

número ['numero] *m* **1.** number **2.** *(de lotería)* ticket **3.** *(de una publicación)* issue **4.** *(talla)* size ● **¿qué número calzas?** what size shoe are you? ● **número de teléfono** telephone number

numeroso, sa [nume'roso, sa] *adj* numerous

numismática [numiz'matika] *f* coin-collecting

nunca ['nunka] *adv* **1.** never **2.** *(en negativas)* ever

nupcial [nup'θial] *adj* wedding *(antes de s)*

nupcias ['nupθias] *fpl* wedding *sg*

nutria ['nutria] *f* otter

nutrición [nutri'θion] *f* nutrition

nutritivo, va [nutri'tiβo, βa] *adj* nutritious

ñandú [ɲan'du] *m* rhea

ñato, ta ['ɲato, ta] *adj (Andes & RP)* snub

ñoñería [ɲoɲe'ria] *f* insipidness

ñoño, ña ['ɲoɲo, ɲa] *adj* **1.** *(remilgado)* squeamish **2.** *(quejica)* whining **3.** *(soso)* dull

ñoqui ['ɲoki] *m* gnocchi *pl*

o [o] *conj* or ◈ **o sea** in other words

O *(abr de* oeste*)* W *(west)*

oasis [o'asis] *m inv* oasis

obedecer [oβeðe'θer] *vt* to obey ◆ **obedecer a** *v + prep (ser motivado por)* to be due to

obediencia [oβe'ðienθia] *f* obedience

obediente [oβe'ðiente] *adj* obedient

obesidad [oβesi'ðað] *f* obesity

obeso, sa [o'βeso, sa] *adj* obese

obispo [o'βispo] *m* bishop

objeción [oβxe'θion] *f* objection

objetividad [oβxetiβi'ðað] *f* objectivity

objetivo, va [oβxe'tiβo, βa] ◇ *adj* objective ◇ *m* **1.** *(finalidad)* objective **2.** *(blanco)* target **3.** *(lente)* lens

objeto [oβ'xeto] *m* **1.** object **2.** *(finalidad)* purpose ● **con el objeto de** with the aim of ▼ **objetos perdidos** lost property

obligación [oβliɣa'θion] *f* **1.** *(deber)* obligation **2.** *(de una empresa)* bond

obligar [oβli'ɣar] *vt* to force ◆ **obligarse a** *v + prep (comprometerse a)* to undertake to

obligatorio, ria [oβliɣa'torio, ria] *adj* compulsory

obra ['oβra] *f* **1.** *(realización)* work **2.** *(en literatura)* book **3.** *(en teatro)* play **4.** *(en música)* opus **5.** *(edificio en construcción)* building site ● **obra de caridad** charity ● **obra (de teatro)** play ● **obras** *fpl (reformas)* alterations ▼ **obras** *(en carretera)* roadworks

obrador [oβra'ðor] *m* workshop

obrero, ra [o'βrero, ra] *m,f* worker

obsequiar [oβse'kiar] *vt* ● **obsequiar a alguien con algo** to present sb with sthg

obsequio [oβ'sekio] *m* gift

observación [oβserβa'θion] *f* observation

observador, ra [oβserβa'ðor, ra] *adj* observant

observar [oβser'βar] *vt* **1.** to observe **2.**

(darse cuenta de) to notice

observatorio [oβserβa'torjo] *m* observatory

obsesión [oβse'sjon] *f* obsession

obsesionar [oβsesjo'nar] *vt* to obsess ◆ **obsesionarse** *vp* to be obsessed

obstáculo [oβs'takulo] *m* obstacle

obstante [oβs'tante] ◆ **no obstante** *conj* nevertheless

obstinado, da [oβsti'naðo, ða] *adj* **1.** *(persistente)* persistent **2.** *(terco)* obstinate

obstruir [oβs'trwir] *vt* to obstruct ◆ **obstruirse** *vp (agujero, cañería)* to get blocked (up)

obtener [oβte'ner] *vt* to get

obvio, via ['oβββjo, βja] *adj* obvious

oca ['oka] *f* **1.** *(ave)* goose **2.** *(juego)* board game similar to snakes and ladders

ocasión [oka'sjon] *f* **1.** *(momento determinado)* moment **2.** *(vez)* occasion **3.** *(oportunidad)* chance ◆ **de ocasión** *(rebajado)* bargain *(antes de s)*

ocasional [okasjo'nal] *adj* **1.** *(eventual)* occasional **2.** *(casual)* accidental

ocaso [o'kaso] *m* **1.** *(de sol)* sunset **2.** *(fig) (decadencia)* decline

occidental [okθiðen'tal] *adj* western

occidente [okθi'ðente] *m* west ◆ **Occidente** *m* the West

océano [o'θeano] *m* ocean

ochenta [o'tʃenta] *núm* eighty ➢ **seis**

ocho ['otʃo] *núm* eight ➢ **seis**

ochocientos, tas [otʃo'θjentos, tas] *núm* eight hundred ➢ **seis**

ocio ['oθjo] *m* leisure

ocioso, sa [o'θjoso, sa] *adj (inactivo)* idle

ocre ['okre] *adj inv* ochre

octavo, va [ok'taβo, βa] *núm* eighth ➢ **sexto**

octubre [ok'tuβre] *m* October ➢ **setiembre**

oculista [oku'lista] *mf* ophthalmologist

ocultar [okul'tar] *vt* **1.** *(esconder)* to hide **2.** *(callar)* to cover up

oculto, ta [o'kulto, ta] *adj* hidden

ocupación [okupa'θjon] *f* **1.** occupation **2.** *(oficio)* job

ocupado, da [oku'paðo, ða] *adj* **1.** *(plaza, asiento)* taken **2.** *(aparcamiento)* full **3.** *(lavabo)* engaged *(UK)*, occupied *(US)* **4.** *(atareado)* busy **5.** *(invadido)* occupied ▼ **ocupado** *(taxi)* sign indicating that a taxi is not for hire

ocupar [oku'par] *vt* **1.** to occupy **2.** *(habitar)* to live in **3.** *(mesa)* to sit at **4.** *(en tiempo)* to take up **5.** *(cargo, posición, etc)* to hold **6.** *(dar empleo)* to provide work for ◆ **ocuparse de** *v + prep* **1.** *(encargarse de)* to deal with **2.** *(persona)* to look after

ocurrir [oku'rir] *vi* to happen ◆ **ocurrirse** *vp* ◆ **no se me ocurre la respuesta** I can't think of the answer

odiar [o'ðjar] *vt* to hate

odio ['oðjo] *m* hatred

oeste [o'este] *m* west

ofensiva [ofen'siβa] *f* offensive

oferta [o'ferta] *f* **1.** *(propuesta)* offer **2.** *(en precio)* bargain **3.** *(surtido)* range

oficial [ofi'θjal] ◇ *adj* official ◇ *m,f (militar)* officer

oficina [ofi'θina] *f* office ◆ **oficina de cambio** bureau de change ◆ **oficina de correos** post office ◆ **oficina de objetos**

perdidos lost property office ● **oficina de turismo** tourist office

oficinista [ofiθi'nista] *mf* office worker

oficio [o'fiθi̯o] *m* **1.** *(profesión)* trade **2.** *(empleo)* job **3.** *(misa)* service

ofrecer [ofre'θer] *vt* **1.** to offer **2.** *(mostrar)* to present ◆ **ofrecerse** *vp* *(ser voluntario)* to volunteer

oftalmología [oftalmolo'xia] *f* ophthalmology

OGM *m* *(abr de* organismo genéticamente modificado*)* GMO *(genetically modified organism)*

ogro ['oγro] *m* ogre

oído [o'iðo] *m* **1.** *(sentido)* hearing **2.** *(órgano)* ear ● **hablar al oído a alguien** to have a word in sb's ear

oír [o'ir] *vt* **1.** *(ruido, música, etc)* to hear **2.** *(atender)* to listen to ● **¡oiga, por favor!** excuse me!

ojal [o'xal] *m* buttonhole

ojalá [oxa'la] *interj* if only!

ojeras [o'xeras] *fpl* bags under the eyes

ojo ['oxo] *m* **1.** eye **2.** *(de cerradura)* keyhole ◇ *interj* watch out! ● **ojo de buey** porthole ● **a ojo** *(fig)* roughly

OK [o'kei̯] *interj* OK

okupa [o'kupa] *mf* *(fam)* squatter

ola ['ola] *f* wave ● **ola de calor** heatwave ● **ola de frío** cold spell

ole ['ole] *interj* bravo!

oleaje [ole'axe] *m* swell

óleo ['oleo] *m* oil *(painting)*

oler [o'ler] *vt & vi* to smell ● **oler bien** to smell good ● **oler mal** to smell bad ◆ **olerse** *vp* to sense

olfato [ol'fato] *m* **1.** *(sentido)* sense of smell **2.** *(astucia)* nose

olimpiadas [olim'pi̯aðas] *fpl* Olympics

olímpico, ca [o'limpiko, ka] *adj* Olympic

oliva [o'liβa] *f* olive

olivo [o'liβo] *m* olive tree

olla ['oʎa] *f* pot ● **olla a presión** pressure cooker

olmo ['olmo] *m* elm *(tree)*

olor [o'lor] *m* smell

olvidar [olβi'ðar] *vt* **1.** to forget **2.** *(dejarse)* to leave ◆ **olvidarse de** *v + prep* *(dejarse)* to leave

olvido [ol'βiðo] *m* **1.** *(en memoria)* forgetting **2.** *(descuido)* oversight

ombligo [om'bliɣo] *m* **1.** *(de vientre)* navel **2.** *(fig) (centro)* heart

omitir [omi'tir] *vt* to omit

once ['onθe] *núm* eleven ➤ **seis**

ONCE ['onθe] *f Spanish association for the blind*

ONCE

This independent organization was originally founded to help the blind but now also covers other disabled people. Its members have the opportunity to work selling tickets for its daily national lottery, the proceeds of which are used to fund the organization's other activities. Friday's winning ticket, the *cuponazo*, gets an especially large prize.

onda ['onda] *f* wave

ondulado, da [ondu'laðo, ða] *adj* wavy

ONU ['onu] *f (abr de* Organización de las Naciones Unidas*)* UN *(United Nations)*

opaco, ca [o'pako, ka] *adj* opaque

opción [op'θjon] *f* option ● **tener opción a** to be eligible for

ópera ['opera] *f* opera

operación [opera'θjon] *f* **1.** operation **2.** *(negocio)* transaction ● **operación retorno/salida** *police operation to assist travel of holidaymakers to/from city homes, minimizing congestion and maximizing road safety*

operadora [opera'ðora] *f (de teléfonos)* operator

operar [ope'rar] *vt* **1.** *(enfermo)* to operate on **2.** *(realizar)* to bring about ◆ **operarse** *vp (del hígado, etc)* to have an operation

operario, ria [ope'rarjo, rja] *m,f* worker

opinar [opi'nar] ◇ *vt* to think ◇ *vi* to give one's opinion

opinión [opi'njon] *f* opinion ● **la opinión pública** public opinion

oponer [opo'ner] *vt* **1.** *(obstáculo, resistencia)* to use against **2.** *(razón, argumento, etc)* to put forward ◆ **oponerse** *vp (contrarios, fuerzas)* to be opposed ◆ **oponerse a** *v + prep* **1.** *(ser contrario a)* to oppose **2.** *(negarse a)* to refuse to

oportunidad [oportuni'ðað] *f* opportunity ▼ **oportunidades** bargains

oportuno, na [opor'tuno, na] *adj* **1.** *(adecuado)* appropriate **2.** *(propicio)* timely **3.** *(momento)* right

oposición [oposi'θjon] *f* **1.** *(impedimento)* opposition **2.** *(resistencia)* resistance ● **la oposición** the opposition ◆ **oposiciones** *fpl (para empleo)* public entrance examinations

oprimir [opri'mir] *vt* **1.** *(botón)* to press **2.** *(reprimir)* to oppress

optar [op'tar] ◆ **optar a** *v + prep (aspirar a)* to go for ◆ **optar por** *v + prep* ● **optar por algo** to choose sthg ● **optar por hacer algo** to choose to do sthg

optativo, va [opta'tiβo, βa] *adj* optional

óptica ['optika] *f* **1.** *(ciencia)* optics **2.** *(establecimiento)* optician's (shop)

optimismo [opti'mizmo] *m* optimism

optimista [opti'mista] *adj* optimistic

opuesto, ta [o'pwesto, ta] ◇ *pp* ➤ **oponer** ◇ *adj (contrario)* conflicting ● **opuesto a** contrary to

oración [ora'θjon] *f* **1.** *(rezo)* prayer **2.** *(frase)* sentence

orador, ra [ora'ðor, ra] *m,f* speaker

oral [o'ral] *adj* oral

órale ['orale] *interj (Méx)* that's right!

orangután [orangu'tan] *m* orangutang

oratoria [ora'torja] *f* oratory

órbita ['orβita] *f* **1.** *(de astro)* orbit **2.** *(de ojo)* eye socket **3.** *(ámbito)* sphere

orca ['orka] *f* killer whale

orden[1] ['orðen] *m* order ● **en orden** *(bien colocado)* tidy *(UK)*, neat *(US)*; *(en regla)* in order

orden[2] ['orðen] *f* order

ordenación [orðena'θjon] *f* **1.** *(colocación)* arrangement **2.** *(de sacerdote)* ordination

ordenado, da [orðe'naðo, ða] *adj (en orden)* tidy *(UK)*, neat *(US)*

ordenador [orðena'ðor] *m* computer ● **ordenador portátil** laptop computer

ordenar [orðe'nar] *vt* **1.** *(colocar)* to arrange **2.** *(armario, habitación)* to tidy up *(UK)*, to clean up *(US)* **3.** *(mandar)* to order **4.** *(sacerdote)* to ordain

ordeñar [orðe'ɲar] *vt* to milk

ordinario, ria [orði'narjo, rja] *adj* **1.** *(habitual)* ordinary **2.** *(basto, grosero)* coarse

orégano [o'reɣano] *m* oregano

oreja [o'rexa] *f* **1.** ear **2.** *(de sillón)* wing

orgánico, ca [or'ɣaniko, ka] *adj* organic

organillo [orɣa'niʎo] *m* barrel organ

organismo [orɣa'nizmo] *m* **1.** *(de ser vivo)* body **2.** *(institución)* organization

organización [orɣaniθa'θjon] *f* organization

organizador, ra [orɣaniθa'ðor, ra] *m,f* organizer

organizar [orɣani'θar] *vt* **1.** to organize **2.** *(negocio, empresa, etc)* to set up

órgano ['orɣano] *m* organ

orgullo [or'ɣuʎo] *m* pride

orgulloso, sa [orɣu'ʎoso, sa] *adj* proud ● **orgulloso de** proud of

oriental [orjen'tal] ◇ *adj* **1.** *(del este)* eastern **2.** *(del Lejano Oriente)* oriental ◇ *mf* oriental

orientar [orjen'tar] *vt (guiar)* to direct ● **orientar algo hacia algo** to place sthg facing sthg

orientativo, va *adj* guideline *(antes de s)* ● **precio orientativo** recommended price ● **ser puramente orientativo** only to be intended as a guideline

oriente [o'rjente] *m* **1.** *(punto cardinal)* east **2.** *(viento)* east wind ● **Oriente** *m* ● **el Oriente** the East

orificio [ori'fiθjo] *m* hole

origen [o'rixen] *m* **1.** origin **2.** *(motivo)* cause **3.** *(ascendencia)* birth

original [orixi'nal] *adj* **1.** original **2.** *(extraño)* eccentric

originario, ria [orixi'narjo, rja] *adj* **1.** *(país, ciudad)* native **2.** *(inicial)* original ● **ser originario de** to come from

orilla [o'riʎa] *f* **1.** *(de mar, lago)* shore **2.** *(de río)* bank **3.** *(borde)* edge

orillarse [ori'ʎarse] *vp* *(Col & Ven)* to move to one side

orina [o'rina] *f* urine

orinal [ori'nal] *m* chamberpot

orinar [ori'nar] *vi* to urinate

oro ['oro] *m* **1.** *(metal)* gold **2.** *(riqueza)* riches *pl* ● **oros** *mpl* *(de la baraja)* suit of *Spanish cards bearing gold coins*

orquesta [or'kesta] *f* **1.** *(de música)* orchestra **2.** *(lugar)* orchestra pit

orquestar [orkes'tar] *vt* to orchestrate

orquídea [or'kiðea] *f* orchid

ortiga [or'tiɣa] *f* *(stinging)* nettle

ortodoxo, xa [orto'ðokso, sa] *adj* orthodox

oruga [o'ruɣa] *f* caterpillar

os [os] *pron* **1.** *(complemento directo)* you **2.** *(complemento indirecto)* (to) you **3.** *(reflexivo)* yourselves **4.** *(recíproco)* each other

oscilar [osθi'lar] *vi (moverse)* to swing ● **oscilar (entre)** *(variar)* to fluctuate (between)

oscuridad [oskuri'ðað] *f* **1.** *(falta de luz)* darkness **2.** *(confusión)* obscurity

oscuro, ra [os'kuro, ra] *adj* **1.** dark **2.** *(confuso)* obscure **3.** *(nublado)* overcast ● **a oscuras** in the dark

oso, osa ['oso, 'osa] *m,f* bear ● **oso hormiguero** anteater

osobuco [oso'βuko] *m* osso bucco

ostra ['ostra] *f* oyster ● **ostras** *interj* *(fam)* wow!

OTAN ['otan] *f* NATO

otoño [o'toɲo] *m* autumn, fall (*US*)

otorrino, na [oto'rino, na] *m,f* (*fam*) ear, nose and throat specialist

otorrinolaringólogo, ga [oto,rinolarin'goloɣo, ɣa] *m,f* ear, nose and throat specialist

otro, otra ['otro, 'otra] ◊ *adj* another *sg*, other *pl* ◊ *pron* **1.** (*otra cosa*) another *sg*, others *pl* **2.** (*otra persona*) someone else • **el otro** the other one • **los otros** the others • **otro vaso** another glass • **otros dos vasos** another two glasses • **el otro día** the other day • **la otra tarde** the other evening

ovalado, da [oβa'laðo, ða] *adj* oval

ovario [o'βarjo] *m* ovary

oveja [o'βexa] *f* sheep

ovni ['oβni] *m* UFO

óxido ['oksiðo] *m* (*herrumbre*) rust

oxígeno [ok'sixeno] *m* oxygen

oyente [o'jente] *mf* listener

ozono [o'θono] *m* ozone

pP

p. (*abr de paseo*) Ave (*Avenue*)

pabellón [paβe'ʎon] *m* **1.** (*edificio*) pavilion **2.** (*de hospital*) block **3.** (*tienda de campaña*) bell tent **4.** (*de oreja*) outer ear

pacer [pa'θer] *vi* to graze

pacharán [patʒa'ran] *m* liqueur made from brandy and sloes

paciencia [pa'θjenθja] *f* patience • perder la paciencia to lose one's patience • tener paciencia to be patient

paciente [pa'θjente] *adj & mf* patient

pacificación [paθifika'θjon] *f* pacification

pacífico, ca [pa'θifiko, ka] *adj* peaceful • **Pacífico** *m* • **el Pacífico** the Pacific

pacifismo [paθi'fizmo] *m* pacifism

pacifista [paθi'fista] *mf* pacifist

pack ['pak] *m* pack

pacto ['pakto] *m* (*entre personas*) agreement

padecer [paðe'θer] ◊ *vt* **1.** (*enfermedad*) to suffer from **2.** (*soportar*) to endure ◊ *vi* to suffer • padece del hígado she has liver trouble

padrastro [pa'ðrastro] *m* **1.** (*pariente*) stepfather **2.** (*pellejo*) hangnail

padre ['paðre] ◊ *m* father ◊ *adj* (*Méx*) (*fam*) (*estupendo*) brilliant • **padres** *mpl* (*de familia*) parents

padrino [pa'ðrino] *m* **1.** (*de boda*) best man **2.** (*de bautizo*) godfather • **padrinos** *mpl* godparents

padrísimo [pa'ðrisimo] *adj* (*Amér*) (*fam*) brilliant

paella [pa'eʎa] *f* paella

pág. (*abr de página*) p. (*page*)

paga ['paɣa] *f* (*sueldo*) wages *pl*

paga extraordinaria

In Spain, permanent employees' annual salaries are usually composed of 14 equal payments. This means that they receive double their standard monthly salary twice a year, in June and December. The extra cash is intended to help pay for summer holidays and Christmas presents.

pagadero, ra [paɣa'ðero, ra] *adj*

pagado, da [pa'ɣaðo, ða] *adj* (deuda, cuenta, etc) paid

pagano, na [pa'ɣano, na] *m,f* pagan

pagar [pa'ɣar] ◇ *vt* **1.** (cuenta, deuda, etc) to pay **2.** (estudios, gastos, error) to pay for **3.** (corresponder) to repay ◇ *vi* to pay ▼ **pague en caja antes de retirar su vehículo** please pay before leaving

página ['paxina] *f* page

pago ['paɣo] *m* **1.** payment **2.** (recompensa) reward

país [pa'is] *m* country

paisaje [paj'saxe] *m* **1.** landscape **2.** (vista panorámica) view

paisano, na [paj'sano, na] *m,f* **1.** (persona no militar) civilian **2.** (de país) compatriot **3.** (de ciudad) person from the same city

Países Bajos [pa'isez'βaxos] *mpl* ● **los Países Bajos** the Netherlands

País Vasco [pa'iz'βasko] *m* ● **el País Vasco** the Basque country

paja ['paxa] *f* **1.** straw **2.** (parte desechable) padding

pajarita [paxa'rita] *f* (corbata) bow tie ● **pajarita de papel** paper bird

pájaro ['paxaro] *m* bird

paje ['paxe] *m* page

pala ['pala] *f* **1.** (herramienta) spade **2.** (de ping-pong) bat (UK), paddle (US) **3.** (de cocina) slice (UK), spatula (US) **4.** (de remo, hacha) blade

palabra [pa'laβra] *f* word ● **dar la palabra a alguien** to give sb the floor ●

de palabra (hablando) by word of mouth ● **palabras** *fpl* (discurso) words

palacio [pa'laθjo] *m* palace ● **palacio municipal** (Amér) town hall

Palacio de la Moneda

This neoclassical building is the official residence of the Chilean president and the seat of the country's government. It also houses various other government departments. Its name comes from the fact that until 1929 it served as the national Mint.

Palacio de la Zarzuela

The Zarzuela palace is the current residence of the King of Spain and is situated in the el Pardo hills to the northwest of Madrid. Built in the neoclassical style between 1634 and 1638, it was renovated in the rococo style in the 18th century.

paladar [pala'ðar] *m* palate

paladear [palaðe'ar] *vt* to savour

palanca [pa'lanka] *f* lever ● **palanca de cambio** gear lever (UK), gearshift (US)

palangana [palaŋ'gana] *f* **1.** (para fregar) washing-up bowl (UK) **2.** (para lavarse) wash bowl

palco ['palko] *m* box (at theatre)

paletilla [pale'tiʎa] *f* shoulder blade ● **paletilla de cordero** shoulder of lamb

pálido, da ['paliðo, ða] *adj* pale

palillo [pa'liʎo] *m* **1.** (para dientes) toothpick **2.** *(para tambor)* drumstick

paliza [pa'liθa] *f* **1.** *(zurra, derrota)* beating **2.** *(esfuerzo)* hard grind

palma ['palma] *f* **1.** *(de mano, palmera)* palm **2.** *(hoja de palmera)* palm leaf • **palmas** *fpl* applause *sg* • **dar palmas** to applaud

palmada [pal'maða] *f* **1.** *(golpe)* pat **2.** *(ruido)* clap

palmera [pal'mera] *f (árbol)* palm (tree)

palmitos [pal'mitos] *mpl (de cangrejo)* crab sticks • **palmitos a la vinagreta** *crab sticks in vinegar*

palo ['palo] *m* **1.** *(de madera)* stick **2.** *(de golf)* club **3.** *(de portería)* post **4.** *(de tienda de campaña)* pole **5.** *(golpe)* blow *(with a stick)* **6.** *(de barco)* mast **7.** *(en naipes)* suit

paloma [pa'loma] *f* dove, pigeon

palomar [palo'mar] *m* dovecote

palomitas [palo'mitas] *fpl* popcorn *sg*

palpitar [palpi'tar] *vi* **1.** *(corazón)* to beat **2.** *(sentimiento)* to shine through

palta ['palta] *f (Andes & RP)* avocado

pamela [pa'mela] *f* sun hat

pampa ['pampa] *f* pampas *pl*

pan ['pan] *m* **1.** *(alimento)* bread **2.** *(hogaza)* loaf • **pan dulce** *(Amér)* (sweet) pastry • **pan integral** wholemeal bread • **pan de molde** sliced bread • **pan de muerto** *(Méx) sweet pastry eaten on All Saints' Day* • **pan rallado** breadcrumbs *pl* • **pan con tomate** *bread rubbed with tomato and oil* • **pan tostado** toast

panadería [panaðe'ria] *f* bakery

panadero, ra [pana'ðero, ra] *m,f* baker

panal [pa'nal] *m* honeycomb

Panamá [pana'ma] *s* Panama

panameño, ña [pana'meɲo, ɲa] *adj & m, f* Panamanian

pancarta [pan'karta] *f* banner

pandereta [pande'reta] *f* tambourine

pandilla [pan'diʎa] *f* gang

panecillo [pane'θiʎo] *m* (bread) roll

panel [pa'nel] *m* panel

panera [pa'nera] *f* **1.** *(cesta)* bread basket **2.** *(caja)* bread bin *(UK)*, bread box *(US)*

pánico ['paniko] *m* panic

panorama [pano'rama] *m* **1.** *(paisaje)* panorama **2.** *(situación)* overall state

panorámica [pano'ramika] *f* panorama

panorámico, ca [pano'ramiko, ka] *adj* panoramic

pantaletas [panta'letas] *fpl (CAm & Ven)* knickers *(UK)*, panties *(US)*

pantalla [pan'taʎa] *f* **1.** *(de cine, televisión)* screen **2.** *(de lámpara)* lampshade

pantalones [panta'lones] *mpl* trousers *(UK)*, pants *(US)* • **pantalones cortos** shorts • **pantalones vaqueros** jeans

pantano [pan'tano] *m* **1.** *(embalse)* reservoir **2.** *(ciénaga)* marsh

pantanoso, sa [panta'noso, sa] *adj* marshy

pantera [pan'tera] *f* panther

pantimedias [panti'meðias] *fpl (Méx)* tights *(UK)*, pantyhose *(US)*

pantorrilla [panto'riʎa] *f* calf

pantys ['pantis] *mpl* tights *(UK)*, pantyhose *(US)*

pañal [pa'ɲal] *m* nappy *(UK)*, diaper *(US)* • **pañales higiénicos** disposable nappies

paño ['paɲo] *m* cloth • **paño de cocina** tea towel *(UK)*, dishcloth

pañuelo [pa'ɲṵelo] *m* **1.** *(para limpiarse)* handkerchief **2.** *(de adorno)* scarf

Papa ['papa] *m* ● **el Papa** the Pope

papa ['papa] *f (Amér)* potato ● **papas fritas** *(de cocina)* chips *(UK)*, French fries *(US)*; *(de paquete)* crisps *(UK)*, chips *(US)*

papá [pa'pa] *m (fam)* dad ● **papá grande** *(Amér)* grandad ◆ **papás** *mpl (fam) (padres)* parents

papachador, ra [papatʒa'ðoɾ, ɾa] *adj (Amér)* pampering

papachar [papa'tʒaɾ] *vt (Amér)* to spoil

papagayo [papa'ɟaʝo] *m* parrot

papel [pa'pel] *m* **1.** paper **2.** *(hoja)* sheet of paper **3.** *(función, de actor)* role ● **papel higiénico** toilet paper ● **papel pintado** wallpaper ◆ **papeles** *mpl (documentos)* papers

papeleo [pape'leo] *m* red tape

papelera [pape'leɾa] *f* wastepaper basket

papelería [papele'ɾia] *f* stationer's (shop)

papeleta [pape'leta] *f* **1.** *(de votación)* ballot paper **2.** *(de examen)* slip of paper with university exam results **3.** *(fig) (asunto difícil)* tricky thing

paperas [pa'peɾas] *fpl* mumps

papilla [pa'piʎa] *f (alimento)* baby food

paquete [pa'kete] *m* **1.** *(postal)* parcel **2.** *(de cigarrillos, klínex, etc)* pack ● **paquete turístico** package tour

Paquistán [pakis'tan] *m* ● **(el) Paquistán** Pakistan

paquistaní [pakista'ni] *adj & mf* Pakistani

par ['paɾ] ◇ *adj (número)* even ◇ *m* **1.** *(de* zapatos, guantes, etc) pair **2.** *(de veces)* couple ● **abierto de par en par** wide open ● **sin par** matchless ● **un par de ... a** couple of ...

para [paɾa] *prep* **1.** *(finalidad)* for ● **esta agua no es buena para beber** this water isn't fit for drinking ● **lo he comprado para ti** I bought it for you ● **te lo repetiré para que te enteres** I'll repeat it so you understand **2.** *(motivación)* (in order) to ● **lo he hecho para agradarte** I did it to please you **3.** *(dirección)* towards ● **ir para casa** to head (for) home ● **salir para el aeropuerto** to leave for the airport **4.** *(tiempo)* for ● **lo tendré acabado para mañana** I'll have it finished for tomorrow **5.** *(comparación)* considering ● **está muy delgado para lo que come** he's very thin considering how much he eats **6.** *(inminencia, propósito)* ● **la comida está lista para servir** the meal is ready to be served

parabólica [paɾa'βolika] *f* satellite dish

parabrisas [paɾa'βɾisas] *m inv* windscreen *(UK)*, windshield *(US)*

paracaídas [paɾaka'iðas] *m inv* parachute

parachoques [paɾa'tʒokes] *m inv* bumper *(UK)*, fender *(US)*

parada [pa'ɾaða] *f* stop ● **parada de autobús** bus stop ● **parada de taxis** taxi rank ➤ **parado**

paradero [paɾa'ðeɾo] *m (Andes)* bus stop

parado, da [pa'ɾaðo, ða] ◇ *adj* **1.** *(coche, máquina, etc)* stationary **2.** *(desempleado)* unemployed **3.** *(sin iniciativa)* unenterprising **4.** *(Amér)* *(de pie)* standing up ◇ *m,f* unemployed person

paradoja [para'ðoxa] *f* paradox

paradójico, ca [para'ðoxiko, ka] *adj* paradoxical

parador [para'ðor] *m* *(mesón)* roadside inn ● **parador nacional** state-owned luxury hotel

parador nacional

Paradors are surprisingly affordable luxury hotels run by the Spanish State. They are usually converted buildings of artistic or historic interest such as castles and palaces, and tend to be situated in areas of outstanding natural beauty. Their restaurants specialize in local or regional cuisine.

paraguas [pa'raɣwas] *m inv* umbrella

Paraguay [para'ɣwai] *m* ● **(el) Paraguay** Paraguay

paraguayo, ya [para'ɣwajo, ja] *adj & m,f* Paraguayan

paraíso [para'iso] *m* paradise

paraje [pa'raxe] *m* spot

paralelas [para'lelas] *fpl* parallel bars

paralelo, la [para'lelo, la] *adj & m* parallel

parálisis [pa'ralisis] *f inv* paralysis

paralítico, ca [para'litiko, ka] *m,f* paralytic

paralizar [parali'θar] *vt* to paralyse

parapente [para'pente] *m* paraskiing

parar [pa'rar] ◇ *vt* **1.** to stop **2.** *(Amér)* *(levantar)* to lift ◇ *vi* **1.** *(detenerse)* to stop

2. *(hacer huelga)* to go on strike ● **sin parar** non-stop ▼ **para en todas las estaciones** stopping at all stations ◆ **pararse** *vp* **1.** *(detenerse)* to stop **2.** *(Amér)* *(ponerse de pie)* to stand up

pararrayos [para'rajos] *m inv* lightning conductor

parasol [para'sol] *m* parasol

parchís [par'tʃis] *m inv* ludo *(UK)*, Parcheesi ® *(US)*

parcial [par'θjal] ◇ *adj* **1.** partial **2.** *(injusto)* biased ◇ *m* *(examen)* end-of-term examination

pardo, da ['parðo, ða] *adj* dun-coloured

parecer [pare'θer] ◇ *m* *(opinión)* opinion ◇ *v cop* to look, to seem ◇ *vi* ● **me parece que ...** I think (that) ... ● **parece que va a llover** it looks like it's going to rain ● **¿qué te parece?** what do you think? ● **de buen parecer** good-looking ◆ **parecerse** *vp* to look alike ● **parecerse a** to resemble

parecido, da [pare'θiðo, ða] ◇ *adj* similar ◇ *m* resemblance

pared [pa'reð] *f* *(muro)* wall

pareja [pa'rexa] *f* **1.** *(conjunto de dos)* pair **2.** *(de casados, novios)* couple **3.** *(compañero)* partner

parentesco [paren'tesko] *m* relationship

paréntesis [pa'rentesis] *m inv* **1.** *(signo de puntuación)* bracket *(UK)*, parenthesis *(US)* **2.** *(interrupción)* break ● **entre paréntesis** in brackets

pareo [pa'reo] *m* wraparound skirt

pariente, ta [pa'rjente, ta] *m,f* relative

parking ['parkin] *m* car park *(UK)*, parking lot *(US)*

parlamentario, ria[parlamen'tario, ria] *m,f* member of parliament

parlamento [parla'mento] *m* **1.** *(asamblea legislativa)* parliament **2.** *(discurso)* speech

parlanchín, ina [parlan'tʃin, ina] *adj* talkative

paro ['paro] *m* **1.** *(desempleo)* unemployment **2.** *(parada)* stoppage **3.** *(huelga)* strike ● **estar en paro** to be unemployed

parpadear[parpaðe'ar] *vi (ojos)* to blink

párpado ['parpaðo] *m* eyelid

parque ['parke] *m* **1.** *(jardín)* park **2.** *(de niños)* playpen **3.** *(de automóviles)* fleet ● **parque acuático** waterpark ● **parque de atracciones** amusement park ● **parque de bomberos** fire station ● **parque eólico** wind farm ● **parque infantil** children's playground ● **parque nacional** national park ● **parque zoológico** zoo

parque nacional

While access to national parks is free, there are strict rules governing the behaviour of visitors, in order to ensure adequate protection for these areas of outstanding natural beauty. The main national parks in Spain are the *Coto de Doñana* (Huelva), *Ordesa* (Huesca) and *Teide* (Santa Cruz de Tenerife), while Latin America boasts *los Glaciares* (Argentina), *Isla Cocos* (Costa Rica), *Darién* (Panama) and *Canaima* (Venezuela).

parqué [par'ke] *m* parquet

parquear[parke'ar] *vt (Col)* to park

parquímetro [par'kimetro] *m* parking meter

parra ['para] *f* vine

párrafo ['parafo] *m* paragraph

parrilla [pa'riʎa] *f* **1.** *(para cocinar)* grill **2.** *(Amér) (de coche)* roof rack ● **a la parrilla** grilled

parrillada [pari'ʎaða] *f* mixed grill ● **parrillada de carne** selection of grilled meats ● **parrillada de pescado** selection of grilled fish

parroquia [pa'rokja] *f* **1.** *(iglesia)* parish church **2.** *(conjunto de fieles)* parish **3.** *(fig) (clientela)* clientele

parte ['parte] ◇ *f* **1.** part **2.** *(bando, lado, cara)* side ◇ *m* report ● **dar parte de algo** to report sthg ● **de parte de** *(en nombre de)* on behalf of ● **¿de parte de quién?** *(en el teléfono)* who's calling? ● **en alguna parte** somewhere ● **en otra parte** somewhere else ● **en parte** partly ● **en** o **por todas partes** everywhere ● **parte meteorológico** weather forecast ● **por otra parte** *(además)* what is more

participación [partiθipa'θjon] *f* **1.** *(colaboración)* participation **2.** *(de boda, bautizo)* notice **3.** *(en lotería)* share

participar [partiθi'par] *vi* ● **participar (en)** to participate (in) ● **participar algo a alguien** to notify sb of sthg

partícula [par'tikula] *f* particle

particular [partiku'lar] *adj* **1.** *(privado)* private **2.** *(propio)* particular **3.** *(especial)* unusual ● **en particular** in particular

partida[par'tiða] *f* **1.** *(marcha)* departure

2. (*en el juego*) game **3.** (*certificado*) certificate **4.** (*de género, mercancías*) consignment

partidario, ria [partiˈðarjo, rja] *m,f* supporter ● **ser partidario de** to be in favour of

partidista [partiˈðista] *adj* partisan

partido [parˈtiðo] *m* **1.** (*en política*) party **2.** (*en deporte*) game ● **sacar partido de** to make the most of ● **partido de ida** away leg ● **partido de vuelta** home leg

partir [parˈtir] ◇ *vt* **1.** (*dividir*) to divide **2.** (*romper*) to break **3.** (*nuez*) to crack **4.** (*repartir*) to share ◇ *vi* (*ponerse en camino*) to set off ● **a partir de** from ● **partir de** *v + prep* (*tomar como base*) to start from

partitura [partiˈtura] *f* score

parto [ˈparto] *m* birth

parvulario [parβuˈlarjo] *m* nursery school

pasa [ˈpasa] *f* raisin

pasable [paˈsaβle] *adj* passable

pasada [paˈsaða] *f* **1.** (*con trapo*) wipe **2.** (*de pintura, barniz*) coat **3.** (*en labores de punto*) row ● **de pasada** in passing

pasado, da [paˈsaðo, ða] ◇ *adj* **1.** (*semana, mes, etc*) last **2.** (*viejo*) old **3.** (*costumbre*) old-fashioned **4.** (*alimento*) off (*UK*), bad ◇ *m* past ● **el año pasado** last year ● **bien pasado** (*carne*) well-done ● **pasado de moda** old-fashioned ● **pasado mañana** the day after tomorrow

pasaje [paˈsaxe] *m* **1.** (*de avión, barco*) ticket **2.** (*calle*) alley **3.** (*conjunto de pasajeros*) passengers *pl* **4.** (*de novela, ópera*) passage

pasajero, ra [pasaˈxero, ra] ◇ *adj* pas-

sing ◇ *m,f* passenger ▼ **pasajeros sin equipaje** passengers with hand luggage only

pasamanos [pasaˈmanos] *m inv* (*barandilla*) handrail

pasaporte [pasaˈporte] *m* passport

pasar [paˈsar] ◇ *vt* **1.** (*deslizar, filtrar*) to pass ● **me pasó la mano por el pelo** she ran her hand through my hair ● **pasar algo por** to pass sthg through **2.** (*cruzar*) to cross ● **pasar la calle** to cross the road **3.** (*acercar, hacer llegar*) to pass ● **¿me pasas la sal?** would you pass me the salt? **4.** (*contagiar*) ● **me has pasado la tos** you've given me your cough **5.** (*trasladar*) ● **pasar algo a** to move sthg to **6.** (*llevar adentro*) to show in ● **nos pasó al salón** he showed us into the living room **7.** (*admitir*) to accept **8.** (*rebasar*) to go through ● **no pases el semáforo en rojo** don't go through a red light **9.** (*sobrepasar*) ● **ya ha pasado los veinticinco** he's over twenty-five now **10.** (*tiempo*) to spend ● **pasó dos años en Roma** she spent two years in Rome **11.** (*padecer*) to suffer **12.** (*adelantar*) to overtake **13.** (*aprobar*) to pass **14.** (*revisar*) to go over **15.** (*en cine*) to show **16.** (*en locuciones*) ● **pasarlo bien/ mal** to have a good/bad time ● **pasar lista** to call the register ● **pasar visita** to see one's patients

◇ *vi* **1.** (*ir, circular*) to go ● **el autobús pasa por mi casa** the bus goes past my house ● **el Manzanares pasa por Madrid** the Manzanares goes through Madrid ● **pasar de largo** to go by **2.**

(entrar) to go in ● **no pasar** no entry ● **¡pase!** come in! ● **pasen por caja** please pay at the till **3.** *(poder entrar)* to get through ● **déjame más sitio, que no paso** move up, I can't get through **4.** *(ir un momento)* to pop in ● **pasaré por tu casa** I'll drop by (your place) **5.** *(suceder)* to happen ● **¿qué (te) pasa?** what's the matter (with you)? ● **¿qué pasa aquí?** what's going on here? ● **pase lo que pase** whatever happens **6.** *(terminarse)* to be over ● **cuando pase el verano** when the summer's over **7.** *(transcurrir)* to go by ● **el tiempo pasa muy deprisa** time passes very quickly **8.** *(cambiar de acción, tema)* ● **pasar a** to move on to **9.** *(servir)* to be all right ● **puede pasar** it'll do **10.** *(fam) (prescindir)* ● **paso de política** I'm not into politics ◆ **pasarse** *vp (acabarse)* to pass; *(comida)* to go off *(UK)*, to go bad; *(flores)* to fade; *(fam) (propasarse)* to go over the top; *(tiempo)* to spend; *(omitir)* to miss out ● **se me pasó decírtelo** I forgot to mention it to you ● **no se le pasa nada** she doesn't miss a thing

pasarela [pasa'rela] *f* **1.** *(de barco)* gangway **2.** *(para modelos)* catwalk *(UK)*, runway *(US)*

pasatiempo [pasa'tjempo] *m* pastime

Pascua ['paskwa] *f (en primavera)* Easter ◆ **Pascuas** *fpl (Navidad)* Christmas *sg*

pase ['pase] *m* pass

pasear [pase'ar] ◇ *vt* to take for a walk ◇ *vi* to go for a walk ● **pasearse** *vp* to walk

paseíllo [pase'iʎo] *m opening procession of bullfighters*

paseo [pa'seo] *m* **1.** *(caminata)* walk **2.** *(calle ancha)* avenue **3.** *(distancia corta)* short walk ● **dar un paseo** to go for a walk ● **ir de paseo** to go for a walk ● **paseo marítimo** promenade

pasillo [pa'siʎo] *m* corridor, hall *(US)*

pasión [pa'sjon] *f* passion

pasiva [pa'siβa] *f (en gramática)* passive voice

pasividad [pasiβi'ðað] *f* passivity

pasivo, va [pa'siβo, βa] ◇ *adj* passive ◇ *m (deudas)* debts *pl*

paso ['paso] *m* **1.** step **2.** *(acción de pasar)* passing **3.** *(manera de andar)* walk **4.** *(ritmo)* pace **5.** *(en montaña)* pass ● **de paso** in passing ● **estar de paso** to be passing through ● **a dos pasos** *(muy cerca)* round the corner ● **paso de cebra** zebra crossing *(UK)*, crosswalk *(US)* ● **paso a nivel** level *(UK)* ○ **grade** *(US)* crossing ● **paso de peatones** pedestrian crossing ● **paso subterráneo** subway *(UK)*, underpass *(US)*

pasodoble [paso'ðoβle] *m* paso doble

pasta ['pasta] *f* **1.** *(macarrones, espagueti, etc)* pasta **2.** *(para pastelería)* pastry **3.** *(pastelillo)* cake **4.** *(fam) (dinero)* dough ● **pasta de dientes** toothpaste

pastel [pas'tel] *m* **1.** *(tarta)* cake **2.** *(salado)* pie **3.** *(en pintura)* pastel

pastelería [pastele'ria] *f* **1.** *(establecimiento)* cake shop *(UK)*, bakery *(US)* **2.** *(bollos)* pastries *pl*

pastelero, ra [paste'lero, ra] *m,f* cake shop owner *(UK)*, baker *(US)*

pastilla [pas'tiʎa] *f* **1.** *(medicamento)* pill **2.** *(de chocolate)* bar

pastor, ra [pas'tor, ra] ◇ *m,f (de ganado)*

shepherd (*f* shepherdess) ◇ *m* (*sacerdote*) minister

pastoreo [pasto'reo] *m* shepherding

pata ['pata] ◇ *f* **1.** (*pierna, de mueble*) leg **2.** (*pie*) foot **3.** (*de perro, gato*) paw ◇ *m* (*Perú*) mate (*UK*), buddy (*US*) ● **pata negra** *type of top-quality cured ham* ● **estar patas arriba** (*fig*) to be upside-down ● **meter la pata** to put one's foot in it ● **tener mala pata** (*fig*) to be unlucky ➤ **pato**

patada [pa'taða] *f* kick

patata [pa'tata] *f* potato ● **patatas fritas** (*de sartén*) chips (*UK*), French fries (*US*); (*de bolsa*) crisps (*UK*), chips (*US*)

paté [pa'te] *m* paté

patente [pa'tente] ◇ *adj* obvious ◇ *f* **1.** patent **2.** (*CSur*) (*de coche*) number plate (*UK*), license plate (*US*)

paterno, na [pa'terno, na] *adj* paternal

patilla [pa'tiʎa] *f* **1.** (*de barba*) sideboard (*UK*), sideburn (*US*) **2.** (*de gafas*) arm

patín [pa'tin] *m* **1.** (*de ruedas*) roller skate **2.** (*de ruedas en línea*) rollerblade **3.** (*de hielo*) ice skate ● **patín (de pedales)** pedal boat

patinaje [pati'naxe] *m* skating ● **patinaje sobre hielo** ice skating

patinar [pati'nar] *vi* **1.** (*con patines*) to skate **2.** (*resbalar*) to skid **3.** (*fam*) (*equivocarse*) to put one's foot in it

patinazo [pati'naθo] *m* **1.** (*resbalón*) skid **2.** (*fam*) (*equivocación*) blunder

patineta [pati'neta] *f* (*CSur, Méx & Ven*) skateboard

patinete [pati'nete] *m* scooter

patio ['patjo] *m* **1.** (*de casa*) patio **2.** (*de escuela*) playground ● **patio de butacas** stalls *pl* (*UK*), orchestra (*US*) ● **patio interior** courtyard

pato, ta ['pato, ta] *m,f* duck ● **pato a la naranja** duck à l'orange

patoso, sa [pa'toso, sa] *adj* clumsy

patria ['patrja] *f* native country

patriota [pa'trjota] *mf* patriot

patriótico, ca [pa'trjotiko, ka] *adj* patriotic

patrocinador, ra [patroθina'ðor, ra] *m,f* sponsor

patrón, ona [pa'tron, ona] ◇ *m,f* **1.** (*de pensión*) landlord (*f* landlady) **2.** (*jefe*) boss **3.** (*santo*) patron saint ◇ *m* **1.** (*de barco*) skipper **2.** (*en costura*) pattern **3.** (*fig*) (*modelo*) standard

patronal [patro'nal] *f* (*de empresa*) management

patrono, na [pa'trono, na] *m,f* **1.** (*jefe*) boss **2.** (*protector*) patron (*f* patroness)

patrulla [pa'truʎa] *f* patrol ● **patrulla urbana** vigilante group

pausa ['pausa] *f* break

pauta ['pauta] *f* guideline

pavada [pa'βaða] *f* (*Perú & RP*) stupid thing

pavimento [paβi'mento] *m* road surface, pavement (*US*)

pavo, va ['paβo, βa] *m,f* turkey ● **pavo real** peacock

payaso, sa [pa'jaso, sa] *m,f* clown

paz [paθ, θes] (*pl* -ces) *f* peace ● **dejar en paz** to leave alone ● **hacer las paces** to make it up ● **que en paz descanse** may he/she rest in peace

pazo ['paθo] *m* Galician country house

PC ['pe'θe] *m* (*abr de* personal computer) PC (*personal computer*)

PD (*abr de* **posdata**) PS (*postscript*)

peaje [pe'axe] *m* toll

peatón [pea'ton] *m* pedestrian

peatonal [peato'nal] *adj* pedestrian (*antes de s*)

peca ['peka] *f* freckle

pecado [pe'kaðo] *m* sin

pecador, ra [peka'ðor, ra] *m,f* sinner

pecar [pe'kar] *vi* to sin

pecera [pe'θera] *f* (*acuario*) fish tank

pecho ['petʒo] *m* 1. (*en anatomía*) chest 2. (*de la mujer*) breast

pechuga [pe'tʒuɣa] *f* breast (*meat*)

pecoso, sa [pe'koso, sa] *adj* freckly

peculiar [peku'ljar] *adj* 1. (*propio*) typical 2. (*extraño*) peculiar

pedagogía [peðaɣo'xia] *f* education

pedagogo, ga [peða'ɣoɣo, ɣa] *m,f* (*profesor*) teacher

pedal [pe'ðal] *m* pedal

pedalear [peðale'ar] *vi* to pedal

pedante [pe'ðante] *adj* pedantic

pedazo [pe'ðaβo] *m* piece ● **hacer pedazos** to break to pieces

pedestal [peðes'tal] *m* pedestal

pediatra [pe'ðjatra] *mf* pediatrician

pedido [pe'ðiðo] *m* order

pedir [pe'ðir] ◇ *vt* 1. (*rogar*) to ask for 2. (*poner precio*) to ask 3. (*en restaurante, bar*) to order 4. (*exigir*) to demand ◇ *vi* (*mendigar*) to beg ● **pedir a alguien que haga algo** to ask sb to do sthg ● **pedir disculpas** to apologize ● **pedir un crédito** to ask for a loan ● **pedir prestado algo** to borrow sthg

pedo ['peðo] *m* (*vulg*) (*ventosidad*) fart

pedófilo, la *m,f* paedophile

pedregoso, sa [peðre'ɣoso, sa] *adj* stony

pedrisco [pe'ðrisko] *m* hail

pega ['peɣa] *f* 1. (*pegamento*) glue 2. (*fam*) (*inconveniente*) hitch ● **poner pegas** to find problems

pegajoso, sa [peɣa'xoso, sa] *adj* 1. (*cosa*) sticky 2. (*fig*) (*persona*) clinging

pegamento [peɣa'mento] *m* glue

pegar [pe'ɣar] ◇ *vi* 1. (*sol*) to beat down 2. (*armonizar*) to go (together) ◇ *vt* 1. (*adherir, unir*) to stick 2. (*cartel*) to put up 3. (*golpear*) to hit 4. (*contagiar*) to give, to pass on 5. (*grito, salto*) to give ● **pegar la silla a la pared** to put the chair up against the wall ● **pegarse** *vp* 1. (*chocar*) to hit o.s. 2. (*adherirse*) to stick 3. (*a una persona*) to attach o.s.

pegatina [peɣa'tina] *f* sticker

peinado [pei'naðo] *m* hairstyle

peinador, dora [peina'ðor, ðora] *m,f* (*Méx & RP*) hairdresser

peinar [pei'nar] *vt* to comb ● **peinarse** *vp* to comb one's hair

peine ['peine] *m* comb

peineta [pei'neta] *f* ornamental comb

p.ej. (*abr de por ejemplo*) e.g. (*exempli gratia*)

peladilla [pela'ðiʎa] *f* sugared almond

pelar [pe'lar] *vt* 1. (*patatas, fruta*) to peel 2. (*ave*) to pluck ● **pelarse** *vp* ● **pelarse de frío** to be freezing cold

peldaño [pel'daɲo] *m* step

pelea [pe'lea] *f* fight

pelear [pele'ar] *vi* to fight ● **pelearse** *vp* to fight

peletería [pelete'ria] *f* (*tienda*) furrier's (shop)

peli *f* (*fam*) movie

pelícano [pe'likano] *m* pelican

película [peˈlikula] *f* film, movie (*US*)

peligro [peˈliɣro] *m* **1.** (*riesgo*) risk **2.** (*amenaza*) danger • **correr peligro** to be in danger

peligroso, sa [peliˈɣroso, sa] *adj* dangerous

pelirrojo, ja [peliˈroxo, xa] *adj* redhaired

pellejo [peˈʎexo] *m* skin

pellizcar [peʎiθˈkar] *vt* to pinch

pellizco [peˈʎiθko] *m* pinch

pelma [ˈpelma] *mf* (*fam*) pain

pelo [ˈpelo] *m* **1.** hair **2.** (*de animal*) coat **3.** (*fig*) (*muy poco*) tiny bit • **con pelos y señales** in minute detail • **por un pelo** by the skin of one's teeth • **tomar el pelo a alguien** to pull sb's leg • **pelo rizado** curly hair

pelota [peˈlota] ◇ *f* ball ◇ *mf* (*fam*) crawler (*UK*), brown-nose (*US*) • **jugar a la pelota** to play ball • **hacer la pelota** to suck up • **pelota (vasca)** (*juego*) pelota, jai alai

pelotari [peloˈtari] *mf* pelota o jai alai player

pelotón [peloˈton] *m* **1.** (*de gente*) crowd **2.** (*de soldados*) squad

pelotudo, da [peloˈtuðo, ða] *adj* (*RP*) (*fam*) thick (*UK*), dense (*US*)

peluca [peˈluka] *f* wig

peludo, da [peˈluðo, ða] *adj* hairy

peluquería [pelukeˈria] *f* **1.** (*local*) hairdresser's (salon) **2.** (*oficio*) hairdressing ▼ **peluquería-estética** beauty salon

peluquero, ra [peluˈkero, ra] *m,f* hairdresser

pelvis [ˈpelβis] *f inv* pelvis

pena [ˈpena] *f* **1.** (*lástima*) pity **2.** (*tristeza*) sadness **3.** (*desgracia*) problem **4.** (*castigo*) punishment **5.** (*condena*) sentence **6.** (*CAm, Carib, Col, Méx & Ven*) (*vergüenza*) embarrassment • **me da pena** (*lástima*) I feel sorry for him; (*vergüenza*) I'm embarrassed about it • **a duras penas** with great difficulty • **vale la pena** it's worth it • **¡qué pena!** what a pity!

penalti [peˈnalti] *m* penalty

pendiente [penˈdjente] ◇ *adj* (*por hacer*) pending ◇ *m* earring ◇ *f* slope

péndulo [ˈpendulo] *m* pendulum

pene [ˈpene] *m* penis

penetrar [peneˈtrar] ◆ **penetrar en** *v + prep* **1.** (*filtrarse por*) to penetrate **2.** (*entrar en*) to go into **3.** (*perforar*) to pierce

penicilina [peniθiˈlina] *f* penicillin

península [peˈninsula] *f* peninsula

peninsular [peninsuˈlar] *adj* (*de la península española*) of/relating to mainland Spain

penitencia [peniˈtenθja] *f* penance • **hacer penitencia** to do penance

penitente [peniˈtente] *m* (*en procesión*) *person in Holy Week procession wearing penitent's clothing*

penoso, sa [peˈnoso, sa] *adj* **1.** (*lamentable*) distressing **2.** (*dificultoso*) laborious **3.** (*CAm, Carib, Col, Méx & Ven*) (*vergonzoso*) shy

pensador, ra [pensaˈðor, ra] *m,f* thinker

pensamiento [pensaˈmjento] *m* thought

pensar [penˈsar] ◇ *vi* to think ◇ *vt* **1.**

(meditar) to think about **2.** *(opinar)* to think **3.** *(idear)* to think up ● **pensar hacer algo** to intend to do sthg ● **pensar en algo** to think about sthg ● **pensar en un número** to think of a number

pensativo, va [pensa'tiβo, βa] *adj* pensive

pensión [pen'sjon] *f* **1.** *(casa de huéspedes)* ≃ guesthouse **2.** *(paga)* pension ● **media pensión** half board ● **pensión completa** full board

peña ['peɲa] *f* **1.** *(piedra)* rock **2.** *(acantilado)* cliff **3.** *(de amigos)* group

peñasco [pe'ɲasko] *m* large rock

peón [pe'on] *m* **1.** *(obrero)* labourer **2.** *(en ajedrez)* pawn

peonza [pe'onθa] *f* (spinning) top

peor [pe'or] ◇ *adj & adv* worse ◇ *interj* too bad! ● **el/la peor** the worst ● **el que lo hizo peor** the one who did it worst

pepino [pe'pino] *m* cucumber

pepita [pe'pita] *f* **1.** *(de fruta)* pip (UK), seed (US) **2.** *(de metal)* nugget

pequeño, ña [pe'keɲo, ɲa] *adj* **1.** small, little **2.** *(cantidad)* low **3.** *(más joven)* little

pera ['pera] *f* pear

peral [pe'ral] *m* pear tree

percebe [per'θeβe] *m* barnacle

percha ['pertʒa] *f* (coat) hanger

perchero [per'tʒero] *m* **1.** *(de pared)* clothes' rail **2.** *(de pie)* coat stand

percibir [perθi'βir] *vt* **1.** *(sentir, notar)* to notice **2.** *(cobrar)* to receive

perdedor, ra [perðe'ðor, ra] *m,f* loser

perder [per'ðer] ◇ *vt* **1.** to lose **2.** *(tiempo)* to waste **3.** *(tren, oportunidad)* to miss ◇ *vi* **1.** *(en competición)* to lose **2.** *(empeorar)* to get worse ● **echar a perder** *(fam)* to spoil ● **perderse** *vp* *(extraviarse)* to get lost

pérdida ['perðiða] *f* loss

perdigón [perði'yon] *m* pellet

perdiz [per'ðiθ, θes] *(pl* **-ces)** *f* partridge

perdón [per'ðon] ◇ *m* forgiveness ◇ *interj* sorry! ● **perdón, ¿me deja entrar?** excuse me, can I come in?

perdonar [perðo'nar] *vt* *(persona)* to forgive ● **perdonar algo a alguien** *(obligación, castigo, deuda)* to let sb off sthg; *(ofensa)* to forgive sb for sthg

peregrinación [pereyrina'θjon] *f* *(romería)* pilgrimage

peregrino, na [pere'yrino, na] *m,f* pilgrim

perejil [pere'xil] *m* parsley

pereza [pe'reθa] *f* **1.** *(gandulería)* laziness **2.** *(lentitud)* sluggishness

perezoso, sa [pere'θoso, sa] *adj* lazy

perfección [perfek'θjon] *f* perfection

perfeccionista [perfekθjo'nista] *mf* perfectionist

perfectamente [per fekta'mente] *adv* **1.** *(sobradamente)* perfectly **2.** *(muy bien)* fine

perfecto, ta [per'fekto, ta] *adj* perfect

perfil [per'fil] *m* **1.** *(contorno)* outline **2.** *(de cara)* profile ● **de perfil** in profile

perforación [perfora'θjon] *f MED* puncture

perforar [perfo'rar] *vt* to make a hole in

perfumar [perfu'mar] *vt* to perfume ● **perfumarse** *vp* to put on perfume

perfume [perˈfume] *m* perfume

perfumería [perfumeˈria] *f* perfumery

pergamino [perɣaˈmino] *m* parchment

pérgola [ˈperɣola] *f* pergola

periferia [periˈferja] *f* (de ciudad) outskirts *pl*

periódico, ca [peˈrjoðiko, ka] ◇ *adj* periodic ◇ *m* newspaper

periodismo [perjoˈðizmo] *m* journalism

periodista [perjoˈðista] *mf* journalist

período [peˈrioðo] *m* period

periquito [periˈkito] *m* parakeet

peritaje [periˈtaxe] *m* expert's report

perito, ta [peˈrito, ta] *m,f* 1. (experto) expert 2. (ingeniero técnico) technician

perjudicar [perxuðiˈkar] *vt* to harm

perjuicio [perˈxwiθjo] *m* harm

perla [ˈperla] *f* pearl ● me va de perlas it's just what I need

permanecer [permaneˈθer] *vi* (seguir) to remain ● permanecer (en) (quedarse en) to stay (in)

permanencia [permaˈnenθja] *f* continued stay

permanente [permaˈnente] ◇ *adj* permanent ◇ *f* perm

permiso [perˈmiso] *m* 1. (autorización) permission 2. (documento) permit 3. (de soldado) leave ● permiso de conducir driving licence (UK), driver's license (US)

permitir [permiˈtir] *vt* to allow

pernoctar [pernokˈtar] *vi* to spend the night

pero [ˈpero] *conj* but ● pero ¿no lo has visto? you mean you haven't seen it?

perpendicular [perpendikuˈlar] ◇ *adj*

perpendicular ◇ *f* perpendicular line ● perpendicular a at right angles to

perpetuo, tua [perˈpetwo, twa] *adj* perpetual

perplejo, ja [perˈplexo, xa] *adj* bewildered

perra [ˈpera] *f* 1. (rabieta) tantrum 2. (dinero) penny ➣ perro

perrito [peˈrito] *m* ● perrito caliente hot dog

perro, rra [ˈpero, ra] *m,f* dog (*f* bitch)

persecución [persekuˈθjon] *f* (seguimiento) pursuit

perseguir [perseˈɣir] *vt* to pursue

persiana [perˈsjana] *f* blind

persona [perˈsona] *f* person ● cuatro personas four people ● en persona in person ● las personas adultas adults ● ser buena persona to be nice

personaje [persoˈnaxe] *m* 1. (celebridad) celebrity 2. (en cine, teatro) character

personal [persoˈnal] ◇ *adj* personal ◇ *m* 1. (empleados) staff 2. (fam) (gente) people *pl* ▾ sólo personal autorizado staff only

personalidad [personaliˈðað] *f* personality

perspectiva [perspekˈtiβa] *f* 1. (vista, panorama) view 2. (aspecto) perspective 3. (esperanzas, porvenir) prospect

persuadir [perswaˈðir] *vt* to persuade

persuasión [perswaˈsjon] *f* persuasion

pertenecer [perteneˈθer] *vi* ● pertenecer a to belong to; (corresponder a) to belong in

perteneciente [perteneˈθjente] *adj* ● perteneciente a belonging to

pertenencias [perteˈnenθjas] *fpl* (objetos

personales) belongings

Perú [pe'ru] *m* • **(el) Perú** Peru

peruano, na [pe'ruano, na] *adj & m,f* Peruvian

pesa ['pesa] *f* weight • **pesas** *fpl (en gimnasia)* weights

pesadez [pesa'ðeθ] *f* 1. *(molestia)* drag 2. *(sensación)* heaviness

pesadilla [pesa'ðiʎa] *f* nightmare

pesado, da [pe'saðo, ða] *adj* 1. *(carga, sueño)* heavy 2. *(broma)* bad 3. *(agotador)* tiring 4. *(aburrido)* boring 5. *(persona)* annoying

pesadumbre [pesa'ðumbre] *f* sorrow

pésame ['pesame] *m* • **dar el pésame** to offer one's condolences

pesar [pe'sar] ◇ *m (pena)* grief ◇ *vt* to weigh ◇ *vi* 1. *(tener peso)* to weigh 2. *(ser pesado)* to be heavy 3. *(influir)* to carry weight • **me pesa tener que hacerlo** it grieves me to have to do it • **a pesar de** in spite of

pesca ['peska] *f* 1. *(actividad)* fishing 2. *(captura)* catch

pescadería [peskaðe'ria] *f* fishmonger's (shop)

pescadero, ra [peska'ðero, ra] *m,f* fishmonger

pescadilla [peska'ðiʎa] *f* whiting

pescado [pes'kaðo] *m* fish

pescador, ra [peska'ðor, ra] *m,f* fisherman (*f* fisherwoman)

pescar [pes'kar] *vt* 1. *(peces)* to fish for 2. *(fam) (pillar)* to catch

pesebre [pe'seβre] *m* 1. *(establo)* manger 2. *(belén)* crib

pesero [pe'sero] *m (CAm & Méx) small bus used in towns*

peseta [pe'seta] *f* peseta

pesimismo [pesi'mizmo] *m* pessimism

pesimista [pesi'mista] *adj* pessimistic

pésimo, ma ['pesimo, ma] *adj* awful

peso ['peso] *m* 1. weight 2. *(moneda)* peso

pesquero, ra [pes'kero, ra] ◇ *adj* fishing ◇ *m (barco)* fishing boat

pestañas [pes'taɲas] *fpl* eyelashes

peste ['peste] *f* 1. *(mal olor)* stink 2. *(enfermedad)* plague

pesticida [pesti'θiða] *m* pesticide

pestillo [pes'tiʎo] *m* 1. *(cerrojo)* bolt 2. *(en verjas)* latch

pétalo ['petalo] *m* petal

petanca [pe'tanka] *f* boules *form of bowls using metal balls, played in public areas*

petardo [pe'tarðo] *m* firecracker

petición [peti'θion] *f (solicitud)* request

peto ['peto] *m (vestidura)* bib

petróleo [pe'troleo] *m* oil

petrolero, ra [petro'lero, ra] ◇ *adj* oil *(antes de s)* ◇ *m (barco)* oil tanker

petrolífero, ra [petro'lifero, ra] *adj* oil *(antes de s)*

petulancia [petu'lanθia] *f (comentario)* opinionated remark

petulante [petu'lante] *adj* opinionated

petunia [pe'tunia] *f* petunia

pez [peθ, θes] *m (pl* **-ces***)* fish • **pez espada** swordfish

pezón [pe'θon] *m (de mujer)* nipple

pezuña [pe'θuɲa] *f* hoof

pianista [pia'nista] *mf* pianist

piano ['piano] *m* piano • **piano bar** piano bar • **piano de cola** grand piano

piar [pi'ar] *vi* to tweet

pibe, ba['piβe, βa] *m,f (RP) (fam)* boy (*f* girl)

picador, ra [pika'ðor, ra] *m,f (torero)* picador

picadora [pika'ðora] *f* mincer ➤ picador

picadura [pika'ðura] *f* 1. *(de mosquito, serpiente)* bite 2. *(de avispa, ortiga)* sting 3. *(tabaco picado)* (loose) tobacco

picante [pi'kante] *adj* 1. *(comida)* spicy 2. *(broma, chiste)* saucy

picar [pi'kar] ◇ *vt* 1. *(suj: mosquito, serpiente, pez)* to bite 2. *(suj: avispa, ortiga)* to sting 3. *(al toro)* to goad 4. *(piedra)* to hack at 5. *(carne)* to mince *(UK)*, to grind *(US)* 6. *(verdura)* to chop 7. *(billete)* to clip ◇ *vi* 1. *(comer un poco)* to nibble 2. *(sal, pimienta, pimiento)* to be hot 3. *(la piel)* to itch 4. *(sol)* to burn ● **picarse** *vp* 1. *(vino)* to go sour 2. *(muela)* to decay 3. *(fam) (enfadarse)* to get upset

pícaro, ra['pikaro, ra] *adj (astuto)* crafty

picas['pikas] *fpl (palo de la baraja)* spades

pichón [pi'tʃon] *m (young)* pigeon

picnic['piɣnik] *m* picnic

pico ['piko] *m* 1. *(de ave)* beak 2. *(de montaña)* peak 3. *(herramienta)* pickaxe ● **cincuenta y pico** fifty-odd ● **a las tres y pico** just after three o'clock

picor [pi'kor] *m* itch

picoso, sa [pi'koso, sa] *adj (Méx)* spicy

pie ['pie] *m* 1. foot 2. *(apoyo)* stand ● **a pie** on foot ● **en pie** *(válido)* valid ● **estar de pie** to be standing up ● **no hacer pie** *(en el agua)* to be out of one's depth ● **pies de cerdo** (pig's) trotters

piedad [pie'ðað] *f* pity

piedra ['pieðra] *f* 1. stone 2. *(granizo)* hailstone ● **piedra preciosa** precious stone

piel ['piel] *f* 1. *(de persona, animal, fruta)* skin 2. *(cuero)* leather 3. *(pelo)* fur

pierna ['pierna] *f* leg ● **estirar las piernas** to stretch one's legs ● **pierna de cordero** leg of lamb

pieza ['pieθa] *f* 1. piece 2. *(en mecánica)* part 3. *(en pesca, caza)* specimen ● **pieza de recambio** spare part

pijama [pi'xama] *m* pyjamas *pl*

pila ['pila] *f* 1. *(de casete, radio, etc)* battery 2. *(montón)* pile 3. *(fregadero)* sink ● **pila alcalina** alkaline battery ● **pila recargable** rechargeable battery

pilar [pi'lar] *m* pillar

píldora [pildora] *f* pill

pillar [pi'ʎar] *vt* 1. *(agarrar)* to grab hold of 2. *(atropellar)* to hit 3. *(dedos, ropa, delincuente)* to catch ● **pillar una insolación** *(fam)* to get sunstroke ● **pillar un resfriado** *(fam)* to catch a cold

pilotar [pilo'tar] *vt* 1. *(avión)* to pilot 2. *(barco)* to steer

piloto [pi'loto] ◇ *mf* 1. *(de avión)* pilot 2. *(de barco)* navigator ◇ *m* 1. *(luz de coche)* tail light 2. *(llama)* pilot light ● **piloto automático** automatic pilot

pimentón [pimen'ton] *m* paprika

pimienta [pi'mienta] *f* pepper *(for seasoning)* ● **a la pimienta verde** *in a green peppercorn sauce*

pimiento [pi'miento] *m (fruto)* pepper *(vegetable)* ● **pimientos del piquillo** *type of hot red pepper eaten baked*

pin ['pin] *m* pin *(badge)*

pincel [pin'θel] *m* paintbrush

pincha *mf (fam)* DJ

pinchar [pin'tʒaɾ] *vt* **1.** *(con aguja, pinchos)* to prick **2.** *(rueda)* to puncture **3.** *(globo, balón)* to burst **4.** *(provocar)* to annoy **5.** *(fam) (con inyección)* to jab ◆ **pincharse** *vp (fam) (drogarse)* to shoot up

pinchazo [pin'tʒaθo] *m* **1.** *(de rueda)* puncture *(UK)*, flat *(US)* **2.** *(en la piel)* prick

pinche ['pintʒe] *adj (Amér) (fam)* damned

pincho ['pintʒo] *m* **1.** *(punta)* point **2.** *(tapa)* aperitif on a stick, or a small sandwich ● **pincho moruno** shish kebab

ping-pong ® ['pim'poŋ] *m* table tennis, ping-pong *(US)*

pingüino [piŋ'ɡwino] *m* penguin

pino ['pino] *m* pine tree ● **los Pinos** *official residence of the Mexican president*

Los Pinos

This has been the official residence of the Mexican president and the seat of the country's government since 1935. In 1934, President Cárdenas refused to take up residence in Chapultepec Castle, choosing instead to live to the south of Chapultepec Forest in the *Rancho La Hormiga* which was later renamed *Los Pinos*.

pintada [pin'taða] *f* graffiti

pintado, da [pin'taðo, ða] *adj* **1.** *(colo-* reado) coloured **2.** *(maquillado)* made-up ▼ **recién pintado** wet paint

pintalabios [pinta'laβios] *m inv* lipstick

pintar [pin'taɾ] *vt* to paint ◆ **pintarse** *vp* to make o.s. up

pintor, ra [pin'tor, ra] *m,f* painter

pintoresco, ca [pinto'resko, ka] *adj* picturesque

pintura [pin'tuɾa] *f* **1.** *(arte, cuadro)* painting **2.** *(sustancia)* paint

piña ['piɲa] *f* **1.** *(ananás)* pineapple **2.** *(del pino)* pine cone **3.** *(fam)* close-knit group ● **piña en almíbar** pineapple in syrup ● **piña natural** fresh pineapple

piñata [pi'ɲata] *f* pot of sweets

piñón [pi'ɲon] *m (semilla)* pine nut

piojo ['pioxo] *m* louse

pipa ['pipa] *f* **1.** *(de fumar)* pipe **2.** *(semilla)* seed ● **pipas** *fpl (de girasol)* salted sunflower seeds

pipí [pi'pi] *m (fam)* wee, pee ● **hacer pipí** to have a wee-wee

pipiolo, la *m,f (fam & despec)* kiddie

pique ['pike] *m (fam) (enfado)* bad feeling ● **irse a pique** *(barco)* to sink

piragua [pi'raɣwa] *f* canoe

piragüismo [pira'ɣwizmo] *m* canoeing

pirámide [pi'ramiðe] *f* pyramid

piraña [pi'raɲa] *f* piranha

pirata [pi'rata] *adj & m* pirate

piratear [pirate'aɾ] *vt (programa informático)* to hack

Pirineos [piri'neos] *mpl* ● **los Pirineos** the Pyrenees

pirómano, na [pi'romano, na] *m,f* pyromaniac

piropo [pi'ropo] *m* flirtatious comment

pirueta [piˈrweta] f pirouette

pisada [piˈsaða] f 1. *(huella)* footprint 2. *(ruido)* footstep

pisar [piˈsar] vt to step on

piscina [pisˈθina] f swimming pool

Piscis [ˈpisθis] m Pisces

pisco [ˈpisko] m *(Amér)* strong liquor made from grapes, popular in Chile and Peru ● **pisco sour** *(Amér)* cocktail with pisco

piso [ˈpiso] m 1. *(vivienda)* flat *(UK)*, apartment *(US)* 2. *(suelo, planta)* floor 3. *(Amér)* *(fig)* *(influencia)* influence ● **piso bajo** ground floor

pisotón [pisoˈton] m stamp *(on sb's foot)*

pista [ˈpista] f 1. track 2. *(indicio)* clue ● **pista de aterrizaje** runway ● **pista de baile** dance floor ● **pista de despegue** runway ● **pista de esquí** ski slope ● **pista de tenis** tennis court

pistacho [pisˈtatʃo] m pistachio

pistola [pisˈtola] f pistol

pistolero [pistoˈlero] m gunman

pitar [piˈtar] vi 1. *(tocar el pito)* to blow a whistle 2. *(tocar la bocina)* to toot o honk *(US)* one's horn ● **salir pitando** *(fig)* to leave in a hurry

pitillera [pitiˈʎera] f cigarette case

pitillo [piˈtiʎo] m cigarette

pito [ˈpito] m whistle

pitón [piˈton] m 1. *(del toro)* tip of the horn 2. *(de botijo, jarra)* spout 3. *(serpiente)* python

pizarra [piˈθara] f 1. *(encerado)* blackboard 2. *(roca)* slate

pizarrón [piθaˈron] m *(Amér)* blackboard

pizza [ˈpiðsa] f pizza

pizzería [piðseˈria] f pizzería

pizzero, ra m,f 1. *(repartidor)* pizza delivery boy *(f girl)* 2. *(cocinero)* pizza chef

placa [ˈplaka] f 1. *(lámina)* plate 2. *(inscripción)* plaque 3. *(insignia)* badge

placer [plaˈθer] m pleasure ● **es un placer** it's a pleasure

plan [ˈplan] m 1. *(proyecto, intención)* plan 2. *(programa)* programme ● **hacer planes** to make plans ● **plan de estudios** syllabus

plancha [ˈplantʃa] f 1. *(para planchar)* iron 2. *(para cocinar)* grill 3. *(de metal)* sheet 4. *(fam)* *(error)* boob *(UK)*, blunder ● **a la plancha** grilled

planchar [planˈtʃar] vt to iron

planeta [plaˈneta] m planet

plano, na [ˈplano, na] ◇ adj flat ◇ m 1. *(mapa)* plan 2. *(nivel)* level 3. *(en cine, fotografía)* shot 4. *(superficie)* plane

planta [ˈplanta] f 1. *(vegetal, fábrica)* plant 2. *(del pie)* sole 3. *(piso)* floor ● **planta baja** ground floor *(UK)*, first floor *(US)* ● **segunda planta** second floor *(UK)*, third floor *(US)*

plantar [planˈtar] vt 1. *(planta, terreno)* to plant 2. *(poste)* to put in 3. *(tienda de campaña)* to pitch 4. *(persona)* to stand up ● **plantarse** vp 1. *(ponerse)* to plant o.s. 2. *(en naipes)* to stick

planteamiento [planteaˈmjento] m 1. *(exposición)* raising 2. *(perspectiva)* approach

plantear [planteˈar] vt 1. *(plan, proyecto)* to set out 2. *(problema, cuestión)* to raise ● **plantearse** vp to think about

plantilla [plan'tiʎa] *f* **1.** (*personal*) staff **2.** (*de zapato*) insole **3.** (*patrón*) template

plástico, ca ['plastiko] *adj & m* plastic • **de plástico** plastic

plastificar [plastifi'kar] *vt* to plasticize

plastilina ® [plasti'lina] *f* Plasticine ®, modeling clay (*US*)

plata ['plata] *f* **1.** silver **2.** (*Andes & RP*) (*fam*) (*dinero*) money **3.** • **de plata** silver

plataforma [plata'forma] *f* **1.** (*tarima*) platform **2.** (*del tren, autobús, etc*) standing room

plátano ['platano] *m* **1.** (*fruta*) banana **2.** (*árbol*) plane tree

platea [pla'tea] *f* stalls *pl* (*UK*), orchestra (*US*)

plateresco, ca [plate'resko, ka] *adj* plateresque

plática ['platika] *f* (*Amér*) chat

platicar [plati'kar] *vi* (*Amér*) to have a chat

platillo [pla'tiʎo] *m* **1.** (*plato pequeño*) small plate **2.** (*de taza*) saucer **3.** (*de balanza*) pan • **platillos** *mpl* (*en música*) cymbals

plato ['plato] *m* **1.** (*recipiente*) plate **2.** (*comida*) dish **3.** (*parte de una comida*) course • **plato combinado** *single-course meal usually of meat or fish with chips and vegetables* • **plato del día** today's special • **plato principal** main course • **platos caseros** home-made food *sg* • **primer plato** starter

platudo, da [pla'tuðo, ða] *adj* (*Andes & RP*) (*fam*) loaded

playa ['plaja] *f* beach • **ir a la playa de vacaciones** to go on holiday to the seaside • **playa de estacionamiento** (*CSur & Perú*) car park (*UK*), parking lot (*US*)

play-back ['pleiβak] *m* • **hacer play-back** to mime (the lyrics)

playeras [pla'jeras] *fpl* **1.** (*de deporte*) tennis shoes **2.** (*para la playa*) canvas shoes

plaza ['plaθa] *f* **1.** (*en una población*) square **2.** (*sitio, espacio*) space **3.** (*puesto, vacante*) job **4.** (*asiento*) seat **5.** (*mercado*) market • **plaza de toros** bullring

plazo ['plaθo] *m* **1.** (*de tiempo*) period **2.** (*pago*) instalment • **hay 20 días de plazo** the deadline is in 20 days • **a corto plazo** in the short term • **a largo plazo** in the long term • **a plazos** in instalments

plegable [ple'ɣaβle] *adj* (*silla*) folding

pleito ['pleito] *m* (*en un juicio*) lawsuit

plenamente [ˌplena'mente] *adv* completely

plenitud [pleni'tuð] *f* (*apogeo*) peak

pleno, na ['pleno, na] ◇ *adj* complete ◇ *m* plenary (session) • **en pleno día** in broad daylight • **en pleno invierno** in the middle of the winter

pliegue ['pljeɣe] *m* (*en tela*) pleat

plomería [plome'ria] *f* (*Amér*) plumbing

plomero [plo'mero] *m* (*Amér*) plumber

plomo ['plomo] *m* **1.** (*metal*) lead **2.** (*bala*) bullet **3.** (*fam*) (*persona pesada*) pain **4.** (*fusible*) fuse

pluma ['pluma] *f* **1.** (*de ave*) feather **2.** (*para escribir*) pen • **pluma estilográfica** fountain pen • **pluma fuente** (*Amér*) fountain pen

plumaje [plu'maxe] *m* 1. *(de ave)* plumage 2. *(adorno)* plume

plumero [plu'mero] *m* 1. *(para el polvo)* feather duster 2. *(estuche)* pencil case 3. *(adorno)* plume

plumier [plu'mjer, plu'mjers] *(pl* **plumiers**) *m* pencil case

plumilla [plu'miʎa] *f* nib

plumón [plu'mon] *m* down

plural [plu'ral] *adj & m* plural

pluralidad [plurali'ðað] *f (diversidad)* diversity

plusmarca [pluz'marka] *f* record

plusmarquista [pluzmar'kista] *mf* record holder

p.m. ['pe'eme] *(abr de post meridiem)* p. m. *(post meridiem)*

PM *(abr de policía militar)* MP *(Military Police)*

p.n. *(abr de peso neto)* nt. wt. *(net weight)*

p.o. *(abr de por orden)* by order

población [poβla'θjon] *f* 1. *(habitantes)* population 2. *(ciudad)* town 3. *(más grande)* city 4. *(pueblo)* village

poblado, da [po'βlaðo, ða] ◇ *adj* populated ◇ *m* 1. *(ciudad)* town 2. *(pueblo)* village

poblar [po'βlar] *vt (establecerse en)* to settle

pobre ['poβre] ◇ *adj* poor ◇ *mf (mendigo)* beggar

pobreza [po'βreθa] *f* 1. *(miseria)* poverty 2. *(escasez)* scarcity

pocilga [po'θilɣa] *f* pigsty

pocillo [po'θiʎo] *m (Amér)* small coffee cup

poco, ca ['poko, ka] ◇ *adj & pron* 1. *(en singular)* little, not much 2. *(en plural)* few, not many ◇ *adv* 1. *(con escasez)* not much 2. *(tiempo corto)* not long ● **tengo poco dinero** I don't have much money ● **unos pocos días** a few days ● **tengo pocos** I don't have many ● **come poco** he doesn't eat much ● **dentro de poco** shortly ● **hace poco** not long ago ● **poco a poco** bit by bit ● **por poco** almost ● **un poco (de)** a bit (of)

poda ['poða] *f (acto)* pruning

podar [po'ðar] *vt* to prune

poder [po'ðer]
◇ *m* 1. *(facultad, gobierno)* power ●
poder adquisitivo purchasing power ●
estar en el poder to be in power 2. *(posesión)* ● **estar en poder de alguien** to be in sb's hands
◇ *v aux* 1. *(tener facultad para)* can, to be able to ● **puedo hacerlo** I can do it 2. *(tener permiso para)* can, to be allowed to ● **¿se puede fumar aquí?** can I smoke here? ● **no puedo salir por la noche** I'm not allowed to go out at night 3. *(ser capaz moralmente de)* can ● **no podemos abandonarle** we can't abandon him 4. *(tener posibilidad)* may, can ● **puedo ir en barco o en avión** I can go by boat or by plane ● **podías haber cogido el tren** you could have caught the train 5. *(expresa queja, reproche)* ● **¡podría habernos invitado!** she could have invited us! 6. *(en locuciones)* ● **es tonto a o hasta más no poder** he's as stupid as can be ● **no poder más** *(estar lleno)* to be full (up); *(estar enfadado)* to have had enough; *(estar*

cansado) to be too tired to carry on • ¿**se puede?** may I come in?

◇ *vi (ser posible)* may • **puede ser que llueva** it may rain • **no puede ser verdad** it can't be true • **¿vendrás mañana? - puede** will you come tomorrow? - I may do

◇ *vt (tener más fuerza que)* to be stronger than

• **poder con** *v + prep (enfermedad, rival)* to be able to overcome; *(tarea, problema)* to be able to cope with • **no puedo con tanto trabajo** I can't cope with all this work

poderoso, sa [poðeˈroso, sa] *adj* powerful

podio [ˈpoðjo] *m* podium

podrido, da [poˈðriðo, ða] ◇ *pp* > **pudrir** ◇ *adj* rotten

poema [poˈema] *m* poem

poesía [poeˈsia] *f* **1.** *(poema)* poem **2.** *(arte)* poetry

poeta [poˈeta] *mf* poet

poético, ca [poˈetiko, ka] *adj* poetic

polar [poˈlar] *adj* polar

polaroid ® [polaˈrojð] *f* Polaroid ®

polea [poˈlea] *f* pulley

polémica [poˈlemika] *f* controversy

polémico, ca [poˈlemiko, ka] *adj* controversial

polen [ˈpolen] *m* pollen

polichinela [politʃiˈnela] *m (títere)* marionette

policía [poliˈθia] ◇ *f (cuerpo)* police ◇ *mf* policeman *(f* policewoman) • **policía municipal** o **urbana** local police who deal mainly with traffic offences and administrative matters • **policía nacional** national police

policíaco, ca [poliˈθiako, ka] *adj* police *(antes de s)*

polideportivo [poliðeporˈtiβo] *m* sports centre

poliéster [poˈljester] *m* polyester

políglota [poˈliɣlota] *mf* polyglot

polígono [poˈliɣono] *m* • **polígono industrial** industrial estate *(UK)* o park *(US)*

politécnica [poliˈteɣnika] *f university faculty devoted to technical subjects*

política [poˈlitika] *f* **1.** *(arte de gobernar)* politics **2.** *(modo de gobernar)* policy > **político**

político, ca [poˈlitiko, ka] ◇ *m,f* politician ◇ *adj* political • **hermano político** brother-in-law

póliza [ˈpoliθa] *f* **1.** *(de seguros)* policy **2.** *(sello)* stamp on a document proving payment of tax

pollito [poˈʎito] *m* chick

pollo [ˈpoʎo] *m* chicken • **pollo al ajillo** chicken pieces fried in garlic until crunchy • **pollo asado** roast chicken • **pollo a l'ast** chicken roasted on a spit • **pollo al curry** chicken curry • **pollo a la plancha** grilled chicken

polluelo [poˈʎwelo] *m* chick

polo [ˈpolo] *m* **1.** *(helado)* ice lolly *(UK)*, Popsicle ® *(US)* **2.** *(de una pila)* pole **3.** *(jersey)* polo shirt **4.** *(juego)* polo

Polonia [poˈlonja] *s* Poland

Polo Norte [ˈpoloˈnorte] *m* • **el Polo Norte** the North Pole

Polo Sur [ˈpoloˈsur] *m* • **el Polo Sur** the South Pole

polución [poluˈθjon] *f* pollution

polvera [polˈβera] *f* powder compact

polvo ['polβo] *m* dust ◆ **polvos** *mpl (en cosmética, medicina)* powder *sg* ◆ **polvos de talco** talcum powder *sg*

pólvora ['polβora] *f* gunpowder

polvoriento, ta [polβo'rjento, ta] *adj* dusty

polvorón [polβo'c] *m* powdery sweet made of flour, sugar and butter

pomada [po'maða] *f* ointment

pomelo [po'melo] *m* grapefruit

pomo ['pomo] *m* knob

pómulo ['pomulo] *m* cheekbone

ponchar [pon'tʒar] *vt (CAm & Méx)* to puncture ◆ **poncharse** *vp (CAm & Méx)* to get a puncture *(UK)*, flat *(US)*

poner [po'ner]

◇ *vt* **1.** *(colocar, añadir)* to put ● **pon el libro en el estante** put the book on the shelf ● **pon más azúcar al café** put some more sugar in the coffee **2.** *(vestir)* ● **poner algo a alguien** to put sthg on sb **3.** *(contribuir, invertir)* to put in ● **puso su capital en el negocio** he put his capital into the business **4.** *(hacer estar de cierta manera)* ● **me has puesto colorado** you've made me blush ● **lo puso de mal humor** it put him in a bad mood **5.** *(radio, televisión, luz, etc)* to switch on; *(gas, instalación)* to put in **6.** *(oponer)* ● **poner inconvenientes** to raise objections **7.** *(telegrama, fax)* to send; *(conferencia)* to make ● **¿me pones con Juan?** can you put me through to Juan? **8.** *(asignar, imponer)* to fix ● **le han puesto una multa** they've fined him ● **¿qué nombre le han puesto?** what have they called her? **9.** *(aplicar facultad)* to put ● **no**

pone ningún interés he shows no interest **10.** *(montar)* to set up; *(casa)* to do up; *(tienda de campaña)* to pitch ● **han puesto una tienda nueva** they've opened a new shop **11.** *(en cine, teatro, televisión)* to show ● **¿qué ponen en la tele?** what's on (the) telly? **12.** *(escribir, decir)* to say ● **no sé qué pone ahí** I don't know what that says **13.** *(suponer)* to suppose ● **pongamos que sucedió así** (let's) suppose that's what happened **14.** *(en locuciones)* ● **poner en marcha** *(iniciar)* to start

◇ *vi (ave)* to lay *(eggs)*

◆ **ponerse** *vp (ropa, gafas, maquillaje)* to put on; *(estar de cierta manera)* to become; *(astro)* to set ● **ponte aquí** stand here ● **se puso rojo** he went red ● **ponerse bien** *(de salud)* to get better ● **ponerse malo** to fall ill

poniente [po'njente] *m (oeste)* west

popa ['popa] *f* stern

popote [po'pote] *m (Méx)* straw

popular [popu'lar] *adj* **1.** *(del pueblo)* of the people **2.** *(arte, música)* folk **3.** *(famoso)* popular

popularidad [populari'ðað] *f* popularity

póquer ['poker] *m* poker

por [por] *prep* **1.** *(causa)* because of ● **se enfadó por tu comportamiento** she got angry because of your behaviour **2.** *(finalidad)* (in order) to ● **lo hizo por complacerte** he did it to please you ● **lo compré por ti** I bought it for you ● **luchar por algo** to fight for sthg **3.** *(medio, modo, agente)* by ● **por mensajero/fax** by courier/fax ● **por escrito** in writing ● **el récord fue batido por el**

atleta the record was broken by the athlete **4.** *(tiempo)* ● **por la mañana/tarde** in the morning/afternoon ● **por la noche** at night ● **por unos días** for a few days ● **creo que la boda será por abril** I think the wedding will be some time in April **5.** *(aproximadamente en)* ● **está por ahí** it's round there somewhere ● **¿por dónde vive?** whereabouts does she live? **6.** *(a través de)* through ● **pasar por la aduana** to go through customs ● **entramos en Francia por Irún** we entered France via Irún **7.** *(a cambio, en lugar de)* for ● **cambió el coche por una moto** he exchanged his car for a motorbike **8.** *(distribución)* per ● **cinco euros por unidad** five euros each ● **20 km por hora** 20 km an hour **9.** *(en matemáticas)* times ● **dos por dos igual a cuatro** two times two is four

porcelana [porθe'lana] *f* **1.** *(material)* porcelain **2.** *(vasija)* piece of porcelain

porcentaje [porθen'taxe] *m* percentage

porche ['portʃe] *m* porch

porción [por'θjon] *f* **1.** *(cantidad)* portion **2.** *(parte)* share

porno ['porno] *adj (fam)* porno, porn

pornografía [pornoɣra'fia] *f* pornography

pornográfico, ca [porno'ɣrafiko, ka] *adj* pornographic

porque ['porke] *conj* because

porqué [por'ke] *m* reason ● **el porqué de algo** the reason for sthg

porrón [po'ron] *m* wine jar with a long spout for drinking

portaaviones [portaaβi'ones] *m inv* aircraft carrier

portada [por'taða] *f* **1.** *(de libro)* title page **2.** *(de revista)* cover

portador, ra [porta'ðor, ra] *m,f* carrier ● **al portador** *(cheque)* to the bearer

portaequipajes [,portaeki'paxes] *m inv* boot *(UK)*, trunk *(US)*

portafolios [porta'foljos] *m inv (carpeta)* file

portal [por'tal] *m* **1.** *(vestíbulo)* hallway **2.** *(entrada)* main entrance **3.** *(de Internet)* portal

portalámparas [porta'lamparas] *m inv* socket

portarse [por'tarse] *vp* to behave ● **portarse bien/mal** to behave well/badly

portátil [por'tatil] *adj* portable

portavoz [porta'βoθ, θes] *(pl* **-ces)** *mf* spokesman *(f* spokeswoman)

portazo [por'taðo] *m* slam ● **dar un portazo** to slam the door

portería [porte'ria] *f* **1.** *(conserjería)* porter's office *(UK)*, ≃ doorman's desk *(US)* **2.** *(en deporte)* goal

portero, ra [r'rpoteo, ra] *m,f* **1.** *(conserje)* porter, ≃ doorman *(US)* **2.** *(en deporte)* goalkeeper ● **portero electrónico** entryphone

Portugal [portu'ɣal] *s* Portugal

portugués, esa [portu'ɣes, esa] *adj & m, f* Portuguese

porvenir [porβe'nir] *m* future

posada [po'saða] *f* **1.** *(alojamiento)* accommodation **2.** *(hostal)* guesthouse

posarse [po'sarse] *vp* **1.** *(ave)* to perch **2.** *(insecto)* to settle

posavasos [posa'βasos] *m inv* coaster

posdata [poz'ðata] *f* postscript

pose ['pose] *f* pose

poseedor, ra [pose̯e'ðor, ra] *m,f* **1.** *(dueño)* owner **2.** *(de cargo, récord)* holder

poseer [pose'er] *vt* **1.** *(ser dueño de)* to own **2.** *(tener)* to have, to possess

posesión [pose'sjon] *f* possession

posesivo, va [pose'siβo, βa] *adj & m* possessive

posgrado *m* postgraduate course ● **estudios de posgrado** postgraduate studies

posibilidad [posiβili'ðað] *f* possibility

posible [po'siβle] *adj* possible

posición [posi'θjon] *f* **1.** position **2.** *(social)* status **3.** *(económica)* situation

positivamente [posi̯tiβa'mente] *adv* positively

positivo, va [posi'tiβo, βa] ◇ *adj* positive ◇ *m (en fotografía)* print

posmoderno, na [pozmo'ðerno, na] *adj* postmodern

poso ['poso] *m* sediment

postal [pos'tal] *f* postcard

poste ['poste] *m* post

póster ['poster] *m* poster

posterior [poste'rjor] *adj* **1.** *(en tiempo, orden)* subsequent **2.** *(en espacio)* back ● **posterior a** after

postre ['postre] *m* dessert ● **¿qué hay de postre?** what's for dessert? ● **postre de la casa** chef's special dessert

póstumo, ma ['postumo, ma] *adj* posthumous

postura [pos'tura] *f* position

potable [po'taβle] *adj* **1.** *(agua)* drinkable **2.** *(fam) (aceptable)* palatable

potaje [po'taxe] *m* stew ● **potaje de**

garbanzos chickpea stew

potencia [po'tenθja] *f* power

potenciar [poten'θjar] *vt* to foster

potro ['potro] *m* **1.** *(caballo)* colt **2.** *(en gimnasia)* vaulting horse

pozo ['poθo] *m (de agua)* well

p.p. *(abr de por poder)* p.p. *(per procurationem)*

práctica ['praktika] *f* **1.** practice **2.** *(de un deporte)* playing ● **prácticas** *fpl (de conducir)* lessons

practicante [prakti'kante] *mf (en religión)* practising member ● **practicante (ambulatorio)** medical assistant

practicar [prakti'kar] ◇ *vt* **1.** *(ejercer)* to practise **2.** *(deporte)* to play ◇ *vi* to practise

práctico, ca ['praktiko, ka] *adj* practical

pradera [pra'ðera] *f* large meadow, prairie

prado ['praðo] *m* meadow

pral. *abrev* = **principal**

precario, ria [pre'karjo, rja] *adj* precarious

precaución [prekau̯'θjon] *f* **1.** *(medida)* precaution **2.** *(prudencia)* care

precintado, da [preθin'taðo, ða] *adj* sealed

precio ['preθjo] *m* price ● **¿qué precio tiene?** how much is it? ● **precio fijo** fixed price ● **precio de venta al público** retail price ● **precios de coste** warehouse prices

preciosidad [preθjosi'ðað] *f (cosa preciosa)* beautiful thing

precioso, sa [pre'θjoso, sa] *adj* **1.** *(bonito)* lovely **2.** *(valioso)* precious

precipicio [preθi'piθjo] *m* precipice

precipitación [preθipita'θjon] *f* **1.** *(imprudencia, prisa)* haste **2.** *(lluvia)* rainfall

precipitado, da [preθipi'taðo, ða] *adj* hasty

precipitarse [preθipi'tarse] *vp (actuar sin pensar)* to act rashly

precisamente [pre,θisa'mente] *adv* precisely

precisar [preθi'sar] *vt* **1.** *(especificar)* to specify **2.** *(necesitar)* to need

preciso, sa [pre'θiso, sa] *adj* **1.** *(detallado, exacto)* precise **2.** *(imprescindible)* necessary

precoz [pre'koθ] *adj (persona)* precocious

predicar [preði'kar] *vt* to preach

predilecto, ta [preði'lekto, ta] *adj* favourite

predominar [preðomi'nar] *vi* to prevail

preescolar [preesko'lar] *adj* pre-school

preferencia [prefe'renθja] *f* **1.** preference **2.** *(en carretera)* right of way

preferible [prefe'riβle] *adj* preferable

preferir [prefe'rir] *vt* to prefer

prefijo [pre'fixo] *m* **1.** *(en gramática)* prefix **2.** *(de teléfono)* dialling code *(UK)*, area code *(US)*

pregón [pre'ɣon] *m (de fiesta)* opening speech

pregonar [preɣo'nar] *vt* **1.** *(noticia)* to announce **2.** *(secreto)* to spread about

pregonero [preɣo'nero] *m* town crier

pregunta [pre'ɣunta] *f* question ● **hacer una pregunta** to ask a question

preguntar [preɣun'tar] *vt* to ask ● **preguntar por** *v + prep* to ask after ● **preguntarse** *vp* to wonder

prehistórico, ca [preis'toriko, ka] *adj* prehistoric

prejuicio [pre'xwiθjo] *m* prejudice

premamá *adj inv* maternity *(antes de s)*

prematuro, ra [prema'turo, ra] *adj* premature

premeditación [premeðita'θjon] *f* premeditation

premiar [pre'mjar] *vt* to award a prize to

premio ['premjo] *m* **1.** prize **2.** *(recompensa)* reward ● **premio gordo** first prize

prenatal [prena'tal] *adj* antenatal *(UK)*, prenatal *(US)*

prenda ['prenda] *f* **1.** *(vestido)* item of clothing **2.** *(garantía)* pledge

prensa ['prensa] *f* press ● **la prensa** the press

preocupación [preokupa'θjon] *f* worry

preocupado, da [preoku'paðo, ða] *adj* worried

preocupar [preoku'par] *vt* to worry ● **preocuparse de** *v + prep (encargarse de)* to take care of ● **preocuparse por** *v + prep* to worry about

prepago *m* pre-payment ● **tarjeta de prepago** pre-paid card

preparación [prepara'θjon] *f* **1.** *(arreglo, disposición)* preparation **2.** *(formación)* training

preparar [prepa'rar] *vt* **1.** *(disponer)* to prepare **2.** *(maletas)* to pack **3.** *(estudiar)* to study for ● **prepararse** *vp (arreglarse)* to get ready

preparativos [prepara'tiβos] *mpl* preparations

preparatoria [prepara'torja] *f (Méx)* pre-university course in Mexico

preparatoria

The *preparatoria*, or *prepa* as it is colloquially known, is the name given to the three years of pre-university education undertaken by students in Mexico between the ages of 16 and 19.

preponderante [prepondeˈrante] *adj* prevailing

preposición [preposiˈθjon] *f* preposition

prepotente [prepoˈtente] *adj* dominant

presa [ˈpresa] *f* 1. (*de un animal*) prey 2. (*embalse*) dam ➤ **preso**

presbiterio [prezβiˈterjo] *m* chancel

prescindir [presθinˈdir] ◆ **prescindir de** *v + prep* (*renunciar a*) to do without; (*omitir*) to dispense with

presencia [preˈsenθja] *f* presence

presenciar [presenˈθjar] *vt* to attend

presentable [presenˈtaβle] *adj* presentable

presentación [presentaˈθjon] *f* 1. presentation 2. (*entre personas*) introduction

presentador, ra [presentaˈðor, ra] *m,f* presenter

presentar [presenˈtar] *vt* 1. to present 2. (*queja*) to lodge 3. (*a dos personas*) to introduce 4. (*excusas, respetos*) to offer 5. (*aspecto, apariencia*) to have ◆ **presentarse** *vp* 1. (*comparecer*) to turn up 2. (*como candidato, voluntario*) to put o.s. forward ◆ **presentarse a** (*examen*) to sit; (*elección*) to stand for

presente [preˈsente] *adj & m* present ◆ **tener presente** to remember

presentimiento [presentiˈmjento] *m* feeling, hunch

preservar [preserˈβar] *vt* to protect

preservativo [preserβaˈtiβo] *m* condom

presidencia [presiˈðenθja] *f* 1. (*cargo*) presidency 2. (*lugar*) president's office 3. (*grupo de personas*) board

presidencial [presiðenˈθjal] *adj* presidential

presidente, ta [presiˈðente, ta] *m,f* 1. (*de nación*) president 2. (*de asamblea*) chairperson

presidiario, ria [presiˈðjarjo, rja] *m,f* convict

presidir [presiˈðir] *vt* 1. (*ser presidente de*) to preside over 2. (*reunión*) to chair 3. (*predominar*) to dominate

presión [preˈsjon] *f* pressure ◆ **presión sanguínea** blood pressure

preso, sa [ˈpreso, sa] *m,f* prisoner

préstamo [ˈprestamo] *m* loan

prestar [presˈtar] *vt* 1. (*dinero*) to lend 2. (*colaboración, ayuda*) to give 3. (*declaración*) to make 4. (*atención*) to pay ◆ **prestarse a** *v + prep* 1. (*ofrecerse a*) to offer to 2. (*dar motivo a*) to be open to

prestigio [presˈtixjo] *m* prestige

presumido, da [presuˈmiðo, ða] *adj* conceited

presumir [presuˈmir] ◇ *vt* to presume ◇ *vi* to show off ◆ **presumir de guapo** to think o.s. good-looking

presunción [presunˈθjon] *f* 1. (*suposición*) assumption 2. (*vanidad*) conceit

presunto, ta [preˈsunto, ta] *adj* (*delincuente, etc*) alleged

presuntuoso, sa [presunˈtwoso, sa] *adj* conceited

presupuesto [presu'puesto] *m* **1.** *(cálculo)* budget **2.** *(de costo)* estimate

pretencioso, sa [preten'θjoso, sa] *adj* pretentious

pretender [preten'der] *vt* **1.** *(aspirar a)* to aim at **2.** *(afirmar)* to claim ● **pretender hacer algo** to try to do sthg

pretendiente [preten'djente] *mf* **1.** *(al trono)* pretender **2.** *(a una mujer)* suitor

pretensión [preten'sjon] *f* **1.** *(intención)* aim **2.** *(aspiración)* aspiration

pretexto [pre'teksto] *m* pretext

prever [pre'βer] *vt* **1.** *(presagiar)* to foresee **2.** *(prevenir)* to plan

previo, via ['preβjo, βja] *adj* prior

previsor, ra [preβi'sor, ra] *adj* farsighted

previsto, ta [pre'βisto, ta] *adj* *(planeado)* anticipated

primaria [pri'marja] *f (enseñanza)* primary school

primario, ria [pri'marjo, rja] *adj* **1.** *(primordial)* primary **2.** *(elemental)* primitive

primavera [prima'βera] *f* spring

primer [pri'mer] *núm* ➢ primero

primera [pri'mera] *f* **1.** *(velocidad)* first gear **2.** *(clase)* first class ● **de primera** first-class ➢ primero

primero, ra [pri'mero, ra] ◇ *núm & adv* first ◇ *m,f* ● **el primero de la clase** top of the class ● **a primeros de** at the beginning of ● **lo primero** the main thing ● **primera clase** first class ● **primeros auxilios** first aid *sg* ➢ sexto

primo, ma ['primo, ma] *m,f* **1.** *(familiar)* cousin **2.** *(fam) (bobo)* sucker

primogénito, ta [primo'xenito, ta] *m,f* firstborn (child)

princesa [prin'θesa] *f* princess

principado [prinθi'paðo] *m* principality

principal [prinθi'pal] ◇ *adj* main ◇ *m* first floor

príncipe ['prinθipe] *m* prince

principiante [prinθi'pjante] *m* beginner

principio [prin'θipjo] *m* **1.** *(inicio)* beginning **2.** *(causa, origen)* origin **3.** *(norma)* principle ● **a principios de** at the beginning of ● **al principio** at the beginning ● **en principio** in principle ● **por principios** on principle

pringoso, sa [prin'goso, sa] *adj (pegajoso)* sticky

prioridad [priori'ðað] *f* priority

prisa ['prisa] *f* **1.** *(rapidez)* speed **2.** *(urgencia)* urgency ● **darse prisa** to hurry up ● **tener prisa** to be in a hurry

prisión [pri'sjon] *f (cárcel)* prison

prisionero, ra [prisjo'nero, ra] *m,f* prisoner

prisma ['prizma] *m* prism

prismáticos [priz'matikos] *mpl* binoculars

privado, da [pri'βaðo, ða] *adj* private

privar [pri'βar] *vt* to deprive ◆ **privarse de** *v* + *prep* to go without

privilegiado, da [priβile'xjaðo, ða] *adj* privileged

privilegio [priβi'lexjo] *m* privilege

proa ['proa] *f* bows *pl*

probabilidad [proβaβili'ðað] *f* **1.** *(cualidad)* probability **2.** *(oportunidad)* chance

probable [pro'βaβle] *adj* probable

probador [proβa'ðor] *m* changing room *(UK)*, fitting room *(US)*

probar [pro'βar] ◇ *vt* **1.** *(demostrar)* to prove **2.** *(examinar)* to check **3.** *(comida, bebida)* to taste ◇ *vi* to try ◆ **probarse** *vp* *(ropa, zapato)* to try on

probeta [pro'βeta] *f* test tube

problema [pro'βlema] *m* problem

problemático, ca [proβle'matiko, ka] *adj* problematic

procedencia [proθe'ðenθja] *f* *(origen, fuente)* origin ◆ **con procedencia de** (arriving) from

procedente [proθe'ðente] *adj* *(oportuno)* appropriate ◆ **procedente de** from

proceder [proθe'ðer] ◇ *m* behaviour ◇ *vi* **1.** *(actuar)* to act **2.** *(ser oportuno)* to be appropriate ◆ **proceder de** *v + prep* to come from

procedimiento [proθeði'mjento] *m* *(método)* procedure

procesado, da [proθe'saðo, ða] *m,f* accused

procesar [proθe'sar] *vt* *(enjuiciar)* to try

procesión [proθe'sjon] *f* procession

proceso [pro'θeso] *m* **1.** process **2.** *(transcurso, evolución)* course **3.** *(juicio)* trial

proclamación [proklama'θjon] *f* proclamation

proclamar [prokla'mar] *vt* **1.** to proclaim **2.** *(aclamar)* to acclaim ◆ **proclamarse** *vp* to proclaim o.s.

procurar [proku'rar] *vt* ◆ **procurar hacer algo** to try to do sthg

prodigarse [proði'ɣarse] *vp* *(esforzarse)* to put o.s. out ◆ **prodigarse en algo** to overdo sthg

producción [proðuk'θjon] *f* **1.** production **2.** *(producto)* products *pl*

producir [proðu'θir] *vt* **1.** to produce **2.** *(provocar)* to cause ◆ **producirse** *vp* *(ocurrir)* to take place

productividad [proðuktiβi'ðað] *f* productivity

productivo, va [proðuk'tiβo, βa] *adj* **1.** *(que produce)* productive **2.** *(que da beneficio)* profitable

producto [pro'ðukto] *m* **1.** product **2.** *(de la tierra)* produce **3.** *(beneficios)* profit

productor, ra [proðuk'tor, ra] *m,f* producer

productora [proðuk'tora] *f* *(en cine)* production company ➤ **productor**

profecía [profe'θia] *f* prophecy

profesión [profe'sjon] *f* profession

profesional [profesjo'nal] *adj & mf* professional

profesionista [profesjo'nista] *mf* *(Amér)* professional

profesor, ra [profe'sor, ra] *m,f* teacher

profeta [pro'feta] *m* prophet

profiteroles [profite'roles] *mpl* profiteroles

profundidad [profundi'ðað] *f* depth ◆ **tiene dos metros de profundidad** it's two metres deep

profundo, da [pro'fundo, da] *adj* **1.** deep **2.** *(notable)* profound

programa [pro'ɣrama] *m* **1.** programme **2.** *(de estudios)* syllabus **3.** *(plan)* schedule **4.** *(en informática)* program

programación [proɣrama'θjon] *f* **1.** *(en televisión, radio)* programmes *pl* **2.** *(en informática)* programming

programador, ra [proɣrama'ðor, ra] *m,f* programmer

programar [proɣra'mar] *vt* **1.** *(planear)*

to plan **2.** *(en televisión, radio)* to put on **3.** *(en informática)* to program

progresar [proɣre'sar] *vi* to (make) progress

progresivo, va [proɣre'siβo, βa] *adj* progressive

progreso [pro'ɣreso] *m* progress

prohibición [proiβi'θjon] *f* ban

prohibido, da [proi'βiðo, ða] *adj* prohibited ▼ **prohibido aparcar** no parking ▼ **prohibido el paso** no entry ▼ **prohibido el paso a personas ajenas a la obra** no entry for unauthorised personnel ▼ **prohibido fijar carteles** billposters will be prosecuted ▼ **prohibido fumar** no smoking ▼ **prohibida la entrada** no entry ▼ **prohibida la entrada a menores** adults only

prohibir [proi'βir] *vt* **1.** *(vedar)* to forbid **2.** *(por ley)* to prohibit **3.** *(práctica existente)* to ban

prójimo ['proximo] *m* fellow human being

proliferación [prolifera'θjon] *f* proliferation

prólogo ['proloɣo] *m* *(en libro, revista)* introduction

prolongar [prolon'gar] *vt* **1.** *(alargar)* to extend **2.** *(hacer durar más)* to prolong ✦ **prolongarse** *vp* to go on

promedio [pro'meðjo] *m* average

promesa [pro'mesa] *f* promise

prometer [prome'ter] ◇ *vt* to promise ◇ *vi* to show promise ✦ **prometerse** *vp* to get engaged

prometido, da [prome'tiðo, ða] *m,f* fiancé *(f* fiancée)

promoción [promo'θjon] *f* **1.** *(ascenso)*

promocionar [promoθjo'nar] *vt* to promote ✦ **promocionarse** *vp* to promote o.s.

promotor, ra [promo'tor, ra] *m,f* promoter

pronóstico [pro'nostiko] *m* **1.** *(predicción)* forecast **2.** *(en medicina)* prognosis ● **pronóstico del tiempo** weather forecast

pronto ['pronto] *adv* **1.** *(temprano)* early **2.** *(dentro de poco)* soon **3.** *(rápidamente)* quickly ● **de pronto** suddenly ● **¡hasta pronto!** see you soon! ● **tan pronto como** as soon as

pronunciación [pronunθja'θjon] *f* pronunciation

pronunciar [pronun'θjar] *vt* **1.** to pronounce **2.** *(discurso)* to make

propaganda [propa'ɣanda] *f* advertising

propensión [propen'sjon] *f* ● **propensión a** a tendency towards

propenso, sa [pro'penso, sa] *adj* ● **ser propenso a** to have a tendency to

propicio, cia [pro'piθjo, θja] *adj* favourable

propiedad [propje'ðað] *f* **1.** property **2.** *(posesión)* ownership

propietario, ria [propje'tarjo, rja] *m,f* owner

propina [pro'pina] *f* tip

propina

A service charge is included in the bill in Spain, so people are not expected to leave a tip in bars and restaurants, although people do sometimes leave part or all of their change. It is also not customary to tip taxi drivers or hairdressers.

propio, pia ['propio, pia] *adj* **1.** *(de propiedad)* own **2.** *(peculiar)* characteristic **3.** *(apropiado)* appropriate **4.** *(natural)* natural • **el propio presidente** the president himself

proponer [propo'ner] *vt* to propose • **proponerse** *vp* to intend

proporcionado, da [proporθjo'naðo, ð a] *adj* proportionate

proporcionar [proporθjo'nar] *vt* **1.** *(facilitar)* to give, to provide **2.** *(ser causa de)* to add

proposición [proposi'θjon] *f (propuesta)* proposal

propósito [pro'posito] *m* **1.** *(intención)* intention **2.** *(objetivo)* purpose • **a propósito** *(adrede)* on purpose; *(por cierto)* by the way • **a propósito de** with regard to

propuesta [pro'pwesta] *f* proposal

prórroga ['prororᵧa] *f* **1.** *(aplazamiento)* extension **2.** *(en deporte)* extra time *(UK)*, overtime *(US)*

prorrogar [proro'ᵧar] *vt* to extend

prosa ['prosa] *f* prose

proscrito, ta [pros'krito, ta] *m,f* exile

prospecto [pros'pekto] *m* **1.** *(folleto)* leaflet **2.** *(de medicamento)* instructions leaflet

próspero, ra ['prospero, ra] *adj* prosperous

prostíbulo [pros'tiβulo] *m* brothel

prostitución [prostitu'θjon] *f* prostitution

prostituta [prosti'tuta] *f* prostitute

prota *mf (fam) (en cine, teatro)* lead

protagonista [protaᵧo'nista] *mf* **1.** *(de libro)* main character **2.** *(en cine, teatro)* lead

protección [protek'θjon] *f* protection

proteger [prote'xer] *vt* to protect • **protegerse** *vp (resguardarse)* to shelter

protegido, da [prote'xiðo, ða] *m,f* protegé *(f* protegée*)*

proteína [prote'ina] *f* protein

protesta [pro'testa] *f* protest

protestante [protes'tante] *mf* Protestant

protestar [protes'tar] *vi* to protest

protocolo [proto'kolo] *m* protocol

provecho [pro'βetʃo] *m* benefit • **¡buen provecho!** enjoy your meal! • **sacar provecho de** to make the most of

provechoso, sa [proβe'tʃoso, sa] *adj* advantageous

provenir [proβe'nir] • **provenir de** *v + prep* to come from

proverbio [pro'βerβjo] *m* proverb

provincia [pro'βinθja] *f* province

provisional [proβisjo'nal] *adj* provisional

provocación [proβoka'θjon] *f* provocation

provocar [proβo'kar] *vt* **1.** *(incitar, enojar)* to provoke **2.** *(excitar sexualmente)* to arouse **3.** *(causar)* to cause **4.** *(incendio)* to start • **¿te provoca hacerlo?** *(Andes)* do you feel like doing it?

provocativo, va [proβoka'tiβo, βa] *adj* provocative

próximo, ma ['proksimo, ma] *adj* **1.** *(cercano)* near **2.** *(ciudad, casa)* nearby

3. *(siguiente)* next ▼ **próximas llegadas** arriving next

proyección [projek'θion] *f* *(de película)* showing

proyectar [projek'tar] *vt* **1.** *(película)* to show **2.** *(luz)* to shine **3.** *(sombra, figura)* to cast **4.** *(idear)* to plan

proyecto [pro'jekto] *m* **1.** *(plan)* plan **2.** *(propósito)* project **3.** *(de ley)* bill

proyector [projek'tor] *m* *(de cine, diapositivas)* projector

prudencia [pru'ðenθia] *f* **1.** *(cautela)* caution **2.** *(moderación)* moderation

prudente [pru'ðente] *adj* **1.** *(cauteloso)* cautious **2.** *(sensato)* sensible

prueba ['prueβa] *f* **1.** *(testimonio)* proof **2.** *(ensayo, examen)* test **3.** *(competición)* event

psicoanálisis [sikoa'nalisis] *m inv* psychoanalysis

psicología [sikolo'xia] *f* psychology

psicológico, ca [siko'loxiko, ka] *adj* psychological

psicólogo, ga [si'koloɣo, ɣa] *m,f* psychologist

psicópata [si'kopata] *mf* psychopath

psiquiatra [si'kiatra] *mf* psychiatrist

psiquiátrico [si'kiatriko] *m* psychiatric hospital

psíquico, ca ['sikiko, ka] *adj* psychic

pta. *(abr de peseta)* pta. *(peseta)*

púa ['pua] *f* **1.** *(de planta)* thorn **2.** *(de peine)* tooth

pub ['puβ] *m* upmarket pub

pubertad [puβer'tað] *f* puberty

pubis ['puβis] *m inv* pubis

publicación [puβlika'θion] *f* publication

públicamente [ˌpuβlika'mente] *adv* publicly

publicar [puβli'kar] *vt* **1.** to publish **2.** *(noticia)* to make public

publicidad [puβliθi'ðað] *f* **1.** *(propaganda)* advertising **2.** *(en televisión)* adverts *pl* (UK), commercials *pl* (US)

publicitario, ria [puβliθi'tario, ria] *adj* advertising *(antes de s)*

público, ca ['puβliko, ka] ◇ *adj* **1.** public **2.** *(colegio)* state (UK), public (US) ◇ *m* **1.** *(en cine, teatro, televisión)* audience **2.** *(en partido)* crowd ● **en público** in public

pucha ['putʃa] *interj* *(Andes & RP)* good heavens!

pudding ['puðin] *m* pudding

pudor [pu'ðor] *m* **1.** *(recato)* modesty **2.** *(timidez)* shyness

pudrir [pu'ðrir] *vt* to rot ● **pudrirse** *vp* to rot

pueblo ['pueβlo] *m* **1.** people **2.** *(localidad pequeña)* village **3.** *(más grande)* town

puente ['puente] *m* bridge ● **hacer puente** to take a day off between two public holidays ● **puente aéreo** shuttle

puerco, ca ['puerko, ka] ◇ *adj* filthy ◇ *m, f* pig

puerro ['puero] *m* leek

puerta ['puerta] *f* **1.** door **2.** *(de jardín, ciudad)* gate **3.** *(en deporte)* goal ● **puerta de embarque** boarding gate ● **puerta principal** front door

puerto ['puerto] *m* **1.** *(de mar)* port **2.** *(de montaña)* pass ● **puerto deportivo** marina

Puerto Rico ['puerto'riko] *s* Puerto Rico

pues ['pues] *conj* **1.** *(ya que)* since **2.** *(así* que) so **3.** *(uso enfático)* well

puesta ['pwesta] *f* ● **puesta de sol** sunset

puesto, ta ['pwesto, ta] ◇ *pp* ➢ **poner** ◇ *adj (elegante)* smart ◇ *m* **1.** *(lugar)* place **2.** *(cargo)* job **3.** *(tienda pequeña)* stall *(UK)*, stand *(US)* **4.** *(de la Guardia Civil)* station

pulga ['pulɣa] *f* flea

pulgar [pul'ɣar] *m* thumb

pulidora [puli'ðora] *f* polisher

pulir [pu'lir] *vt* to polish

pulmón [pul'mon] *m* lung

pulmonía [pulmo'nia] *f* pneumonia

pulpa ['pulpa] *f* flesh

pulpo ['pulpo] *m* octopus ● **pulpo a la gallega** *octopus cooked with red pepper and spices*

pulsar [pul'sar] *vt* **1.** *(timbre, botón)* to press **2.** *(cuerdas de un instrumento)* to play

pulsera [pul'sera] *f* bracelet

pulso ['pulso] *m* **1.** *(latido)* pulse **2.** *(firmeza)* steady hand

puma ['puma] *m* puma

puna ['puna] *f (Andes & Arg) altitude sickness*

punk ['pank] *mf* punk

punta ['punta] *f* **1.** *(extremo agudo)* point **2.** *(extremo)* end **3.** *(de dedo)* tip **4.** *(de tierra)* point ● **en la punta de la lengua** on the tip of one's tongue

puntapié [punta'pje] *m* kick

puntera [pun'tera] *f* toecap

puntería [punte'ria] *f (habilidad)* marksmanship

puntiagudo, da [puntja'ɣuðo, ða] *adj* pointed

puntilla [pun'tiʎa] *f* point lace

punto ['punto] *m* **1.** point **2.** *(marca)* dot **3.** *(signo ortográfico)* full stop *(UK)*, period *(US)* **4.** *(lugar)* spot, place **5.** *(momento)* moment **6.** *(grado, intensidad)* level **7.** *(en cirugía, costura)* stitch ● **estar a punto de** to be about to ● **en punto** on the dot ● **hacer punto** to knit ● **dos puntos** colon *sg* ● **punto de encuentro** meeting point ● **punto muerto** neutral ● **punto de vista** point of view ● **punto y aparte** new paragraph ● **punto y coma** semi-colon ● **punto y seguido** full-stop ● **puntos suspensivos** suspension points

puntuación [puntwa'θjon] *f* **1.** *(en gramática)* punctuation **2.** *(en competición)* score **3.** *(en examen)* mark, grade *(US)*

puntual [puntu'al] *adj* **1.** *(persona)* punctual **2.** *(detallado)* detailed

puntualidad [puntuali'ðað] *f (de persona)* punctuality

puntualización [puntualiθa'θjon] *f* detailed explanation

puntualizar [puntuali'θar] *vt* to explain in detail

puntuar [puntu'ar] *vt* **1.** *(texto)* to punctuate **2.** *(examen)* to mark, to grade *(US)*

punzón [pun'θon] *m* punch

puñado [pu'naðo] *m* handful

puñal [pu'nal] *m* dagger

puñalada [puna'laða] *f* **1.** *(golpe)* stab **2.** *(herida)* stabwound

puñeta [pu'neta] *interj* damn!

puñetazo [pune'taθo] *m* punch

puñetero, ra [pune'tero, ra] *adj (fam)* damn

puño ['puɲo] *m* **1.** *(mano cerrada)* fist **2.** *(de arma)* hilt **3.** *(de camisa)* cuff **4.** *(de bastón, paraguas)* handle

pupa ['pupa] *f* **1.** *(en el labio)* blister **2. hacerse pupa** *(fam) (daño)* to hurt o.s.

pupitre [pu'pitre] *m* desk

puré [pu're] *m* **1.** *(concentrado)* purée **2.** *(sopa)* thick soup ● **puré de patatas** o **papas** *(Amér)* mashed potatoes *pl*

puritano, na [puri'tano, na] *adj* puritanical

puro, ra ['puro, ra] ◇ *adj* **1.** pure **2.** *(cielo)* clear **3.** *(verdad)* simple ◇ *m* cigar

puta ['puta] *f* *(vulg)* whore

puzzle ['puθle] *m* jigsaw puzzle

PVP *abrev* = precio de venta al público

pza. *(abr de plaza)* Sq. *(square)*

*q*Q

que [ke]
◇ *pron* **1.** *(cosa)* that, which ● **la moto que me gusta** the motorbike (that) I like ● **el libro que le regalé** the book (that) I gave her ● **la playa a la que fui** the beach I went to ● **el día en que me fui** the day I left **2.** *(persona: sujeto)* who, that ● **el hombre que corre** the man who's running **3.** *(persona: complemento)* whom, that ● **el hombre que conociste** the man you met ● **la chica a la que se lo presté** the girl to whom I lent it ● **la mujer con la que hablas** the woman you are talking to

◇ *conj* **1.** *(con oraciones de sujeto)* that ● **es importante que me escuches** it's important that you listen to me **2.** *(con oraciones de complemento directo)* that ● **me ha confesado que me quiere** he has told me that he loves me **3.** *(comparativo)* than ● **es más rápido que tú** he's quicker than you ● **antes morir que vivir la guerra** I'd rather die than live through a war **4.** *(expresa causa)* ● **hemos de esperar, que todavía no es la hora** we'll have to wait, as it isn't time yet **5.** *(expresa consecuencia)* that ● **tanto me lo pidió que se lo di** she asked for it so persistently that I gave it to her **6.** *(expresa finalidad)* so (that) ● **ven aquí que te vea** come here so (that) I can see you **7.** *(expresa deseo)* that ● **espero que te diviertas** I hope (that) you enjoy yourself ● **quiero que lo hagas** I want you to do it **8.** *(expresa disyunción)* or ● **quieras que no** whether you want to or not **9.** *(en oraciones exclamativas)* ● **¡que te diviertas!** have fun! ● **¡que sí/no!** I said yes/no!

qué ['ke] ◇ *adj* **1.** *(interrogativo)* what **2.** *(al elegir, concretar)* which ◇ *pron* what ◇ *adv* how ● **¿qué? (¿cómo?)** sorry?, excuse me? *(US)* ● **¿por qué (...)?** why (...)? ● **¿y qué?** so what?

quebrado [ke'βraðo] *m* fraction

quebrar [ke'βrar] ◇ *vt* to break ◇ *vi* to go bankrupt

quedar [ke'ðar] *vi* **1.** *(permanecer)* to remain, to stay **2.** *(haber suficiente, faltar)* to be left **3.** *(llegar a ser, resultar)* to turn out **4.** *(sentar)* to look **5.** *(estar situado)* to be ● **quedar en ridículo** to make a fool of o.s. ● **quedar por hacer** to remain to be done ● **quedar bien/mal con alguien** to make a good/bad impression on sb ● **quedar en nada** to come to nothing ◆ **quedar con** v + prep (citarse) to arrange to meet ◆ **quedar en** v + prep (acordar) to agree to ◆ **quedarse** vp 1. (permanecer) to stay 2. (cambio) to keep 3. (comprar) to take ● **se quedó ciego** he went blind ◆ **quedarse con** v + prep 1. (preferir) to go for 2. (fam) (burlarse de) to take the mickey out of (UK), to make fun of

quehacer [kea'θer] m task

quejarse [ke'xarse] vp 1. (protestar) to complain 2. (lamentarse) to cry out ● **quejarse de/por** to complain about

quejido [ke'xiðo] m cry

quemadura [kema'ðura] f burn

quemar [ke'mar] ◇ vt to burn ◇ vi to be (scalding) hot ◆ **quemarse** vp 1. (casa, bosque, etc) to burn down 2. (persona) to get burnt

querer [ke'rer] ◇ vt 1. (desear) to want 2. (amar) to love 3. (en preguntas formales) ● **¿quiere pasar?** would you like to come in? 4. (precio) to want 5. (requerir) to need ◇ vi 1. (apetecer) to want 2. (en locuciones) ● **queriendo** (con intención) on purpose ● **querer decir** to mean ● **sin querer** accidentally ◇ vi ● **parece que quiere llover** it looks like rain ● **quiere una bicicleta** she wants a bicycle ● **queremos que las cosas vayan bien** we want things to go well ● **quiero que vengas** I want you

to come ● **quisiera hacerlo** I would like to do it ● **tal vez él quiera acompañarte** maybe he'll go with you ● **quiere mucho a su hijo** he loves his son very much ● **¿cuánto quiere por el coche?** how much does he want for the car? ● **esta habitación quiere más luz** this room needs more light ● **ven cuando quieras** come whenever you like o want ● **estoy aquí porque quiero** I'm here because I want to be ◆ **quererse** vp to love each other

querido, da [ke'riðo, ða] adj dear

queso ['keso] m cheese ● **queso de bola** Gouda ● **queso manchego** hard, mild yellow cheese made in La Mancha ● **queso parmesano** Parmesan ● **queso rallado** grated cheese

quiebra ['kjeβra] f (de empresa) bankruptcy

quien [kjen] pron 1. (relativo sujeto) who 2. (relativo complemento) whom 3. (indefinido) whoever

quién [kjen] pron who ● **¡quién pudiera verlo!** if only I could have seen it! ● **¿quién es?** (en la puerta) who is it?; (al teléfono) who's speaking?

quieto, ta ['kjeto, ta] adj 1. (inmóvil) still 2. (inactivo) at a standstill 3. (de carácter) quiet

quilla ['kiʎa] f keel

quilo ['kilo] m = kilo

química ['kimika] f chemistry ➤ químico

químico, ca ['kimiko, ka] m,f chemist

quince ['kinθe] núm fifteen ➤ seis ● **quince días** fortnight (UK), two weeks (US)

quincena [kin'θena] *f* fortnight (*UK*), two weeks (*US*)

quiniela [ki'njela] *f* (*juego*) (football) pools *pl* (*UK*), ≃ sweepstakes *pl*

quinientos, tas [ki'njentos, tas] *núm* five hundred > **seis**

quinqué [kin'ke] *m* oil lamp

quinteto [kin'teto] *m* quintet

quinto, ta ['kinto, ta] ◇ *núm* fifth ◇ *m* (*recluta*) recruit > **sexto**

quiosco [ki'osko] *m* 1. (*puesto*) kiosk 2. (*de periódicos*) newspaper stand

quirófano [ki'rofano] *m* operating theatre (*UK*), operating room (*US*)

quisquilla [kis'kiʎa] *f* shrimp

quisquilloso, sa [kiski'ʎoso, sa] *adj* 1. (*detallista*) pernickety 2. (*susceptible*) touchy

quitamanchas [kita'mantʃas] *m inv* stain remover

quitar [ki'tar] *vt* 1. (*robar*) to take 2. (*separar, retirar, suprimir*) to remove 3. (*ropa, zapatos*) to take off ● **quitarle algo a alguien** to take sthg away from sb ● **quitarse** *vp* (*apartarse*) to get out of the way ● **quitarse la ropa** to take off one's clothes

quizá(s) [ki'θa(s)] *adv* perhaps

rábano ['raβano] *m* radish

rabia ['raβja] *f* 1. (*ira*) rage 2. (*enfermedad*) rabies

rabieta [ra'βjeta] *f* tantrum

rabioso, sa [ra'βjoso, sa] *adj* 1. (*enfermo*) rabid 2. (*violento*) furious

rabo ['raβo] *m* tail

racha ['ratʃa] *f* 1. (*de viento, aire*) gust 2. (*fam*) (*época*) spell ● **buena/mala racha** good/bad patch

racial [ra'θjal] *adj* racial

racimo [ra'θimo] *m* bunch

ración [ra'θjon] *f* 1. portion 2. (*en un bar*) large portion of a particular dish, served as a snack

racismo [ra'θizmo] *m* racism

racista [ra'θista] *mf* racist

radar [ra'ðar] *m* radar

radiación [raðja'θjon] *f* radiation

radiador [raðja'ðor] *m* radiator

radiante [ra'ðjante] *adj* radiant

radiar [ra'ðjar] *vt* 1. (*irradiar*) to radiate 2. (*en la radio*) to broadcast 3. (*en medicina*) to give X-ray treatment to

radical [raði'kal] *adj* radical

radio ['raðjo] ◇ *f* radio ◇ *m* 1. radius 2. (*de una rueda*) spoke

radioaficionado, da [ˌraðjoafiθjo'naðo, ða] *m,f* radio ham

radiocasete [ˌraðjoka'sete] *m o f* radio cassette (player)

radiodespertador [ˌraðjoðesperta'ðor] *m* clock radio (with alarm)

radiodifusión [ˌraðjoðifu'sjon] *f* broadcasting

radiodifusora [ˌraðjoðifu'sora] *f* (*Amér*) radiostation

radiografía [raðjoɣra'fia] *f* (*fotografía*) X-ray

radiólogo, ga [ra'ðjoloɣo, ɣa] *m,f* radiologist

radionovela [ˌraðjonoˈβela] *f* radio soap opera

radiorreloj [ˌraðjoreˈlox] *m* clock radio

radioyente [ˌraðjoˈjente] *mf* listener

ráfaga [ˈrafaɣa] *f* 1. *(de viento, aire)* gust 2. *(de luz)* flash 3. *(de disparos)* burst

rafia [ˈrafja] *f* raffia

rafting [ˈraftin] *m* white-water rafting

raíl [raˈil] *m* rail

raíz [raˈiθ] *f* root

raja [ˈraxa] *f* 1. *(grieta)* crack 2. *(porción)* slice

rajatabla [raxaˈtaβla] ● **a rajatabla** *adv* to the letter

rallador [raʎaˈðor] *m* grater

rallar [raˈʎar] *vt* to grate

rally [ˈrali, ˈralis] *(pl* **rallys**) *m* rally

rama [ˈrama] *f* branch

rambla [ˈrambla] *f* avenue

ramo [ˈramo] *m* 1. *(de flores)* bunch 2. *(de actividad)* branch

rampa [ˈrampa] *f* 1. *(pendiente)* steep incline 2. *(para ayudar el acceso)* ramp

rana [ˈrana] *f* frog

ranchera [ranˈtʃera] *f (Méx) popular Mexican song and dance*

rancho [ˈrantʃo] *m* 1. *(granja)* ranch 2. *(comida)* mess

rancio, cia [ˈranθjo, θja] *adj* 1. *(vino)* mellow 2. *(pasado)* rancid

rango [ˈrango] *m* 1. *(categoría social)* standing 2. *(en una jerarquía)* rank

ranura [raˈnura] *f* 1. *(surco)* groove 2. *(para monedas)* slot

rape [ˈrape] *m* monkfish ● **rape a la marinera** *monkfish cooked in a white wine and garlic sauce* ● **rape a la plancha** *grilled monkfish*

rápidamente [ˌrapiðaˈmente] *adv* quickly

rapidez [rapiˈðeθ] *f* speed

rápido, da [ˈrapiðo, ða] ◇ *adj* 1. *(veloz)* fast 2. *(que dura poco)* quick ◇ *adv* quickly ◇ *m (tren)* express train ● **rápidos** *mpl* rapids

raptar [rapˈtar] *vt* to abduct

raqueta [raˈketa] *f* 1. *(de tenis)* racquet 2. *(para la nieve)* snowshoe

raramente [ˌraraˈmente] *adv* rarely

raro, ra [ˈraro, ra] *adj* 1. *(poco frecuente)* unusual 2. *(extraño)* strange 3. *(escaso)* rare 4. *(extravagante)* odd

rascacielos [raskaˈθjelos] *m inv* skyscraper

rascador [raskaˈðor] *m* scraper

rascar [rasˈkar] *vt* 1. *(con las uñas)* to scratch 2. *(limpiar)* to scrub 3. *(pintura)* to scrape (off)

rasgar [razˈɣar] *vt* to tear

rasgo [ˈrazɣo] *m* 1. *(de rostro)* feature 2. *(característica)* characteristic 3. *(trazo)* stroke

raso, sa [ˈraso, sa] ◇ *adj* 1. *(superficie)* flat 2. *(cucharada, etc)* level ◇ *m* satin ● **al raso** in the open (air)

rastrillo [rasˈtriʎo] *m* 1. rake 2. *(Méx) (para barbear)* razor

rastro [ˈrastro] *m* 1. *(huella)* trace 2. *(mercadillo)* flea market

rastro

Street markets with stalls selling a variety of antique, second-hand and new goods are found in the majority of Spanish towns. The most famous, however, is *El Rastro* in Madrid. It is situated near the *Plaza Mayor* and is usually particularly busy on Sunday mornings.

rata ['rata] *f* rat

ratero, ra [ra'tero, ra] *m,f* petty thief

rato ['rato] *m* while ● **a ratos** from time to time ● **pasar un buen rato** to have a good time ● **pasar un mal rato** to have a hard time of it ● **ratos libres** spare time *sg*

ratón [ra'ton] *m* mouse

rattán [ra'tan] *m* (*Amér*) wicker

raya ['raja] *f* **1.** (*línea*) line **2.** (*estampado*) stripe **3.** (*del pelo*) parting **4.** (*de pantalón*) crease **5.** (*arañazo*) scratch **6.** (*pez*) ray ● **a** o **de rayas** stripy

rayo ['rajo] *m* **1.** ray **2.** (*de tormenta*) bolt of lightning ● **rayos** lightning *sg* ● **rayos-X** X-rays

raza ['raθa] *f* **1.** (*de personas*) race **2.** (*de animales*) breed ● **de raza** pedigree

razón [ra'θon] *f* reason ● **dar la razón a alguien** to say that sb is right ● **entrar en razón** to see reason ● **tener razón** to be right ▼ **se vende piso: razón portería** flat for sale: enquire at caretaker's office

razonable [raθo'naβle] *adj* reasonable

razonamiento [raθona'mjento] *m* reasoning

razonar [raθo'nar] ◇ *vt* to reason out ◇ *vi* to reason

reacción [reak'θjon] *f* reaction

reaccionar [reakθjo'nar] *vi* **1.** (*responder*) to react **2.** (*a tratamiento*) to respond

reactor [reak'tor] *m* **1.** (*avión*) jet

(*plane*) **2.** (*motor*) jet engine

real [re'al] *adj* **1.** (*verdadero*) real **2.** (*de rey*) royal

realeza [rea'leθa] *f* royalty

realidad [reali'ðað] *f* **1.** (*existencia*) reality **2.** (*verdad*) truth ● **en realidad** in fact

realismo [rea'lizmo] *m* realism

realización [realiθa'θjon] *f* **1.** (*de tarea, trabajo*) carrying-out **2.** (*de proyecto, plan*) implementation **3.** (*de deseo, sueño*) fulfilment **4.** (*de película*) production

realizar [reali'θar] *vt* **1.** (*tarea, trabajo*) to carry out **2.** (*proyecto, plan*) to implement **3.** (*deseo, sueño*) to fulfil **4.** (*película*) to produce

realmente [re,al'mente] *adv* **1.** (*en verdad*) actually **2.** (*muy*) really

realquilado, da [realki'laðo, ða] *m,f* sub-tenant

realquilar [realki'lar] *vt* to sublet

reanimación [reanima'θjon] *f* **1.** (*de fuerzas, energía*) recovery **2.** (*de enfermo*) revival **3.** (*del ánimo*) cheering-up

rebaja [re'βaxa] *f* **1.** (*de precio*) discount **2.** (*de altura, nivel, etc*) reduction ● **rebajas** *fpl* sales

rebajado, da [reβa'xaðo, ða] *adj* reduced

rebajar [reβa'xar] *vt* **1.** (*precio*) to reduce **2.** (*altura, nivel, etc*) to lower **3.** (*humillar*) to humiliate

rebanada [reβa'naða] *f* slice

rebanar [reβa'nar] *vt* to slice

rebaño [re'βaɲo] *m* (*de ovejas*) flock

rebelarse [reβe'larse] *vp* to rebel

rebelde [re'βelde] ◇ *adj* **1.** rebellious **2.**

(niño, pelo) unruly **3.** *(enfermedad)* persistent ◇ *mf* rebel

rebeldía [reβel'dia] *f* **1.** *(cualidad)* rebelliousness **2.** *(acción)* rebellion

rebelión [reβe'ljon] *f* rebellion

rebozado, da [reβo'θaðo, ða] *adj* coated in batter or fried breadcrumbs

rebozo [re'βoθo] *m (Amér)* shawl

recado [re'kaðo] *m (mensaje)* message

recaer [reka'er] *vi* **1.** *(en enfermedad)* to have a relapse **2.** *(en vicio, error, etc)* to relapse

recalcar [rekal'kar] *vt* to stress

recalentar [rekalen'tar] *vt* **1.** *(volver a calentar)* to warm up **2.** *(calentar demasiado)* to overheat ◆ **recalentarse** *vp* to overheat

recámara [re'kamara] *f (CAm, Col & Méx)* bedroom

recamarera [rekama'rera] *f (Amér)* maid

recambio [re'kambjo] *m* **1.** *(pieza)* spare (part) **2.** *(de pluma)* refill

recargar [rekar'yar] *vt* **1.** *(mechero, recipiente)* to refill **2.** *(batería)* to recharge **3.** *(arma)* to reload **4.** *(cargar demasiado)* to overload **5.** *(impuesto)* to increase

recato [re'kato] *m* **1.** *(pudor)* modesty **2.** *(prudencia)* caution

recepción [reθep'θjon] *f* reception

para presentarse en recepción

Si tienes una cita con alguien en una empresa, te presentas diciendo *hello, I'm Jenny Barton, I have an appointment with Michael Johnson.* Si

representas a una empresa, puedes decir *hello, I'm Jenny Barton from Robinson Associates, I have an appointment with...* Si se trata de un grupo de personas, sólo hace falta decir el nombre de la empresa: *hello, we're from Robinson Associates and we have an appointment with...* En un hotel, sólo hace falta dar el nombre de la persona que hizo la reserva: *hello, we've booked a room for 2 nights in the name of Barker.*

recepcionista [reθepθjo'nista] *mf* receptionist

receptor [reθep'tor] *m* receiver

recesión [reθe'sjon] *f* recession

receta [re'θeta] *f (de guiso)* recipe ◆ **receta (médica)** prescription

recetar [reθe'tar] *vt* to prescribe

rechazar [retʃa'θar] *vt* **1.** to reject **2.** *(físicamente)* to push away **3.** *(denegar)* to turn down

rechazo [re'tʃaθo] *m* rejection

recibidor [reθiβi'ðor] *m* entrance hall

recibimiento [reθiβi'mjento] *m* reception

recibir [reθi'βir] *vt* **1.** to receive **2.** *(dar la bienvenida a)* to welcome **3.** *(ir a buscar)* to meet ◆ **recibirse** *vp (Amér)* to graduate

recibo [re'θiβo] *m* receipt

reciclado, da [reθi'klaðo, ða] *adj* recycled

reciclaje [reθi'klaxe] *m (de papel, plástico, etc)* recycling

reciclar [reθi'klar] *vt* to recycle ◆ **reciclarse** *vp (persona)* to retrain

recién [re'θjen] *adv* recently ● **recién hecho** fresh ● **recién nacido** newborn baby ▼ **recién pintado** wet paint

reciente [re'θjente] *adj* recent

recientemente [re,θjente'mente] *adv* recently

recinto [re'θinto] *m* area

recipiente [reθi'pjente] *m* container

recital [reθi'tal] *m* **1.** *(de música pop)* concert **2.** *(de música clásica)* recital

recitar [reθi'tar] *vt* to recite

reclamación [reklama'θjon] *f* **1.** *(queja)* complaint **2.** *(petición)* claim ▼ **reclamaciones y quejas** complaints

reclamar [rekla'mar] *vt* to demand

recluir [reklu'ir] *vt* to shut away

reclusión [reklu'sjon] *f* **1.** *(encarcelamiento)* imprisonment **2.** *(voluntaria)* seclusion

recobrar [reko'βrar] *vt* to recover ●
recobrarse de *v + prep* to recover from

recogedor [rekoxe'ðor] *m* dustpan

recoger [reko'xer] *vt* **1.** *(coger)* to pick up **2.** *(reunir)* to collect **3.** *(fruta)* to pick **4.** *(ir a buscar)* to meet **5.** *(mesa)* to clear **6.** *(acoger)* to take in ● **recogerse** *vp* **1.** *(retirarse)* to withdraw **2.** *(acostarse)* to retire

recogida [reko'xiða] *f* **1.** *(de objetos, basura, etc)* collection **2.** *(de frutos)* harvest

recolección [rekolek'θjon] *f* *(de frutos)* harvesting

recomendar [rekomen'dar] *vt* to recommend

recompensa [rekom'pensa] *f* reward

recompensar [rekompen'sar] *vt* to reward

reconocer [rekono'θer] *vt* **1.** to recognize **2.** *(examinar)* to examine **3.** *(terreno)* to survey

reconocimiento [rekonoθi'mjento] *m* **1.** recognition **2.** *(agradecimiento)* gratitude **3.** *(en medicina)* examination

reconquista [rekon'kista] *f* *(Esp)* ● **la Rreconquista** the Reconquest *(of Spain)*

récord ['rekor] *m* record

recordar [rekor'ðar] *vt* to remember ●
me recuerda a mi tía she reminds me of my aunt

recorrer [reko'rer] *vt* **1.** *(país, etc)* to travel across **2.** *(distancia)* to cover

recorrido [reko'riðo] *m* **1.** *(trayecto)* route **2.** *(viaje)* journey ● **tren de largo recorrido** intercity train

recortar [rekor'tar] *vt* **1.** *(pelo)* to trim **2.** *(papel)* to cut out **3.** *(tela, gastos, precio)* to cut

recostarse [rekos'tarse] *vp* to lie down

recreo [re'kreo] *m* **1.** *(diversión)* recreation **2.** *(de escolares)* break

recta ['rekta] *f* straight line

rectangular [rektangu'lar] *adj* rectangular

rectángulo [rek'tangulo] *m* rectangle

rectitud [rekti'tuð] *f* rectitude

recto, ta ['rekto, ta] *adj* **1.** *(camino, línea, etc)* straight **2.** *(severo, honesto)* upright ● **todo recto** straight on

rector, ra [rek'tor, ra] *m,f* vice chancellor *(UK)*, president *(US)*

recuerdo [re'kþerðo] *m* **1.** *(del pasado)* memory **2.** *(de viaje)* souvenir ◆ **recuerdos** *mpl* *(saludos)* regards ● **dar recuerdos a** to give one's regards to

recuperación [rekupera'θion] *f* recovery

recuperar [rekupe'rar] *vt* **1.** to recover **2.** *(tiempo)* to make up ◆ **recuperarse** *vp (volver en sí)* to come to ◆ **recuperarse de** *v + prep* to recover from

recurrir [reku'rir] *vi (en juicio)* to appeal ● **recurrir a** *(pedir ayuda)* to turn to

recurso [re'kurso] *m* **1.** *(medio)* resort **2.** *(reclamación)* appeal ◆ **recursos** *mpl* resources ● **recursos humanos** human resources

red ['reð] *f* **1.** *(malla, en deporte)* net **2.** *(de pelo)* hairnet **3.** *(de carreteras, conductos, etc)* network **4.** *(de tiendas, empresas, etc)* chain

redacción [reðak'θion] *f* **1.** *(de texto, periódico)* editing **2.** *(en escuela)* essay **3.** *(estilo)* wording **4.** *(conjunto de personas)* editorial team **5.** *(oficina)* editorial office

redactar [reðak'tar] *vt* to write

redactor, ra [reðak'tor, ra] *m,f* **1.** *(escritor)* writer **2.** *(editor)* editor

redil [re'ðil] *m (sheep)* pen

redondeado, da [reðonde'aðo, ða] *adj* **1.** *(material, forma, etc)* rounded **2.** *(precio, cantidad, etc)* rounded up/down

redondel [reðon'del] *m* ring

redondo, da [re'ðondo, ða] *adj* **1.** round **2.** *(perfecto)* excellent

reducción [reðuk'θion] *f* reduction

reducir [reðu'θir] *vt* **1.** to reduce **2.** *(someter)* to suppress ◆ **reducirse a** *v + prep* to be reduced to

reembolsar [reembol'sar] *vt* **1.** *(gastos)* to reimburse **2.** *(dinero)* to refund **3.** *(deuda)* to repay

reembolso [reem'bolso] *m* **1.** *(de gastos)* reimbursement **2.** *(de dinero)* refund **3.** *(de deuda)* repayment ● **contra reembolso** cash on delivery

reemplazar [reempla'θar] *vt* to replace

reestrenar [reestre'nar] *vt* to re-release

reestreno [rees'treno] *m* re-release

reestructurar [reestruktu'rar] *vt* to restructure

refacción [refak'θion] *f* **1.** *(Chile & Méx)* spare (part) **2.** *(Andes & RP) (en edificio)* renovation

refaccionar [refakθio'nar] *vt (Amér)* to repair

referencia [refe'renθia] *f* reference ◆ **referencias** *fpl* references

referéndum [refe'rendum] *m* referendum

referente [refe'rente] *adj* ● **referente a** concerning

referirse [refe'rirse] ◆ **referirse a** *v + prep* to refer to

refinería [refine'ria] *f* refinery

reflector [reflek'tor] *m* spotlight

reflejar [refle'xar] *vt* to reflect ◆ **reflejarse** *vp* to be reflected

reflejo, ja [re'flexo, xa] ◇ *adj (movimiento)* reflex ◇ *m* **1.** *(luz)* gleam **2.** *(imagen)* reflection ◆ **reflejos** *mpl (reacción rápida)* reflexes ● **hacerse reflejos** to have highlights put in

reflexión [reflek'sion] *f* reflection

reflexionar [refleksio'nar] *vi* to reflect

reforma [re'forma] *f* **1.** reform **2.** *(de casa, edificio)* alteration **3.** *(de idea, plan)* change

reformar [refor'mar] *vt* **1.** to reform **2.** *(casa, edificio)* to do up **3.** *(idea, plan)* to alter ◆ **reformarse** *vp* to mend one's ways

reforzar [refor'θar] *vt* to reinforce

refrán [re'fran] *m* proverb

refrescante [refres'kante] *adj* refreshing

refresco [re'fresko] *m* soft drink

refrigerado, da [refrixe'raðo, ða] *adj (con aire acondicionado)* air-conditioned

refrigerador [refrixera'ðor] *m* refrigerator

refugiado, da [refu'xjaðo, ða] *m,f* refugee

refugiar [refu'xjar] *vt* to give refuge to ◆ **refugiarse** *vp* to take refuge

refugio [re'fuxjo] *m* 1. refuge 2. *(de guerra)* shelter

regadera [reɣa'ðera] *f* 1. *(para plantas)* watering can 2. *(Col, Méx & Ven) (ducha)* shower head

regalar [reɣa'lar] *vt* 1. *(obsequiar)* to give (as a present) 2. *(dar gratis)* to give away

regaliz [reɣa'liθ] *m* liquorice

regalo [re'ɣalo] *m* present, gift

regañar [reɣa'ɲar] ◇ *vt* to tell off ◇ *vi (pelearse)* to argue

regar [re'ɣar] *vt* 1. *(campos, plantas)* to water 2. *(suj: río)* to flow through

regata [re'ɣata] *f* 1. *(competición)* regatta 2. *(canal)* irrigation channel

regatear [reɣate'ar] *vt* 1. *(precio)* to haggle over 2. *(esfuerzos, ayuda)* to be sparing with 3. *(en deporte)* to beat, to dribble past

regazo [re'ɣaθo] *m* lap

regenerar [rexene'rar] *vt* 1. *(cosa)* to regenerate 2. *(persona)* to reform ◆

regenerarse *vp (persona)* to mend one's ways

regímen ['reximen] *m* 1. *(de alimentación)* diet 2. *(conjunto de normas)* rules *pl* 3. *(forma de gobierno)* regime

región [re'xjon] *f* region

regional [rexjo'nal] *adj* regional

regir [re'xir] ◇ *vt (dirigir)* to run ◇ *vi* to apply

registrar [rexis'trar] *vt* 1. *(inspeccionar)* to search 2. *(cachear)* to frisk 3. *(en lista, registro, cinta)* to record ◆ **registrarse** *vp (ocurrir)* to occur

registro [re'xistro] *m* 1. *(libro)* register 2. *(inspección)* search 3. *(de luz, agua, etc)* cupboard containing electricity/water meter ● **registro (civil)** registry office

regla ['reɣla] *f* 1. *(norma)* rule 2. *(instrumento)* ruler 3. *(menstruación)* period ● **en regla** in order ● **por regla general** as a rule ● **tener la regla** to have one's period

reglamento [reɣla'mento] *m* regulations *pl*

regrabadora *f* rewriter

regresar [reɣre'sar] ◇ *vt (Amér)* to return ◇ *vi* to return ◆ **regresarse** *vp (Amér)* to return

regreso [re'ɣreso] *m* return

regular [reɣu'lar] ◇ *adj* 1. *(uniforme)* regular 2. *(de tamaño)* medium 3. *(vuelo)* scheduled 4. *(habitual)* normal 5. *(mediocre)* average ◇ *vt* 1. *(reglamentar)* to regulate 2. *(mecanismo)* to adjust ◇ *adv* all right

regularidad [reɣulari'ðað] *f* regularity

rehabilitar [reaβili'tar] *vt* 1. *(local, casa, etc)* to restore 2. *(persona)* to rehabilitate

rehén [re'en] *mf* hostage

rehogar [reo'ɣar] *vt* to fry over a low heat

reina ['reina] *f* queen

reinado [rei'naðo] *m* reign

reinar [rei'nar] *vi* to reign

reincorporar [reinkorpo'rar] *vt* to reincorporate ◆ **reincorporarse a** *v + prep* to go back to

reino ['reino] *m* kingdom

Reino Unido ['reinou'niðo] *m* ● **el Reino Unido** the United Kingdom

reintegro [rein'teɣro] *m* 1. *(pago)* reimbursement 2. *(en banco)* withdrawal 3. *(en lotería)* return of one's stake

reír [re'ir] ◇ *vi* to laugh ◇ *vt* to laugh at ◆ **reírse de** *v + prep* to laugh at

reivindicación [reiβindika'θjon] *f* claim

reivindicar [reiβindi'kar] *vt* to claim

reja ['rexa] *f (de puerta, ventana)* bars *pl*

rejilla [re'xiʎa] *f* 1. *(para abertura)* grid 2. *(de ventana)* grille 3. *(de horno)* gridiron (*UK*), rack (*US*) 4. *(de silla)* wickerwork 5. *(para equipaje)* luggage rack

rejuvenecer [rexuβene'θer] *vt & vi* to rejuvenate

relación [rela'θjon] *f* 1. *(nexo)* relation 2. *(trato)* relationship 3. *(enumeración)* list 4. *(narración)* account ◆ **relaciones** *fpl* 1. *(amistades)* relations 2. *(influencias)* connections 3. *(noviazgo)* relationship *sg*

relacionar [relaθjo'nar] *vt* to relate ◆ **relacionarse** *vp* 1. *(ideas, objetos, etc)* to be related 2. *(personas)* to mix

relajación [relaxa'θjon] *f* relaxation

relajar [rela'xar] *vt* to relax ◆ **relajarse** *vp* to relax

relajo [re'laxo] *m (Amér)* commotion

relámpago [re'lampaɣo] *m* flash of lightning

relampaguear [relampaɣe'ar] *vi* ● **relampagueó** lightning flashed

relatar [rela'tar] *vt* to relate

relativo, va [rela'tiβo, βa] *adj* 1. *(no absoluto)* relative 2. *(escaso)* limited ● **relativo a** concerning

relato [re'lato] *m* 1. *(cuento)* tale 2. *(exposición)* account

relevo [re'leβo] *m* 1. *(sustitución)* relief 2. *(en deporte)* relay ◆ **relevos** *mpl* relay (race) *sg*

relieve [re'ljeβe] *m* 1. relief 2. *(importancia)* importance

religión [reli'xjon] *f* religion

religioso, sa [reli'xjoso, sa] ◇ *adj* religious ◇ *m,f (monje)* monk (*f* nun)

relinchar [relin'tʃar] *vi* to neigh

relincho [re'lintʃo] *m* neigh

rellano [re'ʎano] *m* landing

rellenar [reʎe'nar] *vt* 1. *(volver a llenar)* to refill 2. *(pastel)* to fill 3. *(pollo, almohada)* to stuff 4. *(formulario, documento)* to fill in

relleno, na [re'ʎeno, na] ◇ *adj* stuffed ◇ *m* 1. stuffing 2. *(de pastel)* filling

reloj [re'lox] *m* clock ● **reloj de arena** hourglass ● **reloj (de pared)** clock ● **reloj (de pulsera)** watch

relojería [reloxe'ria] *f* 1. *(tienda)* watchmaker's (shop) 2. *(taller)* watchmaker's workshop

relojero, ra [relo'xero, ra] *m,f* watchmaker

remar [re'mar] *vi* to row

remediar [reme'ðjar] *vt* 1. *(solucionar)* to put right 2. *(problema)* to solve

remedio [reˈmeðjo] *m* **1.** *(solución)* solution **2.** *(auxilio)* help **3.** *(para enfermedad)* remedy ● **no queda más remedio** there's nothing for it ● **no tener más remedio** to have no choice ● **sin remedio** hopeless

remendar [remenˈdar] *vt* to mend

remite [reˈmite] *m* sender's name and address *(UK)*, return address *(US)*

remitente [remiˈtente] *mf* sender

remitir [remiˈtir] *vt* to send ◆ **remitir a** *v + prep* to refer to

remo [ˈremo] *m* oar

remojar [remoˈxar] *vt* to soak

remojo [reˈmoxo] *m* ● **poner en remojo** to leave to soak

remolacha [remoˈlatʃa] *f* beetroot *(UK)*, beet *(US)*

remolcador [remolkaˈðor] *m* **1.** *(embarcación)* tugboat **2.** *(camión)* breakdown lorry *(UK)*, tow truck *(US)*

remolcar [remolˈkar] *vt* to tow

remolque [reˈmolke] *m* *(vehículo)* trailer

remontar [remonˈtar] *vt* to go up ◆ **remontarse a** *v + prep* to date back to

remordimiento [remorðiˈmjento] *m* remorse

remoto, ta [reˈmoto, ta] *adj* remote

remover [remoˈβer] *vt* **1.** *(café, sopa)* to stir **2.** *(tierra)* to dig up **3.** *(recuerdos)* to rake up

remuneración [remuneraˈθjon] *f* remuneration

renacuajo [renaˈkwaxo] *m* tadpole

rencor [renˈkor] *m* resentment

rendición [rendiˈθjon] *f* surrender

rendimiento [rendiˈmjento] *m* *(de motor)* performance

rendir [renˈdir] ◇ *vt (homenaje)* to pay ◇ *vi* **1.** *(máquina)* to perform well **2.** *(persona)* to be productive **3.** *(negocio, dinero)* to be profitable ◆ **rendirse** *vp* *(someterse)* to surrender

RENFE [ˈrenfe] *f Spanish state railway company*

reno [ˈreno] *m* reindeer

renovación [renoβaˈθjon] *f* **1.** *(de decoración, local)* renovation **2.** *(de contrato, carné)* renewal

renovar [renoˈβar] *vt* **1.** *(decoración, local)* to renovate **2.** *(contrato, carné, relación)* to renew **3.** *(vestuario)* to clear out

renta [ˈrenta] *f* **1.** *(ingresos)* income **2.** *(beneficio)* return **3.** *(alquiler)* rent

rentable [renˈtaβle] *adj* profitable

rentar [renˈtar] *vt (Amér)* to rent

renunciar [renunˈθjar] ◆ **renunciar a** *v + prep* **1.** *(prescindir de)* to give up **2.** *(declinar)* to refuse to

reñir [reˈɲir] ◇ *vt (reprender)* to tell off ◇ *vi* **1.** *(pelearse)* to argue **2.** *(romper relaciones)* to fall out

reo, a [ˈreo, a] *m,f* offender

reparación [reparaˈθjon] *f* **1.** *(de coche, avería, etc)* repair **2.** *(de daño, ofensa, etc)* reparation

reparar [repaˈrar] *vt* **1.** *(coche, máquina, etc)* to repair **2.** *(equivocación, ofensa, etc)* to make amends for ◆ **reparar en** *v + prep* to notice

repartidor, ra [repartiˈðor, ra] *m,f* deliveryman *(f* deliverywoman*)*

repartir [reparˈtir] *vt* **1.** *(dividir)* to share out **2.** *(distribuir)* to deliver

reparto [reˈparto] *m* **1.** *(de bienes, dinero, etc)* division **2.** *(de mercancías, periódicos,* *etc*) delivery **3.** *(de actores)* cast

repasar [repa'sar] *vt* **1.** to go over **2.** *(trabajo, lección)* to revise *(UK)*, to review *(US)* **3.** *(releer)* to go over **4.** *(remendar)* to mend ● **repasar apuntes** to go over one's notes

repaso [re'paso] *m* **1.** revision *(UK)*, review *(US)* **2.** *(fam) (represión)* telling off

repelente [repe'lente] *adj* repulsive

repente [re'pente] ● **de repente** *adv* suddenly

repentino, na [repen'tino, na] *adj* sudden

repercusión [reperku'sjon] *f* repercussion

repertorio [reper'torjo] *m* **1.** *(catálogo)* list **2.** *(de actor, compañía, etc)* repertoire

repetición [repeti'θjon] *f* repetition

repetidor, ra [repeti'ðor, ra] ◇ *m,f* *(alumno)* student repeating a year ◇ *m* *(en telecomunicaciones)* repeater

repetir [repe'tir] ◇ *vt* **1.** to repeat **2.** *(comida, bebida)* to have seconds of ◇ *vi* *(sabor)* to repeat

réplica ['replika] *f* **1.** *(copia)* replica **2.** *(contestación)* reply

replicar [repli'kar] *vt & vi* to answer back

repoblación [repoβla'θjon] *f* **1.** *(de ciudad, región, etc)* repopulation **2.** *(de bosque, campos)* replanting ● **repoblación forestal** reafforestation

repoblar [repo'βlar] *vt* **1.** *(ciudad, región, etc)* to repopulate **2.** *(bosque, campos, etc)* to replant

reponer [repo'ner] *vt* **1.** to replace **2.** *(película, obra de teatro)* to re-run ●

reponerse *vp* to recover

reportaje [repor'taxe] *m* **1.** *(en radio, televisión)* report **2.** *(en periódico, revista)* article

reportar [repor'tar] *vt* *(Méx)* to report ◆

reportarse *vp* *(Andes, CAm & Méx)* to report

reporte [re'porte] *m* *(Méx)* report

reportero, ra [repor'tero, ra] *m,f* reporter

reposo [re'poso] *m* **1.** *(descanso)* rest **2.** *(quietud)* calm

repostería [reposte'ria] *f* confectionery

representación [representa'θjon] *f* **1.** representation **2.** *(de obra de teatro)* performance ● **en representación de** on behalf of

representante [represen'tante] *mf* **1.** *(de actor, cantante, etc)* agent **2.** *(vendedor)* representative

representar [represen'tar] *vt* **1.** to represent **2.** *(obra de teatro)* to perform **3.** *(edad)* to look **4.** *(importar)* to mean

representativo, va [representa'tiβo, βa] *adj* representative

represión [repre'sjon] *f* suppression

reprimir [repri'mir] *vt* to suppress ◆

reprimirse *vp* to restrain o.s.

reprochar [repro'tʒar] *vt* to reproach

reproche [re'protʒe] *m* reproach

reproducción [reproðuk'θjon] *f* reproduction

reproducir [reproðu'θir] *vt* to reproduce ◆ **reproducirse** *vp* *(seres vivos)* to reproduce

reptar [rep'tar] *vi* to crawl

reptil [rep'til] *m* reptile

república [re'puβlika] *f* republic

República Dominicana [reˈpuβlikaðominiˈkana] *f* • **la República Dominicana** the Dominican Republic

republicano, na [repuβliˈkano, na] *adj* republican

repuesto, ta [reˈpwesto] ◇ *pp* → **reponer** ◇ *m* (*recambio*) spare (part) • **de repuesto** spare

repugnar [repuɣˈnar] *vt* • **me repugna ese olor** I find that smell disgusting

reputación [reputaˈθjon] *f* reputation

requerir [rekeˈrir] *vt* to require

requesón [rekeˈson] *m* cottage cheese

res [ˈres] *f* **1.** (*animal*) cow **2.** (*Col, Méx & Ven*) (*carne*) beef

resaca [reˈsaka] *f* **1.** (*de borrachera*) hangover **2.** (*del mar*) undertow

resbalada [rezβaˈlaða] *f* (*Amér*) slip

resbaladizo, za [rezβalaˈðiθo, θa] *adj* slippery

resbalar [rezβaˈlar] *vi* **1.** (*deslizarse*) to slide **2.** (*caer*) to slip **3.** (*equivocarse*) to slip up • **resbalarse** *vp* to slip

rescatar [reskaˈtar] *vt* to rescue

rescate [resˈkate] *m* (*dinero*) ransom

resentimiento [resentiˈmjento] *m* resentment

reserva[1] [reˈserβa] *f* **1.** (*de habitación, asiento, comedimiento*) reservation **2.** (*cautela*) discretion **3.** (*de alimentos, provisiones, etc*) reserves *pl* **4.** (*de animales*) reserve • **reserva natural** nature reserve ▼ **reservas hoteles y pensiones** hotel and guest house reservations

reserva[2] [reˈserβa] *m* (*vino*) vintage

reservación [reserβaˈθjon] *f* (*Amér*) reservation

reservado, da [reserˈβaðo, ða] ◇ *adj* reserved ◇ *m* (*compartimento*) reserved compartment

reservar [reserˈβar] *vt* **1.** (*asiento, billete, etc*) to reserve, to book **2.** (*callar*) to reserve **3.** (*noticia, datos*) to keep to o.s. **4.** (*guardar*) to set aside

resfriado, da [resˈfriaðo, ða] ◇ *m* cold ◇ *adj* • **estar resfriado** to have a cold

resfriarse [resˈfrjarse] *vp* to catch a cold

resfrío [resˈfrio] *m* (*Amér*) cold

resguardar [rezɣwarˈðar] *vt* to protect • **resguardarse de** *v + prep* to shelter from

resguardo [rezˈɣwarðo] *m* (*documento*) receipt

residencia [resiˈðenθja] *f* **1.** (*estancia*) stay **2.** (*casa*) residence **3.** (*de estudiantes*) hall of residence (*UK*), dormitory (*US*) **4.** (*de ancianos*) old people's home (*UK*), retirement home (*US*) **5.** (*pensión*) guest house

residuo [reˈsiðwo] *m* residue • **residuos** *mpl* waste *sg*

resignarse [resiɣˈnarse] *vp* to resign o.s.

resistencia [resisˈtenθja] *f* **1.** resistance **2.** (*para correr, etc*) stamina **3.** (*de pared, material, etc*) strength

resistente [resisˈtente] *adj* tough

resistir [resisˈtir] ◇ *vt* **1.** (*carga, dolor, enfermedad*) to withstand **2.** (*tentación, deseo, ataque*) to resist **3.** (*tolerar*) to stand ◇ *vi* (*durar*) to keep going • **resistirse a** *v + prep* to refuse to

resolver [resolˈβer] *vt* **1.** (*duda, crisis*) to resolve **2.** (*problema, caso*) to solve

resonancia [resoˈnanθja] *f* **1.** (*de sonido*)

resonance 2. *(repercusión)* repercussions *pl*

resorte [re'sorte] *m* spring

respaldo [res'paldo] *m (de asiento)* back

respectivo, va [respek'tiβo, βa] *adj* respective

respecto [res'pekto] *m* ● **al respecto** in this respect ● **(con) respecto a** regarding

respetable [respe'taβle] *adj* 1. *(digno de respeto)* respectable 2. *(considerable)* considerable

respetar [respe'tar] *vt* to respect

respeto [res'peto] *m* respect

respiración [respira'θjon] *f* breathing

respirar [respi'rar] *vi* 1. to breathe 2. *(sentir alivio)* to breathe again

respiro [res'piro] *m (alivio)* relief ● **darse un respiro** to have a breather

resplandor [resplan'dor] *m* brightness

responder [respon'der] ◇ *vt* to answer ◇ *vi* 1. *(contestar)* to answer 2. *(replicar)* to answer back 3. *(reaccionar)* to respond ● **responder a algo** to reply to sthg ● **responder a** *v + prep (deberse a)* to be due to ● **responder de** *v + prep* to answer for ● **responder por** *v + prep* to answer for

responsabilidad [responsaβili'ðað] *f* responsibility

responsable [respon'saβle] *adj* responsible ● **responsable de** responsible for

respuesta [res'pwesta] *f* 1. *(contestación)* answer 2. *(reacción)* response

resta ['resta] *f* subtraction

restar [res'tar] *vt* 1. *(quitar)* to take away 2. *(en matemáticas)* to subtract

restauración [restaura'θjon] *f* 1. restoration 2. *(en hostelería)* restaurant trade

restaurado, da [restau'raðo, ða] *adj* restored

restaurador, ra [restaura'ðor, ra] *m,f* 1. *(de pintura, escultura, etc)* restorer 2. *(en hostelería)* restaurateur

restaurante [restau'rante] *m* restaurant

restaurar [restau'rar] *vt* to restore

resto ['resto] *m* rest ● **restos** *mpl* 1. remains 2. *(de comida)* leftovers

restricción [restrik'θjon] *f* restriction

resucitar [resuθi'tar] ◇ *vt (persona)* to bring back to life ◇ *vi* to rise from the dead

resuelto, ta [re'swelto, ta] ◇ *pp* ≫ **resolver** ◇ *adj (decidido)* determined

resultado [resul'taðo] *m* result

resultar [resul'tar] *vi* 1. *(acabar en)* to turn out to be 2. *(tener éxito)* to work out 3. *(ser)* to be ● **resultar de** *v + prep* to result from

resumen [re'sumen] *m* summary

resumir [resu'mir] *vt* to summarize

retablo [re'taβlo] *m* altarpiece

retal [re'tal] *m* remnant

retención [reten'θjon] *f* 1. *(de tráfico)* hold-up 2. *(de líquidos, grasas)* retention

retirado, da [reti'raðo, ða] *adj* 1. *(apartado)* secluded 2. *(jubilado)* retired

retirar [reti'rar] *vt* 1. *(quitar, recoger)* to remove 2. *(carné, permiso, dinero, afirmación)* to withdraw ● **retirarse** *vp* to retire

reto ['reto] *m* challenge

retocar [reto'kar] *vt* 1. *(fotografía, pintura)* to touch up 2. *(trabajo)* to put the finishing touches to

retorcer [retor'θer] *vt* 1. *(brazo)* to twist 2. *(ropa)* to wring ● **retorcerse de** *v +*

prep **1.** *(dolor)* to writhe in **2.** *(risa)* to double up with

retórica [re'torika] *f* rhetoric

retornable [retor'naβle] *adj* returnable

retorno [re'torno] *m* return

retransmisión [retranzmi'sjon] *f* **1.** broadcast **2.** *(repetición)* repeat

retransmitir [retranzmi'tir] *vt* **1.** to broadcast **2.** *(repetir)* to repeat

retrasado, da [retra'saðo, ða] *adj* **1.** *(tren)* delayed **2.** *(trabajo)* behind **3.** *(reloj)* slow **4.** *(no actual)* old-fashioned **5.** *(persona)* backward *(UK)*, mentally handicapped

retrasar [retra'sar] *vt* **1.** *(aplazar)* to postpone **2.** *(reloj)* to put back **3.** *(hacer más lento)* to hold up ◆ **retrasarse** *vp* **1.** *(tardar)* to be late **2.** *(reloj)* to lose time **3.** *(en el pago)* to be behind

retraso [re'traso] *m* **1.** *(de persona, tren, etc)* delay **2.** *(de reloj)* slowness **3.** *(de pueblo, cultura, etc)* backwardness **4.** *(deuda)* arrears *pl* ● **con retraso** late ● **llevar retraso** to be late

retratar [retra'tar] *vt* **1.** *(fotografiar)* to photograph **2.** *(dibujar, pintar)* to do a portrait of **3.** *(describir)* to portray

retrato [re'trato] *m* **1.** *(fotografía)* photograph **2.** *(dibujo, pintura)* portrait **3.** *(descripción)* portrayal **4.** *(imagen pareci-da)* spitting image

retrete [re'trete] *m* toilet *(UK)*, bathroom *(US)*

retroceder [retroθe'ðer] *vi* to go back

retrospectivo, va [retrospek'tiβo, βa] *adj* retrospective

retrovisor [retroβi'sor] *m* rear-view mirror

reuma ['reuma] *m o f* rheumatism

reunión [reu'njon] *f* meeting

reunir [reu'nir] *vt* **1.** *(personas)* to bring together **2.** *(dinero, fondos)* to raise **3.** *(condiciones)* to meet ◆ **reunirse** *vp* to meet

revancha [re'βantʃa] *f* revenge

revelado [reβe'laðo] *m* developing ● **revelado en color/blanco y negro** colour/black and white developing

revelar [reβe'lar] *vt* **1.** *(secreto, noticia, etc)* to reveal **2.** *(fotografía)* to develop

reventar [reβen'tar] ◇ *vt* **1.** *(romper)* to burst **2.** *(fam)* *(fastidiar)* to bug ◇ *vi* **1.** *(cansar)* to get exhausted **2.** *(bomba)* to explode **3.** *(globo)* to burst **4.** *(fam)* *(morir)* to kick the bucket ◆ **reventarse** *vp* *(romperse)* to burst

reventón [reβen'ton] *m* puncture

reverencia [reβe'renθja] *f* *(inclinación)* bow

reversa [re'βersa] *f* *(Col & Méx)* reverse

reversible [reβer'siβle] *adj* reversible

reverso [re'βerso] *m* back

revés [re'βes] *m* **1.** *(de moneda, folio, etc)* back **2.** *(con raqueta)* backhand **3.** *(con mano)* slap **4.** *(desgracia)* setback ● **al revés** *(en orden contrario)* the other way round; *(en mal orden)* the wrong way round; *(al contrario)* on the contrary

revestimiento [reβesti'mjento] *m* *(de pintura)* coat

revisar [reβi'sar] *vt* **1.** *(corregir)* to revise **2.** *(coche)* to service **3.** *(Amér)* *(paciente)* to examine

revisión [reβi'sjon] *f* **1.** *(repaso)* revision **2.** *(arreglo)* amendment

revisor, ra [reβi'sor, ra] *m,f* **1.** *(en tren)*

ticket inspector **2.** *(en autobús)* conductor

revista [re'βista] *f* **1.** *(publicación)* magazine **2.** *(espectáculo)* revue **3.** *(inspección)* inspection

revistero [reβis'tero] *m* magazine rack

revolcarse [reβol'karse] *vp* to roll about

revoltillo [reβol'tiʎo] *m* **1.** *(confusión)* jumble **2.** *(guiso)* scrambled egg, usually with fried prawns and mushrooms

revoltoso, sa [reβol'toso, sa] *adj* **1.** *(travieso)* naughty **2.** *(rebelde)* rebellious

revolución [reβoluˈθjon] *f* revolution

revolucionario, ria [reβoluθjoˈnarjo, rja] *m,f* revolutionary

revolver [reβol'βer] *vt* **1.** *(mezclar)* to mix **2.** *(desordenar)* to mess up **3.** *(líquido)* to stir

revólver [re'βolβer] *m* revolver

revuelta [re'βwelta] *f (rebelión)* revolt

revuelto, ta [re'βwelto, ta] ◇ *pp* > revolver ◇ *adj* **1.** *(desordenado)* in a mess **2.** *(turbio)* cloudy **3.** *(tiempo)* unsettled **4.** *(mar)* choppy **5.** *(alborotado)* turbulent ◇ *m* scrambled eggs *pl*

rey [rej] *m* king ● **los Reyes Magos** the Three Wise Men ● **Reyes** *m (fiesta)* Epiphany *6 January when Spanish children traditionally receive presents*

Reyes

In Spain, children receive presents on 6 January rather than 25 December, and the gifts are supposedly brought by the Three Kings rather than Father Christmas. The *cabalgata de los Reyes Magos* is a procession on the night of 5 January, where the Three Kings arrive in the town mounted on camels. Good children find presents in their shoes the following morning, but if they have been bad all they get is a lump of coal.

rezar [re'θar] ◇ *vt* to say ◇ *vi* to pray

rezo [ˈreθo] *m* prayer

ría ['ria] *f* estuary

riachuelo [riaˈtʃwelo] *m* stream

riada [riˈaða] *f* flood

ribera [ri'βera] *f* **1.** *(del río)* bank **2.** *(del mar)* shore **3.** *(terreno)* plain *(irrigated by a river)*

ribete [ri'βete] *m* **1.** *(de vestido, zapato, etc)* edging **2.** *(añadido)* touch

rico, ca ['riko, ka] *adj* **1.** rich **2.** *(sabroso)* tasty **3.** *(fam) (simpático)* cute **4.** *(Amér) (día, casa, danza, etc)* wonderful

ridículo, la [riˈðikulo, la] ◇ *adj* **1.** *(cómico)* ridiculous **2.** *(escaso)* laughable ◇ *m* ● **hacer el ridículo** to make a fool of o.s.

riego ['rjeɣo] *m* irrigation

rienda ['rjenda] *f* rein

riesgo ['rjezɣo] *m* risk ● **a todo riesgo** comprehensive

riesgoso, sa ['rjezɣoso, sa] *adj (Amér)* risky

rifar [ri'far] *vt* to raffle

rigidez [rixiˈðeθ] *f* **1.** *(de palo, tela, etc)* stiffness **2.** *(de carácter)* inflexibility **3.** *(de norma, regla)* strictness

rígido, da ['rixiðo, ða] *adj* **1.** *(palo, tela, etc)* stiff **2.** *(carácter, persona)* inflexible **3.** *(norma, regla)* strict

rigor [ri'γor] *m* **1.** *(exactitud)* accuracy **2.** *(severidad)* strictness **3.** *(del clima)* harshness ● **de rigor** essential

riguroso, sa [riγu'roso, sa] *adj* **1.** *(exacto)* rigorous **2.** *(severo, normas, leyes, etc)* strict **3.** *(frío, calor)* harsh

rima ['rima] *f* rhyme

rímel ['rimel] *m* mascara

rincón [rin'kon] *m* corner

ring ['rin] *m* (boxing) ring

rinoceronte [rinoθe'ronte] *m* rhinoceros

riña ['riɲa] *f* **1.** *(discusión)* fight **2.** *(pelea)* fight

riñón [ri'ɲon] *m* kidney ● **riñones** *mpl* *(parte del cuerpo)* lower back *sg* ● **riñones al jerez** kidneys cooked in sherry

riñonera [riɲo'nera] *f* bum bag (UK), fanny pack (US)

río ['rio] *m* river

rioja [ri'oxa] *m* Rioja (wine)

RIP ['rip] *(abrev de requiescat in pace)* RIP

riqueza [ri'keθa] *f* **1.** *(fortuna)* wealth **2.** *(cualidad)* richness

risa ['risa] *f* laughter

ristra ['ristra] *f* string

ritmo ['riðmo] *m* **1.** *(armonía)* rhythm **2.** *(velocidad)* pace

rito ['rito] *m* **1.** rite **2.** *(costumbre)* ritual

ritual [ritu'al] *m* ritual

rival [ri'βal] *mf* rival

rizado, da [ri'θaðo, ða] *adj* **1.** *(pelo)* curly **2.** *(papel, tela, etc)* curly **3.** *(mar)* choppy

rizo ['riθo] *m* *(de pelo)* curl

RNE *(abr de Radio Nacional de España)* *Spanish national radio station*

robar [ro'βar] *vt* **1.** *(quitar)* to steal **2.** *(casa)* to burgle **3.** *(cobrar demasiado)* to rob **4.** *(en naipes, dominó)* to draw

roble ['roβle] *m* oak

robo ['roβo] *m* **1.** robbery **2.** *(en casa)* burglary **3.** *(estafa)* ● **es un robo** it's daylight robbery

robot [ro'βot] *m* *(de cocina)* food processor

robusto, ta [ro'βusto, ta] *adj* robust

roca ['roka] *f* rock

roce ['roθe] *m* **1.** *(acción)* rub **2.** *(más suave)* brush **3.** *(desgaste)* wear **4.** *(trato)* close contact **5.** *(desavenencia)* brush

rociar [roθi'ar] *vt* **1.** *(mojar)* to sprinkle **2.** *(con spray)* to spray

rocío [ro'θio] *m* dew

rock ['rok] *m* rock

rocoso, sa [ro'koso, sa] *adj* rocky

rodaballo [roða'βaʎo] *m* turbot

rodaje [ro'ðaxe] *m* **1.** *(de película)* shooting **2.** *(de vehículo)* running-in

rodar [ro'ðar] ◇ *vt* **1.** *(película)* to shoot **2.** *(vehículo)* to run in ◇ *vi* **1.** *(bola, pelota, etc)* to roll **2.** *(coche)* to go, to travel **3.** *(caerse)* to tumble **4.** *(deambular)* to wander

rodeado, da [roðe'aðo, ða] *adj* surrounded ● **rodeado de** surrounded by

rodear [roðe'ar] *vt* **1.** *(cercar)* to surround **2.** *(dar la vuelta a)* to go around ● **rodearse de** *v + prep* to surround o.s. with

rodeo [ro'ðeo] *m* **1.** *(camino largo, vuelta)* detour **2.** *(al hablar)* evasiveness **3.** *(espectáculo)* rodeo ● **dar rodeos** to beat about the bush

rodilla [ro'ðiʎa] *f* knee ● **de rodillas** on one's knees

rodillo [ro'ðiʎo] *m* **1.** (*de máquina*) roller **2.** (*utensilio*) rolling pin

roedor [roe'ðor] *m* rodent

roer [ro'er] *vt* **1.** (*raspar, atormentar*) to gnaw (at) **2.** (*desgastar*) to eat away (at)

rogar [ro'ɣar] *vt* (*pedir*) to ask

rojo, ja [ˈroxo, xa] *adj, m & f* red

rollito [ro'ʎito] *m* ● rollito de primavera spring roll

rollo [ˈroʎo] *m* **1.** (*cilindro*) roll **2.** (*película fotográfica*) (roll of) film **3.** (*fam*) (*persona, cosa, actividad aburrida*) bore

romana [ro'mana] *f* ● a la romana fried in batter

románico, ca [ro'maniko, ka] ◇ *adj* **1.** (*lengua*) Romance **2.** (*en arte*) Romanesque ◇ *m* Romanesque

romano, na [ro'mano, na] *adj* Roman

romántico, ca [ro'mantiko, ka] *adj* **1.** (*sentimental*) romantic **2.** (*en arte*) Romantic

rombo [ˈrombo] *m* (*símbolo*) lozenge (*UK*), rhombus

romería [rome'ria] *f* (*fiesta*) *popular religious festival combining a religious ceremony and dancing, eating etc*

romero [ro'mero] *m* (*planta*) rosemary

romo, ma [ˈromo, ma] *adj* blunt

rompecabezas [ˌrompeka'βeθas] *m inv* **1.** (*juego*) jigsaw **2.** (*asunto complicado*) puzzle

rompedor, ra *adj* groundbreaking

rompeolas [rompe'olas] *m inv* breakwater

romper [rom'per] ◇ *vt* **1.** to break **2.** (*rasgar*) to tear **3.** (*hacer añicos*) to smash **4.** (*terminar*) to break off ◇ *vi* (*olas, día*) to break ● romper con alguien to split

up with sb ● romper a hacer algo to suddenly start doing sthg ● romperse *vp* **1.** (*partirse*) to break **2.** (*desgarrarse*) to tear

ron [ˈron] *m* rum

roncar [ron'kar] *vi* **1.** (*persona*) to snore

ronco, ca [ˈronko, ka] *adj* hoarse

ronda [ˈronda] *f* **3.** (*vigilancia*) rounds *pl* **4.** (*fam*) (*de copas, tapas*) round **5.** (*de circunvalación*) ring road

ronquido [ron'kiðo] *m* **1.** (*de persona*) snore

ronronear [ronrone'ar] *vi* to purr

ronroneo [ronro'neo] *m* purr

ropa [ˈropa] *f* clothes *pl* ● ropa interior underwear ● ropa íntima underwear

roquefort [roke'for] *m* Roquefort ● al roquefort in a Roquefort sauce

rosa [ˈrosa] ◇ *f* rose ◇ *adj inv* pink ● rosa de los vientos compass

rosado, da [ro'saðo, ða] ◇ *adj* pink ◇ *m* rosé

rosal [ro'sal] *m* rose(bush)

rosario [ro'sarjo] *m* rosary

roscón [ros'kon] *m* ● roscón (de reyes) *ring-shaped cake eaten on 6 January*

rosetón [rose'ton] *m* rose window

rosquilla [ros'kiʎa] *f* *round biscuit with a hole in the middle*

rostro [ˈrostro] *m* face

roto, ta [ˈroto, ta] ◇ *pp* ➤ romper ◇ *adj* broken ◇ *m* (*en ropa*) tear

rotonda [ro'tonda] *f* **1.** (*en carretera*) roundabout (*UK*), traffic circle (*US*) **2.** (*plaza*) circus **3.** (*edificio*) rotunda

rotulador [rotula'ðor] *m* **1.** (*para dibujar*) felt-tip pen **2.** (*para marcar*) marker (pen)

rótulo ['rotulo] m (letrero) sign

rotundo, da [ro'tundo, da] adj (respuesta, negación) emphatic

rozar [ro'θar] vt 1. (frotar) to rub 2. (tocar) to brush (against) ◆ **rozarse** vp (desgastarse) to get worn

r.p.m. (abr de revoluciones por minuto) rpm (revolutions per minute)

Rte. abrev = remitente

RTVE ['ere'te'uβe'e] f Spanish state broadcasting company

rubí [ru'βi] m ruby

rubio, bia ['ruβjo, βja] adj blond (f blonde)

rubor [ru'βor] m 1. (enrojecimiento) blush 2. (vergüenza) embarrassment

ruborizarse [ruβori'θarse] vp to blush

rudimentario, ria [ruðimen'tarjo, rja] adj rudimentary

rudo, da ['ruðo, ða] adj 1. rough 2. (descortés) rude

rueda ['rueða] f 1. (pieza) wheel 2. (corro) circle ◆ **rueda de prensa** press conference ◆ **rueda de repuesto** o **de recambio** spare wheel

ruedo ['rueðo] m 1. (plaza de toros) bullring 2. (de falda) hem

ruego ['rueγo] m request

rugby ['ruγβi] m rugby

rugido [ru'xiðo] m roar

rugir [ru'xir] vi to roar

rugoso, sa [ru'γoso, sa] adj 1. (áspero) rough 2. (con arrugas) wrinkled

ruido ['ruiðo] m 1. (sonido desagradable) noise 2. (sonido cualquiera) sound

ruidoso, sa [rui'ðoso, sa] adj noisy

ruin ['ruin] adj mean

ruina ['ruina] f ruin ◆ **ruinas** fpl ruins

ruinoso, sa [rui'noso, sa] adj 1. (edificio, puente) tumbledown 2. (negocio, trabajo) ruinous

ruiseñor [ruise'nor] m nightingale

ruleta [ru'leta] f roulette

rulo ['rulo] m 1. (rizo) curl 2. (objeto) curler

ruma ['ruma] f (Andes) pile

rumba ['rumba] f rumba

rumbo ['rumbo] m (dirección) direction ◆ **(con) rumbo a** heading for

rumiante [ru'mjante] m ruminant

rumiar [ru'mjar] vt 1. (masticar) to chew 2. (fig) (reflexionar) to chew over

rumor [ru'mor] m 1. (chisme) rumour 2. (ruido) murmur

ruptura [rup'tura] f (de relaciones) breaking-off

rural [ru'ral] adj rural

Rusia ['rusja] s Russia

ruso, sa ['ruso, sa] adj, m & f Russian

ruta ['ruta] f route

rutina [ru'tina] f routine

SS

s [se'γundo] (abr de segundo) sec. (second)

S (abr de San) St. (Saint) (abr de Sur) S (South)

SA ['ese'a] f (abr de sociedad anónima) ≃ Ltd (UK) (Limited), ≃ PLC (UK) (Public Limited Company), ≃ Inc (US) (Incorporated)

sábado ['saβaðo] *m* Saturday • **cada sábado, todos los sábados** every Saturday • **caer en sábado** to be on a Saturday • **el próximo sábado, el sábado que viene** next Saturday • **viene el sábado** she's coming on Saturday • **el sábado pasado** last Saturday • **el sábado por la mañana/tarde/noche** (on) Saturday morning/afternoon/night • **este sábado** *(pasado)* last Saturday; *(próximo)* this (coming) Saturday • **los sábados** (on) Saturdays

sábana ['saβana] *f* sheet

sabañón [saβa'ɲon] *m* chilblain

saber [sa'βer] ◇ *m* knowledge ◇ *vt* **1.** *(conocer)* to know **2.** *(entender de)* to know about **3.** *(poder hablar)* to speak ◇ *vi* • **saber hacer algo** *(ser capaz de)* to know how to do sthg, to be able to do sthg; *(Amér) (soler)* to usually do sthg • **¿sabes algo de él?** have you heard from him? • **saber bien/mal** *(alimento, bebida)* to taste good/bad • **saber mal a alguien** to upset sb • **saber a** *v + prep* to taste of

sabiduría [saβiðu'ria] *f* **1.** *(prudencia)* wisdom **2.** *(conocimiento profundo)* knowledge

sabio, bia ['saβjo, βja] ◇ *adj* **1.** *(prudente)* wise **2.** *(con conocimientos profundos)* knowledgeable ◇ *m,f* **1.** *(persona prudente)* wise person **2.** *(persona sabia)* knowledgeable person

sable ['saβle] *m* sabre

sabor [sa'βor] *m* **1.** *(gusto)* taste **2.** *(variedad)* flavour • **tener sabor a** to taste of • **helado con sabor a fresa** strawberry-flavoured ice cream

saborear [saβore'ar] *vt* to savour

sabotaje [saβo'taxe] *m* sabotage

sabroso, sa [sa'βroso, sa] *adj* **1.** *(comida)* tasty **2.** *(comentario, noticia, etc)* juicy **3.** *(cantidad)* substantial

sacacorchos [saka'kortʒos] *m inv* corkscrew

sacapuntas [saka'puntas] *m inv* pencil sharpener

sacar [sa'kar] ◇ *vt* **1.** *(extraer, llevar)* to take out **2.** *(quitar)* to remove **3.** *(salvar, información)* to get out **4.** *(conseguir, obtener)* to get **5.** *(en el juego)* to play **6.** *(ensanchar)* to let out **7.** *(pecho, barriga)* to stick out **8.** *(crear, fabricar)* to bring out **9.** *(copia)* to make ◇ *vi (en tenis)* to serve • **sacar billetes** o **entradas** to get tickets • **sacar brillo** to polish • **sacar dinero** to withdraw money • **sacar fotos** to take photos • **sacar la lengua** to stick one's tongue out • **sacar nota** to get a good mark • **sacar buenas/malas notas** to get good/bad marks • **sacan tres puntos a sus rivales** they are three points ahead of their rivals • **sacarse** *vp (carné, permiso)* to get

sacarina [saka'rina] *f* saccharine

sacerdote [saθer'ðote] *m* priest

saciar [sa'θjar] *vt* **1.** to satisfy **2.** *(sed)* to quench

saco ['sako] *m* **1.** sack, bag **2.** *(Amér) (chaqueta)* jacket • **saco de dormir** sleeping bag

sacramento [sakra'mento] *m* sacrament

sacrificar [sakrifi'kar] *vt* **1.** *(renunciar a)* to sacrifice **2.** *(animal)* to slaughter •

sacrificarse *vp* • **sacrificarse por** to make sacrifices for
sacrificio [sakri'fiθjo] *m* 1. sacrifice 2. *(de animal)* slaughter
sacristán [sakris'tan] *m* sacristan
sacudida [saku'ðiða] *f* 1. *(movimiento brusco)* shake 2. *(de vehículo)* bump 3. *(terremoto)* tremor
sacudir [saku'ðir] ◇ *vt* 1. *(agitar)* to shake 2. *(alfombra, sábana)* to shake out 3. *(pegar)* to hit ◇ *vi (CSur & Méx) (limpiar)* to dust
safari [sa'fari] *m* 1. *(expedición)* safari 2. *(parque zoológico)* safari park
Sagitario [saxi'tarjo] *m* Sagittarius
sagrado, da [sa'γraðo, ða] *adj* sacred
sal ['sal] *f* 1. *(condimento)* salt 2. *(fig) (gracia)* wit ◇ **sales** *fpl* 1. *(de baño)* bath salts 2. *(para reanimar)* smelling salts
sala ['sala] *f* 1. *(habitación)* room 2. *(de hospital)* ward 3. *(de cine)* screen, cinema *(UK)* 4. *(tribunal)* court • **sala de embarque** departure lounge • **sala de espera** waiting room • **sala de estar** living room • **sala de fiestas** discothèque • **sala de juegos** casino
salado, da [sa'laðo, ða] *adj* 1. *(comida)* salty 2. *(persona)* funny 3. *(Amér) (pessoa)* jinxed
salamandra [sala'mandra] *f* salamander
salar [sa'lar] *vt* 1. *(comida)* to add salt to 2. *(para conservar)* to salt
salario [sa'larjo] *m* salary
salchicha [sal'tʃitʃa] *f* sausage
salchichón [saltʃi'tʃon] *m* ≃ salami
saldo ['saldo] *m* 1. *(de cuenta)* balance 2. *(pago)* payment 3. *(mercancía)* remnant

salero [sa'lero] *m* 1. *(recipiente)* salt cellar *(UK)*, salt shaker *(US)* 2. *(gracia)* wit
salida [sa'liða] *f* 1. *(de lugar)* exit 2. *(de tren, avión, autobús)* departure 3. *(excursión)* outing 4. *(ocurrencia)* witty remark 5. *(recurso)* way out 6. *(de productos)* market • **salida de incendios** fire escape • **salida de socorro** ◇ emergencia emergency exit • **salidas internacionales** international departures ▼ salida sin compra *sign in supermarkets etc indicating exit for people who have not bought anything*
salina [sa'lina] *f* saltmine • **salinas** *fpl* saltworks *sg*
salir [sa'lir] *vi* 1. *(ir fuera)* to go out; *(venir fuera)* to come out • **salió a la calle** he went outside • **¡sal aquí fuera!** come out here! • **salir de** to leave 2. *(marcharse)* to leave • **el tren sale muy temprano** the train leaves very early • **él ha salido para Madrid** he's left for Madrid 3. *(ser novios)* to go out • **Juan y María salen juntos** Juan and María are going out together 4. *(separarse)* to come off • **el anillo no le sale del dedo** the ring won't come off her finger 5. *(resultar)* to turn out • **ha salido muy estudioso** he has turned out to be very studious • **ha salido perjudicado** he came off badly • **salir bien/mal** to turn out well/badly • **mi número ha salido premiado** my ticket won a prize 6. *(resolverse)* • **este problema no me sale** I can't solve this problem 7. *(proceder)* • **salir de** to come from 8. *(surgir)* to come out • ha

salido el sol *(al amanecer)* the sun has come up **9.** *(aparecer)* to appear; *(publicación, producto, disco)* to come out • ¡qué bien sales en la foto! you look great in the photo! • en la película sale tu actor favorito your favourite actor is in the film **10.** *(costar)* • la comida le ha salido por sesenta euros the meal worked out at sixty euros **11.** *(sobresalir)* to stick out **12.** *(librarse)* **salir de** to get out of **13.** *(en locuciones)* **salir adelante** *(persona, empresa)* to get by; *(proyecto, propuesta)* to be successful • **salirse** *vp (marcharse)* to leave; *(rebosar)* to overflow • **salirse de** *(desviarse)* to come off; *(fig) (escaparse)* to deviate from

saliva [sa'liβa] *f* saliva

salmón [sal'mon] *m* salmon • **salmón ahumado** smoked salmon • **salmón fresco** fresh salmon

salmonete [salmo'nete] *m* red mullet

salón [sa'lon] *m* **1.** *(de casa)* living room **2.** *(de edificio público)* hall **3.** *(muebles)* lounge suite **4.** *(exposición)* show • **salón del automóvil** motor show • **salón de belleza** beauty parlour • **salón recreativo** arcade

salpicadera [salpika'ðera] *f (Méx)* mudguard *(UK)*, fender *(US)*

salpicadero [salpika'ðero] *m* dashboard

salpicar [salpi'kar] ◇ *vt* to splash ◇ *vi (aceite)* to spit

salpicón [salpi'kon] *m* • **salpicón de marisco** cold dish of chopped seafood with pepper, salt, oil, vinegar and onion

salpimentar [salpimen'tar] *vt* to season

salsa ['salsa] *f* **1.** *(para comidas)* sauce **2.** *(de carne)* gravy **3.** *(gracia)* spice **4.** *(baile, música)* salsa • **salsa bechamel** bechamel sauce • **salsa rosa** thousand island dressing • **salsa de tomate** tomato sauce • **salsa verde** *sauce made with mayonnaise, parsley, capers and gherkins*

salsera [sal'sera] *f* gravy boat

saltamontes [salta'montes] *m inv* grasshopper

saltar [sal'tar] ◇ *vi* **1.** to jump **2.** *(tapón, corcho)* to pop out **3.** *(levantarse)* to jump (up) **4.** *(botón, pintura)* to come off **5.** *(enfadarse)* to flare up **6.** *(explotar)* to explode ◇ *vt* to jump over • **saltarse** *vp* **1.** *(omitir)* to miss out **2.** *(cola, semáforo)* to jump **3.** *(ley, norma)* to break

salteado, da [salte'aðo, ða] *adj* **1.** *(discontinuo)* unevenly spaced **2.** *(frito)* sautéed

saltear [salte'ar] *vt (freír)* to sauté

salto ['salto] *m* **1.** jump **2.** *(en el tiempo, omisión)* gap • **salto de agua** waterfall • **salto de altura** high jump • **salto de cama** negligée • **salto de longitud** long jump

salud [sa'luð] *f* health • tener buena/mala salud to be healthy/in poor health • estar bien/mal de salud to be healthy/in poor health • ¡(a su) salud! cheers!

saludable [salu'ðaβle] *adj* **1.** healthy **2.** *(provechoso)* beneficial

saludar [salu'ðar] *vt* to greet • **saludarse** *vp* to greet each other

saludo [sa'luðo] *m* greeting • **saludos** *mpl (recuerdos)* regards

salvación [salβa'θjon] *f (rescate)* rescue

Salvador [salβaˈðor] *m* • **El Salvador** El Salvador

salvadoreño, ña [salβaðoˈreɲo, ɲa] *adj & m,f* Salvadoran

salvaje [salˈβaxe] *adj* wild

salvamanteles [ˌsalβamanˈteles] *m inv* tablemat

salvar [salˈβar] *vt* **1.** to save **2.** *(rescatar)* to rescue **3.** *(obstáculo)* to go round **4.** *(peligro, dificultad)* to get through **5.** *(distancia, espacio)* to cover ◆ **salvarse** *vp (escapar)* to escape

salvaslip [salβazˈlip] *m (Esp)* panty liner

salvavidas [salβaˈβiðas] *m inv* **1.** *(chaleco)* lifejacket *(UK)*, lifesaver *(US)* **2.** *(cinturón)* lifebelt

salvo [ˈsalβo] *adv* except • **a salvo** safe

san [san] *adj* ➤ **santo**

sanatorio [sanaˈtorjo] *m* sanatorium

sanción [sanˈθjon] *f (castigo)* punishment

sancochar [sankoˈtʃar] *vt (Amér)* to stew

sandalia [sanˈdalja] *f* sandal

sandía [sanˈdia] *f* watermelon

sandwich [ˈsanwitʃ] *m* toasted *(UK)* o grilled *(US)* sandwich

sanfermines [sanferˈmines] *mpl* Pamplona bullfighting festival

sanfermines

Pamplona is famous for its *sanfermines* festival, held between 6 and 14 July in honour of the town's patron saint. The daily bullfights are preceded by the running of the bulls, where six bulls are released from the bullpen and members of the public run in front of them through the streets for about three minutes over an 800-metre course. Injuries are common and fatalities by no means unknown.

sangrar [sanˈgrar] ◇ *vi* to bleed ◇ *vt (línea, párrafo)* to indent

sangre [ˈsangre] *f (líquido)* blood • **sangre azul** blue blood • **sangre fría** sangfroid

sangría [sanˈgria] *f* sangria

sangriento, ta [sanˈgrjento, ta] *adj* bloody

sanidad [saniˈðað] *f* **1.** *(servicios de salud)* (public) health **2.** *(higiene)* health

sanitario, ria [saniˈtarjo, rja] ◇ *adj* health *(antes de s)* ◇ *m,f* health worker ◆ **sanitarios** *mpl (instalaciones)* bathroom fittings

sano, na [ˈsano, na] *adj* **1.** healthy **2.** *(sin daño)* undamaged • **sano y salvo** safe and sound

santiguarse [santiˈɣwarse] *vp* to make the sign of the Cross

santo, ta [ˈsanto, ta] ◇ *adj* holy ◇ *m,f* saint ◇ *m (festividad)* saint's day

santo

In Spain, each day in the year commemorates a particular saint. People with the same name as the saint, especially the more common ones such as Juan, José, Pedro, Jorge and María, celebrate their saint's day by buying drinks for their friends and family. In return, they receive small gifts.

santuario [santu'arjo] *m* shrine

sapo ['sapo] *m* toad

saque ['sake] *m (en tenis)* serve

saquear [sake'ar] *vt* **1.** *(tienda)* to loot **2.** *(vaciar)* to ransack

sarampión [sarampi'on] *m* measles

sarcástico, ca [sar'kastiko, ka] *adj* sarcastic

sardana [sar'ðana] *f popular Catalan dance*

sardina [sar'ðina] *f* sardine ● **sardinas a la plancha** grilled sardines

sargento [sar'xento] *m* sergeant

sarna ['sarna] *f (de persona)* scabies

sarpullido [sarpu'ʎiðo] *m* rash

sarro ['saro] *m (de dientes)* tartar

sartén [sar'ten] *f* frying pan

sastre ['sastre] *m* tailor

sastrería [sastre'ria] *f* **1.** *(tienda)* tailor's (shop) **2.** *(oficio)* tailoring

satélite [sa'telite] *m* satellite

sátira ['satira] *f* satire

satírico, ca [sa'tiriko, ka] *adj* satirical

satisfacción [satisfak'θjon] *f* satisfaction

satisfacer [satisfa'θer] *vt* **1.** to satisfy **2.** *(deuda)* to pay **3.** *(duda, pregunta, dificultad)* to deal with

satisfecho, cha [satis'fetʃo, tʃa] ◇ *pp* ➤ **satisfacer** ◇ *adj* satisfied

sauce ['sauθe] *m* willow

sauna ['sauna] *f* sauna

saxofón [sakso'fon] *m* saxophone

sazonar [saθo'nar] *vt* to season

se [se] *pron* **1.** *(reflexivo)* himself *(f* herself), themselves *pl; (usted mismo)* yourself, yourselves *pl; (de cosas, animales)* itself, themselves *pl* ● **se lavó los dientes** she cleaned her teeth **2.** *(recíproco)* each other ● **se aman** they love each other ● **se escriben** they write to each other **3.** *(en construcción pasiva)* ● **se ha suspendido la reunión** the meeting has been cancelled **4.** *(en construcción impersonal)* ▼ **se habla inglés** English spoken ▼ **se prohíbe fumar** no smoking ▼ **se dice que** it is said that **5.** *(complemento indirecto)* to him *(f* to her), to them *pl; (usted, ustedes)* to you; *(de cosa, animal)* to it, to them *pl* ● **yo se lo daré** I'll give it to him/her/*etc*

secador [seka'ðor] *m* dryer ● **secador de pelo** hairdryer

secadora [seka'ðora] *f* (tumble) dryer

secano [se'kano] *m* dry land

secar [se'kar] *vt* **1.** to dry **2.** *(sudor, sangre)* to wipe away ◆ **secarse** *vp* **1.** *(río, fuente)* to dry up **2.** *(planta, árbol)* to wilt **3.** *(ropa, cabello, superficie)* to dry

sección [sek'θjon] *f* **1.** section **2.** *(de empresa, oficina)* department

seco, ca ['seko, ka] *adj* **1.** dry **2.** *(planta, árbol)* wilted **3.** *(delgado)* lean **4.** *(ruido, sonido)* dull **5.** *(brusco)* brusque ● **a secas** just, simply ● **parar en seco** to stop dead

secretaría [sekreta'ria] *f* **1.** *(oficina)* secretary's office **2.** *(cargo)* post of secretary

secretariado [sekreta'rjaðo] *m* **1.** *(estudios)* secretarial studies *pl* **2.** *(profesión)* secretaries *pl*

secretario, ria [sekre'tarjo, rja] *m,f* **1.** secretary **2.** *(de ministerio)* Secretary of State

secreto, ta [se'kreto, ta] ◇ *adj* secret ◇ *m* **1.** secret **2.** *(reserva)* secrecy ● **en secreto** in secret

secta ['sekta] *f* sect

sector [sek'tor] *m* sector

secuestrador, ra [sekuestra'ðor, ra] *m,f* **1.** *(de persona)* kidnapper **2.** *(de avión)* hijacker

secuestrar [sekues'trar] *vt* **1.** *(persona)* to kidnap **2.** *(avión)* to hijack

secuestro [se'kuestro] *m* **1.** *(de persona)* kidnap **2.** *(de avión)* hijacking

secundario, ria [sekun'darjo, rja] *adj* secondary

sed ['seð] ◇ *v* ≻ **ser** ◇ *f* thirst ● **correr me da sed** running makes me thirsty ● **tener sed** to be thirsty

seda ['seða] *f* silk

sedante [se'ðante] *m* sedative

sede ['seðe] *f* headquarters *pl*

sedentario, ria [seðen'tarjo, rja] *adj* sedentary

sediento, ta [se'ðjento, ta] *adj* thirsty

seductor, ra [seðuk'tor, ra] *adj* **1.** *(persona)* seductive **2.** *(oferta, libro)* enticing

segador, ra [seɣa'ðor, ra] *m,f* harvester

segadora [seɣa'ðora] *f (máquina)* reaping machine ≻ **segador**

segar [se'ɣar] *vt* **1.** *(hierba)* to mow **2.** *(cereal)* to reap

segmento [seɣ'mento] *m* segment

seguido, da [se'ɣiðo, ða] ◇ *adj* **1.** *(continuo)* continuous **2.** *(consecutivo)* consecutive ◇ *adv* **1.** *(en línea recta)* straight on **2.** *(Amér) (muitas vezes)* often **3.** ● **dos años seguidos** two years in a row ● **en seguida** straight away ● **todo seguido** straight ahead

seguir [se'ɣir] ◇ *vt* **1.** to follow **2.** *(perseguir)* to chase **3.** *(reanudar)* to continue ◇ *vi* to continue ● **seguir a algo** to follow sthg ● **sigue nevando** it's still snowing

según [se'ɣun] ◇ *prep* **1.** *(de acuerdo con)* according to **2.** *(dependiendo de)* depending on ◇ *adv* as ● **según yo/tú** in my/your opinion

segunda [se'ɣunda] *f (velocidad)* second (gear) ≻ **segundo**

segundero [seɣun'dero] *m* second hand

segundo, da [se'ɣundo, da] ◇ *núm* second ◇ *m,f* second-in-command ◇ *m (de tiempo)* second ≻ **sexto**

seguramente [se,ɣu'armente] *adv* **1.** *(con seguridad)* for certain **2.** *(probablemente)* probably

seguridad [seɣuri'ðað] *f* **1.** *(falta de peligro)* safety **2.** *(protección)* security **3.** *(certidumbre)* certainty **4.** *(confianza)* confidence ◆ **Seguridad Social** *f* Social Security

seguro, ra [se'ɣuro, ra] ◇ *adj* **1.** *(sin riesgo, peligro)* safe **2.** *(confiado)* sure **3.** *(infalible)* reliable **4.** *(amigo)* firm ◇ *adv* definitely ◇ *m* **1.** *(de coche, vida, casa)* insurance **2.** *(de arma, máquina)* safety catch **3.** *(CAm & Méx) (para ropa)* safety pin **4.** ● **estar seguro** *(sin temor)* to be safe; *(cierto, confiado)* to be sure ● **seguro Social** *(Amér)* Social Security

seis ['seis] ◇ *adj inv* six ◇ *m* **1.** six **2.** *(día)* sixth ◇ *mpl* **1.** six **2.** *(temperatura)* six (degrees) ◇ *fpl* ● **(son) las seis** (it's) six o'clock ● **el seis de agosto** the sixth of August ● **doscientos seis** two hundred and six ● **treinta y seis** thirty-six ● **de seis en seis** in sixes ● **los seis** the six of them ● **empataron a seis** they drew six-all ● **seis a cero** six-nil

seiscientos [seis'θjentos] *núm* six hundred ➢ **seis**

selección [selek'θjon] *f* **1.** selection **2.** *(equipo nacional)* team

seleccionador, ra [selekθjona'ðor, ra] *m,f* ≃ manager

seleccionar [selekθjo'nar] *vt* to pick

selectividad [selektiβi'ðað] *f (examen) Spanish university entrance examination*

selecto, ta [se'lekto, ta] *adj* fine, choice

selector [selek'tor] *m* selector

self-service [self'serβis] *m* self-service restaurant

sello ['seʎo] *m* **1.** *(de correos)* stamp **2.** *(tampón)* rubber stamp

selva ['selβa] *f* **1.** *(jungla)* jungle **2.** *(bosque)* forest

semáforo [se'maforo] *m* traffic lights *pl*

semana [se'mana] *f* week ◆ **Semana Santa** *f* **1.** Easter **2.** *RELIG* Holy Week

Semana Santa

Easter week in Spain and Latin America is marked by processions in which statues depicting scenes from the Passion of Christ are borne through the streets on people's shoulders. The processions are accompanied by penitents wearing long tunics and pointed hoods with cut-out holes for their eyes. The most famous processions are in Seville, Taxco (Mexico) and Lima (Peru).

semanal [sema'nal] *adj* **1.** *(que sucede cada semana)* weekly **2.** *(que dura una semana)* week-long

semanario [sema'narjo] *m* weekly (newspaper)

sembrar [sem'brar] *vt* to sow

semejante [seme'xante] ◇ *adj* **1.** *(parecido)* similar **2.** *(tal, uso despectivo)* such ◇ *m* fellow human being ● **semejante cosa** such a thing

semejanza [seme'xanθa] *f* similarity

semen ['semen] *m* semen

semestre [se'mestre] *m* six-month period

semidesnatado, da [semiðezna'taðo, ða] *adj* semi-skimmed *(UK)*, low-fat *(US)*

semidirecto, ta [semiði'rekto, ta] *adj* ● **tren semidirecto** *through train, a section of which becomes a stopping train*

semifinal [semifi'nal] *f* semifinal

semilla [se'miʎa] *f* seed

sémola ['semola] *f* semolina

Senado [se'naðo] *m* ● **el Senado** the Senate

senador, ra [sena'ðor, ra] *m,f* senator

sencillo, lla [sen'θiʎo, ʎa] *adj* **1.** simple **2.** *(espontáneo)* unaffected **3.** *(Amér) (monedas)* small change

sendero [sen'dero] *m* track

seno ['seno] *m* **1.** *(pecho)* breast **2.** *(interior)* heart

sensación [sensa'θjon] *f* **1.** sensation **2.** *(premonición)* feeling

sensacional [sensaθjo'nal] *adj* sensational

sensacionalismo [sensaθjona'lizmo] *m* sensationalism

sensacionalista [sensaθjona'lista] *adj* sensationalist

sensato, ta [sen'sato, ta] *adj* sensible

sensibilidad [sensiβili'ðað] *f* **1.** *(don)* feel **2.** *(sentimentalismo, de aparato)* sensitivity **3.** *(de los sentidos)* feeling

sensible [sen'siβle] *adj* sensitive

sensual [sen'sual] *adj* sensual

sentado, da [sen'taðo, ða] *adj (persona)* sensible ● **dar por sentado** to take for granted

sentar [sen'tar] ◇ *vt (basar)* to base ◇ *vi* ● **sentar bien/mal a alguien** *(comida, bebida)* to agree/disagree with sb; *(ropa, zapatos, joyas)* to suit/not to suit sb; *(dicho, hecho, broma)* to go down well/badly with sb ● **sentarse** *vp* to sit (down)

sentencia [sen'tenθja] *f* **1.** *(de juez, tribunal)* sentence **2.** *(frase corta)* saying

sentenciar [senten'θjar] *vt* to sentence

sentido [sen'tiðo] *m* **1.** sense **2.** *(dirección)* direction **3.** *(conocimiento)* consciousness ● **sentido común** common sense

sentimental [sentimen'tal] *adj* sentimental

sentimiento [senti'mjento] *m* feeling ● **le acompaño en el sentimiento** my deepest sympathy

sentir [sen'tir] ◇ *m* feeling ◇ *vt* **1.** to feel **2.** *(lamentar)* to be sorry about, to

regret ● **lo siento** I'm sorry ◆ **sentirse** *vp* to feel ● **sentirse bien/mal** *(de salud)* to feel well/ill; *(de ánimo)* to feel good/bad

seña ['seɲa] *f* **1.** *(gesto)* sign **2.** *(marca)* mark ◆ **señas** *fpl (domicilio)* address *sg* ● **señas personales** description *sg*

señal [se'ɲal] *f* **1.** sign **2.** *(aviso, orden)* signal **3.** *(fianza)* deposit **4.** *(cicatriz)* mark **5.** *(de teléfono)* tone ● **señal de tráfico** road sign

señalado, da [seɲa'laðo, ða] *adj* **1.** *(fecha, día)* special **2.** *(persona)* distinguished

señalar [seɲa'lar] *vt* **1.** *(poner marca, herir)* to mark **2.** *(con la mano, dedo)* to point out **3.** *(lugar, precio, fecha)* to fix **4.** *(nombrar)* to pick **5.** *(ser indicio de)* to indicate

señor, ra [se'ɲor, ra] ◇ *adj (gran)* big ◇ *m* **1.** *(hombre)* man **2.** *(antes de nombre)* Mr **3.** *(al dirigir la palabra)* Sir **4.** *(dueño)* owner **5.** *(caballero)* gentleman ● **muy señor mío** Dear Sir

señora [se'ɲora] *f* **1.** *(mujer, dama)* lady **2.** *(antes de nombre)* Mrs **3.** *(al dirigir la palabra)* Madam *(UK)*, Ma'am *(US)* **4.** *(esposa)* wife **5.** *(dueña)* owner ● **muy señora mía** Dear Madam

señorita [seɲo'rita] *f* **1.** *(maestra)* teacher **2.** *(mujer joven)* young woman **3.** *(mujer soltera)* Miss

señorito, ta [seɲo'rito, ta] ◇ *adj (despec)* lordly ◇ *m* master

separación [separa'θjon] *f* **1.** separation **2.** *(espacio, distancia)* space

separado, da [sepa'raðo, ða] *adj (persona, matrimonio)* separated

separar [sepa'rar] *vt* **1.** to separate **2.** *(silla, etc)* to move away **3.** *(reservar)* to put aside ◆ **separarse** *vp* **1.** *(persona)* to leave **2.** *(pareja)* to separate

sepia ['sepja] *f* cuttlefish ● **sepia a la plancha** grilled cuttlefish

septentrional [septentrjo'nal] *adj* northern

septiembre [sep'tjembre] *m* = setiembre

séptimo, ma ['septimo, ma] *núm* seventh ◆ sexto

sepulcro [se'pulkro] *m* tomb

sequía [se'kia] *f* drought

ser ['ser]
◇ *m* being
◇ *v aux (forma la voz pasiva)* to be
◇ *v cop* **1.** *(descripción)* to be **2.** *(empleo, dedicación)* to be **3.** ● **ser de** *(materia)* to be made of; *(origen)* to be from; *(posesión)* to belong to; *(pertenencia)* to be a member of
◇ *vi* **1.** *(suceder, ocurrir)* to be **2.** *(haber, existir)* to be **3.** *(valer)* to be **4.** *(día, fecha, hora)* to be **5.** *(en locuciones)* ● **a no ser que** unless ● **como sea** somehow or other ● **o sea** I mean
◇ *vi (expresión de tiempo)* to be ● **ser humano** human being ● **el atracador fue visto** the robber was seen ● **mi abrigo es lila** my coat is lilac ● **este señor es alto/gracioso** this man is tall/funny ● **ser como** to be like ● **su mujer es abogada** his wife is a lawyer ● **la final fue ayer** the final was yesterday ● **¿cuánto es?** - son cinco euros how much is it? - five euros, please ● **hoy es martes** it's Tuesday today ● **¿qué hora es?** what time is it? ● **son las tres (de la tarde)** it's three o'clock (in the afternoon) ● **es de día/de noche** it's daytime/night ● **es muy tarde** it is very late

◆ **ser para** *v + prep (servir para, adecuarse a)* to be for

serenar [sere'nar] *vt* to calm ◆ **serenarse** *vp* **1.** *(persona, ánimo)* to calm down **2.** *(mar)* to become calm **3.** *(tiempo)* to clear up

serenidad [sereni'ðað] *f* calm

sereno, na [se'reno, na] *adj* **1.** calm **2.** *(tiempo)* fine

serie ['serje] *f* **1.** series **2.** *(en deportes)* heat

seriedad [serje'ðað] *f* **1.** seriousness **2.** *(formalidad)* responsible nature

serio, ria ['serjo, rja] *adj* **1.** serious **2.** *(responsable)* responsible **3.** *(sin adornos)* sober ● **en serio** seriously ● **ir en serio** to be serious ● **tomar en serio** to take seriously

sermón [ser'mon] *m* sermon

serpentina [serpen'tina] *f* streamer

serpiente [ser'pjente] *f* snake

serrar [se'rar] *vt* to sow

serrín [se'rin] *m* sawdust

serrucho [se'rutʃo] *m* handsaw

servicio [ser'βiθjo] *m* **1.** service **2.** *(retrete)* toilet *(UK)*, bathroom *(US)* ● **estar de servicio** to be on duty ● **servicio militar** military service ● **servicio público** public service ● **servicio de revelado rápido** ≃ developing in one hour ● **servicio urgente** express service ● **servicios mínimos** skeleton services *pl* ◆ **servicios** *mpl (baño)* toilets

(UK), restrooms (US)

servidumbre [serβi'ðumbre] f 1. (criados) servants pl 2. (dependencia) servitude

servilleta [serβi'ʎeta] f serviette (UK), napkin (US)

servir [ser'βir] ◇ vt 1. (bebida, comida) to serve 2. (mercancía) to supply 3. (ayudar) to help ◇ vi 1. to serve 2. (ser útil) to be useful • **no sirven** (ropa, zapatos) they're no good • **servir de algo** to serve as sthg • **¿en qué le puedo servir?** what can I do for you? • **servirse** vp (bebida, comida) to help o.s. to ▼ **sírvase usted mismo** please help yourself • **servirse de** v + prep to make use of

sesenta [se'senta] núm sixty ➤ **seis**

sesión [se'sjon] f 1. session 2. (de cine) showing 3. (de teatro) performance • **sesión continua** continuous showing • **sesión golfa** late-night showing • **sesión matinal** matinée • **sesión de noche** evening showing • **sesión de tarde** afternoon matinée

sesos ['sesos] mpl brains

seta ['seta] f mushroom • **setas al ajillo** garlic mushrooms • **setas con gambas** mushrooms filled with prawns and egg

setecientos, tas [sete'θjentos, tas] núm seven hundred ➤ **seis**

setenta [se'tenta] núm seventy ➤ **seis**

setiembre [se'tjembre] m September • **a principios/mediados/finales de setiembre** at the beginning/in the middle/at the end of September • **el nueve de setiembre** the ninth of September • **el pasado/próximo (mes de) setiembre** last/next September • **en setiembre** in September • **este (mes de) setiembre** (pasado) last September; (próximo) this (coming) September • **para setiembre** by September

seto ['seto] m hedge

severidad [seβeri'ðað] f severity

severo, ra [se'βero, ra] adj 1. severe 2. (estricto) strict

Sevilla [se'βiʎa] s Seville

sevillanas [seβi'ʎanas] fpl 1. (baile) dance from Andalusia 2. (música) music of the sevillanas

sexismo [sek'sizmo] m sexism

sexista [sek'sista] mf sexist

sexo ['sekso] m 1. sex 2. (órganos sexuales) genitals pl

sexto, ta ['seksto, ta] ◇ adj sixth ◇ m,f • **el sexto, la sexta** (persona, cosa) the sixth; (piso, planta) the sixth floor • **llegar el sexto** to come sixth • **capítulo sexto** chapter six • **el sexto día** the sixth day • **en sexto lugar, en sexta posición** in sixth place • **la sexta parte** a sixth

sexual [sek'swal] adj sexual

sexualidad [seksuali'ðað] f sexuality

shorts ['tʃorts] mpl shorts

show ['tʃow] m show

si [si] conj if

sí ['si, 'sies] (pl **síes**) ◇ adv yes ◇ pron 1. (de personas) himself (f herself), themselves pl 2. (usted) yourself, yourselves pl 3. (de cosas, animales) itself, themselves pl 4. (impersonal) oneself ◇ m consent • **creo que sí** I think so • **creo**

que no I don't think so

sida ['siða] *m* AIDS

sidecar [siðe'kar] *m* sidecar

sidra ['siðra] *f* cider

siega ['sieɣa] *f* **1.** *(acción)* harvesting **2.** *(temporada)* harvest

siembra ['siembra] *f* **1.** *(acción)* sowing **2.** *(temporada)* sowing time

siempre ['siempre] *adv* **1.** always **2.** *(Amér) (con toda seguridad)* definitely ● **desde siempre** always

sien [sien] *f* temple

sierra ['siera] *f* **1.** *(herramienta)* saw **2.** *(de montañas)* mountain range

siesta ['siesta] *f* afternoon nap ● **echar una siesta** to have an afternoon nap

siete ['siete] ◇ *núm* seven ➤ **seis** ◇ *f* ● **¡la gran siete!** *(Amér) (fam)* Jesus!

sifón [si'fon] *m* **1.** *(botella)* siphon **2.** *(agua con gas)* soda water

siglas ['siɣlas] *fpl* acronym *sg*

siglo ['siɣlo] *m* **1.** century **2.** *(fam) (periodo muy largo)* ages *pl*

El siglo de oro

This term refers to Spain's Golden Age in the 16th and 17th centuries when the country was Europe's foremost political and economic power thanks to the discovery of the Americas. Some of Spain's greatest literature was written during this period, including the works of authors such as Quevedo, Lope de Vega and Calderón de la Barca.

significado [siɣnifi'kaðo] *m* meaning

significar [siɣnifi'kar] *vt* to mean

significativo, va [siɣnifika'tiβo, βa] *adj* significant

signo ['siɣno] *m* sign ● **signo de admiración** exclamation mark ● **signo de interrogación** question mark

siguiente [si'ɣiente] ◇ *adj* **1.** *(en el tiempo, espacio)* next **2.** *(a continuación)* following ◇ *mf* ● **el/la siguiente** the next one

sílaba ['silaβa] *f* syllable

silbar [sil'βar] ◇ *vi* to whistle ◇ *vt* *(abuchear)* to boo

silbato [sil'βato] *m* whistle

silbido [sil'βiðo] *m* whistle

silenciador [silenθia'ðor] *m* silencer

silencio [si'lenθio] *m* silence

silenciosamente [silen,θiosa'mente] *adv* silently

silencioso, sa [silen'θioso, sa] *adj* silent, quiet

silicona [sili'kona] *f* silicone

silla ['siʎa] *f* chair ● **silla de montar** saddle ● **silla de ruedas** wheelchair

sillín [si'ʎin] *m* saddle

sillón [si'ʎon] *m* armchair

silueta [si'lueta] *f* **1.** figure **2.** *(contorno)* outline

silvestre [sil'βestre] *adj* wild

símbolo ['simbolo] *m* symbol

simétrico, ca [si'metriko, ka] *adj* symmetrical

similar [simi'lar] *adj* similar

similitud [simili'tuð] *f* similarity

simpatía [simpa'tia] *f* **1.** *(cariño)* affection **2.** *(cordialidad)* friendliness

simpático, ca [sim'patiko, ka] *adj* **1.** *(amable)* nice **2.** *(amigable)* friendly

simpatizante [simpati'θante] *mf* sympathizer

simpatizar [simpati'θaɾ] *vi* ● **simpatizar (con)** *(persona)* to get on/along (with); *(cosa)* to sympathize (with)

simple ['simple] ◇ *adj* **1.** simple **2.** *(sin importancia)* mere

simplicidad [simpliθi'ðað] *f* **1.** *(sencillez)* simplicity **2.** *(ingenuidad)* simpleness

simular [simu'laɾ] *vt* to feign

simultáneo, a [simul'taneo, a] *adj* simultaneous

sin [sin] *prep* without ● **está sin hacer** it hasn't been done before ● **estamos sin vino** we're out of wine ● **sin embargo** however

sinagoga [sina'ɣoɣa] *f* synagogue

sinceridad [sinθeri'ðað] *f* sincerity

sincero, ra [sin'θeɾo, ra] *adj* sincere

sincronizar [sinkɾoni'θaɾ] *vt* to synchronize

sindicato [sindi'kato] *m* (trade) union

sinfonía [sinfo'nia] *f* symphony

sinfónico, ca [sin'foniko, ka] *adj* symphonic

singular [singu'laɾ] ◇ *adj* **1.** *(único)* unique **2.** *(extraordinario)* strange **3.** *(en gramática)* singular ◇ *m* singular

siniestro, tra [si'njestro, tra] ◇ *adj* sinister ◇ *m* **1.** *(accidente, desgracia)* disaster **2.** *(de coche, avión)* crash

sinnúmero [sin'numeɾo] *m* ● **un sinnúmero de** countless

sino [sino] *conj* **1.** *(para contraponer)* but **2.** *(excepto)* except

sinónimo [si'nonimo] *m* synonym

síntesis ['sintesis] *f inv* *(resumen)* summary

sintético, ca [sin'tetiko, ka] *adj* synthetic

sintetizador [sintetiθa'ðoɾ] *m* synthesizer

síntoma ['sintoma] *m* symptom

sintonía [sinto'nia] *f* **1.** *(música, canción)* signature tune **2.** *(de televisión, radio)* tuning

sintonizar [sintoni'θaɾ] *vt* to tune in to

sinvergüenza [simbeɾ'ɣwenθa] *mf* **1.** *(descarado)* cheeky (UK) o shameless (US) person **2.** *(estafador)* scoundrel

siquiera [siki'eɾa] *adv* at least ● **ni siquiera** not even

sirena [si'ɾena] *f* **1.** *(sonido)* siren **2.** *(en mitología)* mermaid

sirviente, ta [sir'βjente, ta] *m,f* servant

sisa ['sisa] *f* **1.** *(robo)* pilfering **2.** *(de vestido)* armhole

sistema [sis'tema] *m* **1.** system **2.** *(medio, método)* method ● **por sistema** systematically

---

sistema educativo

In Spain, children begin primary school at the age of 6 after attending kindergarten for the previous 3 years. Compulsory secondary education is known as *educación secundaria obligatoria (ESO)* and lasts from the age of 12 to 16, when students choose between a broad-based academically-oriented course *(bachillerato)* and a vocational course *(formación profesional)* both of which last two years. In order to get into university you have to pass the *selectividad*, a two-day diet of exams.

sitiar [si'tjar] *vt* to besiege

sitio ['sitjo] *m* **1.** (*lugar*) place **2.** (*espacio*) space, room **3.** (*de ciudad, pueblo*) siege **4.** (*Amér*) (*de taxis*) rank (*UK*), stand (*US*) ● **en otro sitio** somewhere else ● **hacer sitio** to make room

situación [situa'θjon] *f* **1.** (*estado, condición, localización*) position **2.** (*circunstancias*) situation

situar [situ'ar] *vt* **1.** (*colocar*) to put **2.** (*localizar*) to locate ◆ **situarse** *vp* (*establecerse*) to get established

skin head [es'kin'xeð] *mf* skinhead

SL ['ese'ele] *f* (*abr de* sociedad limitada) ≃ Ltd (*UK*) (*Limited*), ≃ Inc (*US*) (*Incorporated*)

SM (*abr de* Su Majestad) HM (*His (or Her) Majesty*)

SMS ['ese'eme'ese] (*abr de* Short Message System) *m* (*mensaje*) text message, SMS ● **enviar un SMS** to send a text message ● **enviar un SMS a alguien** to text sb

s/n *abrev* = **sin número**

sobaco [so'βako] *m* armpit

sobado, da [so'βaðo, ða] *adj* **1.** (*vestido*) shabby **2.** (*libro*) dog-eared **3.** (*chiste, broma*) old

soberbia [so'βerβja] *f* arrogance

soberbio, bia [so'βerβjo, βja] *adj* **1.** (*orgulloso*) arrogant **2.** (*magnífico*) magnificent

soborno [so'βorno] *m* bribe

sobrar [so'βrar] *vi* **1.** (*haber demasiado*) to be more than enough **2.** (*estar de más*) to be superfluous **3.** (*quedar*) to be left (over)

sobras ['soβras] *fpl* (*de comida*) leftovers

sobrasada [soβra'saða] *f* spicy Mallorcan sausage

sobre[1] [soβre] *prep* **1.** (*encima de*) on (top of) **2.** (*por encima de*) over, above **3.** (*acerca de*) about **4.** (*alrededor*) about **5.** (*en locuciones*) ● **sobre todo** above all ● **el libro estaba sobre la mesa** the book was on the table ● **el pato vuela sobre el lago** the duck is flying over the lake ● **un libro sobre el amor** a book about love ● **llegaron sobre las diez** they arrived at about ten o'clock

sobre[2] [soβre] *m* envelope

El sobre

Lo normal es no colocar ninguna puntuación separando las líneas. En cartas formales, el nombre del destinatario lleva un título delante (*Mr, Mrs, Ms, Dr, Professor*): *Ms Amanda Sutton, Dr James Parker*. El nombre de la empresa se coloca sin abreviarlo. El número del piso y de la calle va delante del nombre de la calle: *Flat 4, 23 Hereford Road*. Se suelen usar bastantes abreviaturas, como *Rd* (Road), *St* (Street), *Ave* (Avenue), *Tce* (Terrace), *Gdns* (Gardens) o *Sq* (Square). En la línea siguiente se coloca el nombre de la población, y en la que sigue el de la región o el estado. Muchas regiones británicas tienen formas abreviadas, como *N Yorks* (North Yorkshire) o *Hants* (Hampshire). El código postal se coloca después del nombre de la región o del estado: *Burke Virginia 22051 USA*

sobreático [soβre'atiko] *m* penthouse

sobrecarga [soβre'karɣa] *f* excess weight

sobredosis [soβre'ðosis] *f inv* overdose

sobrehumano, na [soβreu'mano, na] *adj* superhuman

sobremesa [soβre'mesa] *f period of time sitting around the table after lunch* ● **hacer la sobremesa** to have a chat after lunch

sobrenombre [soβre'nombre] *m* nickname

sobrepasar [soβrepa'sar] *vt* **1.** *(exceder)* to exceed **2.** *(aventajar)* to overtake

sobreponer [soβrepo'ner] *vt (poner delante)* to put first ● **sobreponerse a** *v + prep* to overcome

sobrepuesto, ta [soβre'puesto, ta] *adj* superimposed

sobresaliente [soβresa'liente] ◇ *adj* outstanding ◇ *m (nota)* excellent

sobresalir [soβresa'lir] *vi* **1.** *(en altura)* to jut out **2.** *(en importancia)* to stand out

sobresalto [soβre'salto] *m* fright

sobrevivir [soβreβi'βir] *vi* to survive

sobrevolar [soβreβo'lar] *vt* to fly over

sobrino, na [so'βrino, na] *m,f* nephew *(f* niece*)*

sobrio, bria ['soβrjo, βrja] *adj* **1.** sober **2.** *(moderado)* restrained

sociable [so'θjaβle] *adj* sociable

social [so'θjal] *adj* **1.** *(de la sociedad)* social **2.** *(de los socios)* company *(antes de s)*

socialista [soθja'lista] *mf* socialist

sociedad [soθje'ðað] *f* **1.** society **2.** *(empresa)* company

socio, cia ['soθjo, θja] *m,f* **1.** *(de club, asociación)* member **2.** *(de negocio)* partner

sociología [soθjolo'xia] *f* sociology

sociólogo, ga [so'θjoloɣo, ɣa] *m,f* sociologist

socorrer [soko'rer] *vt* to help

socorrismo [soko'rizmo] *m* **1.** *(primeros auxilios)* first aid **2.** *(en la playa)* lifesaving

socorrista [soko'rista] *mf* **1.** *(primeros auxilios)* first aid worker **2.** *(en la playa)* lifeguard

socorro [so'koro] ◇ *m* help ◇ *interj* help!

soda ['soða] *f* soda water

sofá [so'fa] *m* sofa, couch

sofisticado, da [sofisti'kaðo, ða] *adj* sophisticated

sofocante [sofo'kante] *adj* stifling

sofoco [so'foko] *m* **1.** *(ahogo)* breathlessness **2.** *(disgusto)* fit *(of anger)* **3.** *(vergüenza)* embarrassment

sofrito [so'frito] *m* tomato and onion sauce

software ['sofwar] *m* software

sol ['sol] *m* **1.** sun ● **hace sol** it's sunny ● **tomar el sol** to sunbathe

solamente [,sola'mente] *adv* only

solapa [so'lapa] *f* **1.** *(de vestido, chaqueta)* lapel **2.** *(de libro)* flap

solar [so'lar] ◇ *adj* solar ◇ *m (undeveloped)* plot

solárium [so'larjum] *m* solarium

soldado [sol'daðo] *m* soldier ● **soldado raso** private

soldador [solda'ðor, ra] *m* soldering iron

soldar [sol'dar] *vt* to weld, to solder

soleado, da [sole'aðo, ða] *adj* sunny

soledad [sole'ðað] *f* 1. *(falta de compañía)* solitude 2. *(tristeza)* loneliness

solemne [so'lemne] *adj* 1. solemn 2. *(grande)* utter

solemnidad [solemni'ðað] *f* ceremony

soler [so'ler] *vi* ● soler hacer algo to do sthg usually ● solíamos hacerlo we used to do it

solicitar [soliθi'tar] *vt* 1. *(pedir)* to request 2. *(puesto)* to apply for

solicitud [soliθi'tuð] *f* 1. *(petición)* request 2. *(de puesto)* application 3. *(impreso)* application form

solidaridad [soliðari'ðað] *f* solidarity

sólido, da ['soliðo, ða] ◇ *adj* 1. *(cimientos, casa, muro)* solid 2. *(argumento, conocimiento)* sound ◇ *m* solid

solista [so'lista] *mf* soloist

solitario, ria [soli'tarjo, rja] ◇ *adj* 1. *(sin compañía)* solitary 2. *(lugar)* lonely ◇ *m,f* loner ◇ *m* 1. *(juego)* patience 2. *(joya)* solitaire

sollozar [soλo'θar] *vi* to sob

sollozo [so'λoθo] *m* sob

solo, la ['solo, la] *adj* 1. *(sin compañía, familia)* alone 2. *(único)* single 3. *(sin añadidos)* on its own 4. *(café)* black 5. *(whisky)* neat, straight 6. *(solitario)* lonely ● a solas on one's own

sólo ['solo] *adv* only

solomillo [solo'miλo] *m* sirloin ● solomillo a la parrilla grilled sirloin steak ● solomillo de ternera veal sirloin

soltar [sol'tar] *vt* 1. *(de la mano)* to let go of 2. *(desatar)* to undo 3. *(dejar libre)* to set free 4. *(desenrollar)* to pay out 5. *(decir)* to come out with 6. *(lanzar)* to let out

soltero, ra [sol'tero, ra] ◇ *adj* single ◇ *m,f* bachelor *(f* single woman)

solterón, ona [solte'ron, ona] *m,f* old bachelor *(f* old maid)

soltura [sol'tura] *f* fluency ● con soltura fluently

solución [solu'θjon] *f* solution

solucionar [soluθjo'nar] *vt* to solve

solvente [sol'βente] *adj* solvent

sombra ['sombra] *f* 1. *(oscuridad)* shade 2. *(de un cuerpo)* shadow ● a la sombra in the shade ● el árbol da sombra the tree is shady

sombrero [som'brero] *m* hat

sombrilla [som'briλa] *f* sunshade

someter [some'ter] *vt* 1. *(dominar)* to subdue 2. *(mostrar)* to submit ● someter a alguien a algo to subject sb to sthg ● **someterse** *vp (rendirse)* to surrender

somier [so'mjer] *m (de muelles)* divan

somnífero [som'nifero] *m* sleeping pill

sonajero [sona'xero] *m* rattle

sonar [so'nar] ◇ *vi* 1. to sound 2. *(teléfono, timbre)* to ring 3. *(ser conocido)* to be familiar 4. *(letra)* to be pronounced ◇ *vt (nariz)* to blow ● suena a verdad it sounds true ● **sonarse** *vp* to blow one's nose

sonido [so'niðo] *m* sound

sonoro, ra [so'noro, ra] *adj* 1. resonant 2. *(banda)* sound *(antes de s)* 3. *(consonante, vocal)* voiced

sonreír [sonre'ir] *vi* to smile ● **sonreírse** *vp* to smile

sonriente [sonri'ente] *adj* smiling

sonrisa [son'risa] *f* smile

sonrojarse [sonro'xarse] *vp* to blush

sonso, sa ['sonso, sa] *adj* (*Amér*) (*fam*) dummy

soñar [so'ɲar] ⋄ *vi* to dream ⋄ *vt* to dream about • **soñar con** to dream of

sopa ['sopa] *f* soup • **sopa de ajo** garlic soup • **sopa de marisco** seafood bisque • **sopa de pescado** fish soup

sopera [so'pera] *f* soup tureen

soplar [so'plar] ⋄ *vi* to blow ⋄ *vt* **1.** (*polvo, migas*) to blow away **2.** (*respuesta*) to whisper

soplete [so'plete] *m* blowtorch

soplido [so'pliðo] *m* puff

soplo ['soplo] *m* **1.** (*soplido*) puff **2.** (*del corazón*) murmur **3.** (*fam*) (*chivatazo*) tip-off

soportales [sopor'tales] *mpl* arcade *sg*

soportar [sopor'tar] *vt* **1.** (*carga, peso*) to support **2.** (*persona*) to stand **3.** (*dolor, molestia*) to bear

soporte [so'porte] *m* support

soprano [so'prano] *f* soprano

sorber [sor'βer] *vt* **1.** (*beber*) to sip **2.** (*haciendo ruido*) to slurp **3.** (*absorber*) to soak up

sorbete [sor'βete] *m* sorbet • **sorbete de frambuesa** raspberry sorbet • **sorbete de limón** lemon sorbet

sordo, da ['sorðo, ða] ⋄ *adj* **1.** deaf **2.** (*ruido, sentimiento*) dull ⋄ *m,f* deaf person

sordomudo, da [sorðo'muðo, ða] *m,f* deaf-mute

soroche [so'rotʒe] *m* (*Andes*) altitude sickness

sorprendente [sorpren'dente] *adj* surprising

sorprender [sorpren'der] *vt* to surprise
• **sorprenderse** *vp* to be surprised

sorpresa [sor'presa] *f* surprise • **por sorpresa** by surprise

sorpresivo, va [sorpre'siβo, βa] *adj* (*Amér*) unexpected

sortear [sorte'ar] *vt* **1.** (*rifar*) to raffle **2.** (*evitar*) to dodge

sorteo [sor'teo] *m* **1.** (*lotería*) draw **2.** (*rifa*) raffle

sortija [sor'tixa] *f* ring

SOS [,eseo'ese] *m* (*abr de* save our souls) SOS (*save our souls*)

sosiego [so'sjeɣo] *m* peace, calm

soso, sa ['soso, sa] *adj* bland

sospechar [sospe'tʒar] *vt* to suspect •
sospechar de *v + prep* to suspect •

sospechoso, sa [sospe'tʒoso, sa] ⋄ *adj* suspicious ⋄ *m,f* suspect

sostén [sos'ten] *m* **1.** (*apoyo*) support **2.** (*prenda femenina*) bra

sostener [soste'ner] *vt* **1.** to support **2.** (*defender, afirmar*) to defend • **sostenerse** *vp* **1.** (*sujetarse*) to stay fixed **2.** (*tenerse en pie*) to stand up

sostenible *adj* **1.** (*crecimiento, desarrollo*) sustainable • **el desarrollo sostenible** sustainable development **2.** (*teoría, razonamiento*) sound

sota ['sota] *f* (*baraja*) ≃ jack

sotana [so'tana] *f* cassock

sótano ['sotano] *m* basement

squash [es'kuaʃ] *m* squash

Sr. (*abr de* señor) Mr

Sra. (*abr de* señora) Mrs

Sres. (*abr de* señores) Messrs (*Messieurs*)

Srta. *abrev* = señorita

SSMM *abrev* = Sus Majestades

Sta. (*abr de* santa) St. *(Saint)*

Sto. (*abr de* santo) St. *(Saint)*

stock [es'tok] *m* stock

stop [es'top] *m* stop sign

su [su, sus] (*pl* **sus**) *adj* **1.** (de él) his **2.** (de ella) her **3.** (de cosa, animal) its **4.** (de ellos, ellas) their **5.** (de usted, ustedes) your

suave ['sṷaβe] *adj* **1.** (agradable al tacto) soft **2.** (liso) smooth **3.** (cuesta, brisa) gentle **4.** (clima, temperatura) mild

suavidad [sṷaβi'ðað] *f* **1.** (al tacto) softness **2.** (de cuesta, brisa) gentleness **3.** (de clima, temperatura) mildness

suavizante [sṷaβi'θante] *m* conditioner

subasta [su'βasta] *f* auction

subcampeón, ona [suβkampe'on, 'ona] *m,f* runner-up

subconsciente [suβkons'θjente] *m* subconscious

subdesarrollado, da [suβðesaro'ʎaðo, ð a] *adj* underdeveloped

subdesarrollo [suβðesa'roʎo] *m* underdevelopment

subdirector, ra [suβðirek'tor, ra] *m,f* assistant manager (*f* assistant manageress)

subdirectorio [suβðirek'torjo] *m* subdirectory

súbdito, ta ['suβðito, ta] *m,f* (de país) citizen

subida [su'βiða] *f* **1.** (de precios, temperatura) increase **2.** (pendiente, cuesta) hill

subir [su'βir] ◇ *vt* **1.** (escaleras, calle, pendiente) to go up **2.** (montaña) to climb **3.** (llevar arriba) to take up **4.** (brazo, precio, volumen, persiana) to raise **5.**

(ventanilla) to close ◇ *vi* to rise ● **subir a** (piso, desván) to go up to; (montaña, torre) to go up; (coche) to get into; (avión, barco, tren, bicicleta) to get onto; (cuenta, factura) to come to ● **subir de** (categoría) to be promoted from

súbito, ta ['suβito, ta] *adj* sudden

subjetivo, va [suβxe'tiβo, βa] *adj* subjective

subjuntivo [suβxun'tiβo] *m* subjunctive

sublevar [suβle'βar] *vt* (indignar) to infuriate ◆ **sublevarse** *vp* to rebel

sublime [su'βlime] *adj* sublime

submarinismo [suβmari'nizmo] *m* scuba diving

submarinista [suβmari'nista] *mf* scuba diver

submarino [suβma'rino] *m* submarine

subrayar [suβra'jar] *vt* to underline

subsidio [suβ'siðjo] *m* benefit

subsistencia [suβsis'tenθja] *f* subsistence

subsuelo [suβ'sṷelo] *m* **1.** (terreno) subsoil **2.** (Andes & RP) (sótano) basement

subterráneo, a [suβte'raneo, a] ◇ *adj* underground ◇ *m* underground tunnel (UK), subway tunnel (US)

subtitulado, da [suβtitu'laðo, ða] *adj* with subtitles

subtítulo [suβ'titulo] *m* subtitle

suburbio [su'βurβjo] *m* poor suburb

subvención [suββen'θjon] *f* subsidy

sucedáneo [suθe'ðaneo] *m* substitute

suceder [suθe'ðer] *vi* to happen ◆ **suceder a** *v + prep* **1.** (en un cargo, trono) to succeed **2.** (venir después de) to follow

sucesión [suθe'sjon] *f* **1.** succession **2.** (descendencia) heirs *pl*

sucesivo, va [suθe'siβo, βa] *adj (consecutivo)* successive ● **en días sucesivos** over the next few days

suceso [su'θeso] *m* event

sucesor, ra [suθe'sor, ra] *m,f* **1.** *(en un cargo, trono)* successor **2.** *(heredero)* heir (*f* heiress)

suciedad [suθie'ðað] *f* **1.** *(cualidad)* dirtiness **2.** *(porquería)* dirt

sucio, cia [su'θio, θia] ◇ *adj* **1.** dirty **2.** *(al comer, trabajar)* messy ◇ *adv (en juego)* dirty

suculento, ta [suku'lento, ta] *adj* tasty

sucumbir [sukum'bir] *vi* **1.** *(rendirse)* to succumb **2.** *(morir)* to die

sucursal [sukur'sal] *f* branch

sudadera [suða'ðera] *f* sweatshirt

Sudáfrica [su'ðafrika] *s* South Africa

Sudamérica [suða'merika] *s* South America

sudamericano, na [suðameri'kano, na] *adj & m,f* South American

sudar [su'ðar] *vi* to sweat

sudeste [su'ðeste] *m* southeast

sudoeste [suðo'este] *m* southwest

sudor [su'ðor] *m* sweat

Suecia [su'eθia] *s* Sweden

sueco, ca [su'eko, ka] ◇ *adj & m* Swedish ◇ *m,f* Swede

suegro, gra [su'eɣro, ɣra] *m,f* father-in-law (*f* mother-in-law)

suela [su'ela] *f* sole

sueldo [su'eldo] *m* salary, wages *pl*

suelo [su'elo] *m* **1.** *(piso)* floor **2.** *(superficie terrestre)* ground **3.** *(terreno)* soil **4.** *(para edificar)* land ● **en el suelo** on the ground/floor

suelto, ta [su'elto, ta] ◇ *adj* **1.** loose **2.** *(separado)* separate **3.** *(calcetín, guante)* odd **4.** *(arroz)* fluffy ◇ *m (dinero)* change

sueño [su'eɲo] *m* **1.** *(acto de dormir)* sleep **2.** *(ganas de dormir)* drowsiness **3.** *(imagen mental, deseo)* dream ● **coger el sueño** to get to sleep ● **tener sueño** to be sleepy

suero [su'ero] *m (en medicina)* serum

suerte [su'erte] ◇ *f* **1.** *(azar)* chance **2.** *(fortuna, casualidad)* luck **3.** *(futuro)* fate **4.** *(en el toreo)* each of the three parts of a bullfight ◇ *interj* good luck! ● **por suerte** luckily ● **tener suerte** to be lucky

suéter [su'eter] *m* sweater

suficiente [sufi'θiente] ◇ *adj* enough ◇ *m (nota)* pass

sufragio [su'fraxio] *m* suffrage

sufrido, da [su'friðo, ða] *adj* **1.** *(persona)* uncomplaining **2.** *(color)* that does not show the dirt

sufrimiento [sufri'miento] *m* suffering

sufrir [su'frir] ◇ *vt* **1.** *(accidente, caída)* to have **2.** *(persona)* to bear ◇ *vi* to suffer ● **sufrir de** to suffer from ● **sufrir del estómago** to have a stomach complaint

sugerencia [suxe'renθia] *f* suggestion

sugerir [suxe'rir] *vt* **1.** to suggest **2.** *(evocar)* to evoke

suicidio [sui'θiðio] *m* suicide

suite [su'it] *f* suite

Suiza [su'iθa] *s* Switzerland

suizo, za [su'iθo, θa] ◇ *adj & m,f* Swiss

sujetador [suxeta'ðor] *m* bra

sujetar [suxe'tar] *vt* **1.** *(agarrar)* to hold down **2.** *(asegurar, aguantar)* to fasten ● **sujetarse** *vp (agarrarse)* to hold on

sujeto, ta [su'xeto, ta] ◇ *adj* fastened ◇ *m* **1.** subject **2.** *(despec)* *(individuo)* individual

suma ['suma] *f* **1.** *(operación)* addition **2.** *(resultado)* total **3.** *(conjunto de cosas, dinero)* sum

sumar [su'mar] *vt* to add together

sumario [su'marjo] *m* **1.** *(resumen)* summary **2.** *(de juicio)* indictment

sumergible [sumer'xiβle] *adj* waterproof

sumergirse [sumer'xirse] *vp* to plunge

suministrar [suminis'trar] *vt* to supply

suministro [sumi'nistro] *m* **1.** *(acción)* supplying **2.** *(abasto, víveres)* supply

sumiso, sa [su'miso, sa] *adj* submissive

súper ['super] ◇ *adj* *(fam)* great ◇ *m* *(fam)* supermarket ◇ *f* *(gasolina)* ≃ four-star *(UK)*, ≃ premium *(US)*

superación [supera'θjon] *f* overcoming

superar [supe'rar] *vt* **1.** *(prueba, obstáculo)* to overcome **2.** *(persona)* to beat ● **superarse** *vp* *(mejorar)* to better o.s.

superficial [superfi'θjal] *adj* superficial

superficie [super'fiθje] *f* **1.** surface **2.** *(área)* area

superfluo, flua [su'perflwo, flwa] *adj* superfluous

superior [supe'rjor] *adj* **1.** *(de arriba)* top **2.** *(excepcional)* excellent ● **superior a** *(mejor)* superior to; *(en cantidad, importancia)* greater than, superior

supermercado [supermer'kaðo] *m* supermarket

superstición [supersti'θjon] *f* superstition

supersticioso, sa [supersti'θjoso, sa] *adj* superstitious

superviviente [superβi'βjente] *mf* survivor

suplemento [suple'mento] *m* supplement

suplente [su'plente] *adj* **1.** *(médico)* locum *(UK)*, *doctor who temporarily fills in for another* **2.** *(jugador)* substitute

supletorio [suple'torjo] *m* *(teléfono)* extension

súplica ['suplika] *f* plea

suplir [su'plir] *vt* **1.** *(falta, carencia)* to compensate for **2.** *(persona)* to replace

suponer [supo'ner] *vt* **1.** *(creer)* to suppose **2.** *(representar, implicar)* to involve **3.** *(imaginar)* to imagine

suposición [suposi'θjon] *f* assumption

supositorio [suposi'torjo] *m* suppository

suprimir [supri'mir] *vt* **1.** *(proyecto, puesto)* to axe **2.** *(anular)* to abolish **3.** *(borrar)* to delete

supuesto, ta [su'pwesto, ta] ◇ *pp* > **suponer** ◇ *adj* **1.** *(presunto)* supposed **2.** *(delincuente)* alleged **3.** *(falso)* false ◇ *m* assumption ● **por supuesto** of course

sur ['sur] *m* **1.** south **2.** *(viento)* south wind

surco ['surko] *m* **1.** *(en la tierra)* furrow **2.** *(de disco)* groove **3.** *(de piel)* line

sureño, ña [su'reɲo, ɲa] *adj* southern

surf ['surf] *m* surfing

surfista [sur'fista] *mf* surfer

surgir [sur'xir] *vi* **1.** *(brotar)* to spring forth **2.** *(destacar)* to rise up **3.** *(producirse)* to arise

surtido, da [sur'tiðo, ða] ◇ *adj* assorted ◇ *m* range

surtidor [surti'ðor] *m* **1.** *(de agua)* spout

2. *(de gasolina)* pump
susceptible [susθep'tiβle] *adj (sensible)* oversensitive ● **susceptible de** liable to
suscribir [suskri'βir] *vt* **1.** *(escrito)* to sign **2.** *(opinión)* to subscribe to ◆ **suscribirse a** *v + prep* to subscribe to
suscripción [suskrip'θjon] *f* subscription
suspender [suspen'der] ◇ *vt* **1.** *(interrumpir)* to adjourn **2.** *(anular)* to postpone **3.** *(examen)* to fail **4.** *(de empleo, sueldo)* to suspend **5.** *(colgar)* to hang (up) ◇ *vi (en un examen)* to fail
suspense [sus'pense] *m* suspense
suspenso [sus'penso] *m* fail
suspirar [suspi'rar] *vi* to sigh ● **suspirar por** *v + prep* to long for
suspiro [sus'piro] *m* to sigh
sustancia [sus'tanθja] *f* **1.** substance **2.** *(esencia)* essence **3.** *(de alimento)* nutritional value
sustancial [sustan'θjal] *adj* substantial
sustantivo [sustan'tiβo] *m* noun
sustituir [substitu'ir] *vt* to replace ● **sustituir algo por** to replace sthg with
susto ['susto] *m* fright ● **¡qué susto!** what a fright!
sustracción [sustrak'θjon] *f* **1.** *(robo)* theft **2.** *(resta)* subtraction
sustraer [sustra'er] *vt* **1.** *(robar)* to steal **2.** *(restar)* to subtract
susurrar [susu'rar] *vt & vi* to whisper
suyo, ya ['sujo, ja] ◇ *adj* **1.** *(de él)* his **2.** *(de ella)* hers **3.** *(de usted, ustedes)* yours **4.** *(de ellos, de ellas)* theirs ◇ *pron* ● **el suyo, la suya** *(de él)* his; *(de ella)* hers; *(de usted, ustedes)* yours; *(de ellos, de*

ellas) theirs ● **lo suyo** his/her *etc* thing ● **un amigo suyo** a friend of his/hers *etc*

tabaco [ta'βako] *m* **1.** tobacco **2.** *(cigarrillos)* cigarettes *pl*
tábano ['taβano] *m* horsefly
tabasco ® [ta'βasko] *m* tabasco sauce
taberna [ta'βerna] *f country-style bar, usually cheap*
tabique [ta'βike] *m* partition (wall)
tabla ['taβla] *f* **1.** *(de madera)* plank **2.** *(lista, de multiplicar)* table **3.** *(de navegar, surf)* board **4.** *(en arte)* panel ● **tablas** *fpl* **1.** *(en juego)* stalemate *sg* **2.** *(escenario)* stage *sg*
tablao [ta'βlao] *m* ● **tablao flamenco** flamenco show
tablero [ta'βlero] *m* board
tableta [ta'βleta] *f* **1.** *(de chocolate)* bar **2.** *(medicamento)* tablet
tablón [ta'βlon] *m* plank ● **tablón de anuncios** notice (*UK*) o bulletin (*US*) board
tabú [ta'βu] *m* taboo
taburete [taβu'rete] *m* stool
tacaño, ña [ta'kaɲo, ɲa] *adj* mean
tachar [ta'tʃar] *vt* to cross out
tacho ['tatʃo] *m* (*CSur*) bin (*UK*), trash can (*US*)
tácito, ta ['taθito, ta] *adj (acuerdo, trato)* unwritten
taco ['tako] *m* **1.** *(para pared)* plug **2.** *(de*

billar) cue **3.** *(de jamón, queso)* hunk **4.** *(de papel)* wad **5.** *(fam) (palabrota)* swearword **6.** *(fam) (lío)* muddle **7.** *(CAm & Méx) (tortilla)* taco

tacón [ta'kon] *m* heel

tacto ['takto] *m* **1.** *(sentido)* sense of touch **2.** *(textura)* feel **3.** *(en el trato)* tact

taekwondo [tae'kuondo] *m* tae kwon do

Taiwán [tai'wan] *s* Taiwan

tajada [ta'xaða] *f* slice ● **agarrarse una tajada** *(fam)* to get sloshed

tal ['tal] ◇ *adj* such ◇ *pron* such a thing ● **tal cosa** such a thing ● **¿qué tal?** how are you doing? ● **tal vez** perhaps

taladradora [talaðra'ðora] *f* drill

taladrar [tala'ðrar] *vt* to drill

taladro [ta'laðro] *m* drill

talco ['talko] *m* talc

talento [ta'lento] *m* **1.** *(aptitud)* talent **2.** *(inteligencia)* intelligence

talgo ['talɣo] *m Spanish intercity high-speed train*

talla ['taʎa] *f* **1.** *(de vestido, calzado)* size **2.** *(estatura)* height **3.** *(de piedra preciosa)* cutting **4.** *(escultura)* sculpture

tallarines [taʎa'rines] *mpl* tagliatelle *sg*

taller [ta'ʎer] *m* **1.** *(de coches)* garage **2.** *(de trabajo manual)* workshop

tallo ['taʎo] *m* stem

talón [ta'lon] *m* **1.** heel **2.** *(cheque)* cheque **3.** *(resguardo)* stub

talonario [talo'narjo] *m* cheque book

tamaño [ta'maɲo] *m* size

también [tam'bjen] *adv* also ● **también dijo que...** she also said that ... ● **yo también** me too

tambor [tam'bor] *m* drum

tampoco [tam'poko] *adv* neither ● **yo tampoco** me neither ● **si a ti no te gusta a mí tampoco** if you don't like it, then neither do I

tampón [tam'pon] *m* **1.** *(sello)* stamp **2.** *(para la menstruación)* tampon

tan [tan] *adv* ➤ **tanto**

tanda ['tanda] *f* **1.** *(turno)* shift **2.** *(serie)* series

tándem ['tandem] *m* **1.** *(bicicleta)* tandem **2.** *(dúo)* duo

tanga ['tanga] *m* tanga

tango ['tango] *m* tango

tanque ['tanke] *m* **1.** *(vehículo cisterna)* tanker **2.** *(de guerra)* tank

tanto, ta ['tanto, ta] ◇ *adj* **1.** *(gran cantidad)* so much, so many *pl* **2.** *(cantidad indeterminada)* so much, so many *pl* **3.** *(en comparaciones)* ● **tanto... como** as much ... as, as many ... as *pl* ● **tiene tanta suerte como tú** she's as lucky as you ◇ *adv* **1.** *(gran cantidad)* so much **2.** *(en comparaciones)* ● **tanto... como** as much ... as ● **sabe tanto como yo** she knows as much as I do **3.** *(en locuciones)* ● **por (lo) tanto** so, therefore ● **tanto (es así) que** so much so that ◇ *pron* **1.** *(gran cantidad)* so much, so many *pl* **2.** *(igual cantidad)* as much, as many *pl* **3.** *(en locuciones)* ● **so much, so many** *pl* **4.** *(en locuciones)* ● **eran las tantas** it was very late ◇ *m* **1.** *(punto)* point **2.** *(gol)* goal **3.** *(cantidad indeterminada)* ● **un tanto** so much ● **un tanto por ciento** a percentage ● **tiene tanto dinero** he's got so much money ● **tanta gente** so many people ● **tanto ... que** so much ... that ● **tantos euros al día** so many euros a day ● **cincuenta y tantos** fifty-something, fifty-odd ● **no merece la pena disgustarse tanto** it's not worth getting so upset ● **tanto que** so much that ● **él no tiene tantos** he doesn't have so many ● **había mucha gente allí, aquí no tanta** there were a lot of people there, but not as many here ● **supongamos que vengan tantos** let's suppose so many come ● **a tantos de agosto** on such-and-such a date in August ● **marcar un tanto** to score

tanto ['tanto, ta] *m* **1.** *(punto)* point **2.** *(gol)* goal ● **un tanto** so much ● **tanto por ciento** percentage

tapa ['tapa] *f* **1.** *(de recipiente)* lid **2.** *(de libro)* cover **3.** *(de comida)* tapa **4.** *(de zapato)* heel plate ▾ **tapas variadas** selection of tapas

tapas

Tapas (or *botanas* in Latin America) are small portions of food such as olives, cold meats, seafood or omelette served in bars as an aperitif or instead of a main meal. The north of Spain and Andalusia are particularly famous for their tapas bars, where you can go from one bar to another (known as *ir de tapas*) trying out their different specialities accompanied by a small glass of red wine.

tapadera [tapa'ðera] *f* **1.** *(de recipiente)* lid **2.** *(para encubrir)* front

tapar [ta'par] *vt* **1.** *(cofre, caja, botella)* to close **2.** *(olla)* to put the lid on **3.** *(encubrir)* to cover up **4.** *(en la cama)* to tuck in **5.** *(con ropa)* to wrap up ● **taparse** *vp* **1.** *(en la cama)* to tuck o.s. in **2.** *(con ropa)* to wrap up

tapete [ta'pete] *m* runner

tapia ['tapja] *f* (stone) wall

tapicería [tapiθe'ria] *f* **1.** *(tela)* upholstery **2.** *(tienda)* upholsterer's (shop)

tapiz [ta'piθ, θes] *(pl* **-ces)** *m* tapestry

tapizado [tapi'θaðo] *m* upholstery

tapizar [tapi'θar] *vt* to upholster

tapón [ta'pon] *m* **1.** *(de botella)* stopper **2.** *(de rosca)* top **3.** *(de bañera, fregadero)* plug **4.** *(para el oído)* earplug

taquería [take'ria] *f* (Méx) taco restaurant

taquería

In Mexico, *taquerías* are cafés that serve traditional Mexican fare, especially *tacos*. Since the 1980s, taco bars have become very popular outside Mexico, particularly in Europe and the United States, although they are often a pale imitation of the real thing.

taquigrafía [takiɣra'fia] *f* shorthand

taquilla [ta'kiʎa] *f* **1.** *(de cine, teatro)* box office **2.** *(de tren)* ticket office **3.** *(armario)* locker **4.** *(recaudación)* takings *pl*

taquillero, ra [taki'ʎero, ra] ◊ *adj* who/ that pulls in the crowds ◊ *m,f* ticket clerk

tara ['tara] *f* **1.** *(defecto)* defect **2.** *(peso)* tare

tardar [tar'ðar] ◇ *vt (tiempo)* to take ◇ *vi (retrasarse)* to be late ● **el comienzo tardará aún dos horas** it doesn't start for another two hours

tarde ['tarðe] ◇ *f* 1. *(hasta las cinco)* afternoon 2. *(después de las cinco)* evening ◇ *adv* late ● **las cuatro de la tarde** four o'clock in the afternoon ● **por la tarde** in the afternoon/evening ● **buenas tardes** good afternoon/evening

tarea [ta'rea] *f* 1. *(trabajo)* task 2. *(deberes escolares)* homework

tarifa [ta'rifa] *f* 1. *(de electricidad, etc)* charge 2. *(en transportes)* fare 3. *(lista de precios)* price list ▼ **tarifas del metro** underground fares

tarima [ta'rima] *f* platform

tarjeta [tar'xeta] *f* card ● **tarjeta de crédito** credit card ● **tarjeta de débito** debit card ● **tarjeta de embarque** boarding pass ● **tarjeta postal** postcard ● **tarjeta 10 viajes** *(en metro) underground travelcard valid for ten journeys* ▼ **tarjetas admitidas** credit cards accepted

tarro ['taro] *m* jar

tarta ['tarta] *f* 1. *(plana, con base de pasta dura)* tart 2. *(plana, con base de pasta dura)* tart ● **tarta de la casa** *chef's special cake* ● **tarta de chocolate** chocolate cake ● **tarta helada** ice cream gâteau ● **tarta de Santiago** *sponge cake filled with almond paste* ● **tarta al whisky** *whisky-flavoured ice-cream gâteau*

tartamudo, da [tarta'muðo, ða] *m,f* stammerer

tasa ['tasa] *f* rate

tasca ['taska] *f* ≃ pub

tatuaje [tatu'axe] *m* tattoo

taurino, na [tau̯'rino, na] *adj* bullfighting *(antes de s)*

Tauro ['tau̯ro] *m* Taurus

tauromaquia [tau̯ro'makja] *f* bullfighting

taxi ['taksi] *m* taxi

taxímetro [tak'simetro] *m* taximeter

taxista [tak'sista] *mf* taxi driver

taza ['taθa] *f* 1. cup 2. *(de retrete)* bowl

tazón [ta'θon] *m* bowl

te [te] *pron* 1. *(complemento directo)* you 2. *(complemento indirecto)* (to) you 3. *(reflexivo)* yourself

té ['te] *m* tea

teatral [tea'tral] *adj* 1. *(de teatro)* theatre *(antes de s)* 2. *(afectado)* theatrical

teatro [te'atro] *m* theatre

tebeo ® [te'βeo] *m* (children's) comic book

techo ['tetʃo] *m* 1. *(de habitación, persona, avión)* ceiling 2. *(tejado)* roof

tecla ['tekla] *f* key

teclado [te'klaðo] *m* keyboard

teclear [tekle'ar] *vi (en ordenador)* to type

técnica ['teɣnika] *f* 1. technique 2. *(de ciencia)* technology

técnico, ca ['teɣniko, ka] *adj* technical

tecnología [teɣnolo'xia] *f* technology

tecnológico, ca [teɣno'loxiko, ka] *adj* technological

teja ['texa] *f* tile

tejado [te'xaðo] *m* roof

tejanos [te'xanos] *mpl* jeans

tejer [te'xer] *vt* 1. *(jersey, labor)* to knit 2. *(tela)* to weave

tejido [teˈxiðo] *m* **1.** *(tela)* fabric **2.** *(del cuerpo humano)* tissue

tejo [ˈtexo] *m (juego)* hopscotch

tel. *(abr de* teléfono*)* tel. *(telephone)*

tela [ˈtela] *f* **1.** *(tejido)* material, cloth **2.** *(lienzo)* canvas **3.** *(fam) (dinero)* dough

telaraña [telaˈraɲa] *f* spider's web

tele [ˈtele] *f (fam)* telly *(UK)*, TV

telearrastre [teleaˈrastre] *m* ski-tow

telebanca [teleˈbaŋka] *f* telebanking

telebasura *f* junk TV

telecabina [telekaˈβina] *f* cable-car

telecomunicación [telekomunikaˈθjon] *f* **1.** *(medio)* telecommunication **2.** *(estudios)* telecommunications

teleconferencia [telekonfeˈrenθja] *f* conference call

telediario [teleˈðjarjo] *m* television news

teledirigido, da [teleðiriˈxiðo, ða] *adj* remote-controlled

telefax [teleˈfaks] *m inv* fax

teleférico [teleˈferiko] *m* cable-car

telefonazo [telefoˈnaθo] *m (fam)* phone call

telefonear [telefoneˈar] *vt* to phone

telefónico, ca [teleˈfoniko, ka] *adj* telephone *(antes de s)*

telefonillo *m (fam)* entryphone

telefonista [telefoˈnista] *mf* telephonist

teléfono [teˈlefono] *m* telephone ◆ **teléfono móvil** mobile telephone *(UK)*, cell telephone *(US)*

telégrafo [teˈleɣrafo] *m* telegraph

telegrama [teleˈɣrama] *m* telegram ◆ **poner un telegrama** to send a telegram

telenovela [telenoˈβela] *f* television soap opera

teleobjetivo [teleoβxeˈtiβo] *m* telephoto lens

telepatía [telepaˈtia] *f* telepathy

telerrealidad *f TV* reality TV

telescopio [telesˈkopjo] *m* telescope

telesilla [teleˈsiʎa] *f* chair lift

telespectador, ra [telespektaˈðor, ra] *m, f* viewer

telesquí [telesˈki] *m* ski lift

teletaquilla *f* pay TV, pay-per-view

teletexto [teleˈteksto] *m* Teletext ®

teletienda *f* home shopping

teletipo [teleˈtipo] *m* teleprinter

televidente [teleβiˈðente] *mf* viewer

televisado, da [teleβiˈsaðo, ða] *adj* televised

televisión [teleβiˈsjon] *f* television

televisor [teleβiˈsor] *m* television (set)

télex [ˈteleks] *m inv* telex

telón [teˈlon] *m* curtain

tema [ˈtema] *m* **1.** subject **2.** *(melodía)* theme **3.** *(lección)* topic

temática [teˈmatika] *f* subject matter

temático, ca [teˈmatiko, ka] *adj* thematic

temblar [temˈblar] *vi* **1.** to tremble **2.** *(de frío)* to shiver

temblor [temˈblor] *m* **1.** *(de persona)* trembling **2.** *(de suelo)* earthquake

temer [teˈmer] *vt* to fear ● **temer por** to fear for ◆ **temerse** *vp* to fear

temor [teˈmor] *m* fear

temperamento [temperaˈmento] *m* temperament

temperatura [temperaˈtura] *f* temperature

tempestad [tempesˈtað] *f* storm

templado, da [temˈplaðo, ða] *adj* **1.**

(líquido, comida) lukewarm **2.** *(clima)* temperate

templo ['templo] *m* **1.** *(pagano)* temple **2.** *(iglesia)* church

temporada [tempo'raða] *f* **1.** *(período concreto)* season **2.** *(período indefinido)* time **3.** *(de una actividad)* period ● **de temporada** seasonal

temporal [tempo'ral] ◇ *adj* temporary ◇ *m* storm

temprano, na [tem'prano, na] *adj & adv* early

tenazas [te'naθas] *fpl* pliers

tendedero [tende'ðero] *m* clothes line

tendencia [ten'denθja] *f* tendency

tender [ten'der] *vt* **1.** *(colgar)* to hang out **2.** *(extender)* to spread **3.** *(tumbar)* to lay (out) **4.** *(cable)* to lay **5.** *(cuerda)* to stretch (out) **6.** *(entregar)* to hand **7.** ● **tender la cama** *(Amér)* to make the bed ● **tender a** *v + prep* to tend to ◆ **tenderse** *vp* to lie down

tenderete [tende'rete] *m* stall *(UK)*, stand *(US)*

tendero, ra [ten'dero, ra] *m,f* shopkeeper *(UK)*, storekeeper *(US)*

tendón [ten'don] *m* tendon

tenedor [tene'ðor] *m* fork

tener [te'ner]
◇ *vt* **1.** *(poseer, contener)* to have ● **tiene mucho dinero** she has a lot of money ● **tengo dos hijos** I have two children ● **tener un niño** *(parir)* to have a baby ● **la casa tiene cuatro habitaciones** the house has four bedrooms ● **tiene los ojos azules** she has blue eyes **2.** *(medidas, edad)* to be ● **la sala tiene cuatro metros de largo** the room is four

metres long ● **¿cuántos años tienes?** how old are you? ● **tiene diez años** he's ten (years old) **3.** *(padecer, sufrir)* to have ● **tener dolor de muelas/fiebre** to have toothache/a temperature **4.** *(sujetar, coger)* to hold ● **tiene la olla por las asas** she's holding the pot by its handles ● **¡ten!** here you are! **5.** *(sentir)* to be ● **tener frío/calor** to be cold/hot ● **tener hambre/sed** to be hungry/thirsty **6.** *(sentimiento)* ● **nos tiene cariño** he's fond of us **7.** *(mantener)* to have ● **hemos tenido una discusión** we've had an argument **8.** *(para desear)* to have ● **que tengan unas felices fiestas** have a good holiday **9.** *(deber asistir a)* to have ● **hoy tengo clase** I have to go to school today ● **el médico no tiene consulta hoy** the doctor is not seeing patients today **10.** *(valorar, considerar)* ● **tener algo/a alguien por algo** to think sthg/sb is sthg ● **ten por seguro que lloverá** you can be sure it will rain **11.** *(haber de)* ● **tengo mucho que contaros** I have a lot to tell you **12.** *(Amér)* *(llevar)* ● **tengo tres años aquí** I've been here three years

◇ *v aux* **1.** *(haber)* ● **tiene alquilada una casa en la costa** she has a rented house on the coast **2.** *(hacer estar)* ● **me tienes loca** you're driving me mad **3.** *(obligación)* ● **tener que hacer algo** to have to do sthg ● **tenemos que estar a las ocho** we have to be there at eight

teniente [te'njente] *m* lieutenant

tenis ['tenis] *m* tennis ● **jugar al tenis** to play tennis ● **tenis de mesa** table tennis, ping-pong

tenista [te'nista] *mf* tennis player

tenor [te'nor] *m* tenor

tensión [ten'sjon] *f* **1.** tension **2.** *(de la sangre)* blood pressure **3.** *(fuerza)* stress **4.** *(voltaje)* voltage

tenso, sa ['tenso, sa] *adj* **1.** *(persona)* tense **2.** *(objeto, cuerda)* taut

tentación [tenta'θjon] *f* temptation

tentáculo [ten'takulo] *m* tentacle

tentempié [tentem'pje] *m* *(bebida, comida)* snack

tenue ['tenwe] *adj* **1.** *(color, luz)* faint **2.** *(tela, cortina)* fine

teñir [te'ɲir] *vt* to dye

teología [teolo'xia] *f* theology

teoría [teo'ria] *f* theory ● **en teoría** in theory

terapeuta [tera'peuta] *mf* therapist

tercermundista [ter.θermun'dista] *adj* third-world *(antes de s)*

tercero, ra [ter'θero, ra] ◇ *núm* third ◇ *m* **1.** *(persona)* third party **2.** *(piso)* third floor ➤ **sexto**

tercio ['terθjo] *m* *(tercera parte)* third

terciopelo [terθjo'pelo] *m* velvet

terco, ca ['terko, ka] *adj* stubborn

termas ['termas] *fpl* hot baths, spa *sg*

terminado, da [termi'naðo, ða] *adj* finished

terminal [termi'nal] ◇ *adj* **1.** *(enfermo)* terminal **2.** *(estación)* final ◇ *m* terminal ◇ *f* **1.** *(de aeropuerto)* terminal **2.** *(de autobús)* terminus

terminar [termi'nar] ◇ *vt* to finish ◇ *vi* **1.** to end **2.** *(tren)* to terminate ● **terminar en** to end in ● **termina en punta** it ends in a point ● **terminar por**

hacer algo to end up doing sthg

término ['termino] *m* **1.** end **2.** *(plazo)* period **3.** *(palabra)* term **4.** *(Col, Méx & Ven)* *(de carne)* level of cooking (of meat) ● **término municipal** district ●

términos *mpl* terms

terminología [terminolo'xia] *f* terminology

termita [ter'mita] *f* termite

termo ['termo] *m* Thermos ® (flask)

termómetro [ter'mometro] *m* thermometer

termostato [termos'tato] *m* thermostat

ternera [ter'nera] *f* veal ● **ternera asada** roast veal

ternero [ter'nero, ra] *m,f* calf

terno ['terno] *m* *(Andes, RP & Ven)* suit

ternura [ter'nura] *f* tenderness

terraplén [tera'plen] *m* embankment

terrateniente [terate'njente] *mf* landowner

terraza [te'raθa] *f* **1.** *(balcón)* balcony **2.** *(techo)* terrace roof **3.** *(de bar, restaurante, cultivo)* terrace

terremoto [tere'moto] *m* earthquake

terreno [te'reno] *m* **1.** *(suelo)* land **2.** *(parcela)* plot (of land) **3.** *(fig)* *(ámbito)* field

terrestre [te'restre] *adj* terrestrial

terrible [te'riβle] *adj* **1.** *(que causa terror)* terrifying **2.** *(horrible)* terrible

territorio [teri'torjo] *m* territory

terrón [te'ron] *m* *(de azúcar)* lump

terror [te'ror] *m* terror

terrorismo [tero'rizmo] *m* terrorism

terrorista [tero'rista] *mf* terrorist

tertulia [ter'tulja] *f* **1.** *(personas)* regular meeting of people for informal discussion

of a particular issue of common interest
tesis ['tesis] *f inv* thesis
tesoro [te'soro] *m* **1.** *(botín)* treasure **2.** *(hacienda pública)* treasury
test ['tes] *m* test
testamento [testa'mento] *m* will
testarudo, da [testa'ruðo, ða] *adj* stubborn
testículo [tes'tikulo] *m* testicle
testigo [tes'tiɣo] *m* witness
testimonio [testi'monjo] *m* **1.** *(prueba)* proof **2.** *(declaración)* testimony
teta ['teta] *f (fam)* tit
tetera [te'tera] *f* teapot
tetrabrick [tetra'βrik] *m* tetrabrick
textil [teks'til] *adj* textile
texto ['teksto] *m* **1.** text **2.** *(pasaje, fragmento)* passage
textura [teks'tura] *f* texture
ti [ti] *pron* **1.** *(después de preposición)* you **2.** *(reflexivo)* yourself
tianguis ['tjaŋgis] *m inv (Amér)* (open-air) market
tibia ['tiβja] *f* shinbone
tibio, bia ['tiβjo, βja] *adj* **1.** *(cálido)* warm **2.** *(falto de calor)* lukewarm
tiburón [tiβu'ron] *m* shark
ticket ['tiket] *m* **1.** *(billete)* ticket **2.** *(recibo)* receipt
tiempo ['tjempo] *m* **1.** time **2.** *(en meteorología)* weather **3.** *(edad)* age **4.** *(en deporte)* half **5.** *(en gramática)* tense ● **a tiempo** on time ● **al mismo tiempo que** at the same time as ● **con tiempo** in good time ● **del tiempo** *(bebida)* at room temperature ● **en otros tiempos** in a different age ● **hace tiempo** a long time ago ● **hace tiempo que no te**

veo it's a long time since I saw you ● **tener tiempo** to have time ● **todo el tiempo** *(todo el rato)* all the time; *(siempre)* always ● **tiempo libre** spare time
tienda ['tjenda] *f* **1.** shop **2.** *(para acampar)* tent ● **ir de tiendas** to go shopping ● **tienda de campaña** tent ● **tienda de comestibles** grocery (shop) ● **tienda de confecciones** clothes shop
tierno, na ['tjerno, na] *adj* **1.** tender **2.** *(pan)* fresh
tierra ['tjera] *f* **1.** land **2.** *(materia)* soil **3.** *(suelo)* ground **4.** *(patria)* homeland ● **tierra adentro** inland ● **tomar tierra** to touch down ● **Tierra** *f* ● **la Tierra** the Earth
tieso, sa ['tjeso, sa] *adj* **1.** *(rígido)* stiff **2.** *(erguido)* erect **3.** *(antipático)* haughty
tiesto ['tjesto] *m* flowerpot
tigre, esa ['tiɣre, esa] *m,f* tiger *(f tigress)*
tijeras [ti'xeras] *fpl* scissors
tila ['tila] *f* lime blossom tea
tilde ['tilde] *f* **1.** *(acento)* accent **2.** *(de ñ)* tilde
timbal [tim'bal] *m* kettledrum
timbre ['timbre] *m* **1.** *(aparato)* bell **2.** *(de voz, sonido)* tone **3.** *(sello)* stamp
tímido, da ['timiðo, ða] *adj* shy
timo ['timo] *m* swindle
timón [ti'mon] *m* **1.** rudder **2.** *(Andes)* *(de carro)* steering wheel
tímpano ['timpano] *m* *(del oído)* eardrum
tina ['tina] *f* **1.** *(vasija)* pitcher **2.** *(bañera)* bathtub
tino ['tino] *m* **1.** *(juicio)* good judgment **2.** *(moderación)* moderation

tinta ['tinta] *f* ink • **en su tinta** cooked in its ink

tintero [tin'tero] *m (en pupitre)* inkwell

tinto ['tinto] *m* red wine

tintorería [tintore'ria] *f* dry cleaner's

tío, a ['tio, a] *m,f* 1. *(pariente)* uncle *(f* aunt) 2. *(fam) (compañero, amigo)* mate *(UK)*, buddy *(US)* 3. *(fam) (persona)* guy *(f* girl)

tiovivo [,tio'βiβo] *m* merry-go-round

típico, ca ['tipiko, ka] *adj* 1. typical 2. *(traje, restaurante)* traditional

tipo ['tipo] *m* 1. *(clase)* type 2. *(figura de mujer)* figure 3. *(figura de hombre)* build 4. *(fam) (individuo)* guy 5. *(modelo)* model • **tipo de cambio** exchange rate

tipografía [tipoɣra'fia] *f (arte)* printing

tira ['tira] *f* strip

tirabuzón [tiraβu'θon] *m* ringlet

tirada [ti'raða] *f* 1. *(número de ventas)* circulation 2. *(en juegos)* throw 3. *(distancia grande)* long way

tiradero [tira'ðero] *m (Amér)* dump

tirador [tira'ðor] *m (de puerta, cajón)* handle

tiranía [tira'nia] *f* tyranny

tirano, na [ti'rano, na] *m,f* tyrant

tirante [ti'rante] *adj* 1. *(estirado)* taut 2. *(relación, situación)* tense • **tirantes** *mpl* braces *(UK)*, suspenders *(US)*

tirar [ti'rar] ◇ *vt* 1. *(arrojar, lanzar)* to throw 2. *(desechar, malgastar)* to throw away 3. *(derribar)* to knock down 4. *(dejar caer)* to drop 5. *(volcar)* to knock over 6. *(derramar)* to spill 7. *(disparar)* to fire ◇ *vi* 1. *(atraer)* to be attractive 2. *(desviarse)* to head 3. *(fam) (durar)* to keep going 4. *(en juegos)* to have one's go • **tirar de** to pull • **voy tirando** I'm O.K., I suppose • **tirar** pull • **tirar a** *v + prep (parecerse a)* to take after • **tirar a gris** to be greyish • **tirarse** *vp* 1. to throw o.s. 2. *(tiempo)* to spend

tirita ® [ti'rita] *f* (sticking) plaster *(UK)*, Band-Aid ® *(US)*

tiritar [tiri'tar] *vi* to shiver

tiro ['tiro] *m* 1. shot 2. *(actividad)* shooting 3. *(herida)* gunshot wound 4. *(de chimenea)* draw 5. *(de carruaje)* team

tirón [ti'ron] *m* 1. *(estirón)* pull 2. *(robo)* bagsnatching

tisú [ti'su] *m* lamé

títere ['titere] *m* puppet • **títeres** *mpl (espectáculo)* puppet show *sg*

titular [titu'lar] ◇ *adj* official ◇ *m* headline ◇ *vt* to title • **titularse** *vp* 1. *(llamarse)* to be called 2. *(en estudios)* to graduate

título ['titulo] *m* 1. title 2. *(diploma)* qualification 3. *(licenciatura)* degree

tiza [ti'θa] *f* chalk

tlapalería [tlapale'ria] *f (Amér)* hardware shop

toalla [to'aʎa] *f* towel • **toalla de ducha** bath towel • **toalla de manos** hand towel

tobillo [to'βiʎo] *m* ankle

tobogán [toβo'ɣan] *m* 1. *(en parque de atracciones)* helter-skelter *(UK)*, slide 2. *(rampa)* slide 3. *(en piscina)* flume *(UK)*, waterslide 4. *(trineo)* toboggan

tocadiscos [toka'ðiskos] *m inv* record player

tocador [toka'ðor] *m* 1. *(mueble)* dressing table 2. *(habitación)* powder room

tocar [to'kar] ◇ *vt* **1.** to touch **2.** *(palpar)* to feel **3.** *(instrumento musical)* to play **4.** *(alarma)* to sound **5.** *(timbre, campana)* to ring **6.** *(tratar)* to touch on ◇ *vi* **1.** *(a la puerta)* to knock **2.** *(al timbre)* to ring **3.** *(estar próximo)* to border ● **te toca a ti** *(es tu turno)* it's your turn; *(es tu responsabilidad)* it's up to you ● **le tocó la mitad** he got half of it ● **le tocó el gordo** she won first prize ▼ **no tocar el género** do not touch

tocino [to'θino] *m* bacon fat ● **tocino de cielo** *dessert made of sugar and eggs*

todavía [toða'βia] *adv* still ● **todavía no** not yet

todo, da [toðo, ða] ◇ *adj* **1.** all **2.** *(cada, cualquier)* every ◇ *pron* **1.** *(para cosas)* everything, all of them *pl* **2.** *(para personas)* everybody ◇ *m* whole ● **todo el libro** all (of) the book ● **todos los lunes** every Monday ● **tenemos de todo** we've got all sorts of things ● **ante todo** first of all ● **sobre todo** above all

toga ['toɣa] *f (de abogado, juez)* gown

toldo ['toldo] *m* **1.** *(de tienda)* awning **2.** *(de playa)* sunshade

tolerado, da [tole'raðo, ða] *adj (Esp) (película, espectáculo)* ≃ PG

tolerancia [tole'ranθja] *f* tolerance

tolerante [tole'rante] *adj* tolerant

tolerar [tole'rar] *vt* **1.** to tolerate **2.** *(sufrir)* to stand

toma ['toma] *f* **1.** *(de leche)* feed **2.** *(de agua, gas)* inlet **3.** *(de luz)* socket

tomar [to'mar] *vt* **1.** to take **2.** *(contratar)* to take on **3.** *(comida, bebida, baño, ducha)* to have **4.** *(sentir)* to acquire ●

tomar a alguien por to take sb for ● **tomar algo a mal** to take sthg the wrong way ● **¿quieres tomar algo?** *(comer, beber)* do you want anything to eat/drink? ● **tomar el fresco** to get a breath of fresh air ● **tomar el sol** to sunbathe ● **tomar prestado** to borrow

tomate [to'mate] *m* tomato

tómbola ['tombola] *f* tombola

tomillo [to'miʎo] *m* thyme

tomo ['tomo] *m* volume

tonel [to'nel] *m* barrel

tonelada [tone'laða] *f* tonne

tónica ['tonika] *f (bebida)* tonic water

tónico, ca ['toniko, ka] ◇ *adj* **1.** *(vigorizante)* revitalizing **2.** *(con acento)* tonic ◇ *m (cosmético)* skin toner

tono ['tono] *m* **1.** tone **2.** *(de color)* shade

tontería [tonte'ria] *f* **1.** *(cualidad)* stupidity **2.** *(indiscreción)* stupid thing **3.** *(cosa sin valor)* trifle

tonto, ta ['tonto, ta] *adj* **1.** stupid **2.** *(ingenuo)* innocent

tope ['tope] *m* **1.** *(punto máximo)* limit **2.** *(pieza)* block

tópico, ca ['topiko, ka] ◇ *adj (medicamento)* topical ◇ *m* **1.** *(tema recurrente)* recurring theme **2.** *(frase muy repetida)* cliché

topo ['topo] *m* mole

tórax ['toraks] *m inv* thorax

torbellino [torβe'ʎino] *m* **1.** *(de viento)* whirlwind **2.** *(de sucesos, preguntas, etc)* spate

torcer [tor'θer] ◇ *vt* **1.** *(retorcer)* to twist **2.** *(doblar)* to bend **3.** *(girar)* to turn **4.** *(inclinar)* to tilt ◇ *vi* to turn ● **torcerse** *vp* **1.** *(fracasar)* to go wrong **2.** *(no* *to*

cumplirse) to be frustrated ● **torcerse el brazo** to twist one's arm ● **torcerse el tobillo** to sprain one's ankle

torcido, da [tor'θiðo, ða] *adj* **1.** *(retorcido)* twisted **2.** *(doblado)* bent **3.** *(inclinado)* crooked

tordo ['torðo] *m* thrush

torear [tore'ar] ◇ *vt* **1.** *(toro, vaquilla)* to fight **2.** *(fig) (evitar)* to dodge **3.** *(fig) (burlarse de)* to mess about ◇ *vi* to fight bulls

torera [to'rera] *f* bolero (jacket)

torero, ra [to'rero, ra] *m,f* bullfighter

tormenta [tor'menta] *f* storm

tormentoso, sa [tormen'toso, sa] *adj* stormy

torneo [tor'neo] *m* tournament

tornillo [tor'niʎo] *m* screw

torniquete [torni'kete] *m (para hemorragia)* tourniquet

toro ['toro] *m* bull ● **toros** *mpl* **1.** *(corrida)* bullfight *sg* **2.** *(fiesta)* bullfighting *sg*

Los toros

Bullfighting remains popular in Spain and Latin America, although it is becoming increasingly controversial. Bullfights begin with the participants parading across the bullring in traditional costume. The fight has three parts: first of all, the mounted *picador* goads the bull with a lance; then the *banderillero* sticks barbed darts into it; finally, the *matador* performs a series of passes with his cape before killing the bull with his sword. A bullfighter who has performed well receives the ears and tail of the bull.

torpe ['torpe] *adj* **1.** *(poco ágil)* clumsy **2.** *(poco inteligente, lento)* slow

torpedo [tor'peðo] *m* torpedo

torpeza [tor'peθa] *f* **1.** *(falta de agilidad)* clumsiness **2.** *(falta de inteligencia, lentitud)* slowness

torre ['tore] *f* **1.** tower **2.** *(de oficinas, etc)* tower block *(UK)*, high-rise *(US)* **3.** *(en ajedrez)* castle, rook

torrente [to'rente] *m* torrent

torrija [to'rixa] *f* French toast

torta ['torta] *f* **1.** *(fam) (bofetada)* thump **2.** *(fam) (accidente)* bump **3.** *(Amér) (de verduras, de carne)* pie **4.** *(CSur & Ven) (dulce)* cake **5.** *(Méx) (de pan)* sandwich **6.** ● **ni torta** *(fam)* not a thing

tortazo [tor'taθo] *m* **1.** *(fam) (bofetada)* thump **2.** *(golpe fuerte)* bump

tortilla [tor'tiʎa] *f* **1.** omelette **2.** *(Méx) (de harina)* tortilla ● **tortilla de atún** tuna omelette ● **tortilla de champiñón** mushroom omelette ● **tortilla (a la) francesa** plain omelette ● **tortilla de gambas** prawn omelette ● **tortilla de jamón** ham omelette ● **tortilla de patatas** Spanish omelette

tórtola ['tortola] *f* turtledove

tortuga [tor'tuɣa] *f* **1.** *(terrestre)* tortoise **2.** *(marina)* turtle

torturar [tortu'rar] *vt* to torture

tos ['tos] *f* cough

toser [to'ser] *vi* to cough

tosta ['tosta] *f* *piece of toast with a topping*

tostada [tos'taða] *f* piece of toast

tostador [tosta'ðor] *m* toaster

tostar [tos'tar] *vt* to toast ♦ **tostarse** *vp* (*broncearse*) to get brown

total [to'tal] ◇ *adj & m* total ◇ *adv* so, anyway

totalidad [totali'ðað] *f* ● **la totalidad de** all of

tóxico, ca ['toksiko, ka] *adj* poisonous

toxicomanía [toksikoma'nia] *f* drug addiction

toxicómano, na [toksi'komano, na] *m,f* drug addict

trabajador, ra [traβaxa'ðor, ra] ◇ *adj* hard-working ◇ *m,f* worker

trabajar [traβa'xar] *vt & vi* to work ● **trabajar de** to work as ● **trabajar de canguro** to babysit

trabajo [tra'βaxo] *m* 1. work 2. (*empleo*) job 3. (*esfuerzo*) effort 4. (*en el colegio*) essay ● **trabajos manuales** arts and crafts

trabalenguas [traβa'leŋgwas] *m inv* tongue-twister

traca ['traka] *f* string of firecrackers

tractor [trak'tor] *m* tractor

tradición [traði'θjon] *f* tradition

tradicional [traðiθjo'nal] *adj* traditional

tradicionalmente [traðiθjo,nal'mente] *adv* traditionally

traducción [traðuk'θjon] *f* translation

traducir [traðu'θir] *vt* to translate

traductor, ra [traðuk'tor, ra] *m,f* translator

traer [tra'er] *vt* 1. (*trasladar*) to bring; (*llevar*) to carry ● **me trajo un regalo** she brought me a present ● **¿qué traes ahí?** what have you got there? 2.

(provocar, ocasionar) to bring ● **le trajo graves consecuencias** it had serious consequences for him 3. (*contener*) to have ● **el periódico trae una gran noticia** the newspaper has an important piece of news in it 4. (*llevar puesto*) to wear

♦ **traerse** *vp* ● **se las trae** (*fam*) it's got a lot to it

traficante [trafi'kante] *mf* trafficker

traficar [trafi'kar] *vi* to traffic

tráfico ['trafiko] *m* 1. (*de vehículos*) traffic 2. (*de drogas*) trafficking

tragar [tra'ɣar] ◇ *vt* 1. (*ingerir*) to swallow 2. (*fam*) (*devorar, consumir*) to guzzle 3. (*soportar*) to put up with ◇ *vi* to swallow ● **no tragar a alguien** (*fam*) not to be able to stand sb ● **tragarse** *vp* (*fam*) to swallow

tragedia [tra'xeðja] *f* tragedy

trágico, ca ['traxiko, ka] *adj* tragic

tragicomedia [traxiko'meðja] *f* tragicomedy

trago ['traɣo] *m* 1. (*de líquido*) mouthful 2. (*fam*) (*copa*) drink 3. (*disgusto*) difficult situation

traición [trai'θjon] *f* 1. (*infidelidad*) betrayal 2. (*delito*) treason

traje ['traxe] *m* 1. (*vestido*) dress 2. (*de hombre*) suit 3. (*de chaqueta*) two-piece suit 4. (*de región, época, etc*) costume ● **traje de baño** swimsuit ● **traje (de) chaqueta** woman's two-piece suit ● **traje de luces** matador's outfit

trama ['trama] *f* 1. (*de novela, historia*) plot 2. (*maquinación*) intrigue

tramar [tra'mar] *vt* to weave

tramitar [trami'tar] *vt* 1. (*suj: autorida-*

des) to process *(document)* **2.** *(suj: solicitante)* to obtain

tramo ['tramo] *m* **1.** *(de camino, calle)* stretch **2.** *(de escalera)* flight *(of stairs)*

tramontana [tramon'tana] *f* north wind

tramoya [tra'moja] *f (en teatro)* stage machinery

tramoyista [tramo'jista] *mf* stage hand

trampa ['trampa] *f* **1.** *(para cazar)* trap **2.** *(engaño)* trick **3.** *(en juego)* cheating **4.** *(puerta)* trapdoor ● **hacer trampa** to cheat

trampolín [trampo'lin] *m* **1.** *(en piscina)* diving board **2.** *(en esquí)* ski jump **3.** *(en gimnasia)* springboard

trance ['tranθe] *m* **1.** *(momento difícil)* difficult situation **2.** *(estado hipnótico)* trance

tranquilidad [trankili'ðað] *f* **1.** *(de lugar)* peacefulness **2.** *(de carácter)* calmness **3.** *(despreocupación)* peace of mind

tranquilo, la [tran'kilo, la] *adj* **1.** *(lugar)* peaceful **2.** *(de carácter, mar, tiempo)* calm **3.** *(libre de preocupaciones)* unworried

transbordador [tranzβorða'ðor] *m* ferry

transbordar [tranzβor'ðar] *vt* to transfer

transbordo [tranz'βorðo] *m* change *(of train etc)* ● **hacer transbordo** to change

transcurrir [transku'rir] *vi* to take place

transeúnte [transe'unte] *mf* passer-by

transferencia [transfe'renθja] *f* transfer

transformación [transforma'θjon] *f* transformation

transformador [transforma'ðor] *m* transformer

transformar [transfor'mar] *vt* to transform ● **transformar algo en** to turn sthg into ● **transformarse** *vp (cambiar)* to be transformed ● **transformarse en** to be converted into

transfusión [transfu'sjon] *f* transfusion

transición [transi'θjon] *f* transition

transigir [transi'xir] *vi* **1.** *(ceder)* to compromise **2.** *(ser tolerante)* to be tolerant

transistor [transis'tor] *m* transistor

tránsito ['transito] *m (de vehículos)* traffic

translúcido, da [tranz'luθiðo, ða] *adj* translucent

transmitir [tranzmi'tir] *vt* **1.** *(difundir)* to broadcast **2.** *(comunicar)* to pass on **3.** *(contagiar)* to transmit

transparente [transpa'rente] *adj* transparent

transportar [transpor'tar] *vt* to transport

transporte [trans'porte] *m* transport *(UK)*, transportation *(US)* ● **transporte público** public transport *(UK)*, transportation *(US)*

transversal [tranzβer'sal] *adj* **1.** *(atravesado)* transverse **2.** *(perpendicular)* cross *(antes de s)*

tranvía [tram'bia] *m* tram

trapear [trape'ar] *vt (Amér)* to mop

trapecio [tra'peθjo] *m* trapeze

trapecista [trape'θista] *mf* trapeze artist

trapo ['trapo] *m* **1.** *(trozo de tela)* rag **2.** *(para limpiar)* cloth

tráquea ['trakea] *f* windpipe

tras [tras] *prep* **1.** *(detrás de)* behind **2.** *(después de)* after

trasero, ra [tra'sero, ra] ◊ *adj* back *(antes de s)* ◊ *m (fam)* backside

trasladar [trazla'ðar] *vt* **1.** *(mudar)* to move **2.** *(empleado, trabajador)* to transfer **3.** *(aplazar)* to postpone ◆ **trasladarse** *vp* **1.** *(desplazarse)* to go ◆ **2.** *(mudarse)* to move

traslado [traz'laðo] *m* **1.** *(de muebles, libros, etc)* moving **2.** *(de puesto, cargo, etc)* transfer

traspasar [traspa'sar] *vt* **1.** *(cruzar)* to cross (over) **2.** *(atravesar)* to go through **3.** *(suj: líquido)* to soak through **4.** *(negocio)* to sell (as a going concern)

traspiés [tras'pjes] *m inv* **1.** *(tropezón)* trip **2.** *(equivocación)* slip

trasplantar [trasplan'tar] *vt* to transplant

trasplante [tras'plante] *m* transplant

traste ['traste] *m (CSur) (trasero)* backside ◆ **trastes** *mpl (Andes, CAm & Méx)* things ● **lavar los traste** to do the dishes

trasto ['trasto] *m* **1.** *(objeto inútil)* piece of junk **2.** *(fig) (persona)* nuisance ◆ **trastos** *mpl (equipo)* things

tratado [tra'taðo] *m* **1.** *(acuerdo)* treaty **2.** *(escrito)* treatise

tratamiento [trata'mjento] *m* **1.** treatment **2.** *(título)* title

tratar [tra'tar] *vt* **1.** to treat **2.** *(discutir)* to discuss **3.** *(conocer)* to come into contact with ◆ **tratar de** *v + prep* **1.** *(hablar sobre)* to be about **2.** *(intentar)* to try to

tratativas [trata'tiβas] *fpl (CSur)* negotiations

trato ['trato] *m* **1.** *(de persona)* treatment **2.** *(acuerdo)* deal **3.** *(tratamiento)* dealings *pl*

trauma ['trauma] *m* trauma

través [tra'βez] ◆ **a través de** *prep* **1.** *(en espacio)* across **2.** *(en tiempo)* through

travesaño [traβe'saɲo] *m (de portería)* crossbar

travesía [traβe'sia] *f* **1.** *(calle)* cross-street **2.** *(por mar)* crossing **3.** *(por aire)* flight

travesti [tra'βesti] *m* transvestite

travieso, sa [tra'βjeso, sa] *adj* mischievous

trayecto [tra'jekto] *m* **1.** *(camino, distancia)* distance **2.** *(viaje)* journey **3.** *(ruta)* route

trayectoria [trajek'torja] *f* **1.** *(recorrido)* trajectory **2.** *(desarrollo)* path

trazado [tra'θaðo] *m* **1.** *(de carretera, canal)* course **2.** *(de edificio)* design

trazar [tra'θar] *vt* **1.** *(línea, dibujo)* to draw **2.** *(proyecto, plan)* to draw up

trazo [tra'θo] *m* **1.** line **2.** *(de escritura)* stroke

trébol ['treβol] *m* **1.** *(planta)* clover **2.** *(en naipes)* club

trece ['treθe] *núm* thirteen ➤ **seis**

tregua ['treɣua] *f* **1.** *(en conflicto)* truce **2.** *(en trabajo, estudios)* break

treinta ['treinta] *núm* thirty ➤ **seis**

tremendo, da [tre'mendo, da] *adj* **1.** *(temible)* terrible **2.** *(muy grande)* enormous **3.** *(travieso)* mischievous

tren ['tren] *m* train ● **tren de alta velocidad** high-speed train ● **tren de**

aterrizaje landing gear ● **tren de cercanías** local train ● **tren de lavado** car wash

trenza ['trenθa] *f* plait (*UK*), braid (*US*)

trepar [tre'par] *vt* to climb

tres ['tres] *núm* three ➤ **seis**

tresillo [tre'siʎo] *m* 1. (*sofá*) three-piece suite 2. (*juego*) ombre card game for *three players*

trial [tri'al] *m* trial

triangular [triaŋgu'lar] *adj* triangular

triángulo [tri'aŋgulo] *m* triangle

tribu ['triβu] *f* tribe

tribuna [tri'βuna] *f* 1. (*para orador*) rostrum 2. (*para espectadores*) stand

tribunal [triβu'nal] *m* 1. court 2. (*en examen, oposición*) board of examiners

triciclo [tri'θiklo] *m* tricycle

trigo ['triɣo] *m* wheat

trilladora [triʎa'ðora] *f* threshing machine

trillar [tri'ʎar] *vt* to thresh

trillizos, zas [tri'ʎiθos, θas] *m,f pl* triplets

trimestral [trimes'tral] *adj* 1. (*cada tres meses*) quarterly 2. (*de tres meses*) three-month

trimestre [tri'mestre] *m* 1. (*periodo*) quarter, three months *pl* 2. (*en escuela*) term (*UK*), quarter (*US*)

trinchante [trin'tʃante] *m* 1. (*cuchillo*) carving knife 2. (*tenedor*) meat fork

trineo [tri'neo] *m* sledge

trío ['trio] *m* trio

tripa ['tripa] *f* 1. (*barriga*) belly 2. (*intestino*) gut ● **tripas** *fpl* (*interior*) insides

triple ['triple] ◇ *adj* triple ◇ *m* (*en*

baloncesto) three-pointer ● **el triple de** three times as much as

trípode ['tripoðe] *m* tripod

tripulación [tripula'θion] *f* crew

tripulante [tripu'lante] *mf* crew member

triste ['triste] *adj* 1. sad 2. (*color, luz*) pale 3. (*insuficiente*) miserable

tristeza [tris'teθa] *f* sadness

triturar [tritu'rar] *vt* 1. (*desmenuzar*) to grind 2. (*mascar*) to chew

triunfal [triun'fal] *adj* triumphant

triunfar [triun'far] *vi* 1. (*vencer*) to win 2. (*tener éxito*) to succeed

triunfo [tri'unfo] *m* 1. (*victoria*) triumph 2. (*en encuentro*) victory, win

trivial [tri'βial] *adj* trivial

trizas ['triθas] *fpl* bits ● **hacer trizas** (*hacer añicos*) to smash to pieces; (*desgarrar*) to tear to shreds

trofeo [tro'feo] *m* trophy

trombón [trom'bon] *m* trombone

trompa ['trompa] *f* 1. (*de elefante*) trunk 2. (*instrumento*) horn ● **coger una trompa** (*fam*) to get sloshed

trompazo [trom'paθo] *m* bump

trompeta [trom'peta] *f* trumpet

tronar [tro'nar] *vi* ● **tronaba** it was thundering

tronco ['troŋko] *m* trunk ● **tronco de merluza** thick hake steak taken from the *back of the fish*

trono ['trono] *m* throne

tropa ['tropa] *f* 1. (*de soldados*) troops *pl* 2. (*de personas*) crowd ◆ **tropas** *fpl* troops

tropezar [trope'θar] *vi* to trip ● **tropezar con** to walk into

tropezón [trope'θon] *m* **1.** *(tropiezo)* trip **2.** *(de jamón, pan)* small chunk **3.** *(equivocación)* slip

tropical [tropi'kal] *adj* tropical

trópico ['tropiko] *m* tropic

tropiezo [tro'pjeθo] *m* **1.** *(tropezón)* trip **2.** *(dificultad)* obstacle **3.** *(equivocación)* slip

trotar [tro'tar] *vi* **1.** *(caballo)* to trot **2.** *(persona)* to dash around

trote ['trote] *m* **1.** *(de caballo)* trot **2.** *(trabajo, esfuerzo)* dashing around

trozo ['troθo] *m* piece • **a trozos** in patches • **un trozo de** a piece of

trucaje [tru'kaxe] *m* *(en cine)* trick photography

trucha ['trutʃa] *f* trout

truco ['truko] *m* **1.** *(trampa, engaño)* trick **2.** *(en cine)* special effect

trueno ['trweno] *m* **1.** *(durante tormenta)* (roll of) thunder **2.** *(de arma)* boom

trufa ['trufa] *f* truffle • **trufas heladas** frozen chocolate truffles

tu [tu] *(pl* **tus)** *adj* your

tú [tu] *pron* you • **hablar** o **tratar de tú a alguien** to address sb as tú

tuberculosis [tuβerku'losis] *f inv* tuberculosis

tubería [tuβe'ria] *f* pipe

tubo ['tuβo] *m* **1.** *(de agua, gas)* pipe **2.** *(recipiente)* tube • **tubo de escape** exhaust pipe

tuerca ['twerka] *f* nut

tuerto, ta ['twerto, ta] *adj* *(sin un ojo)* one-eyed

tul ['tul] *m* tulle

tulipán [tuli'pan] *m* tulip

tullido, da [tu'ʎiðo, ða] *adj* paralysed

tumba ['tumba] *f* grave

tumbar [tum'bar] *vt* **1.** *(derribar)* to knock down **2.** *(fam)* *(suspender)* to fail • **tumbarse** *vp* to lie down

tumbona [tum'bona] *f* **1.** *(en la playa)* deck chair **2.** *(en el jardín)* sun lounger

tumor [tu'mor] *m* tumour

tumulto [tu'multo] *m* **1.** *(disturbio)* riot **2.** *(confusión)* uproar

tuna ['tuna] *f* group of student minstrels

tuna

Tunas (also called *estudiantinas* in some parts of Latin America) are musical groups made up of students wearing the traditional dress of black capes and coloured ribbons. They wander the streets playing folk songs on traditional instruments, either for fun or to make a bit of money.

túnel ['tunel] *m* tunnel

Túnez ['tuneθ] *s* *(país)* Tunisia

túnica ['tunika] *f* tunic

tupido, da [tu'piðo, ða] *adj* thick

turbina [tur'βina] *f* turbine

turbio, bia ['turβjo, βja] *adj* **1.** *(líquido, agua)* cloudy **2.** *(asunto)* shady

turbulencia [turβu'lenθja] *f* turbulence

turco, ca ['turko, ka] ◇ *adj* Turkish ◇ *m*, *f* Turk

turismo [tu'rizmo] *m* **1.** tourism **2.** *(coche)* private car

turista [tu'rista] *mf* tourist

turistear [turiste'ar] *vi* *(Andes & Méx)* to go sightseeing

turístico, ca [tu'ristiko, ka] *adj* tourist (*antes de s*)

túrmix ® ['turmiks] *f inv* blender

turno ['turno] *m* **1.** (*momento*) turn **2.** (*en el trabajo*) shift ▼ **su turno** next customer, please

Turquía [tur'kia] *s* Turkey

turrón [tu'ron] *m* sweet eaten at Christmas, made with almonds and honey

tutear [tute'ar] *vt* to address as tú ◆ **tutearse** *vp* to address one another as tú

tuteo

Nowadays, it is much more common to use the *tu* form of address in Spain, even when talking to people you don't know. The formal *usted* is used much less frequently than in the past, and is confined to certain formal occasions or sometimes used as a mark of respect in professional situations.

tutor, ra [tu'tor, ra] *m,f* **1.** (*de bienes, menor*) guardian **2.** (*de curso*) class teacher

tuyo, ya ['tujo, ja] ◇ *adj* yours ◇ *pron* ● **el tuyo, la tuya** yours ● **lo tuyo** your thing ● **un amigo tuyo** a friend of yours

TV ['te'uβe] (*abr de* televisión) TV (*television*)

*u***U**

UCI ['uθi] *f* (*abr de* unidad de cuidados intensivos) ICU (*Intensive Care Unit*)

Ud. *abrev* = usted

Uds. *abrev* = ustedes

UE *f* (*abr de* Unión Europea) EU (*European Union*)

úlcera ['ulθera] *f* ulcer

último, ma ['ultimo, ma] *adj* **1.** last **2.** (*más reciente*) latest **3.** (*más bajo*) bottom **4.** (*más alto*) top ● **a últimos de** at the end of ● **por último** finally ● **última llamada** last call

ultramarinos [ultrama'rinos] *m inv* (*tienda*) grocer's (shop) (*UK*), grocery store (*US*)

ultravioleta [ultraβjo'leta] *adj* ultraviolet

umbral [um'bral] *m* threshold

un, una [un, 'una] ◇ *art* a, an (*antes de sonido vocálico*) ◇ *adj* ➤ **uno** ● **un hombre** a man ● **una mujer** a woman ● **un águila** an eagle

unánime [u'nanime] *adj* unanimous

UNED [u'neð] *f* Spanish open university

únicamente [ˌunika'mente] *adv* only

único, ca ['uniko, ka] *adj* **1.** (*solo*) only **2.** (*extraordinario*) unique **3.** (*precio*) single ● **lo único que quiero** all I want

unidad [uni'ðað] *f* **1.** unit **2.** (*unión, acuerdo*) unity

unido, da [u'niðo, ða] *adj* **1.** (*cariñosamente*) close **2.** (*físicamente*) joined

unifamiliar [unifami'ljar] *adj* detached

unificación [unifika'θjon] *f* unification

uniforme [uni'forme] ◇ *m* uniform ◇ *adj* even

unión [u'njon] *f* **1.** union **2.** *(coordinación, acuerdo)* unity **3.** *(cariño)* closeness

unir [u'nir] *vt* **1.** *(juntar)* to join **2.** *(mezclar)* to mix **3.** *(personas)* to unite **4.** *(comunicar)* to link ● **unirse** *vp* to join together

unisex [uni'seks] *adj inv* unisex

universal [uniβer'sal] *adj* universal

universidad [uniβersi'ðað] *f* university

universitario, ria [uniβersi'tarjo, rja] *m, f* **1.** *(estudiante)* student **2.** *(licenciado)* graduate

universo [uni'βerso] *m* universe

uno, una ['uno, na]
◇ *adj* **1.** *(indefinido)* one, some *pl* ● **un día volveré** one day I will return **2.** ● **unos coches** some cars **2.** *(para expresar cantidades)* one ● **treinta y un días** thirty-one days **3.** *(aproximadamente)* around, about ● **había unas doce personas** there were around twelve people
◇ *pron* **1.** *(indefinido)* one, some *pl* ● **coge uno** take one ● **dame unas give me some** ● **uno de ellos** one of them ● **uno ... otro** one ... another, some ... others *pl* **2.** *(fam) (referido a personas)* someone ● **ayer hablé con uno que te conoce** I spoke to someone who knows you yesterday **3.** *(yo)* one **4.** *(en locuciones)* ● **de uno en uno** one by one ● **uno a o por uno** one by one ● **más de uno** many people, seis

untar [un'tar] *vt* **1.** *(pan, tostada)* to spread **2.** *(manchar)* to smear ● **untarse** *vp* to smear o.s.

uña ['uɲa] *f* **1.** *(de persona)* nail **2.** *(de animal)* claw ● **hacerse las uñas** to do one's nails

uralita ® [ura'lita] *f corrugated material made from cement and asbestos, used for roofing*

uranio [u'ranjo] *m* uranium

urbanización [urβaniθa'θjon] *f* housing development

urbano, na [ur'βano, na] ◇ *adj* urban ◇ *m,f local police officer who deals mainly with traffic offences*

urgencia [ur'xenθja] *f* emergency ● **Urgencias** *fpl* casualty (department) *sg* (UK), emergency room *sg* (US)

urgente [ur'xente] *adj* urgent ▼ **urgente** *(en cartas)* express

urgentemente [ur,xente'mente] *adv* urgently

urinario [uri'narjo] *m* urinal

urna ['urna] *f* **1.** *(de votación)* (ballot) box **2.** *(para restos mortales)* urn **3.** *(de exposición)* glass case

urraca [u'raka] *f* magpie

urticaria [urti'karja] *f* nettle rash

Uruguay [uru'ɣwaj] *m* ● **(el) Uruguay** Uruguay

uruguayo, ya [uru'ɣwajo, ja] *adj* & *m,f* Uruguayan

usado, da [u'saðo, ða] *adj (gastado)* worn

usar [u'sar] *vt* **1.** to use **2.** *(llevar)* to wear ● **¿qué talla usa?** what size do you take?

uso ['uso] *m* **1.** use **2.** *(costumbre)* custom

usted [us'teð, ðes] (*pl* **-des**) *pron* you

usual [u'sual] *adj* usual

usuario, ria [u'suarjo, rja] *m,f* user

utensilio [uten'siljo] *m* **1.** *(herramienta)* tool **2.** *(de cocina)* utensil

útero ['utero] *m* womb

útil ['util] ⬦ *adj* useful ⬦ *m* tool

utilidad [utili'ðað] *f* **1.** *(cualidad)* usefulness **2.** *(provecho)* use

utilitario [utili'tarjo] *m* small car

utilizar [utili'θar] *vt* to use

uva ['uβa] *f* grape ⬩ **uvas de la suerte** *twelve grapes eaten for luck as midnight chimes on New Year's Eve in Spain*

UVA (*abr de* ultravioleta) UV *(ultraviolet)*

VV

vaca ['baka] *f* **1.** *(animal)* cow **2.** *(carne)* beef

vacaciones [baka'θjones] *fpl* holidays (*UK*), vacation (*US*) ⬩ **estar de vacaciones** to be on holiday ⬩ **ir de vacaciones** to go on holiday

vacante [ba'kante] *f* vacancy

vaciar [baθi'ar] *vt* **1.** to empty **2.** *(hacer hueco)* to hollow out

vacilar [baθi'lar] *vi* **1.** *(dudar)* to hesitate **2.** *(tambalearse)* to wobble

vacío, a [ba'θio, a] ⬦ *adj* empty ⬦ *m* **1.** *(espacio)* void **2.** *(hueco)* gap ⬩ **envasado al vacío** vacuum-packed

vacuna [ba'kuna] *f* vaccine

vacunación [bakuna'θjon] *f* vaccination

vacunar [baku'nar] *vt* to vaccinate

vado ['baðo] *m* **1.** *(en la calle)* lowered kerb (*UK*), entrance **2.** *(de río)* ford ▼ **vado permanente** keep clear

vagabundo, da [baɣa'βundo, da] *m,f* tramp

vagamente [,baɣa'mente] *adv* vaguely

vagina [ba'xina] *f* vagina

vago, ga ['baɣo, ɣa] *adj* **1.** *(perezoso)* lazy **2.** *(impreciso)* vague

vagón [ba'ɣon] *m* *(de pasajeros)* carriage (*UK*), car (*US*)

vagoneta [baɣo'neta] *f* cart

vaho ['bao] *m* **1.** *(vapor)* steam **2.** *(aliento)* breath ⬩ **vahos** *mpl* inhalation *sg*

vaina ['baina] *f* *(de guisantes, habas)* pod

vainilla [bai'niʎa] *f* vanilla

vajilla [ba'xiʎa] *f* dishes

vale ['bale] ⬦ *m* **1.** *(papel)* voucher **2.** (*Ven*) *(amigo)* mate (*UK*), buddy (*US*) ⬦ *interj* OK!

valentía [balen'tia] *f* bravery

valer [ba'ler] ⬦ *vt* **1.** *(costar)* to cost **2.** *(tener un valor de)* to be worth **3.** *(originar)* to earn ⬦ *vi* **1.** *(ser eficaz, servir)* to be of use **2.** *(persona)* to be good **3.** *(ser válido)* to be valid **4.** *(estar permitido)* to be allowed ⬩ **¿cuánto vale?** how much is it? ⬩ **¿vale?** OK? ⬩ **vale la pena** it's worth it ⬩ **valerse de** *v + prep* to make use of

valeriana [bale'rjana] *f* *(infusión)* valerian tea

validez [bali'ðeθ] *f* validity

válido, da ['baliðo, ða] *adj* *(documento, ley)* valid

valiente [ba'ljente] *adj* **1.** *(persona)* brave **2.** *(actitud, respuesta)* fine

valioso, sa [ba'lioso, sa] *adj* valuable

valla ['baʎa] *f* **1.** *(cercado)* fence **2.** *(muro)* barrier **3.** *(de publicidad)* billboard **4.** *(en deporte)* hurdle

valle ['baʎe] *m* valley

valor [ba'lor] *m* **1.** value **2.** *(valentía)* bravery

valoración [balora'θjon] *f* *(de precio)* valuation

valorar [balo'rar] *vt* **1.** *(tasar)* to value **2.** *(evaluar)* to evaluate

vals ['bals] *m* waltz

válvula ['balβula] *f* valve

vanguardista [bangwar'ðista] *adj* avant-garde

vanidad [bani'ðað] *f* vanity

vanidoso, sa [bani'ðoso, sa] *adj* vain

vapor [ba'por] *m* **1.** vapour **2.** *(de agua)* steam **3.** *(barco)* steamship ● **al vapor** steamed

vaporizador [baporiθa'ðor] *m* spray

vaquero, ra [ba'kero, ra] *adj* *(ropa)* denim ◆ **vaqueros** *mpl* *(pantalones)* jeans

vara ['bara] *f* **1.** *(de árbol)* stick **2.** *(de metal)* rod **3.** *(de mando)* staff

variable [ba'riaβle] *adj* changeable

variado, da [ba'riaðo, ða] *adj* **1.** *(que varía)* varied **2.** *(bombones, dulces)* assorted

variar [bari'ar] ◇ *vt* **1.** *(cambiar)* to change **2.** *(dar variedad)* to vary ◇ *vi* ● **variar de** *(cambiar)* to change; *(ser diferente)* to be different from

varicela [bari'θela] *f* chickenpox

varices [ba'riθes] *fpl* varicose veins

variedad [barje'ðað] *f* variety ◆ **variedades** *fpl* *(espectáculo)* variety *sg*

varios, rias ['barjos, rjas] *adj pl* **1.** *(algunos)* several **2.** *(diversos)* various

varón [ba'ron] *m* male

varonil [baro'nil] *adj* **1.** *(de varón)* male **2.** *(valiente, fuerte)* manly

vasallo, lla [ba'saʎo, ʎa] *m,f* subject

vasco, ca ['basko, ka] *adj, m & f* Basque

vascohablante [baskoa'βlante], **vasco-parlante** [baskopar'lante] ◇ *adj* Basque-speaking, bascophone ◇ *mf* Basque speaker

vasija [ba'sixa] *f* container *(earthenware)*

vaso ['baso] *m* **1.** glass **2.** *(de plástico)* cup

vasto, ta ['basto, ta] *adj* vast

Vaticano [bati'kano] *m* ● **El Vaticano** the Vatican

vaya ['baja] ◇ *v* ➣ **ir** ◇ *interj* well!

Vda. *abrev* = **viuda**

Vdo. *(abr de viudo)* widower

vecindad [beθin'dað] *f* **1.** *(vecindario)* community **2.** *(alrededores)* neighbourhood

vecindario [beθin'darjo] *m* community

vecino, na [be'θino, na] ◇ *adj* neighbouring ◇ *m,f* **1.** *(de una casa)* neighbour **2.** *(de barrio)* resident **3.** *(de pueblo)* inhabitant

vegetación [bexeta'θjon] *f* vegetation

vegetal [bexe'tal] ◇ *adj* **1.** *(planta)* plant *(antes de s)* **2.** *(sandwich)* salad *(antes de s)* ◇ *m* vegetable

vegetariano, na [bexeta'rjano, na] *m,f* vegetarian

vehículo [be'ikulo] *m* **1.** vehicle **2.** *(de infección)* carrier

veinte ['bejnte] *núm* twenty ➣ **seis**

vejez [be'xeθ] *f* old age

vejiga [be'xiɣa] *f* bladder

vela ['bela] *f* **1.** *(cirio)* candle **2.** *(de barco)* sail **3.** *(vigilia)* vigil ● **pasar la noche en vela** not to sleep all night

velcro ® ['belkro] *m* velcro ®

velero [be'lero] *m* **1.** *(más pequeño)* sailing boat **2.** *(más grande)* sailing ship

veleta [be'leta] *f* weather vane

vello ['beʎo] *m* down

velo ['belo] *m* **1.** *(prenda)* veil **2.** *(tela)* cover

velocidad [beloθi'ðað] *f* **1.** *(rapidez)* speed **2.** *(marcha)* gear ▼ **velocidad controlada por radar** speed cameras in operation

velódromo [be'loðromo] *m* cycle track

velomotor [belomo'tor] *m* moped

velorio [be'lorjo] *m* wake

veloz [be'loθ] *adj* fast

vena ['bena] *f* vein

venado [be'naðo] *m* *(carne)* venison

vencedor, ra [benθe'ðor, ra] *m,f* winner

vencejo [ben'θexo] *m* swift

vencer [ben'θer] ◇ *vt* **1.** *(rival, enemigo)* to beat **2.** *(dificultad, suj: sueño)* to overcome ◇ *vi* **1.** *(ganar)* to win **2.** *(plazo, garantía)* to expire **3.** *(pago)* to be due

vencido, da [ben'θiðo, ða] *adj* beaten ● **darse por vencido** to give in

vencimiento [benθi'mjento] *m* **1.** *(de plazo, garantía)* expiry (UK), expiration (US) **2.** *(de pago)* due date

venda ['benda] *f* bandage

vendaje [ben'daxe] *m* bandaging

vendar [ben'dar] *vt* to bandage

vendaval [benda'βal] *m* gale

vendedor, ra [bende'ðor, ra] *m,f* seller

vender [ben'der] *vt* to sell

vendimia [ben'dimja] *f* grape harvest

vendimiador, ra [bendimja'ðor, ra] *m,f* grape picker

vendimiar [bendi'mjar] *vt* to pick *(grapes)*

veneno [be'neno] *m* poison

venenoso, sa [bene'noso, sa] *adj* poisonous

venezolano, na [beneθo'lano, na] *adj & m,f* Venezuelan

Venezuela [bene'θwela] *s* Venezuela

venganza [ben'ganθa] *f* revenge

vengarse [ben'garse] *vp* to take revenge

venida [be'niða] *f* **1.** *(llegada)* arrival **2.** *(regreso)* return

venir [be'nir] *vi* **1.** *(presentarse)* to come ● **vino a verme** he came to see me **2.** *(llegar)* to arrive ● **vino a las doce** he arrived at twelve o'clock **3.** *(seguir en el tiempo)* to come ● **el año que viene** next year ● **ahora viene la escena más divertida** the funniest scene comes next **4.** *(suceder)* ● **le vino una desgracia inesperada** she suffered an unexpected misfortune ● **vino la guerra** the war came **5.** *(proceder)* ● **venir de** to come from **6.** *(hallarse, estar)* to be ● **el texto viene en inglés** the text is in English **7.** *(ropa, zapatos)* ● **el abrigo le viene pequeño** the coat is too small for her ● **tus zapatos no me vienen** your shoes don't fit me **8.** *(en locuciones)* ● **¿a qué viene esto?** what do you mean by that?

◆ **venirse** *vp* *(llegar)* to come back ● **venirse abajo** *(edificio, persona)* to collapse; *(proyecto)* to fall through

venta ['benta] *f* **1.** sale **2.** *(hostal)* country inn ● **venta anticipada** advance sale ● **venta al detalle** retail ▼ **venta al mayor** wholesale ▼ **venta de billetes** tickets on sale here ▼ **en venta** for sale

ventaja [ben'taxa] *f* advantage

ventana [ben'tana] *f* window

ventanilla [benta'niʎa] *f* **1.** *(de oficina, banco)* counter **2.** *(de cine, etc)* ticket office **3.** *(de coche)* window

ventilación [bentila'θjon] *f* ventilation

ventilador [bentila'ðor] *m* ventilator, fan

ventisca [ben'tiska] *f* blizzard

ventosa [ben'tosa] *f* sucker

ventoso, sa [ben'toso, sa] *adj* windy

ventrílocuo, cua [ben'trilokwo, kwa] *m,f* ventriloquist

ver [ber]

◇ *vt* **1.** *(percibir)* to see; *(mirar)* to look at; *(televisión, partido)* to watch ● **desde casa vemos el mar** we can see the sea from our house ● **he estado viendo tu trabajo** I've been looking at your work ● **ver la televisión** to watch television **2.** *(visitar, encontrar)* to see ● **fui a ver a unos amigos** I went to see some friends **3.** *(darse cuenta de, entender)* to see ● **ya veo que estás de mal humor** I see you're in a bad mood ● **ya veo lo que pretendes** now I see what you're trying to do **4.** *(investigar)* to see ● **voy a ver si han venido** I'm going to see whether they've arrived **5.** *(juzgar)* ● **yo no lo veo tan mal** I don't think it's that bad **6.** *(en locuciones)* ● **hay que ver qué lista es** you wouldn't believe how

clever she is ● **por lo visto** o **que se ve** apparently ● **ver mundo** to see the world

◇ *vi* to see ● **a ver** let's see

◆ **verse** *vp (mirarse)* to see o.s.; *(encontrarse)* to meet, to see each other ● **desde aquí se ve el mar** you can see the sea from here

veraneante [berane'ante] *mf* holidaymaker *(UK)*, vacationer *(US)*

veranear [berane'ar] *vi* to have one's summer holiday *(UK)*, to go on summer vacation *(US)*

veraneo [bera'neo] *m* summer holidays *pl (UK)* o vacation *(US)*

veraniego, ga [bera'njeɣo, ɣa] *adj* summer *(antes de s)*

verano [be'rano] *m* summer ● **en verano** in summer

veras ['βeras] ● **de veras** *adv* really

verbena [ber'βena] *f* **1.** *(fiesta)* street party *(on the eve of certain saints' days)* **2.** *(planta)* verbena

verbo ['berβo] *m* verb ● **verbo auxiliar** auxiliary verb

verdad [ber'ðað] *f* truth ● **es verdad** it's true ● **de verdad** *(en serio)* really; *(auténtico)* real

verdadero, ra [berða'ðero, ra] *adj* **1.** *(cierto, real)* real **2.** *(no falso)* true

verde ['berðe] ◇ *adj inv* **1.** green **2.** *(obsceno)* blue, dirty ◇ *m* green

verdulería [berðule'ria] *f* greengrocer's (shop)

verdulero, ra [berðu'lero, ra] *m,f* greengrocer

verdura [ber'ðura] *f* vegetables *pl*, greens *pl* ● **verdura con patatas** *starter* *of boiled potatoes and vegetables, usually cabbage and green beans*

vereda [beˈreða] *f* (*CSur & Perú*) pavement (*UK*), sidewalk (*US*)

veredicto [bereˈðikto] *m* verdict

vergonzoso, sa [berɣonˈθoso, sa] *adj* **1.** (*persona*) bashful **2.** (*acción*) shameful

vergüenza [berˈɣwenθa] *f* **1.** (*timidez*) bashfulness **2.** (*sofoco*) embarrassment **3.** (*dignidad*) pride **4.** (*pudor*) shame **5.** (*escándalo*) disgrace ● **me dio vergüenza** I was embarrassed

verificar [berifiˈkar] *vt* **1.** (*comprobar*) to check, to verify **2.** (*confirmar*) to confirm

verja [ˈberxa] *f* (*puerta*) iron gate

vermut [berˈmut] *m* vermouth

verosímil [beroˈsimil] *adj* probable

verruga [beˈrruɣa] *f* wart

versión [berˈsjon] *f* version ● **versión original subtitulada** original language version with subtitles

verso [ˈberso] *m* **1.** (*unidad*) line **2.** (*poema*) poem

vertedero [berteˈðero] *m* (*de basuras*) (rubbish) dump

verter [berˈter] *vt* **1.** (*contenido, líquido*) to pour out **2.** (*recipiente*) to empty **3.** (*derramar*) to spill

vertical [bertiˈkal] *adj* vertical

vértice [ˈbertiθe] *m* vertex, apex

vertido [berˈtiðo] *m* (*residuo*) waste

vertiente [berˈtjente] *f* slope

vértigo [ˈbertiɣo] *m* **1.** (*mareo*) dizziness **2.** (*fobia*) vertigo

vestíbulo [besˈtiβulo] *m* **1.** (*de casa*) hall **2.** (*de hotel*) foyer, lobby (*US*)

vestido [besˈtiðo] *m* **1.** (*ropa*) clothes *pl*

2. (*prenda de mujer*) dress

vestimenta [bestiˈmenta] *f* clothes *pl*

vestir [besˈtir] ◇ *vt* **1.** (*con ropa*) to dress **2.** (*llevar puesto*) to wear **3.** (*mantener*) to clothe ◇ *vi* to dress ● **vestirse** *vp* to get dressed

vestuario [besˈtwarjo] *m* **1.** (*ropa*) wardrobe **2.** (*de gimnasio, etc*) changing room (*UK*), locker room (*US*) **3.** (*de teatro*) dressing room

veterano, na [beteˈrano, na] *m,f* veterano

veterinario, ria [beteriˈnarjo, rja] *m,f* vet

vez [ˈbeθ, θes] (*pl* **-ces**) *f* **1.** time **2.** (*turno*) turn ● **a veces** sometimes ● **¿lo has hecho alguna vez?** have you ever done it? ● **cada vez más** more and more ● **de vez en cuando** from time to time ● **dos veces** twice ● **en vez de** instead of ● **muchas veces** a lot, often ● **otra vez** again ● **pocas veces** hardly ever ● **tres veces por día** three times a day ● **una vez** once ● **unas veces** sometimes

VHS [ˈuβeˈatʒeˈese] *m* VHS

vía [ˈbia] *f* **1.** (*raíl*) track (*UK*) **2.** (*andén*) platform, track (*US*) **3.** (*medio de transporte*) route **4.** (*calzada, calle*) road **5.** (*medio*) channel ● **en vías de** in the process of ● **por vía aérea/marítima** by air/sea ● **por vía oral** orally

viaducto [bjaˈðukto] *m* viaduct

viajar [bjaˈxar] *vi* to travel

viaje [ˈbjaxe] *m* **1.** (*trayecto*) journey **2.** (*excursión*) trip **3.** (*en barco*) voyage ● **ir de viaje** to go away ● **¡buen viaje!** have a good trip! ● **viaje de novios** honeymoon

viajero, ra [bia'xero, ra] *m,f* **1.** *(persona que viaja)* traveller **2.** *(pasajero)* passenger

víbora ['biβora] *f* viper

vibrar [bi'βrar] *vi* to vibrate

vicepresidente, ta [ˌbiθepresi'ðente, ta] *m,f* vicepresident

vichysoisse [bitʃi'swas] *f* vichysoisse

viciarse [bi'θjarse] *vp* to get corrupted

vicio [bi'θjo] *m* **1.** *(mala costumbre)* bad habit **2.** *(inmoralidad)* vice

vicioso, sa [bi'θjoso, sa] *adj* depraved

víctima ['biktima] *f* **1.** victim **2.** *(muerto)* casualty ● **ser víctima de** to be the victim of

victoria [bik'torja] *f* victory

vid ['bið] *f* vine

vida ['biða] *f* **1.** life **2.** *(medios de subsistencia)* living ● **de toda la vida** *(amigo, etc)* lifelong ● **buena vida** good life ● **mala vida** vice ● **vida familiar** family life

vidente [bi'ðente] *mf* clairvoyant

video ['biðeo] *m (Amér)* video

vídeo ['biðeo] *m* video

videocámara [ˌbiðeo'kamara] *f* camcorder

videocasete [ˌbiðeoka'sete] *m* video (tape)

videojuego [ˌbiðeo'xweɣo] *m* video game

videovigilancia *f* video surveillance

vidriera [bi'ðrjera] *f (de iglesia)* stained glass window

vidrio ['biðrjo] *m* glass

vieira ['bjeira] *f* scallop

viejo, ja ['bjexo, xa] ◇ *adj* old ◇ *m,f* **1.** *(anciano)* old man *(f* old woman*)* **2.** *(RP*

& *Ven) (amigo)* mate *(UK)*, buddy *(US)*

viento ['bjento] *m* wind ● **hace viento** it's windy

vientre ['bjentre] *m* stomach

viernes ['bjernes] *m inv* Friday ➤ **sábado** ● **Viernes Santo** *m* Good Friday

Vietnam [bjeð'nam] *s* Vietnam

viga ['biɣa] *f* **1.** *(de madera)* beam **2.** *(de hierro)* girder

vigencia [bi'xenθja] *f* **1.** *(de ley, documento)* validity **2.** *(de costumbre)* use

vigente [bi'xente] *adj* **1.** *(ley, documento)* in force **2.** *(costumbre)* in use

vigilante [bixi'lante] *mf* guard

vigilar [bixi'lar] *vt* **1.** *(niños, bolso)* to keep an eye on **2.** *(presos, banco)* to guard

vigor [bi'ɣor] *m* vigour ● **en vigor** in force

vigoroso, sa [biɣo'roso, sa] *adj* vigorous

vil ['bil] *adj* despicable

villancico [biʎan'θiko] *m* Christmas carol

vinagre [bi'naɣre] *m* vinegar

vinagreras [bina'ɣreras] *fpl* cruet set *sg*

vinagreta [bina'ɣreta] *f* ● **(salsa) vinagreta** vinaigrette ● **a la vinagreta** with vinaigrette

vinculación [binkula'θjon] *f* link

vincular [binku'lar] *vt* to link

vino ['bino] ◇ *v* ➤ **venir** ◇ *m* wine ● **vino blanco** white wine ● **vino de la casa** house wine ● **vino corriente** cheap wine ● **vino de mesa** table wine ● **vino de Oporto** port ● **vino rosado** rosé ● **vino tinto** red wine

viña ['bina] *f* vineyard

violación [biola'θion] *f (de persona)* rape

violador, ra [biola'ðor, ra] *m,f* rapist

violar [bio'lar] *vt* **1.** *(ley, acuerdo)* to break **2.** *(mujer)* to rape **3.** *(territorio)* to violate

violencia [bio'lenθia] *f* **1.** *(agresividad)* violence **2.** *(fuerza)* force **3.** *(incomodidad)* embarrassment

violento, ta [bio'lento, ta] *adj* **1.** violent **2.** *(incómodo)* awkward

violeta [bio'leta] *f* violet

violín [bio'lin] *m* violin

violinista [bioli'nista] *mf* violinist

violoncelo [biolon't3elo] *m* cello

VIP ['bip] *m* VIP

virgen ['birxen] *adj* **1.** *(mujer)* virgin **2.** *(cinta)* blank **3.** *(película)* new ● **Virgen** *f* ● **la Virgen** the Virgin Mary

Virgo ['birɣo] *s* Virgo

virtud [bir'tuð] *f* virtue ● **en virtud de** by virtue of

viruela [bi'ruela] *f* smallpox

virus ['birus] *m inv* virus

viruta [bi'ruta] *f* shaving ● **virutas de jamón** small flakes of serrano ham

visado [bi'saðo] *m* visa

víscera ['bisθera] *f* internal organ

viscosa [bis'kosa] *f* viscose

visera [bi'sera] *f* **1.** *(en gorra)* peak **2.** *(suelta)* visor

visible [bi'siβle] *adj* visible

visillos [bi'siʎos] *mpl* net *(UK)* o lace *(US)* curtains

visita [bi'sita] *f* **1.** visit **2.** *(persona)* visitor ● **hacer una visita a** to visit

visitante [bisi'tante] *mf* visitor

visitar [bisi'tar] *vt* to visit

vislumbrar [bizlum'brar] *vt* **1.** *(entrever)* to make out **2.** *(adivinar)* to get an idea of

víspera ['bispera] *f* eve

vista ['bista] *f* **1.** *(sentido)* sight **2.** *(ojos)* eyes *pl* **3.** *(panorama)* view **4.** *(perspicacia)* foresight **5.** *(juicio)* hearing ● **a primera vista** at first sight ● **a simple vista** at first sight ● **¡hasta la vista!** see you!

vistazo [bis'taθo] *m* glance ● **echar un vistazo a** to have a quick look at

visto, ta ['bisto, ta] ◇ *pp* ▶ **ver** ◇ *adj (pasado de moda)* old-fashioned ● **estar bien/mal visto** to be approved of/ frowned on ● **por lo visto** apparently

vistoso, sa [bis'toso, sa] *adj* eye-catching

vital [bi'tal] *adj* **1.** *(de la vida)* life *(antes de s)* **2.** *(fundamental)* vital **3.** *(con vitalidad)* lively

vitalidad [bitali'ðað] *f* vitality

vitamina [bita'mina] *f* vitamin

vitrina [bi'trina] *f* **1.** glass cabinet **2.** *(Amér) (de tienda)* (shop) window

viudo, da ['biuðo, ða] *m,f* widower *(f* widow)

viva ['biβa] *interj* hurray!

víveres ['biβeres] *mpl* supplies

vivienda [bi'βienda] *f (casa)* dwelling

vivir [bi'βir] ◇ *vi* to live ◇ *vt* to experience ● **vivir de** to live on

vivo, va ['biβo, βa] *adj* **1.** *(dolor, ingenio)* sharp **2.** *(detallado)* vivid **3.** *(ágil, enérgico)* lively **4.** *(color)* bright

vizcaíno, na [biθka'ino, na] *adj* ● **a la vizcaína** in a thick sauce of olive oil, onion, tomato, herbs and red peppers

vocabulario [bokaβu'lario] *m* vocabulary

vocación [boka'θjon] *f* vocation

vocal [bo'kal] *f* vowel

vodka ['boðka] *m* vodka

vol. (*abr de volumen*) vol. (*volume*)

volador, ra [bola'ðor, ra] *adj* flying

volante [bo'lante] ◇ *adj* flying ◇ *m* **1.** (*de coche*) steering wheel **2.** (*adorno*) frill

volar [bo'lar] ◇ *vi* **1.** to fly **2.** (*desaparecer*) to vanish ◇ *vt* to blow up

volcán [bol'kan] *m* volcano

volcánico, ca [bol'kaniko, ka] *adj* volcanic

volcar [bol'kar] ◇ *vt* **1.** (*sin querer*) to knock over **2.** (*vaciar*) to empty out ◇ *vi* **1.** (*recipiente*) to tip over **2.** (*camión, coche*) to overturn **3.** (*barco*) to capsize

voleibol [bolej'βol] *m* volleyball

voley *m* (*fam*) volleyball ● **voley-playa** beach volleyball

volquete [bol'kete] *m* dumper truck

voltaje [bol'taxe] *m* voltage

voltear [bolte'ar] *vt* **1.** (*Andes, CAm, Méx & Ven*) (*cuadro*) to turn **2.** (*Amér*) (*derramar*) to knock over ● **voltearse** *vp* (*Andes, CAm, Carib & Méx*) (*dar la vuelta*) to turn over

voltereta [bolte'reta] *f* **1.** (*en el aire*) somersault **2.** (*en el suelo*) handspring

volumen [bo'lumen] *m* volume

voluntad [bolun'taθ] *f* **1.** (*facultad, deseo*) will **2.** (*resolución*) willpower

voluntario, ria [bolun'tarjo, rja] ◇ *adj* voluntary ◇ *m,f* volunteer

voluntarioso, sa [bolunta'rjoso, sa] *adj* willing

volver [bol'βer] ◇ *vt* **1.** (*cabeza, ojos, vista*) to turn ● **volver la mirada** to look round **2.** (*lo de arriba abajo*) to turn over; (*boca abajo*) to turn upside down; (*lo de dentro fuera*) to turn inside out ● **he vuelto el abrigo** I've turned the coat inside out **3.** (*convertir*) ● **lo volvió un delincuente** it turned him into a criminal ● **me vuelve loco** it makes me mad

◇ *vi* to return ● **volver a** (*tema*) to return to ● **volver a hacer algo** to do sthg again

● **volverse** *vp* (*darse la vuelta*) to turn round; (*ir de vuelta*) to return; (*convertirse*) to become ● **volverse loco** to go mad ● **volverse atrás** (*de decisión*) to back out; (*de afirmación*) to go back on one's word

vomitar [bomi'tar] *vt* to vomit

vos ['bos] *pron* (*Andes, CAm, Carib & RP*) you

VOSE *f* (*abr de versión original subtitulada en español*) *original language version with Spanish subtitles*

vosotros, tras [bo'sotros, tras] *pron* you

votación [bota'θjon] *f* vote

votante [bo'tante] *mf* voter

votar [bo'tar] ◇ *vt* to vote for ◇ *vi* to vote

voto ['boto] *m* **1.** (*en elecciones*) vote **2.** (*en religión*) vow

voz ['boθ, θes] (*pl* **-ces**) *f* **1.** voice **2.** (*grito*) shout **3.** (*palabra*) word **4.** (*rumor*) rumour ● **en voz alta** aloud ● **en voz baja** softly

VPO (*abr de vivienda de protección oficial*) *f* cheap flat or house subsidized by the State, ≃ council house (*UK*)

vuelo ['bwelo] *m* **1.** flight **2.** (*de un vestido*) fullness ● **vuelo chárter** charter flight ● **vuelo regular** scheduled flight ▼ **vuelos nacionales** domestic flights

vuelta [ˈbu̯elta] *f* **1.** *(movimiento, de llave)* turn **2.** *(acción)* turning **3.** *(regreso)* return **4.** *(monedas)* change **5.** *(paseo)* walk **6.** *(en coche)* drive **7.** *(cambio)* twist ● **dar la vuelta a algo** *(rodear)* to go round sthg ● **dar una vuelta** to go for a walk/drive ● **dar vueltas** to spin ● **darse la vuelta** to turn round ● **estar de vuelta** to be back ● **a la vuelta** *(volviendo)* on the way back ● **a la vuelta de la esquina** round the corner ● **a vuelta de correo** by return of post ▼ **vuelta al colegio** back to school

vuelto, ta [ˈbu̯elto] ◇ *pp* ➤ **volver** ◇ *m* *(Amér)* change

vuestro, tra [ˈbu̯estro, tra] ◇ *adj* your ◇ *pron* ● **el vuestro, la vuestra** yours ● **lo vuestro** your thing ● **un amigo vuestro** a friend of yours

vulgar [bulˈɣar] *adj* **1.** *(popular)* ordinary **2.** *(no técnico)* lay **3.** *(grosero)* vulgar

walkman ® [ˈwalman] *m* Walkman ®
wáter [ˈbater] *m* toilet *(UK)*, bathroom *(US)*
waterpolo [baterˈpolo] *m* water polo
WC *m* WC
web [weβ] *f* ● **la web** the Web ● **una (página) web** a web site

webmaster [weβˈmaster] *mf* webmaster
whisky [ˈwiski] *m* whisky
windsurf [ˈwinsurf] *m* windsurfing ● **hacer windsurf** to windsurf
WWW *m* *(abr de* World Wide Web*)* WWW *(World Wide Web)*

xenofobia [senoˈfoβja] *f* xenophobia
xenófobo, ba [seˈnofoβo, βa] *adj* xenophobic
xilófono [siˈlofono] *m* xylophone

y [i] *conj* **1.** and **2.** *(pero)* and yet **3.** *(en preguntas)* what about
ya [ˈja] ◇ *adv* **1.** *(ahora, refuerza al verbo)* now **2.** *(ahora mismo)* at once **3.** *(denota pasado)* already **4.** *(denota futuro)* some time soon ◇ *interj* **1.** *(expresa asentimiento)* that's it! **2.** *(expresa comprensión)* yes! ◇ *conj* ● **ya ... ya ...** whether ... or ... ● **ya que** since
yacimiento [jaθiˈmjento] *m* deposit
yanqui [ˈjanki] *mf* *(despec)* Yank
yate [ˈjate] *m* yacht
yegua [ˈjeɣu̯a] *f* mare
yema [ˈjema] *f* **1.** *(de huevo)* yolk **2.** *(de*

dedo) fingertip **3.** *(de planta)* bud **4.** *(dulce)* sweet made of sugar and egg yolk, similar to marzipan

yen ['jen] *m* yen

yerbatero [jerβa'tero] *m (Andes)* herbalist

yerno ['jerno] *m* son-in-law

yeso ['jeso] *m* plaster

yo ['jo] *pron I* ● **soy yo** it's me ● **yo que tú/él/***etc* if I were you/him/*etc*

yodo ['joðo] *m* iodine

yoga ['joɣa] *m* yoga

yogur [jo'ɣur] *m* yoghurt

Yugoslavia [juɣoz'laβja] *s* Yugoslavia

yunque ['junke] *m* anvil

zZ

zafiro [θa'firo] *m* sapphire

zaguán [θa'ɣwan] *m* entrance hall

zambullida [θambu'ʎiða] *f* dive

zambullirse [θambu'ʎirse] *vp* to dive

zanahoria [θana'orja] *f* carrot

zancadilla [θanka'ðiʎa] *f* trip

zanco ['θanko] *m* stilt

zancudo [θan'kuðo] *m (Amér)* mosquito

zanja ['θanxa] *f* ditch

zapateado [θapate'aðo] *m* type of flamenco foot-stamping dance

zapatería [θapate'ria] *f* **1.** *(tienda)* shoe shop *(UK)* o store *(US)* **2.** *(taller)* shoemaker's (shop)

zapatero, ra [θapa'tero, ra] ◇ *m,f* cobbler ◇ *m (mueble)* shoe cupboard

zapatilla [θapa'tiʎa] *f* slipper ● **zapatilla de deporte** trainer *(UK)*, tennis shoe *(US)*

zapato [θa'pato] *m* shoe ● **zapatos de caballero/señora** men's/women's shoes

zapeo [θa'peo] *m* channel-hopping *(UK)*, channel-surfing *(US)*

zapping ['θapin] *m* channel-hopping *(UK)*, channel-surfing *(US)*

zarandear [θarande'ar] *vt* to shake

zarpar [θar'par] *vi* to set sail

zarpazo [θar'paθo] *m* clawing

zarza ['θarθa] *f* bramble

zarzuela [θar'θwela] *f* **1.** *(obra musical)* light opera **2.** *(guiso)* spicy fish stew

Zarzuela

Zarzuela is a Spanish form of light opera in which singing and dancing alternate with spoken dialogue. It dates back to the 17th century and takes its name from the Zarzuela palace where it was initially performed for the Spanish court.

zinc ['θink] *m* zinc

zíper ['θiper] *m (CAm, Carib & Méx)* zip *(UK)*, zipper *(US)*

zipizape [θipi'θape] *m (fam)* squabble

zócalo ['θokalo] *m* **1.** *(del edificio)* plinth **2.** *(de muro, pared)* skirting board *(UK)*, baseboard *(US)*

zodíaco [θo'ðiako] *m* zodiac

zona ['θona] *f* **1.** area, zone **2.** *(parte)* part ● **zona centro** city centre ▼ **zona de estacionamiento limitado y vigilado**

restricted parking ● **zona peatonal** pedestrian precinct

zona azul/zona verde

In Spain, blue lines on the road indicate an area where parking meters are in operation during certain hours. Green lines indicate parking spaces that are only free for residents. Anyone else wishing to park there pays a higher rate than for *zonas azules*, although people living within 500 to 1,000 metres get a reduced rate.

zonzo, za ['θonθo, θa] *adj (Amér)* stupid ● **hacerse el zonzo** to act dumb
zoo ['θoo] *m* zoo
zoología [θoolo'xia] *f* zoology

zoológico, ca [θoo'loxiko, ka] ◇ *adj* zoological ◇ *m* zoo
zopenco, ca [θo'penko, ka] *adj* stupid
zorra ['θora] *f (vulg) (prostituta)* whore ➤ **zorro**
zorro, rra ['θoro, ra] ◇ *m,f* fox ◇ *m (piel)* fox(fur)
zueco ['θueko] *m* clog
zumbar [θum'bar] ◇ *vt (fam)* to thump ◇ *vi* to buzz
zumbido [θum'biðo] *m* buzzing
zumo ['θumo] *m* juice ● **zumo de fruta** fruit juice ● **zumo de naranja** orange juice
zurcir [θur'θir] *vt* to darn
zurdo, da ['θurðo, ða] *adj* **1.** *(izquierdo)* left **2.** *(que usa la mano izquierda)* left-handed
zurrar [θu'rar] *vt* to hit